■ CISS

Consultas al ICAC. Comentarios y Casos Prácticos

3.ª Edición

Ángel Alonso Pérez
Raquel Pousa Soto
Emma Alonso Iglesias

. Wolters Kluwer

© **Ángel Alonso Pérez, Raquel Pousa Soto y Emma Alonso Iglesias,** 2020
© **Wolters Kluwer España, S.A.**

Wolters Kluwer
C/ Collado Mediano, 9
28231 Las Rozas (Madrid)
Tel: 902 250 500 – Fax: 902 250 502
e-mail: clientes@wolterskluwer.com
http://www.wolterskluwer.es

Tercera edición: Abril 2020
Segunda edición: Septiembre 2016
Primera edición: Enero 2013

Depósito Legal: M-10412-2020
ISBN versión impresa: 978-84-9954-564-6
ISBN versión electrónica: 978-84-9954-565-3

Diseño, Preimpresión e Impresión: Wolters Kluwer España, S.A.
Printed in Spain

Ángel Alonso Pérez

Raquel Pousa Soto

Emma Alonso Iglesias

Índice Sistemático

INTRODUCCIÓN

Dos de los autores recurrentes en lo que va de siglo en materia de contabilidad son Ángel Alonso y Raquel Pousa. Tuve ocasión de publicar en mi época de director de revistas contables de Kluwer alguno de sus primeros libros, comenzando por Consultas al ICAC 1990-2001, comentarios y casos prácticos, título que con las necesarias actualizaciones fue el germen de la obra que ahora presentan, y desde entonces les admiro y tengo la suerte de contar con su amistad.

Ya he comentado con anterioridad para una edición previa de esta obra que

el mérito de su descubrimiento para el gran público no fue mío sino de Jerónimo Grande, entonces propietario-director de la clásica Técnica Contable, quien publicaba sus artículos con comentarios a las consultas que iba editando el ICAC. Jerónimo me recomendó que siguiera confiando en los artículos que Ángel y Raquel remitían con asiduidad. Y así lo hice, y todavía considero ese consejo como un gran favor que me hizo Jerónimo. Y de hecho todos ellos siguen formando parte de los autores del grupo Wolters Kluwer, entonces CISS.

Desde entonces, Consultas al ICAC se ha convertido en un clásico que periódicamente ve actualizado su contenido. No es la única obra de elaboración conjunta que Ángel Alonso y Raquel Pousa mantienen "en cartel", sino que prolongan su buen hacer en otros libros como 2000 Soluciones contables PGC, 2000 Soluciones contables PGC-Pymes, Aplicación práctica de Plan general contable, Resoluciones del ICAC o Manual de contabilidad práctica para juristas, mientras que Ángel Alonso también tiene un manual sobre consolidación, escrito con Emma Alonso. Todos ellos tienen una estructura similar: unos comentarios breves, concisos y directos sobre normas o consultas, que no nos engañemos, cada vez son más complicadas de entender debido a la propia complejidad que están adquiriendo las operaciones económicas que realizan las empresas y tras ese comentario presentan ejemplos prácticos de desarrollo que ayudan a adquirir dicho entendimiento. Así hacen fácil y sencillo lo difícil.

En los mercantilistas tiempos que corren, que una editorial de la entidad de Wolters Kluwer acuda reiteradamente a unos mismos autores denota dos cosas:

- De un lado que sus libros se comercializan con facilidad. Nadie compra y lee obras de contabilidad para "pasar el rato", para eso ya tenemos novelas de ficción estupendas. Ni tampoco para "elevar el espíritu", ya hay ensayos muy elaborados, ni por "moda o coyuntura" como sucede con muchos libros de divulgación política o económica. El que lee un libro de contabilidad es porque tiene un problema que resolver y no sabe cómo abordarlo, es decir, necesita una obra de consulta y su practicidad y la oferta de soluciones a problemas concretos debe ser el primer objetivo que se plantee un autor "contable".

Si Ángel y Raquel no resolvieran problemas con un enfoque práctico, sus obras no alcanzarían la difusión que tienen, y me atrevo a decir que Ángel Alonso y Raquel Pousa son ya una marca, y como tal, fiables, certeros y repitiendo una fórmula sencilla pero de éxito: explicar cómo aplicar normas y consultas. Nada de farragosos párrafos para intentar demostrar lo elevado de sus conocimientos -y me consta que lo son y mucho-, como tantas veces encontramos en otros libros, sino material útil y aplicable desde el minuto siguiente a su lectura. Divulgación en la mejor de las acepciones del término.

- La segunda característica más apreciada por un editor, es la formalidad de los autores con los que trata. Los autores suelen ser gente indisciplinada, que promete un enfoque en una obra y ofrece otro, incumplidora de plazos y número de páginas, etc., y quien escribe estas líneas ve mucho de lo anterior cuando se mira al espejo. Sin embargo, Ángel y Raquel respetan las normas y las indicaciones como si las hubiesen dictado ellos mismos.

Entrando en la obra, un breve comentario. Respecto de ediciones anteriores, se ha reducido mucho el número de páginas, ya que la obra se centra en las consultas más recientes, y recoge cuestiones publicadas desde el BOICAC 75 hasta el 119. El primero de estos Boletines se corresponde con los momentos iniciales del Plan contable actual y el último que nominalmente pertenece a septiembre de 2019, se publicó con posterioridad. Se ha abandonado así toda la doctrina planteada en forma de consultas del Plan anterior, ya que si bien muchos de los temas tratados en las mismas seguían manteniendo su vigencia esta venía perdiendo grados con el paso del tiempo.

Cada consulta se resuelve en unas 10 páginas aproximadamente, y dado que el libro alcanza casi las 1.000 páginas, queda claro que se contemplan nada más y nada menos que en torno a 100 cuestiones diferentes.

La estructura del libro se inicia, como parece conveniente, con consultas sobre materias relacionadas con las cuentas anuales para seguir con las masas patrimoniales: inmovilizados, existencias ventas-compras, activos y pasivos financieros, etc., así como un capítulo dedicado al siempre complejo tema de la contabilidad de los impuestos.

Se dedica también un apartado a planes sectoriales y regímenes especiales, y otro a las siempre difíciles cuestiones societarias: acciones propias y sin voto, ampliaciones de capital o aplicación del resultado.

Y por último, la parte que por trayectoria profesional me resulta más querida y que plantea una problemática especialmente compleja, por lo que requiere al profesional que en cada caso concreto que aborda consulte para adquirir mayor seguridad que añadir a su propio discernimiento: me refiero a las operaciones de combinaciones de negocios: fusiones y escisiones, operaciones vinculadas y entre empresas del grupo.

Termino este repaso de la obra con una anécdota. Este invierno mantuve contactos con un grupo de profesores universitarios del primer nivel, autores reconocidos de artículos académicos publicados en revistas internacionales, que no conocían mi relación con Raquel y Ángel. En un momento de la conversación salió a relucir esta obra, en su edición anterior, y fue calificada como obra de obligada consulta para todos ellos en caso de dudas sobre operaciones concretas, e incluso uno de los partícipes en la charla señaló que a veces difería de la solución propuesta en el libro pero en cualquier caso, le era útil para enfocar el problema que le ocupaba. Ya se sabe, la contabilidad no es una ciencia exacta y por lo mismo, sometida a opinión. Créanme que esa percepción positiva respecto de un autor tercero no es demasiado frecuente en un mundo universitario donde los egos tienen cierto peso.

Y por último, aunque la vida profesional nos separó de un contacto constante, debo agradecer a los autores que sigan contando conmigo para introducir su obra, y especialmente a Raquel por sus llamadas para saber de mí y contarme sobre ellos, y haberme dado a conocer las magníficas novelas de Domingo Villar, otro autor que como Ángel y Raquel, que de puro gallego llega a todo el mundo.

Francisco Serrano Moracho
Profesor titular EconomíaFinanciera y Contabilidad de la Universidad de Alcalá

1. MARCO CONCEPTUAL

1. MARCO CONCEPTUAL

Sumario

1.1. CUENTAS ANUALES Y OTROS INFORMES

1.1.1. Balance

1.1.1.1. Actualización Balances Ley 16/2012

BOICAC 92, diciembre 2012. Consulta 5.

Sobre el tratamiento contable de la actualización de balances aprobada por la Ley 16/2012, de 27 de diciembre, por la que se adoptan diversas medidas tributarias dirigidas a la consolidación de las finanzas públicas y al impulso de la actividad económica. En relación con la misma, se pregunta, todo ello referido a una compañía cuyo ejercicio social termina el 31 de diciembre.

Respuesta

Pregunta 1

Si debe entenderse que la mencionada Ley es compatible con el marco normativo contable vigente y en particular con el criterio de valoración de coste histórico referido en el apartado 6º del Marco Conceptual del vigente Plan General de Contabilidad y con el principio de uniformidad recogido en el apartado 3º del mismo.

Respuesta

La Ley 16/2012, de 27 de diciembre, por la que se adoptan diversas medidas tributarias dirigidas a la consolidación de las finanzas públicas y al impulso de la actividad económica, en su artículo 9, establece la opción, para los sujetos pasivos del Impuesto sobre Sociedades, los contribuyentes del Impuesto sobre la Renta de las Personas Físicas que realicen actividades económicas y los contribuyentes del Impuesto sobre la Renta de no Residentes que operen en territorio español a través de un establecimiento permanente, de realizar una actualización de balances.

A raíz de la última actualización de balances aprobada en el año 1996 (artículo 5 del Real Decreto-ley 7/1996, de 7 de junio, sobre medidas urgentes de carácter fiscal y de fomento y liberalización de la actividad económica), este Instituto publicó la consulta 1 en el BOICAC nº 28, de diciembre de 1996, sobre determinadas cuestiones relacionadas con la actualización de balances que cabe traer a colación por analogía para dar respuesta a la duda que ahora se plantea.

La rectificación de valores que hace posible la Ley 16/2012, de 27 de diciembre, tiene plena cobertura, como la tenía el antecedente inmediato, en el marco jurídico delimitado por la Cuarta Directiva 78/660/CEE del Consejo, de 25 de julio de 1978, relativa a las cuentas anuales de determinadas formas de sociedad, que en este punto no se ha visto modificada, y se adopta en el ejercicio de la soberanía interna que todos los Estados Miembros tienen para delimitar el marco de información financiera aplicable en las cuentas anuales individuales y en las cuentas anuales consolidadas de las sociedades que no están admitidas a cotización, en los términos previstos en el Reglamento 1606/2002, del Parlamento Europeo y del Consejo, de 19 de julio de 2002, relativo a la aplicación de las Normas Internacionales de Contabilidad.

Respecto a si la medida es compatible con el criterio de valoración de coste histórico, se informa que la nueva valoración dada a sus activos por una entidad en aplicación de lo dispuesto en la Ley 16/2012, de 27 de diciembre, esto es, por ministerio de la Ley, es un nuevo coste atribuido equiparable al precio de adquisición de dichos bienes, debiendo tener por lo tanto tal consideración, y sin perjuicio, por otra parte, de la obligación de incluir en la memoria la debida información sobre estos hechos de acuerdo con lo previsto en el Plan General de Contabilidad y en la propia Ley.

En definitiva, en sintonía con el criterio expresado en el año 1996, se trata de informar en las cuentas anuales del efecto cuantitativo producido por la actualización, circunstancia que producirá que se modifiquen los resultados futuros como consecuencia de mayores amortizaciones, consumos o costes, al permitir valorar determinados activos con valores más próximos a los reales, además de indicar el motivo por el que se realiza; la aplicación de una norma de rango legal que permite actualizar activos, y que se adopta, como señala la Ley 16/2012, "*por los efectos positivos que puede generar en el ámbito empresarial, al favorecer tanto la financiación interna como el mejor acceso al mercado de capitales*", lo que pondrá de manifiesto, con carácter general, consecuencias mercantiles y contables, además del efecto fiscal.

Por lo tanto, hay que entender que una entidad al acogerse, con carácter voluntario, a la actualización de valores regulada en la Ley 16/2012, de 27 de diciembre, mantiene la aplicación del principio del precio de adquisición en los activos actualizados, sin cambiar de criterio contable, y en consecuencia el principio de uniformidad no se ve afectado por la medida.

Pregunta 2

Si el efecto de la actualización debe reflejarse en las cuentas anuales del primer ejercicio que se cierre con posterioridad a la fecha de entrada en vigor de la mencionada Ley, es decir, en las cuentas anuales correspondientes al ejercicio 2012, o bien en el ejercicio 2013, cuando se produce la aprobación de la actualización por parte del órgano competente, siendo en tal caso el balance actualizado al que la Ley hace referencia un balance distinto al de las cuentas anuales del ejercicio 2012, formulado en el periodo que establece para las operaciones de actualización el apartado 3 del artículo 9 de la Ley, esto es, dentro del periodo comprendido entre la fecha del balance de cierre del ejercicio 2012 y el día en que termine el plazo para su aprobación, conforme a los criterios contemplados en la Ley para la determinación de la actualización de balances y los que en su caso y a tal propósito específico se consideren aplicables.

Respuesta

El artículo 9, apartado 3, de la Ley 16/2012, de 27 de diciembre, dispone que: *"La actualización de valores se practicará respecto de los elementos susceptibles de actualización que figuren en el primer balance cerrado con posterioridad a la entrada en vigor de la presente disposición"*. La Ley se publicó el 28 de diciembre de 2012 en el *BOE* y de acuerdo con su Disposición final decimotercera entró en vigor ese mismo día.

Adicionalmente, en el mismo apartado se aclara que las operaciones de actualización se realizarán dentro del periodo comprendido entre la fecha de cierre del balance a que se refiere el párrafo anterior, y el día en que termine el plazo para su aprobación.

Por último, el artículo 9, apartado 8, de la citada Ley dispone que: *"Los sujetos pasivos o los contribuyentes que practiquen la actualización deberán satisfacer un gravamen único del 5 por ciento sobre el saldo acreedor de la cuenta reserva de revalorización (...)"*, que *"(...) Se entenderá realizado el hecho imponible del gravamen único, en el caso de personas jurídicas, cuando el balance actualizado se apruebe por el órgano competente (...)"* y que *"(...) El gravamen único será exigible el día que se presente la declaración relativa al período impositivo al que corresponda el balance en el que constan las operaciones de actualización"*.

Pues bien, a la vista de estos antecedentes, cabe llegar a las siguientes conclusiones:

a) La reciente Ley de actualización condiciona la rectificación de los valores contables y, con ella, la realización del hecho imponible, a la aprobación por el órgano competente (la Junta General, en el caso de las sociedades de capital) del balance actualizado.

b) De lo anterior no cabe inferir la identidad entre el balance actualizado y el balance que debe incorporarse a las cuentas anuales, sino que la Junta General, en el supuesto de que opte por acogerse a la revisión de valores, solo podrá hacerlo en tiempo y forma; esto es, en el mismo plazo conferido para aprobar las cuentas anuales del ejercicio 2012 y previa elaboración de un balance ad hoc de actualización.

c) Considerando que los elementos patrimoniales cuyo valor se rectifica son los incluidos en el balance cerrado a 31 de diciembre de 2012, la actualización que apruebe el órgano competente surtirá efectos retroactivos, contables y fiscales, sin solución de continuidad, a partir del 1 de enero de 2013.

Pregunta 3

Si la fecha de actualización de la base fiscal de los activos es el 31 de diciembre de 2012, o, por el contrario, si la base fiscal se actualiza en la fecha de aprobación del balance actualizado por parte del órgano competente, teniendo a tal fin en consideración el contenido del apartado 8 del artículo 9 de la Ley, que indica que el hecho imponible del gravamen único se entenderá realizado, en el caso de personas jurídicas, cuando el balance actualizado se apruebe por el órgano competente.

Respuesta

Como se ha indicado, la rectificación de la valoración contable y fiscal de los activos surge en la fecha en que el órgano competente apruebe el balance de actualización, sin perjuicio de su incorporación a la contabilidad de la empresa con efectos retroactivos desde el 1 de enero de 2013 y al margen de que a partir de esa fecha los efectos contables y fiscales de la actualización puedan divergir. Así, no cabe duda que desde un punto de vista contable, el precio actualizado formará parte de la base de amortización del activo desde ese momento, mientras que a efectos fiscales, de acuerdo con el último párrafo del apartado 7, la eficacia de la amortización fiscal del incremento neto de valor resultante de las operaciones de actualización se difiere hasta el ejercicio 2015.

Pregunta 4

En el caso de que se concluya que la actualización contable se debe reflejar en las cuentas anuales de 2012 y que la actualización de la base fiscal se produce en el momento de la aprobación de las cuentas anuales por parte del órgano competente, si esto conllevaría el registro a 31 de diciembre de 2012 de un impuesto diferido pasivo, con origen en la diferencia entre el valor contable y el valor fiscal de los activos, conforme a la NRV 13ª Impuestos sobre beneficios, y cuál sería la contrapartida de este impuesto diferido pasivo, así como qué registro cabría realizar una vez efectuada la aprobación del balance actualizado por el órgano competente.

Respuesta

El valor en libros y la base fiscal de los activos actualizados se modificará en el ejercicio 2013, por lo que no cabe el reconocimiento de impuesto diferido alguno por esta circunstancia a 31 de diciembre de 2012.

Pregunta 5

Si el gravamen único del 5 por ciento, que no tiene la consideración de cuota del Impuesto sobre sociedades, debe registrarse en el ejercicio en que se apruebe la actualización por parte del órgano competente, momento en el que de conformidad con la ley tiene lugar el hecho imponible, o si en todo caso debe registrarse en el mismo momento en que se registre el efecto de la actualización.

Respuesta

Los hechos económicos y jurídicos deben contabilizarse cuando ocurran. Por lo tanto, en relación con el caso que nos ocupa, el gravamen único que lleva aparejada la rectificación contable y fiscal del precio de adquisición de los activos se reconocerá en el ejercicio 2013, cuando el órgano competente apruebe el balance de actualización.

Dicho importe, de acuerdo con lo previsto en la Ley fiscal, se contabilizará con cargo a la cuenta en que luzca la reserva originada por la actualización. A la misma conclusión cabría llegar por aplicación analógica de lo dispuesto en el apartado 4 de la NRV 13ª. "Impuestos sobre beneficios" del Plan General de Contabilidad, en cuya virtud, el gasto que trae causa de un ajuste de valor se reconoce con cargo a la cuenta en que se haya contabilizado la variación de valor.

Pregunta 6

La decisión sobre la conveniencia de la actualización de balances es un proceso que implicará cálculos complejos y toma de decisiones que previsiblemente propondrá el Consejo de Administración y que, en su caso, aprobará el órgano competente. Teniendo en cuenta la fecha de publicación de la Ley, tanto dicha propuesta como su aprobación son hechos y decisiones que se producirán en el ejercicio 2013. No obstante, en el caso de que se concluya que la actualización debe registrarse en las cuentas anuales correspondientes al ejercicio 2012, se plantea si las cuentas anuales de dicho ejercicio deberían reformularse ante una situación en la que los administradores formulasen sus cuentas anuales de 2012 sin acogerse a la actualización, o bien informaran de que el proceso de evaluación y trabajos de cuantificación de impactos aún no ha concluido, y posteriormente se realizaran o completaran las operaciones de actualización a que hace referencia el apartado 3 del artículo 9 de la Ley y el órgano competente decidiese acogerse a la misma (o viceversa), y en particular si estos hechos ponen de manifiesto condiciones existentes al cierre del ejercicio de acuerdo con la norma de registro y valoración 23ª del Plan General de Contabilidad.

Respuesta

A la vista de las respuestas anteriores, en las sociedades de capital el procedimiento a seguir será el siguiente:

a) En el ejercicio 2013, dentro del plazo legal previsto a tal efecto, el consejo de administración formulará las cuentas anuales del ejercicio 2012 sin incluir en el balance la rectificación de valores, pero informando en la memoria de la situación en la que se encuentra el proceso de actualización.

b) Del mismo modo, en el ejercicio 2013, la Junta General aprobará las cuentas anuales del ejercicio 2012 sin incluir lógicamente la rectificación de valores, y aprobará también la correspondiente actualización.

c) En las cuentas anuales del ejercicio 2013, el importe de la reserva de revalorización resultante de aplicar los criterios contenidos en la presente contestación se mostrará en una partida con el adecuado desglose, en el epígrafe III. Reservas del patrimonio neto del balance. Adicionalmente, en la memoria de las cuentas anuales se deberá informar sobre los elementos más significativos objeto de actualización señalando el importe de los mismos, efecto de la actualización sobre la dotación a la amortización y sobre el resultado del ejercicio, cuantificación de la cuenta de fondos propios denominada "Reserva de revalorización Ley 16/2012, de 27 de diciembre", movimiento de la citada cuenta durante el ejercicio, etcétera.

Pregunta 7

En el caso particular de una Sociedad dominante A que emite sus cuentas consolidadas aplicando el RD 1159/2010 y que en ejercicios anteriores al 2012 realizó una combinación de negocios al adquirir el control de una sociedad filial B (y por tanto, procedió a registrar los activos y pasivos identificables de B a su valor razonable en el momento de la adquisición), si B decide acogerse en sus libros individuales a la actualización de balances, ¿Qué valor de los activos y pasivos de B debe utilizarse en el consolidado NFCAC?¿Los valores actualizados en los libros individuales de B, los valores calculados en la combinación de negocios, o por analogía a lo indicado en el apartado 7 del art. 9 de la Ley correspondería agregar al valor calculado en la combinación de negocios el incremento neto de valor derivado de las operaciones de actualización, cuya contrapartida es la Reserva de revalorización de la Ley 16/2012, de 27 de diciembre, en B? ¿Qué impactos se derivarían en las cuentas anuales consolidadas de la existencia de la Reserva de revalorización de la Ley 16/2012, de 27 de diciembre en B y, en su caso, de la existencia de cambios entre el valor contable consolidado y la base fiscal de dichos activos, según el criterio de registro contable que, respecto al efecto de la actualización de valor de los activos, proceda efectuar?

Respuesta

La actualización de balances no presenta ninguna singularidad desde la perspectiva de las cuentas anuales consolidadas de acuerdo con las Normas para la Formulación de las Cuentas Anuales Consolidadas (NFCAC), salvo la circunstancia de que los valores en libros de los activos de la sociedad dependiente, como consecuencia de la combinación, puedan tener un valor consolidado superior al precio de adquisición rectificado por la actualización de balances.

La Ley de actualización en el artículo 9, apartado 5, regula para las entidades de crédito y entidades aseguradoras un supuesto de hecho que guarda analogía con el descrito; en particular, la revalorización de inmuebles, sin efectos fiscales, en la primera aplicación de sus respectivas normas contables en vigor.

En estos casos, la Ley fiscal parece operar exclusivamente en la base fiscal de los activos, en la medida que la reserva que recoge el valor actualizado ya está incorporada a las cuentas anuales, exigiendo exclusivamente que se reclasifique a la cuenta "reserva de revalorización de la Ley 16/2012, de 27 de diciembre" el incremento de base fiscal resultante de los cálculos determinados por la Ley, neto del efecto fiscal que origina el gravamen único, en caso de que los administradores opten por rectificar el precio de adquisición de los activos, circunstancia que adicionalmente traerá consigo la baja del pasivo por impuesto diferido que se reconoció en la fecha de primera aplicación, con abono a la mencionada cuenta de reservas, así como el reconocimiento del gravamen único también con cargo a la cuenta de reservas.

De lo anterior se infiere que cuando el valor en libros de los activos incluidos en el ámbito de aplicación de la Ley ha sido previamente actualizado sin efectos fiscales, la rectificación de valores no trae consigo una revisión del valor contable si no supera el importe de la citada actualización.

Pues bien, aplicando este mismo razonamiento a las cuentas consolidadas, la forma de proceder será la siguiente:

a) En principio, agregar el incremento neto de valor derivado de las operaciones de actualización.

b) Si el precio de adquisición rectificado del activo es inferior a su valor en libros en las cuentas anuales consolidadas antes de practicarse la actualización, desde la perspectiva de estas últimas la Ley de actualización solo debería repercutir en la base fiscal de los citados elementos y, en consecuencia, la entidad debería eliminar la actualización contable reconocida en las cuentas anuales individuales, circunstancia que traerá consigo la reclasificación del gravamen único a la cuenta de pérdidas y ganancias. La variación en los impuestos diferidos que origine la modificación de la base fiscal también se reconocerá en la cuenta de pérdidas y ganancias.

c) Si el precio de adquisición rectificado del activo es superior a su valor en libros en las cuentas anuales consolidadas antes de practicarse la actualización, desde la perspectiva de estas últimas la Ley de actualización también surtirá efectos contables. En este caso, además de repercutir en la base fiscal de los activos, la medida originará una rectificación en las cuentas consolidadas del valor en libros, por la diferencia entre el precio de adquisición rectificado del activo en las cuentas anuales individuales y su valor en cuentas consolidadas, antes de practicarse la actualización.

Adicionalmente, la empresa deberá eliminar la actualización contable reconocida en las cuentas anuales individuales que no haya supuesto una rectificación de valores a nivel consolidado, circunstancia que traerá consigo la reclasificación de una parte proporcional del gravamen único a la cuenta de pérdidas y ganancias. El importe correspondiente a la variación en los impuestos diferidos que origine la modificación de la base fiscal de los activos también se reconocerá en la cuenta de pérdidas y ganancias.

a) El impacto de la rectificación de la base fiscal se mostrará en la partida "Impuesto sobre beneficios" de la cuenta de pérdidas y ganancias, dada la estrecha conexión existente entre el gravamen único y la rectificación de la base fiscal de los activos, sin perjuicio de que dicho importe no se haya calificado por la Ley como cuota del Impuesto sobre sociedades.

b) Por último, la reserva por actualización que subsista después de aplicar el procedimiento descrito, se deberá distribuir entre la sociedad dominante y los socios externos de acuerdo con las reglas generales recogidas en las NFCAC para contabilizar las variaciones en el patrimonio neto de las sociedades dependientes.

En la memoria de las cuentas anuales consolidadas se informará de los impactos que se deriven de la aplicación de los criterios incluidos en la presente respuesta. En particular, se deberá informar sobre los elementos más significativos objeto de actualización señalando el importe de los mismos, efecto de la actualización sobre el resultado del ejercicio, y, en su caso, del importe al que asciende la cuenta de fondos propios denominada "Reserva de revalorización Ley 16/2012, de 27 de diciembre", del criterio seguido para su cuantificación y del movimiento de la citada cuenta durante el ejercicio.

Comentario

Actualización Balances Ley 16/2012 (Cierre empresa a 31 de diciembre)

¿Es compatible con el marco contable vigente?

> **SI**
> Marco jurídico, 4ª directiva comunitaria (soberanía interna de los estados para delimitar información financiera cuentas anuales)
>
> El nuevo coste atribuido, es equivalente al precio de adquisición

¿Fechas actualización balances?

> **Balance que sirve para la actualización**
> Cerrado a 31 de diciembre 2012

> **Registro operaciones actualización**
> A partir 1 de enero 2013
> (Deberán ser aprobadas por la Junta General, que apruebe l las Cuentas del ejercicio 2012: elaborándose un balance específico para ello –distinto al del 2012–)
>
> No existirán divergencias fiscales por este motivo

> **Fecha inicio amortización valores actualizados**
> Contablemente a partir 1/1/13
> Fiscalmente a partir 1/1/15

> **Fecha deuda por el gravamen único**
> Se reconocerá en el 2013, cuando la Junta General apruebe el balance actualización
>
> Reserva actualización (11x)
> a H.P. acreedora conceptos fiscales (475x)

Elaboración Cuentas Anuales

BALANCES

> **Balance Ejercicio 2012**
> • No se incluirá rectificación valores
> • Se informará en Memoria proceso actualización

> **Balance Ejercicio 2013**
> • Importes actualizados
> • Reserva actualización, epígrafe III, con adecuado desglose

> **Memoria Ejercicio 2013**
> -Información sobre elementos actualizados
> - Efectos sobre la amortización y resultado del ejercicio
> -Cuantificación y Movimiento cuenta "Reserva Revalorización ley 16/2012, 27 diciembre"

Cuentas Consolidadas cuando dependiente actualiza

> Sólo originará rectificación en cuentas consolidadas, cuando los valores en libros, de los activos de la dependiente, como consecuencia de la combinación, pueda tener un valor consolidado superior al precio de adquisición rectificado por la actualización de balances
>
> En Memoria Consolidada, se informará de los impactos de la actualización, en su caso.

Ejemplo

El único inmovilizado que consta en el balance de situación a 31 de diciembre de 2012 de la Sociedad SAMIL S.A., es una máquina que se adquirió el 1 de enero del año 2007 por un importe de 600.000 €.

Para el cálculo de la amortización contable, se le estimó una vida útil de 10 años con un valor residual nulo, optándose por un sistema de amortización lineal. Desde un punto de vista fiscal, es deducible, al estar comprendido dicho porcentaje de amortización (10%) en las tablas fiscales.

A 1 de enero del año 2013, acogiéndose a la posibilidad contemplada por La Ley 16/2012, de 27 de diciembre, se decide actualizar el valor de la maquinaria: teniendo en cuenta que, de los balances de los años 2007, 2008, 2009, 2010, 2011 y 2012 se extraen los siguientes datos:

Magnitudes	2007	2008	2009	2010	2011	2012	Media del periodo de tenencia	Media de 5 años
Pasivo total	340.000	480.000	460.000	500.000	440.000	480.000	450.000	472.000
Derechos de crédito	40.000	30.000	50.000	60.000	30.000	30.000	40.000	40.000
Tesorería	10.000	12.000	8.000	4.000	6.000	8.000	8.000	7.600
Patrimonio Neto	80.000	300.000	260.000	280.000	300.000	310.000	255.000	290.000

Teniendo en cuenta que los coeficientes de actualización (y para los ejercicios de tenencia del inmovilizado) previstos en el artículo 9.5 de la Ley 16/2012, son los siguientes:

Ejercicio	Coeficiente
En el ejercicio 2007	1,0781
En el ejercicio 2008	1,0446
En el ejercicio 2009	1,0221
En el ejercicio 2010	1,0100
En el ejercicio 2011	1,0100
En el ejercicio 2012	1,0000

Y que a 15 de febrero del 2013, se produce la aprobación de la actualización por la Junta General,

SE PIDE:

Registro contable de la actualización de la máquina en los siguientes supuestos:

A) Registro contable de la actualización de la máquina, sabiendo que el valor de mercado (teniendo en cuenta su estado de uso) es de 270.000 €

B) ¿Es compatible la Ley 16/2012, de 27 diciembre, con el marco normativo contable vigente?

C) ¿En qué cuentas anuales se reflejará el efecto de la actualización: en las del 2012 o en las del 2013?

D) ¿Cuál es la fecha de actualización de la base fiscal del activo: el 31 de diciembre del 2012, o por el contrario, la fecha de aprobación del balance actualizado por el órgano competente?

E) El valor en libros y la base fiscal de los activos actualizados, ¿se modifica en el 2012 o, quizás, en el 2013?

F) ¿Cuándo debe registrarse el gravamen único del 5%?

G) Registrar el efecto impositivo en el año 2013, de la sociedad SAMIL; sabiendo que el resultado antes de impuestos del ejercicio, ha ascendido a 60.000 €. Igualmente, conocemos que no existen diferencias entre criterios contables y fiscales, con excepción de la producida por el efecto de actualización de la máquina. En cuanto a las deducciones y bonificaciones ascendieron a 2.250, en tanto que las retenciones y pagos a cuenta a 3.000.

SOLUCIÓN:

A) Registro contable de la actualización de la máquina

• Determinaremos el incremento neto de valor, del elemento patrimonial actualizado. Así, daremos varios pasos.

1º.- Calcularemos el valor contable incrementado, aplicando los coeficientes de actualización sobre el precio de adquisición y las amortizaciones que fueron fiscalmente deducibles. Es decir:

	Ejercicio	Cuantía	Coeficiente Actualización	Valor actualizado
Precio Adquisición	2007	600.000	1,0781	646.860
Total A)				646.860
Amortización Acumulada Fiscalmente Deducible	2007	60.000[(*)]	1,0781	64.686
	2008	60.000	1,0446	62.676
	2009	60.000	1,0221	61.326
	2010	60.000	1,0100	60.600
	2011	60.000	1,0100	60.600
	2012	60.000	1,0000	60.000

	Ejercicio	Cuantía	Coeficiente Actualización	Valor actualizado
Total B)				369.888

(*) La amortización contable, 10% 600.000 = 60.000, coincide con la fiscalmente deducible.

Valor contable incrementado (diferencia: A - B) = 646.860 - 369.888 = **276.972**

2°.- Calcularemos el valor contable del elemento patrimonial en la fecha de estudio (31/12/12), teniendo en cuenta que la amortización a emplear no será la contable sino la que fue fiscalmente deducible (que en nuestro caso, ambas coinciden). Por tanto:

Valor contable normal = Precio Adquisición - Amortización acumulada (Fiscal)
= 600.000 - 60.000 x 6 años = **240.000**

3°.- A la diferencia ente las cantidades obtenidas en los puntos anteriores (1° y 2°):

Diferencia = Valor contable incrementado - Valor contable normal = 276.972 - 240.000 = **36.972**

Se aplicará, si es el caso, el coeficiente de depreciación monetaria:

$$\frac{\text{COEFICIENTE}}{\text{DEPRECIACIÓN MONETARIA}} = \frac{\text{Patrimonio Neto}}{(\text{Patrimonio Neto} + \text{Pasivo Total}) - (\text{Derechos crédito} + \text{Tesorería})}$$

Las magnitudes que intervienen en el coeficiente, a elección de la empresa podrán ser:

• Las habidas durante el tiempo de tenencia de la máquina: en nuestro caso 6 años, y en base a los datos facilitados en el enunciado (datos medios):

$$\frac{\text{COEFICIENTE}}{\text{(Tenencia máquina)}} = \frac{255.000}{(255.000 + 450.000) - (40.000 + 8.000)} = 0,3881$$

• Las de los cinco ejercicios anteriores a la fecha de su actualización (si éste plazo fuese inferior):

$$\frac{\text{COEFICIENTE}}{\text{(5 ejercicios)}} = \frac{290.000}{(290.000 + 472.000) - (40.000 + 7.600)} = 0,4059$$

En el caso de que el coeficiente sea superior a 0,4 (como ocurre en la segunda opción), éste no se aplicará. Por lo que será ésta la opción que elija la empresa, al ser la más favorable.

De esta manera, al final concluimos que el incremento neto de valor que ano-taremos y por el que modificaríamos el precio de adquisición del activo será de 36.972 €. Es decir, el nuevo valor contable del elemento se situaría:

Maquinaria: 600.000 + 36.972.	636.972
Amortización Acumulada Inmov. Material: 60.000 x 6.	(360.000)
Valor contable.	276.972

Que no podrá exceder de su valor de mercado, teniendo en cuenta su estado de uso en función de los desgastes técnicos y económicos y de la utilización que de él haga la empresa.

Este valor de mercado, nos comentan que se sitúa en 270.000 €, si compara-mos:

Valor contable del elemento, antes actualización:

600.000 - 360.000 =.	240.000
Valor mercado elemento actualizado.	270.000
Diferencia (máximo importe actualizar).	30.000

Será, por tanto, este último importe, el que tendremos en cuenta para el regis-tro.

• Registro contable de la actualización: lo haremos a través de la cuenta "Reserva de revalorización de la Ley 16/2012, de 27 de diciembre":

```
───────────────────────  1/1/13  ───────────────────────


 30.000  Maquinaria (213)

                           a    Reserva revalorización Ley
                                16/2012, 27 diciembre (11x)      30.000
───────────────────────          ───────────────────────
```

Tendremos también en cuenta, que el incremento de valor (30.000) se amor-tizará a partir del primer periodo impositivo que se inicia a partir del 1/1/2015 y durante aquellos años que resten para completar la vida útil (2 años, en nuestro caso).

Sobre el momento del registro, la Consulta 5 del BOICAC 92, nos comenta:

"(...) Considerando que los elementos patrimoniales cuyo valor se rectifica son los incluidos en el balance cerrado a 31 de diciembre de 2012, la actualización que apruebe el órgano competente surtirá efectos retroactivos, contables y fiscales, sin solución de continuidad, a partir del 1 de enero de 2013 (...)".

• Reconocimiento de la deuda, con la Administración tributaria: la empresa deberá satisfacer por la actualización que ha practicado un gravamen único del 5% sobre el saldo acreedor de la cuenta "Reserva de revalorización de la Ley 16/2012, 27 diciembre". Es decir:

$$5\% \times 30.000 = 1.500$$

Cuantía que tiene consideración de deuda tributaria, anotándose contablemente:

		1/1/13		
1.500	Reserva revalorización Ley 16/2012, 27 diciembre (11x)			
		a	HP acreedora por conceptos fiscales (475x)	1.500

Se exigirá el día que se presente la declaración relativa al periodo impositivo al que corresponde el balance en que consten las operaciones de actualización (en nuestro caso 2012) y se autoliquidará e ingresará conjuntamente con la declaración del impuesto de sociedades.

B) Es compatible la ley 16/2012, con el marco normativo contable vigente

La presente Consulta (5, BOICAC 92), nos sitúa en la 4ª Directiva comunitaria, para indicarnos que los estados miembros tienen soberanía para delimitar la información financiera que se presentará en las cuenta anuales, con lo cual la Ley en estudio, tiene plena cobertura.

En iguales términos se manifiesta, cuando nos preguntamos por el nuevo coste atribuido a los bienes objeto del proceso de actualización: equiparable a su precio de adquisición y por tanto, sin modificar los criterios contables ni verse afectado el principio de uniformidad. Todo ello, sin perjuicio, de incluir en Memoria, toda la información necesaria.

C) Donde se reflejará el efecto de la actualización en las cuentas anuales

El artículo 9, apartado 3, de la Ley 16/2012, de 27 de diciembre, dispone que: *"La actualización de valores se practicará respecto de los elementos susceptibles de actualización que figuren en el primer balance cerrado con posterioridad a la entrada en vigor de la presente disposición"*. La Ley se publicó el 28 de diciembre de 2012 en el *BOE* y de acuerdo con su Disposición final decimotercera entró en vigor ese mismo día.

Adicionalmente, en el mismo apartado se aclara que las operaciones de actualización se realizarán dentro del periodo comprendido entre la fecha de cierre del balance a que se refiere el párrafo anterior, y el día en que termine el plazo para su aprobación.

En consecuencia con lo anterior y considerando que los elementos patrimoniales cuyo valor se rectifica son los incluidos en el balance cerrado a 31 de diciembre de 2012, **la actualización que apruebe el órgano competente surtirá efectos retroactivos, contables y fiscales, sin solución de continuidad, a partir del 1 de enero de 2013**

D) ¿Cuál es la fecha de actualización de la base fiscal del activo: el 31/12/12, o la fecha de aprobación del balance actualizado por el órgano competente?

La rectificación de la valoración contable y fiscal de los activos surge en la fecha en que el órgano competente apruebe el balance de actualización, sin perjuicio de su incorporación a la contabilidad de la empresa con efectos retroactivos desde el 1 de enero de 2013 y al margen de que a partir de esa fecha los efectos contables y fiscales de la actualización puedan divergir.

Así, no cabe duda que desde un punto de vista contable, el precio actualizado formará parte de la base de amortización del activo desde ese momento, mientras que a efectos fiscales, de acuerdo con el último párrafo del apartado 7, la eficacia de la amortización fiscal del incremento neto de valor resultante de las operaciones de actualización se difiere hasta el ejercicio 2015.

E) El valor en libros y la base fiscal de los activos actualizados, ¿se modifica en el 2012, o quizás, en el 2013?

El valor en libros y la base fiscal de los activos actualizados se modificará en el ejercicio 2013, por lo que no cabe el reconocimiento de impuesto diferido alguno por esta circunstancia a 31 de diciembre de 2012.

F) ¿Cuándo debe registrarse el gravamen único del 5%?

Los hechos económicos y jurídicos deben contabilizarse cuando ocurran. Por lo tanto, el gravamen único que lleva aparejada la rectificación contable y fiscal del precio de adquisición de los activos **se reconocerá en el ejercicio 2013, cuando el órgano competente apruebe el balance de actualización.**

G) Registro del efecto impositivo en el 2013, por SAMIL

Veremos la cuantía que corresponde presentar ante hacienda respecto a la liquidación fiscal:

Resultado Contable = ...	60.000
Ajustes: (-) Diferencia Temporaria Deducible. Amortización (*)	+7.500
= Resultado Fiscal..	67.500
- Compensación Bases Imponibles Negativas...................0	
= Base Imponible	67.500
x tipo impositivo x30%	
= Cuota íntegra:..	20.250
- Deducciones y Bonificaciones	(2.250)
= Cuota líquida = Impuesto Corriente (6300)	18.000
- Retenciones y pagos a cuenta (473)	(3.000)
A PAGAR	15.000

(*) Divergencia entre la amortización contable y fiscal, debido al proceso de actualización.

Contablemente, el incremento sufrido por el elemento en estudio, será amortizado en la vida útil pendiente (4 años) a partir del 2013; sin embargo fiscalmente, y de acuerdo con la Ley 16/2012, este incremento de valor se amortizará a partir del primer periodo impositivo que se inicie desde 1/1/2015, durante los años que restan (en los mismos términos que las renovaciones, ampliaciones o mejoras).

Así:

Año	Valor Contable actualización de la máquina	Base Fiscal de la actualización	Diferencia Temporaria (Deducible)
2013	30.000 - 7.500$^{(*)}$ = 22.500	30.000 - 0$^{(**)}$ = 30.000	+ 7.500
....			

$^{(*)}$ Amortización contable del incremento (quedan 4 años, desde el 2013 de vida útil) $\dfrac{30.000}{4\ años}$

$^{(**)}$ No se efectúa la amortización fiscal en el 2013, ya que ésta se difiere hasta el 2015 (durante los años que resten de su vida útil, 2 años)

Registrándose por el impuesto corriente:

————————————— 31/12/2013 —————————————

18.000   Impuesto corriente (6300)

                   a   HP retenciones y pagos a
cuenta (473)   3.000

                                 HP acreedora por
impuesto sobre sociedades (4752)   15.000

Y por el impuesto diferido:

————————————— 31/12/2013 —————————————

2.250   Activo por diferencias temporarias deducibles (4740)

[7.500 x 30%]

                   a   Impuesto diferido (6301)   2.250

1.1.2.   Cuenta de Pérdidas y Ganancias

1.1.2.1.   *Cifra de negocios en empresas que explotan máquinas recreativas*

BOICAC 97, marzo 2014. Consulta 7.

Sobre el cálculo del importe neto de la cifra de negocios de una empresa dedicada a la explotación de máquinas recreativas, y sobre el tratamiento contable de la tasa sobre el juego que grava esta actividad.

Respuesta

La empresa consultante se dedica a la explotación de máquinas recreativas. A tal efecto formaliza contratos con los propietarios de los establecimientos en los que se sitúan las máquinas, que reciben a cambio el 50% de la recaudación. Adicionalmente se informa que la explotación de las máquinas recreativas está gravada por una tasa.

La consulta versa sobre cómo determinar la cifra de negocios de la empresa propietaria de las máquinas, planteando el consultante tres opciones: la recaudación íntegra de la máquina, la recaudación de la maquina menos la tasa y la recaudación de la maquina menos la parte del establecimiento y menos la tasa.

La norma de registro y valoración (NRV) 20ª. "Negocios conjuntos" del Plan General de Contabilidad (PGC), aprobado por Real Decreto 1514/2007, de 16 de noviembre, en su apartado 1, define negocio conjunto como

> "(...) una actividad económica controlada conjuntamente por dos o más personas físicas o jurídicas. A estos efectos, control conjunto es un acuerdo estatutario o contractual en virtud del cual dos o más personas, que serán denominadas en la presente norma partícipes, convienen compartir el poder de dirigir las políticas financieras y de explotación sobre una actividad económica con el fin de obtener beneficios económicos, de tal manera que las decisiones estratégicas, tanto financieras como de explotación, relativas a la actividad requieran el consentimiento unánime de todos los partícipes".

En el apartado 2 de la NRV 20ª se distinguen los tipos de negocios conjuntos, diferenciando entre los negocios conjuntos que no se manifiestan a través de la constitución de una empresa ni el establecimiento de una estructura financiera independiente de los partícipes, y los negocios conjuntos que se manifiestan a través de la constitución de una persona jurídica independiente o empresas controladas de forma conjunta.

El supuesto de hecho descrito en los antecedentes se englobaría en la primera categoría de negocio conjunto, pues por lo manifestado parece ser que no se ha constituido una entidad con personalidad jurídica independiente para explotar las máquinas recreativas, sino que son dos empresas diferentes, la explotadora de la máquina y la propietaria del establecimiento, las que han acordado los términos y condiciones en los que participan en el citado negocio.

Pues bien, en relación con esta tipología de negocios conjuntos, en el segundo párrafo del apartado 2.1. de la NRV 20ª se establece que el partícipe en una explotación o en activos controlados de forma conjunta "(...) reconocerá en su cuenta de pérdidas y ganancias la parte que le corresponda de los ingresos generados y de los gastos incurridos por el negocio conjunto, así como los gastos incurridos en relación con su participación en el negocio conjunto, y que de acuerdo con lo dispuesto en este Plan General de Contabilidad deban ser imputados a la cuenta de pérdidas y ganancias".

Por lo tanto, respecto a la recaudación de la máquina, el consultante reconocerá como importe neto de la cifra de negocios exclusivamente la parte de la recaudación que le corresponda, al amparo del vínculo cuasi societario acordado con el propietario del establecimiento. Respecto a la tasa, la norma de elaboración de las cuentas anuales 11ª Cifra anual de negocios de la Tercera Parte del PGC establece que para determinar la cifra anual de negocios se deducirán del importe de las ventas de los productos y de las prestaciones de servicios u otros ingresos correspondientes a las actividades ordinarias de la empresa, el importe de cualquier descuento (bonificaciones y demás reducciones sobre las ventas) y el del impuesto sobre el valor añadido y otros impuestos directamente relacionados con las mismas, que deban ser objeto de repercusión.

El Real Decreto-ley 16/1977, de 25 de febrero, por el que se regulan los aspectos penales, administrativos y fiscales de los juegos de suerte, envite o azar y apuestas establece en su artículo tercero, apartado segundo, respecto al sujeto pasivo de la tasa fiscal sobre rifas, tómbolas, apuestas y combinaciones aleatorias que "serán sujetos pasivos de la tasa los organizadores y las Empresas cuyas actividades incluyan la celebración de juegos de suerte, envite o azar (...)" sin que en dicha norma se establezca supuesto alguno de repercusión de la tasa.

De acuerdo con la información facilitada, la entidad consultante es el sujeto pasivo de la tasa sin que exista la posibilidad de repercutirla a terceros, ni de que tampoco el desembolso que se efectúa en tal concepto pueda calificarse como una transacción de naturaleza similar, pero de signo contrario, a aquéllas que representan la corriente de ingresos de la actividad ordinaria de la empresa, circunstancia que justificaría tratarlo como un menor importe de la cifra de negocios.

En consecuencia, la tasa no reducirá la cifra de negocios, debiendo registrarla el sujeto pasivo como un gasto en la cuenta de pérdidas y ganancias; a tal efecto podrá emplearse la cuenta 631. Otros tributos.

Comentario

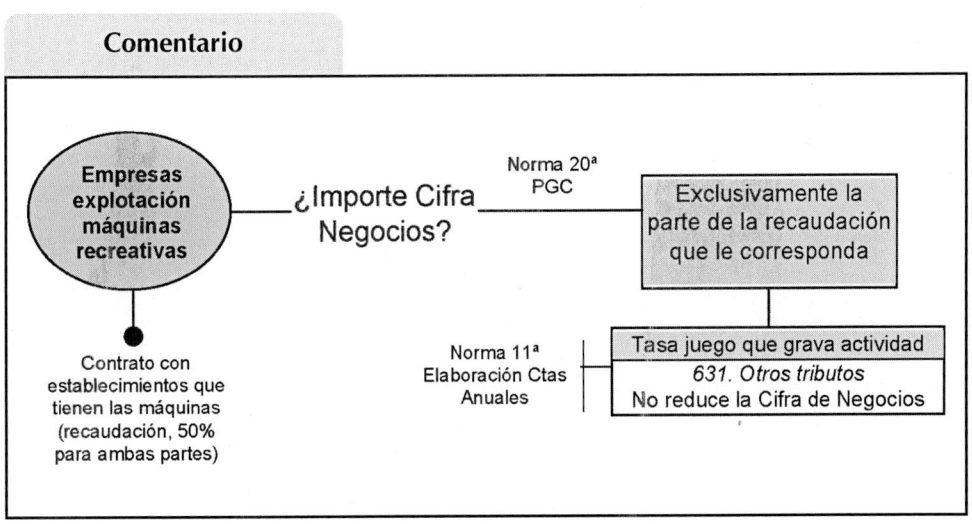

Ejemplo

La sociedad RECREATIVOS FUENLABRADA S.A., cuyo objeto social es la explotación de máquinas recreativas, a 31/12/X14, nos presenta la siguiente información, extraída de su cuenta de Pérdidas y Ganancias, en euros.

Prestación de servicios (705).........	300.000
Otros tributos (631)...............	210.000

La cuenta (705) recoge el 50% de los ingresos totales, obtenidos de la recaudación de las máquinas recreativas propiedad de la empresa. La empresa explota las citadas máquinas al 50% de participación, en la recaudación obtenida con los propietarios de los establecimientos en que se encuentran ubicadas.

La cuenta (631) registra todo el gasto por la tasa de las máquinas recreativas.

Por otra parte, la sociedad constituyó a principios del ejercicio X14, un negocio en participación con la sociedad POCOS-NEGOCIOS S.A.: el cual se regula por los artículos 239 a 243 del Código de Comercio, y actuando como gestor. La participación se constituyó al 60% para el gestor y un 40% para el partícipe. Al cierre del ejercicio, las existencias finales de las mercaderías en participación, ascienden a 2.000 €.

Los gastos e ingresos del negocio en participación durante el ejercicio X14 fueron los siguientes:

Ventas de mercaderías, participación (700.1).....................	100.000
Devoluciones de ventas y op. similares, participación (708.1).........	20.000
Rappels sobre ventas, participación (709.1)......................	2.000
Compras de Mercaderías, participación (600.1)...................	50.000
Devoluciones sobre compras y op. similares, participación (608.1)......	20.000
Rappels sobre compras, participación (609.1).....................	10.000
Descuentos sobre compras por pronto pago, participación (606.1).......	5.000
Arrendamientos, participación (621.1)..........................	15.000
Suministros, participación (628.1).............................	25.000

SE PIDE:

a) Determinar el resultado del negocio en participación, calculando los beneficios o pérdidas que corresponden al gestor y al partícipe.

b) Determinar el importe de la cifra anual de negocios para la sociedad RECREATIVOS FUENLABRADA, de acuerdo con la información facilitada.

SOLUCIÓN:

A) Determinar el resultado del negocio en participación

Una vez contabilizadas, todas las operaciones realizadas durante el periodo establecido, se procederá a obtener el resultado, por parte del gestor, del beneficio/pérdida común, así:

Ingresos negocios en participación		Gastos negocio en participación	
Ventas (700.1).	100.000	Dev. s/ vtas y op, sim. (708.1)	20.000
Dev, s/compras y op. sim (608.1). . .	20.000	Rappels sobre vtas (709.1). .	2.000
Rappels s/compras (609.1).	10.000	Compras (600.1).	50.000
Dtos. s/compras p.p.p. (606.1).	5.000	Arrendamientos (621.1). . . .	15.000
Variación existencias (E.f) (610.1). . .	2.000	Suministros (628.1).	25.000
Total.	137.000	Total.	112.000

Por tanto:

Ingresos participación.	137.000
Gastos participación.	(112.000)
Beneficio común.	**25.000**

El reparto de este Beneficio, había quedado establecido en un 60% para el gestor, y en un 40% para el partícipe no gestor, así:

Gestor: 60% 25.000 = **15.000**

Partícipe no gestor: 40% 25.000 = 10.000

B) Determinar el Importe de la Cifra de Negocios por parte de RECREATIVOS FUENLABRADA

La norma de elaboración de las cuentas anuales 11ª "cifra anual de negocios" de la tercera parte del PGC, establece que para determinar la cifra anual de negocios se deducirán del importe de las ventas de los productos y de las prestaciones de servicios u otros ingresos correspondientes a las actividades ordinarias de la empresa, el importe de cualquier descuento (bonificaciones y demás reducciones sobre las ventas) y el del impuesto sobre el valor añadido y otros impuestos directamente relacionados con las mismas, que deban ser objeto de repercusión. Por tanto,

Componentes Positivos Cifra Negocios. 400.000

    (*) Prestación de servicios (705) 300.000

    (**) Venta mercaderías, en participación (700.1) 100.000

Componentes Negativos Cifra Negocios. . . . . (22.000)

    (**) Rappels s/ventas en participación (709.1) 2.000

    (**) Devoluciones sobre ventas, en participación (708.1) 20.000

       CIFRA NEGOCIOS. **378.000**

(*) El apartado 2.1 de la NRV 20ª establece que el partícipe en una explotación o en activos controlados de forma conjunta
"(…) reconocerá en su cuenta de pérdidas y ganancias la parte que le corresponda de los ingresos generados (…) en relación con su participación en el negocio conjunto (…)".
Del mismo modo, se expresa la presente Consulta:
"(…) Se reconocerá como importe neto de la cifra de negocios exclusivamente la parte de la recaudación que le corresponda, al amparo del vínculo cuasi societario acordado con el propietario del establecimiento" [Consulta nº 7. BOICAC 97].

(**) La Disposición Transitoria Quinta. Desarrollos normativos en materia contable, apartado 1, del Real Decreto 1514/2007, de 16 de noviembre, por el que se aprueba el Plan General de Contabilidad (PGC), nos indica:
"Con carácter general, las adaptaciones sectoriales y otras disposiciones de desarrollo en materia contable en vigor a la fecha de publicación de este real decreto seguirán aplicándose en todo aquello que no se oponga a lo dispuesto en el Código de Comercio, Texto Refundido de la Ley de Sociedades Anónimas, aprobado por Real Decreto Legislativo 1564/1989, de 22 de diciembre, Ley 2/1995, de 23 de marzo, de Sociedades de Responsabilidad Limitada, disposiciones específicas y en el presente Plan General de Contabilidad". En consecuencia, incluiremos dentro de la cifra de negocios del gestor, aquellas ventas realizadas por operaciones en participación, sin disminuir la parte correspondiente a otros partícipes, distintos del gestor. [Norma Cuarta, RICAC 16/5/91]

Con respecto a la tasa, la presente Consulta se manifiesta en los términos siguientes:

La sociedad RECREATIVOS FUENLABRADA, es el sujeto pasivo de la tasa sin que exista la posibilidad de repercutirla a terceros, ni de que tampoco el desembolso que se efectúa en tal concepto pueda calificarse como una transacción de naturaleza similar, pero de signo contrario, a aquéllas que representan la corriente de ingresos de la actividad ordinaria de la empresa, circunstancia que justificaría tratarlo como un menor importe de la cifra de negocios.

En consecuencia, la tasa no reducirá la cifra de negocios, debiendo registrarla el sujeto pasivo como un gasto en la cuenta de pérdidas y ganancias; a tal efecto podrá emplearse la cuenta 631. Otros tributos.

1.1.2.2.   Gestión canon saneamiento

Boicac 113, marzo 2018. Consulta 4.

Sobre el tratamiento contable del canon de saneamiento que gestiona una Entidad Regional de Saneamiento y Depuración de Aguas Residuales.

Respuesta

La consultante es una entidad de derecho público que tiene por objeto la gestión, mantenimiento y explotación de las instalaciones de saneamiento y depuración de aguas, así como la gestión de un canon de saneamiento.

La Ley de Saneamiento y Depuración de Aguas Residuales de la Región e Implantación del Canon de Saneamiento (en adelante, la Ley), señala que este canon tiene la naturaleza de ingreso de derecho público de la Hacienda Pública Regional, como Impuesto propio de la Comunidad Autónoma cuya recaudación se destinará exclusivamente a la realización de los fines recogidos en la Ley.

Es decir, el régimen legal que rige el canon parece calificarlo como un ingreso de la Comunidad Autónoma que es recaudado y gestionado por la citada entidad de derecho público para aplicarlo a los fines previstos por la ley, no pudiendo hacer la Comunidad Autónoma otro uso de dichos recursos.

A la vista de esta descripción, se pregunta si el canon de saneamiento debe figurar en la cuenta de pérdidas y ganancias de la empresa dentro de la partida "Importe neto de la cifra de negocios", o bien, dentro de la partida de "Otros ingresos de explotación".

En el art. 1 de los estatutos de la entidad se aclara que la consultante es una Empresa Pública Regional en la modalidad de Entidad de Derecho Público, adscrita a la Consejería competente en materia de Saneamiento y Depuración.

Si bien en el escrito de consulta nada se dice acerca del régimen jurídico aplicable a la sociedad en materia contable, en la respuesta se asume como premisa, que la empresa pública aplica el Plan General de Contabilidad (PGC), aprobado por el Real Decreto 1514/2007, de 16 de noviembre.

La norma de registro y valoración 14ª. *Ingresos por ventas y prestación de servicios* del Plan General de Contabilidad, estipula que las <u>cantidades recibidas por cuenta de terceros</u> no formarán parte de los ingresos.

El "canon de saneamiento" es un tributo que tiene naturaleza de ingreso de derecho público de la Hacienda Pública Regional, como impuesto propio de la Comunidad Autónoma cuya recaudación se destinará exclusivamente a la realización de los fines recogidos en la Ley. Por lo tanto, de acuerdo con la información facilitada, en principio, cabría concluir que la entidad consultante actúa por cuenta ajena en lo que concierne al cobro del canon.

En caso de que esta conclusión fuese correcta, la empresa no debería registrar ingreso alguno por tal concepto, ni dentro de la partida "Importe neto de la cifra de negocios", ni como "Otros ingresos de explotación".

Sin embargo, no es menos cierto que en el art. 31 de los estatutos de la entidad se afirma que el producto de la recaudación del canon de saneamiento forma parte de los recursos económicos de la entidad, al igual que las transferencias contenidas en el presupuesto de la Comunidad Autónoma o recibidas de otras administraciones públicas.

Es decir, a la vista de este literal, también podría sostenerse que el canon, tributo que tiene naturaleza de ingreso de derecho público de la Hacienda Pública Regional, como impuesto propio de la Comunidad Autónoma, es un ingreso que se reconoce en la cuenta de pérdidas y ganancias de la empresa, y que solo se integraría en la cuenta de resultados de la Administración Pública Regional (con los restantes recursos tributarios de esa Administración) en el supuesto de que se elaborasen unas cuentas consolidadas.

Si este fuera el caso, las actuaciones realizadas en cumplimiento de los fines recogidos en la Ley también parece que serían actuaciones desarrolladas por cuenta propia, sin perjuicio de que estuvieran predeterminadas por la citada Ley.

En este contexto, es decir, una vez despejada por el órgano de administración de la entidad la principal duda que suscita la descripción de los hechos que se incluyen en el escrito de consulta, la calificación del canon como "Importe neto de la cifra de negocios", o como "Otros ingresos de explotación", no debería ofrecer dudas.

El concepto de "*Cifra anual de negocios*" está definido en la Norma 11ª de elaboración de las cuentas anuales, incluida en la Tercera parte del PGC, en los siguientes términos:

> "*El importe neto de la cifra anual de negocios se determinará deduciendo del importe de las ventas de los productos y de las prestaciones de servicios u otros ingresos correspondientes a las actividades ordinarias de la empresa, el importe de cualquier descuento (bonificaciones y demás reducciones sobre las ventas) y el del impuesto sobre el valor añadido y otros impuestos directamente relacionados con las mismas, que deban ser objeto de repercusión.*"

Por su parte, la expresión "actividad ordinaria" de la sociedad, utilizada en la definición de cifra de negocios, se analiza en la Resolución de 16 de mayo de 1991, del Presidente del Instituto de Contabilidad y Auditoría de Cuentas (RICAC) por la que se fijan criterios generales para determinar el "importe neto de la cifra de negocios".

Así, tal y como se aclara en la exposición de motivos de la RICAC, podría definirse como aquella actividad que es realizada por la empresa regularmente y por la que obtiene ingresos de carácter periódico. Sin embargo, en determinadas ocasiones, en la realidad empresarial se produce la realización simultánea de varias actividades, lo que podemos denominar multiactividad. En este caso, en relación a la determinación del concepto que se trata, hay que entender que los ingresos producidos por las diferentes actividades de la empresa se considerarán en el cómputo de las actividades ordinarias, en la medida en que se obtengan de forma regular y periódica y se deriven del ciclo económico de producción, comercialización o prestación de servicios propios de la empresa, es decir, de la circulación de bienes y servicios que son objeto del tráfico de la misma.

De esta forma, estos ingresos deberán formar parte, en todo caso, de la cifra de ventas o ingresos obtenidos por prestaciones de servicios, por lo que cuando el Plan General de Contabilidad establece la partida de "Otros ingresos de explotación", que queda excluida del importe neto de la cifra de negocios, se está refiriendo a ingresos que no se obtienen con carácter periódico.

En el caso que nos ocupa la empresa no parece que reciba el canon a título de contraprestación por la entrega de bienes o la prestación de servicios a sus clientes, sino que tal recurso se recibe en virtud de la misma causa que sostiene la recaudación de los restantes tributos de la Administración; la potestad tributaria para establecer y exigir tributos de acuerdo con la Constitución y las leyes. Esto es, la facultad de la Administración para establecer de manera unilateral tributos con los que financiar la provisión de bienes y servicios a los ciudadanos y cubrir así una serie de necesidades básicas.

A pesar de esta circunstancia, parece claro que si la empresa actúa por cuenta propia en lo que respecta a la gestión del canon, y debe aplicar el modelo de cuenta de pérdidas y ganancias del PGC, estos ingresos se deberían presentar como "Importe neto de la cifra de negocios" porque también es evidente que estos recursos se obtienen de forma regular y periódica y se derivan del ciclo económico de la empresa, al margen de las notas que singularizan este ciclo por su condición de empresa pública.

A mayor abundamiento se informa que de los términos en que está redactada la consulta podría inferirse que el negocio que se describe pudiera quedar dentro del alcance de los denominados "acuerdos de concesión", cuyo adecuado tratamiento contable, en particular, el de las actuaciones que la empresa realiza sobre la infraestructura, así como el cobro del canon, está desarrollado en las normas de adaptación del Plan General de Contabilidad a las empresas concesionarias de infraestructuras públicas, aprobadas por Orden EHA/3362/2010, de 23 de diciembre.

Comentario

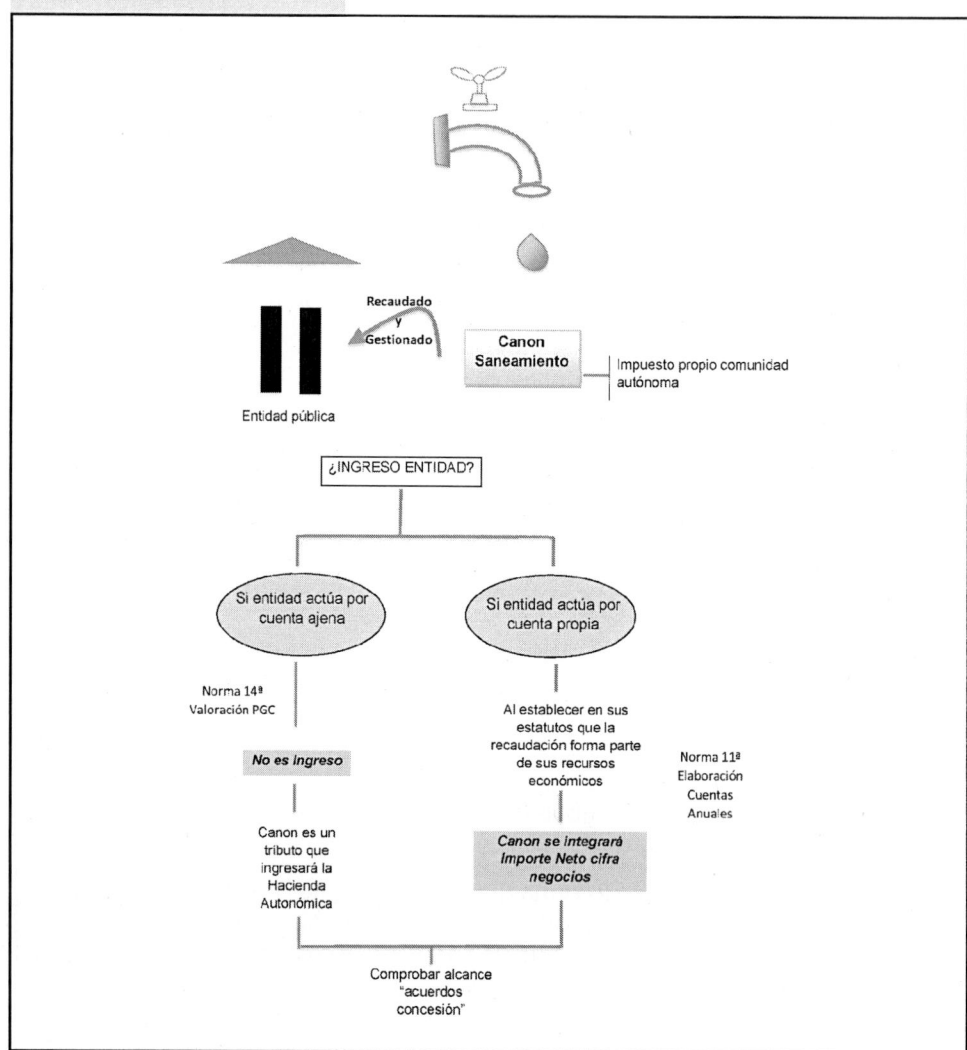

Comentario

"DEPURADORAS VIGUESAS" es una entidad de derecho público que aplica el PGC y tiene por objeto la gestión, mantenimiento y explotación de las instalaciones de saneamiento y depuración de aguas, así como la gestión de un canon de saneamiento. Este canon tiene la naturaleza de ingreso de derecho público de la Hacienda Pública Regional.

Durante el mes de enero del X0, ha recaudado de sus clientes por el canon de saneamiento un total de 26.400€ (IVA incluido 10%). Por otro lado, ha concedido descuentos y bonificaciones de 1.100€ (I.V.A incluido).

SE PIDE: Registro de operaciones y determinar el importe neto de la cifra de negocios en los siguientes casos:

a) La entidad actúa por cuenta propia. En el art. 31 de los estatutos de la entidad, se afirma que el producto de la recaudación del canon de saneamiento forma parte de los recursos económicos de la entidad.

b) La entidad actúa por cuenta ajena.

SOLUCIÓN:

CASO A) LA ENTIDAD ACTÚA POR CUENTA PROPIA

• Por el cobro del canon:

	X		
26.400 Bancos c/c (572)			
	a	Prestación de servicios (705)	24.000
		H.P. IVA repercutido (477)	2.400

• Por los descuentos concedidos:

	X		
1.000 Devoluciones de ventas y operaciones similares (708)			
100 H.P. IVA repercutido (477)	a	Bancos c/c (572)	1.100

Las actuaciones realizadas son actuaciones desarrolladas por cuenta propia, sin perjuicio de que estuvieran predeterminadas por la Ley. El canon, tributo que tiene naturaleza de ingreso de derecho público de la Hacienda Pública Regional, como impuesto propio de la Comunidad Autónoma, es un ingreso que se reconoce en la cuenta de pérdidas y ganancias de la empresa.

¿A cuánto ascendería su Importe neto de la Cifra de Negocios?

Para el caso estudiado, sería:

$$24.000\text{-}1.000 = \mathbf{23.000\ €}$$

En su cálculo, hemos seguido lo establecido en la Norma 11ª de elaboración de cuentas anuales de la Tercera parte del PGC, en la cual nos indica: *"El importe neto de la cifra anual de negocios se determinará deduciendo del importe de las ventas de los productos y de las prestaciones de servicios u otros ingresos correspondientes a las actividades ordinarias de la empresa, el importe de cualquier descuento (bonificaciones y demás reducciones sobre las ventas) y el del impuesto sobre el valor añadido y otros impuestos directamente relacionados con las mismas, que deban ser objeto de repercusión."*.

Estos ingresos deberán formar parte, en todo caso, de la cifra de ventas o ingresos obtenidos por prestaciones de servicios, por lo que cuando el Plan General de Contabilidad establece la partida de "Otros ingresos de explotación", que queda excluida del importe neto de la cifra de negocios, se está refiriendo a ingresos que no se obtienen con carácter periódico.

Si la empresa actúa por cuenta propia en lo que respecta a la gestión del canon, y debe aplicar el modelo de cuenta de pérdidas y ganancias del PGC, <u>estos ingresos se deberían presentar como "Importe neto de la cifra de negocios"</u> porque también es evidente que <u>estos recursos se obtienen de forma regular y periódica</u> y se derivan del ciclo económico de la empresa, al margen de las notas que singularizan este ciclo por su condición de empresa pública. [Consulta nº 4. Boicac 113].

CASO B) LA ENTIDAD ACTÚA POR CUENTA AJENA

• Por los cobros efectuados:

	X		
26.400 Bancos c/c (572)	a	Entidades públicas acreedoras (5230)	26.400

• Por los descuentos efectuados:

	X		
1.100 Entidades públicas acreedoras (5230)	a	Bancos c/c (572)	1.100

El régimen legal que rige el canon parece calificarlo como un ingreso de la Comunidad Autónoma, que es recaudado y gestionado por la citada entidad de derecho público, para aplicarlo a los fines previstos por la ley, no pudiendo hacer la Comunidad Autónoma otro uso de dichos recursos.

La norma de registro y valoración 14ª. Ingresos por ventas y prestación de servicios del Plan General de Contabilidad, estipula que las cantidades recibidas por cuenta de terceros no formarán parte de los ingresos.

Por lo tanto, si en este supuesto, nos preguntamos, dadas las operaciones efectuadas por "DEPURADORAS VIGUESAS", ¿Cuál sería el importe de la cifra de negocios?, éste sería cero, ya que no influiría las anotaciones en su cuantía.

El "canon de saneamiento" es un tributo que tiene naturaleza de ingreso de derecho público de la Hacienda Pública Regional, como impuesto propio de la Comunidad Autónoma cuya recaudación se destinará exclusivamente a la realización de los fines recogidos en la Ley. Por lo tanto, de acuerdo con la información facilitada, en principio, cabría concluir que la entidad consultante actúa por cuenta ajena en lo que concierne al cobro del canon.

En caso de que esta conclusión fuese correcta, la empresa no debería registrar ingreso alguno por tal concepto, ni dentro de la partida "Importe neto de la cifra de negocios", ni como "Otros ingresos de explotación". [Consulta nº 4. Boicac 113].

1.1.3. Memoria

1.1.3.1. Créditos y Débitos con administraciones públicas: información en Memoria

BOICAC 87, septiembre 2011. Consulta 2.

Sobre la información a incluir en la memoria de los saldos con las Administraciones Públicas y, en particular, si los citados créditos y débitos deben calificarse como instrumentos financieros.

Respuesta

El Plan General de Contabilidad (PGC) aprobado por el Real Decreto 1514/2007, de 16 de noviembre, en la norma de registro y valoración (NRV) 9ª define un instrumento financiero como un contrato que da lugar a un activo financiero en una empresa y, simultáneamente, a un pasivo financiero o un instrumento de patrimonio en otra empresa.

Asimismo en dicha norma se indica que un activo financiero es cualquier activo que sea: dinero en efectivo, un instrumento de patrimonio de otra empresa, o suponga un derecho contractual a recibir efectivo u otro activo financiero, o a intercambiar activos o pasivos financieros con terceros en condiciones potencialmente favorables. Por el contrario, un pasivo financiero supone para la empresa una obligación contractual, directa o indirecta, de entregar efectivo u otro activo financiero o de intercambiar activos o pasivos financieros con terceros en condiciones potencialmente desfavorables.

Las cuentas con las Administraciones Públicas, que figuran como tal en el subgrupo 47 del PGC, recogen una serie de derechos y obligaciones para la empresa derivados bien de subvenciones concedidas, créditos ó débitos con Organismos de la Seguridad Social, o activos y pasivos fiscales tanto corrientes como no corrientes. Si bien, dichos elementos suponen un derecho de cobro o una obligación de pago, no derivan de una relación contractual, sino que tienen su origen en un requerimiento legal o en actividades de fomento por parte de las Administraciones Públicas, por lo que no se consideran activos o pasivos financieros.

A mayor abundamiento, la norma de registro y valoración 13ª. "Impuesto sobre beneficios" incluida en la segunda parte del Plan General de Contabilidad, anteriormente citado, en su apartado uno establece:

> "(...) El impuesto corriente correspondiente al ejercicio presente y a los anteriores, se reconocerá como un pasivo en la medida en que esté pendiente de pago. En caso contrario, si la cantidad ya pagada correspondiente al ejercicio presente y a los anteriores excediese del impuesto corriente por esos ejercicios, el exceso se reconocerá como un activo."

Asimismo, en el apartado 3. "Valoración de los activos y pasivos por impuesto corriente y diferido" de la misma norma, se indica que los activos y pasivos por impuesto diferido no deben ser descontados, es decir que se valoran al importe nominal, a pesar de que su imputación o cancelación se produzca a largo plazo, debiendo figurar en todo caso en el activo o en el pasivo no corriente del balance, respectivamente. Este criterio difiere de los establecidos para los instrumentos financieros, cuya valoración inicial es su valor razonable y la posterior está en función de la cartera en que estén clasificados.

Teniendo en cuenta todo lo anterior, cabe concluir que los créditos y débitos con la Hacienda Pública no se reflejarán en los apartados de la memoria relacionados con los instrumentos financieros.

Comentario

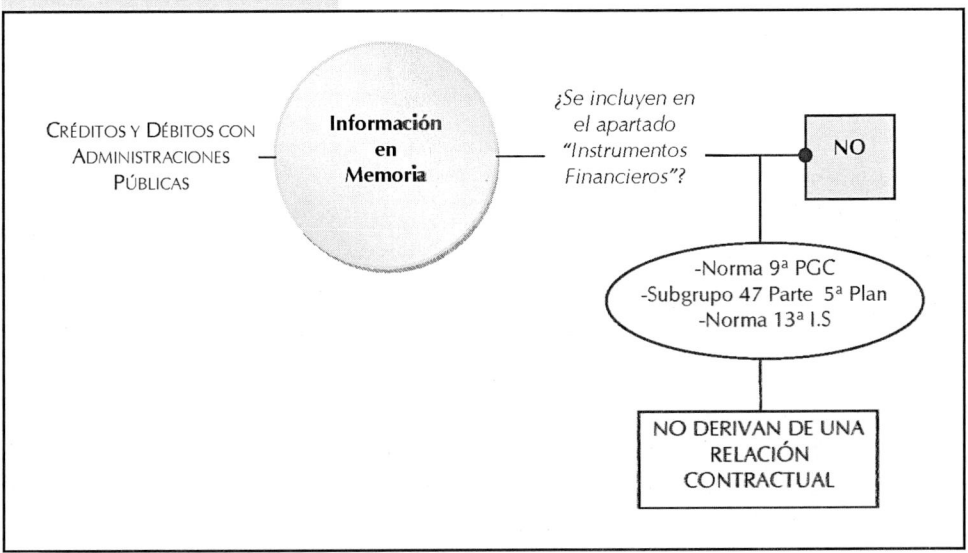

Ejemplo

La empresa DUNAS DA FONTAINA presenta el siguiente resultado antes de impuestos a 31 de diciembre en los ejercicios 1, 2 y 3.

Año 1	Año 2	Año 3
14.000 euros	-3.000 euros	18.000 euros

El responsable del área contable y fiscal de la empresa debe determinar la base imponible del Impuesto sobre sociedades y para ello dispone de la siguiente información:

a) A principios del año 1 adquiere unos equipos industriales por importe de 12.000 € cuya vida útil es de 3 años. La empresa amortiza contablemente este inmovilizado aplicando el método de los dígitos decrecientes, pero en el año 1 se ha podido acoger a la libertad de amortización y ha optado por amortizarlo fiscalmente al 100%.

b) Durante el año 1 ha valorado el riesgo por incobrables en 2.000 € registrando la correspondiente pérdida por deterioro. Sin embargo esta cifra de gastos, fiscalmente no es deducible hasta el año 2.

c) En el año 3, ha cometido una infracción en materia medioambiental y ha tenido que abonar una multa de 1.000 €.

d) Durante el año 1 ha acometido una inversión que le origina una deducción fiscal de 800 €.

e) Las retenciones y pagos a cuenta practicadas en los 3 ejercicios suponen 2.000 €.

f) El tipo impositivo ha sido 30% para el año 1 y 40% para los años 2 y 3.

SE PIDE:

1. Estudio de las diferencias entre el criterio contable y fiscal para los ejercicios propuestos.

2. Liquidación del impuesto así como registro del gasto por impuesto corriente y diferido para los ejercicios 1, 2 y 3.

3. Presentación de los conceptos detallados, con su saldo que guarden relación con el Impuesto de Sociedades, y que deben estar reflejados en las Cuentas Anuales de Pérdidas y Ganancias y Balance de Situación en los 3 años. Asimismo comentar la información a incluir en la Memoria acerca de los débitos y créditos con las Administraciones Públicas.

NOTA:

En el caso de que surjan bases imponibles negativas la empresa las aplica en el primer ejercicio posible. De igual manera cuando surgen activos por diferencias temporarias deducibles o créditos por pérdidas a compensar, considera probable su recuperación futura al disponer la empresa de ganancias fiscales que permiten la aplicación de esos activos.

SOLUCIÓN:

A) DIFERENCIAS ENTRE CRITERIO CONTABLE Y FISCAL EN LOS EJERCICIOS ESTUDIADOS.

• Amortización equipos industriales.

Contablemente, imputaremos el gasto en función de su vida útil. Fiscalmente, sin embargo, al acogerse a la libertad de amortización, atribuiremos todo el importe al primer ejercicio.

Ejercicios	Valor Contable (Activo)	Base Fiscal (Activo)	Diferencia Temporaria Imponible	
			Acumulada	Del ejercicio
1	12.000 - 6.000 = 6.000	12.000 - 12.000 = 0	-6.000	-6.000
2	12.000 -10.000 = 2.000	0	-2.000	+4.000
3	12.000 - 12.000 = 0	0	0	+2.000

Surgirá un pasivo por impuesto diferido, que revertirá en los siguientes ejercicios:

• Riesgo de Incobrables.

Contablemente ha registrado una pérdida por deterioro en el ejercicio 1, que fiscalmente no será deducible hasta el próximo año. Así:

Ejercicios	Valor Contable (Activo)	Base Fiscal (Activo)	Diferencia Temporaria deducible
1	2.000 - 2.000 = 0	2.000 − 0 = 2.000	+ 2.000
2	0	2.000 - 2.000 = 0	-2.000

Surgirá un activo por impuesto diferido (derivados de una diferencia temporaria deducible), que revertirá en el segundo ejercicio.

• INFRACCIÓN Medioambiental.

Contablemente registra un gasto de naturaleza excepcional al abonar la multa. Dicho importe, fiscalmente no será deducible (art. 14 TRLIS).

Ejercicio	Gasto Contable	Gasto Fiscal	Diferencia Permanente
3	1.000	0	+ 1.000

Ajustaremos el resultado contable con un incremento de 1.000 €, en el tercer ejercicio.

B) CÁLCULO DEL IMPUESTO CORRIENTE. REGISTRO CONTABLE EN LOS TRES EJERCICIOS DERIVADO DEL IMPUESTO.

	Ejercicio 1	Ejercicio 2	Ejercicio 3
• Resultado Contable	14.000	- 3.000	18.000
± Ajustes:			
Diferencia Temporaria [Amortización]	- 6.000	+ 4.000	+ 2.000
Diferencia Temporaria [Insolvencias]	+ 2.000	- 2.000	
Diferencia Permanente [Sanción]			+ 1.000
• Resultado Fiscal ejercicio	10.000	- 1.000	21.000
- Compensación Bases Imponibles (-)	0	0	- 1.000
• Base Imponible	10.000	- 1.000	20.000

	Ejercicio 1	Ejercicio 2	Ejercicio 3
x.tipo impositivo	x.30%	x.40%	x.40%
• Cuota íntegra	3.000	0[(*)]	8.000
- Deducciones y bonificaciones	- 800	0	0
• Cuota líquida	2.200	0	8.000
- Retenciones y pagos a cuenta	- 2.000	-2.000	- 2.000
• Cuota a pagar/devolver	200	-2.000	6.000

[(*)] Al ser negativa.

ANOTACIONES CONTABLES

EJERCICIO 1

Impuesto corriente:

―――――――――――――― 31/12/X1 ――――――――――――――

2.200 Impuesto corriente (6300)

a   HP retenciones y pagos a
cuenta (473)   2.000

HP acreedora por
impuesto sobre socieda-
des (4752)   200

―――――――――――――――   ――――――――――――――――

Impuesto diferido:

Por el pasivo derivado de la amortización del inmovilizado (libertad de amortización).

―――――――――――――― 31/12/X1 ――――――――――――――

2.400 Impuesto diferido (6301)

a   Pasivo por diferencias temporarias imponibles (479)

(6.000 x 40%)
2.400

―――――――――――――――   ――――――――――――――――

En la valoración de los activos y pasivos por impuesto diferido, estaremos a lo establecido en el apartado 3 de la Norma 13ª Valoración del PGC. "(...) se valorarán según los tipos de gravamen esperados en el momento de su reversión, según la normativa que esté vigente o aprobada y pendiente de publicación en la fecha de cierre del ejercicio, y de acuerdo con la forma en que racionalmente se prevea recuperar o pagar el activo o pasivo (...)". En nuestro caso, sabemos que para los próximos ejercicios dicho tipo será del 40%, por lo que cuantificaremos el pasivo en base a este tipo.

- Por el activo originado del deterioro de créditos comerciales.

31/12/X1

800	Activos por diferencias temporarias deducibles (4740)			
	(2.000 x 40%)			
		a	Impuesto diferido (6301)	800

EJERCICIO 2

Impuesto corriente:

En cuanto a la liquidación de este ejercicio, la empresa solicitará la devolución de los pagos y retenciones efectuadas:

31/12/X2

2.000	HP deudora por devolución de impuestos (4709)			
		a	HP retenciones y pagos a cuenta (473)	2.000

Impuesto diferido:

- Por el crédito fiscal derivado de la base imponible negativa originada en este ejercicio.

—————————————————— 31/12/X2 ——————————————————

400	Crédito por pérdidas a compensar del ejercicio (4745)		
	(1.000 x 40%)		
		a	Impuesto diferido (6301) 400

- Por la reversión de la diferencia temporaria imponible, (queda otro ejercicio más para que ésta se complete).

—————————————————— 31/12/X2 ——————————————————

1.600	Pasivo por diferencias temporarias imponibles (479)		
	(4.000 x 40%)		
		a	Impuesto diferido (6301) 1.600

- Por la reversión de la diferencia temporaria deducible originada por el deterioro del crédito comercial).

—————————————————— 31/12/X2 ——————————————————

800	Impuesto diferido (6301)		
		a	Activos por diferencias temporarias deducibles (4740)
			(2.000 x 40%) 800

EJERCICIO 3

Impuesto corriente:

———————————————— 31/12/X3 ————————————————

8.000   Impuesto corriente (6300)

	a	HP retenciones y pagos a cuenta (473)	2.000
		HP acreedora por impuesto sobre sociedades (4752)	6.000

Impuesto diferido:

- Por la reversión de la diferencia temporaria imponible, (ultima cuota, finaliza en este año).

———————————————— 31/12/X3 ————————————————

800   Pasivo por diferencias tempora-
         rias imponibles (479)

         (2.000 x 40%)

	a	Impuesto diferido (6301)	800

- Por la aplicación de la base imponible negativa.

———————————————— 31/12/X3 ————————————————

400   Impuesto diferido (6301)

	a	Crédito por pérdidas a compensar del ejercicio (4745)	
		(1.000 x 40%)	400

C) PRESENTACIÓN EN BALANCE Y CUENTA DE PYG DE LOS CONCEPTOS RELACIONADOS CON EL IMPUESTO EN LOS 3 AÑOS.

	BALANCE		
	AÑO 1	AÑO 2	AÑO 3
ACTIVO			
Activo por diferencia temporaria deducible [Deterioro de créditos comerciales]	800	—	—
Crédito por pérdidas a compensar del ejercicio 2	—	400	—
HP deudora por devolución impuestos	—	2.000	—
PASIVO			
Pasivo por diferencias temporarias imponibles [Libertad de Amortización]	2.400	800	—
HP acreedora Impuesto Sociedades	700	—	6.000

DEBE	CUENTA DE PERDIDAS Y GANANCIAS		
	AÑO 1	AÑO 2	AÑO 3
Impuesto corriente	2.700	0	8.000
Impuesto diferido	1.600	-1.200	-400

Como puede observarse, los débitos o créditos frente a la Hacienda Pública, no han sido descontados, es decir que se valoran al importe nominal, a pesar de que su imputación o cancelación se produzca a largo plazo, debiendo figurar en todo caso en el activo o en el pasivo no corriente del balance, respectivamente, no pudiendo ser calificados como instrumentos financieros.

D) INFORMACIÓN A INCLUIR EN LA MEMORIA.

Las cuentas con las Administraciones Públicas, que figuran como tal en el sub-grupo 47 del PGC, recogen una serie de derechos y obligaciones para la empresa derivados bien de subvenciones concedidas, créditos ó débitos con Organismos de la Seguridad Social, o activos y pasivos fiscales tanto corrientes como no corrientes. Si bien, dichos elementos suponen un derecho de cobro o una obli-gación de pago, no derivan de una relación contractual, sino que tienen su origen en un requerimiento legal o en actividades de fomento por parte de las Adminis-traciones Públicas, **por lo que no se consideran activos o pasivos financieros.**

Asimismo, en el apartado 3 de la NRV 13ª del PGC "Valoración de los activos y pasivos por impuesto corriente y diferido", se indica que los activos y pasivos por impuesto diferido no deben ser descontados, es decir que se valoran al importe nominal, a pesar de que su imputación o cancelación se produzca a largo plazo, debiendo figurar en todo caso en el activo o en el pasivo no corriente del balance, respectivamente. Este criterio difiere de los establecidos para los instrumentos financieros, cuya valoración inicial es su valor razonable y la posterior está en función de la cartera en que estén clasificados.

Teniendo en cuenta todo lo anterior, cabe concluir que los créditos y débitos con la Hacienda Pública no se reflejarán en los apartados de la memoria relacionados con los instrumentos financieros.

1.1.3.2. Personal empresa: información en Memoria Individual

BOICAC 88, diciembre 2011. Consulta 3.

Sobre la información del personal de la empresa a incluir en la memoria de las cuentas anuales individuales.

Respuesta

La nota 24 del modelo normal de memoria incluido en la tercera parte "Cuentas anuales" del Plan General de Contabilidad aprobado por el Real Decreto 1514/2007, de 16 de noviembre, expresa:

"Se incluirá información sobre:

1. El número medio de personas empleadas en el curso del ejercicio, expresado por categorías.

La distribución por sexos al término del ejercicio del personal de la sociedad, desglosado en un número suficiente de categorías y niveles, entre los que figurarán el de altos directivos y el de consejeros"

Por su parte, en el apartado 29. Otra información del contenido de la memoria consolidada aprobada por el Real Decreto 1159/2010, de 17 de septiembre, se dispone:

"29. Otra información

Se incluirá información sobre:

1. El número medio de personas empleadas en el curso del ejercicio por las sociedades incluidas por integración global en la consolidación, distribuido por categorías. La distribución por sexos al término del ejercicio del personal de las sociedades incluidas por integración global en la consolidación, desglosado en un número suficiente de categorías y niveles, entre los que figurarán el de altos directivos y el de consejeros. Asimismo, se indicará por separado el número medio de personas empleadas en el curso del ejercicio por las sociedades multigrupo a las que se aplique el método de integración proporcional.

> *2. Número medio de personas empleadas en el curso del ejercicio por las sociedades comprendidas en la consolidación, con discapacidad mayor o igual del 33% (o calificación equivalente local), indicando las categorías a que pertenecen. Se indicará por separado el número medio de personas empleadas en el curso del ejercicio por las sociedades multigrupo a las que se aplique el método de integración proporcional"*

A su vez, pero a los exclusivos efectos de cumplir con la obligación de depósito en el Registro Mercantil, la Resolución de 28 de febrero de 2011, de la Dirección General de los Registros y del Notariado, por la que se modifican los modelos establecidos en la Orden JUS/206/2009, de 28 de enero, con el fin de homogeneizar las hojas de datos generales de identificación de los modelos de cuentas individuales y consolidadas, requiere incluir en las citadas hojas identificativas información sobre el empleo de personas con discapacidad.

En definitiva, en lo referente a la formulación de cuentas anuales individuales, la información sobre el personal requerida en la memoria se limita al número medio de personas empleadas expresado por categorías así como su distribución por sexos al término del ejercicio, desglosado por categorías y niveles, sin perjuicio de que la información del número de personas con discapacidad empleadas por la empresa deba suministrarse, a los exclusivos efectos del depósito de cuentas, en la hoja de identificación de la empresa.

Comentario

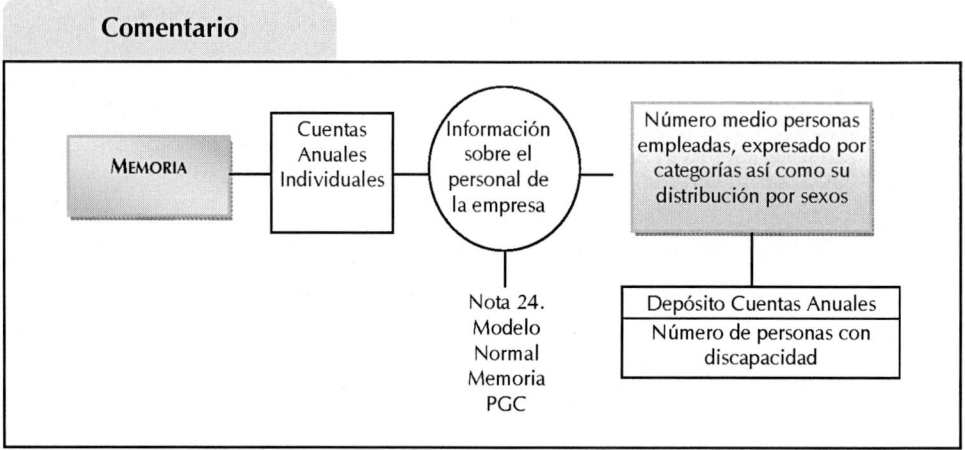

Ejemplo 1: PGC

La sociedad DUNAS DE CANIDO, que aplica el PGC formulando Memoria normal, detalla en la misma y en su Nota 24, la siguiente información acerca de su Personal:

El número medio de empleados, distribuido por categorías, en los ejercicios finalizados al 31 de diciembre de 2010 y 2011 ha sido el siguiente:

	Nº medio de empleados	
	2010	2011
Dirección	6	6
Titulados	5	6
Administrativos	7	7
Otros	4	3
	22	22

De los 22 empleados de la empresa, a 31 de diciembre de 2010, 11 eran mujeres y 11 hombres (a 31 de diciembre de 2011, 14 mujeres y 8 hombres).

De los 11 miembros del Consejo de Administración a 31 de diciembre de 2010, 1 era mujer (2 mujeres a 31 de diciembre de 2011).

Por otro lado y a los exclusivos efectos de cumplir con la obligación de depósito en el Registro Mercantil, la Resolución de 28 de febrero de 2011, de la Dirección General de los Registros y del Notariado, por la que se modifican los modelos establecidos en la Orden JUS/206/2009, de 28 de enero, con el fin de homogeneizar las hojas de datos generales de identificación de los modelos de cuentas individuales y consolidadas, requiere incluir en las citadas hojas identificativos información sobre el empleo de personas con discapacidad.

A.3.3 Modelo

A.1 Modelo normal:

A.1.1 Contenido de la página de identificación:

Se incluye dentro del epígrafe «a» relativo al personal asalariado, un detalle del número de personas con discapacidad empleadas por la empresa.

Se crea un epígrafe «b» dentro del relativo al personal asalariado, en el que se solicita el detalle del personal asalariado al término del ejercicio, por tipo de contrato y por sexo

En la empresa DUNAS DE CANIDO esta información asciende a dos personas 1 hombre y una mujer con un grado de discapacidad del 33%, ambos con contrato indefinido.

Según los contenidos de la presente consulta: en lo referente a la formulación de cuentas anuales individuales, la información sobre el personal requerida en la memoria se limita al número medio de personas empleadas expresado por categorías así como su distribución por sexos al término del ejercicio, desglosado por categorías y niveles, sin perjuicio de que la información del número de personas con discapacidad empleadas por la empresa deba suministrarse, a los exclusivos efectos del depósito de cuentas, en la hoja de identificación de la empresa.

Ejemplo 2: PGC PYMES

La sociedad DUNAS DE CANIDO, que aplica el PGC PYMES, detalla en la Memoria y en el apartado 13.1, la siguiente información acerca de su Personal:

El número medio de empleados, distribuido por categorías, en los ejercicios finalizados al 31 de diciembre de 2010 y 2011 ha sido el siguiente:

	Nº medio de empleados	
	2010	2011
Dirección	6	6
Titulados	5	6
Administrativos	7	7
Otros	4	3
	22	22

De los 22 empleados de la empresa, a 31 de diciembre de 2010, 11 eran mujeres y 11 hombres (a 31 de diciembre de 2011, 14 mujeres y 8 hombres).

De los 3 miembros del Consejo de Administración a 31 de diciembre de 2010, 1 era mujer (2 mujeres a 31 de diciembre de 2011).

Por otro lado y a los exclusivos efectos de cumplir con la obligación de depósito en el Registro Mercantil, la Resolución de 28 de febrero de 2011, de la Dirección General de los Registros y del Notariado, por la que se modifican los modelos establecidos en la Orden JUS/206/2009, de 28 de enero, con el fin de homogeneizar las hojas de datos generales de identificación de los modelos de cuentas individuales y consolidadas, requiere incluir en las citadas hojas identificativos información sobre el empleo de personas con discapacidad.

A.3 Modelo de PYMES.

A.3.1 Contenido de la página de identificación.

Se incluye dentro del epígrafe «a» relativo al personal asalariado, un detalle del número de personas empleadas por la empresa con discapacidad.

Se crea un epígrafe «b» dentro del relativo al personal asalariado, en el que se solicita el detalle del personal asalariado al término del ejercicio, por tipo de contrato y por sexo.

En la empresa DUNAS DE CANIDO esta información asciende a dos personas 1 hombre y una mujer con un grado de discapacidad del 33%, ambos con contrato indefinido.

Según los contenidos de la presente consulta en lo referente a la formulación de cuentas anuales individuales, la información sobre el personal requerida en la memoria se limita al número medio de personas empleadas expresado por categorías así como su distribución por sexos al término del ejercicio, desglosado por categorías y niveles, sin perjuicio de que la información del número de personas con discapacidad empleadas por la empresa deba suministrarse, a los exclusivos efectos del depósito de cuentas, en la hoja de identificación de la empresa.

1.1.3.3. Aplazamiento proveedores: información comparativa Memoria 2011

BOICAC 88, diciembre 2011. Consulta 7.

Sobre la información comparativa a consignar en el segundo ejercicio de aplicación de la Resolución del Instituto de Contabilidad y Auditoría de Cuentas (ICAC), de 29 de diciembre de 2010, sobre la información a incorporar en la memoria de las cuentas anuales en relación con los aplazamientos de pago a proveedores en operaciones comerciales.

Respuesta

La disposición transitoria segunda de la Resolución del ICAC, de 29 de diciembre de 2010, relativa a la información a incluir en la memoria de las cuentas anuales en el primer ejercicio de aplicación de los nuevos requerimientos, es decir, las correspondientes al ejercicio 2010, establece el régimen de cumplimiento gradual fijado para dicho primer ejercicio del que solo se solicita información sobre el importe del saldo pendiente de pago a los proveedores que al cierre del mismo acumule un aplazamiento superior al plazo legal de pago.

Considerando lo anterior, la información comparativa del ejercicio 2010 que deberá lucir en las cuentas anuales del ejercicio 2011, lógicamente será la que se recogió en las cuentas anuales del ejercicio 2010, sin perjuicio de que la empresa explique en la memoria los motivos por los que la citada información no se puede comparar con la proporcionada en relación con el ejercicio 2011.

Comentario

Ejemplo 1: PGC

La sociedad "SUPERMERCADOS PRAIA E DUNAS DA FONTAIÑA", la cual elabora el modelo normal de memoria, presenta la siguiente información del ejercicio 2011 en relación con el aplazamiento de pago a proveedores:

«Información sobre los aplazamientos de pago efectuados a proveedores. Disposición adicional tercera. «Deber de información» de la Ley 15/2010, de 5 de julio.»	CUANTÍA
Importe total de pagos realizados a los proveedores en el ejercicio	1.350.000€
Importe de los pagos que hayan excedido los límites legales de aplazamiento	650.000€
Plazo medio ponderado excedido de pagos.	A DETERMINAR
Importe del saldo pendiente de pago a proveedores, que al cierre del ejercicio acumule un aplazamiento superior al plazo legal de pago.	40.000€

La sociedad ha decidido utilizar como los plazos en sus operaciones comerciales los siguientes.

Desde la entrada en vigor de la Ley 15/2010 de 5 julio hasta el 31 de diciembre de 2011, serán de 85 días.

SE PIDE:

Redactar Nota en la Memoria Normal de las cuentas individuales, así como información a suministrar en relación con los aplazamientos de pago a proveedores.

SOLUCIÓN:

En la Resolución de 29 de diciembre de 2010, del ICAC, sobre la información a incorporar en la memoria de las cuentas anuales en relación con los aplazamientos de pago a proveedores en operaciones comerciales, se establece entre otras que el «Deber de información» afecta a las operaciones comerciales de pago.

Es decir, a los acreedores comerciales incluidos en el correspondiente epígrafe del pasivo corriente del modelo de balance, por tanto, la norma deja fuera de su ámbito objetivo de aplicación a los acreedores o proveedores que no cumplen tal condición para el sujeto deudor que informa, como son los proveedores de inmovilizado o los acreedores por arrendamiento financiero. En relación con los plazos se establece:

Los plazos a los que se refieren el apartado tres del artículo primero de la Ley 15/2010, correspondiente al artículo 4 de la Ley 3/2004, de 29 de diciembre, por la que se establecen medidas de lucha contra la morosidad en las operaciones comerciales, y la disposición adicional única sobre el régimen especial para productos agroalimentarios, en relación a los productos de alimentación que no sean frescos o perecederos, se ajustarán progresivamente, para aquellas empresas que vinieran pactando plazos de pago más elevados, de acuerdo con el siguiente calendario:

- Desde la entrada en vigor de la presente Ley hasta el 31 de diciembre de 2011, serán de 85 días.

- Entre el 1 de enero de 2012 y el 31 de diciembre de 2012, serán de 75 días.

- A partir del 1 de enero de 2013, serán de 60 días.

- Lo dispuesto en la presente disposición transitoria no será de aplicación a los productos de alimentación frescos y perecederos, para los cuales el plazo de pago a 30 días tendrá efectos inmediatos.

NOTA DEL MODELO NORMAL DE LA MEMORIA DE LA SOCIEDAD "SUPERMERCADOS PRAII E DUNAS DA FONTAIÑA"

Esta información deberá suministrarse en el siguiente cuadro:

	Pagos realizados y pendientes de pago en la fecha de cierre del balance			
	2011		**2010**	
	Importe (€)	%$^{(*)}$	Importe	%$^{(*)}$
$^{(**)}$Dentro del plazo máximo legal	700.000	51,85		
Resto	650.000	48,15		
Total pagos del ejercicio.	1.350.000	100		100
PMPE (días) de pago	12,92$^{(***)}$			

	Pagos realizados y pendientes de pago en la fecha de cierre del balance			
	2011		**2010**	
	Importe (€)	%$^{(*)}$	Importe	%$^{(*)}$
Aplazamientos que a la fecha de cierre sobrepasan el plazo máximo legal.	40.000		30.000$^{(****)}$	

$^{(*)}$ Porcentaje sobre el total.

$^{(**)}$ El plazo máximo legal de pago será, en cada caso, el que corresponda en función de la naturaleza del bien o servicio recibido por la empresa de acuerdo con lo dispuesto en la Ley 3/2004, de 29 de diciembre, por la que se establecen medidas de lucha contra la morosidad en las operaciones comerciales.

$^{(***)}$ Cálculo del PMPE (Plazo medio ponderado excedido de pagos)

Número de factura	Importe (euros)(1)	Plazo excedido (días) (2)	Producto (1x2)
12131	100.000	10	1.000.000
12189	200.000	5	1.000.000
12213	50.000	8	400.000
12333	300.000	20	6.000.000
SUMATORIO	**650.000**		**8.400.000**

$$PMPE = \frac{8.400.000}{650.000} = 12,92 \text{ días}$$

El PMPE ha sido calculado como establece la Norma segunda de la RICAC del 29/12/10 sobre la información a incorporar en la memoria de las cuentas anuales en relación con los aplazamientos de pago a proveedores en operaciones comerciales, donde nos comenta que:

a) Plazo medio ponderado excedido (PMPE) de pagos: el importe resultante del cociente formado en el numerador por el sumatorio de los productos de cada uno de los pagos a proveedores realizados en el ejercicio con un aplazamiento superior al respectivo plazo legal de pago y el número de días de aplazamiento excedido del respectivo plazo, y en el denominador por el importe total de los pagos realizados en el ejercicio con un aplazamiento superior al plazo legal de pago.

b) Proveedores: acreedores comerciales incluidos en el pasivo corriente del balance por deudas con suministradores de bienes o servicios.

$^{(****)}$ La disposición transitoria segunda de la RICAC mencionada, establece el régimen de cumplimento gradual que se ha fijado para el primer ejercicio de aplicación, de acuerdo con lo previsto en la Ley, las cuentas anuales correspondientes al ejercicio 2010, del que solo se solicita información relativa al importe del saldo pendiente de pago a los proveedores, que al cierre del mismo acumule un aplazamiento superior al plazo legal de pago, al objeto de facilitar la aplicación de los nuevos requerimientos. Es decir, utilizando los cuadros que se incorporan en la norma tercera de la Resolución, incorporando información solo en la línea de "Aplazamientos que a la fecha de cierre sobrepasen el plazo máximo legal" correspondiente al ejercicio actual (N).

Disposición transitoria segunda. Información a incluir en la memoria de las cuentas anuales del primer ejercicio de aplicación de esta Resolución.

En el primer ejercicio de aplicación de esta Resolución, las entidades deberán suministrar exclusivamente la información relativa al importe del saldo pendiente de pago a los proveedores, que al cierre del mismo acumule un aplazamiento superior al plazo legal de pago.

Adicionalmente, en las cuentas anuales de este primer ejercicio no se presentará información comparativa correspondiente a esta nueva obligación, calificándose las cuentas anuales como iniciales a estos exclusivos efectos en lo que se refiere a la aplicación del principio de uniformidad y del requisito de comparabilidad. Según los contenidos de la presente consulta, la información comparativa del ejercicio 2010 que deberá lucir en las cuentas anuales del ejercicio 2011, lógicamente será la que se recogió en las cuentas anuales del ejercicio 2010, sin perjuicio de que la empresa explique en la memoria los motivos por los que la citada información no se puede comparar con la proporcionada en relación con el ejercicio 2011.

Ejemplo 2: PGC PYMES

Con los datos del Ejemplo 1, realizar los comentarios oportunos para el caso de que nuestra empresa aplique el PGC PYMES.

SOLUCIÓN:

Según los contenidos en la RICAC 29/12/2010 del ICAC sobre la información a incorporar en la memoria de las cuentas anuales en relación con los aplazamientos de pago a proveedores en operaciones comerciales. Las empresas que elaboren la memoria en el modelo abreviado del Plan General de Contabilidad, o que opten por la aplicación del Plan General de Contabilidad de Pequeñas y Medianas Empresas incluirán una nota con la siguiente denominación y contenido:

«Información sobre los aplazamientos de pago efectuados a proveedores. Disposición adicional tercera. «Deber de información» de la Ley 15/2010, de 5 de julio.»

Importe total de pagos realizados a los proveedores en el ejercicio, distinguiendo los que hayan excedido los límites legales de aplazamiento.

Importe del saldo pendiente de pago a proveedores, que al cierre del ejercicio acumule un aplazamiento superior al plazo legal de pago.

Esta información deberá suministrarse en el siguiente cuadro:

	Pagos realizados y pendientes de pago en la fecha de cierre del balance			
	2011		2010	
	Importe (€)	%[*]	Importe	%[*]
[**]Dentro del plazo máximo legal	700.000	51,85		
Resto	650.000	48,15		
Total pagos del ejercicio	1.350.000	100		100

	Pagos realizados y pendientes de pago en la fecha de cierre del balance			
	2011		**2010**	
	Importe (€)	%$^{(*)}$	Importe	%$^{(*)}$
Aplazamientos que a la fecha de cierre sobrepasan el plazo máximo legal	40.000		20.000$^{(***)}$	

$^{(*)}$ Porcentaje sobre el total.

$^{(**)}$ El plazo máximo legal de pago será, en cada caso, el que corresponda en función de la naturaleza del bien o servicio recibido por la empresa de acuerdo con lo dispuesto en la Ley 3/2004, de 29 de diciembre, por la que se establecen medidas de lucha contra la morosidad en las operaciones comerciales.

$^{(***)}$ La disposición transitoria segunda de la RICAC mencionada, establece el régimen de cumplimento gradual que se ha fijado para el primer ejercicio de aplicación, de acuerdo con lo previsto en la Ley, las cuentas anuales correspondientes al ejercicio 2010, del que solo se solicita información relativa al importe del saldo pendiente de pago a los proveedores, que al cierre del mismo acumule un aplazamiento superior al plazo legal de pago, al objeto de facilitar la aplicación de los nuevos requerimientos. Es decir, utilizando los cuadros que se incorporan en la norma tercera de la Resolución, incorporando información solo en la línea de "Aplazamientos que a la fecha de cierre sobrepasen el plazo máximo legal" correspondiente al ejercicio actual (N).

Disposición transitoria segunda. *Información a incluir en la memoria de las cuentas anuales del primer ejercicio de aplicación de esta Resolución.*

En el primer ejercicio de aplicación de esta Resolución, las entidades deberán suministrar exclusivamente la información relativa al importe del saldo pendiente de pago a los proveedores, que al cierre del mismo acumule un aplazamiento superior al plazo legal de pago.

Adicionalmente, en las cuentas anuales de este primer ejercicio no se presentará información comparativa correspondiente a esta nueva obligación, calificándose las cuentas anuales como iniciales a estos exclusivos efectos en lo que se refiere a la aplicación del principio de uniformidad y del requisito de comparabilidad.

Según los contenidos de la presente consulta, la información comparativa del ejercicio 2010 que deberá lucir en las cuentas anuales del ejercicio 2011, lógicamente será la que se recogió en las cuentas anuales del ejercicio 2010, sin perjuicio de que la empresa explique en la memoria los motivos por los que la citada información no se puede comparar con la proporcionada en relación con el ejercicio 2011.

1.1.3.4.   Conflicto intereses administradores, información en Memoria

BOICAC 102, junio 2015. Consulta 3.

Sobre la redacción otorgada por la Ley 31/2014, *de 3 de diciembre, a los artículos 229 y 230 de la Ley de Sociedades de Capital (LSC), acerca de la obligación de los administradores de informar de las situaciones de conflicto de intereses.*

Respuesta

El artículo 127 ter apartado 4 de la Ley de Sociedades Anónimas, aprobado por Real Decreto Legislativo 1564/1989, de 22 de diciembre, introducido por la Ley 26/2003, de 17 de julio, establecía:

> "*Los administradores deberán comunicar la participación que tuvieran en el capital de una sociedad con el mismo, análogo o complementario género de actividad al que constituya su objeto social, así como los cargos o las funciones que en ellas ejerzan, así como la realización por cuenta propia o ajena, del mismo, análogo o complementario género de actividad del que constituya el objeto social. Dicha información se incluirá en la memoria*".

A raíz de esta redacción, en los modelos de memoria incluidos en el Plan General de Contabilidad (PGC), aprobado por el Real Decreto 1514/2007, de 16 de noviembre, y en las Normas para la Formulación de las Cuentas Anuales Consolidadas, aprobadas por el Real Decreto 1159/2010, de 17 de septiembre, se incluyeron sendos requerimientos de información.

En el apartado 23.7 del modelo normal de memoria incluido en la tercera parte del PGC, se solicita a las empresas con forma de sociedad anónimas especificar: "*la participación de los administradores en el capital de otra sociedad con el mismo, análogo o complementario género de actividad al que constituya el objeto social, así como los cargos o las funciones que en ella ejerzan, así como la realización por cuenta propia o ajena, del mismo, análogo o complementario género de actividad del que constituya el objeto social de la empresa*".

Por su parte, en el apartado 28.7 del modelo de memoria consolidada, para las empresas que se organicen bajo la forma jurídica de sociedad anónima, se deberá especificar: "*la participación de los administradores de la sociedad dominante en el capital de otra sociedad con el mismo, análogo o complementario género de actividad al que constituya el objeto social, así como los cargos o las funciones que en ella ejerzan, así como la realización por cuenta propia o ajena, del mismo, análogo o complementario género de actividad del que constituya el objeto social de la sociedad dominante*".

La consulta versa sobre si a raíz de los cambios introducidos por la Ley 31/2014, de 3 de diciembre, por la que se modifica la LSC para la mejora del gobierno corporativo, se ha eliminado la obligación de incluir en la memoria de las cuentas anuales la información que figuraba en los artículos 229 y 230 de la LSC aprobada por el Real Decreto Legislativo 1/2010, de 2 de julio.

La redacción del artículo 229 de la LSC, antes de la reforma, era la siguiente:

"Artículo 229. Situaciones de conflicto de intereses.

1. Los administradores deberán comunicar al consejo de administración y, en su defecto, a los otros administradores o, en caso de administrador único, a la junta general cualquier situación de conflicto, directo o indirecto, que pudieran tener con el interés de la sociedad. El administrador afectado se abstendrá de intervenir en los acuerdos o decisiones relativos a la operación a que el conflicto se refiera.

2. Los administradores deberán, asimismo, comunicar la participación directa o indirecta que, tanto ellos como las personas vinculadas a que se refiere el artículo 231, tuvieran en el capital de una sociedad con el mismo, análogo o complementario género de actividad al que constituya el objeto social, y comunicarán igualmente los cargos o las funciones que en ella ejerzan.

3. Las situaciones de conflicto de intereses previstas en los apartados anteriores serán objeto de información en la memoria".

La interpretación de este Instituto sobre la concreta información que debía incluirse a la vista de este requerimiento, se publicó en la consulta 25 del BOICAC nº 85, de marzo de 2011. En ella se concluye que a raíz de la entrada en vigor del Real Decreto Legislativo 1/2010, de 2 de julio, la obligación de informar impera tanto para las sociedades anónimas como para las sociedades de responsabilidad limitada. Y que en las cuentas consolidadas, la información deberá adaptarse a las condiciones del sujeto contable, por lo que las sociedades sobre las que deberá informarse serán aquellas que no estén incluidas en el conjunto consolidable.

De acuerdo con la nueva redacción del artículo 228 de la LSC, en relación con el deber de lealtad que obliga al administrador, cabe señalar el deber referido en el apartado e) de: **"adoptar las medidas necesarias para evitar incurrir en situaciones en las que sus intereses,** *sean por cuenta propia o ajena,* **puedan entrar en conflicto** *con el interés social y con sus deberes para con la sociedad".*

Por su parte, el artículo 229. Deber de evitar situaciones de conflicto de interés, enumera situaciones particulares de conflicto de las que el administrador debe abstenerse, entre las que figura la letra f): **"Desarrollar actividades** *por cuenta propia o cuenta ajena* **que entrañen una competencia efectiva, sea actual o potencial, con la sociedad o que,** *de cualquier otro modo,* **le sitúen en un conflicto permanente** *con los intereses de la sociedad".* *El último párrafo del apartado 3 señala, por último, que: "las situaciones de conflicto de interés en que incurran los administradores serán objeto de información en la memoria a que se refiere el artículo 259".*

Por otro lado, cabe citar el artículo 230. Régimen de imperatividad y dispensa, que señala en su apartado 3: "*La obligación de no competir con la sociedad solo podrá ser objeto de dispensa en el supuesto de que no quepa esperar daño para la sociedad o el que quepa esperar se vea compensado por los beneficios que prevén obtenerse de la dispensa. La dispensa se concederá mediante acuerdo expreso y separado de la junta general*".

Asimismo, en el preámbulo de la Ley 31/2014 se pone de manifiesto el creciente interés por el buen gobierno corporativo, por el convencimiento generalizado de la utilidad de este tipo de prácticas empresariales y el valor de una gestión adecuada y transparente de las sociedades. En concreto y respecto a la cuestión planteada por el consultante, manifiesta que: "**se reforma el tratamiento jurídico de los conflictos de interés** *que en adelante pivotará sobre estos dos elementos: el primero consiste en establecer una cláusula específica de prohibición de derecho de voto en los casos más graves de conflicto de interés, para lo cual se propone generalizar a las sociedades anónimas la norma actualmente prevista para las sociedades de responsabilidad limitada. El segundo se refiere al establecimiento de una presunción de infracción del interés social en los casos en que el acuerdo social haya sido adoptado con el voto determinante del socio o de los socios incursos en un conflicto de interés*".

En este contexto, la nueva redacción dada a los artículos de la LSC parece tener como objetivo un tratamiento más minucioso y riguroso sobre las situaciones de las que se puedan derivar conflictos de intereses, en las sociedades de capital (anónimas o limitadas). En consecuencia puede entenderse que el hecho de que la nueva redacción no recoja de forma explícita los casos que sí se contemplaban en la anterior, no es óbice para considerar que tales supuestos estén implícitamente recogidos en la nueva regulación.

No obstante, es necesario precisar el caso concreto de las sociedades del grupo. Como excepción al caso general, dada la vinculación existente entre las empresas que lo forman, en principio, cabría presumir salvo clara evidencia de lo contrario que no existe conflicto de intereses en relación con las empresas que integran el grupo cuando los administradores se encuentren en relación con ellas en alguno de los supuestos enunciados en el apartado 23.7 que se ha reproducido.

Por último cabe indicar que la entrada en vigor de la Ley 31/2014, según su disposición final cuarta, se produjo el 24 de diciembre de ese mismo año. En consecuencia, las modificaciones introducidas en relación con la información a incorporar en la memoria de las cuentas anuales, al referirse a situaciones de hecho sobre las que es preciso informar y para lo que la norma no incorpora ningún requerimiento técnico que impida facilitar dicha información, serán efectivas para las cuentas anuales de todos los ejercicios que se cierren a partir de la fecha de entrada en vigor de la Ley.

Comentario

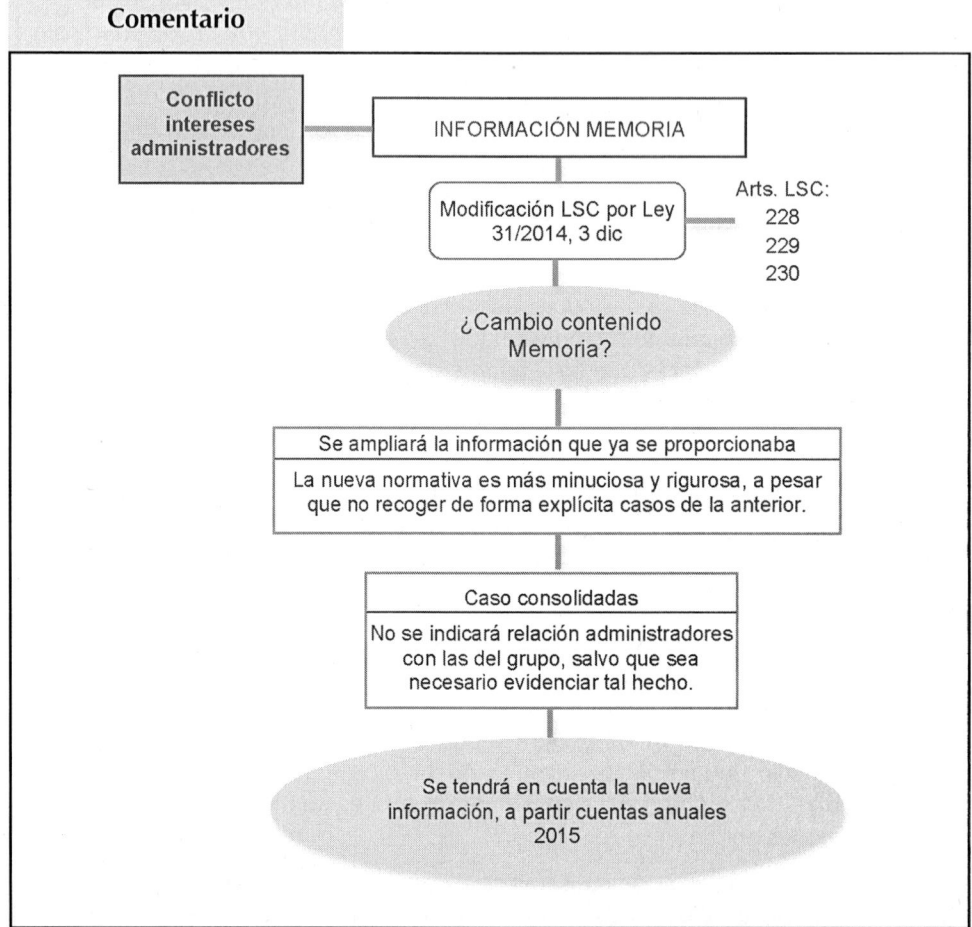

Ejemplo

ENSEÑANZA COMPARTIDA S.A., es una sociedad dedicada a la formación, especializada en Oposiciones y Masters, así como enseñanza on-line, de temas empresariales y formación *in company* para distintas entidades. Igualmente, forma parte de un grupo de sociedades, cuya dominante es Centro de Enseñanza Empresarial S.A. (CEE, S.A.), con objeto similar de enseñanza.

Para el ejercicio X14, presenta la siguiente información en el apartado 23.7 de su Memoria Normal, en referencia a los miembros del consejo de administración. Así:

Detalle de la participación de los administradores, así como cargos o funciones en sociedades con actividades similares.

De conformidad con lo establecido en el art. 229 LSC, con el fin de reforzar la transparencia de las sociedades anónimas, se señala a continuación las sociedades con el mismo, análogo o complementario género de actividad al que constituye el objeto social de ENSEÑANZA COMPARTIDA S.A., en cuyo capital participan o han participado durante el ejercicio X14, los miembros del consejo de administración, así como las funciones que, en su caso, ejerzan en ellas:

Titular	Sociedad participada	Actividad	Participación	Funciones
D. Antonio Soto	CEE S.A.	Enseñanza	10.000 acciones	---
D. Manuel Crispín	CEE S.A.	Enseñanza	8.500 acciones	Director sistemas informáticos
Dª Dolores Colmenero	CEE S.A.	Enseñanza	5.450 acciones	Directora Finanzas
Dª Mª José Fernández	CEE S.A.	Enseñanza	Menos 0,01%	Secretaria del consejo

Igualmente, y de acuerdo con el texto mencionado anteriormente, a continuación se indican las actividades realizadas por los distintos miembros durante el X14, del mismo análogo o complementario género que el que constituye ENSEÑANZA COMPARTIDA S.A.

Titular	Sociedad prestó actividad	Actividad realizada	Tipo de régimen presta actividad	Cargos o funciones que ostentan
D. Antonio Soto	Centro recuperación S.A.	Enseñanza media especialista en recuperación materias	Ajena	Consejero
D. Manuel Crispín	Asistentes a la dirección S.A.	Enseñanza presencial y on-line sobre temas empresariales, sobre todo cursos secretariado	Ajena	Consejero
Dª Dolores Colmenero	CEE S.A.	Enseñanza general	Ajena	Controller financiero grupo
Dª Mª José Fernández	Al volante S.A.	Autoescuela presencial y on-line	Ajena	Consejera

1.1.4. Cuestiones que afectan conjunto de cuentas

1.1.4.1. Reformulación cuentas anuales, ante un error contable

BOICAC 86, junio 2011. Consulta 3.

Sobre si la subsanación de un error contable implica la reformulación de cuentas anuales.

Respuesta

La norma de registro y valoración 22ª "Cambios en criterios contables, errores y estimaciones contables" recogida en la segunda parte del Plan General de Contabilidad (PGC), aprobado por el Real Decreto 1514/2007, de 16 noviembre, señala que los errores contables incurridos en ejercicios anteriores se subsanarán en el ejercicio en que se detecten, contabilizando el ajuste en una partida de reservas por el efecto acumulado de las variaciones de los activos y pasivos que ponga de manifiesto la subsanación del error. Asimismo, la empresa modificará las cifras de la información comparativa e incorporará la correspondiente información en la memoria de las cuentas anuales.

Adicionalmente, la Norma de elaboración de las cuentas anuales (NECA) N°8 "Estados de cambios en el patrimonio neto", establece lo siguiente:

"(…) Cuando se advierta un error en el ejercicio a que se refieren las cuentas anuales que corresponda a un ejercicio anterior al comparativo, se informará en la memoria, e incluirá el correspondiente ajuste en el epígrafe A.II del Estado total de cambios en el patrimonio neto, de forma que el patrimonio inicial de dicho ejercicio comparativo será objeto de modificación en aras de recoger la rectificación del error. En el supuesto de que el error corresponda al ejercicio comparativo dicho ajuste se incluirá en el epígrafe C.II del Estado total de cambios en el patrimonio neto (…)"

Por su parte, la reformulación de cuentas es un hecho excepcional previsto en el artículo 38 c) del Código de Comercio y en el Marco Conceptual de la Contabilidad del PGC que, al desarrollar el principio de prudencia, dispone:

"Excepcionalmente, si los riesgos se conocieran entre la formulación y antes de la aprobación de las cuentas anuales y afectaran de forma muy significativa a la imagen fiel, la cuentas anuales deberán ser reformuladas"

En este mismo sentido se pronuncia el PGC en su introducción al señalar:

"Esta regla legal relativa a hechos posteriores al cierre del ejercicio, no tiene como objetivo imponer a los administradores una exigencia de reformulación de las cuentas anuales ante cualquier circunstancia significativa que se produzca antes de la aprobación por el órgano competente. Por el contrario sólo situaciones de carácter excepcional y máxima relevancia en relación con la situación patrimonial de la empresa, de riesgos que aunque conocidos con posterioridad existieran en la fecha de cierre de las cuentas

anuales, deberían llevar a una reformulación de éstas. Dicha reformulación debería producirse con carácter general hasta el momento en que se ponga en marcha el proceso que lleva a la aprobación de las mismas"

En definitiva, con carácter general, los errores contables deben subsanarse en el ejercicio en que se detectan, debiendo reflejarse la citada rectificación en las cuentas anuales de dicho ejercicio.

Comentario

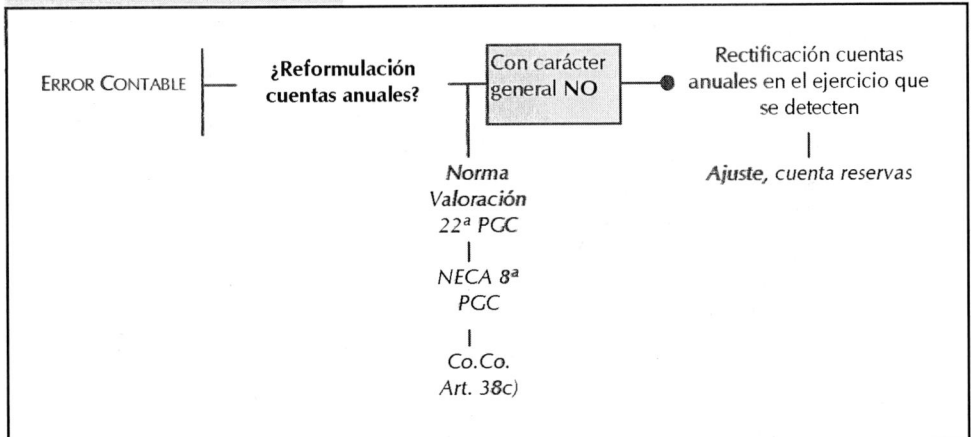

Ejemplo

La sociedad SAMIL S.A., posee una maquinaria con un valor contable de 60.000€ euros, que viene amortizándose linealmente en 10 años.

A finales de 2011, antes de contabilizar la dotación de dicho año, se pone de manifiesto que la vida útil estimada era desde un principio de 5 años pero, por error, se han considerado 10 años. Hasta el ejercicio 2010 se han contabilizado cuatro cuotas de amortización.

SE PIDE:

1.- Contabilice los ajustes correspondientes a 2011. Tipo impositivo 30%

2.- Indicar si estaría obligada la sociedad a reformular las cuentas anuales.

SOLUCIÓN:

1. Contabilice los ajustes correspondientes a 2011.

La situación de la máquina es la siguiente a 31/12/2011 y previo a la amortización:

Coste histórico – amortización acumulada de 4 años al 10% = 60.000.

X – 0,4 X = 60.000; y de aquí, X = 100.000 (COSTE HISTÓRICO)

Amortización acumulada: 40% de 100.000 = 40.000.

En consecuencia la situación de la máquina sería la siguiente:

COSTE HISTÓRICO	AMORTIZACIÓN EFEC-TUADA	AMORTIZACIÓN CORRECTA
100.000 €	10% 10.000 €	20% 20.000 €

La norma de registro y valoración 22ª. "Cambios en criterios contables, errores y estimaciones contables" recogida en la segunda parte del PGC, señala que los errores contables incurridos en ejercicios anteriores se subsanarán en el ejercicio en que se detecten, contabilizando el ajuste en una partida de reservas por el efecto acumulado de las variaciones de los activos y pasivos que ponga de manifiesto la subsanación del error.

Asimismo, la empresa modificará las cifras de la información comparativa e incorporará la correspondiente información en la memoria de las cuentas anuales.

El error detectado abarca más de un ejercicio. Además, puesto que en la segunda parte del Estado de cambios en el Patrimonio Neto (ECPN) deben figurar, caso de haberlos, los ajustes por errores del año anterior en un epígrafe (C.II.) y los de dos años atrás y anteriores en otro (A.II.).

En la siguiente tabla, se ha dispuesto la información de forma que facilite la elaboración del citado estado financiero:

Ajustes contra Reservas por corrección de errores			
Ejercicio	Amortización contabilizada	Amortización correcta	Ajuste neto
2007	10.000	20.000	10.000 x 0,7 = 7.000
2008	10.000	20.000	10.000 x 0,7 = 7.000
2009	10.000	20.000	10.000 x 0,7 = 7.000
Ajuste clasificable en el epígrafe A. II. (ejercicio 2009 y anteriores): 21.000			
2010	10.000	20.000	10.000 x 0,7 = 7.000
Ajuste clasificable en el epígrafe C. II. (ejercicio 2010): 7.000			

Por la amortización correcta al cierre de 2011:

———————————————————— 31/12/2011 ————————————————————

20.000 Amortización del inmovili-
        zado material (681)

                                a   Amortización acumulada
                                        del inmovilizado material
                                        (281)   20.000

Por la corrección de la amortización del ejercicio anterior (2010):

———————————————————— 31/12/2011 ————————————————————

10.000 Reservas voluntarias (113)

                                a   Amortización acumulada
                                        del inmovilizado material
                                        (281)   10.000

Por el efecto impositivo:

———————————————————— 31/12/2011 ————————————————————

3.000 Impuesto diferido (6301)

       (10.000 x 30%)

                                a   Reservas voluntarias
                                        (113)   3.000

Y por el ajuste de 2009 y anteriores, conjuntamente:

———————————————————— 31/12/2011 ————————————————————

30.000 Reservas voluntarias (113)

                                a   Amortización acumulada del
                                        inmovilizado material (281) 30.000

Por el efecto impositivo:

31/12/2011

9.000   Impuesto diferido (6301)

(30.000 x 30%)(*)

a   Reservas voluntarias (113)   9.000

(*) Aunque los dos asientos anteriores se podían haber realizado en uno solo, para la elaboración del ECPN es mejor que en la cuenta de reservas voluntarias aparezcan dos apuntes, cada uno con su importe correspondiente y su explicación.

2. Indicar si estaría obligada la sociedad a reformular las cuentas anuales.

Cuando se advierta un error en el ejercicio a que se refieren las cuentas anuales que corresponda a un ejercicio anterior al comparativo, se informará en la memoria, e incluirá el correspondiente ajuste en el epígrafe A.II. del Estado total de cambios en el patrimonio neto, de forma que el patrimonio inicial de dicho ejercicio comparativo será objeto de modificación en aras de recoger la rectificación del error.

En el supuesto de que el error corresponda al ejercicio comparativo: dicho ajuste se incluirá en el epígrafe C.II. del Estado total de cambios en el patrimonio neto.

Por su parte, la reformulación de cuentas es un hecho excepcional previsto en el artículo 38 c) del Código de Comercio y en el Marco Conceptual de la Contabilidad del PGC que, al desarrollar el principio de prudencia, dispone: "Excepcionalmente, si los riesgos se conocieran entre la formulación y antes de la aprobación de las cuentas anuales y afectaran de forma muy significativa a la imagen fiel, las cuentas anuales deberán ser reformuladas".

En este mismo sentido se pronuncia el PGC en su introducción al señalar: "Esta regla legal relativa a hechos posteriores al cierre del ejercicio, no tiene como objetivo imponer a los administradores una exigencia de reformulación de las cuentas anuales ante cualquier circunstancia significativa que se produzca antes de la aprobación por el órgano competente. Por el contrario sólo situaciones de carácter excepcional y máxima relevancia en relación con la situación patrimonial de la empresa, de riesgos que aunque conocidos con posterioridad existieran en la fecha de cierre de las cuentas anuales, deberían llevar a una reformulación de éstas. Dicha reformulación debería producirse con carácter general hasta el momento en que se ponga en marcha el proceso que lleva a la aprobación de las mismas."

En definitiva, con carácter general, los errores contables deben subsanarse en el ejercicio en que se detectan, debiendo reflejarse la citada rectificación en las cuentas anuales de dicho ejercicio.

1.1.4.2. Cambio moneda funcional

BOICAC 91, septiembre 2012. Consulta 4

Sobre el tratamiento contable de una diferencia de conversión, cuando se produce un cambio en la moneda funcional de una entidad.

Respuesta

Una empresa española, cuya moneda funcional al cierre del ejercicio 2011 es el dólar estadounidense (USD), cambia de moneda funcional el 1 de enero de 2012. A partir de esa fecha, la sociedad comienza a emplear el euro como moneda funcional. La consulta versa sobre el criterio que debe seguirse para cancelar la diferencia de conversión que luce en el balance.

La moneda funcional de una entidad es la moneda en la que no soporta riesgo de tipo de cambio, en la medida en que es la moneda en la que genera y emplea la mayor parte de su efectivo.

El Plan General de Contabilidad (PGC), aprobado por el Real Decreto 1514/2007, de 16 de noviembre, asume la hipótesis de que la moneda o monedas funcionales de una empresa española puedan ser distintas del euro. Este podría ser el caso de sucursales radicadas en el extranjero y, de manera más excepcional, de sociedades radicadas en España cuando la moneda en la que genera y emplea la mayor parte de su efectivo sea distinta del euro.

En este sentido, la norma de registro y valoración (NRV) 11ª. "Moneda extranjera" del PGC, en su apartado 2. Conversión de las cuentas anuales a la moneda de presentación, dispone:

> *"Excepcionalmente, cuando la moneda o monedas funcionales de un empresa española sean distintas del euro, la conversión de sus cuentas anuales a la moneda de presentación se realizará aplicando los criterios establecidos sobre "Conversión de estados financieros en moneda funcional distinta de la moneda de presentación" en las Normas para la Formulación de las Cuentas Anuales Consolidadas que desarrollan el Código de Comercio"*

En el escrito de consulta no se aporta información sobre la causa que determina el cambio de moneda funcional. Solo se afirma que la empresa "ha cambiado" su moneda funcional, y se pregunta qué criterio debe seguirse en relación con el saldo del epígrafe "Diferencias de conversión".

Antes de entrar en el fondo de la cuestión que se plantea es preciso resaltar que cuál sea la moneda funcional de una entidad es una cuestión de hecho y, por tanto, no constituye una opción contable. Es decir, como se ha indicado más arriba, la moneda funcional es la moneda del entorno principal en el que opera la empresa, presumiéndose, salvo prueba en contrario, que para las empresas radicadas en España dicha moneda es el euro.

Sobre la base de este razonamiento, el artículo 59.3 de las Normas para la Formulación de las Cuentas Anuales Consolidadas (NFCAC), aprobadas por el Real Decreto 1159/2010, de 17 de septiembre, establece:

> "La moneda funcional refleja las transacciones, sucesos y condiciones que subyacen y son relevantes para la misma, por lo que una vez definida la moneda funcional no se cambiará a menos que se produzca un cambio en tales transacciones, sucesos y condiciones. En este último caso, se aplicarán los procedimientos de conversión a la nueva moneda funcional de forma prospectiva desde la fecha de cambio"

Asumiendo que éste es el caso que describe el consultante, esto es, que se ha producido un cambio en las transacciones, sucesos o condiciones que llevaron a calificar en su día como moneda funcional al USD, y que adicionalmente este cambio se produce el 1 de enero de 2012 y no al cierre del ejercicio inmediato anterior, la cuestión a resolver en estos momentos es determinar la repercusión contable de la citada aplicación prospectiva.

Pues bien, la diferencia de conversión que luce en el balance al cierre del ejercicio 2011, es el importe resultante de comparar los activos y pasivos en moneda extranjera convertidos a euros, empleando el tipo de cambio de cierre en esa fecha, con las partidas del patrimonio neto convertidas a tipo de cambio histórico. La aplicación prospectiva del cambio implica no modificar dichas valoraciones, salvo error en la calificación inicial, en cuyo caso será de aplicación el criterio recogido en la norma de registro y valoración 22ª. "Cambios en criterios contables, errores y estimaciones contables" del PGC.

Por su parte, si el cambio en la moneda funcional trae causa del cambio en la naturaleza de los activos de la empresa, como consecuencia de la enajenación de los activos netos que la integran, y la correspondiente pérdida de control, de acuerdo con el criterio recogido en el artículo 66 de las propias NFCAC la diferencia de conversión acumulada en el patrimonio neto se deberá transferir a la cuenta de pérdidas y ganancias.

En caso contrario, habrá que proceder como sigue:

a) La diferencia de conversión se distribuirá en proporción al valor en libros de los activos monetarios netos (activos menos pasivos) y los activos no monetarios.

b) La diferencia atribuida a los activos monetarios netos se transferirá a la cuenta de pérdidas y ganancias.

c) La atribuida a los activos no monetarios se mantendrá en el patrimonio neto para su posterior imputación al resultado del ejercicio a medida que se produzca la corrección valorativa, baja o, en su caso, amortización de los activos de los que traiga causa. En el supuesto de que la citada identificación, activo-diferencia, fuera impracticable, la empresa deberá distribuir la diferencia de conversión en proporción al valor en libros de los activos no monetarios.

Comentario

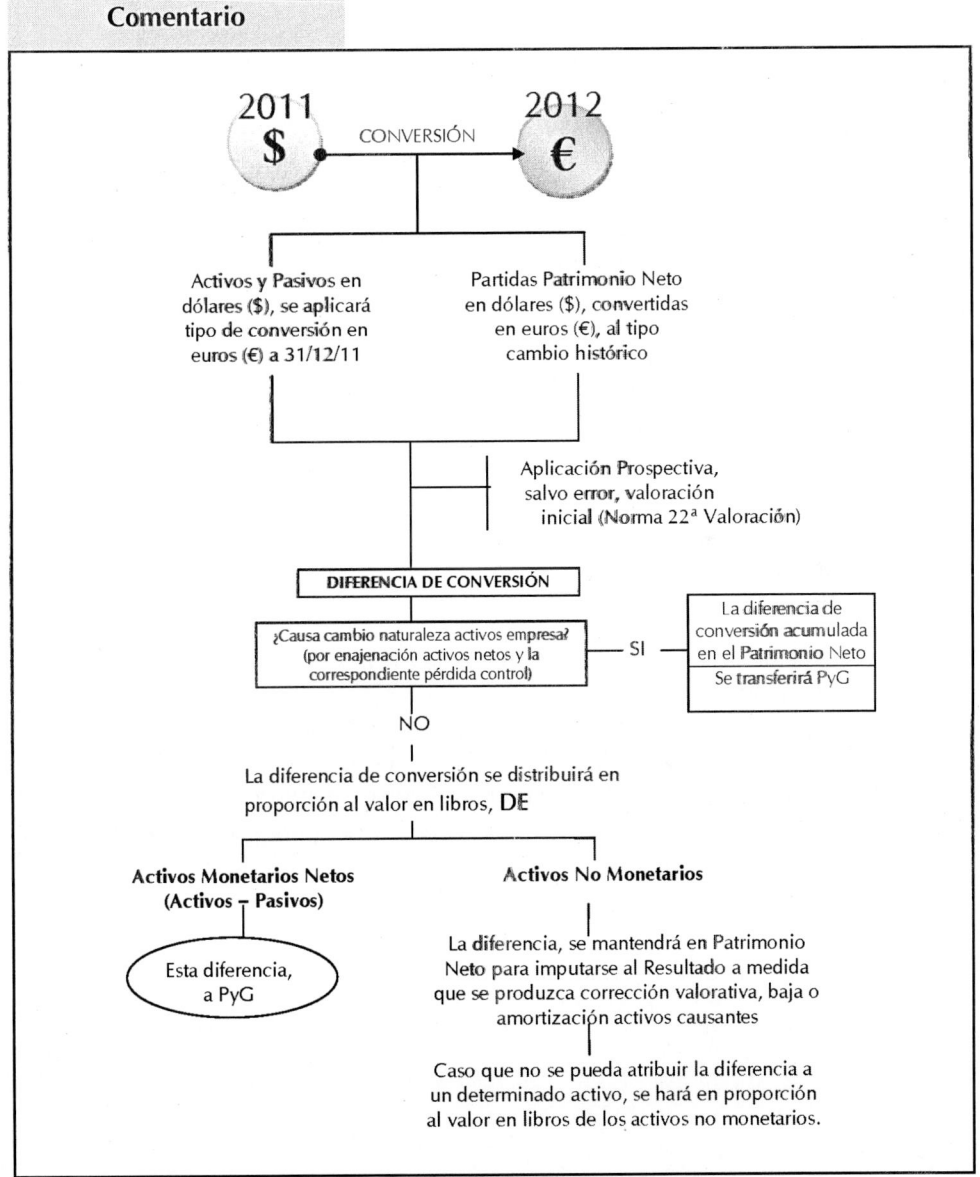

Ejemplo

"O PORIÑO S.A" posee una sucursal en Argentina, cuya moneda funcional es el dólar americano. La aportación inicial consistió en 2.000.000 € cuando 1€ = 1,20$. A 31-12-2011 el tipo de cambio de cierre del euro con respecto al dólar era de: 1 € = 1,25 $.

El Balance de la sucursal a 31/12/2011, es el siguiente:

ACTIVO				NETO Y PASIVO			
Elemento	Cuantía (€)	Tipo cambio	Dólares	Elemento	Cuantía (€)	Tipo de cambio	Dólares
Deudores	400.000 Nota (1)	1 € = 1,25$	500.000	Central	2.000.000 Nota (2)	1 € = 1,20 €	2.400.000
Clientes	800.000 Nota (1)	1 € = 1,25$	1.000.000	Resultado ejercicio	80.000 Nota (3)		100.000
Terrenos y bienes naturales	1.000.000 Nota (1)	1 € = 1,25$	1.250.000	Diferencias de conversión	(80.000) Nota (4)		
				Proveedores	200.000 Nota (1)	1 € = 1,25 €	250.000
TOTAL	2.200.000		2.750.000	TOTAL	2.200.000		2.750.000

SE PIDE:

1.- Registrar la conversión al cierre de ejercicio 2011, sabiendo que el tipo impositivo es del 30%.

2.- Como consecuencia de que la moneda en que se genera y emplea la mayor parte del efectivo a 1/1/2012 es el euro, la sucursal decide a dicha fecha cambiar de moneda funcional y emplear el euro a partir de la citada.

3.- Al cierre del ejercicio 2012 se sabe que el importe recuperable del terreno asciende a 800.000€.

SOLUCIÓN:

1) Registro de la conversión al cierre del ejerció 2011

Asiento de integración:

400.000	Deudores (440)	
800.000	Clientes (430)	
1.000.000	Terrenos y bienes naturales (210)	
450.000	Diferencia de conversión negativas (820) (Nota 4)	
	a Sucursal c/c (x)	2.000.000
	Resultado del ejercicio, sucursal (129x)	450.000
	Proveedores (400)	200.000

La conversión de cuentas anuales en moneda extranjera, se ha llevado a cabo aplicando lo dispuesto en el [Art. 61 de las Normas de Formulación Cuentas Anuales Consolidadas], las cuales fueron aprobadas por el Real decreto 1159/2010 de 17 de septiembre.

NOTA 1.- Art. 61.a) Los activos y pasivos se convertirán al tipo de cambio de cierre. Se entiende por tipo de cambio de cierre el tipo de cambio medio de contado existente en esa fecha.

NOTA 2.- Art. 61.b) Las partidas de patrimonio neto, incluido el resultado del ejercicio, se convertirán al tipo de cambio histórico...(...).... A los efectos del apartado anterior se considerará tipo de cambio histórico:

a) Para las partidas de patrimonio neto existentes en la fecha de adquisición de las participaciones que se consolidan: el tipo de cambio a la fecha de la transacción.

NOTA 3.- El resultado del ejercicio que figura en euros, se ha obtenido aplicando lo dispuesto en el Art. 61. b) que dice...(...). En particular, la transferencia a la cuenta de pérdidas y ganancias ...(...)... se realizará de conformidad con los tipos de cambio históricos a los que se reconocieron los citados ingresos y gastos. No obstante, se podrá utilizar un tipo medio ponderado del periodo (como máximo mensual), representativo de los tipos de cambio existentes en las fechas de las transacciones, siempre que éstos no hayan variado de forma significativa

NOTA 4.- La diferencia entre el importe neto de los activos y pasivos y las partidas de patrimonio neto, se recogerá en un epígrafe del patrimonio neto, bajo la denominación «diferencia de conversión», en su caso, neta del efecto impositivo, y una vez deducida la parte de dicha diferencia que corresponda a los socios externos. Art. 61.c).

Cálculo de la citada diferencia:

CONCEPTO		IMPORTE
A) IMPORTE NETO DE ACTIVOS Y PASIVOS:	2.000.000	**2.000.000**
Deudores	400.000	
Clientes	800.000	
Terrenos y bienes naturales	1.000.000	
Proveedores	(200.000)	
B) PARTIDAS DE PATRIMONIO NETO:	2.080.000	**2.080.000**
Central	2.000.000	
Resultado del ejercicio	80.000	
DIFERENCIA DE CONVERSIÓN NEGATIVA (A-B)		**80.000**

Por último, reconoceremos el efecto impositivo de la diferencia de conversión y regularizaremos la partida del grupo 8:

24.000	Activo por diferencia temporaria deducible (4740)			
	(80.000 x 0,3)			
		a	Impuesto diferido (8301)	24.000

56.000	Diferencias de conversión (135)			
24.000	Impuesto diferido (8301)			
		a	Diferencias de conversión negativas (820)	80.000

2) Registro de los efectos ocasionados como consecuencia del cambio de la moneda funcional

El Real Decreto 1159/2010, de 17 de septiembre, establece:

"*La moneda funcional refleja las transacciones, sucesos y condiciones que subyacen y son relevantes para la misma, por lo que una vez definida* la moneda funcional no se cambiará a menos que se produzca un cambio en tales transacciones, sucesos y condiciones. *En este último caso, se aplicarán los procedimientos de conversión a la nueva moneda funcional de forma prospectiva desde la fecha de cambio." En nuestro caso esta fecha es el 1/1/2012.*

Distribución de la diferencia e conversión: (450.000 €)

		% sobre el total	Diferencias de conversión
Activos monetarios netos:	**1.000.000**	50	40.000
Deudores	400.000		
Clientes	800.000		
Proveedores	(200.000)		
Activos no monetarios:	**1.000.000**	50	40.000
Terrenos y bienes naturales	1.000.000		
TOTAL	**2.000.000**	**100**	**80.000**

La diferencia de conversión se distribuirá en proporción al valor en libros de los activos monetarios netos (activos menos pasivos) y los activos no monetarios.

La diferencia atribuida a los activos monetarios netos se transferirá a la cuenta de pérdidas y ganancias. En consecuencia por los activos monetarios netos:

40.000	Diferencias negativas de cambio (668)			
		a	Transferencia de diferencias de conversión negativas (921)	40.000

Por la reversión del efecto impositivo:

127.000	Impuesto diferido (8301)			
		a	Activos por diferencias temporarias deducibles (4740)	
			(40.000 x 30%)	12.000

3) Registro del deterioro del terreno

*Se producirá una pérdida por deterioro del valor de un elemento del inmovilizado material cuando su valor contable supere a su importe recuperable, entendido éste como el mayor importe entre su valor razonable menos los costes de venta y su valor en uso. NRV 2.2.*Comparamos:

Valor contable del terreno.	1.000.000
Importe recuperable.	800.000
DETERIORO.	200.000 (20%)

8.000	Diferencias negativas de cambio (668)	
	a	Transferencia de diferencias de conversión negativas (921)
		(40.000x20%)
		8.000

La diferencia de conversión atribuida a los activos no monetarios se mantendrá en el patrimonio neto para su posterior imputación al resultado del ejercicio a medida que se produzca la corrección valorativa, baja o, en su caso, amortización de los activos de los que traiga causa.

Por la reversión del efecto impositivo:

2.400	Impuesto diferido (8301)	
	a	Activos por diferencias temporarias deducibles (4740)
		(8.000 x 30%)
		2.400

Por la regularización de las cuentas de los grupos 8 y 9.

48.000	Transferencia de diferencias de conversión negativas (921) (40.000 + 8.000)		
		a	Impuesto diferido (8301) (12.000 + 2.400)
			14.400
		a	Diferencias de conversión (135)
			33.600

1.1.4.3. Idioma presentación cuentas anuales

BOICAC 97, marzo 2014. Consulta 5.

Sobre la posibilidad de llevar la contabilidad y presentar las cuentas anuales en un idioma distinto al castellano o algunas de las lenguas cooficiales.

Respuesta

Las obligaciones contables de una empresa están reguladas en el Código de Comercio, el Plan General de Contabilidad, el Plan General de Contabilidad de Pequeñas y Medianas Empresas, y, en su caso, en el texto refundido de la Ley se Sociedades de Capital, aprobado por el Real Decreto Legislativo 1/2010, de 2 de julio.

La llevanza de la contabilidad cumple con el objetivo de conocer la situación económica financiera de la empresa y de los principales hechos que se producen en ella. Esta obligación tiene su fundamento legal en el artículo 25 y siguientes del Código de Comercio, en cuya virtud:

"Todo empresario deberá llevar de manera ordenada la contabilidad de su negocio, de acuerdo con la actividad de su empresa, para que posteriormente se pueda realizar un seguimiento de las operaciones y simplifique la realización periódica de balances e inventarios. Llevará necesariamente, sin perjuicio de lo establecido en las leyes o disposiciones especiales, un libro de Inventarios y Cuentas anuales y otro Diario".

Por su parte, el artículo 28 del Código de Comercio (apartado 2 del artículo 28 redactado por el artículo 48 de la Ley 14/2013, de 27 de septiembre, de apoyo a los emprendedores y su internacionalización, *BOE* 28 septiembre), señala:

"1. El libro de Inventarios y Cuentas Anuales se abrirá con el balance inicial detallado de la empresa. Al menos trimestralmente se transcribirán

> con sumas y saldos los balances de comprobación. Se transcribirán también el inventario de cierre de ejercicio y las cuentas anuales.
>
> 2. El libro Diario registrará día a día todas las operaciones relativas a la actividad de la empresa. Será válida, sin embargo, la anotación conjunta de los totales de las operaciones por períodos no superiores al trimestre, a condición de que su detalle aparezca en otros libros o registros concordantes, de acuerdo con la naturaleza de la actividad de que se trate".

Los artículos 34 a 41 del Código de Comercio regulan, con carácter general, las obligaciones contables de los empresarios en materia de formulación de cuentas anuales. Por su parte, los artículos 365 y siguientes del Real Decreto 1784/1996, de 19 de julio, por el que se aprueba el Reglamento del Registro Mercantil prevén las obligaciones de presentación y depósito de estas cuentas anuales, y en su disposición final sexta se autoriza al titular del Ministerio de Justicia para dictar las disposiciones que sean precisas para el desarrollo del mismo.

Como consecuencia de esta normativa, fue publicada en el *Boletín Oficial del Estado*, la Orden JUS/206/2009, de 28 de enero, por la que se aprobaban nuevos modelos para la presentación en el Registro Mercantil de las cuentas anuales de las sociedades mercantiles y demás entidades y empresarios que conforme a las disposiciones vigentes vengan obligados a dar publicidad a las mismas, así como las de quienes voluntariamente las presenten. Dicha Orden ha sido modificada posteriormente a través de sucesivas Resoluciones de la Dirección General de los Registros y del Notariado, siendo la más reciente y en vigor la Resolución de 28 de enero de 2014, de la Dirección General de los Registros y del Notariado, por la que se modifican los modelos establecidos en la Orden JUS/206/2009, de 28 de enero, por la que se aprueban nuevos modelos para la presentación en el Registro Mercantil de las cuentas anuales de los sujetos obligados a su publicación, y se da publicidad a las traducciones a las lenguas cooficiales propias de cada Comunidad Autónoma.

En definitiva, todo empresario deberá formular cuentas anuales que, de acuerdo con el artículo 34 del Código de Comercio, comprenderán el balance, la cuenta de pérdidas y ganancias, un estado que refleje los cambios en el patrimonio neto del ejercicio, un estado de flujos de efectivo y la memoria. Estos documentos forman una unidad y deben redactarse con claridad y mostrar la imagen fiel del patrimonio, de la situación financiera y de los resultados de la empresa. Adicionalmente, las cuentas anuales deberán presentarse en los modelos establecidos al efecto de acuerdo con la normativa anteriormente citada.

Comentario

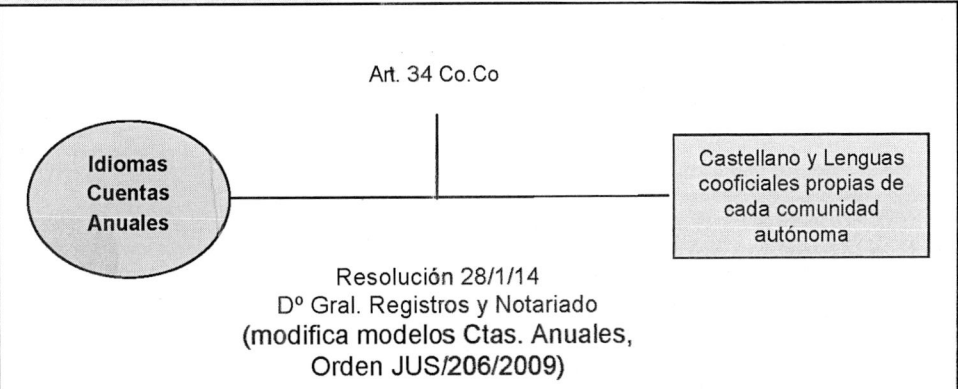

Art. 34 Co.Co

Idiomas
Cuentas
Anuales

Castellano y Lenguas
cooficiales propias de
cada comunidad
autónoma

Resolución 28/1/14
Dº Gral. Registros y Notariado
(modifica modelos Ctas. Anuales,
Orden JUS/206/2009)

Las cuentas anuales, se presentarán como se dispone en la Orden JUS/206/2009, de 28 de enero, por la que se aprobaban nuevos modelos para la presentación en el Registro Mercantil de las cuentas anuales de las sociedades mercantiles y demás entidades y empresarios que conforme a las disposiciones vigentes vengan obligados a dar publicidad a las mismas, así como las de quienes voluntariamente las presenten. Dicha Orden ha sido modificada posteriormente a través de sucesivas Resoluciones de la Dirección General de los Registros y del Notariado, y se da publicidad a las traducciones a las lenguas cooficiales propias de cada Comunidad Autónoma.

A tal fin, esta Dirección General ha resuelto dar publicidad a las modificaciones de las traducciones de acuerdo con las que se realizan en la presente resolución. Estas modificaciones se incluyen en cuatro anexos, que serán publicados íntegramente en la página web del Ministerio de Justicia, www.mjusticia.es: anexo I, castellano/catalán; anexo II, castellano/euskera, anexo III, castellano/gallego y anexo IV castellano/valenciano.

En la Resolución de 28 de enero de 2014, de la Dirección General de los Registros y del Notariado, se modificaron los modelos establecidos en la Orden JUS/206/2009, de 28 de enero, por la que se aprueban nuevos modelos para la presentación en el Registro Mercantil de las cuentas anuales de los sujetos obligados a su publicación, y se da publicidad a las traducciones a las lenguas cooficiales propias de cada Comunidad Autónoma. Recoge las novedades introducidas en los modelos de depósito de cuentas establecidos en la Orden JUS/206/2009, de 28 de enero. Además, en cumplimiento del artículo 1 de la Orden JUS/206/2009, de 28 de enero, a través de esta resolución, se da publicidad a las traducciones de los mencionados modelos a las demás lenguas cooficiales propias de cada una de las Comunidades Autónomas, en armonía con el marco constitucional y dentro de sus respectivos territorios. Todos los cambios introducidos en el modelo en castellano se han incorporado en los modelos bilingües, así como en la taxonomía XBRL relacionada. La disposición adicional de la Orden JUS/206/2009, de 28 de enero, por la que se aprueban nuevos modelos para la presentación en el Registro Mercantil de las cuentas anuales de los sujetos obligados a su publicación, faculta a la Dirección General de los Registros y del Notariado para que pueda aprobar aquellas modificaciones que exijan los modelos a que se refiere esta orden como consecuencia de reformas puntuales de la normativa contable. La versión íntegra, actualizada y completa de todos los modelos se publicará en la página web del Ministerio de Justicia.

1.1.4.4. Modificación límites cuentas abreviadas art 257 TRLSC: repercusiones

BOICAC 100, diciembre 2014. Consulta 1.

Sobre el alcance de los nuevos parámetros referentes a la formulación de cuentas anuales abreviadas, incorporados en el texto refundido de la Ley de Sociedades de Capital *(TRLSC), por la* ley 14/2013, de 27 de septiembre, de apoyo a los emprendedores y su internacionalización.

Respuesta

El artículo 49 *"Formulación de cuentas anuales abreviadas"* de la Ley 14/2013, de 27 de septiembre (*BOE* de 28 de septiembre), de apoyo a los emprendedores y su internacionalización, en su apartado uno, dispone que:

"El texto refundido de la Ley de Sociedades de Capital, aprobado por Real Decreto Legislativo 1/2010, de 2 de julio, queda modificado de la siguiente forma:

Uno. Se modifica el apartado 1 del artículo 257, que queda redactado como sigue:

1. Podrán formular balance y estado de cambios en el patrimonio neto abreviados las sociedades que durante dos ejercicios consecutivos reúnan, a la fecha de cierre de cada uno de ellos, al menos dos de las circunstancias siguientes:

a) Que el total de las partidas del activo no supere los cuatro millones de euros.

b) Que el importe neto de su cifra anual de negocios no supere los ocho millones de euros.

c) Que el número medio de trabajadores empleados durante el ejercicio no sea superior a cincuenta. Las sociedades perderán esta facultad si dejan de reunir, durante dos ejercicios consecutivos, dos de las circunstancias a que se refiere el párrafo anterior".

En la consulta 1 del BOICAC nº 96, de diciembre de 2013, se publicó la interpretación de este Instituto sobre el criterio a seguir para computar los nuevos parámetros, así como sus implicaciones a los efectos de la obligación de someter a auditoría las cuentas anuales de las sociedades mercantiles.

Desde una perspectiva general, la cuestión que ahora se plantea es qué repercusiones tiene esta modificación sobre los criterios recogidos en el Plan General de Contabilidad (PGC) y sus normas de desarrollo o complementarias.

En particular, se formulan las siguientes preguntas:

1. Si esta modificación afecta a los límites regulados en la Norma de elaboración de las cuentas anuales (NECA) nº 4. "Cuentas anuales abreviadas" del PGC.

La respuesta es afirmativa porque el PGC y, en particular, la NECA 4ª es un desarrollo del artículo 257 del TRLSC.

2. Si esta modificación afecta a los límites regulados en el Real Decreto 1515/2007, de 16 de noviembre, para poder aplicar el Plan General de Contabilidad de Pequeñas y Medianas Empresas (PGC-Pymes).

La regulación del ámbito de aplicación del PGC-Pymes está recogida en el artículo 2 del Real Decreto 1515/2007, de 16 de noviembre. Como señala el consultante (y se recoge en la exposición de motivos del citado RD), en su día, el Gobierno consideró adecuado hacer coincidir el alcance de la facultad de seguir modelos abreviados en aplicación del Plan General de Contabilidad (PGC) y de poder optar por seguir el PGC-Pymes.

No obstante, considerando que el literal del artículo 2 del Real Decreto 1515/2007 no contiene una referencia expresa, ni directa ni indirecta, al artículo 257 del TRLSC sino que regula el ámbito de aplicación del citado PGC-Pymes de manera autónoma, la respuesta a esta segunda pregunta debe ser negativa.

3. Si esta modificación afecta a los límites regulados en el Plan de Contabilidad de las entidades sin fines lucrativos (PCESFL) y en el Plan de Contabilidad de las pequeñas y medianas entidades sin fines lucrativos, aprobados por las Resoluciones del ICAC de 26 de marzo de 2013.

En relación con la facultad de elaborar modelo abreviado de balance y memoria, la conclusión para las entidades que aplican el PCESFL es la misma a la que se ha llegado en relación con las empresas que siguen el PGC, siempre y cuando la respectiva Ley especial (por ejemplo, la Ley de Fundaciones) contenga una remisión, directa o indirecta, al artículo 257 del TRLSC, como es el caso de la recogida en el artículo 25.3 de la Ley 50/2002, de 26 de diciembre, para las Fundaciones de competencia estatal.

Del mismo modo, considerando que el literal del artículo 6 del Real Decreto 1491/2011, de 24 de octubre, por el que se aprueban las normas de adaptación del Plan General de Contabilidad a las entidades sin fines lucrativos y el modelo de plan de actuación de las entidades sin fines lucrativos, tampoco contiene una referencia expresa, ni directa ni indirecta, al artículo 257 del TRLSC, cabe concluir que la modificación de los límites no ha introducido cambios en el ámbito de aplicación del Plan de Contabilidad de las pequeñas y medianas entidades sin fines lucrativos.

4. Si esta modificación afecta a los límites regulados en la legislación propia de las sociedades cooperativas.

En relación con la facultad de elaborar modelo abreviado de balance, estado de cambios en el patrimonio neto y memoria, la conclusión para las sociedades cooperativas es la misma a la que se ha llegado en relación con las empresas que siguen el PGC, siempre y cuando la respectiva Ley especial (Ley de Cooperativas) contenga una remisión, directa o indirecta, al artículo 257 del TRLSC, como es el caso de la recogida en el artículo 61.1 de la Ley 27/1999, de 16 de junio, para las Cooperativas de competencia estatal.

Del mismo modo, considerando que el literal del artículo 2.2 de la Orden EHA/ 3360/2010, de 21 de diciembre, por la que se aprueban las normas sobre los aspectos contables de las sociedades cooperativas, tampoco contiene una referencia expresa, ni directa ni indirecta, al artículo 257 del TRLSC, cabe concluir que la modificación de los límites no ha introducido cambios en el ámbito de aplicación del PGC-Pymes para las sociedades cooperativas.

Comentario

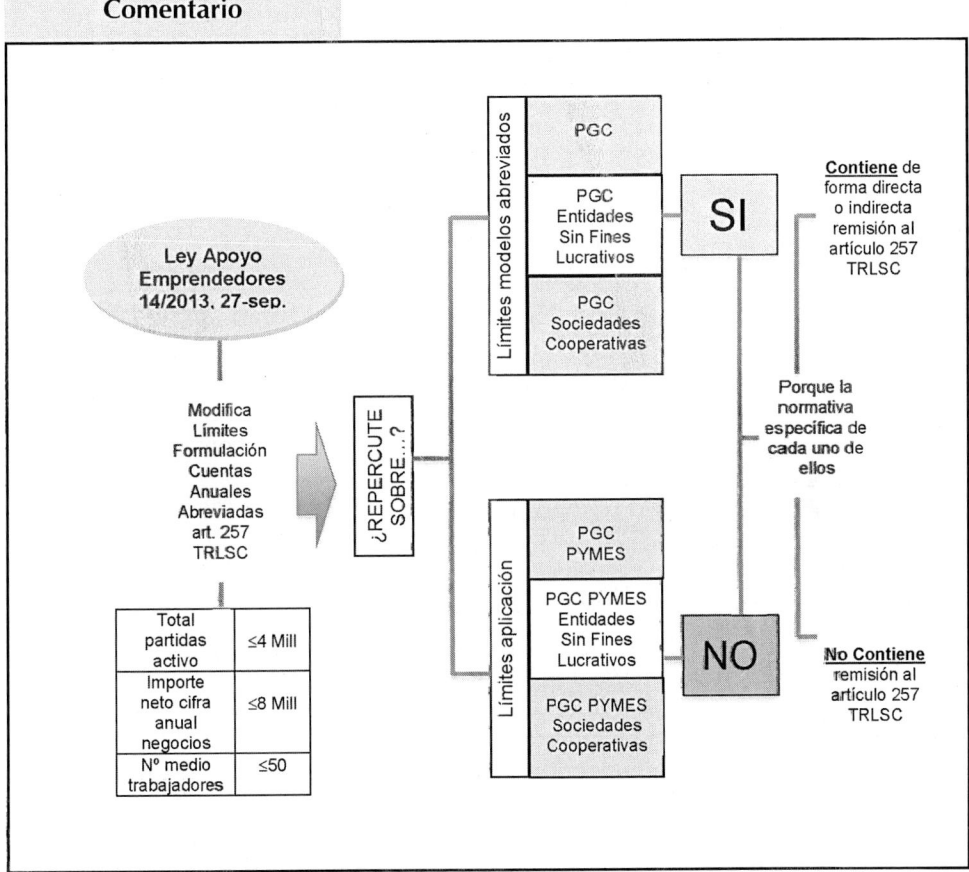

Ejemplo

La sociedad "PAULA S.A". acude a un asesor contable, para que le ayude a entender cómo le afecta los cambios introducidos por la Ley de Apoyo a Emprendedores y sus consecuencias a la hora de presentar las cuentas anuales.

De esta forma, sabemos que viene aplicando el PGC (RD 1514/2007, de 16 noviembre) y en el ejercicio pasado formuló los modelos normales de las Cuentas Anuales, ya que sus indicadores fueron:

Total partidas activo	Importe neto cifra anual negocios	Número medio trabajadores
3.000.000 €	6.200.000 €	45

Ascendiendo las cifras, a cierre de este ejercicio a:

Total partidas activo	Importe neto cifra anual negocios	Número medio trabajadores
3.500.000 €	7.000.000 €	48

El gerente desea averiguar si con estas magnitudes, y dada la nueva legislación, pudiera estar aplicando el PGC PYMES.

SOLUCIÓN:

A la hora de estar aplicando el PGC PYMES, nos atendremos a lo establecido en el art. 2 del RD 1515/2007, de 16 noviembre: en donde nos indica el ámbito de aplicación. Así podrán acogerse, cualquier empresa que durante dos ejercicios consecutivos reúnan, a fecha de cierre de cada uno de ellos, al menos dos de las siguientes circunstancias:

	Total partidas activo	Importe neto cifra anual negocios	Número medio trabajadores
PGC PYMES	≤ 2.850.000 €	≤ 5.700.000 €	≤ 50

Comparando las cifras, observamos que nuestra empresa no cumple con lo establecido. Cabría preguntarse si éstas no se ven afectadas por la modificación del art. 257 del TRLSC (ya que sus cuantías coincidían con este articulado), redactado de nuevo, por el apartado uno del art. 49 de la Ley 14/2013, de 27 de septiembre, de apoyo a los emprendedores (*BOE*, 28 septiembre: y vigencia desde el 29 de septiembre), donde nos comenta que las sociedades podrán formular balance y estado de cambios de patrimonio neto abreviados cuando durante dos ejercicios consecutivos, reúnan al menos dos de las circunstancias siguientes:

	Total partidas activo	Importe neto cifra anual negocios	Número medio trabajadores
Art. 257 TRLSC (modificado ley emprendedores)	≤4.000.000 €	≤ 8.000.000 €	≤ 50

Este interrogante, nos lo ha resuelto la presente consulta (100, diciembre-14): la cual concluye que si la normativa específica (en nuestro caso el art. 2 RD 1515/2007) no tiene una referencia expresa al art. 257 TRLSC modificado, los indicadores no varían; y por tanto, nuestra empresa PAULA, no puede acogerse al PGC PYMES.

Otra cosa, es, y siguiendo lo establecido en la mencionada Consulta, que pueda estar formulando los modelos abreviados del PGC: ya la Norma 4ª de Elaboración de Cuentas Anuales, es un desarrollo del artículo 257 TRLSC.

Con lo cual, el asesor contable le indicará que puede estar utilizando los modelos abreviados del Balance, Estado de Cambios en el Patrimonio Neto y Memoria; pero no así los modelos contenidos en el PGC PYMES.

1.1.4.5. Registro operaciones sucursal española en el extranjero

BOICAC 104, diciembre 2015. Consulta 1.

Sobre el tratamiento contable de las operaciones realizadas por un establecimiento permanente de una empresa española en el extranjero.

Respuesta

En la consulta nº 4 publicada en el BOICAC nº 32, de diciembre de 1997, relativa al tratamiento contable de los activos, pasivos, ingresos y gastos de una sucursal en el extranjero, de una sociedad anónima española, se aclara que la sucursal es parte integrante de una empresa. Es por ello que las cuentas anuales han de ser únicas, donde deben recogerse las operaciones y los elementos patrimoniales de la empresa en su conjunto.

Este Instituto considera en vigor este pronunciamiento en el nuevo Plan General de Contabilidad, aprobado por Real Decreto 1514/2007, de 16 de noviembre, sin perjuicio de tener en consideración que para las transacciones en moneda extranjera será de aplicación la norma de registro y valoración 11ª. Moneda extranjera, contenida en la segunda parte del PGC.

Por su parte el artículo 28 del Código de Comercio señala:

"1. El libro de Inventarios y Cuentas Anuales se abrirá con el balance inicial detallado de la empresa. Al menos trimestralmente se transcribirán con sumas y saldos los balances de comprobación. Se transcribirán también el inventario de cierre de ejercicio y las cuentas anuales.

2. El libro Diario registrará día a día todas las operaciones relativas a la actividad de la empresa. Será válida, sin embargo, la anotación conjunta de los totales de las operaciones por períodos no superiores al trimestre, a condición de que su detalle aparezca en otros libros o registros concordantes, de acuerdo con la naturaleza de la actividad de que se trate".

Por tanto, la empresa como único sujeto contable deberá contabilizar todas las operaciones realizadas de manera que los documentos que las acreditan sirvan de soporte a las cuentas anuales, que serán únicas para el conjunto de sus operaciones.

Todo ello, sin perjuicio de que se lleven los registros contables auxiliares o adicionales que se consideren necesarios para un mejor control de la gestión y por el procedimiento que la empresa considere conveniente. Pudiéndose en tal caso realizar anotaciones conjuntas de las operaciones por periodos no superiores al trimestre.

Finalmente, respecto a las cuentas a utilizar para reflejar las operaciones realizadas por la sucursal, debe indicarse que de acuerdo con lo establecido en el artículo 2 del Real Decreto 1514/2007, de 16 de noviembre, que aprueba el Plan General de Contabilidad:

> "No tendrán carácter vinculante los movimientos contables incluidos en la quinta parte del Plan General de Contabilidad y los aspectos relativos a numeración y denominación de cuentas incluidos en la cuarta parte, excepto en aquellos aspectos que contengan criterios de registro o valoración".

Por tanto, la empresa puede utilizar las cuentas que considere más adecuadas para sus fines, pudiendo utilizar subcuentas de tantas cifras como estime necesarias. No obstante, es aconsejable, que se utilicen denominaciones similares a las incluidas en el PGC con el fin de facilitar la elaboración de las cuentas anuales cuya estructura y normas que desarrollan su contenido y presentación son obligatorias.

Comentario

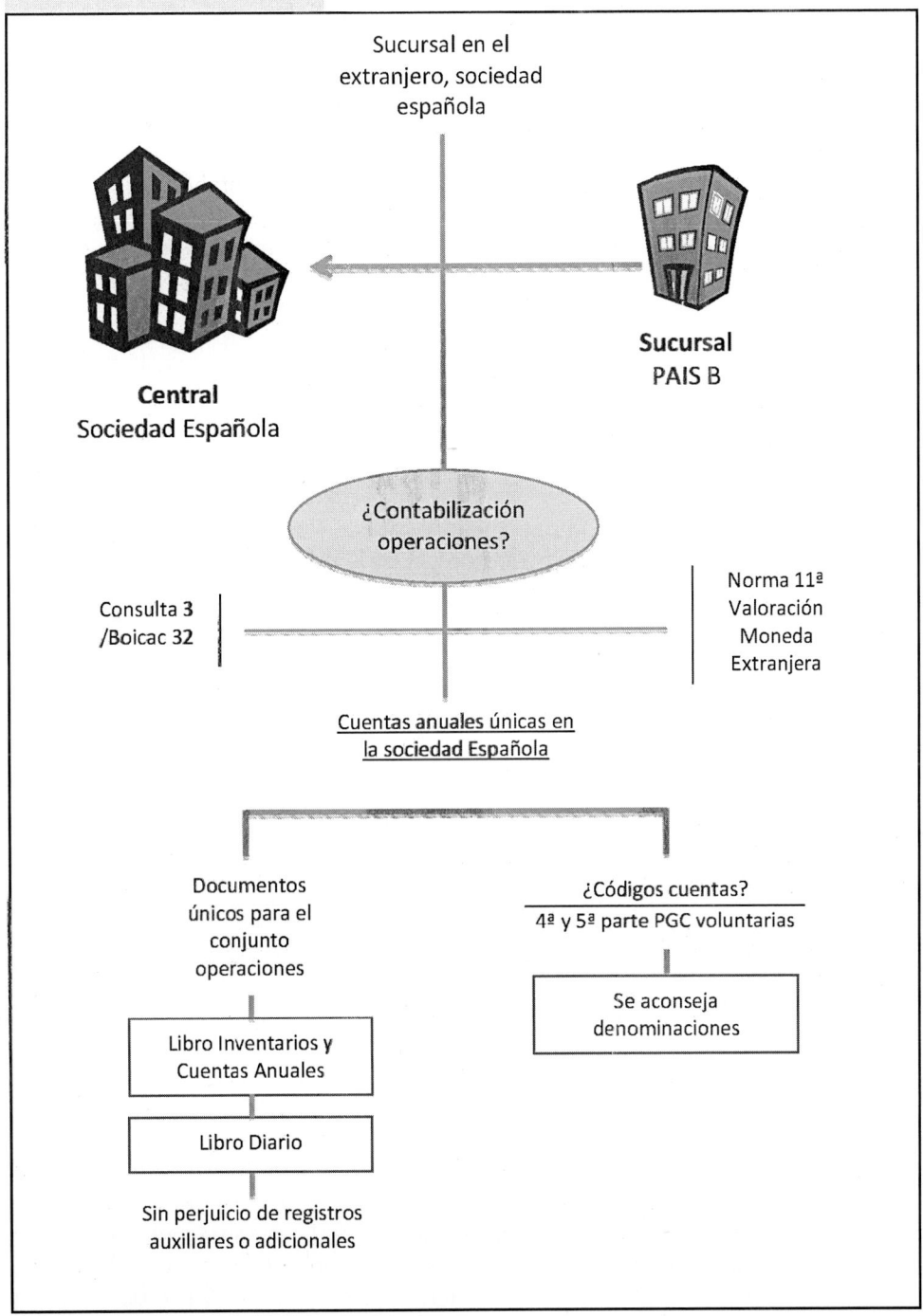

Ejemplo 1

La Sociedad Anónima LEIRO presenta, entre otros, los siguientes saldos, referidos al 30 de septiembre del X5, en miles de euros:

SALDOS DEUDORES		SALDOS ACREEDORES	
350.000	Inmovilizado material neto	Obligaciones y bonos	100.000
274.200	Sucursal cuenta de mercaderías	Sucursal c/c	93.500
150.000	Mercaderías	Mercaderías enviadas a la sucursal	274.200
100.000	Deudores	Beneficio a realizar en inventario de la sucursal	8.000
100.000	Banco c/c		
650.000	Compras de mercaderías		

Dicha Sociedad, cuenta con una Sucursal, sita en Panamá, y que controla de manera descentralizada, tal y como se aprecia en la información suministrada.

El Balance de saldos de la sucursal a 31/12/X5, era el siguiente, en miles de euros:

SALDOS DEUDORES		SALDOS ACREEDORES	
100.000	Inmovilizado material neto	Central, cuenta de mercaderías	273.000
48.000	Mercaderías	Acreedores varios	10.000
25.000	Clientes	Ventas de mercaderías	280.000
123.500	Central c/c		
3.500	Banco c/c		
225.000	Mercaderías recibidas de la central		
38.000	Gastos de explotación varios		
563.000	**TOTAL SALDOS DEUDORES**	**TOTAL DE SALDOS ACREEDORES**	**563.000**

Se hace constar en relación con las diferencias de cambio en moneda extranjera, se ha aplicado el contenido de la Norma 11ª, de la segunda parte del PGC. Por lo que respecta al registro del resto de las operaciones de ingresos y gastos, se han convertido sus importes a moneda nacional, utilizando los tipos de cambio vigentes, en las fechas en que se realizaron las correspondientes transacciones.

La sucursal ha remitido al final del último trimestre 25 millones de euros a la Central. Por su parte, ésta había cargado en el tercer trimestre 5 millones a la sucursal, por gastos suplidos. Una partida de mercaderías enviadas por la Central de 1.200.000 han sido omitidas por la Sucursal.

La Central envía las mercaderías a la Sucursal, con un 20% de recargo sobre su precio de coste.

El inventario físico realizado por la sucursal, arrojó una existencia al 31/12/X5 de 35.400.000 €.

La sucursal solamente realiza compras de existencias a la Central.

SE PIDE:

Realizar los asientos de las operaciones descritas, agregando el Balance de Situación a 31/12 de la Sucursal de Panamá, y el resultado correspondiente a la misma.

SOLUCIÓN:

Se observa que las cuentas entre la Central y la Sucursal, no están conciliadas, por lo que se procederá a su conciliación y registro de las operaciones pendientes:

Operaciones pendientes

* CENTRAL

– Por el recibo de fondo de la Sucursal:

	x	
25.000.000 Bancos (572)		
	a Sucursal c/c (5526)	25.000.000

*SUCURSAL

– Por los gastos de suplidos:

	x	
5.000.000 Gastos explotación varios (62x)		
	a Central c/c (5527)	5.000.000

– Contabilización del registro de las mercancías:

——————————————————————— x ———————————————————————

1.200.000	Mercaderías, recibidas Central (30x)		
		a Central, cuenta de mercaderías (30x)	1.200.000

Respecto a las cuentas a utilizar para reflejar las operaciones realizadas por la sucursal, debe indicarse que de acuerdo con lo establecido en el artículo 2 del Real Decreto 1514/2007, de 16 de noviembre, que aprueba el Plan General de Contabilidad: *"No tendrán carácter vinculante los movimientos contables incluidos en la quinta parte del Plan General de Contabilidad y los aspectos relativos a numeración y denominación de cuentas incluidos en la cuarta parte, excepto en aquellos aspectos que contengan criterios de registro o valoración".*

Por tanto, la empresa puede utilizar las cuentas que considere más adecuadas para sus fines, pudiendo utilizar subcuentas de tantas cifras como estime necesarias. No obstante, es aconsejable, que se utilicen denominaciones similares a las incluidas en el PGC con el fin de facilitar la elaboración de las cuentas anuales cuya estructura y normas que desarrollan su contenido y presentación son obligatorias. [Consulta nº 1. BOICAC 104]

Estado de Cuentas de la Central y la Sucursal

Central

DEBE		HABER	
Sucursal, cuenta mercaderías	274.200.000	Sucursal c/c	118.500.000
			(93.500.000 + 25.000.000)
		Mercaderías enviadas a sucursal	274.200.000
		Bº a realizar, sucursal	8.000.000

Sucursal

DEBE		HABER	
Central c/c	118.500.00	Central cta. Mercad.	274.200.000
(123.500.000 − 5.000.000)		(273.000.000 + 1.200.000)	
Mercad, recibidas Central	226.200.000		
(225.000.000 + 1.200.000)			
Mercaderías	48.000.000		

Asientos a realizar por la Central y la Sucursal

* SUCURSAL

– Regularización y determinación del resultado,

―――――――――― x ――――――――――

226.200.000	Compras de Mercaderías (600)		
	a	Mercaderías recibidas Central (30x)	226.200.000

Daremos de baja las existencias iniciales:

―――――――――― x ――――――――――

48.000.000	Variación existencias Mercaderías (610)		
	a	Mercaderías (300)	48.000.000

Y de alta las finales:

―――――――――― x ――――――――――

35.400.000	Mercaderías (300)		
	a	Variación existencias Mercaderías (610)	35.400.000

Cálculo del Resultado:

————————————————————— x —————————————————————

281.800.000   Resultado del ejercicio (129)

a   Compra de Mercaderías (600)   226.200.000

Variación existencias Mercade-
rías (610)   12.600.000

Gastos explotación varios (62x)   43.000.000

————————————————————— x —————————————————————

280.000.000   Ventas de mercaderías (700)

a   Resultado del ejercicio (129)   280.000.000

– Por el traspaso del Resultado Negativo, a la Central:

————————————————————— x —————————————————————

1.800.000   Central c/c (5527)

a   Resultado del ejercicio
(129)   1.800.000

– Asiento de Cierre en la Sucursal:

————————————————————— x —————————————————————

274.200.000 Central, cuenta de Mercaderías (30x)

10.000.000 Acreedores varios (41)

		a	Inmovilizado material neto (21)	100.000.000
			Mercaderías	35.400.000
			Clientes (430)	25.000.000
			Bancos (572)	3.500.000
			Central c/c (5527) (118.500.000 + 1.800.000)	120.300.000

* CENTRAL

– Por el Resultado obtenido por la Sucursal:

————————————————————— x —————————————————————

1.800.000 Resultado del ejercicio, sucursal (129x)

| | | a | Sucursal c/c (5526) | 1.800.000 |

Dado que las existencias que se envían a la Sucursal, tienen un recargo del 20%, habrá que ajustar los resultados, ya que no habrá un auténtico Beneficio, hasta que las mercancías, se vendan.

Por el resultado no realizado del ejercicio anterior:

————————————————————— x —————————————————————

8.000.000 Beneficios a realizar en inventario, sucursal (13x)

| | | a | Resultado del ejercicio (129) | 8.000.000 |

Si las existencias finales en la sucursal, han sido de 35.400.000. Podremos averiguar fácilmente el coste de éstas, al ser enviadas por la central con un 20% de recargo, así:

$$\frac{35.400.000}{1,2} = 29.500.000$$

Por lo que el beneficio sin realizar, será: 29.500.000 x 20% = 5.900.000

――――――――――――――――――――― x ―――――――――――――――――――――

5.900.000	Resultado del ejercicio (129)	
	a Beneficios a realizar en inventario, sucursal (13x)	5.900.000

― Por la recepción del patrimonio de la sucursal:

――――――――――――――――――――― x ―――――――――――――――――――――

100.000.000	Inmovilizado material neto (21)	
35.400.000	Mercaderías (300)	
25.000.000	Clientes (430)	
3.500.000	Bancos (572)	
120.300.000	Central c/c (5527)	
	(118.500.000 + 1.800.000)	
	a Central, cuenta de Mercaderías (30x)	274.200.000
	Acreedores varios (41)	10.000.000

La empresa como único sujeto contable deberá contabilizar todas las operaciones realizadas de manera que los documentos que las acreditan sirvan de soporte a las cuentas anuales, que serán únicas para el conjunto de sus operaciones.

A la hora de confeccionar las cuentas anuales en la Central, habrá que considerar que una Sucursal, es parte integrante de la empresa, formando una única entidad jurídica y por tanto, las cuentas anuales deben recoger las operaciones y los elementos patrimoniales de la empresa en su conjunto, ante lo cual, a la hora de confeccionar dichos estados, eliminará las cuentas duplicadas:

	x	
120.300.000 Sucursal c/c (5526))		
	a Central c/c (5527)	120.300.000

	x	
274.200.000 Central, cuenta de mercaderías (30x)		
	a Sucursal, cuenta mercaderías (30x)	274.200.000

La empresa como único sujeto contable deberá contabilizar todas las operaciones realizadas de manera que los documentos que las acreditan sirvan de soporte a las cuentas anuales, que serán únicas para el conjunto de sus operaciones. [Consulta nº 1. BOICAC 104].

Ejemplo 2

PONTEÁREAS, S.A., posee una sucursal en Argentina, cuya moneda funcional es el peso. La aportación inicial consistió en 2.000.000 € cuando el cambio establecido era 1 € = 4 pesos. A 31/12/X8, el tipo de cambio de cierre del euro con respecto al peso era de 1 € = 5 pesos.

El Balance de la sucursal a 31/12/X8, es el siguiente:

Activo			Neto y Pasivo		
En euros	En pesos	Cuenta	Cuenta	En pesos	En euros
1.400.000 (tipo cambio, 1 € = 5p)	7.000.000	Deudores (1)	Central(2)	8.000.000	2.000.000 (tipo cambio, 1 € = 4p)

Activo			Neto y Pasivo		
En euros	En pesos	Cuenta	Cuenta	En pesos	En euros
800.000 (tipo cambio, 1 €=5p)	4.000.000	Clientes (1)	Resultado ejercicio(3)	2.000.000	450.000
			Diferencias de conversión (4)		(450.000)
			Proveedores(1)	1.000.000	200.000 (tipo cambio 1€=5p)
2.200.000	11.000.000	TOTAL	TOTAL	11.000.000	2.200.000

SE PIDE:

Registrar la conversión al cierre del ejercicio, sabiendo que el tipo impositivo es del 25%.

SOLUCIÓN:

Según lo establecido en el apartado 2 de la Norma 11ª de Valoración del PGC, cuando la moneda funcional de una empresa española sea distinta del euro, y a efectos de la conversión de sus cuentas anuales:

> "(...) se realizará aplicando los criterios establecidos sobre 'Conversión de estados financieros en moneda funcional distinta de la moneda de presentación' en las Normas para la Formulación de las Cuentas Anuales Consolidadas, que desarrollan el Código de Comercio.

> Las diferencias de conversión se registrarán directamente en el patrimonio neto.

> Cuando una empresa española, sea partícipe en activos o explotaciones en el extranjero controlados conjuntamente según se definen en la norma relativa a negocios conjuntos y la moneda funcional de esos negocios no sea el euro, se seguirán los procedimientos de conversión a moneda de presentación indicados anteriormente. Para los negocios conjuntos que se integren en las cuentas anuales del partícipe, las transacciones en moneda extranjera realizadas por dichos negocios se convertirán a moneda funcional aplicando las reglas contenidas en el apartado primero de esta misma norma. Estos mismos criterios serán aplicables a las sucursales de la empresa en el extranjero".

Por el asiento de integración:

—————————————————————— x ——————————————————————

1.400.000	Deudores (440)		
800.000	Clientes (430)		
450.000	Diferencias de conversión negativas (820) (4)		
	a	Sucursal c/c (x)	2.000.000
		Pérdidas y ganancias, sucursal (129x)	450.000
		Proveedores (400)	200.000

De esta forma, la conversión de cuentas anuales en moneda extranjera, se ha llevado a cabo aplicando lo dispuesto en el art. 61, del RD 1159/2010 de las normas de formulación de las cuentas anuales Consolidadas, así comentamos:

Notas:

(1) Los activos y pasivos se convertirán al tipo de cambio de cierre. Se entiende por tipo de cambio de cierre el tipo de cambio medio de contado existente en esa fecha (art. 61.1 a.).

(2) Las partidas de patrimonio neto, incluido el resultado del ejercicio, se convertirán al tipo de cambio histórico (art. 61.1.b).

Se considerará tipo de cambio histórico: para las partidas de patrimonio neto existentes en la fecha de adquisición de las participaciones que se consolidan: el tipo de cambio a la fecha de la transacción (art. 61.2.a).

(3) El resultado del ejercicio que figura en euros, se ha obtenido aplicando lo dispuesto en el art. 61.2 b, que nos dice: "(...)En particular, la transferencia a la cuenta de pérdidas y ganancias (...) se realizará de conformidad con los tipos de cambio históricos a los que se reconocieron los citados ingresos y gastos. No obstante, se podrá utilizar un tipo medio ponderado del periodo (como máximo mensual), representativo de los tipos de cambio existentes en las fechas de las transacciones, siempre que éstos no hayan variado de forma significativa".

(4) La diferencia entre el importe neto de los activos y pasivos y las partidas de patrimonio neto, se recogerá en un epígrafe del patrimonio neto, bajo la denominación "diferencia de conversión", en su caso, neta del efecto impositivo, y una vez deducida la parte de dicha diferencia que corresponda a los socios externos [art. 61.1.c].

Por último reconoceremos el efecto impositivo de la diferencia de conversión:

112.500	Activo por diferencia temporaria deducible (4740) [450.000 x 25%]	
	a Impuesto diferido (8301)	112.500

Y por la regularización de las partidas del grupo 8:

337.500	Diferencias de conversión (135)	
112.500	Impuesto diferido (8301)	
	a Diferencias de conversión negativas (820)	450.000

1.1.4.6. Límites cuentas abreviadas para una empresa que forme parte de un grupo: modificación RD 602/2016

BOICAC 109, marzo 2017. Consulta 2.

Sobre la modificación incorporada por el artículo 1 del Real Decreto 602/2016, de 2 de diciembre, en la forma de calcular los límites para presentar cuentas anuales abreviadas cuando una empresa forma parte de un grupo.

Respuesta

El artículo 1 del Real Decreto 602/2016, de 2 de diciembre, por el que se modifican el Plan General de Contabilidad aprobado por el Real Decreto 1514/2007, de 16 de noviembre; el Plan General de Contabilidad de Pequeñas y Medianas Empresas aprobado por el Real Decreto 1515/2007, de 16 de noviembre; las Normas para la Formulación de Cuentas Anuales Consolidadas aprobadas por el Real Decreto 1159/2010, de 17 de septiembre; y las Normas de Adaptación del Plan General de Contabilidad a las entidades sin fines lucrativos aprobadas por el Real Decreto 1491/2011, de 24 de octubre, modifica en su apartado cinco la norma 4ª del apartado I. Normas de elaboración de las cuentas anuales, de la tercera parte, Cuentas anuales, del Plan General de Contabilidad, cuyo primer apartado queda redactada de la siguiente forma:

"4.ª Cuentas anuales abreviadas

1. Las sociedades señaladas en la norma anterior podrán utilizar los modelos de cuentas anuales abreviados en los siguientes casos:

a) Balance y memoria abreviados: Las sociedades en las que a la fecha de cierre del ejercicio concurran, al menos, dos de las circunstancias siguientes:
- Que el total de las partidas del activo no supere los cuatro millones de euros. A estos efectos, se entenderá por total activo el total que figura en el modelo del balance

- Que el importe neto de su cifra anual de negocios no supere los ocho millones de euros.

- Que el número medio de trabajadores empleados durante el ejercicio no sea superior a 50.

b) Cuenta de pérdidas y ganancias abreviada: las sociedades en las que a la fecha de cierre del ejercicio concurran, al menos, dos de las circunstancias siguientes:
- Que el total de las partidas del activo no supere los once millones cuatrocientos mil euros. A estos efectos, se entenderá por total activo el total que figura en el modelo del balance.

- Que el importe neto de su cifra anual de negocios no supere los veintidós millones ochocientos mil euros.

- Que el número medio de trabajadores empleados durante el ejercicio no sea superior a 250.

Cuando una sociedad, en la fecha de cierre del ejercicio, pase a cumplir dos de las circunstancias antes indicadas o bien cese de cumplirlas, tal situación únicamente producirá efectos en cuanto a lo señalado en este apartado si se repite durante dos ejercicios consecutivos

Si la empresa formase parte de un grupo de empresas en los términos descritos en la norma de elaboración de las cuentas anuales 13.ª Empresas de grupo, multigrupo y asociadas contenida en esta tercera parte, para la cuantificación de los importes se tendrá en cuenta la suma del activo, del importe neto de la cifra de negocios y del número medio de trabajadores del conjunto de las entidades que conformen el grupo, teniendo en cuenta las eliminaciones e incorporaciones reguladas en las normas de consolidación aprobadas en desarrollo de los principios contenidos en el Código de Comercio. Esta regla no será de aplicación cuando la información financiera de la empresa se integre en las cuentas anuales consolidadas de la sociedad dominante"

El cambio en la norma que menciona el consultante se refiere a la incorporación del último párrafo que se ha reproducido sobre el cómputo agregado de las magnitudes (total activo, importe neto de la cifra anual de negocios y número medio de trabajadores) si la empresa forma parte de un grupo a los efectos de permitir utilizar los modelos abreviados de cuentas anuales.

En particular, con relación a lo anterior se pregunta si este nuevo requisito, que limita la facultad de elaborar modelo abreviado de balance y memoria debe juzgarse al cierre del ejercicio 2016 y 2017, con objeto de que tal situación produzca efectos en este último si se repite durante dos ejercicios consecutivos, o por el contrario los ejercicios a considerar son el 2015 y 2016, de tal suerte que la nueva regla ya pudiera surtir efectos al cierre del ejercicio 2016.

Al respecto debe señalarse que de acuerdo con la disposición final quinta del Real Decreto 602/2016, la norma entra en vigor el día siguiente al de su publicación en el Boletín Oficial del Estado, y producirá efectos desde el 1 de enero de 2016 en los términos establecidos en la disposición adicional segunda. Por su parte, en la disposición adicional segunda, apartado 1, se estipula que el real decreto será de aplicación para los ejercicios que se inicien a partir del 1 de enero de 2016, sin que sobre la cuestión que nos ocupa se incluya un criterio específico.

A la vista de estos antecedentes, y considerando que la nueva normativa ha sido redactada con la finalidad de simplificar las obligaciones contables de las pequeñas empresas, tal y como se menciona en el preámbulo del Real Decreto, la interpretación que mejor satisface dicha finalidad llevaría a concluir que el ejercicio que se inicie a partir del 1 de enero de 2016 será el primero a tener en cuenta a los efectos de juzgar si las sociedades que integran un grupo tienen la facultad de formular las cuentas anuales en modelos abreviados. Dar otra solución supondría no satisfacer esa finalidad, por cuanto que la nueva normativa incorpora ahora unas reglas, antes inexistentes, para poder hacer uso de la citada facultad.

En definitiva, las nuevas reglas se deben aplicar a los ejercicios que se inicien con posterioridad al 1 de enero de 2016. Por lo tanto, si en este primer ejercicio las sociedades del grupo superan en términos consolidados los citados umbrales, pero no lo hacen en términos individuales, las cuentas del ejercicio 2016 se podrán formular en modelos abreviados. No obstante, si en el segundo ejercicio (con carácter general el cerrado el 31 de diciembre de 2017) también se superan los límites a nivel consolidado, las sociedades del grupo ya no podrán hacer uso de la mencionada facultad y deberán formular las cuentas anuales del ejercicio 2017 siguiendo los modelos normales.

Comentario

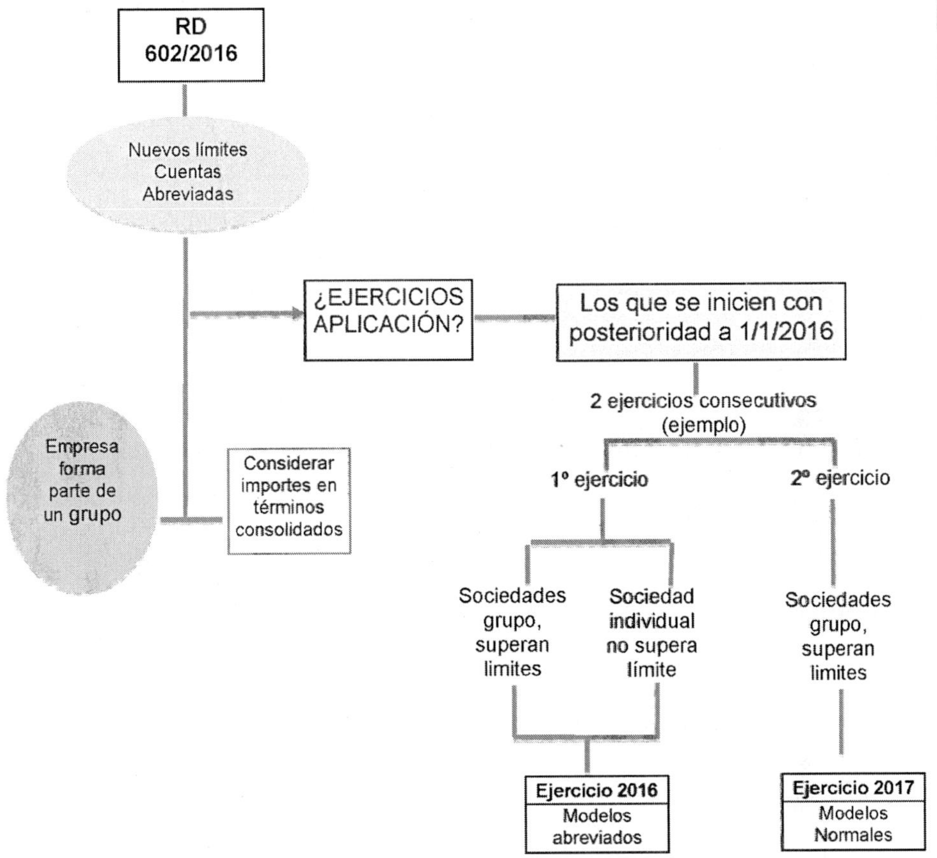

```
RD
602/2016
```

Nuevos límites
Cuentas
Abreviadas

¿EJERCICIOS APLICACIÓN? → Los que se inicien con posterioridad a 1/1/2016

2 ejercicios consecutivos
(ejemplo)

1º ejercicio   2º ejercicio

Empresa
forma
parte de
un grupo

Considerar
importes en
términos
consolidados

| Sociedades grupo, superan limites | Sociedad individual no supera límite | Sociedades grupo, superan limites |

```
Ejercicio 2016
Modelos
abreviados
```
```
Ejercicio 2017
Modelos
Normales
```

Ejemplo

La sociedad "A", es la dominante de un grupo formado por las sociedades "B" y "C", de las cuales posee el 100%.

El gráfico, de las relaciones entre las sociedades mencionadas, se representa a continuación:

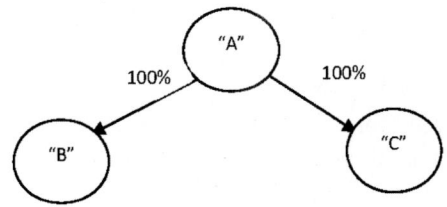

La sociedad "B" acude a un asesor contable, para que le ayude a entender cómo le afecta los cambios introducidos y sus consecuencias del Real Decreto 602/2016, de 2 de diciembre, en la forma de calcular los límites para presentar cuentas anuales abreviadas cuando una empresa forma parte de un grupo a la hora de presentar las cuentas anuales.

De esta forma, sabemos que la sociedad "B" viene aplicando el PGC (R.D 1514/2007, de 16 noviembre), los datos referentes a los ejercicio 2016 y 2017en relación a las sociedades de grupo fueron los siguientes:

Año 2016:

Sociedad	Total partidas activo	Importe neto cifra anual negocios	Número medio traba-jadores
A	3.000.000 €	6.200.000 €	45
B	2.000.000€	4.200.000€	28
C	1.100.000€	2.100.000€	20
TOTALES	6.100.000	12.500.000€	93

AÑO 2017:

Sociedad	Total partidas activo	Importe neto cifra anual negocios	Número medio traba-jadores
A	3.200.000 €	6.400.000 €	47
B	1.800.000€	4.100.000€	25
C	1.000.000€	1.800.000€	18
TOTALES	6.000.000	12.300.000€	90

Se conoce además que ya se han realizado eliminaciones e incorporaciones reguladas en las normas de consolidación aprobadas en desarrollo de los principios contenidos en el Código de Comercio.

SE PIDE:

1.- Comentar si la sociedad "B" puede formular balance y memoria abreviados en los ejercicios 2016 y 2017.

2.- Comentar si la sociedad "B" puede formular pérdidas y ganancias abreviada en los ejercicios 2016 y 2017.

SOLUCIÓN:

1.- Balance y memoria abreviados

El artículo 1 del Real Decreto 602/2016, de 2 de diciembre, por el que se modifican el Plan General de Contabilidad aprobado por el Real Decreto 1514/2007, dispone:

4.ª Cuentas anuales abreviadas

1. Las sociedades señaladas en la norma anterior podrán utilizar los modelos de cuentas anuales abreviados en los siguientes casos:

a) Balance y memoria abreviados: Las sociedades en las que a la fecha de cierre del ejercicio concurran, al menos, dos de las circunstancias siguientes:

- Que el total de las partidas del activo no supere los cuatro millones de euros. A estos efectos, se entenderá por total activo el total que figura en el modelo del balance.

- Que el importe neto de su cifra anual de negocios no supere los ocho millones de euros.

- Que el número medio de trabajadores empleados durante el ejercicio no sea superior a 50.

Si la empresa formase parte de un grupo de empresas en los términos descritos en la norma de elaboración de las cuentas anuales 13.ª Empresas de grupo, multigrupo y asociadas contenida en esta tercera parte, para la cuantificación de los importes se tendrá en cuenta la suma del activo, del importe neto de la cifra de negocios y del número medio de trabajadores del conjunto de las entidades que conformen el grupo, teniendo en cuenta las eliminaciones e incorporaciones reguladas en las normas de consolidación aprobadas en desarrollo de los principios contenidos en el Código de Comercio.

Las nuevas reglas se deben aplicar a los ejercicios que se inicien con posterioridad al 1 de enero de 2016. Por lo tanto, si en este primer ejercicio las sociedades del grupo superan en términos consolidados los citados umbrales, pero no lo hacen en términos individuales, las cuentas del ejercicio 2016 se podrán formular en modelos abreviados. No obstante, si en el segundo ejercicio (con carácter general el cerrado el 31 de diciembre de 2017) también se superan los límites a nivel consolidado, las sociedades del grupo ya no podrán hacer uso de la mencionada facultad y deberán formular las cuentas anuales del ejercicio 2017 siguiendo los modelos normales.

En consecuencia:

EJERCICIO 2016

Las sociedades del grupo superan en términos consolidados los citados umbrales, ya que:

Sociedad	Total partidas activo	Importe neto cifra anual negocios	Número medio trabajadores
GRUPO	6.100.000	12.500.000€	93

En términos consolidados superan los citados umbrales, pero la sociedad "B" no lo hace en términos individuales ya que:

Sociedad	Total partidas activo	Importe neto cifra anual negocios	Número medio traba-jadores
"B"	2.000.000	4.200.000€	28

En resumen el año 2016 la sociedad "B" **presentará Balance y memoria abreviados.**

EJERCICIO 2017:

Las sociedades del grupo superan en términos consolidados los citados umbrales, ya que:

Sociedad	Total partidas activo	Importe neto cifra anual negocios	Número medio traba-jadores
GRUPO	6.000.000	12.300.000€	90

En el segundo ejercicio (con carácter general el cerrado el 31 de diciembre de 2017) también se superan los límites a nivel consolidado, las sociedades del grupo ya no podrán hacer uso de la mencionada facultad y deberán formular las cuentas anuales del ejercicio 2017 siguiendo los modelos normales.

En consecuencia,"B" formulará balance y memoria normales.

2.- Pérdidas y ganancias abreviada

EJERCICIO 2016

El artículo 1 del Real Decreto 602/2016, de 2 de diciembre, por el que se modifican el Plan General de Contabilidad aprobado por el Real Decreto 1514/2007, dispone:

b) Cuenta de pérdidas y ganancias abreviada: las sociedades en las que a la fecha de cierre del ejercicio concurran, al menos, dos de las circunstancias siguientes:

- Que el total de las partidas del activo no supere los once millones cuatrocientos mil euros. A estos efectos, se entenderá por total activo el total que figura en el modelo del balance.

- Que el importe neto de su cifra anual de negocios no supere los veintidós millones ochocientos mil euros.

- Que el número medio de trabajadores empleados durante el ejercicio no sea superior a 250.

Las sociedades del grupo superan en términos consolidados los citados umbrales, ya que

Sociedad	Total partidas activo	Importe neto cifra anual negocios	Número medio traba-jadores
GRUPO	6.100.000	12.500.000€	93

En términos consolidados NO superan los citados umbrales, ni la sociedad "B" lo hace en términos individuales ya que:

Sociedad	Total partidas activo	Importe neto cifra anual negocios	Número medio trabajadores
"B"	2.000.000	4.200.000€	28

En resumen el año 2016 la sociedad "B" **presentará pérdidas y ganancias abreviados.**

EJERCICIO 2017:

Las sociedades del grupo no superan en términos consolidados los citados umbrales, ya que:

Sociedad	Total partidas activo	Importe neto cifra anual negocios	Número medio trabajadores
GRUPO	6.000.000	12.300.000€	90

En el segundo ejercicio (con carácter general el cerrado el 31 de diciembre de 2017) tampoco se superan los límites a nivel consolidado, las sociedades del grupo formularán **pérdidas y ganancias abreviados.**

1.1.4.7.   *Formulación cuentas anuales individuales filiales, caso matriz no deposite información consolidada*

BOICAC 118, julio 2019. Consulta 1.

Sobre la presentación de cuentas anuales abreviadas por las filiales de un grupo cuya matriz no ha depositado las cuentas anuales consolidadas en el Registro Mercantil.

Respuesta

La presente consulta se refiere a un grupo de empresas según la norma de elaboración de las cuentas anuales (NECA) 13ª. *Empresas del grupo, multigrupo y asociadas*, contenida en la Tercera Parte del Plan General de Contabilidad (PGC), aprobado por el Real Decreto 1514/2007, de 16 de noviembre, que no está obligado a consolidar al no superar los límites establecidos.

Sin embargo, el grupo ha formulado las cuentas anuales consolidadas voluntariamente y las ha sometido a auditoría, también voluntariamente. Ni las cuentas anuales consolidadas ni el informe de auditoría se han depositado en el Registro Mercantil. Tampoco el nombramiento del auditor fue inscrito en el Registro Mercantil.

Según el consultante, todas las filiales del grupo, de acuerdo con los límites establecidos de forma individual, pueden presentar cuentas anuales abreviadas, y todas las entidades del grupo están domiciliadas en España.

Se consulta si las filiales del grupo pueden presentar cuentas anuales abreviadas, teniendo en cuenta que la matriz del grupo no ha depositado en el Registro Mercantil las cuentas anuales consolidadas sometidas a auditoría, por ser voluntaria su formulación y auditoría. Si fuera indispensable el depósito en el Registro Mercantil para poder presentar las cuentas anuales abreviadas, el consultante entiende que deberían presentarse las cuentas anuales en modelos normales.

En la norma de elaboración de las cuentas anuales (NECA) 4ª. Cuentas anuales abreviadas del PGC se establece que, si la empresa formase parte de un grupo de empresas en los términos descritos en la NECA 13ª. *Empresas del grupo, multigrupo y asociadas*, para la cuantificación de los importes previstos en la NECA 4ª se tendrá en cuenta la suma del activo, del importe neto de la cifra de negocios y del número medio de trabajadores de las entidades que conformen el grupo, teniendo en cuenta las eliminaciones e incorporaciones reguladas en las normas de consolidación aprobadas en desarrollo de los principios contenidos en el Código de Comercio. Y se concluye señalando que esta regla no será de aplicación cuando la información financiera de la empresa se integre en las cuentas anuales consolidadas de la sociedad dominante.

Es decir, en ausencia de cuentas anuales consolidadas, para la cuantificación de los importes de las cifras contables se tomarán en cuenta las magnitudes del grupo en su conjunto, lo cual implica que se aumentan las exigencias de información para determinadas empresas debido a que no se suministra información consolidada. Si existen cuentas anuales consolidadas, esta regla no se aplica, es decir, se relajan las exigencias de información en consideración a que se suministra información consolidada.

En el caso consultado, se han formulado cuentas anuales consolidadas de manera voluntaria, lo cual, en principio, podría llevar a considerar la posible aplicación de la excepción a la norma aludida. Sin embargo, la falta de publicidad de las citadas cuentas mediante su depósito en el Registro Mercantil impide la aplicación de la dispensa, porque en tal caso no se cumple con el presupuesto de hecho sobre el que se ha estipulado la excepción, esto es, que la información financiera del grupo, como entidad que informa, está a disposición de terceros en las cuentas consolidadas, habilitándose en tal caso la posibilidad de que esa información se presente en las cuentas individuales en modelos abreviados por las empresas que lo integran.

En definitiva y como conclusión, no tendría sentido aplicar la excepción regulada en la NECA 4ª si las cuentas consolidadas no se han depositado en el Registro Mercantil, pues la mayor información que aportan las cuentas consolidadas no se hace efectiva por el defecto de su depósito, mayor información que es el requisito que la propia NECA 4ª considera como condición para aplicar la excepción.

A mayor abundamiento, cabe citar la consulta 1 del BOICAC Nº 103/2015 *sobre el supuesto de que una entidad formule y publique cuentas anuales consolidadas de forma voluntaria, de conformidad con lo dispuesto en el artículo 42.6 del Código de Comercio sobre presentación de las cuentas de los grupos de sociedades, y su consideración como auditoría obligatoria a efectos de lo establecido en la normativa reguladora de la actividad de auditoría de cuentas.* En dicha consulta se recoge la opinión de este Instituto sobre el requisito de publicación exigido en el artículo 42.6 del Código de Comercio de acuerdo con el criterio manifestado por la Abogacía del Estado de la Subsecretaría del Ministerio de Economía y Empresa, de fecha 12 de mayo de 2015. Si bien en dicha consulta se da respuesta a aspectos no recogidos en la presente, los efectos mencionados pueden ser aplicados de forma analógica.

Comentario

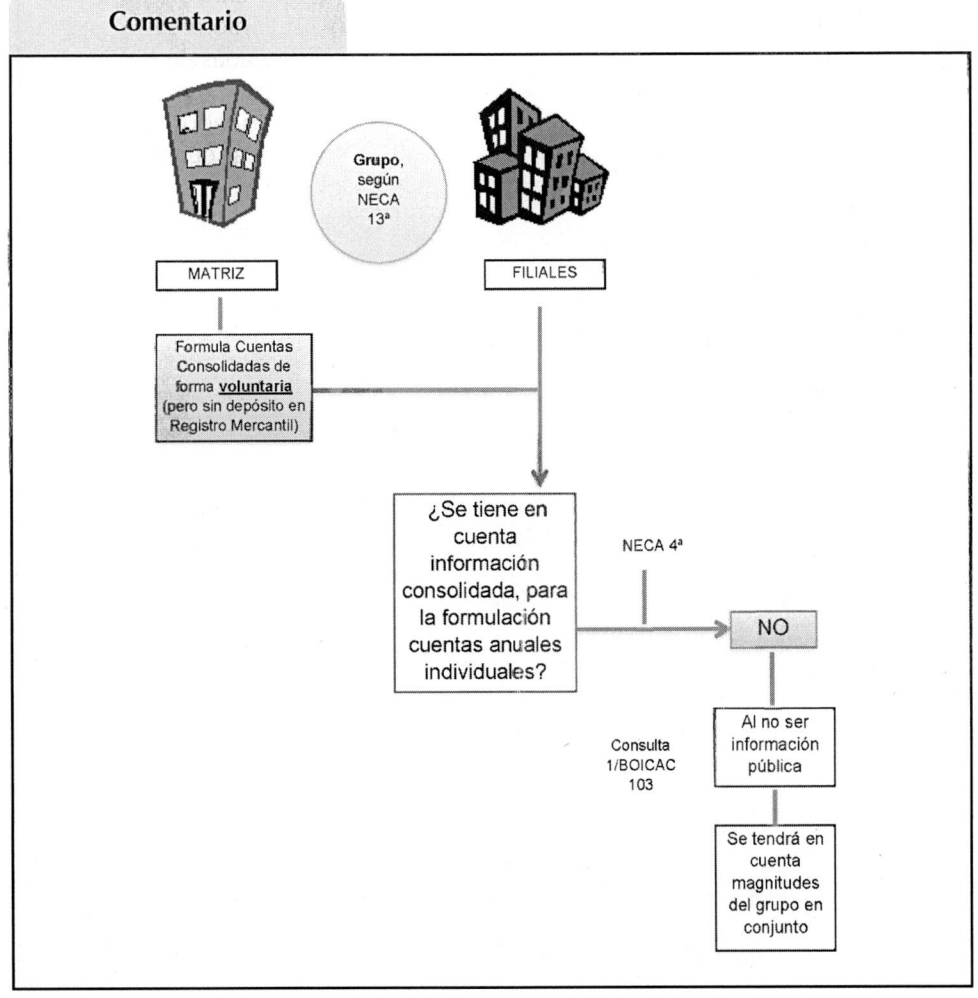

Ejemplo

La sociedad "A", que está sometida a la legislación española, es la dominante de un grupo formado por las sociedades "B" y "C", de las cuales posee el 100%; siendo todas ellas residentes en España.

La sociedad "A", no está obligada a consolidar al no superar los límites establecidos. Sin embargo, el grupo ha formulado las cuentas anuales consolidadas voluntariamente y las ha sometido a auditoría, también voluntariamente. Ni las cuentas anuales consolidadas ni el informe de auditoría, se han depositado en el Registro Mercantil. Tampoco el nombramiento del auditor fue inscrito en el Registro Mercantil.

El gráfico de las relaciones entre las sociedades mencionadas se representa a continuación:

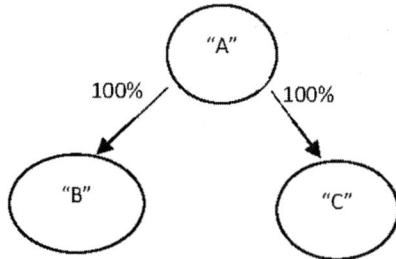

Se conocen los siguientes datos de las sociedades que integran el grupo, teniendo en cuenta las eliminaciones e incorporaciones reguladas en las normas de consolidación:

EJERCICIO N:

Concepto	Sociedad "A"	Sociedad "B"	Sociedad C	TOTALES
TOTAL ACTIVO	8.000.000	2.000.000	1.000.000	11.000.000
CIFRA DE NEGOCIOS	15.000.000	3.000.000	2.000.000	20.000.000
NÚMERO DE RABAJADORES	150	40	30	220

EJERCICIO N-1:

Concepto	Sociedad "A"	Sociedad "B"	Sociedad "C"	TOTALES
TOTAL ACTIVO	7.000.000	1.800.000	1.200.000	10.000.000
CIFRA DE NEGOCIOS	15.000.000	3.000.000	2.200.000	20.200.000
NÚMERO DE RABAJADORES	156	38	26	220

SE PIDE:

Comprobar si las filiales del grupo pueden presentar cuentas anuales abreviadas, teniendo en cuenta que la matriz del grupo no ha depositado en el Registro Mercantil las cuentas anuales consolidadas sometidas a auditoría, por ser voluntaria su formulación y auditoría.

SOLUCIÓN:

Como puede observarse por los datos facilitados, todas las filiales del grupo, de acuerdo con los límites establecidos de forma individual, pueden presentar cuentas anuales abreviadas, y todas las entidades del grupo están domiciliadas en España. No obstante, en la Norma de elaboración de las cuentas anuales (NECA) 4ª. Cuentas anuales abreviadas del PGC se establece que: "*(...) Si la empresa formase parte de un grupo de empresas en los términos descritos en la norma de elaboración de las cuentas anuales 13ª. Empresas del grupo, multigrupo y asociadas, contenida en esta tercera parte, para la cuantificación de los importes [previstos en la NECA 4ª] se tendrá en cuenta la suma del activo, del importe neto de la cifra de negocios y del número medio de trabajadores del conjunto de las entidades que conformen el grupo, teniendo en cuenta las eliminaciones e incorporaciones reguladas en las normas de consolidación aprobadas en desarrollo de los principios contenidos en el Código de Comercio. Esta regla no será de aplicación cuando la información financiera de la empresa se integre en las cuentas anuales consolidadas de la sociedad dominante (...)*"

Es decir, en ausencia de cuentas anuales consolidadas, para la cuantificación de los importes de las cifras contables se tomarán en cuenta las magnitudes del grupo en su conjunto, lo cual implica que se aumenten las exigencias de información para determinadas empresas debido a que no se suministra información consolidada. Si existen cuentas anuales consolidadas, esta regla no se aplica, es decir, se relajan las exigencias de información en consideración a que se suministra información consolidada [Consulta 1, BOICAC 118]

En consecuencia con todo lo anterior las sociedades filiales "B" y "C", deberán formular modelos normales.

1.1.5. Otros informes

1.1.5.1. EINF, cuentas consolidadas

BOICAC 117, marzo 2019. Consulta 1.

Sobre determinadas cuestiones relacionadas con el ámbito de aplicación de la obligación de publicar el estado de información no financiera.

Respuesta

Situaciones planteadas.

En relación con la información no financiera exigida por la Ley 11/2018, de 28 de diciembre, por la que se modifica el Código de Comercio, el texto refundido de la Ley de Sociedades de Capital aprobado por el Real Decreto Legislativo 1/2010, de 2 de julio, y la Ley 22/2015, de 20 de julio, de Auditoría de Cuentas, en materia de información no financiera y diversidad, se han planteado las siguientes cuestiones:

1.- Si la mención a las sociedades filiales en la nueva redacción del apartado 5 del artículo 49 del Código de Comercio debe entenderse referida a las sociedades dependientes domiciliadas en España, a las radicadas en la Unión Europea o a todas las sociedades controladas con independencia del país en el que operen.

2.- Sobre la correcta interpretación de los términos en que se ha regulado en la legislación española la dispensa de presentar el estado de información no financiera individual.

3.- Sobre la obligación que tiene una sociedad española de presentar el estado de información no financiera consolidado, si es dependiente de una dominante y, al mismo tiempo, es dominante de un subgrupo.

4.- Si la obligación de verificación por un verificador independiente del estado de información no financiera establecida en el artículo 49.6 del Código de Comercio (último párrafo) para cuentas consolidadas resulta también exigible a los supuestos de sociedades que se encuentren obligadas a elaborar dicho estado a nivel individual de conformidad con lo establecido en el artículo 262.5 del citado texto refundido de la ley de sociedades de capital

Consideraciones generales.

1.- La sociedad consultante pregunta, en primer lugar, si la mención a las sociedades filiales en la nueva redacción del apartado 5 del artículo 49 del Código de Comercio (en adelante, CdC) debe entenderse referida a las sociedades dependientes domiciliadas en España, a las radicadas en la Unión Europea o a todas las sociedades controladas con independencia del país en el que operen.

La nueva redacción del artículo 49.5 del CdC es la siguiente:

"5. Las sociedades que formulen cuentas consolidadas, deberán incluir en el informe de gestión consolidado el estado de información no financiera consolidado previsto en este apartado siempre que concurran los siguientes requisitos:

a) Que el número medio de trabajadores empleados por las sociedades del grupo durante el ejercicio sea superior a 500.

b) Que o bien, tengan la consideración de entidades de interés público de conformidad con la legislación de auditoría de cuentas, o bien, durante dos ejercicios consecutivos reúnan, a la fecha de cierre de cada uno de ellos, al menos dos de las circunstancias siguientes:

1.º Que el total de las partidas del activo consolidado sea superior a 20.000.000 de euros.

2.º Que el importe neto de la cifra anual de negocios consolidada supere los 40.000.000 de euros.

3.º Que el número medio de trabajadores empleados durante el ejercicio sea superior a doscientos cincuenta.

Las sociedades cesarán en la obligación de elaborar el estado de información no financiera si dejan de reunir, durante dos ejercicios consecutivos cualquiera de los requisitos anteriormente establecidos.

En los dos primeros ejercicios sociales desde la constitución de un grupo de sociedades, la sociedad dominante estará obligada a elaborar el estado de información no financiera consolidado, <u>incluyendo a todas sus filiales y para todos los países en los que opera</u>, cuando al cierre del primer ejercicio se cumplan, al menos, dos de las tres circunstancias mencionadas en la letra b), siempre que al cierre del ejercicio se cumpla además el requisito previsto en la letra a)."

Por lo tanto, una sociedad española dominante de un grupo que formule cuentas consolidadas deberá incluir en su estado de información no financiera consolidado la información relativa a todas sus sociedades dependientes con independencia del país en que esté radicado el domicilio social de estas últimas.

2.- En segundo lugar, la consultante pregunta sobre la correcta interpretación de los términos en que se ha regulado en la legislación española la dispensa de presentar el estado de información no financiera individual.

La redacción dada por la Ley 11/2018, de 28 de diciembre, al artículo 262.5 del texto refundido de la Ley de Sociedades de Capital, relativo al informe de gestión, es la siguiente:

"Una sociedad dependiente de un grupo estará dispensada de la obligación establecida en este apartado si dicha empresa y sus dependientes, si las tuviera, están incluidas a su vez en el informe de gestión consolidado de otra empresa, elaborado conforme al contenido establecido en este artículo. Si una sociedad se acoge a esta opción, deberá incluir en el informe de gestión una referencia a la identidad de la sociedad dominante y al Registro Mercantil u otra oficina pública donde deben quedar depositadas sus cuentas junto con el informe de gestión consolidado o, en los supuestos de no quedar obligada a depositar sus cuentas en ninguna oficina pública, o de haber optado por la elaboración del informe separado, sobre

*dónde se encuentra disponible o se puede acceder a la información con-
solidada de la sociedad dominante".*

En este contexto, se plantean, a su vez, tres escenarios posibles: a) que la
sociedad dominante esté domiciliada en España; b) que la sociedad dominante
esté domiciliada en un Estado miembro de la Unión Europea, o c) que esté radicada en un tercer país.

a) La sociedad dominante está domiciliada en España.

Si la sociedad dominante está radicada en España es claro que la sociedad
dependiente solo podrá hacer uso de la dispensa en caso de que se cumplan dos
requisitos:

1º. Que la información no financiera esté incluida en el informe de gestión
consolidado de otra empresa, o en un estado separado, elaborado conforme
al contenido establecido en los apartados 6 y 7 del artículo 49 del CdC, por
remisión de lo estipulado en el primer párrafo del artículo 262.5 del texto
refundido de la Ley de Sociedades de Capital, y

2º. Que en dicho informe de gestión o estado separado se incluya una referencia a la identidad de la sociedad dominante y al Registro Mercantil en el
que debe quedar depositado el citado documento.

**b) La sociedad dominante está domiciliada en otro Estado miembro de la
Unión Europea.**

En tal caso, en opinión de este Instituto, también debería regir la dispensa porque la Ley 11/2018, de 28 de diciembre, no distingue ni limita su aplicación por
razón del territorio. Por el contrario, el legislador ha tenido la previsión de referirse
al depósito en el Registro Mercantil u otra oficina pública donde deben quedar
depositadas sus cuentas junto con el informe de gestión consolidado (o el estado
separado) o, en los supuestos de no quedar obligada a depositar sus cuentas en
ninguna oficina pública, o de haber optado por la elaboración del informe separado, sobre dónde se encuentra disponible o se puede acceder a la información
consolidada de la sociedad dominante.

No obstante, en el supuesto de que la sociedad dominante estuviese domiciliada en otro Estado miembro de la Unión Europea es necesario hacer una precisión sobre el contenido que debería tener, en lo que atañe a la información no
financiera, el informe de gestión o el estado de información no financiera consolidado elaborado por la sociedad dominante.

La Directiva 2014/95/UE del Parlamento Europeo y del Consejo, de 22 de
octubre de 2014, por la que se modifica la Directiva 2013/34/UE en lo que respecta a la divulgación de información no financiera e información sobre diversidad por parte de determinadas grandes empresas y determinados grupos, tiene
como objetivo identificar riesgos para mejorar la sostenibilidad y aumentar la
confianza de los inversores, los consumidores y la sociedad en general y para ello

incrementa la divulgación de información no financiera, como pueden ser, entre otros, los referidos a los factores sociales y medioambientales.

La Directiva 2014/95/UE introduce un nuevo artículo 19bis en la Directiva 2013/34/UE con el objetivo de dispensar a las sociedades de la elaboración del estado individual de información no financiera si esa información se incluye en un estado consolidado, con el siguiente tenor:

"3. Cuando una empresa sea una empresa filial, estará exenta de la obligación establecida en el apartado 1 si la empresa y sus filiales están incluidas en el informe de gestión consolidado o el informe separado de otra empresa, elaborado de conformidad con el artículo 29 (se refiere al informe de gestión consolidado) y con el presente artículo."

Como se puede advertir, la dispensa se ha regulado en la norma europea en unos términos imperativos. Esto es, los Estados miembros no pueden limitar su aplicación, si se cumplen los requisitos regulados en la Directiva y que atañen, básicamente, al contenido de la información que se debe incluir en el documento y a su publicación.

A continuación se reproduce el contenido del artículo 19bis de la Directiva:

"Artículo 19 bis Estado no financiero.

1. Las grandes empresas que sean entidades de interés público que, en sus fechas de cierre del balance, superen el criterio de un número medio de empleados superior a 500 durante el ejercicio, incluirán en el informe de gestión un estado no financiero que contenga información, en la medida en que resulte necesaria para comprender la evolución, los resultados y la situación de la empresa, y el impacto de su actividad, relativa, como mínimo, a cuestiones medioambientales y sociales, así como relativas al personal, al respeto de los derechos humanos y a la lucha contra la corrupción y el soborno, y que incluya:

a) una breve descripción del modelo de negocio de la empresa;

b) una descripción de las políticas que aplica la empresa en relación con dichas cuestiones, que incluya los procedimientos de diligencia debida aplicados;

c) los resultados de esas políticas;

d) los principales riesgos relacionados con esas cuestiones vinculados a las actividades de la empresa, entre ellas, cuando sea pertinente y proporcionado, sus relaciones comerciales, productos o servicios que puedan tener efectos negativos en esos ámbitos, y cómo la empresa gestiona dichos riesgos;

e) indicadores clave de resultados no financieros, que sean pertinentes respecto de la actividad empresarial concreta.

En el caso de que la empresa no aplique ninguna política en relación con una o varias de esas cuestiones, el estado no financiero ofrecerá una explicación clara y motivada al respecto.

El estado no financiero mencionado en el párrafo primero incluirá también, en su caso, referencias y explicaciones complementarias sobre los importes detallados en los estados financieros anuales.

Los Estados miembros podrán permitir que, en casos excepcionales, se omita la información relativa a acontecimientos inminentes o cuestiones en curso de negociación cuando, en la opinión debidamente justificada de los miembros de los órganos de administración, dirección y supervisión, que actúen dentro de los límites de las competencias que les confiera el Derecho nacional y sean colectivamente responsables de dicha opinión, la divulgación de dicha información pueda perjudicar gravemente a la posición comercial de la empresa, siempre que esa omisión no impida una comprensión fiel y equilibrada de la evolución, los resultados y la situación de la empresa, y del impacto de su actividad.

Al exigir la divulgación de la información a que se refiere el párrafo primero, los Estados miembros dispondrán que las empresas pueden basarse en marcos normativos nacionales, de la Unión o internacionales, y en tal caso, las empresas especificarán en qué marcos se han basado.

2. Se considerará que las empresas que cumplan la obligación establecida en el apartado 1 han cumplido la obligación relativa al análisis de información no financiera previsto en el artículo 19, apartado 1, párrafo tercero.

3. Cuando una empresa sea una empresa filial, estará exenta de la obligación establecida en el apartado 1 si la empresa y sus filiales están incluidas en el informe de gestión consolidado o el informe separado de otra empresa, elaborado de conformidad con el artículo 29 y con el presente artículo.

4. Cuando una empresa elabore un informe separado correspondiente al mismo ejercicio basándose o no en marcos normativos nacionales, de la Unión o internacionales y que incluya la información que se exige para el estado no financiero como se establece en el apartado 1, los Estados miembros podrán eximir a dicha empresa de la obligación de elaborar el estado no financiero establecida en el apartado 1, a condición de que dicho informe separado:

a) se publique conjuntamente con el informe de gestión, de conformidad con el artículo 30, o

b) se publique dentro de un plazo razonable, no superior a seis meses contados a partir de la fecha de cierre del balance, en el sitio de internet de la empresa, y se haga referencia a él en el informe de gestión.

El apartado 2 se aplicará mutatis mutandis a las empresas que elaboren un informe separado tal como se indica en el párrafo primero del presente apartado.

5. Los Estados miembros velarán por que el auditor legal o la sociedad de auditoría compruebe si se ha facilitado el estado no financiero mencionado en el apartado 1 o el informe separado mencionado en el apartado 4.

6. Los Estados miembros podrán exigir que la información contenida en el estado no financiero mencionado en el apartado 1 o el informe separado mencionado en el apartado 4 sea verificada por un prestador independiente de servicios de verificación."

A la vista de esta redacción cabe concluir que para poder aplicar la dispensa en España, el estado de información no financiera consolidado de la sociedad dominante domiciliada en otro Estado miembro de la Unión Europea solo debería cumplir con los requisitos de información exigidos en ese Estado miembro, en los estrictos términos regulados en ese país, en trasposición de la Directiva.

Sin embargo, en el supuesto de que la información adicional exigida en el artículo 49.6 del CdC, en comparación con la requerida en los artículos 19.bis.1 y 29.bis.1 de la Directiva, no se proporcionase de forma voluntaria en el estado de información no financiera consolidado, la sociedad española vendrá obligada a elaborar en España un estado de información no financiera individual o consolidado, según proceda, en el que se incluya la información complementaria exigida en el artículo 49.6 del CdC, limitándose en tal caso la dispensa a incorporar la información no financiera estrictamente requerida por los artículos 19.bis.1 y 29.bis.1 de la Directiva.

c) La sociedad dominante está domiciliada en un tercer país.

La cuestión a dilucidar en este caso es si a los efectos de aplicar la citada dispensa rige, por analogía, la condición que se impone para evaluar la correcta aplicación de la dispensa por razón de subgrupo regulada en el artículo 43.1.2ª del CdC, en el que se requiere que la sociedad dominante que elabore cuentas consolidadas esté sometida a la legislación de un Estado miembro de la Unión Europea.

En opinión de este Instituto la respuesta debe ser negativa. En primer lugar, téngase en cuenta que la Ley no distingue ni limita su aplicación. Por el contrario, el legislador ha tenido la previsión de referirse al depósito en el Registro Mercantil u otra oficina pública donde deben quedar depositadas sus cuentas junto con el informe de gestión consolidado (o el estado separado) o, en los supuestos de no quedar obligada a depositar sus cuentas en ninguna oficina pública, o de haber optado por la elaboración del informe separado, sobre dónde se encuentra disponible o se puede acceder a la información consolidada de la sociedad dominante.

Además, la obligación de proporcionar información no financiera que impone la Directiva se ha regulado siguiendo unas reglas que difieren de las que rigen la formulación de cuentas anuales. Entre ambos requerimientos, no existe identidad de razón.

Las sociedades están obligadas, en todo caso, a formular cuentas anuales individuales. Además, cuando una sociedad controla a otra sociedad, la Directiva 2013/34/UE y el CdC imponen la obligación de elaborar cuentas consolidadas.

No obstante, la obligación de consolidar se acompaña de una serie de dispensas. Por ejemplo, la dispensa por razón de tamaño que se aplica si la dimensión económica del grupo de empresas medida en términos de total activo, cifra de negocios y número de empleados no supera unos determinados umbrales, o la denominada dispensa por razón de subgrupo cuya ratio legis se funda en la circunstancia de que la información del grupo llamado a consolidar está integrada a su vez en las cuentas consolidadas de un grupo superior; esto es, la dispensa por razón de subgrupo se aplica cuando la sociedad dominante obligada a consolidar es a su vez dependiente de una tercera sociedad que formula cuentas consolidadas.

En este punto, considérese también que incluso la Directiva 2013/34/UE atribuye a los Estados miembros la facultad de regular la dispensa por razón de subgrupo para formular cuentas consolidadas (información financiera que en todo caso debe elaborarse siguiendo un marco normalizado) en aquellos casos en que la sociedad dominante está domiciliada fuera de un Estado miembros de la Unión Europea.

Por su parte, la información no financiera individual solo se requiere a las sociedades incluidas en un determinado ámbito de aplicación (básicamente, se solicita a grandes empresas o empresas de interés público, en ambos casos, de más de 500 trabajadores) y a diferencia de lo que sucede con las cuentas anuales individuales, tanto la Directiva como el art. 262.5 del TRLSC dispensan a las sociedades dependientes de elaborar el estado individual de información no financiera, si esa información, y la de sus filiales, se incluye en un "nivel superior" (estado consolidado de información no financiera).

Téngase en cuenta también que la Directiva, a diferencia de la regulación aprobada en España, prevé incluso que la información no financiera se proporcione siguiendo un marco normalizado que no tiene por qué limitarse a los generalmente aceptados en el ámbito de la Unión Europea (Art.19.bis. 4. *Cuando una empresa elabore un informe separado correspondiente al mismo ejercicio basándose o no en marcos normativos nacionales, de la Unión o internacionales...*). Y que tampoco se ha establecido en la Directiva regulación alguna sobre la nacionalidad que deba tener la sociedad dominante que elabore el estado de información no financiera, limitándose a exigir que dicho informe contenga una determinada información y que se publique en un determinado plazo.

Por todo ello, en opinión de este Instituto, nada impide que esa dispensa pudiera ser aplicada por una sociedad española controlada por una sociedad dominante radicada en un Estado que no sea miembro de la Unión Europea, siempre que se publique por ésta la información no financiera estrictamente requerida por los artículos 19.bis.1 y 29.bis.1 de la Directiva, y en los términos señalados en el apartado b) anterior.

3.- En tercer lugar, se consulta sobre la obligación que tiene una sociedad española de presentar el estado de información no financiera consolidado, si es dependiente de una dominante y, al mismo tiempo, es dominante de un subgrupo.

En el artículo 49.6 del CdC se regula la dispensa de la elaboración del estado de información no financiera consolidado en los siguientes términos:

> *"Cuando una sociedad dependiente de un grupo sea, a su vez, dominante de un subgrupo, estará exenta de la obligación establecida en este apartado si dicha sociedad y sus dependientes están incluidas en el informe de gestión consolidado de otra sociedad en el que se cumple con dicha obligación. Si una entidad se acoge a esta opción, deberá incluir en el informe de gestión una referencia a la identidad de la sociedad dominante y al Registro Mercantil u otra oficina pública donde deben quedar depositadas sus cuentas con el informe de gestión consolidado o, en los supuestos de no quedar obligada a depositar cuentas en ninguna oficina pública, o de haber optado por la elaboración de un informe separado de acuerdo con el apartado siguiente, sobre dónde se encuentra disponible o se puede acceder a la información consolidada de la sociedad dominante."*

Para dar respuesta a esta pregunta, ha de darse por reproducido gran parte de lo indicado en relación con la pregunta anterior.

Como ya se ha señalado, si la sociedad dominante no estuviese domiciliada en España, a los efectos de aplicar la citada dispensa no rige la condición que se impone para evaluar la correcta aplicación de la dispensa por razón de subgrupo regulada en el artículo 43.1.2ª del CdC, y, en su desarrollo, en los artículos 7 y 9 de las Normas para la formulación de las cuentas anuales consolidadas, aprobadas por el Real Decreto 1159/2010, de 17 de septiembre, en los que se requiere que la sociedad dominante que elabore cuentas consolidadas esté sometida a la legislación de un Estado miembro de la Unión Europea.

Por lo tanto, en opinión de este Instituto, la dispensa sería aplicable tanto si la sociedad dominante que elabora el estado de información no financiera consolidado es española, como si está domiciliada en un Estado miembro de la Unión Europea o en un tercer país, en los mismos términos y por las mismas razones que se han expuesto más arriba en la contestación a la pregunta sobre el ámbito de aplicación de la dispensa regulada en el artículo 262.5 del texto refundido de la Ley de Sociedades de Capital.

En todo caso, se recuerda que si el grupo español estuviese dispensado de formular cuentas consolidadas, por cualquier de los motivos de dispensa regulados en el CdC, la obligación de elaborar el estado de información no financiera consolidado decae, porque la exigencia de este requerimiento informativo, a nivel consolidado, se vincula a la previa formulación de cuentas anuales consolidadas. No obstante, la sociedad dominante española seguiría estando obligada a elaborar el estado de información no financiera individual, salvo que a su vez pudiese aplicar la dispensa regulada en el artículo 262.5 del texto refundido de la Ley de Sociedades de Capital, en los términos descritos en la respuesta a la segunda pregunta.

4.- Por último, **se consulta si la obligación de verificación por un verificador independiente del estado de información no financiera establecida en el artículo 49.6 (último párrafo) para cuentas consolidadas resulta también exigible a los supuestos de sociedades que se encuentren obligadas a elaborar dicho estado a nivel individual** de conformidad con lo establecido en el artículo 262.5 del citado texto refundido de la ley de sociedades de capital.

En relación con la cuestión planteada, hay que tener en cuenta que las dudas deberían resolverse atendiendo a los criterios hermenéuticos contenidos en el artículo 3.1 del Código Civil ("*Las normas se interpretarán según el sentido propio de sus palabras, en relación con el contexto, los antecedentes históricos y legislativos, y la realidad social del tiempo en que han de ser aplicadas, atendiendo fundamentalmente al espíritu y finalidad de aquellas*"). En este sentido, el artículo 262.5 del texto refundido de la ley de sociedades de capital (TRLSC), donde se regula esta cuestión y respecto a las cuales se plantea la duda, establece a este respecto:

> "*5. Las sociedades de capital deberán incluir en el informe de gestión un estado de información no financiera o elaborar un informe separado <u>con el mismo contenido que el previsto para las cuentas consolidadas por el artículo 49, apartados 5, 6 y 7, del Código de Comercio, aunque referido exclusivamente</u> a la sociedad en cuestión siempre que concurran en ella los siguientes requisitos: (...).*"

Pues bien, una interpretación sistemática del artículo 262.5 del TRLSC, conforme al artículo 3.1 del Código Civil (atendiendo al contexto, antecedentes y al espíritu y finalidad de las normas), llevan a la conclusión de que el legislador ha pretendido que toda la regulación exigible para la información no financiera, incluida la de verificación independiente y el hecho de que la información no financiera sea un punto separado del orden del día, se aplique tanto a los grupos como a las sociedades de capital individuales.

La interpretación sistemática de la norma, esto es, la lectura conjunta de los artículos 49.6 del Código de Comercio y 262.5 del TRLSC, lleva a la conclusión de que el legislador ha pretendido establecer el mismo régimen para ambos supuestos, tanto en los aspectos materiales como formales, desarrollando las novedades en el artículo 49 del Código de Comercio y optando, como técnica de elaboración normativa, por la remisión a dicho artículo en la redacción del artículo 262.5 del TRLSC.

Esto es así no solamente en el caso de la Ley 11/2018 sino que esa interpretación resulta también de la lectura del Real Decreto-ley 18/2017 de 24 de noviembre del que trae causa la Ley 11/2018.

Por tanto, **las sociedades individuales a las que se refiere el artículo 262.5 del TRLSC están obligadas a la verificación prevista en el artículo 49.6 del Código de Comercio.**

Conclusiones.

En relación con las cuestiones planteadas y teniendo en cuenta las consideraciones expuestas, cabe concluir lo siguiente:

1.- La mención a las sociedades filiales en la nueva redacción del apartado 5 del artículo 49 del Código de Comercio debe entenderse referida a todas las sociedades dependientes, con independencia del país en el que esté radicado el domicilio social de éstas.

2.- La dispensa de presentar el estado de información no financiera individual se refiere a todas las sociedades dependientes de un grupo que cumplan los requisitos previstos en el artículo 262.5 del TRLSC, ya que la Ley no distingue ni limita su aplicación por razón de territorio.

No obstante, sobre el contenido que debe incluir el estado de información no financiera, debe precisarse que rige el previsto en el artículo 49.6 del Código de Comercio. Por lo que si no se proporcionase dicho contenido de forma voluntaria en el estado de información no financiera consolidado por una sociedad dominante domiciliada fuera de España, la sociedad española vendrá obligada a elaborar en España un estado de información no financiera que incluya dicha información complementaria exigida en comparación con la requerida en los artículos 19.bis.1 y 29.bis.1 de la Directiva.

3.- Una sociedad española que sea dependiente de una dominante y, al mismo tiempo, sea dominante de un subgrupo, estará dispensada de elaborar el estado de información no financiera consolidado, con independencia del domicilio de la sociedad dominante que elabora el estado de información no financiera consolidado, en los mismos términos y por las mismas razones expuestas en la contestación a la pregunta anterior sobre el ámbito de aplicación de la dispensa regulada en el artículo 262.5 del TRLSC.

4.- Las sociedades individuales a las que se refiere el artículo 262.5 del TRLSC están obligadas a la verificación prevista en el artículo 49.6 del Código de Comercio

Comentario

GRUPO Cuentas
Consolidadas

Diversas
cuestiones
Estado
Información no
financiera
(EINF)

Mención
filiales (art.
49.5 CdC)

¿De qué
domicilio?

Se refiere a todas
las dependientes,
con independencia
del país de su
domicilio

Dispensa
presentación
EINF
individual
dependientes

Requisitos art.
262.5 TRLSA, con
independencia país
domicilio

Caso dominante fuera España, no
proporcionara contenido art 49.6 CdC

Dependiente está obligada elaborar en
España EINF con esa información, en
comparación directiva 2013/34/UE

Mismo
tratamiento

Caso
dependiente
sea,
dominante de
un subgrupo

Obligación
verificación
información
contenida por
un
independiente
(art 49.6 CdC)

¿Aplicable cuentas
individuales? (art.
262.5 TRLSC)

SI

art.3.1
Co.Civil

2. ACTIVO NO CORRIENTE

2. ACTIVO NO CORRIENTE

Sumario

2.1. INMOVILIZADO INTANGIBLE

2.1.1. Concesiones administrativas

2.1.1.1. Renovación activos afectos a una concesión

BOICAC 80, diciembre 2009. Consulta 1.

Sobre el tratamiento contable de los activos que deben revertir a la Administración Pública que ha otorgado una concesión administrativa, cuya reposición se va a realizar en los últimos años de la concesión, y cuyo plazo residual de uso desde dicho momento es muy inferior a su vida.

Respuesta

A raíz de la entrada en vigor del Plan General de Contabilidad (PGC), aprobado por Real Decreto 1514/2007, de 16 de noviembre, la "inversión" que realiza una empresa en un proyecto concesional debe seguir luciendo de acuerdo con su naturaleza que, con carácter general, será la de inmovilizado material.

El tratamiento contable del fondo de reversión ha sido objeto de interpretación por parte de este Instituto en la consulta nº 2 publicada en su Boletín (BOICAC) nº 74, de junio de 2008, cuya correcta aplicación exige que la empresa realice un análisis de los "componentes" del citado fondo en la fecha de transición.

Para los activos cuya reposición se va a realizar en los últimos años de la concesión, y cuyo plazo residual de uso desde dicho momento es muy inferior a su vida económica, el resultado de este análisis lleva a calificar el fondo de reversión dotado en su día por dicho concepto como una provisión.

La cuestión que ahora se plantea es qué criterio debe seguirse conforme al nuevo Plan para reconocer este pasivo.

Considerando la especial naturaleza económica del negocio concesional, salvo un comportamiento antieconómico, una empresa "invertirá" en un proyecto siempre que mediante la utilización de estas "inversiones" obtenga ingresos suficientes para su recuperación, por lo que habrá que analizar si esto se produce en cada caso, de forma que puedan identificarse al inicio de la concesión los activos y pasivos que el PGC exige reconocer, así como el plazo de amortización de los citados activos, en principio, equivalente al plazo de vida útil que económicamente corresponda.

Desde una perspectiva económica racional, y en sintonía con el criterio recogido en el apartado 6º.10 del Marco Conceptual de la Contabilidad (MCC), debería concluirse que el coste que correspondería recuperar en el plazo que transcurre entre la fecha de reversión y el término de la vida económica, ha sido objeto de recuperación a lo largo del periodo concesional, circunstancia que pone de manifiesto al inicio un coste del proyecto concesional similar a los costes de desmantelamiento o retiro, cuyo tratamiento contable debe traerse a colación por analogía para resolver la cuestión planteada.

En definitiva, si a la vista del análisis del proyecto concesional en su conjunto existe evidencia en el momento inicial de que se van a generar ingresos que garanticen la recuperación de toda la inversión, las inversiones que por el momento en que se lleven a cabo tengan una vida económica superior a su vida útil (periodo concesional restante en cada caso), motivarán el reconocimiento de un activo intangible y de una provisión por el mismo importe, el valor actual de la obligación asumida, equivalente al valor en libros que teóricamente luciría al término de la concesión en el supuesto de que el activo no tuviese que ser entregado a la Administración concedente; es decir, considerando su vida económica y no el plazo concesional.

De acuerdo con lo anterior, el desembolso que se realiza como consecuencia de la última renovación tendrá dos componentes. En primer lugar, la contrapartida de la cancelación del coste de "retiro" pagado por anticipado en la fecha de la reposición, que trae causa de la obligación que asume la empresa de entregar los activos afectos a la concesión en el estado de uso acordado con la Administración concedente; y, en segundo lugar, la inversión en un inmovilizado material que desde una perspectiva económica racional realizaría cualquier empresa considerando el plazo de aprovechamiento económico que media entre el momento de la renovación y la fecha de reversión.

Sin embargo, si la renovación de los activos afectos a la concesión origina una revisión de las condiciones del acuerdo, por ejemplo a través de una ampliación del plazo concesional o cuando por otro medio el concesionario pueda recuperar el importe total de su inversión con la generación de ingresos suficientes desde la fecha de renovación, el planteamiento expuesto decae, sin que proceda en este caso el registro de la mencionada provisión.

Adicionalmente, se formula consulta sobre los criterios que deben aplicarse en la amortización de estos activos, cuya reposición se va a realizar en los últimos años de la concesión, y cuyo plazo residual de uso desde dicho momento es muy inferior a su vida económica.

El tratamiento contable de la amortización de los activos revertibles, sean o no objeto de reposición, está recogido en el apartado 6 del Marco Conceptual de la Contabilidad incluido en la primera parte del PGC y concretado en la consulta nº 2 del BOICAC nº 74, a cuya respuesta nos remitimos.

No obstante, con el ánimo de aclarar, a continuación se recogen los criterios generales que deben aplicarse para contabilizar los activos cuya reposición se va a realizar en los últimos años de la concesión.

a) El activo intangible que surge como contrapartida de la obligación que asume la empresa (coste asimilable a los de desmantelamiento o retiro) deberá ser objeto de amortización en el plazo de vida útil que económicamente corresponda y, en su caso, de corrección valorativa por deterioro.

Por tanto, sobre la base de los argumentos expuestos, la vida útil de este activo será el plazo concesional, y el criterio de depreciación será lineal, salvo que el patrón de uso del inmovilizado intangible pueda estimarse con fiabilidad por referencia a la "demanda o utilización" del servicio público medida en unidades físicas, en cuyo caso, este método podría aceptarse como criterio de amortización siempre que sea el patrón más representativo de la utilidad económica del citado activo.

b) La provisión que surge como contrapartida del activo intangible deberá actualizarse cada año hasta la fecha de su efectiva cancelación, circunstancia que originará el reconocimiento de un gasto financiero.

c) La diferencia entre el desembolso efectuado en la última renovación y la citada provisión (valor en libros del activo en la fecha de reversión considerando su vida económica), se contabilizará aplicando los criterios recogidos en el PGC para el inmovilizado material. En consecuencia, deberá amortizarse tomando como plazo de vida útil el periodo que reste hasta que finalice la concesión.

d) Los cambios en las estimaciones sobre el valor del activo y la provisión se tratarán de acuerdo con los criterios recogidos en el PGC para los costes de desmantelamiento, retiro o rehabilitación.

En cualquier caso conviene precisar que la depreciación es una cuestión técnica, por lo que ésta, así como los parámetros necesarios para su cuantificación deberán justificarse bajo dicho planteamiento, sin que se consideren admisibles los criterios fiscales, financieros o de reparto de resultados que pudieran afectar.

Comentario

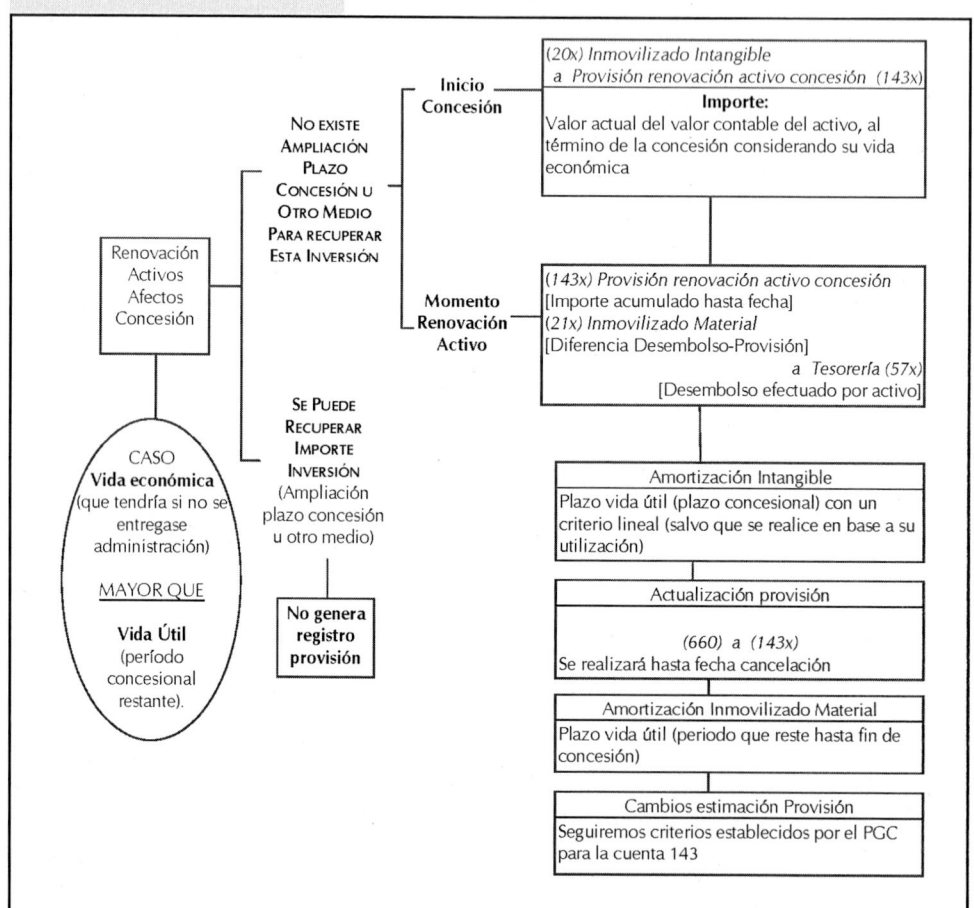

Ejemplo

La sociedad SANTIAGO, obtuvo el 1 de enero del X1, una concesión para la explotación de un servicio público, por un periodo de veinte años a partir de esa fecha, pagando un importe de 50.000 €.

Para hacer frente a la explotación, adquirió en dicha fecha maquinaria afecta a la concesión por un importe de 180.000 €. Su vida útil es de dieciocho años, estimándose un valor de reposición de la misma de 198.000 €.

A la vista del análisis del proyecto concesional en su conjunto, existe evidencia en el momento inicial que se van a generar ingresos que garanticen la recuperación de toda la inversión.

SE PIDE:

CASO A) Regístrese lo correspondiente a lo expuesto y en concreto a las siguientes fechas:

• **1/1/X1**	• **1/1/X19,** sabiendo que se adquirió la máquina que revertirá al ente público y cuyo importe ascendió a 196.000 €; dándose de baja la máquina antigua
• **31/12/X1**	• **31/12/X20,** fin de la concesión. Nuestra empresa hace entrega de la máquina al Ente público.
• **31/12/X18**	

CASO B) Suponiendo que como consecuencia de la renovación de los activos afectos a la concesión, se origina una revisión de las condiciones del acuerdo: que quedan materializadas en una ampliación del plazo concesional de 16 años más o que sea el caso que el concesionario pudiese recuperar el importe total de su inversión con la generación de ingresos suficientes desde la renovación, comentar si la problemática contable sería la misma del caso anterior.

NOTA: El tipo de interés de mercado es del 5% anual

SOLUCIÓN:

CASO A) NO SE PRODUCE AMPLIACIÓN PLAZO CONCESIONAL

Gráficamente, <u>hoy</u> (1/1/X1) podemos plantear esta situación:

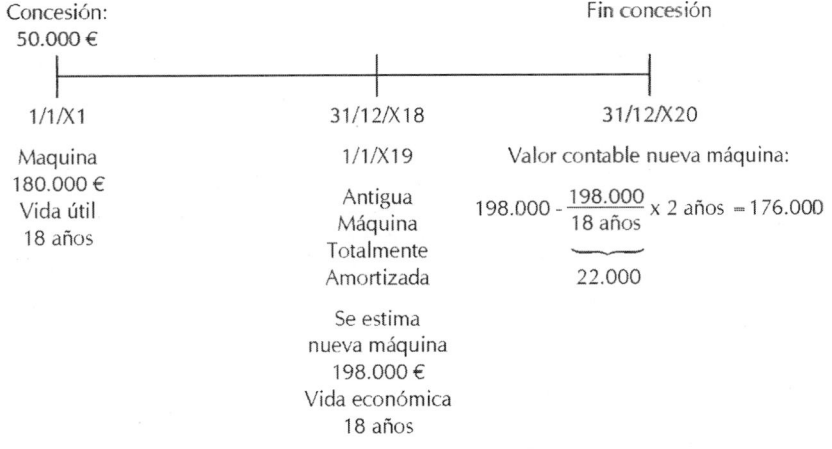

Concesión:
50.000 €

Fin concesión

1/1/X1   31/12/X18   31/12/X20

Maquina
180.000 €
Vida útil
18 años

1/1/X19

Antigua Máquina Totalmente Amortizada

Se estima nueva máquina 198.000 €
Vida económica 18 años

Valor contable nueva máquina:

$$198.000 - \frac{198.000}{18 \text{ años}} \times 2 \text{ años} = 176.000$$

22.000

• Operaciones a 1/1/X1

- En enero del X1, se produce el desembolso por la concesión:

————————————————————— 1/1/X1 —————————————————————

50.000	Concesiones administrativas (202)		
	a	Bancos (572)	50.000

Se registra por el precio de adquisición de aquellas concesiones susceptibles de transmisión. Lo amortizaremos por el plazo concesional, de 20 años.

- En la misma fecha registraremos el activo que se afecta a la concesión:

————————————————————— x —————————————————————

180.000	Maquinaria (213)		
	a	Bancos (572)	180.000

Cuya duración es de 18 años, por lo que amortizaremos a fin de ejercicio por importe de 10.000 €

- Como la máquina que necesita la empresa para la explotación dura menos que la concesión, se necesita adquirir una nueva que revertirá al ente público con posterioridad. Sin embargo quedaría pendiente únicamente 2 años, un tiempo muy inferior a la vida económica del activo (18 años). En base a la presente consulta y dado que la empresa ha realizado un análisis por lo que aún así el proyecto generará ingresos suficientes que garanticen la recuperación de la inversión, daremos de alta un intangible y al mismo tiempo una provisión cuyo importe será: *"(...)el valor actual de la obligación asumida, equivalente al valor en libros que teóricamente luciría al término de la concesión en el supuesto de que el activo no tuviese que ser entregado a la Administración concedente; es decir, considerando su vida económica y no el plazo concesional (...)"*. Es decir en nuestro caso:

Valor contable maquina fin concesion

$$\text{Valor actual} = \left(198.000 - \underbrace{\frac{198.000}{18 \text{ años}} \times 2 \text{ años}}_{22.000} \right)(1+0,05)^{-18} = 176.000 \cdot (1+0,05)^{-18} = \textbf{73.131,64}$$

Actualizaremos por el tiempo que se realizará la renovación (y en nuestro caso ocurrirá el 31/12/X18)

Anotaremos:

——————————————————— 1/1/X1 ———————————————————

73.131,64 Activo intangible concesio-
           nal (20x)

                        a   Provisión renovación activo
                                 concesión (143x)   73.131,64

• Operaciones a 31/12/X1

- Amortización de la concesión,

$$\text{Importe anual de la amortización} = \frac{50.000\ \text{€}}{20\ \text{años}} = 2.500$$

Anotando:

——————————————————— 31/12/X1 ———————————————————

2.500 Amortización del inmovili-
       zado intangible (680)

                        a   Amortización acumulada de
                                 concesiones administrativas
                                 (2802)   2.500

- Por la amortización del activo intangible surgido de la operación, relacionada con la provisión:

$$\text{Importe anual amortización intangible} = \frac{73.131,64\ \text{€}}{20\ \text{años}} = 3.656,58$$

Según la presente consulta, será objeto de amortización: "(...) en el plazo de vida útil que económicamente corresponda (...)" siguiendo que esta vida útil será el plazo concesional y que el criterio de depreciación aplicado será el lineal, salvo que el "patrón de uso del inmovilizado intangible" pueda estimarse con fiabilidad por referencia a la demanda o utilización del servicio público medida en unidades físicas. Optamos por la primera alternativa. Así:

_____ 31/12/X1 _____

3.656,58   Amortización del inmovili-
             zado intangible (680)

                              a   Amortización acumulada de
                                     activos concesionales (280x)   3.656,58

- Por la actualización de la provisión, que se realizará cada año hasta su cancelación, originando un gasto financiero,

$176.000 \cdot (1,05)^{-18}$ $i. = 5\%$
  $= 73.131,64$

        1/1/X1   31/12/X1   ...   ...   31/12/X18
                        $176.000 \cdot (1,05)^{-17}$
                         $= 76.788,22$

                         Incremento
                         provisión X1
                $76.788,22 - 73.131,64$
                         $\mathbf{= 3.656,58}$

Anotándose:

_____ 31/1/X1 _____

3.656,58   Gasto financiero por actuali-
             zación de provisiones (660)

                                a   Provisión renovación activo
                                       concesión (143x)   3.656,58

Movimiento similar al que podemos encontrar en lo especificado en la quinta parte del PGC "Definiciones y relaciones contables" relativo a la cuenta 143.

- Por la amortización de la maquinaria, deberemos imputar una cuota anual de 10.000 € tal y como comentamos antes:

───────────────── 31/12/X1 ─────────────────

10.000	Amortización del inmovilizado material (681)		
	a	Amortización acumulada de maquinaria(2813)	10.000

• Operaciones a 31/12/X18

- Amortización de la concesión:

───────────────── 31/12/X18 ─────────────────

2.500	Amortización del inmovilizado intangible (680)		
	a	Amortización acumulada de concesiones administrativas (2802)	2.500

- Por la amortización del activo intangible surgido de la operación:

───────────────── 31/12/X18 ─────────────────

3.656,58	Amortización del inmovilizado intangible (680)		
	a	Amortización acumulada de activos concesionales (280x)	3.656,58

- Por la actualización de la provisión:

$176.000 \cdot (1,05)^{-18}$ i. = 5%
  = 73.131,64

1/1/X1	31/12/X1	...	31/12/X17	31/12/X18
	$176.000 \cdot (1,05)^{-17}$		$176.000 \cdot (1,05)^{-1}$	176.000
	= 76.788,22		= 167.619,05	

Incremento
provisión X18
176.000-167.619,05
= 8.380,95

——————————— 31/12/X18 ———————————

8.380,96	Gastos financieros por actualización de provisiones (660)			
		a	Provisión renovación activo concesión (143x)	8.380,96

- Por la amortización de la maquinaria:

——————————— 31/12/X18 ———————————

10.000	Amortización del inmovilizado material (681)			
		a	Amortización acumulada de maquinaria(2813)	10.000

• Operaciones a 1/1/X19

- Adquisición de la nueva máquina que revertirá en el ente concesional dentro de dos años (fin de la concesión):

———————————————— 1/1/X19 ————————————————

176.000	Provisión renovación activo concesión (143x)		
20.000	Maquinaria (213)		
	a	Bancos (572)	196.000

Así, y según la presente Consulta, el desembolso efectuado por la empresa tendrá dos componentes: la cancelación de la provisión y la inversión en un inmovilizado material.

Este último, deberá amortizarse tomando como plazo de vida útil el periodo que reste hasta el fin de la concesión (2 años)

- Baja de la maquinaria antigua.

———————————————— 1/1/X19 ————————————————

180.000	Amortización acumulada de maquinaria(2813)		
	a	Maquinaria (213)	180.000

• Operaciones a 31/12/X20

- Amortización de la concesión:

———————————————— 31/12/X20 ————————————————

2.500	Amortización del inmovilizado intangible (680)		
	a	Amortización acumulada de concesiones administrativas (2802)	2.500

- Por la amortización del activo intangible surgido de la operación.

	31/12/X20		
3.656,58	Amortización del inmovilizado intangible (680)		
		a	Amortización acumulada de activos concesionales (280x) 3.656,58

- Por la amortización de la cuota anual de la nueva máquina que revertirá al ente público:

$$\text{Importe anual amortización intangible} = \frac{20.000 \ \text{€}}{2 \ \text{años}} = 10.000 \ \text{€}$$

Amortizándose en el periodo que reste hasta el fin de la concesión (2 años, en nuestro caso).

	31/12/X20		
10.000	Amortización del inmovilizado material (681)		
		a	Amortización acumulada de maquinaria (2813) 10.000

- Baja de la concesión administrativa:

	31/12/X20		
50.000	Amortización acumulada de concesiones administrativas (2802)		
		a	Concesiones administrativas (202) 50.000

- Baja del activo intangible:

———————————————— 31/12/X20 ————————————————

73.131,64	Amortización acumulada de activos concesionales (280X)			
		a	Activo intangible concesional (20X)	73.131,64

- Entrega de la maquinaria revertible a la administración:

———————————————— 31/12/X20 ————————————————

20.000	Amortización acumulada de maquinaria (2813)			
		a	Maquinaria (213)	20.000

CASO B) SE PRODUCE AMPLIACIÓN PLAZO CONCESIONAL

En este supuesto, no procedería el registro de la mencionada provisión y en consecuencia el activo intangible asociado al reconocimiento de la misma. Por lo tanto se registrarían todos los apuntes anteriores excepto los que guardan relación con los temas descritos (provisión y activo intangible asociado).

2.1.1.2. Gastos de estudio y exploración de recursos mineros

BOICAC 99, septiembre 2014. Consulta 3.

Sobre el tratamiento contable de los gastos de estudio y exploración de recursos mineros.

Respuesta

La consulta versa sobre el tratamiento contable que debe aplicar una sociedad para registrar los gastos incurridos en trabajos de estudios y exploración previos a una posible concesión administrativa para explotar unos recursos mineros y si estos gastos son objeto de capitalización.

El Plan General de Contabilidad (PGC), aprobado por Real Decreto 1514/2007, de 16 de noviembre, define como inmovilizaciones intangibles, los activos no monetarios sin apariencia física susceptibles de valoración económica. Estos elementos se reconocen en el balance de la empresa, siempre y cuando cumplan los criterios establecidos en el Marco Conceptual de la Contabilidad (MCC) y en las normas de registro y valoración del PGC.

En particular, en relación con el reconocimiento de un inmovilizado de naturaleza intangible, la norma de registro y valoración 5ª. "Normas particulares sobre el inmovilizado intangible" del PGC exige que además de cumplir la definición de activo y los criterios de registro o reconocimiento contable contenidos en el MCC, cumpla el criterio de identificabilidad, lo que implica cumplir alguno de los dos siguientes requisitos:

a) Sea separable, esto es, susceptible de ser separado de la empresa y vendido, cedido, entregado para su explotación, arrendado o intercambiado.

b) Surja de derechos legales o contractuales, con independencia de que tales derechos sean transferibles o separables de la empresa o de otros derechos u obligaciones.

Por su parte, los activos se definen en el MCC como "*bienes, derechos y otros recursos controlados económicamente por la empresa, resultantes de sucesos pasados, de los que se espera que la empresa obtenga beneficios o rendimientos económicos en el futuro*". Los activos deben reconocerse en el balance, de acuerdo con lo señalado en el apartado 5º del Marco Conceptual "*cuando sea probable la obtención a partir de los mismos de beneficios o rendimientos económicos en el futuro, y siempre que se puedan valorar con fiabilidad*".

Adicionalmente, para otorgar un adecuado tratamiento contable a los hechos descritos en la consulta, es preciso traer a colación por analogía, la Orden EHA/3362/2010, de 23 de diciembre, por la que se aprueban las normas de adaptación del Plan General de Contabilidad a las empresas concesionarias de infraestructuras públicas (en adelante, NAECIP).

La Norma tercera de las NAECIP, regula en el apartado c) los gastos de licitación en los siguientes términos:

"*c.1) Tendrán la consideración de gastos de licitación, los trabajos o gastos previos incurridos para la obtención de nuevos acuerdos de concesión. Siempre que estos desembolsos cumplan los requisitos incluidos en el Marco Conceptual de la Contabilidad para el reconocimiento de un activo, serán activados. En particular, estas circunstancias se entenderán cumplidas siempre que se den los siguientes requisitos:*

c.1.1) Sólo se calificarán como activo los importes incurridos que procedan de actividades técnicas directamente relacionados con el acuerdo y de naturaleza incremental. Esto es, los gastos en los que se haya incurrido con ocasión del acuerdo y no los relacionados con funciones administrativas generales de la empresa, por ejemplo, los asociados con el departamento de estudios que la empresa tuviera en funcionamiento para acudir a las licitaciones que, en todo caso, motivarán el registro de un gasto en la cuenta de pérdidas y ganancias en el periodo en que se incurran.

c.1.2) Para que los desembolsos realizados sean calificados como activo deben ser identificables por separado y medibles con fiabilidad.

c.1.3) Adicionalmente, <u>debe ser probable que el acuerdo con la entidad concedente llegue a formalizarse.</u>

c.2) Estos importes se reconocerán en la cuenta de pérdidas y ganancias durante el periodo de construcción de la obra u obras con las que se encuentren directamente relacionados, como un componente más del coste del servicio de construcción. La citada imputación se realizará linealmente en el periodo de duración de la obra.

En el supuesto de adquisición a terceros de la infraestructura, estos gastos formarán parte de la contraprestación recibida.

En el supuesto de acceso a la infraestructura cedida a la empresa concesionaria, los citados gastos se incluirán como un componente más del coste del inmovilizado inmaterial contabilizado.

c.3) Si el acuerdo no llega a formalizarse o <u>existen dudas razonables sobre su adjudicación, la totalidad del activo reconocido deberá imputarse a la cuenta de pérdidas y ganancias del ejercicio en que se pongan de manifiesto estas circunstancias</u>".

Adicionalmente, los gastos de licitación se describen con mayor detalle en la Norma sexta. Cuentas a emplear, de las NAECIP, en particular en la cuenta 207. "Gastos de licitación", en los siguientes términos:

"Desembolsos ocasionados con motivo de la elaboración y confección de plicas, trabajos previos a la presentación a concursos para la obtención de nuevas explotaciones y otros importes en los que se haya incurrido por motivo de la licitación que cumplan los criterios establecidos en la norma de registro y valoración para su reconocimiento como un activo".

De acuerdo con lo anterior, en la medida en que los gastos de estudios y exploración a que se refiere la presente consulta puedan asimilarse a los mencionados gastos de licitación, serán activados como un inmovilizado intangible siempre y cuando cumplan los requisitos señalados en la norma que se ha reproducido.

Pues bien, de acuerdo con lo establecido en la Ley 22/1973, de Minas y su Reglamento aprobado por Real Decreto 2857/1978, con carácter previo a la concesión administrativa de la explotación de los recursos mineros de un terreno, suelen realizarse unos estudios previos y obtenerse un permiso de exploración o de investigación, para valorar los recursos que pueden ser objeto de concesión para su explotación. Por tanto, parece que se pueden distinguir varias fases en el proceso normal de obtención de una concesión de explotación:

– Solicitud del permiso de exploración o de investigación.

– Investigación del terreno, con trabajos y estudios encaminados a poner de manifiesto y definir uno o varios recursos, y demostrar que son susceptibles de racional aprovechamiento.

– Solicitud de concesión de explotación del terreno.

– Otorgamiento de la concesión por la autoridad administrativa.

En este contexto, parece razonable considerar que se podrían activar los gastos incurridos en una fase cercana al otorgamiento de la concesión por parte de la autoridad administrativa, cuando los trabajos realizados sobre el terreno ya han puesto de manifiesto la existencia de un recurso susceptible de racional aprovechamiento, y una vez solicitada la concesión de explotación la sociedad pueda apreciar indicios que permitan considerar probable que recibirá su otorgamiento.

Por el contrario, los gastos ocasionados en la fase de solicitud del permiso de exploración son desembolsos incurridos en una fase embrionaria del proceso en la que existen muchas incertidumbres en cuanto al resultado final del mismo, por lo que difícilmente podría considerarse que es probable que la sociedad obtenga definitivamente la concesión de explotación y por lo tanto, deben registrarse como gastos del ejercicio en la cuenta de pérdidas y ganancias.

Comentario

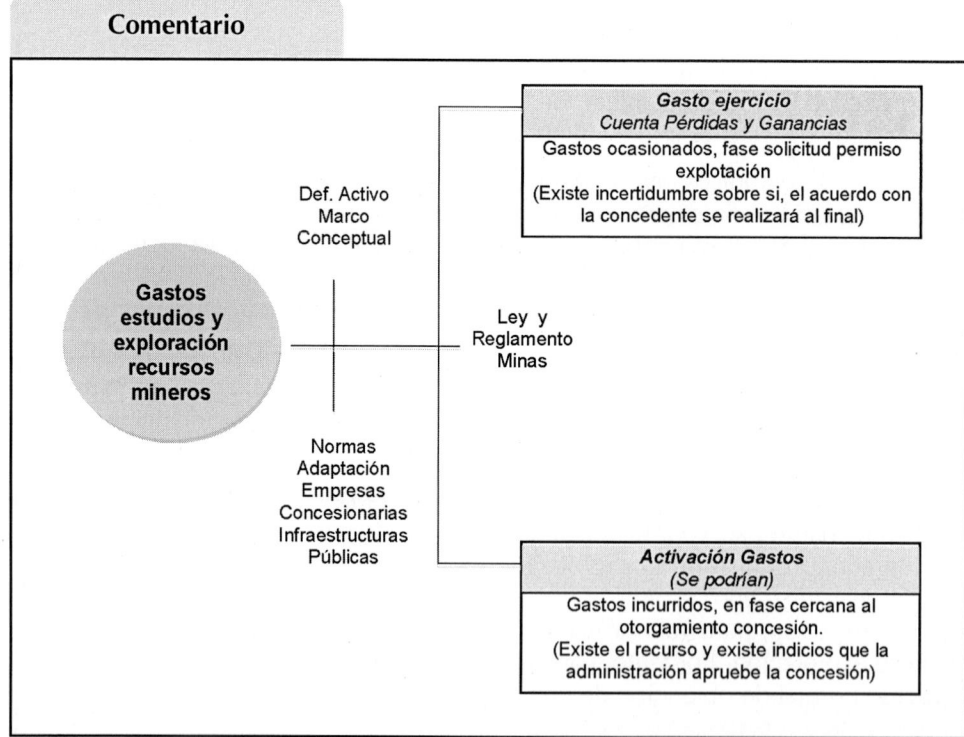

Ejemplo

La sociedad ORO Y METALES PRECIOSOS S.A. acomete a principios del año X1, un proyecto destinado a la búsqueda y explotación en tierras gallegas de oro que será desarrollado en las siguientes fases:

a) Solicitud del permiso de exploración del terreno.

b) Exploración del terreno, con trabajos y estudios encaminados a poner de manifiesto la existencia de reservas de mineral de oro y métales preciosos, y demostrar que son susceptibles de racional aprovechamiento.

c) Solicitud de concesión de explotación del terreno.

d) Otorgamiento de la concesión por la autoridad administrativa.

A lo largo del ejercicio X1, procede a la solicitud del permiso de exploración el cual ha originado unos gastos de 60.000 €, pagados el 1/2/X1.

Posteriormente, se realizan trabajos y estudios encaminados a demostrar la explotación racional de los mismos. Como resultado, se concretó la existencia de una gran reserva de oro en el lugar de Coristanco: por lo que según los técnicos, la viabilidad del proyecto quedaría asegurada. Como consecuencia de tales actividades, se pagaron un total de 130.000 €: los cuales son satisfechos el 15/7/X1.

En vista de la rentabilidad del proyecto, a 1/8/X1 se solicita a la Administración, la oportuna autorización administrativa: originando unos gastos de 12.000 €.

El 15/12/X1 nos comunican el otorgamiento de la concesión, lo cual supone abonar unos gastos de 6.000 €.

SE PIDE:

Registro de las operaciones relatadas.

SOLUCIÓN:

Según lo dispuesto en la Consulta nº 3 del BOICA 99, para registrar los gastos de estudio y exploración de recursos mineros, podíamos asimilar su tratamiento contable con los gastos de licitación que se describen con mayor detalle en la Norma sexta.

En cuanto a las cuentas a emplear, de las NAECIP, la cuenta 207. "Gastos de licitación", en los siguientes términos: "*Desembolsos ocasionados con motivo de la elaboración y confección de plicas, trabajos previos a la presentación a concursos para la obtención de nuevas explotaciones y otros importes en los que se haya incurrido por motivo de la licitación que cumplan los criterios establecidos en la norma de registro y valoración para su reconocimiento como un activo*".

De acuerdo con lo anterior, en la medida en que los gastos de estudios y exploración a que se refiere la presente consulta, puedan asimilarse a los mencionados gastos de licitación, serán activados como un inmovilizado intangible:

siempre y cuando, cumplan los requisitos señalados en la norma que se ha reproducido.

Con todo ello, nuestra empresa, efectuará los siguientes apuntes:

• Por los gastos ocasionados en la solicitud del permiso de exploración del terreno:

——————————————— 1/2/X1 ———————————————

60.000 Servicios exteriores (62x)

a   Bancos (572)   60.000

• Así como por los gastos de investigación del terreno, y estudios previos:

——————————————— 15/7/X1 ———————————————

130.000 Servicios exteriores (62x)

a   Bancos (572)   130.000

• En cuanto a la solicitud de la concesión, y registro de los gastos ocasionados:

——————————————— 1/8/X1 ———————————————

12.000 Concesiones Administrativas
        (202)

a   Bancos (572)   12.000

La quinta parte del PGC y para la cuenta (202). Concesiones administrativas establece: "*Gastos efectuados para la obtención de derechos de investigación o de explotación otorgados por el Estado u otras Administraciones Públicas (...)*". Siendo su movimiento:

"*Se cargará por los gastos originados para obtener la concesión, (...)*".

• Por el otorgamiento de la concesión y pago de gastos:

	15/12/X1		
6.000	Concesiones administrativas (202)		
		a Bancos (572)	6.000

Existen otros inmovilizados intangibles, que serán reconocidos como tales en balance, siempre que cumplan los criterios contenidos en el Marco Conceptual de la Contabilidad y los requisitos especificados en estas normas de registro y valoración. Entre tales elementos se pueden mencionar los siguientes: concesiones administrativas, derechos comerciales, propiedad intelectual o licencias [Apartado f), Norma 6ª Valoración PGC].

• Por la activación de los gastos originados en la fase b):

	15/12/X1		
130.000	Gastos de estudios y exploración (207)		
		a Trabajos realizados en el inmovilizado intangible (730)	130.000

Según dispone la consulta n   3. BOICAC 99, se podrían activar los gastos incurridos en una fase cercana al otorgamiento de la concesión por parte de la autoridad administrativa, cuando los trabajos realizados sobre el terreno ya han puesto de manifiesto la existencia de un recurso susceptible de racional aprovechamiento, y una vez solicitada la concesión de explotación la sociedad pueda apreciar indicios que permitan considerar probable que recibirá su otorgamiento.

Se activaron los citados gastos por cumplir con lo mencionado y además con lo dispuesto en el apartado 5º del Marco Conceptual "cuando sea probable la obtención a partir de los mismos de beneficios o rendimientos económicos en el futuro, y siempre que se puedan valorar con fiabilidad".

Por el contrario, los gastos ocasionados en la fase de solicitud del permiso de exploración (fase a), son desembolsos incurridos en una fase embrionaria del proceso en la que existen muchas incertidumbres en cuanto al resultado final del mismo, por lo que difícilmente podría considerarse que es probable que la sociedad obtenga definitivamente la concesión de explotación y por lo tanto, deben registrarse como gastos del ejercicio en la cuenta de pérdidas y ganancias.

En consecuencia con lo anterior activaremos los gastos de la fase b).

2.1.2. Propiedad Industrial/Intelectual

2.1.2.1. Derechos de autor: e-book

BOICAC 89, marzo 2012. Consulta 2.

Sobre el tratamiento contable de la explotación de unos derechos de autor.

Respuesta

Una sociedad dedicada a la edición de libros tiene previsto lanzar junto a la edición impresa una versión electrónica (e-book) cuya distribución se realizará mediante descargas por internet. Para ello, adquiere a su autor el derecho a reproducir y distribuir una determinada obra. En particular, la consulta versa sobre el criterio que debe seguirse, ante la ausencia de un inventario físico, para valorar las existencias de los libros que se van a comercializar en formato electrónico.

La Propiedad Intelectual se encuentra regulada en el Real Decreto Legislativo 1/1996, de 12 de abril, por el que se aprueba el texto refundido de la Ley de Propiedad Intelectual (modificado parcialmente por la Ley 23/2006, de 7 de julio), que en su artículo 10 la define como "*todas las creaciones originales literarias, artísticas o científicas expresadas por cualquier medio o soporte, tangible o intangible, actualmente conocido o que se invente en el futuro*".

Corresponden al autor de la propiedad intelectual dos clases de derechos: el derecho moral, regulado en el artículo 14, de carácter irrenunciable e inalienable y, el derecho de explotación de su obra, regulado en el artículo 17, que abarca los derechos, entre otros, de reproducción y distribución.

De acuerdo con el artículo 18, "*se entiende por reproducción la fijación directa o indirecta, provisional o permanente, por cualquier medio y en cualquier forma, de toda la obra o de parte de ella, que permita su comunicación o la obtención de copias*".

Y en cuanto a la distribución, el artículo 19 establece lo siguiente:

"1. Se entiende por distribución la puesta a disposición del público del original o de las copias de la obra, en un soporte tangible, mediante su venta, alquiler, préstamo o de cualquier otra forma.

2. (...)

3. Se entiende por alquiler la puesta a disposición de los originales y copias de una obra para su uso por tiempo limitado y con un beneficio económico o comercial directo o indirecto (...)."

Los derechos de explotación tienen un plazo limitado, pues según el artículo 26 "*durarán toda la vida del autor y setenta años después de su muerte o declaración de fallecimiento*".

Por último, hay que tener en cuenta que los derechos de explotación quedan amparados en el Contrato de Edición, cuyo concepto se recoge en el artículo 58 de la siguiente manera: "*Por el contrato de edición el autor o sus derechohabientes ceden al editor, mediante compensación económica, el derecho de reproducir su obra y el de distribuirla. El editor se obliga a realizar estas operaciones por su cuenta y riesgo en las condiciones pactadas y con sujeción a lo dispuesto en esta Ley.*"

Desde una perspectiva estrictamente contable, el Plan General de Contabilidad (PGC) aprobado por el Real Decreto 1514/2007, de 16 de noviembre, define como inmovilizaciones intangibles los activos no monetarios sin apariencia física susceptibles de valoración económica (cuarta parte, definición del subgrupo 20). Estos elementos deben ser reconocidos en balance siempre y cuando cumplan los criterios establecidos en el Marco Conceptual de la Contabilidad (MCC) y en las normas de registro y valoración (NRV).

Para su reconocimiento, la NRV 5ª. "Inmovilizado intangible" del PGC exige que además de cumplir la definición de activo y los criterios de registro contable regulados en el MCC, se cumpla el criterio de identificabilidad, lo que implica atender alguno de los dos siguientes requisitos:

a) Sea separable, esto es, susceptible de ser separado de la empresa y vendido, cedido, entregado para su explotación, arrendado o intercambiado.

b) Surja de derechos legales o contractuales, con independencia de que tales derechos sean transferibles o separables de la empresa o de otros derechos u obligaciones.

Por su parte, los activos se definen en el MCC como "*bienes, derechos y otros recursos controlados económicamente por la empresa, resultantes de sucesos pasados, de los que se espera que la empresa obtenga beneficios o rendimientos económicos en el futuro*". Los activos deben reconocerse en el balance, de acuerdo con lo señalado en el apartado 5º del MCC, "*cuando sea probable la obtención a partir de los mismos de beneficios o rendimientos económicos en el futuro, y siempre que se puedan valorar con fiabilidad*".

De acuerdo con lo anterior, cabe concluir que los derechos adquiridos por la empresa para editar y distribuir los libros, en versión impresa y en formato electrónico, a través de Internet, se registrarán como un inmovilizado intangible por su precio de adquisición, trayendo a colación por analogía los criterios incluidos en el PGC para la propiedad industrial, en cuya NRV 6ª. "Normas particulares sobre el inmovilizado intangible", se dispone:

"*b) Propiedad industrial. Se contabilizarán en este concepto, los gastos de desarrollo capitalizados cuando se obtenga la correspondiente patente o similar, incluido el coste de registro y formalización de la propiedad industrial, sin perjuicio de los importes que también pudieran contabilizarse por razón de adquisición a terceros de los derechos correspondientes. Deben ser objeto de amortización y corrección valorativa por deterioro según lo especificado con carácter general para los inmovilizados intangible."*

En este sentido, la norma cuarta de la Resolución de 21 de enero de 1992 del Presidente del Instituto de Contabilidad y Auditoría de Cuentas (ICAC), por la que se dictan normas de valoración del inmovilizado inmaterial, que debe considerarse en vigor al amparo de la Disposición transitoria quinta del Real Decreto 1514/2007, de 16 de noviembre, en todo aquello que no contradiga lo previsto en el PGC, establece lo siguiente:

". La "Propiedad industrial" se valorará por los costes incurridos para la obtención del derecho al uso o a la concesión del uso de las distintas manifestaciones de la propiedad industrial, siempre que, por las condiciones económicas que se deriven del contrato, deban inventariarse por la empresa adquirente (…).

2. Los derechos de propiedad industrial se valorarán, por el precio de adquisición o coste de producción, tal y como se definen en el Plan General de Contabilidad. Para el caso de obtenerse como consecuencia de un proyecto de desarrollo de la propia empresa, su activación se realizará por el importe de los gastos de desarrollo imputables a tales derechos que estén pendientes de amortización, más el coste de registro y formalización de la propiedad industrial, y siempre que se cumplan las condiciones legales necesarias para su inscripción en el correspondiente Registro.

3. Las correcciones de valor a efectuar en los activos contabilizados como propiedad industrial, se realizarán de acuerdo a lo previsto en la NORMA DECIMA de esta Resolución.

4. Para los elementos de la propiedad intelectual se utilizarán los mismos principios y criterios de valoración que los indicados para la propiedad industrial, utilizando para su contabilización una partida específica."

Por tanto, para el registro contable de los derechos adquiridos por la sociedad consultante, de acuerdo con lo establecido en el apartado 4 anterior, deberá emplearse una partida específica que se ubicará en el epígrafe A.I. del Activo del Balance.

En sintonía con estos criterios, cualquier desembolso relacionado con la elaboración del libro en soporte electrónico que cumpla la definición de activo se reconocerá como un mayor valor de los derechos de autor.

Respecto a la valoración posterior de los citados derechos, tal y como se ha indicado, el inmovilizado intangible debe ser objeto de amortización y, en su caso, corrección valorativa por deterioro. A tal efecto, podrán traerse a colación por analogía los criterios incluidos en la consulta 2 del Boletín de este Instituto nº 80, de diciembre de 2009, sobre el tratamiento contable de la producción y distribución de una obra audiovisual.

En consecuencia, el método de amortización deberá prestar especial atención a la naturaleza del activo, cuyo patrón de consumo está muy vinculado a la generación de ingresos, circunstancia que a su vez llevaría a considerar que si existiesen existencias físicas de libros en soporte impreso en ellas no se incorporaría cuota de amortización alguna. Esto es, las cuotas de amortización deberían estar basadas en las expectativas racionales de generación de ingresos futuros de los derechos de autor sobre la obra adquirida (por ventas del soporte físico de la obra -libro, etc.- y por los ingresos a obtener mediante "descargas" por acceso digital a la obra) con revisión anual del plan inicial de amortización trazado en función de las desviaciones entre los ingresos previstos y los ingresos realmente obtenidos por la explotación de la obra, y en función de las nuevas expectativas aparecidas de explotación futuras del correspondiente derecho de autor.

El tratamiento de las existencias (unidades en soporte físico) seguirá las normas generales de cómputo del coste de las unidades vendidas y el coste de las unidades en existencias finales al cierre de cada ejercicio, aplicando el oportuno convenio de valoración de las salidas de manera consistente en el tiempo.

Comentario

153

Ejemplo

El 15/08/2009 la sociedad FISS dedicada a la edición y distribución de libros, suscribió un contrato con D. GONZALO OTERO ALONSO para la edición de la obra "2050 soluciones contables y fiscales".

Posteriormente, a mediados del año 2011, el Autor reseñado anteriormente, ha ratificado expresamente la autorización otorgada a la Editorial para la explotación de la mencionada obra por un periodo de 5 años, contados a partir del inicio de la explotación y en soporte electrónico conocido como formato de libro electrónico o e-boock; reconociendo para dicho formato la Editorial las siguientes condiciones económicas a favor del Autor:

- La retribución que la Editorial deberá abonar al Autor consistirá en un importe de 17.500 € por los derechos de explotación y distribución de la mencionada obra y en el formato señalado, de los cuales se entregan en este momento 3.000 € como anticipo.

- La distribución de la obra se llevará a cabo mediante descargas por Internet.

- Durante el último trimestre del año 2011, la sociedad llevó a cabo una campaña publicitaria con la finalidad de promocionar la obra en distintos medios, habiendo satisfecho por la misma la cantidad de 2.500 €.

Por otra parte el 1/1/2012, se procede al registro de la obra, ascendiendo los gastos de notario, registro y formalización a un importe de 2.000 €; iniciándose la explotación de la misma la cual se registró con la siguiente reseña: I.S.B.N. Edición digital: 978-84-9954-341-3.En esta misma fecha se paga al Autor el importe adeudado.

La sociedad ha solicitado en el ejercicio 2012 una Subvención al Ministerio de Cultura; el cual notificó la concesión de la misma el 1/1/2013 y por un importe que ascendió a 9.750 €. El cobró se efectúa 1/3/2013.

En cuanto a la vida útil de la obra, considerando su analogía con los gastos de investigación y desarrollo (activos intangibles con un mercado en continuo cambio y por lo tanto sujeto a un elevado riesgo de obsolescencia), se tiene en cuenta un periodo máximo de 5 años siendo el método de amortización consecuente con la naturaleza del activo cuyo patrón de consumo estará muy vinculado a la generación de ingresos futuros, sin que en ningún proceda a realizar una amortización creciente.

A 31/12/2012 se conoce que las "descargas" por acceso digital a la obra de la citada obra han ascendido a 1.200, siendo el precio de cada una de ellas de 30 €, estimándose que las mismas se reducirán a partir de dicha fecha en el 10% anual.

A 31/12/2013 se conoce que las "descargas" por acceso digital a la obra de la citada obra han ascendido a 800; siendo el precio de cada una de ellas de 30 €, estimándose que las mismas se reducirán a partir de dicha fecha en el 20% anual.

SE PIDE:

Registro de operaciones en los años 2011, 2012 y 2013.

SOLUCIÓN:

AÑO 2011

- Por la entrega del anticipo al Autor:

—————————————————— x ——————————————————

3.000	Anticipo para inmovilizaciones intangibles (209)		
	a	Bancos (572)	3.000

- Por los gastos incurridos para promocionar la obra:

—————————————————— x ——————————————————

2.500	Publicidad, propaganda y relaciones públicas (627)		
	a	Bancos (572)	2.500

El tratamiento contable del derecho de explotación de una obra literaria, seguirá los criterios previstos para las obras audiovisuales. Para éstas en su apartado 5 (RICAC Intangible, Norma Sexta), nos comenta: *"En ningún caso se imputarán a la obra audiovisual los gastos de comercialización, como son la publicidad y promoción, y los de estructura general de la empresa.*

AÑO 2012

- Por el pago al Autor y registro de la obra:

—————————————————— x ——————————————————

19.500	Derechos de Autor (203.1)		
	a	Anticipo para inmovilizaciones intangibles (209)	3.000
		Bancos (572)	16.500

El precio de adquisición de la obra queda establecido en:

- Coste notario, registro.	2.000
- Derechos pagados al autor.	17.500
Total.	19.500

Según los contenidos de la consulta nº 2 del BOICAC 89: *"(...) los derechos adquiridos por la empresa para editar y distribuir los libros, en versión impresa y en formato electrónico, a través de Internet, se registrarán como un inmovilizado intangible por su precio de adquisición (...)"*.

Para los elementos de propiedad intelectual, se utilizarán los mismos principios y criterios de valoración para la propiedad industrial, utilizando para ello una partida específica (Norma sexta. Apartado 3. RICAC Intangible), en nuestro caso: "Derechos de autor".

Cualquier desembolso relacionado con la elaboración del libro en soporte electrónico que cumpla la definición de activo se reconocerá como un mayor valor de los derechos de autor.

- Amortización de la obra:

Respecto a la valoración posterior de los citados derechos, el inmovilizado intangible debe ser objeto de amortización y, en su caso, corrección valorativa por deterioro.

Así, en el apartado fondos editoriales de la norma sexta de la RICAC del inmovilizado intangible, nos comenta: *"(...) Las cuotas de amortización de los derechos de autor se basarán en las expectativas racionales de generación de ventas o "descargas" por acceso digital a la obra, medidas en unidades físicas, con revisión anual del plan inicial de amortización trazado en función de las desviaciones entre los importes previstos y los realizados y en función de las nuevas expectativas aparecidas de explotación futuras del correspondiente derecho de autor"*.

En consecuencia procederemos a amortizar en función de los ingresos futuros obtenidos por descargas en Internet.

Elaboraremos un cuadro en donde constatemos la generación de ingresos, y en proporción, la cuota de amortización correspondiente

Años	Ingresos		Cuota de amortización
2012	1200x30 =	36.000	4.761,79[1]
2013	1200x0,9x30 =	32.400	4.285,61
2014	1080x0,9x30 =	29.160	3.857,05

Años	Ingresos		Cuota de amortización
2015	972x0,9x30 =	26.244	3.471,34
2016	874,80x0,9x30 =	23.619,60	3.124,21
	TOTAL	147.423,60	19.500

[1] NOTA: Forma de cálculo cuota:

$$\frac{36.000}{147.423,60} \times 19.500 = 4.761,79$$

Por tanto, anotaremos para el ejercicio 2012:

———————————————————— 31/12/2012 ————————————————————

4.761,79 Amortización del inmovili-
          zado intangible (680)

                          a   Amortización acumulada
                               del inmovilizado intangi-
                               ble (280)   4.761,79

- La solicitud de la subvención no reintegrable no ocasiona ningún registro contable.

AÑO 2013

- Por la concesión de la subvención:

———————————————————— 1/1/2013 ————————————————————

9.750 HP deudor por subvenciones
       concedidas (4708)

                          a   Ingresos de subvenciones
                               oficiales de capital (940)   9.750

- Por el registro del efecto impositivo asociado a la subvención.

——————————————————— 1/1/2013 ———————————————————

2.925 Impuesto diferido (8301)		
	a	Pasivo por diferencia temporaria imponible (479)
		(9.750 x 0,30)
		2.925

Registro PGC PYMES:

– Por la concesión de la subvención:

——————————————————— 1/1/2013 ———————————————————

9.750 HP deudor por subvenciones concedidas (4708)		
	a	Subvenciones oficiales de capital (130)
		9.750

– Por el registro del efecto impositivo asociado a la subvención.

——————————————————— 1/1/2013 ———————————————————

2.925 Subvenciones oficiales de capital (130)		
	a	Pasivo por diferencia temporaria imponible (479)
		(9.750 x 0,30)
		2.925

Con respecto al importe de la subvención, estaremos a lo dispuesto en la consulta nº 11 del BOICAC 75: *"(...) Si la subvención financia parte de un activo, y en el momento de registro de la subvención como ingreso de patrimonio neto, el valor contable del activo fuese superior al importe concedido, se aplicará el criterio general de imputar en la cuenta de pérdidas y ganancias la citada subvención (...), en proporción a la dotación a la amortización efectuada en ese periodo para el activo financiado, desde el momento del registro, es decir, prospectivamente (...)"*

Comprobemos este extremo:

Valor en libros del activo: 19.500-4.761,79 =.................   14.738,21

    Con:

    Precio de adquisición, 19.500

    Amortización acumulada (1 año), 4.761,79

Mayor que:

Importe de la subvención =..............................   9.750

En este caso no procederá hacer imputaciones en función de la amortización de años previos, en tanto la subvención, se ha debido registrar como un ingreso en un momento posterior de acuerdo con los criterios contables (en consecuencia, no se trata de un error ni de un cambio de criterio contable) y admite ser correlacionada con la imputación a la cuenta de pérdidas y ganancias del valor contable del activo a partir del momento en que, de acuerdo con la norma de registro y valoración 18ª del Plan General de Contabilidad, procede su registro como ingreso de patrimonio neto.

En consecuencia procederemos a imputar la subvención desde el 1/1/2013 hasta la final de la vida útil del activo.

- Cobro de la subvención:

————————————————— 1/3/2013 —————————————————

9.750	Bancos (572)	
	a HP deudor por subvenciones concedidas (4708)	9.750

- Amortización del ejercicio 2013:

Se ha producido un cambio en el "número de descargas" así como una nueva estimación de estas para los siguientes ejercicios, lo que afectará a nuestra amortización. De esta manera según la Norma 22ª serán "cambios en estimaciones contables" aquellos ajustes en el valor contable de activos o pasivos, o en el importe del consumo futuro de un activo, que sean consecuencia de la obtención de información adicional, de mayor experiencia o del conocimiento de nuevos hechos.

Esta descripción es lo que nos sucede ante la nueva estimación de ingresos, y por ello modificaremos la forma de imputar la amortización. Esta modificación, se realizará de "forma prospectiva" y su efecto se imputará, como ingreso o gasto en la cuenta de pérdidas y ganancias del ejercicio.

Así, elaboraremos un nuevo cuadro que nos ayudará en la determinación de la cuota de amortización:

Años	Ingresos		Cuota de amortización	Subvención a imputar
2013	800x30 =	24.000	4.992,62 (2)	3.302,85 (3)
2014	640x30 =	19.200	3.994,09	2.642,28
2015	512x30 =	15.360	3.195,28	2.113,82
2016	409,60x30 =	12.288	2.556,72	1.691,05
	TOTAL	70.848	14.738,21 (1)	9.750

Notas:

(1) Valor contable activo: 19.500-4.761,79 = 14.738,21

(2) Forma cálculo cuota amortización

$$\frac{24.000}{70.848} \times 14.738,21 = 4.992,62$$

(3) Imputación subvención, cálculo:

$$\frac{24.000}{70.848} \times 9.750 = 3.302,85$$

De esta manera, registraremos por la cuota del 2013:

─────────────────────────── 1/8/X ───────────────────────────

4.992,62	Amortización del inmovili- zado intangible (680) (*)		
		a	Amortización acumulada del inmovilizado intangible (280)
			4.992,62

- Por la imputación de la subvención de acuerdo con lo referenciado anteriormente (Ver cuadro).

─────────────────────────── 31/12/2013 ───────────────────────────

3.302,85	Transferencia de subven- ciones oficiales de capital (840) (*)		
		a	Subvenciones, donaciones y legados transferidos al resultado del ejercicio (746)
			3.302,85

Según lo dispuesto en el apartado 1.3 de la Norma de Valoración 18ª del PGC: *"La imputación a resultados de las subvenciones, donaciones y legados que tengan el carácter de no reintegrables se efectuará atendiendo a su finalidad (...)"*

c) Cuando se concedan para adquirir activos o cancelar pasivos, se pueden distinguir los siguientes casos:

- Activos del inmovilizado intangible, material e inversiones inmobiliarias: se imputarán como ingresos del ejercicio en proporción a la dotación a la amortización efectuada en ese periodo para los citados elementos o, en su caso, cuando se produzca su enajenación, corrección valorativa por deterioro o baja en balance. (...)"

- Por el registro de la reversión del efecto impositivo asociado a la subvención.

--- 31/12/2013 ---

990,85	Pasivo por diferencia tempora- ria imponible (479)		
	3302,85 x 0,30		
		a	Impuesto diferido (8301) 990,85

– Por la regularización de la subvención:

--- 31/122013 ---

9.750	Ingresos de subvenciones oficiales de capital (940)		
		a	Transferencia de subvencio- nes oficiales de capital (840) 3.302,85
		a	Impuesto diferido (8301) 1.934,15
		a	Subvenciones oficiales de capital (130) 4.513,00

Registro PGC PYMES:

– Por la imputación de la subvención:

--- 31/12/2013 ---

3.302,85	Subvenciones oficiales de capital (130)		
		a	Subvenciones, donaciones y legados transferidos al resultado del ejercicio (746) 3.302,85

– Por el registro de la reversión del efecto impositivo asociado a la subvención:

————————————————— 31/12/2013 —————————————————

990,85   Pasivo por diferencia temporaria imponible (479)

3302,85 x 0,30

a   Subvenciones oficiales de capital (130)   990,85

2.1.3.   Franquicias

2.1.3.1.   Canon entrada franquicia

BOICAC 99, septiembre 2014. Consulta 4.

Sobre la contabilización del importe satisfecho en concepto de entrada a una franquicia.

Respuesta

La consulta versa sobre el tratamiento contable del importe satisfecho por el franquiciado en contraprestación del canon de entrada a una franquicia, cuyo contrato tiene una duración de cinco años y es prorrogable por acuerdo de ambas partes.

La Resolución de 28 de mayo de 2013, del Instituto de Contabilidad y Auditoría de Cuentas, por la que se dictan normas de registro, valoración e información a incluir en la memoria del inmovilizado intangible, regula en el punto 7 de su noma sexta los contratos de franquicia en los siguientes términos:

"7. Contratos de franquicia.

1. La actividad comercial en régimen de «Franquicia», es aquella que se realiza en virtud del contrato por el cual una empresa, el franquiciador, cede a otra, el franquiciado, en un mercado determinado, a cambio de una contraprestación financiera directa, indirecta o ambas, el derecho a la explotación de una franquicia, sobre un negocio o actividad mercantil que el primero venga desarrollando anteriormente con suficiente experiencia y éxito, para comercializar determinados tipos de productos o servicios y que comprende, por lo menos:

a) El uso de una denominación o rótulo común u otros derechos de propiedad intelectual o industrial y una presentación uniforme de los locales o medios de transporte objeto del contrato.

b) La comunicación por el franquiciador al franquiciado de unos conocimientos técnicos o un saber hacer, que deberá ser propio, sustancial y singular, y

c) La prestación continúa por el franquiciador al franquiciado de una asistencia comercial, técnica o ambas durante la vigencia del acuerdo; todo ello sin perjuicio de las facultades de supervisión que puedan establecerse contractualmente.

2. El importe satisfecho en contraprestación del canon de asociación a una franquicia se contabilizará como un inmovilizado intangible cuando se cumplan los requisitos establecidos a tal efecto en el apartado 2.1 de la norma segunda de la presente Resolución. Si los términos del acuerdo obligan a la empresa a realizar pagos anuales al franquiciador a lo largo de la vida del contrato, el valor actual de los citados compromisos no se incluirá en el precio de adquisición del activo salvo que a la vista de los términos del acuerdo exista un arrendamiento financiero implícito de un inmovilizado material, en cuyo caso la operación deberá contabilizarse de acuerdo con la norma de registro y valoración del Plan General de Contabilidad sobre arrendamientos y operaciones de naturaleza similar.

3. Este derecho deberá amortizarse de forma sistemática durante el periodo en que contribuya a la obtención de ingresos, no pudiendo exceder el plazo de duración del contrato de franquicia, teniendo en cuenta, en su caso, las posibles prórrogas que se pudiesen acordar.

4. Si a lo largo de la vida del contrato existiesen dudas sobre la recuperación del activo, circunstancia que deberá quedar claramente especificada en la memoria de las cuentas anuales, se deberá registrar la oportuna corrección valorativa por deterioro".

A efectos del criterio de reconocimiento, en la norma segunda de la citada Resolución, se establece:

"Segunda. Criterio general de reconocimiento: identificabilidad.

1. Reconocimiento inicial.

1. El reconocimiento inicial de un inmovilizado de naturaleza intangible requiere cumplir los criterios generales recogidos en el Marco Conceptual de la Contabilidad del Plan General de Contabilidad. Es decir, cumplir la definición de activo y los criterios de reconocimiento, sin perjuicio de los criterios especiales recogidos en la presente Resolución para los gastos de investigación.

2. El registro de un inmovilizado intangible procederá cuando, cumpliéndose la definición de activo del Plan General de Contabilidad, se cumplan los siguientes criterios:

a) Sea probable la obtención a partir del mismo de beneficios o rendimientos económicos para la empresa en el futuro; y

b) se pueda valorar de manera fiable.

2. Identificabilidad.

1. Adicionalmente, para reconocer un inmovilizado de naturaleza intangible es preciso que se cumpla el criterio de identificabilidad, lo cual implica que el activo reúna alguno de los siguientes requisitos:

a) Ser separable, es decir, susceptible de ser separado o escindido de la entidad y vendido, cedido, dado en explotación, arrendado o intercambiado, ya sea individualmente o junto con el contrato, activo o pasivo con los que guarde relación.

b) Surgir de derechos legales o contractuales, con independencia de que tales derechos sean transferibles o separables de la empresa o de otros derechos u obligaciones.

(....)" .

De acuerdo con lo indicado, la calificación contable del importe satisfecho por la empresa franquiciada en concepto de canon de entrada vendrá condicionada por su proyección económica futura. Es decir, por su contribución a la obtención de ingresos futuros y su recuperación, desde una perspectiva económica racional, a lo largo de un determinado periodo de tiempo. Si estas circunstancias concurren, deberá calificarse como un activo y, en particular, como un inmovilizado intangible que con posterioridad a su reconocimiento inicial será objeto de amortización y, en su caso, corrección valorativa por deterioro. A la vista de la información facilitada en el escrito de consulta, salvo mejor evidencia de lo contrario, la vida útil del activo será de cinco años.

Comentario

Canon entrada franquicia	RICAC Inmovilizado Intangible	**20x. Canon Asociación Franquicia**
		Inmovilizado Intangible
	Norma 6ª.7 y Norma 2ª	Se amortizará periodo contribuya obtención ingresos, como máximo duración contrato franquicia
		Comprobaremos su deterioro

Ejemplo

El 1/1/X2, se constituye EL LAVADO BRILLANTE S.A., con un capital inicial de 500.000 €, repartido en acciones de 100 € de valor nominal, que se desembolsan íntegramente. Su objeto social será el lavado de coches.

Una vez constituida e inscrita la sociedad en el registro mercantil, los administradores se ponen en contacto con la firma PROLAVADO S.A., titular de la franquicia LA TRUCHA VERDE la cual ofrece, entre otras muchas ventajas, un exclusivo servicio de "llaves en mano", consistente en localizar los terrenos y hacer un estudio exhaustivo de cada implantación, para garantizar la ubicación idónea de los centros de lavado, además de ocuparse de los trámites y permisos necesarios hasta hacer entrega del centro en perfectas condiciones.

Cuando se hubo localizado el terreno que cumplía los requisitos, la sociedad procedió a su adquisición, ascendiendo su coste a 150.000 €, incluyendo trámites y permisos, de los cuales pagará 50.000 € al contado el 1 de febrero, y el resto al cabo de dos años.

En marzo, se firma el contrato de franquicia con PROLAVADO, cuyas notas más relevantes son las siguientes:

- Duración del contrato: 10 años, prorrogable en otros cinco.
- Canon de entrada: 28.030 €.
- Canon mensual de publicidad: 60,10 €/pista de lavado.
- Inversión de maquinaria por pista de lavado: 42.070 €.

En dicho contrato se establece, entre otras ventajas, el derecho a utilizar por la sociedad la imagen comercial de LA TRUCHA VERDE, con garantía de exclusividad territorial, asesoramiento comercial, servicio de post-venta permanente, servicio técnico, contrato de mantenimiento, campaña de publicidad, etc.

SE PIDE:

Contabilizar las operaciones en el año 20X2, sabiendo que:

- Los gastos de constitución pagados fueron de 10.000 €.
- Los gastos de acondicionamiento del terreno han ascendido a 25.000 €.
- Se ha adquirido a PROLAVADO maquinaria para cuatro pistas de lavado, pagando al contado en el momento de formalizar la operación (1/7/X2) 50.000 €, y el resto lo devolverá en cinco anualidades constantes y pospagables al 5% anual. La vida útil de la maquinaria se estima en 15 años.
- En la misma fecha de adquisición de maquinaria, pagó el canon de entrada y el de publicidad. PROLAVADO, por su parte, entregó el centro en perfectas condiciones para su normal funcionamiento.

SOLUCIÓN:

Gráficamente por el conjunto de operaciones realizadas por la empresa:

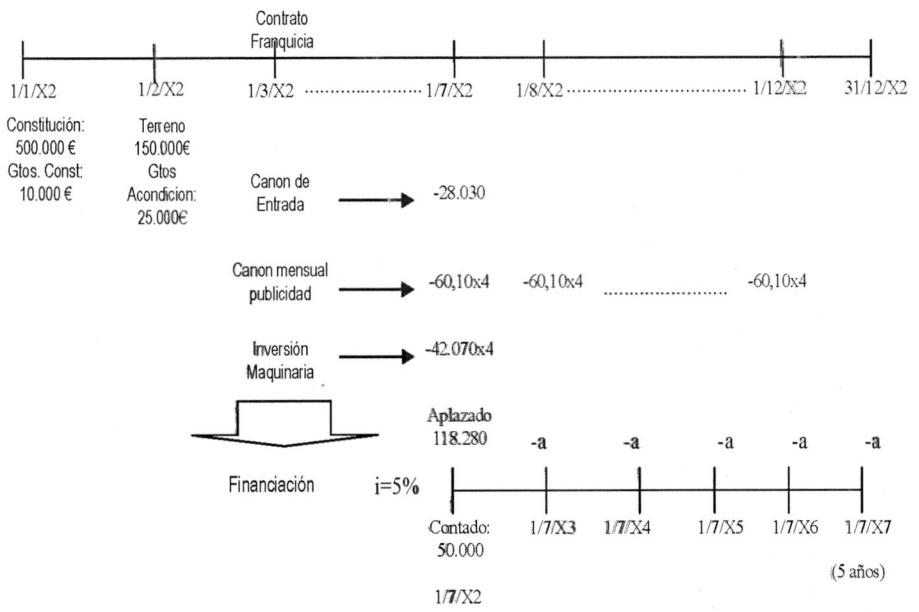

• A comienzos del 20X2, se constituye la empresa y se procede a su inscripción en el registro mercantil, desembolsando los socios íntegramente su participación, anotándose:

	1/1/X2	
500.000 Bancos (572)		
	a Capital social (100)	500.000

• Por los gastos incurridos en la operación:

	1/1/X2	
10.000 Reservas voluntarias (113)		
	a Bancos (572)	10.000

Los gastos derivados de estas transacciones, se registrarán directamente contra el patrimonio neto, como menores reservas [Apartado 4, de la Norma 9ª Valoración PGC]

• Al mes siguiente adquiere el terreno necesario para el negocio, dejando pendiente de pago parte del precio al proveedor:

1/2/X2

150.000	Terrenos y Bienes Naturales (210)	
	a Bancos (572)	50.000
	Proveedores del Inmovilizado a l/p (173)	100.000

• Los gastos de acondicionamiento del Terreno, incrementarán según la Norma 3ª a) de Valoración PGC su precio de adquisición, registrando por ello la empresa:

1/2/X2

25.000	Terrenos y Bienes Naturales (210)	
	a Bancos (572)	25.000

• Por la maquinaria adquirida a PROLAVADO se establece el siguiente plan de financiación:

Financiación:

Contado −50.000

Préstamo: + 118.250

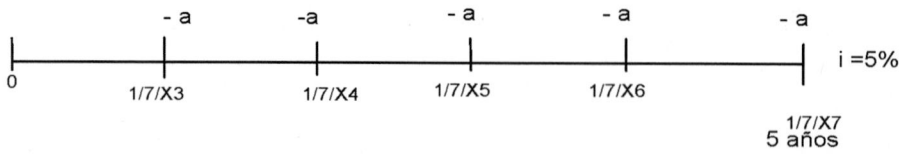

Inversión: 42.070 € x 4 pistas = - 168.280 €

Por los pagos constantes que tiene que efectuar EL LAVADO BRILLANTE, elaboraremos el siguiente cuadro de amortización:

Fecha	Pagos (1)	Intereses(2) = $(4)_{-1} \times 0,05$	Amortización(3) = (1) – (2)	Pendiente(4) = $(4)_{-1}$ -(3)
1/7/X2	----	----	---	118.280
1/7/X3	27.319,7	5.914	21.405,7	96.874,3
1/7/X4	27.319,7	4.843,72	22.475,98	74.398,32
1/7/X5	27.319,7	3.719,92	23.599,78	50.798,54
1/7/X6	27.319,7	2.539,93	24.779,77	26.018,77
1/7/X7	27.319,7	1300,93	26.018,77	0
Sumas	**136.598,5**	**18.318,5**	**118.280**	

Siendo (1):

$$118.280 = a \cdot a_{5 \rceil 0,05} \Rightarrow a = 27.319,70 \ €$$

Así, cuando recibe la máquina a mediados de año, registrará según la Norma 9ª 3.1.1 de Valoración:

—————————————————— 1/7/X2 ——————————————————

168.280 Maquinaria (213)		
	a Bancos (572)	50.000
	Proveedores del Inmovilizado a c/p (523)[*]	21.405,70
	Proveedores del Inmovilizado a l/p (173)[*]	96.874,30

———————————————————————————————————————

[*] La deuda habrá sido registrada en la cartera de "Débitos y partidas a pagar". Los pasivos financieros incluidos en esta categoría se valorarán inicialmente por su valor razonable, que, salvo evidencia en contrario, será el precio de la transacción, que equivaldrá al valor razonable de la contraprestación recibida ajustado por los costes de transacción que les sean directamente atribuibles. (Ver cuadro de la operación)

• El importe satisfecho en contraprestación del canon de asociación a una franquicia se contabilizará como un inmovilizado intangible cuando se cumplan los requisitos establecidos a tal efecto en la RICAC del inmovilizado intangible. [Norma sexta. Apartado 7.2, de la mencionada RICAC]

El reconocimiento inicial de un inmovilizado de naturaleza intangible requiere cumplir los criterios generales recogidos en el Marco Conceptual de la Contabilidad del Plan General de Contabilidad. Es decir, cumplir la definición de activo y los criterios de reconocimiento. [Apartado 2.1. Norma segunda. RICAC Intangible]

Entendemos que se cumplen con los requisitos relatados. Así:

-- 1/7/X2 --

28.030	Derechos de franquicia (20X)	
	a Bancos (572)	28.030

Este derecho deberá amortizarse de forma sistemática durante el periodo en que contribuya a la obtención de ingresos, no pudiendo exceder el plazo de duración del contrato de franquicia, teniendo en cuenta, en su caso, las posibles prórrogas que se pudiesen acordar. [Apartado 7.3, Norma Sexta RICAC Intangible].

En nuestro caso 10 años; aunque prorrogables otros cinco años. De esta manera, consideraremos un total de 15 años (10 años + 5 años).

• Por el canon mensual de publicidad, la empresa registrará:

-- 1/7/X2 --

240,40	Arrendamientos y Cánones (621)	
	(60,1 € x 4 pistas)	
	a Bancos (572)	240,40

Apunte que efectuará todos los meses hasta final de año, por la misma cuantía.

• Operaciones de fin de ejercicio (31/12/X2):

* Por la amortización del derecho de franquicia, teniendo en cuenta un plazo de 15 años, según comentamos anteriormente:

$$\text{Cuota anual amortización} = \frac{28.030}{15 \text{ años}} = 1.868,67$$

Amortización correspondiente al ejercicio X2 (6 meses) $= \dfrac{1.868,67}{12 \text{ meses}} \times 6$ meses $= 934,33$

—————————————— 3\/12/X2 ——————————————

934,33	Amortización del Inmovili- zado Intangible (680)[*]		
		a	Amortización Acumulada del Inmovilizado Intangible (280)
			934,33

[*] Amortización de las máquinas de lavado:

$$\text{Cuota anual amortización} = \dfrac{168.280}{15 \text{ años}} = 11.218,67$$

$$\text{Amortización correspondiente al ejercicio X2 (6 meses)} = \dfrac{11.218,67}{12 \text{ meses}} \times 6 \text{ meses} = 5.609,33$$

—————————————— 31/12/X2 ——————————————

5.609,33	Amortización del Inmovili- zado material (681)[*]		
		a	Amortización Acumulada del Inmovilizado mterial (281)
			5.609,33

[*] Por el devengo de los intereses de la deuda (ver cuadro de la operación):

$$\dfrac{5.914}{12 \text{ meses}} \times 6 \text{ meses} = 2.957$$

—————————————— 31/12/X2 ——————————————

2.957	Intereses de deudas (662)		
		a	Intereses a corto plazo de deudas (528)
			2.957

2.1.4. Derechos de uso

2.1.4.1. *Pagos administración por cesión uso red alcantarillado*

BOICAC 90, julio 2012. Consulta 7.

Sobre la contabilización de un contrato para la cesión de uso de la red de alcantarillado de la ciudad para la instalación de redes de telecomunicaciones de fibra óptica.

Respuesta

Una empresa acuerda con un Ayuntamiento la cesión del uso no exclusivo de la red de alcantarillado, comprometiéndose a realizar una serie de pagos por diversos conceptos como son la limpieza y mantenimiento de la red, un porcentaje de los ingresos que obtenga anualmente por el alquiler de las fibras y un plus adicional de carácter anual, así como la entrega de un número determinado de fibras para uso del Ayuntamiento. Todos los gastos de construcción de las fibras corresponden a la empresa. A la vista de esta descripción, se pregunta sobre el adecuado tratamiento contable de todos estos conceptos.

La operación descrita, en forma esquemática, consiste en la cesión de una infraestructura pública necesaria para la explotación de las fibras ópticas, y la entrega como contraprestación de esa cesión de una serie de pagos y de un número determinado de fibras construidas. El resto de las fibras fabricadas por la empresa se destina al alquiler a terceros o al uso propio.

1.- Cesión de uso del alcantarillado.

La empresa deberá contabilizar un gasto por naturaleza correspondiente al alquiler de la infraestructura de las redes de alcantarillado, de acuerdo con lo dispuesto en la norma de registro y valoración (NRV) 8ª. "Arrendamientos y otras operaciones de naturaleza similar" del Plan General de Contabilidad, aprobado por el Real Decreto 1514/2007, de 16 de noviembre.

La valoración y devengo del citado gasto debe tener en cuenta la operación en su conjunto. En este sentido, el devengo del gasto por arrendamiento, que de conformidad con lo dispuesto en la citada NRV 8ª debe calificarse como operativo, se materializa en los siguientes conceptos:

a) Cesión de fibras ópticas al Ayuntamiento. Desde la puesta a disposición del alcantarillado, la empresa deberá reconocer un gasto por el arrendamiento de la infraestructura y el correspondiente pasivo que se cancelará a medida que se produzca la corriente real del servicio, con abono a la cuenta de anticipo a proveedores en la que deberá lucir el valor razonable de las fibras ópticas entregadas al Ayuntamiento, tal y como se detalla en el punto 2 de la presente contestación.

b) Pagos de limpieza y mantenimiento. Estos desembolsos se reconocerán como un mayor valor del gasto por arrendamiento.

c) Pagos anuales relativos al plus y al porcentaje de ingresos que tienen lugar una vez que se hayan alquilado las fibras ópticas a terceros. Del mismo modo, estos pagos de naturaleza contingente, se contabilizarán como un gasto por naturaleza, a medida en que se incurren, circunstancia que pone de manifiesto un mayor valor del gasto por arrendamiento.

2.- Construcción y cesión de la fibra óptica al Ayuntamiento.

Los gastos de construcción de la fibra se irán registrando como inmovilizado en curso. En el momento de finalizar la construcción se trasferirá el inmovilizado en curso a inmovilizado material.

Si la explotación de la fibra óptica se realiza a partir de contratos de arrendamiento-operativo, mantendrán dicha calificación. Si por el contrario, dichos contratos tuvieran que calificarse como arrendamientos financieros o directamente fueran objeto de enajenación, circunstancia que parece acontecer con las cedidas al Ayuntamiento, la empresa reconocerá el ingreso en tal concepto y dará de baja el coste del activo cedido.

En este sentido, en la fibra cedida al Ayuntamiento, la contraprestación recibida por la operación será el contrato de arrendamiento operativo descrito más arriba, lo que motivará el reconocimiento de un anticipo por el valor razonable de las fibras entregadas que se irá cancelando a medida que, a su vez, se ponga de manifiesto la corriente real del servicio prestado por el Ayuntamiento a la empresa.

Comentario

Ejemplo

La sociedad "RS" ha firmado a principios del ejercicio X1 un contrato con el Ayuntamiento de Vigo, el objeto del mismo es la cesión por parte del Ayuntamiento del uso no exclusivo de la red de alcantarillado.

Como contraprestación, la sociedad "RS", se compromete a realizar una serie de pagos por diversos conceptos tales como:

- Limpieza y mantenimiento de la red de alcantarillado, cuyo importe se pagará al principio de cada mes y por un valor de 500 €.

- Un 3% de los ingresos que se obtengan anualmente por el alquiler de las fibras ópticas a terceros.

- Se pagará un plus anual de 3000 € a 31/12.

- De igual manera la sociedad entregará al Ayuntamiento 100 redes de fibra para uso exclusivo del mismo y cuyo valor razonable de cada una asciende a 1200 €.

Por otra parte y a mediados del ejerció X0, la sociedad inició la construcción de 10.000 redes de fibra, incurriendo en unos gastos directamente atribuibles a la misma y que ascendieron a 2.000.000 € siendo los mismos activados como inmovilizado en curso.

A principios del mes de marzo del X1, finaliza la construcción de las redes de fibra iniciadas en el ejercicio anterior, los costes directamente atribuibles incurridos en este ejercicio ascendieron a 1.000.000 € habiendo sido registrados en función de su naturaleza.

En este momento hace entrega de 100 redes de fibra al Ayuntamiento según los términos del contrato, acordándose en este momento la puesta a disposición de la empresa de la red de alcantarillado. El resto de las fibras construidas han sido arrendadas a terceros durante el año X1.

SE PIDE:

Registro de operaciones en el año X1, sabiendo que los ingresos obtenidos por el arrendamiento de redes a terceros ha ascendido a 3.000.000 €.

La vida útil de las redes de fibra óptica asciende a 4 años. Las citadas están en condiciones de funcionamiento a primeros de abril.

SOLUCIÓN:

Observamos una cesión por parte del ayuntamiento de una infraestructura pública (alcantarillado) a una empresa que instalará en ella una red de comunicaciones. A cambio, la entidad recibirá una serie de pagos.

De esta manera, la empresa deberá contabilizar un gasto por naturaleza correspondiente al alquiler de la infraestructura de las redes de alcantarillado (en base a la Norma 8ª Valoración PGC).

Iremos desgranando los distintos pagos que realiza RS al ayuntamiento, así como otras operaciones realizadas en el X1.

- Por el pago del alquiler mensual por limpieza y mantenimiento de la red de alcantarillado:

1/3/X1

500 Arrendamientos operativos
(6210)

          a   Bancos (572)   500

Según los contenidos de la presente consulta: *"(...) los pagos de limpieza y mantenimiento se reconocerán como un mayor valor del gasto por arrendamiento."*

Este mismo asiento se registrará todos y cada uno de los meses del ejercicio X1.

- Por la activación de los gastos incurridos en la fabricación de las fibras del año X1:

1/3/X1

1.000.000 Equipos proceso de información (217)

          a   Trabajos realizados para el inmovilizado material (731)   1.000.000

- Por el traspaso del inmovilizado en curso a inmovilizado de los gastos generados en el ejercicio anterior:

1/3/X1

2.000.000 Equipos proceso de información (217)

          a   Equipos proceso de información en montaje (237)   2.000.000

Los gastos de construcción de la fibra se irán registrando como inmovilizado en curso. En el momento de finalizar la construcción se trasferirá el inmovilizado en curso a inmovilizado material.

El coste total de la fabricación de las 10.000 redes de fibra ha ascendido 3.000.000 €; en consecuencia el coste unitario es de (3.000.000/10.000) = 300 €/unidad.

- Por la cesión de las 100 redes de fibra al Ayuntamiento:

—————————————— 1/3/X1 ——————————————

120.000	Arrendamientos operativos (6210)		
	a	Acreedores prestación de servicios (410)	120.000
		(100 x 1.200 €)	

—————————————— 1/3/X1 ——————————————

120.000	Acreedores prestación de servicios (410)		
	a	Anticipo a proveedores (407)	120.000
		(100 x 1.200 €)	

Según la presente Consulta y en relación con la cesión de fibras ópticas al Ayuntamiento, nos comenta: "(...) *Desde la puesta a disposición del alcantarillado, la empresa deberá reconocer un gasto por el arrendamiento de la infraestructura y el correspondiente pasivo que se cancelará a medida que se produzca la corriente real del servicio, con abono a la cuenta de anticipo a proveedores en la que deberá lucir el valor razonable de las fibras ópticas entregadas al Ayuntamiento (...).*

(...) En este sentido, en la fibra cedida al Ayuntamiento, la contraprestación recibida por la operación será el contrato de arrendamiento operativo descrito (...), lo que motivará el reconocimiento de un anticipo por el valor razonable de las fibras entregadas (...)"

- Por la baja de las 100 fibras ópticas entregadas al Ayuntamiento:

────────────────────────────── 1/3/X1 ──────────────────────────────

120.000 Anticipo a proveedores (407)

(100 x 1.200 €)

| | | a | Equipos proceso de informa-ción (217) | 30.000 |

(100 fibras x 300 €)

Beneficios procedentes del
inmovilizado material (771)   90.000

Si dichos contratos tuvieran que calificarse como arrendamientos financieros o directamente fueran objeto de enajenación, circunstancia que parece acontecer con las cedidas al Ayuntamiento, la empresa reconocerá el ingreso en tal concepto y dará de baja el coste del activo cedido.

- Operaciones a 31/12/X1:

* Por el pago del plus anual:

────────────────────────────── 31/12/X1 ──────────────────────────────

3.000 Arrendamientos operativos
(6210)

a   Bancos (572)   3.000

De acuerdo con los criterios contenidos en la presente consulta: *"(…) los pagos anuales relativos al plus, se contabilizarán como un gasto por naturaleza, a medida en que se incurran, circunstancia que pone de manifiesto un mayor valor del gasto por arrendamiento"*

* Por el pago de 3% de los ingresos obtenidos por arrendamiento de fibras a terceros.

―――――――――――――――――――― 31/12/X1 ――――――――――――――――

90.000	Arrendamientos operativos (6210)			
	(3.000.000 x 3%)			
		a	Bancos (572)	90.000

Por los pagos anuales relativos al porcentaje de ingresos que tienen lugar una vez que se hayan alquilado las fibras ópticas a terceros; estos pagos de naturaleza contingente, se contabilizarán como un gasto por naturaleza, a medida en que se incurran, circunstancia que pone de manifiesto un mayor valor del gasto por arrendamiento.

*Por la amortización de las fibras arrendadas a terceros:

―――――――――――――――――――― 31/12/X1 ――――――――――――――――

556.875	Amortización del inmovilizado material (681)			
		a	Amortización acumulada del inmovilizado material (281)[*]	556.875

[*] Cuota anual: [9.900 fibras x 300]/ 4años] = 742.500
Importe correspondiente a 9 meses

$$\frac{742.500}{12} \times 9 = 556.875$$

Si la explotación de la fibra óptica se realiza a partir de contratos de arrendamiento operativo, mantendrán la calificación de inmovilizado.

2.2. INMOVILIZADO MATERIAL

2.2.1. Adquisiciones

2.2.1.1. Capitalización Gastos financieros: diversas cuestiones

BOICAC 75, septiembre 2008. Consulta 3.

Sobre diversas cuestiones en relación con los criterios de la capitalización de los gastos financieros en el precio de adquisición.

Cuestión 1ª

• Cuestión 1.1. Si está en vigor el párrafo siguiente de la norma de valoración 2ª recogida en la quinta parte de las normas de adaptación del Plan General de Contabilidad a las empresas inmobiliarias, aprobadas por Orden del Ministerio de Economía y Hacienda de 28 de diciembre de 1994:

> *"Si no coincide en el tiempo la incorporación del terreno o solar al patrimonio de la empresa y el comienzo de las obras de adaptación de los mismos, se considerará que durante dicho periodo se ha producido una interrupción en las obras de adaptación, no pudiéndose capitalizar gastos financieros mientras dure dicha situación. De estas circunstancias se dará información en la memoria."*

Respuesta

• **Cuestión 1.1. Gastos financieros del periodo entre la incorporación al patrimonio y el comienzo de las obras.**

Conforme a la norma de registro y valoración 2ª contenida en la segunda parte del Plan General de Contabilidad, aprobado por Real Decreto 1514/2007, de 16 de noviembre, *"En los inmovilizados que necesiten un periodo de tiempo superior a un año para estar en condiciones de uso, se incluirán en el precio de adquisición o coste de producción los gastos financieros que se hayan devengado antes de la puesta en condiciones de funcionamiento del inmovilizado material y que hayan sido girados por el proveedor o correspondan a préstamos u otro tipo de financiación ajena, específica o genérica, directamente atribuible a la adquisición, fabricación o construcción".*

Por su parte, la norma de registro y valoración 10ª, relativa a existencias, establece que esta activación se realizará en los mismos términos que en la norma de inmovilizado.

En el Plan General de Contabilidad, aprobado por Real Decreto 1643/1990, de 20 de diciembre, y en las adaptaciones del mismo, esta activación es voluntaria. Por su parte, en algunas normas de adaptación del Plan General de Contabilidad

179

se establecen diversas precisiones respecto a cómo y cuándo realizar estas activaciones. Entre ellas, las normas de adaptación del Plan General de Contabilidad a las empresas inmobiliarias, aprobadas por Orden del Ministerio de Economía y Hacienda de 28 de diciembre de 1994, que establece en su quinta parte:

"2ª Inmovilizado material

(...) Se permite la inclusión de los gastos financieros en el precio de adquisición, siempre que tales gastos se hayan devengado antes de la puesta en condiciones de explotación del activo(...)

Se entenderá que el activo está en condiciones de explotación cuando, reuniendo los requisitos necesarios, esté disponible para su utilización con independencia de haber obtenido o no los permisos administrativos correspondientes.

Si se trata de un activo compuesto por partes susceptibles de ser utilizadas por separado....

Asimismo, cesará la capitalización de los gastos financieros en el caso de producirse una interrupción en la construcción del inmovilizado.

En el caso de terrenos y solares, a efectos de incorporar los gastos financieros como mayor precio de adquisición, se entenderá que están en condiciones de explotación cuando hayan finalizado las obras necesarias para que queden disponibles para la realización de la construcción.

Si no coincide en el tiempo la incorporación del terreno o solar al patrimonio de la empresa y el comienzo de obras de adaptación de los mismos, se considerará que durante dicho período se ha producido una interrupción en las obras de adaptación, no pudiéndose capitalizar gastos financieros mientras dure dicha situación. De estas circunstancias se dará información en la memoria."

La norma define criterios para identificar cuándo un inmovilizado está en condiciones de explotación y cuándo proceder a iniciar, interrumpir y finalizar la capitalización de los gastos financieros. Estos criterios no se oponen a los contenidos en las normas del Plan General de Contabilidad, sino que complementan y desarrollan los mismos y, en consecuencia, han de seguir aplicándose conforme a lo establecido en la disposición transitoria quinta del Real Decreto 1514/2007, de 16 de noviembre, en la que se dispone que *"las adaptaciones sectoriales y otras disposiciones de desarrollo en materia contable en vigor seguirán aplicándose en todo aquello que no se oponga a lo dispuesto en el Código de Comercio, Texto Refundido Ley de Sociedades Anónimas y en el presente Plan General de Contabilidad."*

• Cuestión 1.2. Si la respuesta a la cuestión anterior fuese negativa, si conforme al Plan General de Contabilidad aprobado por Real Decreto 1514/2007, de 16 de noviembre, la mera tenencia del solar permitiría la activación continuada de los gastos financieros.

Respuesta

Cuestión 1.2. Posibilidad de activación de gastos financieros en la mera tenencia de un solar.

Tal como se ha expuesto en la cuestión anterior, no corresponde la activación de los gastos financieros relativos al periodo que media entre la incorporación al patrimonio y el comienzo de las obras de adaptación y, en consecuencia, durante el período de mera tenencia de un solar los gastos financieros devengados no se pueden incorporar como mayor valor del solar.

• Cuestión 1.3. Si por analogía con el contenido de la NIC 23 y siempre que se considere que no existe norma específica de aplicación directa bajo el marco contable español, sería admisible la activación de los gastos financieros incurridos cuando la entidad esté realizando "actuaciones técnicas o administrativas importantes" de forma que exista evidencia de la ejecución de trabajos técnicos y administrativos previos al comienzo de la construcción física, tales como las actividades asociadas a la obtención de permisos anteriores a la construcción propiamente dicha o cuando se produce un retraso temporal necesario y calificado como "normal" a la luz de las circunstancias considerando la singularidad de estos activos.

Respuesta

Cuestión 1.3. Alcance de las actuaciones a realizar durante el período de capitalización.

De acuerdo con lo señalado en la contestación a la Cuestión 1.1, los criterios específicos sobre la forma de proceder en la capitalización de gastos financieros establecidos en las normas de adaptación del Plan General de Contabilidad a las empresas inmobiliarias, seguirán aplicándose en todo aquello que no se oponga al nuevo marco contable.

En este punto, la citada norma establece como exigencia para poder capitalizar los gastos financieros como mayor precio de adquisición del inmovilizado (y también de las existencias) el comienzo de las obras de adaptación, no haciendo referencia al período en que se desarrollen otras actividades necesarias para preparar el activo, como pueden ser los trabajos técnicos y administrativos previos al comienzo de la construcción física y, en particular, la obtención de permisos anteriores al comienzo de las obras.

Asimismo, la norma española establece la suspensión en la capitalización de los gastos financieros en los períodos en que se interrumpe la construcción, sin perjuicio de que durante los mismos puedan llevarse a cabo otras actuaciones técnicas o administrativas importantes o que la interrupción sea por causa de un retraso temporal necesario.

En virtud de lo anterior, este Instituto en contestación a diversas consultas planteadas se ha manifestado señalando que las actuaciones administrativas preliminares, como es el caso de actuaciones urbanísticas de empresas que se limitan a realizar el procedimiento para la conversión en edificable del terreno, son sin duda, actuaciones necesarias para el desarrollo de la actividad a la que se puede dedicar la empresa, pero que cuestión diferente es la posibilidad de que durante este período se puedan capitalizar los gastos financieros devengados, dado que atendiendo al criterio incluido en la citada norma, la capitalización de gastos financieros únicamente está permitida en relación con los terrenos que estén siendo objeto de obras de adaptación.

Como conclusión, conforme a nuestra normativa española actual, el período durante el cual no se han iniciado aún las obras de adaptación (entendidas éstas como obras físicas), al igual que los períodos en que las obras hayan estado en suspenso, no podrán activarse los gastos financieros devengados, ya que deben identificarse estos períodos de tiempo como una interrupción en las obras.

Cuestión 2ª

Si está en vigor el contenido siguiente de la Resolución de 9 de mayo de 2000 del Instituto de Contabilidad y Auditoría de Cuentas, por la que se establecen criterios para la determinación del coste de producción (norma novena, apartado 3):

"3. La incorporación de los gastos financieros a que se refieren los apartados anteriores, se realizará de acuerdo con las siguientes reglas:

a) En primer lugar, se entiende que las fuentes específicas de financiación ajena de cada elemento son las primeras a tener en cuenta. A estos efectos, fuentes de financiación específica son aquellas que inequívocamente han sido empleadas para la financiación de las existencias o del inmovilizado en curso, no reputándose como tal la simple nominación de la deuda, es decir, que en todo caso debe existir una identificación entre el activo financiado y la deuda correspondiente; en particular, para las existencias de ciclo largo de fabricación se considerarán, en su caso, como fuentes de financiación específicas las deudas comerciales correspondientes a los distintos elementos integrantes de su coste de producción.

La parte correspondiente del importe de los gastos financieros devengados por las fuentes de financiación específicas, se imputará como mayor valor del activo en producción o construcción a que se ha hecho referencia.

b) El importe total de los fondos propios de la empresa se asignará como financiación a cada uno de los elementos, existencias o inmovilizado, en fabricación o construcción, en proporción a su valor contable disminuido en el importe de la financiación específica que se ha hecho referencia en la letra anterior. Al importe de los elementos en fabricación o construcción financiado con fondos propios que resulte de la operación anterior, no se le asignará ningún gasto financiero.

c) Al valor contable de las existencias en fabricación y del inmovilizado en curso que resulte una vez descontada la parte financiada con fuentes específicas y fondos propios, de acuerdo con lo indicado en las letras a) y b) anteriores, se le asignará proporcionalmente, como parte de la financiación, el resto de fondos ajenos no comerciales, excluida, en todo caso, la financiación específica de otros elementos del activo.

Al importe de las existencias en fabricación y del inmovilizado en curso que resulte de la aplicación del párrafo anterior, se le asignará la parte correspondiente del importe de los gastos financieros que se devenguen durante el proceso de fabricación o construcción respectivamente, correspondiente a las deudas que de acuerdo con lo anterior financian estos elementos."

Respuesta

Cuestión 2ª. Vigencia del método de cálculo de los gastos financieros capitalizables según Resolución del Instituto de Contabilidad y Auditoría de Cuentas de 9 de mayo de 2000.

La Resolución del Instituto de Contabilidad y Auditoría de Cuentas de 9 de mayo de 2000, por la que se establecen criterios para la determinación del coste de producción, desarrolla la metodología de activación de gastos financieros. En ella se prorratea el importe de los fondos propios entre los distintos activos, netos de la financiación específica, considerando que a la parte financiada por los mismos no corresponde activación.

Teniendo en cuenta que esta metodología no se opone a lo previsto en el Plan General de Contabilidad, y conforme a la disposición transitoria quinta del Real Decreto 1514/2007, de 16 de noviembre, anteriormente reproducida, esta normativa resulta de aplicación.

Cuestión 3ª

Reflejo contable de la capitalización de gastos financieros en la cuenta de pérdidas y ganancias; en particular si la capitalización de los gastos financieros en el inmovilizado ha de ser realizada mediante la partida Trabajos realizados por la empresa para su activo (subgrupo 73 del cuadro de cuentas), o si se deben reconocer los gastos financieros devengados en la cuenta de pérdidas y ganancias por el importe neto de aquellos que sean objeto de capitalización como inmovilizado o existencias.

Respuesta

Cuestión 3ª. Reflejo contable de la activación en la cuenta de pérdidas y ganancias.

En el Plan General de Contabilidad de 1990 la cuenta 733. Trabajos realizados para el inmovilizado material en curso, se definía como "Trabajos realizados durante el ejercicio y no terminados al cierre del mismo. También se incluirá en esta cuenta la contrapartida de los gastos financieros activados".

La incorporación de intereses en el precio de adquisición o coste de producción de las existencias se reconocía mediante las partidas de "variaciones de existencias" (cuentas correspondientes al subgrupo 71).

En el Plan General de Contabilidad de 2007, en la definición de la cuenta 733. Trabajos realizados para la empresa, ya no figura la mención relativa a la inclusión de los gastos financieros activados. En definitiva en este punto el nuevo Plan General de Contabilidad, a diferencia del Plan General de Contabilidad de 1990, no ubica en el margen de explotación la activación de gastos financieros, debiendo ésta afectar al resultado financiero. Este criterio debe entenderse aplicable tanto al inmovilizado como a las existencias, de forma que la activación de gastos financieros no se reflejará en la cuenta de pérdidas y ganancias en la partida de Trabajos realizados por la empresa para su activo (en el caso del inmovilizado) ni en la de Variación de existencias de productos terminados y en curso de fabricación (en el caso de las existencias).

De acuerdo con lo dispuesto en la norma 5ª de elaboración de cuentas anuales contenida en la tercera parte del Plan General de Contabilidad: "podrán añadirse nuevas partidas a las previstas en los modelos normales y abreviados, siempre que su contenido no esté previsto en los existentes." En este sentido, en la medida en que los importes activados por gastos financieros sean significativos, de forma análoga a como se presentan las activaciones de gastos de explotación, donde aparecen los gastos por naturaleza y se recogen los ingresos en una partida de carácter corrector (Trabajos realizados por la empresa para su activo), se creará una partida en el margen financiero, cuya denominación podría ser la de "Incorporación al activo de gastos financieros".

Comentario

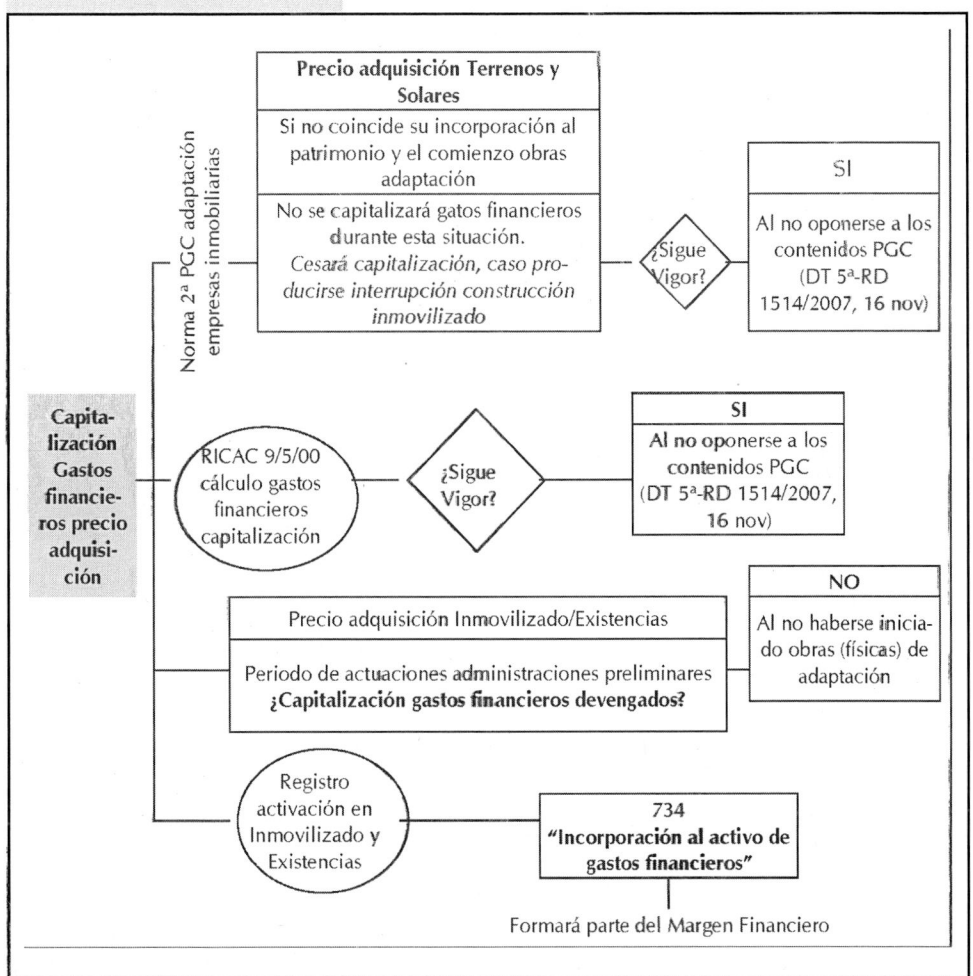

Ejemplo 1

La Sociedad "DESASTRIÑO PEQUENIÑO S.A." presenta a 31/12/X0, el siguiente Balance de Situación (En u.m.):

ACTIVO		PASIVO Y PATRIMONIO NETO	
Activo no corriente	5.000	Fondos Propios	6.000
Activo no corriente en curso (4)		Deudas l/p financiación	
	2.000	específica Inmov. Curso (1)	1.000

ACTIVO		PASIVO Y PATRIMONIO NETO	
Existencias (Ciclo largo producción) (5)	1.000	Deudas l/p(3)	2.000
Deudores	2.000	Proveedores l/p (financ. exist) (2)	500
		Acreedores comerciales	500
TOTAL	10.000	TOTAL	10.000

(1) Dicho préstamo fue obtenido el 1/1/X0, para financiar el inmovilizado en curso y devenga un interés anual del 5% pagadero a 31/12. Vencimiento el 1/1/X4.

(2) Financian las existencias de ciclo largo de producción. Interés del 10% pagadero a 31/12. Se trata de 50 u.m de moneda extranjera, cuya cotización a 31/12/X0: 1 u.m. moneda extranjera = 10 u.m. nacional.

Dicha adquisición, se realizó el 1/1/X0, y la cotización de 1 u.m. moneda extranjera = 11 u.m. nacional.

(3) Concesión el 1/7/X0. No financia inversiones concretas. Tipo de interés: el 8% anual, pagadero por semestres vencidos.

(4) Periodo de construcción del inmovilizado, de 2 años.

(5) Periodo de producción de las existencias 18 meses.

(6) Los valores promedios a lo largo del ejercicio X0 del inmovilizado en curso y de las existencias de ciclo largo ha sido respectivamente de 1500 y 800 u.m.

SE PIDE:

Activar los gastos financieros en la medida de lo posible.

SOLUCIÓN:

1.- Activar los Gastos Financieros en la medida de lo posible.

Nos guiaremos para ello, por la Norma 10ª.1 del PGC y la 9ª de la RICAC, del coste de producción. Para esta última y en su punto tercero, nos enumera una serie de reglas que tendremos que seguir para capitalizar los gastos financieros, como mayor valor de los activos (ya sean inmovilizados en curso, como existencias de ciclo largo):

a) Tendremos en cuenta en primer lugar, las fuentes de financiación específica, que son aquellas que inequívocamente han sido empleadas para la financiación de las existencias o del inmovilizado en curso. De tal forma:

Activo Financiado	Valor contable Activo[*]	Fuente de Financiación específica	Intereses devengados por estas Fuentes[**] Periodo: 1/1/X0-31/12/X0
Inmovilizado en Curso	1.500	1.000	1.000 x 5% = **50**
Existencias Ciclo Largo	800	500	500 x 10% = **50**

[*] El valor contable de los activos "aptos" para capitalizar los gastos financieros se calculará como el promedio de los citados activos a lo largo del ejercicio, minorado en el importe de las subvenciones, donaciones y legados específicos que se hubieran recibido para su financiación. Norma novena. Apartado 3. RICAC del coste de producción.

[**] La parte correspondiente del importe de los gastos financieros devengados por las fuentes de financiación específicas, se imputará como mayor valor del activo en producción o construcción a que se ha hecho referencia.

b) Financiación no Específica. Al valor contable de las existencias en fabricación y del inmovilizado en curso que resulte una vez descontada la parte financiada con fuentes específicas se le asignará proporcionalmente, como parte de la financiación, el resto de fondos ajenos no comerciales, excluida en todo caso, la financiación específica de otros elementos del activo. Norma novena. Apartado 4.b)

Fondos Ajenos no comerciales: 2.000

Asignación:

Valor contable del Activo – Fuente de Financiación Específica:

- Inmovilizado en curso: 1.500 – 1.000 = 500
- Existencias Ciclo Largo: 800 – 500 = 300

Una vez determinadas las fuentes de financiación ajena excluidas las deudas comerciales, se calculará el total de los gastos financieros devengados por las mismas. El tipo de interés medio ponderado se obtendrá al relacionar los dos componentes anteriores y reflejará el coste de utilización de la financiación ajena. Norma novena. Apartado 4.c1.

$$\text{Tipo de interés medio ponderado} = \frac{80}{2.000} \times 100 = 4\%$$

Gastos financieros devengados: (2.000x8%):2 = 80

La magnitud obtenida en el apartado anterior se aplicará a la parte de inversión en las existencias y del inmovilizado una vez descontada la parte financiada con fondos ajenos específicos, con el límite para esa diferencia del importe de los fondos ajenos no obtenidos específicamente para estas operaciones, excluidas las deudas comerciales. Norma novena. Apartado 4.c2.

Inmovilizado en curso: 500 x 4% = 20

Existencias de ciclo largo : 300 x 4% = 12

El asiento de registro que "DESASTRIÑO PEQUENIÑO", efectuará a 31/12 por la activación de gastos financieros será:

—————————————————— 31/12/X0 ——————————————————

70	Inmovilizado en curso (23x) (50 + 20)			
62	Existencias ciclo largo (30x) (50 + 12)			
		a	Incorporación al activo de gastos financieros (76x)	132

Podemos comprobar, igualmente, si las diferencias de cambio existentes, pueden considerarse rectificaciones del coste de producción.

Cuando las diferencias de cambio se produzcan en deudas en moneda extranjera a plazo superior a un año y destinadas a la financiación específica del inmovilizado en curso o de las existencias de ciclo largo de fabricación en curso, se deberá incorporar la pérdida o ganancia potencial como mayor o menor coste de los activos correspondientes, siempre que se cumplan todas y cada una de las siguientes condiciones:

a) Que la deuda generadora de las diferencias se haya utilizado inequívocamente para la construcción de un inmovilizado o la fabricación de existencias, concretos e identificados.

b) Que el período de construcción del inmovilizado o de fabricación de las existencias sea superior a doce meses.

c) Que la variación en el tipo de cambio se produzca antes de que el inmovilizado esté en condiciones de funcionamiento o que las existencias se encuentren en condiciones de ser destinadas al consumo final o a su utilización por otras empresas.

Dichas diferencias surgieron por una deuda con los proveedores de las existencias, que está denominada en moneda extranjera. Gráficamente podemos plasmar su situación, como:

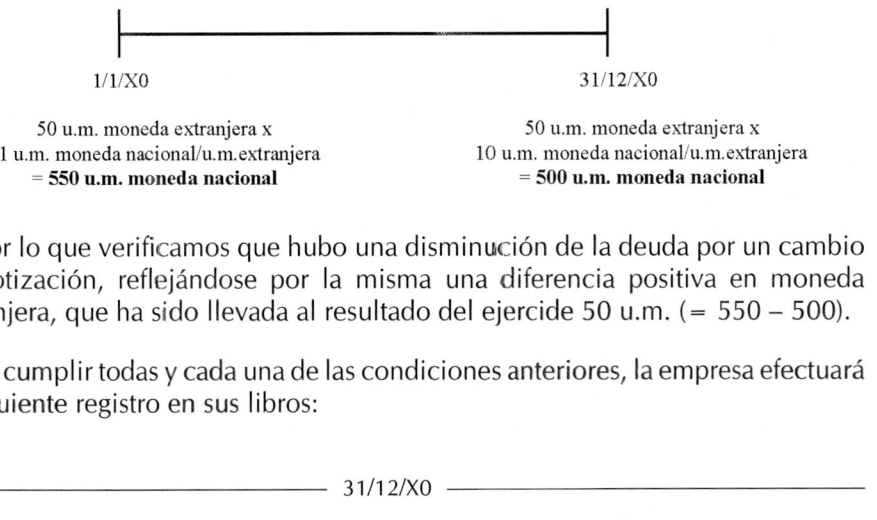

1/1/X0	31/12/X0
50 u.m. moneda extranjera x 11 u.m. moneda nacional/u.m.extranjera **= 550 u.m. moneda nacional**	50 u.m. moneda extranjera x 10 u.m. moneda nacional/u.m.extranjera **= 500 u.m. moneda nacional**

Por lo que verificamos que hubo una disminución de la deuda por un cambio de cotización, reflejándose por la misma una diferencia positiva en moneda extranjera, que ha sido llevada al resultado del ejercide 50 u.m. (= 550 – 500).

Al cumplir todas y cada una de las condiciones anteriores, la empresa efectuará el siguiente registro en sus libros:

———————————————— 31/12/X0 ————————————————

50	Incorporación al activo de gastos financieros (76X)			
		a	Existencias ciclo largo (30 x)	50

Ejemplo 2

Parte de las construcciones que lucen en balance fueron realizadas por VIGO S.A., con medios propios, durante el ejercicio de X6. Los costes de las mismas tuvieron la siguiente composición en euros:

Materiales	10.000
Personal	4.000
Servicios exteriores	4.000
Otros costes	2.000
Gastos financieros	3.750
TOTAL	23.750

Durante la construcción, la estructura financiera media de VIGO S.A., fue la siguiente de manera resumida y expresada en euros:

Activo		Pasivo	
20.000	Construcciones en curso	Patrimonio	65.000
100.000	Otros activos	Préstamo para la construcción (12% anual de coste)	5.000
		Otro pasivo exigible (14% anual de coste)	35.000
		Otro pasivo	15.000
120.000	Total	Total	120.000

SE PIDE:

Determinar la cuantía de los gastos financieros que se pueden activar. Sabemos que el periodo de construcción es mayor a un año.

SOLUCIÓN:

Dentro de los costes que aparecen por la construcción del inmovilizado, se encuentran unos gastos financieros por valor de 3.750 €. Cuantía que estima la empresa para capitalizar como mayor valor de este activo. Comprobemos si esto es así:

- Por la Financiación específica: 5.000 x 12%.   600

  Préstamo para la construcción: 5.000

- Por la Financiación no específica, que se puede activar:

  15.000 x 14%. . . . .   2.100[*]

La diferencia entre 20.000 (coste total construcción en curso), y 5.000 (préstamo obtenido) = 15.000

Tipo de interés medio ponderado: 14%

Total gastos financieros activar. **2.700**

[*] El tipo de interés obtenido, se aplicará a la parte de inversión en las existencias y del inmovilizado una vez descontada la parte financiada con fondos ajenos específicos, con el límite para esa diferencia del importe de los fondos ajenos no obtenidos específicamente para estas operaciones, excluidas las deudas comerciales. Límite en nuestro caso (35.000 €) que no supera.

Por tanto, hemos de concluir que la empresa se encuentra en un error, debiendo únicamente activar dicha cuantía de 2.700 €, frente a las 3.750 €.

Ejemplo 3

A principios del ejercicio X8, la sociedad "ANPA S.A", adquiere un terreno, sobre el cual pretende construir un hospital; el precio del mismo es de 350.000 €, pagando en este momento 100.000 € y dejando el resto a pagar a los 3 meses con un recargo en el aplazamiento de 750 €.

Ante la falta de financiación solicita y obtiene en dicha fecha un préstamo de 250.000 €, a pagar en 4 años, mediante anualidades constantes al 6% anual, pagaderas a 31 de diciembre. Los gastos de formalización ascienden a 450 €, que la entidad deduce al ingresar en cuenta el importe neto.

Con el importe obtenido la empresa lleva a cabo una imposición a 3 meses que le genera unos rendimientos de 1.250 € que serán cobrados el 1 de abril.

Durante los meses de enero-marzo, se llevan a cabo actuaciones administrativas preliminares encaminadas a convertir en edificable el terreno, ascendiendo los gastos incurridos y satisfechos en un total de 32.000 €.

A principios del mes de abril, se comienzan las obras de acondicionamiento del terreno, las cuales han sido contratadas a la empresa "CHAPUZAS MOURIÑO S.A." estimándose que la duración de las mismas será de 15 meses. Asimismo, en dicha fecha, en Banco comunica que ingresa en cuenta corriente el importe del depósito efectuado en unión de los correspondientes intereses.

Posteriormente pagamos al proveedor de inmovilizado la deuda pendiente con sus correspondientes intereses.

En el mes de agosto, y debido a las vacaciones de sus trabajadores, "CHAPU-ZAS" no realiza ninguna actividad en el citado terreno.

A principios del mes de diciembre, la sociedad factura 42.000 € (pagados por bancos) en concepto de obras de cerramiento, drenaje, movimientos de tierra, ... llevando a cabo las obras de acondicionamiento con normalidad y correspondientes al año X8.

En el mes de junio del X9, nos entrega el terreno disponible para su utilización, aunque no se han obtenido todavía los permisos administrativos correspondientes, nos factura un importe de 64.000 €, que convenimos a pagar en julio del citado año.

SE PIDE:

Registro de operaciones correspondiente a los ejercicios X8 y X9.

SOLUCIÓN:

• A principios de ejercicio X8 la entidad financiera entregará a ANPA el siguiente cuadro de amortización para el seguimiento de la operación:

Periodo	Fecha	Pagos (1)	Intereses (2)	Amortización (3)	Pendiente amortizar (4)
0	1/1/X8				250.000
1	31/12/X8	72.147,87	15.000	57.147,87	192.852,13
2	31/12/X9	72.147,87	11.571,13	60.576,75	132.275,38
3	31/12/x10	72.147,87	7.936,52	64.211,35	68.064,03
4	31/12/x11	72.147,87	4.083,84	68.064,03	0

Siendo:

(1); Pago. $250.000 = a \cdot a_{4\rceil\,0,06} \Rightarrow a = 72.147,87$

$(2) = (4)_{-1} \times i$

$(3) = (1) - (2)$

$(4) = (4)_{-1} - (3)$

Nuestra sociedad encuadrará el pasivo financiero dentro de la categoría "Débitos y partidas a pagar", en la cual y para su valoración inicial en la Norma 9ª.3.1.1. de la 2ª parte del PGC nos dice que ésta será: "(...) *su valor razonable, que salvo evidencia en contrario, será el precio de la transacción, que equivaldrá al valor razonable de la contraprestación recibida ajustado por los costes de la transacción que les sean directamente atribuibles (...)*". En nuestro caso, será:

$$250.000 - 450 = 249.550$$

Con lo cual, y a la hora de seguir la operación financiera tendrá que determinar un nuevo tipo de interés al no coincidir con el otorgado por el banco. Así y comparando:

$$\text{LO QUE RECIBE} = \text{LO QUE DA}$$
$$249.550 = 72.147,87 \cdot a_{4\rceil\,i}$$
$$i. = 6,07872118..\%$$

En el apartado 3.1.2. de la Norma antes mencionada, nos comenta que los pasivos financieros incluidos en esta categoría se valorará por su coste amortizado. Los intereses devengados se contabilizarán en la cuenta de Pérdidas y Ganancias, aplicando el tipo de interés efectivo. Con lo cual, si elaboramos un cuadro de asignación financiera:

Periodo	Pagos (1)	Intereses (2)	Amortización (3)	Pendiente amortizar (4)
0				249.550
1	72.147,87	15.169,45	56.978,42	192.571,58
2	72.147,87	11.705,89	60.441,98	132.129,60
3	72.147,87	8.031,79	64.116,08	68.013,52
4	72.147,87	4.134,35	68.013,52	0,00

Siendo:

$(2) = (4)_{-1} \times i$

$(3) = (1) - (2)$

$(4) = (4)_{-1} - (3)$

Registrando en el momento de la concesión 01/01/X8:

———————————————————— x ————————————————————

249.550   Bancos (572) (250.000-450)

    a   Deudas c/p entidades crédito
        (520)   56.978,42

        Deudas a l/p entidades crédito
        (170)   192.571,58

• En esta fecha, adquiere el terreno, anotando:

———————————————————— x ————————————————————

350.000   Terrenos y bienes naturales (210)

    a   Bancos (572)   100.000

        Proveedores de inmovilizado
        a corto plazo (523)   250.000

La deuda habrá sido registrada en la cartera de "Débitos y partidas a pagar", para su valoración seguiremos lo dispuesto en la Norma 9ª.3.1.1. Los pasivos financieros incluidos en esta categoría se valorarán inicialmente por su valor razonable, que, salvo evidencia en contrario, será el precio de la transacción, que equivaldrá al valor razonable de la contraprestación recibida ajustado por los costes de transacción que les sean directamente atribuibles.

• En la misma fecha, procede a ingresar el importe obtenido del préstamo en un depósito a tres meses.

		x		
249.550	Inversiones a corto plazo de gran liquidez (576)			
		a	Bancos (572)	249.550

• En los meses de febrero-marzo y por los gastos incurridos

		x		
32.000	Adaptación de terrenos y bienes naturales (230)			
		a	Bancos c/c (572)	32.000

Las actuaciones administrativas de las empresas encaminadas a convertir en edificable un terreno, son sin duda actuaciones necesarias para el desarrollo de la actividad a los que se puede dedicar la empresa, por consiguiente se incluyen en el precio de adquisición del terreno.

• Reintegro del depósito efectuado.

		1/4/X8		
250.800	Bancos (572)			
		a	Inversiones a corto plazo de gran liquidez (576)	249.550
			Ingresos de créditos (762)	1.250

• En la misma fecha se paga al proveedor del inmovilizado la deuda pendiente.

—————————————————— x ——————————————————

250.000	Proveedores de inmovilizado a corto plazo (523)		
750	Otros gastos financieros (669)		
	a	Bancos (572)	250.750

• A comienzos del mes de diciembre, pagamos a CHAPUZAS MOURIÑO, por las obras efectuadas en el terreno:

—————————————————— x ——————————————————

| 42.000 | Adaptación de terrenos y bienes naturales (230) | | |
| | a | Bancos (572) | 42.000 |

Siguiendo lo dispuesto en la norma de valoración 3ª.a y la RICAC del inmovilizado material. [Norma primera. Apartado 9] comenta: *"(...) se incluirán en su precio de adquisición los gastos de acondicionamiento, como cierres, movimiento de tierras, obras de saneamiento y drenaje, los de derribo de construcciones cuando sea necesario para poder efectuar obras de nueva planta, los gastos de inspección y levantamiento de planos cuando se efectúen con carácter previo a su adquisición"*.

• Operaciones fin de ejercicio (diciembre X8)

- En este periodo, y en base al método del tipo de interés efectivo, devengaremos los intereses correspondientes. Igualmente daremos de baja la parte del principal adeudado:

—————————————————— x ——————————————————

56.978,42	Deudas c/p entidades crédito (520)		
15.169,45	Intereses de deudas (662)		
	a	Bancos (572)	72.147,87

Que son los dos componentes que conforman el pago del préstamo.

- Igualmente, reclasificaremos el importe del principal que devolveremos en el siguiente ejercicio:

---
x

60.441,98	Deudas l/p entidades crédito (170)		
		a	Deudas c/p entidades crédito (520)
			60.441,98

La Norma 2ª.1 Valoración PGC, nos indica que: *"(...) se incluirán en el precio de adquisición o coste de producción los gastos financieros que se hayan devengado antes de la puesta en condiciones de funcionamiento del inmovilizado material y que hayan sido girados por el proveedor o correspondan a préstamos u otro tipo de financiación ajena, específica o ajena, directamente atribuible a la adquisición, fabricación o construcción."* Del mismo modo se expresa la RICAC del coste de producción.

Sabemos que en este ejercicio (desde enero a diciembre del X8) se han devengado un total de:

Intereses de deudas (662)   15.169,45

Sobre este importe total, diversas consideraciones:

(**) Los intereses devengados en los meses: enero, febrero y marzo.

Al no coincidir en el tiempo la incorporación del terreno al patrimonio de la empresa y el comienzo de las obras de adaptación de los mismos, se considera que durante dicho período se ha producido una interrupción en las obras de adaptación. No pudiéndose capitalizar los gastos financieros mientras dure dicha situación. Consullta nº 3 BOICAC 75 y RICAC del coste de producción. Norma Novena. 2 (...) se incorporarán los gastos financieros como mayor valor del inmovilizado en curso que necesite un periodo de tiempo superior a un año para estar en condiciones de uso, sin tener en cuenta las interrupciones, y siempre que tales gastos se hayan devengado antes de la puesta en condiciones de funcionamiento del inmovilizado.

Los intereses devengados mes de agosto

Igual razonamiento podemos aplicar a este período. No se pueden capitalizar, al producirse una interrupción en la construcción del inmovilizado.

En consecuencia, activaremos en total 8 meses (12 meses – 4 meses), referidos a los gastos financieros derivados del préstamo para financiar las existencias. Por tanto, anotaremos:

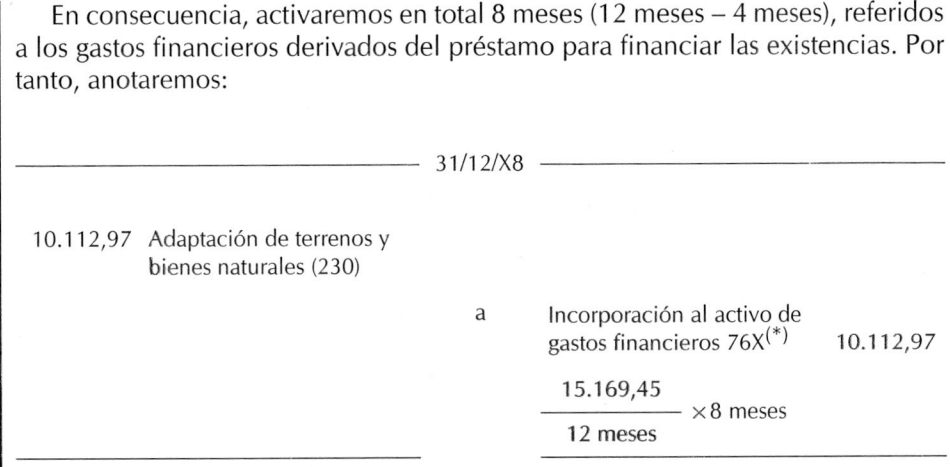

——————————————— 31/12/X8 ———————————————

10.112,97 Adaptación de terrenos y
             bienes naturales (230)

a Incorporación al activo de
  gastos financieros 76X$^{(*)}$ 10.112,97

$$\frac{15.169,45}{12\ meses} \times 8\ meses$$

$^{(*)}$ Cuenta creada siguiendo las directrices de la Consulta nº 3 del BOICAC 75,, ya que los gastos financieros activados no se ubican en los nuevos PGC, en el margen de explotación (no pudiéndose registra en la partida "Trabajos realizados para la empresa", como ocurría con la antigua normativa), debiendo afectar la capitalización de gastos financieros al resultado financiero, donde quedaría ubicada la cuenta propuesta. Del mismo modo se expresa la RICAC mencionada en la Norma Novena, apartado 8: "(...) La inclusión de los gastos financieros activados debe ubicarse en el resultado financiero. En este sentido, en la medida que los importes sean significativos, se creará una partida en el margen financiero con la denominación "Incorporación al activo de gastos financieros."

Con respecto a los gastos financieros originados en el aplazamiento de los proveedores, no podremos activarlos la citada RICAC en su Norma novena, apartado 6 nos dice: "*La capitalización de los gastos financieros se suspenderá durante el plazo en que permanezcan interrumpidas las actividades relacionadas con la fabricación o construcción del bien (...)*".

Respecto a los ingresos obtenidos como consecuencia del depósito realizado, se han registrado como ingresos en la cuenta de pérdidas y ganancias siguiendo las directrices de la RICAC del inmovilizado material. Norma primera. Apartado 9: "*Sin embargo, considerando que la NRV 2ª sigue estableciendo como principio rector que lleva a la capitalización de la carga financiera, el hecho de que la misma se haya atribuido a la adquisición, fabricación o construcción, no cabe duda que si los fondos han generado ingresos, durante su periodo de generación no han sido aplicados a financiar la obra y, en consecuencia, dichos gastos no deberían ser objeto de capitalización en la parte proporcional asociada a la financiación que ha originado los citados ingresos*". Asimismo la RICAC del coste de producción dice: "*Si parte de dicha financiación ha generado ingresos, debe entenderse que durante su periodo de generación estos fondos no han sido aplicados a financiar el inmovilizado y, en consecuencia, dichos gastos no deberán ser objeto de capitalización en la parte proporcional asociada a la financiación que ha originado los citados ingresos (...)*".

En resumen los ingresos financieros en todo caso deben lucir en la cuenta de pérdidas y ganancias, y los gastos devengados durante el periodo transitorio en que se ha invertido la financiación ajena no deben activarse como mayor valor del inmovilizado en curso.

- En Junio del X9, y por los trabajos realizados en el terreno:

---------------------------------- x ----------------------------------

64.000   Terrenos y bienes naturales (210)

a   Bancos (572)   42.000

- Por el traspaso de la cuenta 230 a la 210.

---------------------------------- x ----------------------------------

74.000   Terrenos y bienes naturales (210)
         (32.000 + 42.000)

a   Adaptación de terrenos y
    bienes naturales (230)   74.000

- Es en esta fecha cuando el terreno está en condiciones de explotación ya que está disponible para su utilización, independientemente de no haber obtenido los permisos correspondientes. Será, con lo cual, hasta esta fecha cuando se termine de capitalizar los gastos financieros del préstamo (5 meses), registrando por tanto:

---------------------------------- 1/6/X9 ----------------------------------

4.877,45   Terrenos y bienes naturales
           (230)

a   Incorporación al activo de
    gastos financieros 76X

                                                    4.877,45

$$\frac{11.705,89}{12 \text{ meses}} \times 5 \text{ meses}$$

En particular, para el caso de terrenos y solares, la capitalización de los gastos financieros no cesará cuando estos queden disponibles para realizar la construcción, salvo que se produzca una interrupción de las actuaciones necesarias para preparar el activo para el uso al que esté destinado o para su venta. RICAC del coste de producción. [Norma novena. Apartado 7]. Según la citada normativa la capitalización de gastos financieros no cesará hasta que la construcción esté en condiciones de funcionamiento.

2.2.1.2. Vertedero de residuos: valoración activos afectos

BOICAC 90, julio 2012. Consulta 2.

Sobre el reconocimiento y valoración contable de un vertedero de residuos y las obras de adecuación del terreno que deban realizarse en un futuro.

Respuesta

Una empresa ha adquirido una instalación de depósito de residuos integrada por el terreno rústico sobre el que se realizan los vertidos, la obra civil realizada (en particular, los muros de contención) y las oportunas licencias que permiten el vertido de una determinada cantidad de metros cúbicos de escombros. Completada esta cantidad, el propietario tiene la obligación de realizar una serie de obras de adecuación (entre otras, la explanación y reforestación del terreno).

La consulta versa sobre el criterio que debe seguir la empresa para contabilizar estos activos y las obras de adecuación a realizar en el futuro, bajo la hipótesis de que el acuerdo de concesión que se ha descrito queda fuera del alcance de las normas de adaptación del Plan General de Contabilidad a las empresas concesionarias de infraestructuras públicas, aprobadas por la Orden EHA/3362/2010, de 23 de diciembre.

Las inversiones realizadas en el momento inicial se contabilizarán de acuerdo con la naturaleza y función que cumplan en el proceso productivo de la empresa, de conformidad con lo dispuesto en el Plan General de Contabilidad (PGC) aprobado por el Real Decreto 1514/2007, de 16 de noviembre. Por tanto, las licencias se reconocerán como un inmovilizado intangible y el terreno y la obra civil se reconocerán por separado como un inmovilizado material.

Estos activos se contabilizarán, en el momento inicial, por su precio de adquisición y con posterioridad por dicho valor menos la amortización acumulada y, en su caso, el importe acumulado de las correcciones valorativas por deterioro reconocidas.

En este sentido, si bien el PGC señala que los terrenos normalmente tienen una vida útil ilimitada y, por tanto, no se amortizan, el caso descrito por el consultante constituye una excepción a esta regla general porque la vida útil del terreno sobre el que se asienta el vertedero está limitada por el plazo concesional o el periodo de tiempo en que se agote su capacidad de producción, si este último resultase inferior.

Las amortizaciones habrán de establecerse de manera sistemática y racional en función de la vida útil de los activos y de su valor residual, atendiendo a la depreciación que normalmente sufran por su funcionamiento, uso y disfrute, sin perjuicio de considerar también la obsolescencia técnica o comercial que pudiera afectarlos.

En el caso que nos ocupa, la relación existente entre la cantidad de vertidos que se vayan realizando y el total admitido por la licencia, constituye el mejor patrón de consumo de todos ellos. Por tanto, la empresa deberá seguir dicho criterio, tanto para el terreno, como para la construcción y para la licencia.

Respecto a las obras de adecuación a realizar, como paso previo para otorgarles un adecuado tratamiento contable, será preciso analizar cuál es la causa que determina el nacimiento de la obligación.

Si el compromiso que asume la empresa al adquirir la licencia pone de manifiesto en el momento inicial una obligación presente de rehabilitación de los terrenos, cuyo cumplimiento no puede eludir, habrá que estar a lo dispuesto en el apartado 1 de la norma de registro y valoración (NRV) 2ª. "Inmovilizado material" del PGC, en cuya virtud formará parte del precio de adquisición del inmovilizado material, la estimación inicial del valor actual de las obligaciones asumidas derivadas del desmantelamiento o retiro y otras asociadas al citado activo, tales como los costes de rehabilitación del lugar sobre el que se asienta, siempre que estas obligaciones den lugar al registro de un pasivo de acuerdo con lo dispuesto en la NRV 15ª. "Provisiones y contingencias".

Los cambios en las estimaciones sobre el valor del activo y la provisión se tratarán de acuerdo con los criterios recogidos en el PGC para los costes de desmantelamiento, retiro o rehabilitación.

A mayor abundamiento, en relación con los terrenos, la NRV 3ª. "Normas particulares sobre el inmovilizado material" señala que: *"si en el valor inicial se incluyesen costes de rehabilitación, porque se cumpliesen las condiciones establecidas en el apartado 1 de la norma relativa al inmovilizado material, esa porción del terreno se amortizará a lo largo del periodo en que se obtengan los beneficios o rendimientos económicos por haber incurrido en esos costes."* De acuerdo con lo indicado, estos costes se amortizarán aplicando el mismo método de amortización que se siga para amortizar el terreno.

Por el contrario si la obligación presente nace a medida que se desarrolla la actividad, supuesto de hecho que parece ser el descrito en la consulta, la empresa reconocerá una provisión sistemática y el correspondiente gasto por naturaleza conforme se vaya incurriendo en ella. Adicionalmente, en sintonía con lo previsto en el apartado 2 de la NRV 15ª del PGC, a partir de la información disponible en cada momento, la provisión se valorará en la fecha de cierre del ejercicio, por el valor actual de la mejor estimación posible del importe necesario para cancelar o transferir a un tercero la obligación, registrándose los ajustes que surjan por la actualización del pasivo como un gasto financiero conforme se vayan devengando.

Comentario

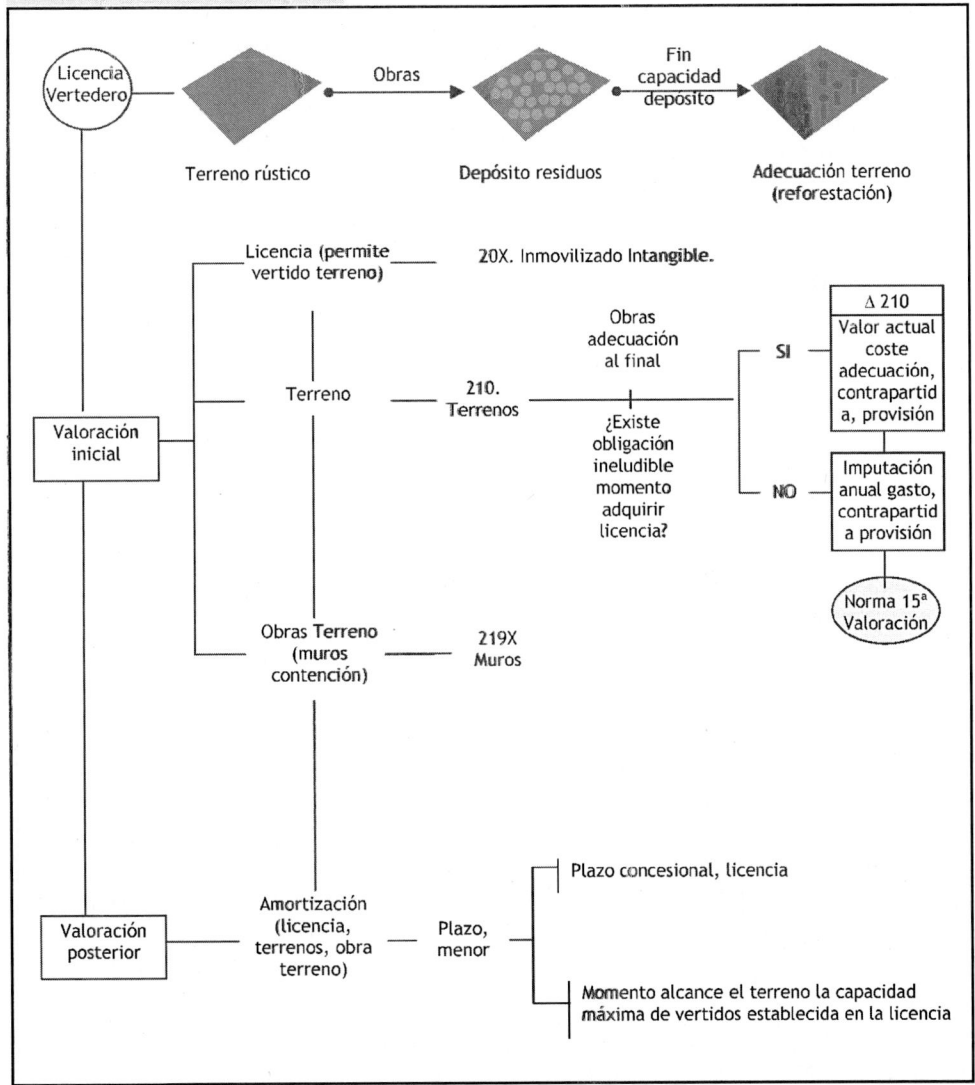

Ejemplo

A principios del ejercicio X1, la sociedad "VIGO S.A." ha adquirido a la sociedad "CESPA S.A." una instalación de depósito de residuos; la cual está compuesta por el terreno rústico sobre el que se realizarán los vertidos. La obra civil realizada en los mismos (en particular, muros de contención) y las oportunas licencias que permiten el vertido de 3.000.000 de m³ de residuos (de origen industrial, inertes y no peligrosos). La procedencia de los citados residuos será de industrias papeleras, fundiciones, empresas fragmentadotas de vehículos fuera de uso, residuos de limpieza de fábrica, entre otros.

La instalación adquirida cumple con todas las normas medioambientales de este tipo de instalaciones, superando ampliamente los niveles exigidos por la legislación europea para las mismas.

La inversión efectuada ascendió a 7.200.000 € y se desglosa en los siguientes elementos:

Terreno rústico.	1.200.000
Obra civil realizada.	5.400.000
Licencias.	600.000

De las obligaciones asumidas, se estima que al final de la vida útil del vertedero, se procederá a su total impermeabilización, rehabilitación medioambiental y paisajista del terreno, calculando que su importe ascenderá a 1.432.678 €. De los estudios realizados por la empresa, se desprende que la instalación admitirá un máximo de residuos anual de 300.000 m³.

Otros datos de interés, que conocemos es que:

- El tipo de interés incremental de las deudas de la empresa es del 6%.

- Periodo licencia 12 años máximo o hasta agotar el tope de residuos admitidos.

SE PIDE:

1. Registro de operaciones relatadas durante el ejercicio X1. Los m³ depositados ascendieron a 300.000.

2. Registro de operaciones relatadas durante el ejercicio X2. Los m³ depositados ascendieron a 300.000.

3. A principios del ejercicio X3 y realizadas nuevas estimaciones se calcula que el importe de la rehabilitación del terreno a efectuar ascenderá a 1.592.063 €. Igualmente se calcula que se seguirán admitiendo un máximo de los 300.000 m³ anuales.

4. Operaciones a efectuar a 31/12/X10 sabiendo que en el citado año se admitieron los 300.000 m³ correspondientes, habiendo completado el total de

m^3 de la licencia. Se inician los trabajos de rehabilitación medioambiental y adecuación del terreno en los términos previstos en la Licencia para lo cual se contrata para realizar dicha operación a la constructora DRAGADOS, acordando un importe de 1.602.063 € pagadero al finalizar la misma que será a mediados de febrero del X11.

5. En el supuesto de que la obligación de rehabilitar el terreno naciese a medida de que se va desarrollando la actividad, registrar lo que proceda y en relación con esta contingencia en el supuesto de que a finales del ejercicio X1 los gastos estimados que ocasionaría la rehabilitación medioambiental y paisajista del terreno, a valor actual, ascendiera a 620.000 €.

SOLUCIÓN:

1. Registro de operaciones realizadas por la sociedad "Vigo" en el año X1

• Por la adquisición de la inversión:

―――――――――――――――――― 1/1/X1 ――――――――――――――――――

1.200.000	Terrenos y bienes naturales (210)		
5.400.000	Terrenos y bienes naturales. Cierre (210.1)		
600.000	Concesiones administrativas (202)		
		a Bancos (572)	7.200.000

Según lo establecido, en la consulta nº 2 del BOICAC 90: *"(...) Las inversiones realizadas en el momento inicial se contabilizarán de acuerdo con la naturaleza y función que cumplan en el proceso productivo de la empresa, de conformidad con lo dispuesto en el PGC (...) Por tanto, las licencias se reconocerán como* un inmovilizado intangible *y el terreno y la obra civil se reconocerán por separado como* un inmovilizado material. *(...)"*

• Por el registro de los costes de rehabilitación del terreno:

―――――――――――――――――― 1/1/X1 ――――――――――――――――――

800.000	Terrenos y bienes naturales (210)		
		a Provisión por desmantelamiento, retiro o rehabilita-	800.000

	ción del inmovilizado (143) (*)

(*) Valor actual $= 1.432.678 (1+0,06)-10 = 800.000$

Al asumir la empresa, en el momento inicial, la rehabilitación del terreno una vez finalizado el periodo o la capacidad de almacenamiento del vertido, incrementaremos el importe de este activo por el valor actual de las obligaciones asociadas a la rehabilitación (tal y como se establece en la Norma 2ª.1 Valoración PGC). Esto dará lugar, así mismo, al registro de una provisión, aplicándose para ésta lo dispuesto en la Norma 15ª Valoración PGC.

Igualmente, según lo dispuesto en la RICAC del inmovilizado material. Norma primera. Apartado 1: *"(...) La incorporación de este componente del coste a la valoración inicial del activo se producirá en la fecha en la que la empresa incurra en la obligación"*. De la misma forma, en la Norma 3ª de Valoración, y para el caso de los solares, nos comenta que: *"(...) si en el valor inicial se incluyesen costes de rehabilitación, porque se cumpliesen las condiciones establecidas en el apartado 1 de la norma relativa al inmovilizado material, esa porción del terreno se amortizará a lo largo del periodo en que se obtengan los beneficios o rendimientos económicos por haber incurrido en esos costes. "*. Así, estos costes se amortizarán aplicando el mismo método de amortización que se siga para amortizar el terreno.

• Operaciones a realizar a 31/12/X1:

- Amortizaciones

El PGC señala que los terrenos normalmente tienen una vida útil ilimitada y, por tanto, no se amortizan (Norma 3ª, apartado a). Nuestro caso es una excepción a esta regla general, porque la vida útil del terreno sobre el que se asienta el vertedero está limitada por el plazo concesional o el periodo de tiempo en que se agote su capacidad de producción, si este último resultase inferior.

Así:

-El periodo que agota su capacidad de producción (admitiendo un máximo anual de 300.000 m^3):

$$\frac{3.000.000}{300.000} = 10 \text{ años}$$

- El plazo concesional, es de 12 años.

Por lo que se amortizará en base a la cantidad de residuos depositada (10 años, o el 10% anual).

La relación existente entre la cantidad de vertidos que se vayan realizando y el total admitido por la licencia, constituye el mejor patrón de consumo de todos ellos. Por tanto, la empresa deberá seguir dicho criterio, tanto para el terreno, como para la construcción y para la licencia.

$$\frac{\text{Cantidad vertidos realizada}}{\text{Total vertidos admitidos por licencia}} = \frac{300.000}{3.000.000} \times 100 = \textbf{10\%}$$

En resumen, la cuantificación de las distintas amortizaciones será:

ELEMENTO	Importe
Terrenos y bienes naturales	(2.000.000 x 10%) = 200.000
Terrenos y bienes naturales. Cierre	(5.400.000 x 10%) = 540.000
Licencia	(600.000 x 10%) = 60.000

Anotándose:

—————————————————— 31/12/X1 ——————————————————

60.000 Amortización del inmovili-
        zado intangible (680)

740.000 Amortización del inmovili-
         zado material (681)

            a   Amortización acumulada
                 del inmovilizado intangible
                 (280)   60.000

                 Amortización acumulada
                 del inmovilizado material
                 (281)   740.000

                 [200.000 + 540.000]

- Por la actualización de la provisión:

—————————————————— 31/12/X1 ——————————————————

48.000   Gastos financieros por
         actualización de provisio-
         nes (660)

         (800.000 x 6%)

                                a   Provisión por desmantela-
                                      miento, retiro o rehabilita-
                                    ción del inmovilizado (143)   48.000

Así, en la 5ª parte del PGC, y para el movimiento de la cuenta 143 nos comenta que ésta se abonará: *"(...) a2) Por el importe de los ajustes que surjan por la actualización de valores, con cargo a la cuenta 660".*

2. Registro de operaciones realizadas por la sociedad "Vigo" a 31/12/X2

• Por las amortizaciones.

Amortizaremos las mismas cuantías del ejercicio X1, ya que la cantidad de residuos depositados han sido las mismas.

—————————————————— 31/12/X2 ——————————————————

60.000   Amortización del inmovili-
         zado intangible (680)

740.000   Amortización del inmovili-
         zado material (681)

                                a   Amortización acumulada
                                    del inmovilizado intangible
                                    (280)   60.000

                                      Amortización acumulada
                                    del inmovilizado material
                                    (281)   740.000

• Por la actualización de la provisión:

──────────────────── 31/12/X2 ────────────────────

50.880	Gastos financieros por actualización de provisiones (660)		
	(800.000 + 48.000)x6%		
		a	Provisión por desmantelamiento, retiro o rehabilitación del inmovilizado (143) 50.880

3. Registro de operaciones realizadas por la sociedad "Vigo" a 1/1/X3

En enero del X3, la empresa tiene en cuentas la siguiente información relativa a la provisión por desmantelamiento:

(143) Provisión por desmantelamiento: (800.000 + 48.000 + 50.880)........ **898.880**

Sin embargo, y según las nuevas condiciones, los gastos ascenderán a 1.592.063 € que desembolsará al cabo de ocho años. Por lo que modificaremos la estimación que previamente habíamos establecido. De tal manera:

Valor actual gastos desmantelamiento a 1/1/X3: $1.592.063 \times (1,06)^{-8}$........ **998.880**

Diferencia: 998.880 - 898.880.................................... **100.000**

Al cambiar posteriormente el importe de la obligación, produciéndose un incremento de la provisión, lo haremos con cargo a cuentas del grupo 21 (Inmovilizado) [Definiciones y Relaciones Contables. Cuenta 143. Quinta parte PGC].

Anotándose:

──────────────────── 1/1/X3 ────────────────────

100.000	Terrenos y bienes naturales (210)		
		a	Provisión por desmantelamiento, retiro o rehabilitación del inmovilizado (143) 100.000

Desde este momento, el terreno quedará valorado en:

(210) Terrenos y bienes naturales: 2.000.000 + 100.000 = ...   2.100.000

(281) Amortización acumulada [200.000 (x1) + 200.000 (x2)]. . .   (400.000)

Valor contable a 1/1/X3. . . . .   **1.700.000**

Siendo la vida útil restante, de ocho años.

Por lo que y siguiendo la Norma 22ª de Valoración, debido a la nueva información que disponemos será considerada como un "cambio de estimación contable". La cual, se aplicará de forma "prospectiva", y su efecto se imputará como ingreso o gasto en pérdidas y ganancias, según la naturaleza de la operación. Así, en nuestro caso, la empresa imputará a partir de este ejercicio, una nueva cuota de amortización que calcularemos comparando el nuevo valor contable con la vida útil restante:

$$\frac{1.700.000}{8 \text{ años}} = \mathbf{212.500}$$

Anotándose este año, y con respecto al terreno:

———————————————— 31/12/X3 ————————————————

212.500	Amortización del inmovili-zado material (681)			
		a	Amortización acumulada del inmovilizado material (281)	212.500

4. Registro de operaciones realizadas por la sociedad "Vigo" X10 y X11.

• Por la actualización del efecto financiero de la provisión:

Valor actual (31/12/X9): 998.880 · $(1 + 0,06)^7$ 1.501.946

Provisión
a 1/1/X3

Valor actual a 31/12/X10 .... 1.592.063

DIFERENCIA (Gastos financieros del X10) **90.117**

Registro:

———————————— 31/12/X10 ————————————

90.117	Gastos financieros por actualización de provisiones (660)		
		a	Provisión a corto plazo por desmantelamiento, retiro o rehabilitación del inmovilizado (5293) 90.117

A dicha fecha se conoce que el importe para acometer dicha rehabilitación asciende a 1.602.063 €, en consecuencia actualizaremos la provisión:

- En la provisión tenemos constituido un total de. 1.592.063

- El importe que asciende la citada obligación es de. 1.602.063

Diferencia. **10.000**

Al cambiar posteriormente el importe de la obligación, produciéndose un incremento de la provisión, lo haremos con cargo a cuentas del grupo 21 (Inmovilizado) [Definiciones y Relaciones Contables. Cuenta 143. Quinta parte PGC].

Así:

———————————— 31/12/X10 ————————————

10.000	Terrenos y bienes naturales (210)		
		a	Provisión a corto plazo por desmantelamiento, retiro o rehabilitación del inmovilizado (5293) 10.000

En tanto que las amortizaciones [modificándose la de amortización]:

ELEMENTO	Importe
Terrenos y bienes naturales	$212.500 + 10.000 = 222.500^{(*)}$
Terrenos y bienes naturales. Cierre	$(5.400.000 \times 10\%) = 540.000$
Licencia	$(600.000 \times 10\%) = 60.000$

(*) Ver registros a 1/1/X3

Anotándose:

──────────────── 31/12/X10 ────────────────

60.000	Amortización del inmovilizado intangible (680)			
762.500	Amortización del inmovilizado material (681)	a	Amortización acumulada del inmovilizado intangible (280)	60.000
			Amortización acumulada del inmovilizado material (281)	762.500
			[222.500 + 540.000]	

• Por el pago de las obras de rehabilitación:

──────────────── 15/2/X11 ────────────────

1.602.063	Provisión a corto plazo por desmantelamiento, retiro o rehabilitación del inmovilizado (5293)			
		a	Bancos (572)	1.602.063

• Por la extinción de la Licencia y baja de los elementos patrimoniales:

_____ 1/1/X11 _____

600.000 Amortización acumulada
del inmovilizado intangible
(280)

7.510.000 Amortización acumulada
del inmovilizado material
(281)

a Terrenos y bienes naturales
(210) 2.110.000

Terrenos y bienes naturales.
Cierre (210.1) 5.400.000

Concesiones administrati-
vas (202) 600.000

5. Registro de operaciones realizadas por la sociedad "Vigo" en el caso de que la obligación surja a medida que se desarrolla la actividad.

_____ 31/12/X1 _____

620.000 Gastos excepcionales (678)

a Provisión por desmantelamiento, retiro o rehabilitación del inmovilizado (143) 620.000

En base a la consulta nº 1 del BOICAC 91,, si la obligación presente nace a medida que se desarrolla la actividad, la empresa reconocerá una provisión sistemática y el correspondiente gasto por naturaleza conforme se vaya incurriendo en ella.

Para el supuesto de activos en construcción, se presumirá, salvo prueba en contrario, que esta circunstancia se producirá a medida que el inmovilizado en curso se incorpore al patrimonio de la empresa. [RICAC del inmovilizado material. Norma primera. Apartado 1].

Adicionalmente, en sintonía con lo previsto en el apartado 2 de la NRV 15ª del PGC, a partir de la información disponible en cada momento, la provisión se valorará en la fecha de cierre del ejercicio, por el valor actual de la mejor estimación posible del importe necesario para cancelar o transferir a un tercero la obligación, registrándose los ajustes que surjan por la actualización del pasivo como un gasto financiero conforme se vayan devengando.

2.2.1.3. Gastos en una explotación agrícola

BOICAC 97, marzo 2014. Consulta 6.

Sobre el reflejo contable de los gastos realizados por una sociedad dedicada a una explotación agrícola.

Respuesta

La Disposición Transitoria Quinta. Desarrollos normativos en materia contable, apartado 1, del Real Decreto 1514/2007, de 16 de noviembre, por el que se aprueba el Plan General de Contabilidad (PGC), expresa:

"Con carácter general, las adaptaciones sectoriales y otras disposiciones de desarrollo en materia contable en vigor a la fecha de publicación de este real decreto seguirán aplicándose en todo aquello que no se oponga a lo dispuesto en el Código de Comercio, Texto Refundido de la Ley de Socie- dades Anónimas, aprobado por Real Decreto Legislativo 1564/1989, de 22 de diciembre, Ley 2/1995, de 23 de marzo, de Sociedades de Responsabi- lidad Limitada, disposiciones específicas y en el presente Plan General de Contabilidad".

En este sentido, cabe indicar que la Orden del Ministerio de Economía de 11 de mayo de 2001, aprueba las normas de adaptación del Plan General de Conta- bilidad a las empresas del sector vitivinícola. Por tanto, en la medida en que por el fondo económico de las operaciones realizadas por la empresa consultante, resulten similares, le será igualmente de aplicación los criterios en ella contenidos.

En particular, la Norma de valoración 3ª. Normas particulares sobre el inmo- vilizado material, letra f) Plantaciones y replantaciones, dispone que:

"Su valoración comprenderá el precio de adquisición o coste de pro- ducción de los elementos necesarios para poner en condiciones de explo- tación agrícola un terreno, propiedad de la empresa, destinado a dicho fin; se pueden citar entre otros, las cepas, pies, injertos, postes y alambrado para el emparrado de la vid, etc. y los elementos que estén íntimamente ligados a la plantación y que tengan carácter de permanencia. Los gastos devengados con anterioridad a la primera cosecha productiva, es decir, desde que la plantación está en condiciones de producir ingresos con regu- laridad, se incorporarán como mayor valor de la plantación, incluyendo, en su caso, los gastos financieros inherentes, sin que en ningún caso pueda exceder del precio de mercado. El valor del terreno agrícola no se incluirá como mayor valor de la plantación, figurando como un activo aparte".

Considerando estos antecedentes, con las adecuadas adaptaciones terminológicas, los importes destinados a la adquisición de los árboles deberán contabilizarse como un inmovilizado material, en sintonía con el criterio descrito. Asimismo todos los gastos directos producidos con anterioridad a que la plantación esté en condiciones de producir ingresos con regularidad se incorporarán como mayor valor de la plantación, comenzando a amortizarse cuando esté en condiciones de explotación.

Por último, en lo referente a los gastos generales, en principio, todos los gastos necesarios para el desarrollo de la actividad, entre los que se incluyen los suministros de servicios (agua, luz, combustible), servicios profesionales, sueldos, etcétera, se deberán imputar a la cuenta de pérdidas y ganancias de acuerdo con su naturaleza con arreglo al principio del devengo recogido en la primera parte del PGC, es decir, en función de la corriente real de bienes y servicios que los mismos representan y con independencia del momento en que se produzca la corriente monetaria o financiera derivada de ellos.

En todo caso, en la memoria de las cuentas anuales se deberá facilitar información sobre los criterios de asignación e imputación de gastos realizados, así como cualquier otro aspecto e información significativa de estas operaciones, con objeto de que las cuentas anuales reflejen la imagen fiel del patrimonio, de los resultados y de la situación financiera de la empresa.

Comentario

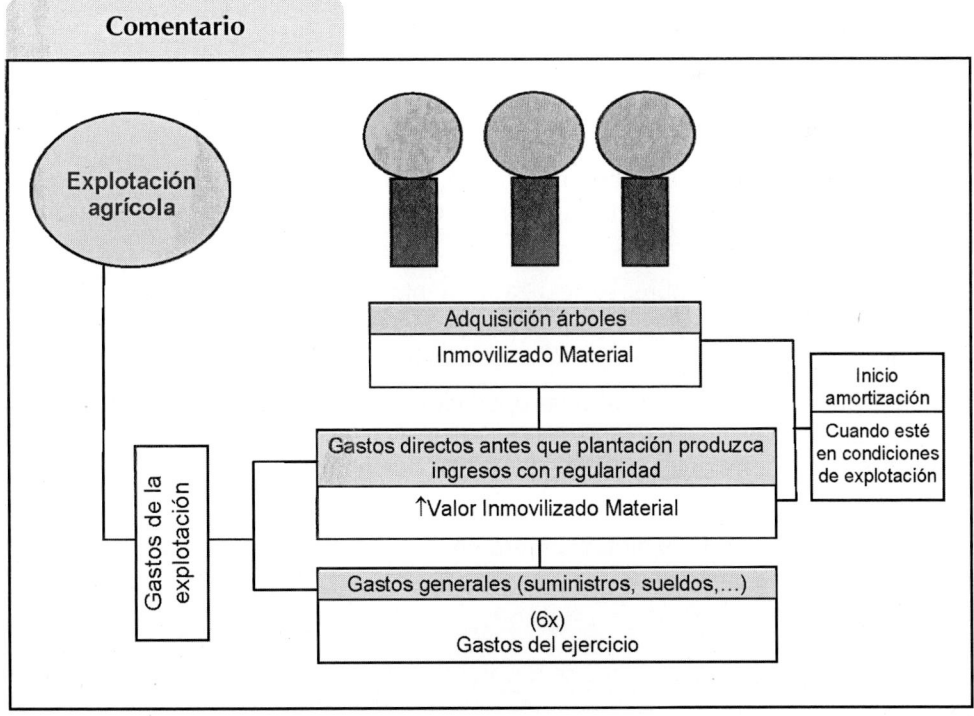

Ejemplo

EXPLOTACIONES RÚSTICAS S.L. posee, entre otros elementos de inmovilizado, un terreno cuyo valor en libros es de 120.000 €.

A principios del mes de mayo X12, y una vez realizado un proyecto de viabilidad, acuerda llevar a cabo la explotación de una plantación de KIWIS a realizar sobre el terreno de referencia.

Se consigue un préstamo bancario el 1/7/X12 para dicha explotación por 40.000 € a 5 años, pactándose un interés del 4% nominal pagadero por semestres (1/7 y 31/12), devolviendo el principal al final de la operación.

Sabemos que la explotación necesita un periodo de dos años y medio (31/12/X14), para estar en condiciones de explotación.

Se realizan una serie de labores previas en el terreno; entre ellas, las labores empleadas para la nivelación del mismo con la maquinaria apropiada y eliminando las malas hierbas que afectan de forma negativa al cultivo. También se realiza un abonado de fondo para la nutrición y fertilización. Todo ello conlleva unos gastos de 15.000 €, que son satisfechos con cheque bancario abonado el 1/12/X12.

A principios del año X13, se realizan las estructuras de conducción metálicas. El sistema utilizado de conducción es el "Sistema en T": que consiste en utilizar unos postes en forma de T unidos unos con otros por 3 alambres. En estos alambres es donde se van a apoyar las plantas que cuelgan de en medio de cada postes. Se encuentran a una altura aproximada de 1.6 a 1.8 m. Necesitan también de unos tutores para guiarlas hacia la parte superior del emparrado de alambres. Todo ello supone un coste de 18.000 € que se pagan de contado.

Posteriormente, en marzo del mismo año, se realiza la instalación del sistema de conducción, así como las instalaciones necesarias para el riego. Se paga por ello un total de 8.000 €.

En el mes de noviembre, se realiza la plantación de los árboles machos se colocan en filas alternos cada 5 árboles hembras. La adquisición de los árboles y su plantación supone un coste de 20.000 € pagado de contado.

En el año X14, se lleva a cabo las operaciones de mantenimiento riego, poda de la explotación la cual es realizada por personal de la empresa, todo lo realizado ha supuesto un coste de personal de 19.000 € que han sido registrados por naturaleza en la cuenta de pérdidas y ganancias.

A finales del X14, la explotación está en condiciones de funcionamiento. Su vida útil se estima en 10 años.

SE PIDE:

Realícese las anotaciones que se desprendan del enunciado.

SOLUCIÓN:

Gráficamente, la financiación recibida:

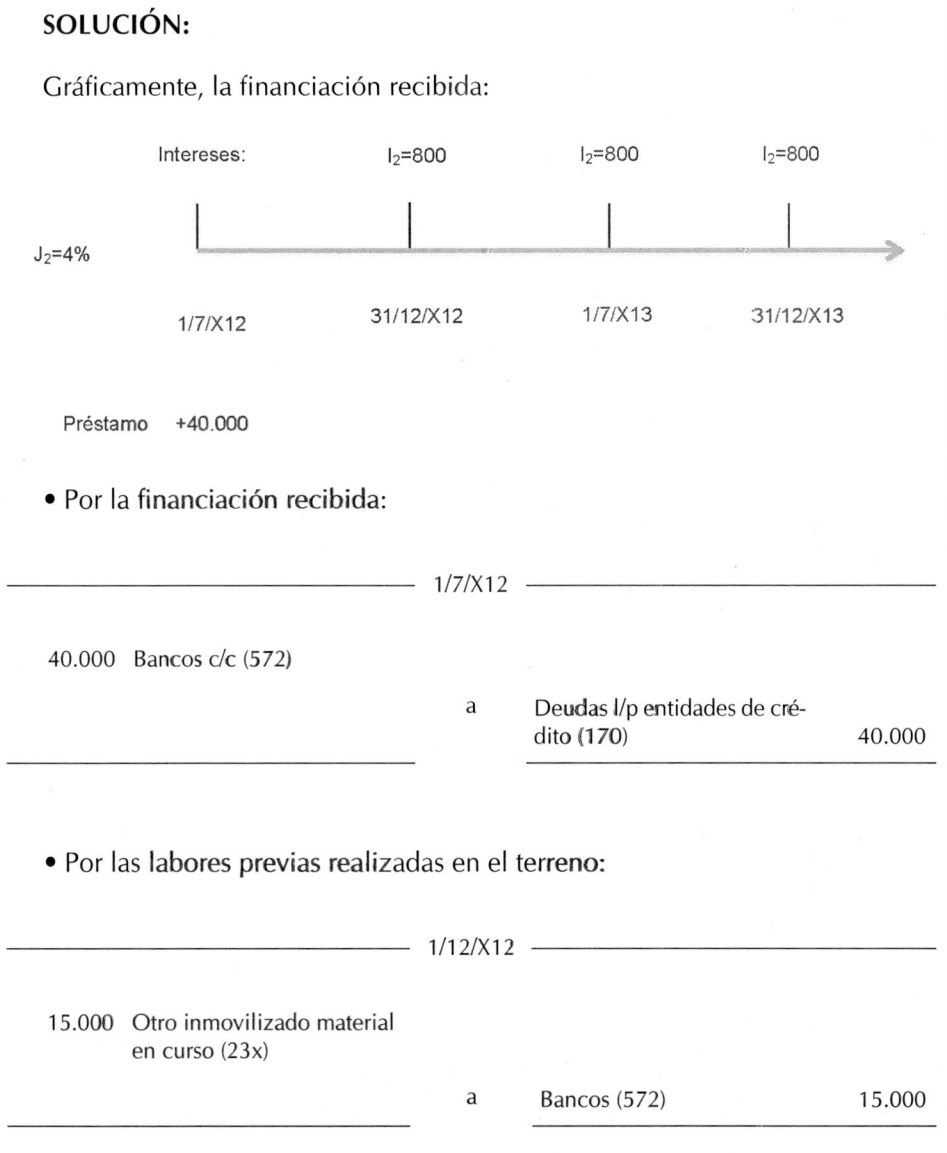

• Por la financiación recibida:

―――――――――――――――― 1/7/X12 ――――――――――――――――

40.000	Bancos c/c (572)	
	a Deudas l/p entidades de crédito (170)	40.000

• Por las labores previas realizadas en el terreno:

―――――――――――――――― 1/12/X12 ――――――――――――――――

15.000	Otro inmovilizado material en curso (23x)	
	a Bancos (572)	15.000

La valoración comprenderá el precio de adquisición o coste de producción de los elementos necesarios para poner en condiciones de explotación agrícola un terreno, propiedad de la empresa, destinado a dicho fin; así como los elementos que estén íntimamente ligados a la plantación y que tengan carácter de permanencia. Consulta nº 6. BOICAC 97.

• Cuando pagamos los intereses del préstamo, a fin de ejercicio:

———————————————————— 31/12/X12 ————————————————————

800	Intereses de deudas (662)		
		a Bancos c/c (572)	800

• Incorporación de los gastos financieros, en el precio de adquisición:

———————————————————— 31/12/X12 ————————————————————

800	Otro inmovilizado material en curso (23x)		
		a Incorporación al activo de gastos financieros (76x)	800

En base a lo establecido en la Norma 2ª.1 de Valoración del PGC: "(…) *En los inmovilizados que necesiten un periodo de tiempo superior a un año para esta en condiciones de uso* [como en nuestro caso, 2 años y medio]*, se incluirán en el precio de adquisición o coste de producción los gastos financieros que se hayan devengado antes de la puesta en condiciones de funcionamiento del inmovilizado material y que hayan sido girados por el proveedor o correspondan a préstamos u otro tipo de financiación ajena, específica o genérica, directamente atribuible a la adquisición, fabricación o construcción* ". En el mismo sentido se expresa el apartado 1.2. de la Norma Primera de la RICAC del Inmovilizado Material.

EJERCICIO X13:

• Por el pago de las estructuras de conducción metálicas:

———————————————————— 1/1/X13 ————————————————————

18.000	Otro inmovilizado material en curso (23x)		
		a Bancos (572)	18.000

• Por la instalación del sistema de conducción y riego:

―――――――――――――――― 1/3/X13 ――――――――――――――――

8.000	Otro inmovilizado material en curso (23x)			
		a	Bancos (572)	8.000

• Pago de los intereses en el X13 (julio):

―――――――――――――――― 1/7/X13 ――――――――――――――――

800	Intereses de deudas (662)			
		a	Bancos c/c (572)	800

• Por la plantación de los árboles:

―――――――――――――――― 1/11/X13 ――――――――――――――――

20.000	Otro inmovilizado material en curso (23x)			
		a	Bancos (572)	20.000

La adquisición de los árboles deberán contabilizarse como un inmovilizado material, según se dispone en la presenta Consulta.

• Por el registro de intereses del segundo semestre:

―――――――――――――――― 31/12/X13 ――――――――――――――――

800	Intereses de deudas (662)			
		a	Bancos c/c (572)	800

• Incorporación de los gastos financieros devengados en el X13, al precio de adquisición, al igual que hicimos en el ejercicio pasado:

──────────────── 31/12/X13 ────────────────

1.600	Otro inmovilizado material en curso (23x)		
	a	Incorporación al activo de gastos financieros (76x)	1.600

EJERCICIO X14:

• Pago de los intereses en el X14 (julio):

──────────────── 1/7/X14 ────────────────

800	Intereses de deudas (662)		
	a	Bancos c/c (572)	800

• Por el registro de intereses del segundo semestre:

──────────────── 31/12/X14 ────────────────

800	Intereses de deudas (662)		
	a	Bancos c/c (572)	800

• Por la activación de los gastos incurridos en labores de riego, poda,..:

──────────────── 31/12/X14 ────────────────

19.000	Otro inmovilizado material en curso (23x)		
	a	Trabajos realizados para el inmovilizado material en curso (733)	19.000

Asimismo todos los gastos directos producidos con anterioridad a que la plantación esté en condiciones de producir ingresos con regularidad se incorporarán como mayor valor de la plantación, comenzando a amortizarse cuando esté en condiciones de explotación. Según lo dispuesto en la presente Consulta.

• Incorporación de los gastos financieros devengados en el X14, al precio de adquisición, al igual que hicimos en el ejercicio pasado:

———————————————————— 31/12/X14 ————————————————————

1.600	Otro inmovilizado material en curso (23x)	
	a Incorporación al activo de gastos financieros (76x)	1.600

• En esta misma fecha (31/12/X13), la explotación entra en condiciones de funcionamiento:

———————————————————— 31/12/X14 ————————————————————

84.000	Otro inmovilizado material(219)	
	a Otro inmovilizado material en curso (23x)	84.000

Empezaríamos a amortizar, a partir de esta fecha y el importe de la cuota anual sería:

$$\text{Cuota anual amortización} = \frac{84.000}{10 \text{ años}} = 8.400$$

2.2.1.4. *Sustitución componentes de una maquinaria, en periodo de garantía*

BOICAC 104, diciembre 2015. Consulta 3.

Sobre la sustitución de determinados componentes de una maquinaria cuando el importe es satisfecho por la empresa propietaria a cuenta de la deuda que ésta man-

tiene con el suministrador y fabricante de la máquina al encontrarse la misma en periodo de garantía.

Respuesta

La entidad consultante es una sociedad cuya actividad principal es la producción de energía eléctrica procedente de fuentes renovables, concretamente, energía eólica.

El parque eólico fue construido por un proveedor extranjero y en el contrato de construcción se recoge un período de dos años como garantía. El pago de la maquinaria en cuestión se estipula en un plazo entre 5 y 8 años.

Transcurrido el primer año se ve la necesidad de sustituir algunos componentes de la maquinaria por no estar en adecuadas condiciones y se acuerda que la empresa consultante adquiera los elementos necesarios a otros suministradores. Asimismo, se indica que, el coste desembolsado será descontado de la deuda que tiene con la empresa fabricante (proveedor inicial). De acuerdo con lo manifestado en la consulta, la sustitución de los elementos no afecta a la capacidad productiva de la maquinaria, ni alarga su vida útil.

La renovación o sustitución de elementos del inmovilizado está regulada en la Resolución de 1 de marzo de 2013, del Instituto de Contabilidad y Auditoría de Cuentas por la que se dictan normas de registro y valoración del inmovilizado material y de las inversiones inmobiliarias, Norma Segunda. Valoración Posterior, apartado 2.2. Renovación del inmovilizado material, en los siguientes términos:

"1. La «renovación del inmovilizado» es el conjunto de operaciones mediante las que se recuperan las características iniciales del bien objeto de renovación.

2. La renovación del inmovilizado, se reconocerá y valorará de acuerdo con los siguientes criterios:

a) Se capitalizará, integrándose como mayor valor del inmovilizado material, el importe de las renovaciones efectuadas de acuerdo con el precio de adquisición o, en su caso, con el coste de producción, siempre que se cumplan las condiciones para su reconocimiento establecidas en la primera parte del Plan General de Contabilidad.

b) Simultáneamente a la operación anterior se dará de baja el elemento sustituido, la amortización acumulada y las pérdidas por deterioro de valor, registrándose, en su caso, el correspondiente resultado producido en esta operación, por la diferencia entre el valor contable resultante y el producto recuperado.

c) En caso de entrega de un elemento sustituido dentro del proceso de renovación, a cambio de un nuevo elemento, se aplicará lo relativo a las adquisiciones de inmovilizado entregando como pago parcial otro inmovilizado, tal como se desarrolla en la norma tercera de esta Resolución.

d) *Si la renovación afectase a una parte de un inmovilizado cuyo valor en libros no pueda identificarse claramente, el coste de la renovación podrá tomarse como indicativo de cuál era el coste del elemento que se sustituye".*

De acuerdo con lo anterior, en el caso que nos ocupa la empresa contabilizará los elementos adquiridos como mayor valor del inmovilizado material. Adicionalmente, se procederá a reconocer la compensación acordada con el proveedor como un derecho de cobro, a dar de baja el elemento sustituido por su valor en libros, y, en su caso, por diferencia, se registrará el correspondiente resultado.

Comentario

Maquinaria: Sustitución componentes en periodo de garantía

Suministrador, distinto del fabricante, quien descontará el coste de reposición

¿Registro?

RICAC 1/3/13
Norma Segunda

Δ 213. Maquinaria

Coste nuevos componentes, mayor valor inmovilizado

Reconocer compensación y baja del sustituido por el valor en libros

(54x) *[Derecho cobro al fabricante, por el coste componentes]*
(281) *[A.A. elemento sustituido, en su caso]*
(291) *[Pérdida deterioro elemento sustituido, en su caso]*
(671) *[Pérdidas, en su caso]*
         a   *[Baja elemento sustituido]*(213)
                [Beneficio, en su caso] (771)

Ejemplo

El 1 de enero del año X7 la sociedad VIGUESA, cuya actividad principal es la producción de energía eléctrica procedente de fuentes renovables, ha adquirido un equipo para la producción de energía eólica, a un proveedor extranjero, por un importe de 1.800.000 € IVA 21%.

La forma de pago será del 20% más el importe del IVA al contado, y el resto en 5 cuotas anuales iguales pagaderas a 31 de diciembre, siendo el tipo de interés de la operación del 3% anual efectivo.

En el contrato de compra se recoge un período de dos años como garantía.

Su transporte hasta la empresa, ocasionó unos gastos por valor de 90.000 € que fueron abonados al contado.

La instalación y puesta en marcha del equipo fue realizada por la empresa XEITO, que también impartió un curso de formación a los trabajadores de VIGUESA durante el mes de abril. XEITO facturó 18.000 € por la instalación y 6.000 € por el curso de formación. Estas cantidades, se abonaron al contado.

En el mes de mayo del X7, se realizaron las pruebas necesarias para constatar que puede estar trabajando. El 1 de junio, el equipo estaba en condiciones de funcionamiento, no obstante, no pudo ser utilizado hasta el 1 de noviembre de X7 por falta de personal especializado.

El 1 de diciembre contrata un seguro para cubrir el mantenimiento y posibles siniestros del equipo. La prima de seguro anual asciende a 12.000 €, que es abonada por banco.

La empresa ha estimado la vida útil del elemento en 10 años, con un valor residual en términos actuales de 116.000 €, ascendiendo los costes de venta a 8.000 €. Se ha optado, por aplicar el método de amortización lineal.

A 31 de diciembre, paga la primera cuota aplazada al proveedor; y en la misma fecha procede a amortizar el equipo.

A principios del año X8, se ve en la necesidad de sustituir algunos componentes de la maquinaria: por no estar en adecuadas condiciones, y se acuerda que la empresa VIGUESA adquiera los elementos necesarios a otros suministradores. Asimismo, se indica que, el coste desembolsado será descontado de la deuda que tiene con la empresa fabricante (proveedor inicial). La sustitución de los elementos no afecta a la capacidad productiva de la maquinaria, ni alarga su vida útil. Para ello, se incurrieron en los siguientes gastos: a) Componentes adquiridos a otros suministradores: 12.000 €.

b) Factura de la empresa XEITO encargada de realizar la operación: 6.000 €.

Se ha conseguido vender los componentes retirados, como chatarra por un valor de 1.200 €.

El 1 de julio de X8 el equipo sufre una rotura que le deja inutilizado durante unos días. La empresa XEITO, se encarga del arreglo: facturando 5.000 €, que se abonan de contado.

El 15 de julio la compañía de seguros abona 3.000 €, como compensación.

El 31 de diciembre de X8 procede a la amortización del equipo.

SE PIDE:

Anotaciones contables correspondientes al año X7 y X8 derivadas de las operaciones descritas.

SOLUCIÓN:

Operaciones del ejercicio X7

• Por la compra de la maquinaría a un proveedor extranjero, veamos previamente, la operación financiera:

Cuantía aplazada 80% de 1.800.000 = 1.440.000 €

Y por la anualidad, que deberá pagar nuestra empresa, plantearemos la siguiente igualdad

$$1.440.000 = a \cdot a_{5 \rceil 0,03}$$

a = 314.430,58

Elaborando el siguiente cuadro financiero:

Periodo	Fecha	Pago	Carga financiera	Recuperación coste	Deuda pendiente
0	1/1/X7				1.440.000,00
1	31/12/X7	314.430,58	43.200,00	271.230,58	1.168.769,42
2	31/12/X8	314.430,58	35.063,08	279.367,50	889.401,92
3	31/12/X9	314.430,58	26.682,06	287.748,52	601.653,40
4	31/12/X10	314.430,58	18.049,60	296.380,98	305.272,42
5	31/12/X11	314.430,58	9.158,17	305.272,42	———
TOTALES		1.572.152,90	132.152,90	1.440.000	

Anotándose:

———————————————————————— 1/1/X7 ————————————————————————

1.800.000   Maquinaría (213)

378.000   HP IVA soportado (472)

        a   Bancos c/c (572)

                (20% 1.800.000 + 378.000)   738.000

                Proveedores de inmovili-
                zado corto plazo (523)   271.230,58

                Proveedores de inmovili-
                zado largo plazo (173)   1.168.769,42

——

• Por el transporte de la máquina, hasta la empresa apuntaremos:

———————————————————————— 1/1/X7 ————————————————————————

90.000   Maquinaría (213)

18.900   HP IVA soportado (472)

        a   Bancos c/c (572)   108.900

——

Así, en el apartado 1.1 de la Norma 2ª de Valoración PGC, nos indica: *"El precio de adquisición incluye, además del importe facturado por el vendedor (...) todos los gastos adicionales y directamente relacionados que se produzcan hasta su puesta en condiciones de funcionamiento, incluida la ubicación en el lugar y cualquier otra condición necesaria para que pueda operar de la forma prevista; entre otros: (...) transporte, (...), seguros, instalación, montaje y otros similares"*

• Por la instalación y pago del curso de formación a la empresa XEITO:

———————————————————————— abril-X7 ————————————————————————

18.000   Maquinaría (213)

6.000   Servicios de profesionales
        independientes (623) (*)

3.780   HP IVA soportado (472)

        a   Bancos c/c (572)   27.780

——

Tal y como comentamos en el punto anterior, la instalación formará parte del precio de adquisición (Norma 2ª, apartado 1.1 valoración PGC), sin embargo, el curso de formación no se incluye, al no estar directamente relacionado con su puesta en funcionamiento (Norma Primera, apartado 1.8, RICAC 1/3/13 sobre el Inmovilizado Material e Inversiones Inmobiliarias)

• Por el pago de la prima anual del seguro:

———————————————— 1/12/X7 ————————————————

12.000	Primas de seguro (625)		
	a	Bancos c/c (572)	12.000

• Operaciones realizadas a 31 de diciembre:

* Por el pago de la primera cuota al proveedor (ver **cuadro financiero** de la operación):

———————————————— 31/12/X7 ————————————————

271.230,58	Proveedores de inmovilizado a corto plazo (523)		
43.200	Intereses de deudas (662)		
	a	Bancos (572)	314.430,58

* Por la reclasificación, a corto plazo, de la segunda cuota:

———————————————— 31/12/X7 ————————————————

279.367,50	Proveedores de inmovilizado largo plazo (173)		
	a	Proveedores de inmovilizado a corto plazo (523)	279.367,50

* Por la periodificación de la prima de seguros (se adelanta el importe correspondiente a 11 meses):

$$\frac{12.000}{12\ meses} \times 11\ meses = 11.000$$

————————————————————— 31/12/X7 —————————————————————

11.000 Gastos anticipados (480)			
	a	Primas de seguro (625)	11.000

* Por la amortización de la maquinaria. Averiguaremos, primero el importe total de su precio de adquisición, así:

Importe facturado por el vendedor.	1.800.000
+ transporte.	90.000
+ instalación.	18.000
TOTAL.	1.908.000

Se establece, una vida útil de 10 años y su valor residual 116.000, así como los costes de venta en su momento de 8.000 €

Según la Norma Segunda, apartado 3.1 de la RICAC 1/3/13, nos indica que el valor amortizable, se calcula minorando el precio de adquisición en el valor residual.

Este valor residual, nos sigue comentando la misma norma es el importe que la empresa podría obtener en el momento actual por su venta u otra forma de disposición, una vez deducidos los costes de venta.

Por tanto, en nuestro caso, el valor amortizable, será:

Valor amortizable = 1.908.000 - (116.000 - 8.000) = 1.800.000

Éste será el importe, pues, que distribuyamos en el tiempo estimado para su vida útil, utilizándose el método lineal. Así, su cuota anual,

$$\frac{1.800.000}{10\ años}\ 180.000$$

¿Cuándo se inicia su amortización? El apartado 3.6 de la Norma Segunda de la citada RICAC, nos dice, que ésta se hará:

"(...) a partir del momento en que el activo se encuentre en condiciones de funcionamiento, entendiéndose por ello, desde que el inmovilizado puede producir ingresos con regularidad, una vez concluidos los períodos de prueba, es decir cuando está disponible para su utilización.

(...) Con carácter general se entenderá que la puesta en condiciones de funcionamiento se producirá en el momento en que los bienes del inmovilizado, después de superar un montaje, instalación y pruebas necesarias, estén en condiciones de participar normalmente en el proceso productivo al que están destinados".

Por tanto, y para nuestro caso, iniciaremos el proceso el 1 de junio, ya que es en esta fecha cuando el equipo está en condiciones de funcionamiento, después de realizarse las pruebas necesarias.

Y esto significa, que llevaremos a resultado del ejercicio, el importe correspondiente a 7 meses de amortización:

$$\frac{180.000}{12 \text{ meses}} \times 7 \text{ meses} = 105.000$$

Anotándose:

	31/12/X7		
105.000	Amortización del inmovilizado material (681)		
	a	Amortización acumulada del inmovilizado material (281)	105.000

Operaciones del ejercicio X8

• Por la imputación de la prima de seguros, que corresponde a este ejercicio:

	1/1/X8		
11.000	Primas de seguro (625)		
	a	Gastos anticipados (480)	11.000

• Por la renovación efectuada:

* Adquisición de componentes a terceros:

			1/1/X8		
12.000	Compras de otros aprovisiona-mientos (602)				
2.520	HP IVA soportado (472)				
		a	Bancos c/c (572)		14.520

* Por el pago de la factura a la empresa XEITO

			1/1/X8		
6.000	Maquinaria (213)				
1.260	HP IVA soportado (472)				
		a	Bancos c/c (572)		7.260

* Por la activación de los componentes adquiridos:

			1/1/X8		
12.000	Maquinaria (213)				
		a	Trabajos realizados para el inmovilizado material (731)		12.000

Así, en el apartado 2, Norma Segunda, de la RICAC 1/3/13, nos comenta:

> *"(...) Se capitalizará, integrándose como mayor valor del inmovilizado material, el importe de las renovaciones efectuadas de acuerdo con el precio de adquisición o, en su caso, con el coste de producción, siempre que se cumplan las condiciones para su reconocimiento establecidas en la primera parte del Plan General de Contabilidad".*

* Por la venta de los componentes retirados y el reconocimiento del derecho de cobro a compensar de la deuda del vendedor del equipo.

```
─────────────────────────── 1/1/X8 ───────────────────────────

  1.200   Bancos (572)

 18.000   Créditos a corto plazo
          (542)(*)

                         a      Maquinaría (213)(**)              18.000

                                Beneficios procedentes del
                                inmovilizado material (771)        1.200

───────────────────────              ───────────────────────
```

(*) Se procederá a reconocer la compensación acordada con el proveedor como un derecho de cobro, a dar de baja el elemento sustituido por su valor en libros, y, en su caso, por diferencia, se registrará el correspondiente resultado. [Consulta nº 3. BOICAC 104].

(**) Simultáneamente a la operación anterior se dará de baja el elemento sustituido, la amortización acumulada y las pérdidas por deterioro de valor, registrándose, en su caso, el correspondiente resultado producido en esta operación, por la diferencia entre el valor contable resultante y el producto recuperado.
Si la renovación afectase a una parte de un inmovilizado cuyo valor en libros no pueda identificarse claramente, el coste de la renovación podrá tomarse como indicativo de cuál era el coste del elemento que se sustituye. [Norma Segunda, Apartado 2.2. RICAC 1/3/13].
Hemos tomado el coste de la renovación como indicativo del coste del elemento que se sustituye (18.000 €).

• Por la reparación efectuada:

```
─────────────────────────── 1/7/X8 ───────────────────────────

  5.000   Reparaciones y conserva-
          ción (622)

  1.050   HP IVA soportado (472)

                         a      Bancos c/c (572)                   6.050

───────────────────────              ───────────────────────
```

Se entiende por "reparación" el proceso por el que se vuelve a poner en condiciones de funcionamiento un activo inmovilizado. Los gastos derivados de estos procesos se imputarán a la cuenta de pérdidas y ganancias del ejercicio en que se producen. RICAC del inmovilizado material. [Norma segunda. Apartado 2.1. RICAC 1/3/13].

- Por la compensación recibida del seguro:

	15/7/X8	
3.000 Bancos c/c (572)		
	a Ingresos excepcionales (778)	3.000

- Por el pago de la prima anual del seguro:

	1/12/X8	
12.000 Primas de seguro (625)		
	a Bancos (572)	12.000

- Operaciones a 31/12/X8

* Por el pago de la segunda cuota al proveedor y compensación del crédito (ver cuadro financiero de la operación):

	31/12/X8	
279.367,50 Proveedores de inmovilizado a corto plazo (523)		
35.063,08 Intereses de deudas (662)		
	a Bancos (572) (314.430,58 - 18.000)	296.430,18
	Créditos a corto plazo (542)	18.000

* Por la reclasificación de la tercera cuota:

————————————— 31/12/X8 —————————————

287.748,52   Proveedores de inmovilizado largo plazo (173)

         a   Proveedores de inmovilizado a corto plazo (523)   287.748,52

* Por la periodificación de la prima de seguro:

————————————— 31/12/X8 —————————————

11.000   Gastos anticipados (480)

         a   Primas de seguro (625)   11.000

* Por la amortización de la maquinaria:

————————————— 31/12/X8 —————————————

180.000   Amortización del inmovilizado material (681)

         a   Amortización acumulada del inmovilizado material (281)   180.000

2.2.1.5.   Ingresos durante periodo de prueba de un activo

BOICAC 105, marzo 2016. Consulta 4.

Sobre el tratamiento contable de los ingresos generados durante el periodo de prueba del activo.

Respuesta

La actividad de la sociedad es la generación de energía eléctrica explotando parques eólicos de su propiedad. Para la construcción de las instalaciones, la sociedad firma contratos del tipo «llave en mano».

Al finalizar la construcción se realiza un periodo de pruebas durante el cual se producen ingresos por la venta de la energía generada. El consultante indica que las ventas de energía que se realizan durante el periodo de pruebas son imprescindibles para poner el activo en condiciones de funcionamiento.

Se consulta como contabilizar los ingresos accesorios por ventas de energía eléctrica obtenidos durante el periodo de pruebas de las instalaciones, planteando dicha contabilización, en principio, como una minoración del coste de adquisición del activo.

La Resolución de 1 de marzo de 2013, del Instituto de Contabilidad y Auditoría de Cuentas, por la que se dictan normas de registro y valoración del inmovilizado material y de las inversiones inmobiliarias, en su Norma Primera. Valoración inicial, apartado 1.6 establece:

> «6. Formarán parte del precio de adquisición o del coste de producción del inmovilizado, los gastos en los que se incurra con ocasión de las pruebas que se realicen para conseguir que el activo se encuentre en condiciones de funcionamiento y pueda participar de forma plena en el proceso productivo».

Por otro lado, en el apartado 1.8 de la misma Norma Primera se dispone:

> «8. Por el contrario, los gastos y los ingresos relacionados con las actividades accesorias que pudieran realizarse con el inmovilizado, antes o durante el periodo de fabricación o construcción, se reconocerán en la cuenta de pérdidas y ganancias de acuerdo con su naturaleza siempre que no sean imprescindibles para poner el activo en condiciones de funcionamiento».

El consultante manifiesta expresamente que las actividades realizadas en el periodo de prueba son imprescindibles para poner en condiciones operativas los activos en cuestión. Por tanto, los gastos derivados de dichas actividades formarán parte del precio de adquisición del activo.

A mayor abundamiento cabe señalar que el tratamiento contable de los ingresos generados en el periodo de prueba ha sido desarrollado en la Resolución de 14 de abril de 2015, del Instituto de Contabilidad y Auditoría de Cuentas, por la que se establecen criterios para la determinación del coste de producción, recientemente publicada en el Boletín Oficial del Estado, con fecha 23 de abril de 2015, y que, aunque su objeto sea el coste de producción, se puede aplicar analógicamente a la presente consulta sobre el precio de adquisición de un activo.

En la Norma Segunda. Coste de producción, apartado 3. a) de dicha Resolución se dispone:

> «Los gastos en los que se incurra con ocasión de las pruebas o ensayos necesarios que se realicen para conseguir que el activo se encuentre en condiciones de funcionamiento y pueda participar de forma plena en el proceso productivo. Estos gastos se minorarán en los ingresos generados

por el activo durante ese periodo. Cuando los ingresos superen los gastos, el exceso minorará el coste de producción del activo».

Comentario

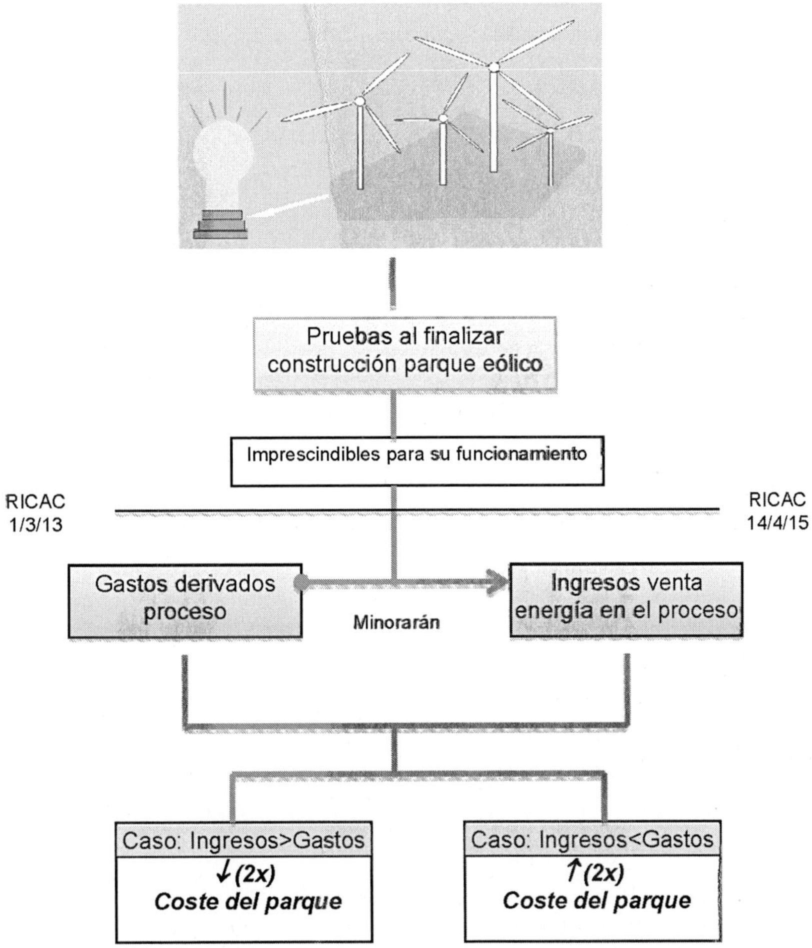

Pruebas al finalizar
construcción parque eólico

Imprescindibles para su funcionamiento

RICAC
1/3/13

RICAC
14/4/15

Gastos derivados proceso	Minorarán	Ingresos venta energía en el proceso

Caso: Ingresos>Gastos	Caso: Ingresos<Gastos
↓ *(2x)* *Coste del parque*	↑ *(2x)* *Coste del parque*

Ejemplo

La sociedad O PORRIÑO S.A., cuya actividad es la generación de energía eléctrica explotando parques eólicos de su propiedad, formalizó con la empresa CENSA S.A. un contrato de compra de un molino para la generación de energía bajo la modalidad de «llave en mano», no produciéndose la transferencia de los riesgos y beneficios inherentes a la propiedad del molino hasta la entrega material del mismo.

En enero (1/1/X1) se formaliza, indicándose en el contrato:

Precio de Venta. . . . . 1.800.000 €

Condiciones de pago:

A la firma del contrato, una entrega de:. . . . . 360.000 €

2 efectos a 31/12 del X1 y X2:. . . . . 220.000 €

Entrega 1/1/X3 y subrogación del préstamo de CAIXANOVA por. . . . . . 1.000.000 €

SE PIDE:

Contabilizar lo que proceda en la sociedad O PORRIÑO y en las siguientes fechas:

- Firma del contrato.
- Pago del efecto a 31/12/X1.
- Pago de efecto a 31/12/X2.
- Entrega del molino y subrogación del préstamo.
- A principios del X3 por las pruebas imprescindibles realizadas para poner en condiciones operativas el activo en cuestión abona los siguientes conceptos:

    * por sueldos y salarios de su personal encargado de manejar el molino 12.000 euros;

    * por combustibles y otros suministros 6.000 euros.

Además durante el periodo de pruebas se producen ingresos por la venta de la energía generada por importe de 8.000 euros.

El molino está plenamente operativo el 1/4/20X3.

En el supuesto de que los ingresos obtenidos por la venta de energía fuesen de 20.000 euros. ¿Cual sería el importe a activar?

NOTA: El tipo de IVA, para esta operación es del 21%; en tanto que el tipo de interés incremental del proveedor en el momento inicial del 6% anual.

SOLUCIÓN:

Firma del Contrato. entrega inicial

Gráficamente, y por los importes relacionados con el molino:

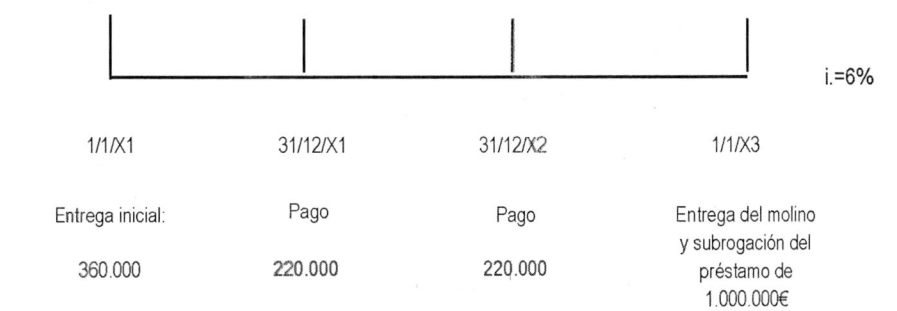

En la Introducción de la RICAC del inmovilizado material, nos comenta que si el acuerdo se califica como una entrega de bienes, los desembolsos que se vayan realizando, se contabilizarán como anticipos hasta que no se produzca la transferencia sustancial de los riesgos y beneficios del activo.

Por tanto:

	1/1/X1		
360.000	Anticipos para inmovilizaciones materiales (239)		
75.600	HP IVA soportado (472) [21% 360.000]		
	a	Bancos c/c (572)	435.600

Estas cantidades, deberán actualizarse cuando el plazo que media entre el desembolso de efectivo y el cumplimiento de entrega del inmovilizado por el proveedor, supere el año. Esto ocurre en nuestro caso, ya que el suministrador nos entrega el molino el 1/1/X3 (2 años); con lo cual cada fin de año, tendremos en cuenta esta circunstancia para «actualizar» los importes registrados en balance.

OPERACIONES A FIN DEL X1

• Pago del primer efecto:

Al igual que ocurrió a comienzos de ejercicio, consideraremos el importe como un anticipo. Por tanto:

——————————————————— 31/12/X1 ———————————————————

220.000	Anticipos para inmovilizaciones materiales (239)		
46.200	H.P. IVA soportado (472) [21%220.000]		
	a	Bancos c/c (572)	266.200

• Actualización de anticipo entregado a comienzos del ejercicio:

En la RICAC del Inmovilizado Material, en su apartado 1.3 Norma Primera, nos comenta que los ajustes que surjan por la actualización del valor del activo asociado al anticipo, darán lugar al reconocimiento de ingresos financieros, conforme se devenguen.

El tipo de interés que utilizaremos para este ajuste, nos dice la misma regulación, que será el tipo de interés incremental del proveedor existente en el momento inicial (es decir el 6%), por tanto:

Compararemos:

El anticipo entregado a 1/1/X1:. 360.000

Su valoración, a fecha 31/12/X1, será:

$360.000 \times (1,06)^1 =$. 381.600

Ajuste anticipo (↑239). 21.600

Anotándose:

——————————————————— 31/12/X1 ———————————————————

21.600	Anticipo para inmovilizaciones materiales (239)		
	a	Otros ingresos financieros (769)	21.600

Operaciones a Fin del X2

• Pago del segundo efecto:

Se registrará en la misma cuenta que venimos manejando, ya que todavía no se ha producido la entrega del molino.

────────────── 31/12/X2 ──────────────

220.000	Anticipos para inmoviliza-ciones materiales (239)		
46.200	HP IVA soportado (472)		
	[21% 220.000]		
	a	Bancos c/c (572)	266.200

• Actualización de los anticipos entregados en ejercicios anteriores:

Para el caso del anticipo entregado a 1/1/X1

Valoración anterior (31/12/X1). 381.600

Su valoración, a fecha 31/12/X1, será:

$381.600 \times (1,06)^1 =$ 404.496

Ajuste anticipo (↑239). 22.896

Y para el importe entregado a finales del X1:

Valoración anterior (31/12/X1). 220.000

Su valoración, a fecha 31/12/X2, será:

$220.000 \times (1,06)^1 =$ . . . .   <u>233.200</u>

Ajuste anticipo (↑239). 13.200

Con lo cual, y en resumen, anotaremos:

────────────── 31/12/X2 ──────────────

36.096	Anticipo para inmovilizaciones materiales (239)		
	a	Otros ingresos financieros (769)	
		[22.896 + 13.200]	36.096

Entrega del MOLINO y Subrogación del Préstamo.

Una vez que los elementos del inmovilizado se incorporen al patrimonio de la empresa, el anticipo se dará de baja [apartado 3. Norma Primera. RICAC Inmovilizado Material]:

```
————————————————————————  1/1/X3  ————————————————————————

1.857.696  Otras instalaciones (215)

   21.000  HP IVA soportado (472)
           [21% 100.000]

                                    a    Anticipo para inmovilizacio-
                                         nes materiales (239)

                                         [360.000 + 220.000 +
                                         21.600 + 220.000 +
                                         36.096]                      857.696

                                         Deudas a l/p con entidades
                                         de crédito (170)           1.000.000

                                         Bancos c/c (572)              21.000
```

• Por los gastos incurridos, en el periodo de prueba:

```
————————————————————————————  x  ————————————————————————————

12.000  Sueldos y salarios (640)

 6.000  Suministros (628)

                                    a    Bancos c/c (572)             18.000
```

• Por los ingresos obtenidos en el periodo de prueba:

```
————————————————————————————  x  ————————————————————————————

9.680  Bancos c/c (572)

                                    a    Ingresos por servicios diversos
                                         (759)                         8.000

                                         HP IVA repercutido (477)      1.680
```

• Por la activación de la diferencia entre gastos incurridos e ingresos obtenidos en el periodo de prueba:

———————————————— 1/4/X3 ————————————————

10.000   Otras instalaciones (215)

[18.000 - 8.000]

| | | a | Trabajos realizados para el inmovilizado material (731) | 10.000 |

La Resolución de 1 de marzo de 2013, del Instituto de Contabilidad y Auditoría de Cuentas, por la que se dictan normas de registro y valoración del inmovilizado material y de las inversiones inmobiliarias, en su Norma Primera. Valoración inicial, apartado 1.6 establece:

«6. Formarán parte del precio de adquisición o del coste de producción del inmovilizado, los gastos en los que se incurra con ocasión de las pruebas que se realicen para conseguir que el activo se encuentre en condiciones de funcionamiento y pueda participar de forma plena en el proceso productivo».

A mayor abundamiento cabe señalar que el tratamiento contable de los ingresos generados en el periodo de prueba ha sido desarrollado en la Resolución de 14 de abril de 2015, del Instituto de Contabilidad y Auditoría de Cuentas, por la que se establecen criterios para la determinación del coste de producción. Así, en la Norma Segunda. Coste de producción, apartado 3. a) de ésta nos comenta:

«Los gastos en los que se incurra con ocasión de las pruebas o ensayos necesarios que se realicen para conseguir que el activo se encuentre en condiciones de funcionamiento y pueda participar de forma plena en el proceso productivo. Estos gastos se minorarán en los ingresos generados por el activo durante ese periodo».

¿Qué hubiera ocurrido en el caso de que los ingresos generados durante el periodo de pruebas, sean mayores que los gastos? Aquí, anotaremos:

———————————————— 1/4/X3 ————————————————

2.000   Trabajos realizados para el inmovilizado material (731)

| | | a | Otras instalaciones (215) | |
| | | | [18.000 - 20.000] | 2.000 |

Por tanto, cuando los ingresos superen los gastos, el exceso minorará el coste de producción del activo. [RICAC Coste de Producción, apartado 3.a)]

2.2.2. Ampliaciones y Mejoras

2.2.2.1. Registro de actuaciones derivadas convenio urbanístico con un ayuntamiento

BOICAC 113, marzo 2018. Consulta 2.

Sobre el tratamiento contable de la cesión de activos y otras actuaciones como consecuencia de la suscripción de un convenio urbanístico entre una sociedad y un Ayuntamiento.

Respuesta

La sociedad propietaria de un complejo hotelero que cuenta con una parte edificada correspondiente a dos hoteles y otra destinada a piscina, jardines y zona de aparcamiento, suscribe un convenio urbanístico con un Ayuntamiento, en virtud del cual se compromete a realizar una serie de actuaciones que incluyen la cesión de terrenos a favor del Ayuntamiento una vez realizadas las obras de urbanización sobre los mismos y su conservación hasta la recepción por parte del Ayuntamiento.

Además, la sociedad se compromete a la cesión del terreno necesario para el incremento del aprovechamiento urbanístico establecido en la legislación aplicable materializada en el pago de su equivalente en metálico, así como a la renovación integral del establecimiento turístico y su conservación en las condiciones requeridas por la normativa sectorial.

La consulta versa sobre el adecuado tratamiento contable de los hechos descritos: tanto de la cesión de los terrenos propiedad de la sociedad al Ayuntamiento, como de las obras a realizar sobre los mismos y de los gastos de conservación de la urbanización, así como acerca del reflejo contable del pago en metálico realizado para cumplir con la cesión del incremento del aprovechamiento urbanístico.

La interpretación de este Instituto sobre el tratamiento contable de los gastos de urbanización incurridos por una empresa con posterioridad a su implantación e inicio de la actividad está publicada en la consulta 2 del BOICAC nº 16, de marzo de 1994, en los siguientes términos:

"Los gastos de urbanización de los terrenos propiedad de una empresa, cuya urbanización se realiza a través de una Junta de Compensación creada al efecto, serán considerados como mayor valor de los mismos con el límite del valor de mercado, de acuerdo con la norma de valoración número tres apartado a) Solares sin edificar, contenida en la quinta parte del Plan General de Contabilidad.

Para el caso concreto de una empresa instalada con anterioridad a la urbanización de un polígono industrial a través de una Junta de Compensación, los importes destinados a dicho fin podrán ser considerados como mayor valor de los terrenos propiedad de la misma, siempre que, de acuerdo con el apartado f) de la norma de valoración citada anteriormente, supongan un aumento de su capacidad, productividad o alargamiento de su vida útil. A estos efectos la Resolución de este Instituto de 30 de julio de 1991, por la que se dictan normas de valoración del inmovilizado material desarrollan los criterios contenidos en la norma de valoración citada; concretamente la norma tercera define, entre otros, los conceptos de ampliación y mejora del inmovilizado, indicando:

"1. La "ampliación" consiste en un proceso mediante el que se incorporan nuevos elementos a un inmovilizado, obteniéndose como consecuencia una mayor capacidad productiva. 2. Se entiende por "mejora" el conjunto de actividades mediante las que se produce una alteración en un elemento del inmovilizado aumentando su anterior eficiencia productiva."

Permitiendo para estos casos que el incremento de valor del activo se establezca de acuerdo con el precio de adquisición o coste de producción de la ampliación o mejora.

Si por el contrario los gastos de urbanización no produjeran un aumento de su capacidad, productividad o alargamiento de su vida útil, deberán tratarse como gastos del ejercicio."

En este mismo sentido, la Norma Segunda, apartado 2.3. Ampliación y mejora del inmovilizado material, punto 3, letra c) de la Resolución de 1 de marzo de 2013, del Instituto de Contabilidad y Auditoría de Cuentas (RICAC), por la que se dictan normas de registro y valoración del inmovilizado material y de las inversiones inmobiliarias, y publicada en desarrollo del Plan General de Contabilidad (PGC), aprobado por el Real Decreto 1514/2007, de 16 de noviembre, expresa lo siguiente:

"c) En particular, los gastos de urbanización de un terreno se contabilizarán como mayor valor del mismo si los costes en los que incurre la empresa cumplen alguno de los requisitos recogidos en la letra a), incluso cuando la empresa se hubiera instalado con anterioridad al momento en que se inicien las actuaciones."

En la letra a) se aclara que para que puedan imputarse como mayor valor del inmovilizado los costes de una ampliación o mejora, se deberán producir una o varias de las consecuencias siguientes: i) Aumento de su capacidad de producción; ii) Mejora sustancial en su productividad, o; iii) Alargamiento de la vida útil estimada del activo.

Por tanto, con carácter general, los gastos de urbanización de un terreno se contabilizarán como mayor valor del activo teniendo como límite máximo su importe recuperable. Por lo que se refiere a la cesión de solares y edificaciones realizadas por una empresa en aplicación de la normativa urbanística, la interpretación de este Instituto está publicada en la consulta 8 del BOICAC nº 15, de diciembre de 1993, en los siguientes términos:

"En relación con la segunda cuestión relativa a la parte de los solares cedidos sin contraprestación a una Administración Pública, debe imputarse como mayor coste de la construcción, sin perjuicio de que si se supera el valor de mercado de la misma, se registre la oportuna corrección valorativa.

Por otra parte, si se pacta con dicho Ente la cesión de construcciones futuras, con objeto de poder incrementar el volumen construido en determinados solares de acuerdo con las normas vigentes, provocará igualmente que el coste de las mismas se integre como un mayor valor del resto de las construcciones, teniendo en cuenta, en todo caso, que si supera el valor de mercado habrá de registrarse la oportuna corrección valorativa".

En aplicación de este criterio, el pago en metálico a que se refiere la consulta por el incremento del aprovechamiento urbanístico también se contabilizará como un mayor valor del terreno.

El resto de inversiones no relacionadas con el incremento de valor del terreno, como las obras de renovación del establecimiento turístico, se contabilizarán siguiendo los criterios regulados en la Norma Segunda, apartado 2. Actuaciones sobre el inmovilizado material de la RICAC de 1 de marzo de 2013.

Comentario

```
                    CONVENIO

    HOTEL                           AYUNTAMIENTO
```

Gastos urbanización terreno	Cesión terreno, materializada pago metálico	Resto inversiones (obras renovación establecimiento turístico)

Consulta 2/Boicac 16 ●————● *RICAC 1/3/13, Norma Segunda. Ap. 2.3*

Consulta 8/Boicac 15

Δ 210
Mayor valor terreno

Norma Segunda RICAC 1/3/13. Actuaciones sobre inmovilizado Material

Δ 210
Mayor valor terreno (cumplimiento requisito/s)

Límite máximo
Importe recuperable

Ejemplo

La sociedad "HOTELES VIP", ubicada en el polígono "A Granxa" de la localidad de O Porriño, es propietaria de un complejo hotelero que cuenta con una parte edificada correspondiente a dos hoteles y otra destinada a piscina, jardines y zona de aparcamiento, suscribe un convenio urbanístico con el Ayuntamiento de dicha localidad, en virtud del cual se compromete a realizar una serie de actuaciones que incluyen la cesión de terrenos a favor del Ayuntamiento, una vez realizadas las obras de urbanización sobre los mismos, y su conservación hasta la recepción por parte del Ayuntamiento.

Además, la sociedad se compromete a la cesión del terreno necesario para el incremento del aprovechamiento urbanístico establecido en la legislación aplicable, materializada en el pago de su equivalente en metálico, así como a la renovación integral del establecimiento turístico y su conservación en las condiciones requeridas por la normativa sectorial.

A principios del ejercicio X9, se constituye una Junta de compensación creada para la urbanización de terrenos anexos al complejo turístico. Por dicha operación, la empresa efectúa un pago de 30.000€.

En la misma fecha, y para financiar la renovación integral del complejo turístico, recibe de la XUNTA DE GALICIA un préstamo de 300.000€ a tipo de interés cero, a devolver en tres cuotas iguales de 100.000€, pagaderas a final de cada año. Los gastos directamente atribuibles a la operación, ascendieron a 324,80 € que fueron descontados del importe recibido. Tipo de interés de mercado 5% para préstamos similares. Tipo impositivo 25%.

Por otro lado, y a principios de febrero del año referenciado, se inician las obras de ampliación de los hoteles, consistentes en el incremento de una nueva planta: lo que supondrá la construcción de 100 habitaciones adicionales, así como la renovación integral del complejo turístico, pactándose con el Ayuntamiento la cesión del terreno necesario establecido en la legislación vigente y que se materializa en el pago de su importe equivalente, que asciende a 200.000€: que se pagan en metálico en dicha fecha.

A finales del ejercicio X9, y una vez finalizada la urbanización, cede al Ayuntamiento un terreno de su propiedad cuyo valor razonable es de 60.000€, según la tasación realizada por un experto independiente. El valor del citado terreno, registrado en la contabilidad de la empresa, es de 15.000€. Además se pagan gastos de conservación de la urbanización, ascendiendo su importe a 3.000€.

En la fecha referenciada, finalizan las obras de la ampliación y de la renovación integral, ascendiendo su importe a 500.000€.

SE PIDE: Registro de las operaciones relatadas en el ejercicio X9.

SOLUCIÓN:

• Por la concesión del préstamo.

Cuando la empresa reciba un préstamo a tipo de interés cero, registrará la financiación recibida como un pasivo financiero: aplicando el apartado 3.1 de la Norma 9ª Valoración, Instrumentos financieros, del PGC. Así, el pasivo financiero se valorará en el momento inicial, por su valor razonable ajustado por los costes de transacción. Posteriormente, registrará éste al coste amortizado aplicando el método del tipo de interés efectivo.

Por tanto, el valor por el que deben registrarse inicialmente los préstamos, de acuerdo con lo anterior, es su valor razonable, que para este caso particular, no coincidirá con el importe recibido.

Para calcular el valor razonable de estos préstamos que no devengan intereses, debemos acudir a una técnica de valoración como, por ejemplo, el valor actual de todos los flujos de efectivo futuros descontados (Técnica prevista para calcular el valor razonable en el punto 6º.2 del Marco Conceptual, en la primera parte del PGC).

En consecuencia, gráficamente

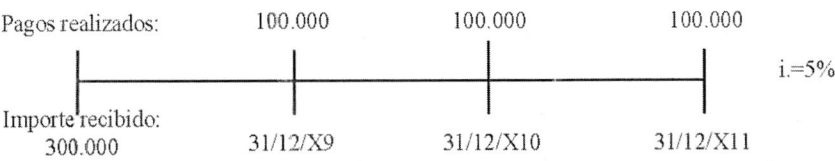

Pagos realizados: 100.000 100.000 100.000 $i.=5\%$

Importe recibido: 300.000 31/12/X9 31/12/X10 31/12/X11

Valor actual $=100.000 \ a_{3}\rceil_{0,05} = \mathbf{272.324,80}$

Al existir costes de transacción, el pasivo financiero deberá ser ajustado por dichos gastos en conformidad con lo relatado anteriormente quedando valorado en:

$$272.324,80 - 324,80 = 272.000$$

Para confeccionar el cuadro de la operación financiera y proceder al registro contable del pasivo financiero ajustado por los costes de transacción, deberemos determinar el tipo de interés efectivo de la operación, teniendo en cuenta las circunstancias relatadas. Así:

$$272.000 = 100.000 \ a_{3}\rceil_{i} : i_e = 0,005063715605$$

Cuadro de la operación financiera:

Periodo	Fecha	Pagos (1)	Intereses (2)	Amortización (3)	Pendiente amortizar (4)
0	1/1/X9				272.000
1	31/12/X9	100.000	13.773,31	86.226,69	185.773,31
2	31/12/X10	100.000	9.407,03	90.592,97	95.180,34
3	31/12/x11	100.000	4.819,66	95.180,34	—

(2) = (4)-1 x i

(3) = (1) – (2)

(4) = (4)-1 – (3)

Registrando en el momento de la concesión (1/1/X9):

	————————— X —————————		
299.675,20	Bancos c/c (572)	a	Deudas a corto plazo (521) (*)
	(300.000-324,80)		
			86.226,69
			Deudas a largo plazo (171) (*)
			(90.592,97 + 95.180,34)
			185.773,31
			Ingresos de subvenciones oficiales de capital (940)(**)
			27.675,20

(*) Nuestra sociedad encuadrará el pasivo financiero dentro de la categoría "Débitos y partidas a pagar", en la cual y para su valoración inicial en la Norma 9ª.3.1.1. de la 2ª parte del PGC nos dice que ésta será: *"(...) su valor razonable, que salvo evidencia en contrario, será el precio de la transacción, que equivaldrá al valor razonable de la contraprestación recibida ajustado por los costes de la transacción que les sean directamente atribuibles (...)".*

(**) Al tratarse de préstamos concedidos a tipo de interés cero o a tipo inferior al de mercado, se pondrá de manifiesto una subvención de tipo de interés, por diferencia entre el importe recibido y el valor razonable de la deuda determinado de acuerdo con lo dispuesto en los párrafos anteriores (valor actual de los pagos a realizar descontados al tipo de interés de mercado). Así:

Valor razonable de la deuda: 272.324,80
Importe recibido... 300.000
DIFERENCIA **27.675,20**

Dicha subvención se reconocerá inicialmente como un ingreso de patrimonio que, en principio, se imputará a la cuenta de pérdidas y ganancias de acuerdo con lo dispuesto en el apartado 1.3 de la Norma 18ª de Valoración del PGC, Subvenciones, donaciones y legados recibidos, de acuerdo con un criterio financiero.

• **Por el efecto impositivo asociado a la subvención.**

	————————— X —————————		
6.918,80	Impuesto diferido (8301)	a	Pasivo por diferencia temporaria imponible (479)
			[27.675,20 x0,25]
			6.918,80

De esta manera, y para el movimiento de la cuenta 479, en la 5ª parte del PGC, nos comenta que ésta se abonará: *"(...)a₂) Por el importe de los pasivos por dife-*

rencias temporarias imponibles que surjan en una transacción o suceso que se hubiese reconocido directamente en una partida de patrimonio neto, con cargo a la cuenta 8301"

• **Pago de los gastos de urbanización.**

	─────────────────	X	─────────────────

30.000	Terrenos y bienes naturales (210)	a	Bancos (572) 30.000

Según lo establecido en la RICAC 1/3/13, Norma Segunda, apartado 2.3, punto 3, letra c): *"(...) Los gastos de urbanización de un terreno, se contabilizarán como mayor valor del mismo si los costes en los que incurre la empresa cumplen alguno de los requisitos recogidos en la letra a), incluso cuando la*

empresa se hubiera instalado con anterioridad al momento en que se inicien las actuaciones."

En la mencionada letra a), nos comenta los requisitos que tienen que cumplirse (uno o varios) como: el aumento de su capacidad de producción, la mejora sustancial en su productividad o el alargamiento de la vida útil estimada del activo.

Con lo cual, con carácter general, los gastos de urbanización de un terreno se contabilizarán como mayor valor del activo teniendo como límite máximo su importe recuperable [Consulta 2, BOICAC 113]

• **Registro operaciones al final del ejercicio**

- Por el pago del incremento del volumen de la edificación:

	─────────────────	31/12/X9	─────────────────

200.000	Terrenos y bienes naturales (210)	a	Bancos (572) 200.000

El pago en metálico por el incremento del aprovechamiento urbanístico, también se contabilizará como un mayor valor del terreno, en base a lo establecido en la Consulta 8, Boicac 15 (diciembre, 1993), y la presente consulta (2, Boicac 113).

- Por los gastos de conservación de la urbanización:

```
──────────────────────────── 31/12/X9 ────────────────────────────

  3.000   Terrenos y bienes naturales      a      Bancos (572)
          (210)                                                        3.000
```

Registro efectuado, en base a lo establecido en la presente Consulta, quien indica como tratamiento válido lo indicado por la Consulta Nº 2 del Boicac 16 (marzo 1994), en la cual nos comenta que: *"Los gastos de urbanización de los terrenos propiedad de una empresa, cuya urbanización se realiza a través de una Junta de Compensación creada al efecto, serán considerados como mayor valor de los mismos con el límite del valor de mercado (...) Para el caso concreto de una empresa instalada con anterioridad a la urbanización de un polígono industrial a través de una Junta de Compensación, los importes destinados a dicho fin podrán ser considerados como mayor valor de los terrenos propiedad de la misma, siempre que (...), supongan un aumento de su capacidad, productividad o alargamiento de su vida útil (...)"*

- Por la cesión del terreno propiedad de la empresa sin contraprestación:

```
──────────────────────────── 31/12/X9 ────────────────────────────

 60.000   Inversión en construcciones      a      Terrenos y bienes natu-
          (221)                                    rales (210)             15.000

                                                   Beneficios procedentes
                                                   del inmovilizado mate-
                                                   rial (771)               45.000
```

Anotación efectuada, según lo establecido en la presente consulta (2, Boicac 113), en la cual nos dice que para el caso de los solares cedidos sin contraprestación a una administración pública, *"(...) debe imputarse como mayor coste de la construcción, sin perjuicio de que si supera el valor de mercado de la misma, se registre la oportuna corrección valorativa(...)"*

- Por las obras de ampliación:

```
──────────────────────────── 31/12/X9 ────────────────────────────

500.000   Inversión en construcciones      a      Bancos (572)
          (221)                                                         500.000
```

De esta manera, y en base al apartado 2.3 de la Norma Segunda de la RICAC 1/3/13, se incrementará el valor del activo en base al precio de adquisición o coste de producción de la ampliación o mejora, y esto ocurrirá si se hubieran producido una o varias circunstancias como el aumento de su capacidad de producción, la mejora sustancial en su productividad o el alargamiento de la vida útil estimada del activo.

- Por las operaciones del préstamo:

* En este periodo, y en base al método del tipo de interés efectivo, devengaremos los intereses correspondientes. Igualmente daremos de baja la parte del principal adeudado:

------- 31/12/X9 -------

86.226,29	Deudas a corto plazo (521)			
13.773,31	Intereses de deudas(662)	a	Bancos c/c (572)	100.000

Que son los dos componentes que conforman el pago del préstamo.(Ver cuadro de la operación)

* Igualmente, reclasificaremos el importe del principal que devolveremos en el siguiente ejercicio:

------- 31/12/X9 -------

90.592,07	Deudas a largo plazo (171)	a	Deudas a corto (521)	90.592,97

- Por la imputación de la subvención:

------- 31/12/X9 -------

9.225,07	Transferencia de subvenciones oficiales de capital (840) (27.675,20/3)	a	Subvenciones, donaciones y legados transferidos al resultado del ejercicio(746)	9.225,07

Para ello, seguiremos lo establecido en la Norma 18ª de Valoración del PGC, que en su apartado 1.3.c), indica que para el caso de cancelación de deudas: "(...)se imputarán como ingresos del ejercicio en que se produzca dicha cancela-

ción, salvo cuando se otorguen en relación con una financiación específica, en cuyo caso la imputación se realizará en función del elemento financiado"

-Por la reversión del impuesto diferido

──────────────────────── 31/12/X9 ────────────────────────

2.306,27	Pasivo por diferencia tempo- raria imponible (479) (9.225,07 x0,25)	a	Impuesto diferido(8301) 2.306,27

Así, y en base al movimiento de la cuenta 479 en la 5ª parte del PGC, nos indica que ésta se cargará: "*(...) b₄) Cuando se cancelen los pasivos por diferencias temporarias imponibles originados en una transacción o suceso que se hubiera reconocido directamente en una partida del patrimonio neto, con abono a la cuenta 8301"*

-Por la regularización de las cuentas de los grupos 8 y 9

──────────────────────── 31/12/X9 ────────────────────────

27.675,20	Ingresos de subvenciones oficiales de capital (940)	a	Transferencia de subvencio- nes oficiales de capital (840) 9.225,07 Impuesto diferido (8301) 4.612,53 Subvenciones oficiales de capital (130) 13.837,60

2.2.2.2.   Apartamentos turísticos cedidos explotación: mantenimiento inmovilizado

Consulta 6 BOICAC 115 – Septiembre 2018.

Sobre el tratamiento contable de una "provisión para rehabilitación de inmovilizado".

Respuesta

La entidad consultante se dedica a la explotación de los apartamentos turísticos de una comunidad de propietarios. En virtud del contrato de explotación, la comunidad de propietarios cede los apartamentos, zonas comunes, mobiliario, herramientas, utillaje, etcétera, y se acuerda que sea por cuenta de la sociedad explotadora la reparación y demás actuaciones necesarias en los activos de todo el complejo turístico, incluyendo el mobiliario, lencería y menaje.

Según se indica en el escrito de consulta, la entidad está considerando realizar al cierre del ejercicio una provisión para rehabilitación de inmovilizado al amparo de lo previsto en la norma de registro y valoración (NRV) 15ª. Provisiones y contingencias del Plan General de Contabilidad (PGC), aprobado por Real Decreto 1514/2007, de 16 de noviembre, con el objetivo de atender en el futuro las actuaciones de conservación y mantenimiento de los apartamentos y la renovación de los elementos necesarios para su explotación.

La consulta versa sobre el tratamiento contable de los hechos descritos.

Los gastos incurridos por la renovación del mobiliario, herramientas, utillaje, lencería, menaje, etcétera, se contabilizarán como inmovilizado material o como gastos del ejercicio, según proceda, siguiendo los criterios generales establecidos a tal efecto en el Plan General de Contabilidad y en la Norma segunda de la Resolución de 1 de marzo de 2013, del Instituto de Contabilidad y Auditoría de Cuentas por la que se dictan normas de registro y valoración del inmovilizado material y de las inversiones inmobiliarias.

Los gastos de conservación y reparación del complejo turístico, incluidas las zonas comunes, se contabilizarán como gastos del ejercicio siguiendo el principio de devengo.

Las actuaciones que desde la perspectiva de la comunidad de propietarios pudieran calificarse como una renovación, ampliación o mejora del complejo se contabilizarán como un inmovilizado material aplicando por analogía el criterio recogido en la norma de registro y valoración (NRV) 3ª. Normas particulares sobre el inmovilizado material, apartado h), del PGC:

> "h) En los acuerdos que, de conformidad con la norma relativa a arrendamientos y otras operaciones de naturaleza similar, deban calificarse como arrendamientos operativos, las inversiones realizadas por el arrendatario que no sean separables del activo arrendado o cedido en uso, se contabilizarán como inmovilizados materiales cuando cumplan la definición de activo. La amortización de estas inversiones se realizará en función de su vida útil que será la duración del contrato de arrendamiento o cesión – incluido el periodo de renovación cuando existan evidencias que soporten que la misma se va a producir–, cuando ésta sea inferior a la vida económica del activo."

Por lo tanto, de acuerdo con lo anterior, en ningún caso los hechos descritos originarán el reconocimiento de una provisión.

Comentario

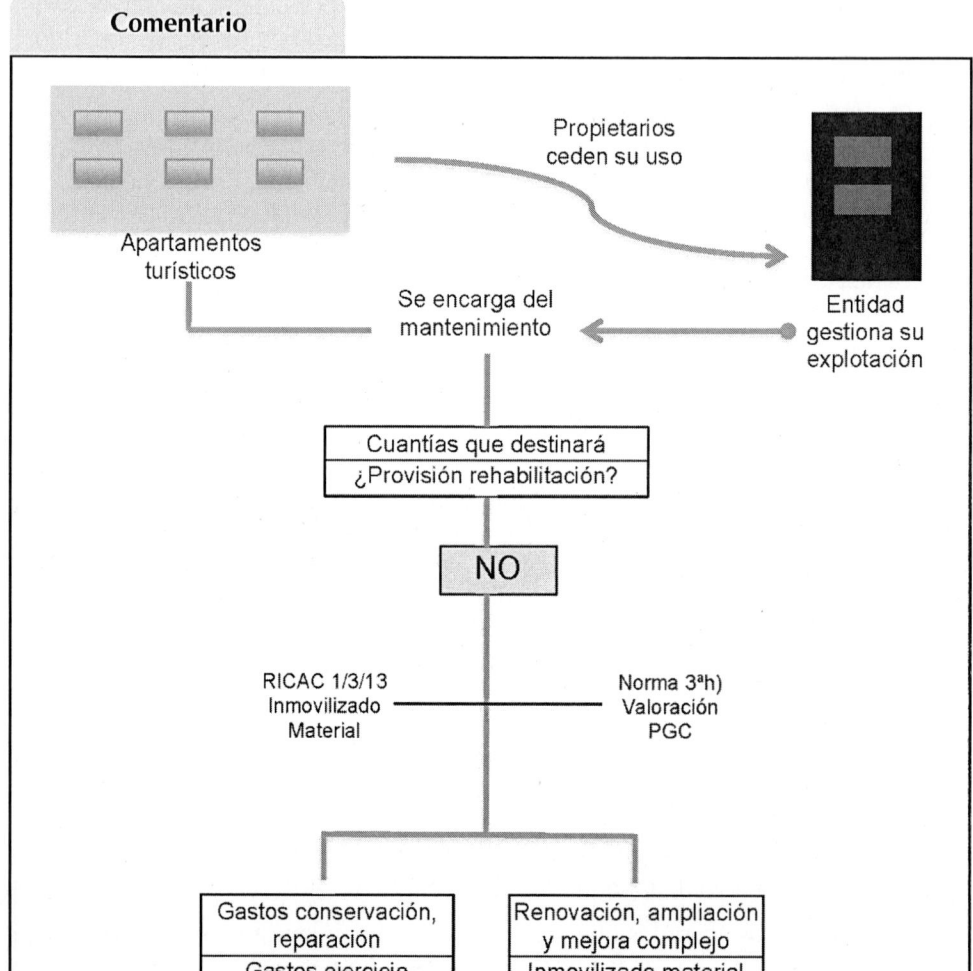

Ejemplo

El día 1 de enero del X1, la sociedad "ALFA S.A", firma un contrato con la comunidad de propietarios "SOLBELLA" para la explotación de unos apartamentos turísticos.

En virtud del mencionado contrato, la comunidad de propietarios cede los apartamentos, zonas comunes, mobiliario, herramientas, utillaje, etcétera, y se acuerda que sea por cuenta de la sociedad explotadora la reparación y demás actuaciones necesarias en los activos de todo el complejo turístico, incluyendo el mobiliario, lencería y menaje.

Según lo acordado en el contrato con el arrendador SOLBELLA, la empresa ALFA deberá satisfacer una renta mensual de 6.000€, pagaderas el primer día de cada mes, durante 15 años y el cual comenzará a pagar cuotas una vez que finalicen las obras llevadas a efecto por ALFA.

El importe al que ascendieron las obras y las inversiones ha sido el siguiente:

Cambio de suelos	20.000€
Sustitución de puertas y ventanas	40.000€
Estanterías a medida	8.000€
Renovación de sanitarios	45.000€
Instalación de aire acondicionado	60.000€
Instalación eléctrica	10.000€
Sistema de seguridad y alarmas	20.000€
Pintura	12.000€
Rótulos	5.000€
Mobiliario	60.000€
Total	280.000 €

SE PIDE: Realizar las anotaciones contables en el ejercicio X1, teniendo en cuenta que la vida económica de los rótulos y el mobiliario es de 10 años y el resto de elementos de 25 años. Sabemos también que las obras terminaron a finales de junio del X1 y el comienzo de la explotación fue en julio de ese año, produciéndose en este momento el pago de la primera cuota de arrendamiento.

Al mismo tiempo, ha pagado durante el ejercicio X1 diez mil euros por los conceptos que se detallan a continuación:

Reparaciones en la calefacción	2.000 €
Reparaciones en la fontanería	2.000 €
Reparación de goteras, averías, etc.	1.000 €
Conservación en general	5.000 €
Total	10.000 €

SOLUCIÓN:

• "ALFA", firma con la comunidad de propietarios el contrato en enero del X1, sin embargo, no será hasta julio cuando inicie el pago de la renta mensual. Por tanto existe un periodo de carencia de 6 meses (durante lo cuales debería estar pagando un total de: 6.000 x 6 meses = 36.000 €), que será considerado como un incentivo al arrendamiento, el cual y en base a la Consulta 3/Boicac 87 (septiembre, 2011) se registrará como un menor gasto en el periodo del alquiler, haciéndose un reparto lineal. Es decir, repartiremos esos 36.000 € entre los 180 meses que durará el total de los pagos (= 12 meses x 15 años). Por tanto:

$$\frac{36.000}{180} = 200$$

Anotándose, por el importe del gasto de arrendamiento del mes de enero:

1/1/X1

5.800	Arrendamientos operati- vos (621.1) [6.000-200]	a	Gastos anticipados a corto plazo (58x)[200x12]	2.400
			Gastos anticipados a largo plazo (18X)	3.400

Este asiento se repetiría los meses de febrero a junio (incluido), siendo la contrapartida del gasto la cuenta (18x)

• Por las inversiones realizadas en el local arrendado:

1/7/X1

215.000	Inversiones en activos arrenda- dos (219.1)[*]		
65.000	Mobiliario (216)[**]	a	Bancos c/c (572)	280.000

[*] Según lo establecido en el apartado h) de la Norma 3ª de Valoración del PGC cuando en aquellos "(...) acuerdos que, de conformidad con la norma relativa a arrendamientos y otras operaciones de naturaleza similar, deban calificarse como arrendamientos operativos, las inversiones realizadas por el arrendatario que no sean separables del activo arrendado o cedido en uso se contabilizarán como inmovilizados materiales cuando cumplan la definición de activo (...)"
Para este supuesto se ha considerado como inversiones realizadas que no son separables del activo arrendado todos los conceptos enumerados, con excepción del mobiliario y los rótulos.

[**] Las inversiones realizadas en el momento inicial se contabilizarán de acuerdo con la naturaleza y función que cumplan en el proceso productivo de la empresa, de conformidad con lo dispuesto en el Plan General de Contabilidad (PGC) aprobado por el Real Decreto 1514/2007, de 16 de noviembre.

• Por el pago de la cuota mensual del arrendamiento, realizado en el mes de julio:

———————————————— 1/7/X1 ————————————————

5.800	Arrendamientos operativos (621.1)			
200	Gastos anticipados a corto plazo (58x)	a	Bancos c/c (572)	6.000

————————————————————————————————————

Este mismo asiento se realizaría en los meses de agosto a diciembre incluidos.

• Por los gastos de reparaciones, que la empresa realizado durante el ejercicio X1, estaremos a lo establecido en el apartado 2.1 de la Norma Segunda de la RICAC Inmovilizado Material (1/3/13), en el cual especifica que los gastos derivados de estos procesos se imputarán a la cuenta de pérdidas y ganancias del ejercicio en que se producen. Con lo cual:

———————————————— X ————————————————

10.000	Reparaciones y Conservación (622)	a	Bancos c/c (572)	10.000

————————————————————————————————————

• Operaciones de cierre de ejercicio (31/12/X1):

- Por la amortización de los elementos, elaboraremos el siguiente cuadro:

Elemento	Valor contable	Vida económica	Cuota anual	Importe corresponde ejercicio X1 (6 meses)
Inversiones en activos arrendados	215.000	15 años[(*)]	$\dfrac{215.000}{15 \text{ años}} = 14.333,33$	$\dfrac{14.333,33}{12 \text{ meses}} \times 6 \text{ meses} = 7.167$
Mobiliario y rótulos	65.000	10 años	$\dfrac{65.000}{10 \text{ años}} = 6.500$	$\dfrac{6.500}{12 \text{ meses}} \times 6 \text{ meses} = 3.250$

(*) Nos comentan que la vida económica de estos elementos es de 25 años, sin embargo el contrato de explotación firmado con la comunidad de propietarios es de 15 años. En la mencionada Norma 3ª Valoración del PGC, comenta: "(...) La amortización de estas inversiones se realizará en función de su vida útil, que será la duración del contrato de arrendamiento o cesión –incluido el período de renovación cuando existan evidencias que soporten que la misma se va a producir-, cuando ésta sea inferior a la vida económica del activo". Lo relatado se cumple en nuestro caso, ya que 15 años (duración contrato) < 25 años (vida económica). De esta forma anotaremos:

—————————————————— 31/12/X1 ——————————————————

10.417	Amortización del inmovilizado material (681)	a	Amortización acumulada de mobiliario (281.6) 3.250
			Amortización acumulada de inversiones en activos arrendados (281.91) 7.167

- Y por la reclasificación de los pagos anticipados de 6 meses:

—————————————————— 31/12/X1 ——————————————————

1.200	Gastos anticipados a largo plazo (18X)	a	Gastos anticipados a corto plazo (58x) [200x6] 1.200

2.2.3. Permutas

2.2.3.1. Renuncia derechos explotación, a cambio de un contrato de suministros

BOICAC 91, septiembre 2012. Consulta 1.

Sobre el tratamiento contable de un determinado contrato de suministros.

Respuesta

La sociedad A era titular de los derechos de explotación minera sobre unas canteras de piedra caliza, explotación que ha venido siendo su actividad económica habitual. El emplazamiento y explotación de estas canteras suponían un grave impedimento para que, a su vez, la sociedad B, sin vinculación con la primera, pudiera explotar rentablemente otros derechos mineros colindantes.

Para poder solucionar el problema de incompatibilidad de explotación de las canteras, ambas sociedades suscribieron en octubre de 2009 un contrato de suministro de piedra caliza. Según dicho contrato, una vez se cumplan determinados hitos, la sociedad B se obliga a suministrar a la sociedad A determinadas toneladas métricas de piedra caliza durante aproximadamente 60 años, a unos precios económicamente ventajosos para esta última, pues son inferiores al coste de producción por tonelada métrica en que incurriría en la explotación de sus propias canteras. De esta forma, con los precios reducidos, la sociedad B compensa la paralización de las canteras y otras actuaciones (servidumbres de paso, informa-ción técnica, etc.) a cargo de la sociedad A.

Según se afirma en el escrito de consulta, los hitos que permiten a la sociedad A tener derecho al suministro de la piedra caliza a precios reducidos son los siguientes:

a) Compensatorio por las reservas de piedra caliza existentes en la cantera de la sociedad A al paralizar la explotación de sus canteras.

b) Compensatorio por las actuaciones de la sociedad A para facilitar la eje-cución de la explotación a la sociedad B.

Con estos antecedentes, se pregunta si procede reconocer en el ejercicio 2011, año en el que el Gobierno Regional ha acordado la caducidad de las concesiones de la sociedad A, un ingreso contable "excepcional" por el sumatorio de los importes anuales resultantes de multiplicar las toneladas métricas comprometidas en el contrato de 21 de octubre de 2009, por la diferencia positiva entre el coste de producción de la piedra caliza y el precio de adquisición a la sociedad B.

De acuerdo con el principio de devengo contenido en el Plan General de Contabilidad (PGC) aprobado por el Real Decreto 1514/2007, de 16 de noviembre (apartado 3° del Marco Conceptual recogido en la primera parte del PGC), "(...) *Los efectos de las transacciones o hechos económicos se registrarán cuando ocu-rran, imputándose al ejercicio al que las cuentas anuales se refieran, los gastos y los ingresos que afecten al mismo, con independencia de la fecha de su pago o de su cobro".*

Al amparo del citado principio, los contratos a ejecutar, salvo cuando se entrega un anticipo, carecen de trascendencia contable en los estados principales de la empresa (balance y cuenta de pérdidas y ganancias), hasta que la parte que asume la obligación de cumplimiento, el suministrador, no ejecuta dicho acuerdo mediante la entrega de los bienes, lo que desencadena, a su vez, la correlativa obligación de pago en el adquirente.

Por ello, conviene aclarar que si bien en el texto de la consulta se hace refe-rencia a dos fechas distintas, la de suscripción del contrato de suministro en octu-bre de 2009 y la del año 2011, en que la Administración competente acuerda la caducidad de las concesiones de las canteras de la sociedad A, los efectos de la transacción se registrarán cuando ocurran, esto es, cuando se cumplan los hitos que permiten a esta sociedad tener derecho al suministro de la piedra caliza, apli-cándose este mismo criterio si la contraprestación tiene una naturaleza mixta; parcialmente en efectivo y, en parte, mediante la entrega de un activo no mone-tario o la prestación de un servicio ("permuta parcial").

No obstante, como se ha indicado, si la empresa adquirente de las existencias entrega un anticipo antes de que se produzca la corriente real del contrato, en sintonía con lo dispuesto en la norma de registro y valoración (NRV) 10ª "Exis-tencias", apartado 1, del PGC, reconocerá un activo por su coste.

A mayor abundamiento, si el anticipo se materializa en la renuncia a unos derechos de explotación, aplicando por analogía los criterios establecidos para las permutas del inmovilizado material (NRV 2ª, apartado 1.3), el anticipo se valorará por el valor razonable del activo entregado, salvo que se tenga una evidencia más clara del valor razonable del activo recibido y con el límite de este último. Si el valor en libros del activo entregado es inferior a su valor razonable, la diferencia se reconocerá como 3 un ingreso en la cuenta de pérdidas y ganancias, en función de su naturaleza (norma de elaboración de las cuentas anuales 7ª, apartado 1, del PGC).

Sobre la base de estos criterios, y a la vista de los antecedentes reproducidos más arriba, cabe realizar las siguientes observaciones.

1. Desde una perspectiva económica racional, en el análisis del tratamiento contable de una operación debe asumirse la hipótesis de "equivalencia económica"; esto es, el valor razonable de lo entregado debe coincidir con el valor razonable de lo recibido.

2. El reflejo contable de esta premisa es el registro, con carácter general, de todas las transacciones por su valor razonable, incluso cuando la contraprestación es no monetaria, salvo que resultasen de aplicación los criterios establecidos en la NRV 2ª, apartado 1.4 del PGC para las permutas no comerciales.

3. La contraprestación que abona la sociedad A por el suministro de las existencias, cuyo sumatorio debería ser equivalente al valor razonable del producto recibido, esto es, el precio de mercado del suministro de piedra caliza, parece materializarse en tres conceptos:

a. El pago en efectivo, a 90 días, cuando se produzca cada una de las sucesivas entregas, por un importe inferior al valor razonable del citado producto;

b. El denominado por el consultante "acuerdo compensatorio por las reservas de piedra caliza existentes en la cantera al paralizar su explotación"; y, por otro lado,

c. El también "compensatorio por las actuaciones de la sociedad A para facilitar la ejecución de la explotación de la sociedad B (servidumbre de paso, información técnica, etc.)".

De acuerdo con la información facilitada, parece ser que los acuerdos descritos en segundo y tercer lugar compensan la diferencia entre el valor razonable del producto y el componente del precio de adquisición que se materializa en efectivo.

4. Pues bien, tal y como se ha indicado, antes de que se produzca la corriente real de la entrega de bienes, solo procederá reconocer un activo, en concepto de anticipo, y, en su caso, el correspondiente beneficio por enajenación de inmovilizado, si los denominados acuerdos "compensatorios" ponen de manifiesto la baja de un activo identificable, los derechos de explotación (segundo componente de la contraprestación), al margen de que no luzcan en su balance o lo hagan por un importe insignificante en relación con su valor razonable.

5. Cuando se inicie el suministro, la sociedad A contabilizará las existencias adquiridas por su precio de adquisición, equivalente al valor razonable de la contraprestación entregada, circunstancia que pondrá de manifiesto la baja parcial del anticipo entregado, la entrega de efectivo y, en su caso, el reconocimiento de un ingreso por los servicios prestados a la sociedad B en concepto de "servidumbre de paso", "información técnica" o cualquier otro concepto que pudiera identificarse como una transferencia de valor añadido desde la primera a la segunda a medida que se produce, a su vez, la corriente real del suministro. Aplicando el mismo razonamiento que se ha seguido respecto a la renuncia de los derechos de explotación, si los citados servicios se prestasen antes de que se produzca la corriente real del suministro la empresa deberá reconocer un mayor valor del anticipo y el correspondiente ingreso.

Comentario

Ejemplo

La sociedad "A" era titular de los derechos de explotación minera sobre unas canteras de piedra caliza, explotación que ha venido siendo su actividad económica habitual. El emplazamiento y explotación de estas canteras suponían un grave impedimento para que, a su vez, la sociedad "B", sin vinculación con la primera, pudiera explotar rentablemente otros derechos mineros colindantes.

Para poder solucionar el problema de incompatibilidad de explotación de las canteras, ambas sociedades suscribieron, en octubre de 2009, un contrato de suministro de piedra caliza. Según dicho contrato, una vez se cumplan determinados hitos, la sociedad "B "se obliga a suministrar a la sociedad A, 1.000 toneladas métricas de piedra caliza anuales durante 60 años, realizándose el suministro a finales de los meses de enero de cada año a un uno precio de 1.800 €/Tms, precio este muy ventajoso para esta última, pues es inferior al coste de producción por tonelada métrica en que incurriría en la explotación de sus propias canteras ascendiendo este 2.000 €/Tms, dato extraído de la contabilidad analítica de la sociedad "A". De esta forma, con los precios reducidos, la sociedad "B" compensa la paralización de las canteras y otras actuaciones (servidumbres de paso de maquinaria pesada, información técnica, uso de explosivos, etc.) a cargo de la sociedad "A".

Según se afirma en el contrato suscrito por las dos sociedades, los hitos que permiten a la sociedad "A" tener derecho al suministro de la piedra caliza a precios reducidos son los siguientes:

a) Compensatorio por las reservas de piedra caliza existentes en la cantera de la sociedad "A" al paralizar la explotación de sus canteras. w

b) Compensatorio por las actuaciones de la sociedad "A" para facilitar la ejecución de la explotación a la sociedad "B".

A principios del ejercicio 2011, la XUNTA DE GALICIA, ha acordado a petición de la sociedad "A" la caducidad de sus concesiones. En el activo del balance de la sociedad "A" a finales del ejercicio 2010 figuran entre otras las siguientes partidas:

- Concesiones administrativas. . . . .   1.200.000 €

- Amortización acumulada concesiones administrativas. . . . .   200.000 €

El valor razonable de las concesiones asciende a 1.500.000 €.

SE PIDE:

Registro de operaciones en las siguientes fechas y en la sociedad "A":

a) A la firma del contrato (octubre del 2009).

b) A principios del 2011, fecha en que la Administración acuerda la caducidad de las concesiones de la sociedad "A".

c) A finales de enero del 2011, fecha en la que la sociedad "A" adquiere a la sociedad "B" el cupo de toneladas anuales (1.000 Tms.), al precio de contrato 1.800 €, se pagará el importe a los 90 días. El precio de mercado de la piedra caliza en dicha fecha es de 2100 €/Tms.

d) Pago de las toneladas adquiridas a principios del mes de febrero, obteniendo un descuento por pronto pago del 1%.

e) A finales del ejercicio 2011, solamente quedan en la empresa 100 Tms de piedra caliza, las cuales han sido objeto de un contrato de venta en firme a una empresa constructora a un precio de 2.150 €/Tms. La citada mercancía será entregada a principios del mes de enero del año 2012. Los gastos que ocasionará a la empresa la citada venta son:

- Almacenamiento hasta la entrega. . . . .   50 €/Tms.

- Transporte al lugar de destino. . . . .   100 €/Tms.

SOLUCIÓN:

a) FIRMA DEL CONTRATO (octubre 2009)

De acuerdo con el principio de devengo contenido en el Plan General de Contabilidad (PGC): "(...) Los efectos de las transacciones o hechos económicos se registrarán cuando ocurran, imputándose al ejercicio al que las cuentas anuales se refieran, los gastos y los ingresos que afecten al mismo, con independencia de la fecha de su pago o de su cobro".

Al amparo del citado principio, los contratos a ejecutar, salvo cuando se entrega un anticipo, carecen de trascendencia contable en los estados principales de la empresa (balance y cuenta de pérdidas y ganancias), hasta que la parte que asume la obligación de cumplimiento, el suministrador, no ejecuta dicho acuerdo mediante la entrega de los bienes, lo que desencadena, a su vez, la correlativa obligación de pago en el adquirente. En consecuencia:

No procede registro contable.

b) LA ADMINISTRACIÓN ACUERDA LA CADUCIDAD DE LAS CONCESIONES (principios del 2011)

―――――――――――――――――――――― 1/2011 ――――――――――――――――――――――

25.000	Anticipo a proveedores (407)			
	(1.500.000 : 60) = 25.000 (**)			
1.475.000	Anticipo a proveedores a largo plazo (427) (**)			
	(25.000 x 59)			
200.000	Amortización acumulada del inmovilizado intangible (280)			
		a	Concesiones administrativas (202)	1.200.000
			Beneficios procedentes del inmovilizado intangible (770) (*)	500.000

Los efectos de la transacción se registrarán cuando ocurran, esto es, cuando se cumplan los hitos que permiten a esta sociedad tener derecho al suministro de la piedra caliza, aplicándose este mismo criterio si la contraprestación tiene una naturaleza mixta; parcialmente en efectivo y, en parte, mediante la entrega de un activo no monetario o la prestación de un servicio ("permuta parcial").

No obstante, si la empresa adquirente de las existencias entrega un anticipo antes de que se produzca la corriente real del contrato, en sintonía con lo dispuesto en la norma de registro y valoración (NRV) 10ª "Existencias", apartado 1, del PGC, reconocerá un activo por su coste.

Si el anticipo se materializa en la renuncia a unos derechos de explotación, aplicando por analogía los criterios establecidos para las permutas del inmovilizado material (NRV 2ª, apartado 1.3), el anticipo se valorará por el valor razonable del activo entregado, salvo que se tenga una evidencia más clara del valor razonable del activo recibido y con el límite de este último. En nuestro caso:

ANTICIPO = VALOR RAZONABLE DEL ACTIVO ENTREGADO (Concesión) = 1.500.000 €

(*) Si el valor en libros del activo entregado es inferior a su valor razonable, la diferencia se reconocerá como un ingreso en la cuenta de pérdidas y ganancias, en función de su naturaleza (norma de elaboración de las cuentas anuales 7ª, apartado 1, del PGC). En nuestro caso:

Valor en libros del activo entregado:

- Precio de adquisición.	1.200.000 €
- Amortización acumulada.	(200.000 €)
A) VALOR EN LIBROS.	**1.000.000 €**
B) VALOR RAZONABLE.	**1.500.000 €**

Como **A es menor que B**, la diferencia ha sido reconocida como un ingreso en función de su naturaleza.

(**) *Según los contenidos de la presente consulta ...(...)....Antes de que se produzca la corriente real de la entrega de bienes, solo procederá reconocer un activo, en concepto de anticipo, y, en su caso, el correspondiente beneficio por enajenación de inmovilizado, si los denominados acuerdos "compensatorios" ponen de manifiesto la baja de un activo identificable, (...)".*

c) COMPRA DE LAS EXISTENCIA A LA SOCIEDAD "B" (finales del 2011)

──────────────────── 1/2011 ────────────────────

2.100.000	Compras de materias primas (601)			
	(1.000Tms x 2.100) (*)			
		a	Anticipo a proveedores (407)	25.000
			(1.500.000: 60)	
			Proveedores (400)	1.800.000
			(1.000Tms x 1.800)	
			Ingresos por servicio diversos (759) (**)	275.000

Desde una perspectiva económica racional, en el análisis del tratamiento contable de una operación debe asumirse la hipótesis de "equivalencia económica"; esto es, el valor razonable de lo entregado debe coincidir con el valor razonable de lo recibido.

(*) *La sociedad A contabilizará las existencias adquiridas por su precio de adquisición, equivalente al valor razonable de la contraprestación entregada, circunstancia que pondrá de manifiesto la baja parcial del anticipo entregado, la entrega de efectivo y, en su caso, el reconocimiento de un ingreso por los servicios*

263

prestados a la sociedad B en concepto de "servidumbre de paso", "información técnica" o cualquier otro concepto que pudiera identificarse como una transferencia de valor añadido desde la primera a la segunda a medida que se produce, a su vez, la corriente real del suministro.

A) Valor razonable de las existencias: (1.000Tms x 2.100) €. 2.100.000

B) Valor razonable de la contraprestación entregada formada por:

Anticipo entregado. 25.000

+ Pago en efectivo a realizar (1.000Tms x1.800). 1.800.000

+ Importe compensatorio por los servicios prestados

a la sociedad "B" (Diferencia 2.100.000 - 1.825.000). 275.000

d) PAGO DE LAS EXISTENCIA A LA SOCIEDAD "B" (principios de febrero 2011)

———————————————————— 2/2011 ————————————————————

1.800.000	Proveedores (400)			
	(1.000 Tms x 1.800)			
		a	Descuentos sobre compras por pronto pago (606)	18.000
			(1.800.000 x 1%)	
			Bancos (572)	1.782.000

e) REGISTRO DE LAS EXISTENCIAS FINALES (cierre del ejercicio 2011)

Por las existencias finales:

———————————————————— 31/12/2011 ————————————————————

210.000	Materias primas (311)			
	(100 Tms x 2.100)			
		a	Variación de existencias de materias primas (611)	210.000

Registro del deterioro de las existencias:

Consideramos que los bienes han sido objeto de un contrato de venta en firme, cuyo cumplimiento tendrá lugar con posterioridad. Por lo que, a efectos de realizar una posible corrección valorativa, nos guiaremos por la Norma 10ª.2 de valoración PGC, que nos dice que comparemos:

- Precio venta estipulado: (100 Tms x 2.150).......... 215.000
- + Precio de Adquisición:........................ 210.000
+ Costes pendientes de realizar que sean
necesarios para la ejecución del contrato
Almacenamiento (50 x 100 Tms) 5.000
Transporte (100 x 100 Tms) 10.000
TOTAL 225.000

Corrección
valorativa
10.000
(215.000-225.000)

Efectuaremos la corrección valorativa, ya que según la citada Normativa: *"(...) el precio de venta estipulado en dicho contrato cubra como mínimo, el precio de adquisición (...) de tales bienes (...), más todos los costes pendientes de realizar que sean necesarios para la ejecución del contrato".*

———————————————— 31/12/2011 ————————————————

10.000	Pérdidas por deterioro de existencias (693)		
	a	Deterioro de valor de materias primas (391)	10.000

Reclasificación del anticipo que corresponde aplicar en el 2012.

———————————————— 31/12/2011 ————————————————

25.000	Anticipo a proveedores (407)		
	a	Anticipo a proveedores largo plazo (427)	25.000

2.2.3.2. Baja inmueble

BOICAC 91, septiembre 2012. Consulta 3

Sobre el reconocimiento contable de la baja de un inmueble, en la aportación no dineraria a una empresa del grupo.

Respuesta

Una sociedad Z, perteneciente al sector inmobiliario, realiza una aportación no dineraria de un inmueble, incluido dentro de las existencias, en la ampliación de capital que realiza la sociedad W. Ambas sociedades están controladas por la sociedad M, titular del 75 y del 60 por 100 de su capital, respectivamente. El consultante plantea dos cuestiones:

1. Valoración que debe otorgar la aportante Z a las participaciones de W recibidas.

2. Si la baja del inmueble en la sociedad Z origina el reconocimiento de un ingreso como parte integrante de su cifra de negocios.

La valoración de las participaciones recibidas en la sociedad Z será diferente en función de si el inmueble aportado constituye, o no, un "negocio" de acuerdo con la definición incluida en el apartado 1 de la norma de registro y valoración 19ª. "Combinaciones de negocios" del Plan General de Contabilidad (PGC) aprobado por el Real Decreto 1514/2007, de 16 de noviembre, según la redacción introducida por el Real Decreto 1159/2010, de 17 de septiembre.

a) Si el inmueble, a efectos contables, constituye un "negocio", sería de aplicación la norma de registro y valoración (NRV) 21.2. Operaciones entre empresas del grupo. Normas particulares, que supone, desde el punto de vista del aportante, valorar las acciones recibidas, por el <u>valor en cuentas consolidadas de lo aportado</u>, o bien, en caso de no presentar cuentas consolidadas, por el valor en cuentas individuales del aportante.

b) En el caso de que lo aportado, a efectos contables, no constituya un "negocio", el criterio de este Instituto está recogido en la consulta 9 publicada en el BOICAC número 84, de diciembre de 2010, y que remite al tratamiento de las permutas de inmovilizado. Por lo tanto, si la permuta tiene el carácter de "no comercial", situación que puede ser frecuente cuando la aportación se realice a una empresa del grupo, la inversión se reflejará en la sociedad Z <u>al valor contable</u> de la contraprestación entregada, sin que se produzca un resultado contable, considerando la doctrina de este Instituto incluida en la Consulta 6 del BOICAC nº 74.

Por el contrario, si la permuta se califica de "comercial", se dará de baja el activo aportado, y se registrarán las acciones recibidas por el valor razonable de la contraprestación entregada.

De acuerdo con lo indicado en la NRV 19ª.1, un negocio es un conjunto integrado de actividades y activos susceptibles de ser dirigidos y gestionados con el propósito de proporcionar un rendimiento, menores costes u otros beneficios económicos directamente a sus propietarios o partícipes. Cuando el patrimonio adquirido no constituye un negocio, la norma prohíbe reconocer un fondo de comercio.

El fondo de comercio es un activo que representa beneficios económicos futuros procedentes de otros activos adquiridos en una combinación de negocios, que no han podido ser identificados individualmente y reconocidos por separado, y, en consecuencia, que atribuye al patrimonio adquirido riesgos y beneficios distintos de los inherentes a los activos y pasivos que lo integran, individualmente considerados.

Por tanto, de lo anterior cabría inferir que el inmueble no debería calificarse de "negocio" si solo estuviese expuesto al riesgo y beneficio de precio o valor razonable, circunstancia que debería presumirse salvo clara evidencia de lo contrario, a la vista de la naturaleza del activo aportado.

Respecto a la segunda cuestión, para que la sociedad aportante deba reconocer un ingreso al dar de baja el inmueble, como paso previo, es necesario que lo entregado se incluya dentro de la actividad ordinaria de la empresa.

En este sentido, la Resolución de 16 de mayo de 1991, del Instituto de Contabilidad y Auditoría de Cuentas, por la que se fijan criterios generales para determinar el importe neto de la cifra de negocios, que se mantiene en vigor en todo aquello que no se oponga al PGC (Disposición transitoria quinta del Real Decreto 1514/2007, de 16 de noviembre), desarrolla este concepto como: "*aquella actividad que es realizada por la empresa regularmente y por la que obtiene ingresos de carácter periódico*".

Asimismo, la citada Resolución de 1991 señala que:

> "*Las entregas de mercancías o productos destinados a la venta y prestaciones de servicios que las empresas efectúen a cambio de activos no monetarios o como contraprestación de servicios que representan gastos para ella, formarán parte de la cifra anual de negocios y se valorarán por el precio de adquisición o coste de producción de los bienes o servicios entregados, o por el valor de mercado de lo recibido si es menor que aquel, debiéndose contabilizar como ventas o prestaciones de servicios*".

Sin embargo, en este punto es preciso considerar que la norma de registro y valoración 14ª. "Ingresos por ventas y prestaciones de servicios" del PGC recoge de forma expresa que:

> "*No se reconocerá ningún ingreso por la permuta de bienes o servicios, por operaciones de tráfico, de similar naturaleza y valor*".

Por tal motivo, en la medida que la permuta realizada por la sociedad fuera calificada de "no comercial", al constituir, en esencia, una mera reorganización jurídica del patrimonio del grupo, también debería llegarse a la conclusión de que en la operación descrita no procede reconocer cifra de negocios.

Si por el contrario, la permuta tuviera el carácter de "comercial", cabría reflejar el correspondiente ingreso.

Comentario

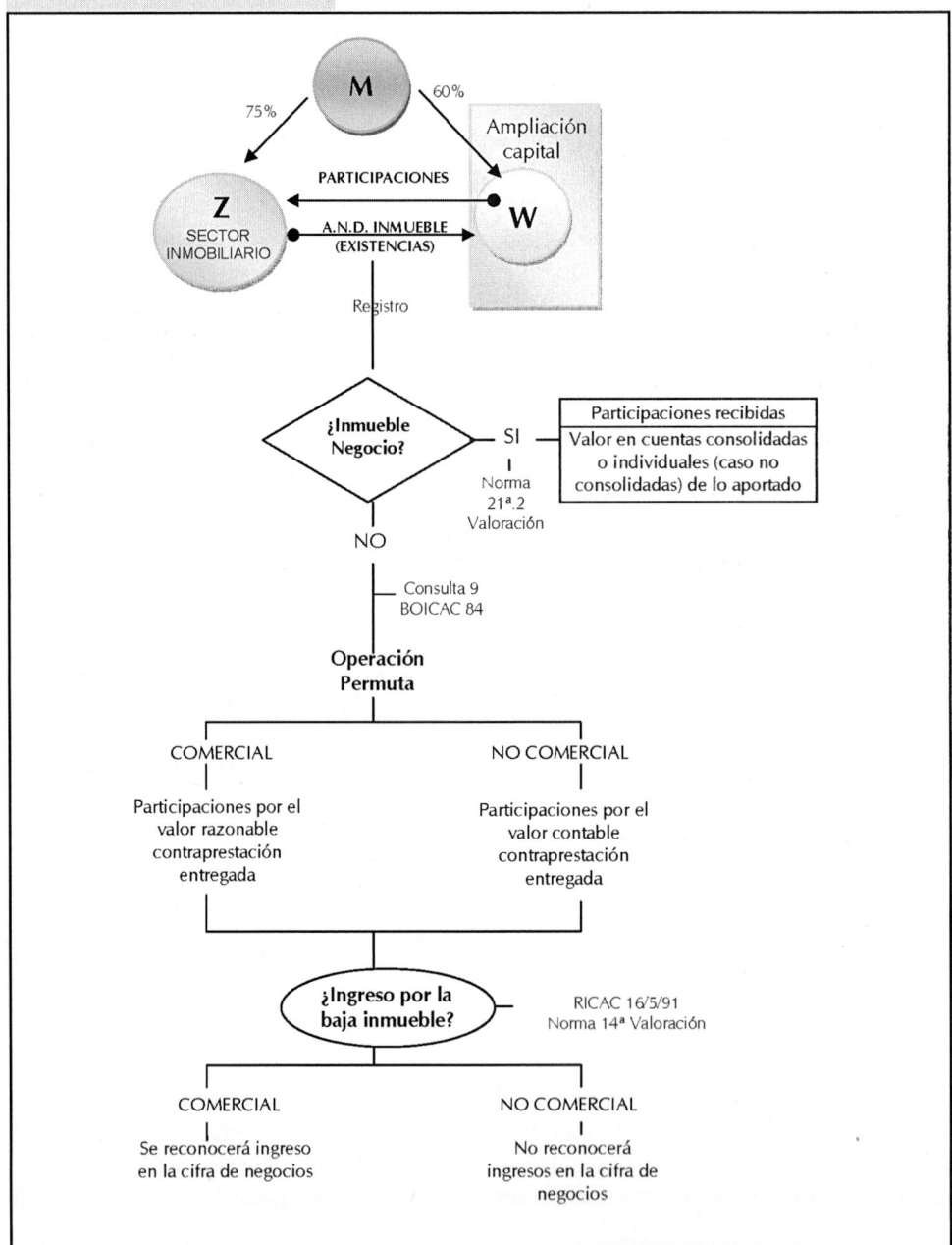

Ejemplo

La sociedad "M" que formula cuentas anuales consolidadas, es la dominante de las filiales "Z" (perteneciente al sector inmobiliario) y la sociedad "W", de las cuales posee respectivamente el 75 y el 60% del capital.

La sociedad "W" acuerda realizar una ampliación de capital cumpliendo los requisitos establecidos en la Ley de Sociedades de Capital para recibir una aportación no dineraria que realiza la sociedad "Z", la cual consiste en un inmueble; dicho bien está incluido entre sus existencias figurando registrado por el siguiente importe en las cuentas individuales de la sociedad "Z":

Edificios construidos industriales 250.000 €.

El valor por el que figura en el balance consolidado es el mismo.

Su valor razonable es de 300.000 €.

La sociedad "W" ampliará capital emitiendo 50.000 acciones a un valor de emisión de 6 € que es su valor teórico, el nominal de las acciones es de 5 €. Los gastos ocasionados ascienden a 2000 € pagados de contado. Tipo impositivo 30%.

SE PIDE:

Gráfico y registro de la operación reseñada en los siguientes supuestos:

a) El citado inmueble constituye un negocio. Registrar lo que proceda en ambas sociedades.

b) El citado inmueble no constituye un negocio. Registro en la sociedad aportante "Z".

b1.- En el supuesto de que la operación sea una permuta comercial.

b2.- En el supuesto de que la operación comentada sea una permuta no comercial.

c) Comentar si la baja del inmueble en la sociedad aportante "Z" origina el reconocimiento de un ingreso como parte integrante de la cifra de negocios.

SOLUCIÓN:

Gráfico del grupo de sociedades

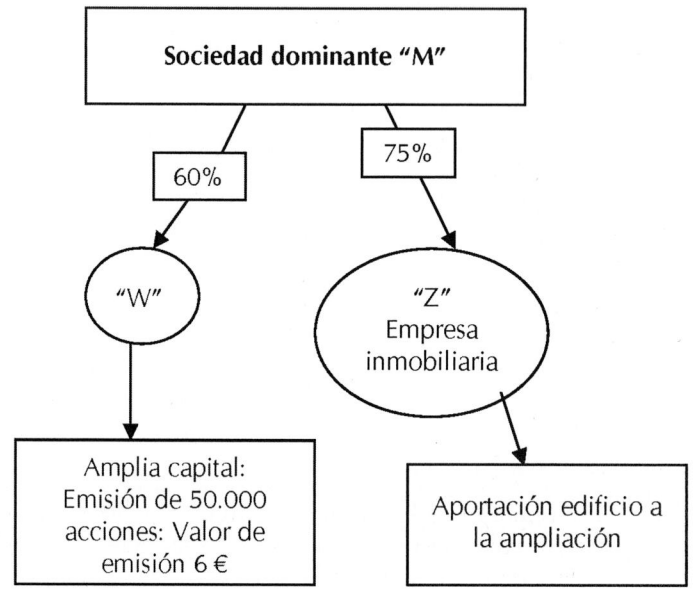

a) Registro de operaciones en ambas sociedades si el citado inmueble constituye un negocio:

Sociedad "W"

- Por la emisión de acciones:

-- x --

300.000	Acciones o participaciones emitidas (190)		
	(50.000 acciones x 6 €)		
		a Capital emitido pendiente de inscripción (194)	300.000

- Por la recepción del inmueble:

250.000	Construcciones (211)[*]			
50.000	Prima de emisión de acciones (110)[**]			
		a	Acciones o participaciones emitidas (190)	300.000

[*] Al tratarse de una operación realizada entre empresas del grupo, registraremos la operación según lo dispuesto en la NRV 21ª (Operaciones entre empresas del grupo); dentro de la citada normativa será de aplicación el apartado 2. Normas particulares, el cual resulta de aplicación cuando los elementos objeto de la transacción deban calificarse como un negocio.
Por tanto, en nuestro caso registraremos el inmueble por un importe de 250.000 € en consonancia con lo dispuesto en la citada NRV que dice en su apartado 2.1: "(…) el aportante valorará su inversión por el valor contable de los elementos patrimoniales entregados en las cuentas anuales consolidadas en la fecha en que se realiza la operación, según las Normas para la Formulación de las Cuentas Anuales Consolidadas, que desarrollan el Código de Comercio."
La sociedad adquirente los reconocerá por el mismo importe.

[**] «110. Prima de emisión o asunción (5ª parte del PGC).

Aportación realizada por los accionistas o socios en el caso de emisión y colocación de acciones o participaciones a un precio superior a su valor nominal. *En particular, incluye las diferencias que pudieran surgir entre los valores de escritura y los valores por los que deben registrarse los bienes recibidos en concepto de aportación no dineraria, de acuerdo con lo dispuesto en las normas de registro y valoración.*

- Por la inscripción en el Registro Mercantil:

300.000	Capital emitido pendiente de inscripción (194)			
		a	Capital social (100) (50.000 acciones x 5)	250.000
			Prima de emisión de acciones (110)	50.000

- Por los gastos, que registraremos directamente contra el patrimonio neto (apartado 4, Norma 9ª Valoración):

271

```
——————————————————————— x ———————————————————————

2.000   Reservas Voluntarias (113)

                        a   Bancos (572)                    2.000
```

- Por el efecto impositivo:

```
——————————————————————— x ———————————————————————

600   Impuesto diferido (6301)
      (2.000 x 30%)

                        a   Reservas Voluntarias (113)         600
```

Los gastos de transacción de instrumentos de patrimonio propio se imputarán a reservas de libre disposición. Con carácter general, se imputarán a las reservas voluntarias, registrándose del modo siguiente:

a) Se cargará por el importe de los gastos, con abono a cuentas del subgrupo 57.

b) Se abonará por el gasto por impuesto sobre beneficios relacionado con los gastos de transacción, con cargo a la cuenta 6301.

Sociedad "Z"

- Por la aportación del inmueble:

```
——————————————————————— x ———————————————————————

250.000   Participaciones en empresas del
          grupo (2403) (*)

                        a   Edificios construidos industria-
                            les (352)                    250.000
```

Según los contenidos de la presente consulta...(....)..... *si el inmueble a efectos contables, constituye un "negocio", sería de aplicación la norma de registro y valoración (NRV) 21.2. Operaciones entre empresas del grupo. Normas particu-*

lares, que supone, desde el punto de vista del aportante, valorar las acciones recibidas, por el valor en cuentas consolidadas de lo aportado, o bien, en caso de no presentar cuentas consolidadas, por el valor en cuentas individuales del aportante.

(*) Valor en cuentas consolidadas de la aportación (250.000 €).

b) Registro de operaciones en la sociedad aportante "Z" si el citado inmueble no constituye un negocio:

b1.-En el supuesto de que la operación sea una permuta comercial.

En la sociedad **aportante "Z"**

		x	
300.000	Participaciones en empresas del grupo (2403) (*)		
		a Venta de edificaciones (700)	300.000

- Al cierre de ejercicio: por la regularización de las existencias:

		x	
250.000	Variación de existencias de edificios construidos (712)		
		a Edificios construidos industriales (352)	250.000

(*) En el caso de que lo aportado, a efectos contables, no constituya un "negocio", el criterio de este Instituto está recogido en la consulta 9 publicada en el BOICAC nº 84, de diciembre de 2010, y que remite al tratamiento de las permutas de inmovilizado si la permuta se califica de "comercial", se dará de baja el activo aportado, y se registrarán las acciones recibidas por el valor razonable de la contraprestación entregada. En consecuencia:

Valor razonable de la contraprestación entregada (inmueble: 300.000 €)

Según los contenidos de la presente consulta...(...)... Si, la permuta tuviera el carácter de "comercial", cabría reflejar el correspondiente ingreso.

b2.- En el supuesto de que la operación sea una permuta no comercial.

Normalmente, la permuta tiene el carácter de "no comercial", situación que puede ser frecuente cuando la aportación se realice a una empresa del grupo, la inversión se reflejará en la sociedad Z al valor contable de la contraprestación entregada, sin que se produzca un resultado contable, considerando la doctrina de este Instituto incluida en la Consulta 6 del BOICAC nº 74.

De acuerdo con lo indicado en la NRV 19ª.1, un negocio es un conjunto integrado de actividades y activos susceptibles de ser dirigidos y gestionados con el propósito de proporcionar un rendimiento, menores costes u otros beneficios económicos directamente a sus propietarios o partícipes.

Por tanto, de lo anterior cabría inferir *que el inmueble no debería calificarse de "negocio"* si solo estuviese expuesto al riesgo y beneficio de precio o valor razonable, circunstancia que debería presumirse salvo clara evidencia de lo contrario, a la vista de la naturaleza del activo aportado.

250.000	Participaciones en empresas del grupo (2403)(*)		
		a	Edificios construidos industriales (352)(**) 250.000

(*) Valor contable de la contraprestación entregada (250.000 €)

(**) Según lo dispuesto en la presente consulta, en la medida que la permuta realizada por la sociedad fuera calificada de "no comercial", al constituir, en esencia, una mera reorganización jurídica del patrimonio del grupo, también debería llegarse a la conclusión de que en la operación descrita no procede reconocer cifra de negocios. Todo ello es consecuencia de lo dispuesto en la norma de registro y valoración 14ª. "Ingresos por ventas y prestaciones de servicios" del PGC recoge de forma expresa que:
"No se reconocerá ningún ingreso por la permuta de bienes o servicios, por operaciones de tráfico, de similar naturaleza y valor".

c) Comentar si la baja del inmueble en la sociedad aportante "Z" origina el reconocimiento de un ingreso como parte integrante de la cifra de negocios.

La norma de registro y valoración 14ª. "Ingresos por ventas y prestaciones de servicios" del PGC recoge de forma expresa que:

> *"No se reconocerá ningún ingreso por la permuta de bienes o servicios, por operaciones de tráfico, de similar naturaleza y valor".*

Por tal motivo, en la medida que la permuta realizada por la sociedad fuera calificada de "no comercial", al constituir, en esencia, una mera reorganización jurídica del patrimonio del grupo, también debería llegarse a la conclusión de que en la operación descrita no procede reconocer cifra de negocios.

> Si por el contrario, la permuta tuviera el carácter de "comercial", cabría reflejar el correspondiente ingreso.

2.2.3.3. Adquisición inmovilizados en contrapartida de otros totalmente amortizados y una cantidad monetaria insignificante

BOICAC 113, marzo 2018. Consulta 8.

Sobre el tratamiento contable de una operación de compra de elementos de inmovilizado en la que se entrega como contraprestación una cantidad monetaria y elementos de inmovilizado totalmente amortizados propiedad de la consultante.

Respuesta

La consultante ha llegado a un acuerdo con un proveedor para la compra de 3 máquinas nuevas, incluyendo en el acuerdo la recompra por parte del proveedor de 7 máquinas usadas, que están totalmente amortizadas. Las máquinas se utilizan para prestar servicios a los clientes.

El proveedor emitirá la correspondiente factura por las 3 máquinas nuevas y la consultante emitirá también una factura por las 7 usadas, por un importe que supone un 88,57% del importe facturado por las máquinas nuevas. El componente monetario entregado como parte de la contraprestación supone, en consecuencia, un 11,43 % del importe total facturado por las máquinas nuevas.

La consultante considera que la operación debe calificarse como una permuta no comercial según la norma de registro y valoración (NRV) 2ª. *Inmovilizado Material* del Plan General de Contabilidad (PGC), aprobado por el Real Decreto 1514/2007, de 16 de noviembre. Para ello argumenta que los flujos de caja que producirán las máquinas nuevas serán similares a los obtenidos con las máquinas viejas, siendo además todas las máquinas bienes de la misma naturaleza y uso para la empresa.

La cuestión planteada es si es correcto contabilizar los activos recibidos por el valor contable de los entregados (cuyo valor en libros es nulo) más la contrapartida monetaria entregada a cambio, sin registrar por lo tanto resultado alguno en la operación.

El tratamiento contable de las operaciones realizadas con el fin de recuperar la capacidad productiva de elementos del inmovilizado material a su nivel inicial, está específicamente previsto en la Resolución de 1 de marzo de 2013, del Instituto de Contabilidad y Auditoría de Cuentas (RICAC), por la que se dictan normas de registro y valoración del inmovilizado material y de las inversiones inmobiliarias.

Dentro de su Norma Segunda. Valoración posterior, apartado 2. *Actuaciones sobre el inmovilizado material*, subapartado 2.2. *Renovación del inmovilizado material* se define la renovación como el conjunto de operaciones mediante las que se recuperan las características iniciales del bien objeto de renovación. Se prevé también en la norma que en caso de entrega de un elemento sustituido dentro del proceso de renovación, a cambio de un nuevo elemento, se aplicará lo relativo a las adquisiciones de inmovilizado entregando como pago parcial otro inmovilizado, tal como se desarrolla en la Norma Tercera de la Resolución. Este parece ser el caso consultado en el que se entregan las máquinas a sustituir como pago parcial de las máquinas nuevas.

La contabilización de las operaciones de permuta se regula en el apartado 1.3 de la NRV 2ª del PGC, en los siguientes términos:

"*1.3. Permutas*

A efectos de este Plan General de Contabilidad, se entiende que un elemento del inmovilizado material se adquiere por permuta cuando se recibe a cambio de la entrega de activos no monetarios o de una combinación de éstos con activos monetarios.

En las operaciones de permuta de carácter comercial, el inmovilizado material recibido se valorará por el valor razonable del activo entregado más, en su caso, las contrapartidas monetarias que se hubieran entregado a cambio, salvo que se tenga una evidencia más clara del valor razonable del activo recibido y con el límite de este último. Las diferencias de valoración que pudieran surgir al dar de baja el elemento entregado a cambio se reconocerán en la cuenta de pérdidas y ganancias.

Se considerará que una permuta tiene carácter comercial si:

a) La configuración (riesgo, calendario e importe) de los flujos de efectivo del inmovilizado recibido difiere de la configuración de los flujos de efectivo del activo entregado; o

b) El valor actual de los flujos de efectivo después de impuestos de las actividades de la empresa afectadas por la permuta, se ve modificado como consecuencia de la operación.

Además, es necesario que cualquiera de las diferencias surgidas por las anteriores causas a) o b), resulte significativa al compararla con el valor razonable de los activos intercambiados.

Cuando la permuta no tenga carácter comercial o cuando no pueda obtenerse una estimación fiable del valor razonable de los elementos que intervienen en la operación, el inmovilizado material recibido se valorará por el valor contable del bien entregado más, en su caso, las contrapartidas monetarias que se hubieran entregado a cambio, con el límite, cuando esté disponible, del valor razonable del inmovilizado recibido si éste fuera menor."

En su desarrollo, en el apartado 2.3 de la Norma Tercera. Formas especiales de adquisición del inmovilizado material, apartado 2. *Permutas de inmovilizado material*, de la RICAC, se establece que:

"Las operaciones de permuta en que se entrega como pago parcial efectivo u otro activo monetario se presumirán comerciales, salvo que la contraprestación monetaria no sea significativa en comparación con el componente no monetario de la transacción."

Por lo tanto, en aplicación de la regla que se ha reproducido, en principio, tal vez cabría presumir que la permuta tuviese que calificarse como comercial. En tal caso, la empresa reconocería el bien recibido por el valor razonable del activo entregado más la contrapartida monetaria que se hubiera acordado, salvo que se tenga una mejor evidencia del valor razonable del activo recibido y con el límite de este último.

Sin perjuicio de lo anterior, a la vista de los hechos descritos, es preciso realizar las siguientes observaciones.

En la consulta se expone que las máquinas a entregar están totalmente amortizadas (tienen un valor contable cero), a pesar de que su valor razonable es significativo; nótese que son aceptadas por el proveedor como medio de pago por, aproximadamente, un 90% de la contrapartida a entregar a cambio de las nuevas máquinas.

Es decir, las máquinas que se dan de baja no han agotado su capacidad productiva a pesar de su total amortización, circunstancia que desde un punto de vista contable no parece correcto. Por otro lado, el tratamiento de la operación como una compra y posterior venta de maquinaria arroja durante el periodo de uso de las máquinas el reconocimiento de un gasto en la cuenta de pérdidas y ganancias que no se corresponde con el fondo económico de la operación; a saber, un gasto representativo del uso de la maquinaria en función de la vida útil y el patrón de consumo que, en principio, no debería presentar excesivas oscilaciones ni debería traer consigo un beneficio en cada fecha de renovación en caso de calificarse la permuta como comercial.

Además, de aceptarse la calificación de los hechos sugerida por la consultante como una permuta no comercial, el uso de las nuevas máquinas no tendría reflejo contable como gasto en la cuenta de pérdidas y ganancias de la consultante, circunstancia que podría perpetuare a futuro si la práctica que se describe en la consulta fuese recurrente (renovaciones periódicas entregando como pago parcial las máquinas usadas con un valor económico significativo).

En definitiva, en el caso que nos ocupa parece claro que el registro contable de los hechos en función de la calificación jurídica lleva a presentar unas magnitudes en el balance y en la cuenta de pérdidas y ganancias que no reflejan la realidad económica del acuerdo.

Para resolver estas situaciones, el artículo 34.2 del Código de Comercio expresa que en la contabilización de las operaciones se atenderá a su realidad económica y no sólo a su forma jurídica. Por ello, en cumplimiento de este principio, antes de calificar la operación como una permuta comercial o no comercial, sería preciso analizar si el fondo económico de los acuerdos alcanzados es la cesión del control del derecho de uso sobre las máquinas por un periodo inferior a su vida económica a cambio de un precio, cuyo importe se ha predeterminado por diferencia entre la contraprestación acordada a cambio de las máquinas en el momento inicial y el valor residual garantizado por el proveedor.

Pues bien, si el resultado del citado análisis confirma esta hipótesis, como parece inferirse de los términos del acuerdo, la operación debería calificarse a efectos contables como un arrendamiento operativo cuya contabilización está regulada en la NRV 8ª. *Arrendamientos y otras operaciones de naturaleza similar del PGC.*

A mayor abundamiento se informa que este Instituto ha publicado en la consulta 6 del BOICAC nº 106, de junio de 2016, una interpretación acerca del tratamiento contable de los acuerdos de arrendamiento operativo implícitos en una operación de compraventa cuando el adquirente dispone de una opción de venta al proveedor cuando finaliza un determinado periodo de uso.

Comentario

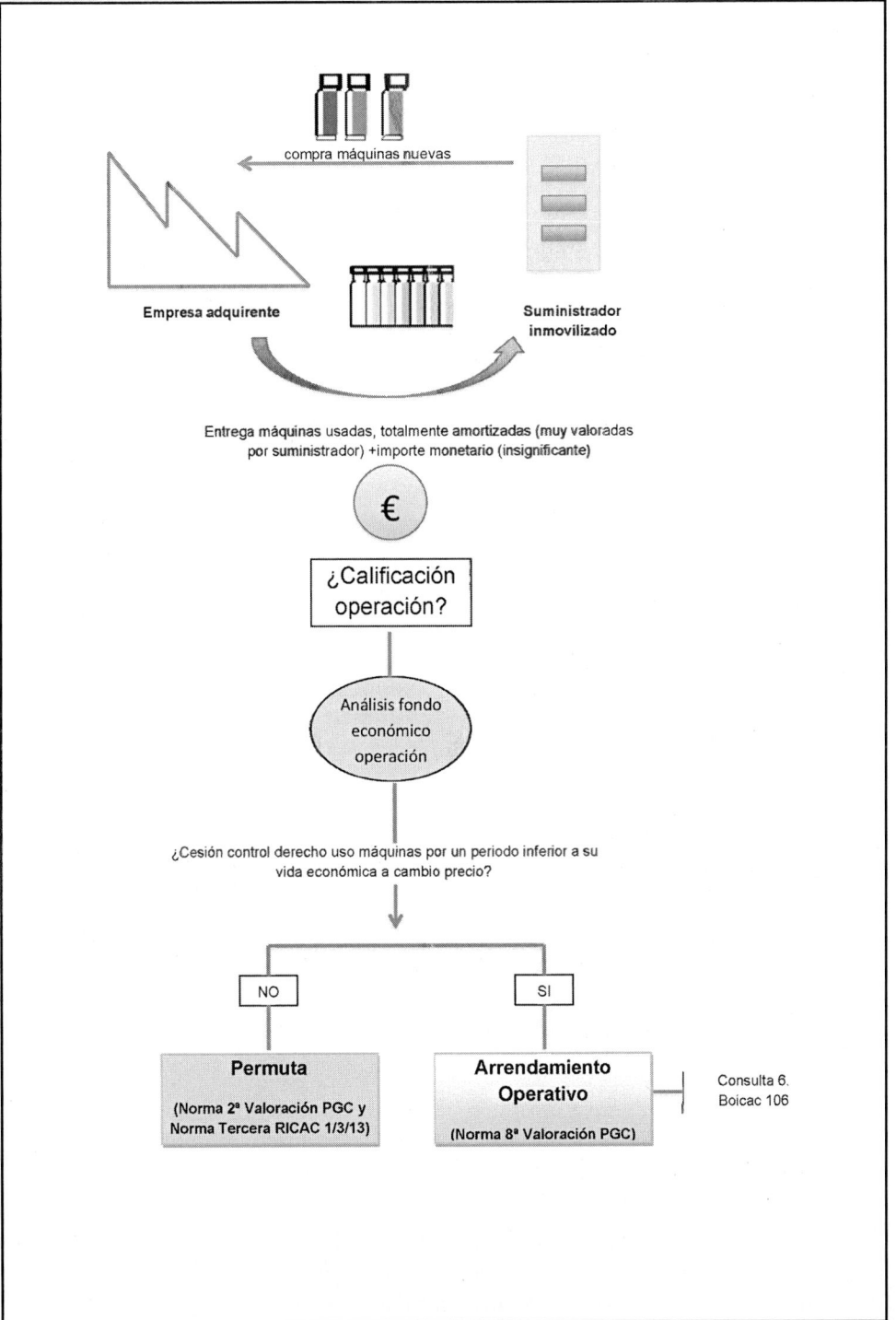

Ejemplo

La sociedad "CANGAS S.A", ha llegado a un acuerdo con un proveedor para la compra de 3 máquinas nuevas incluyendo en el acuerdo la recompra por parte del proveedor de 7 máquinas usadas, que están totalmente amortizadas: siendo su precio de adquisición de 12.000€. Las máquinas se utilizan para prestar servicios a los clientes.

El proveedor emitirá la correspondiente factura por las 3 máquinas nuevas, cuyo precio de venta es de 10.000€ y la sociedad CANGAS emitirá también una factura por las 7 usadas, por un importe de 8.857€. El componente monetario entregado como parte de la contraprestación supone, en consecuencia, 1.143€.

Se conoce que los flujos de caja que producirán las máquinas nuevas serán similares a los obtenidos con las máquinas viejas, siendo además todas las máquinas bienes de la misma naturaleza y uso para la empresa.

SE PIDE. Realizar las anotaciones correspondientes en las dos situaciones siguientes:

1.- Analizando el fondo económico de la operación se concluye que la vida útil de las máquinas viejas estaba erróneamente calculada. Así, se estimó una vida útil de 2 años, siendo la correcta de 10 años.

2.- Analizando el fondo económico de los acuerdos alcanzados, se concluye que se trata de una cesión del control del derecho de uso sobre las máquinas por un periodo de dos años, inferior a su vida económica (10 años) a cambio de un precio, cuyo importe se ha predeterminado por diferencia entre la contraprestación acordada a cambio de las máquinas en el momento inicial y el valor residual garantizado por el proveedor (10.000-8.857)= 1.143€. Supóngase la fecha del contrato 1/1/X8.

SOLUCIÓN:

SITUACIÓN 1

Se trata de un error que la empresa haya determinado la amortización en base a una vida útil de 2 años, cuando la correcta es de 10 años.

La Norma 22ª, nos comenta que: *"(…)En la subsanación de errores relativos a ejercicios anteriores, serán de aplicación las mismas reglas que para los cambios de criterios contables (…)*

Cuando se produzca un cambio de criterio contable, que sólo procederá de acuerdo con lo establecido en el principio de uniformidad, se aplicará de forma retroactiva y su efecto se calculará desde el ejercicio más antiguo para el que se disponga de información.

El ingreso o gasto correspondiente a ejercicios anteriores que se derive de dicha aplicación motivará, en el ejercicio en que se produce el cambio de criterio, el correspondiente ajuste por el efecto acumulado de las variaciones de los activos y pasivos, el cual se imputará directamente en el patrimonio neto, en concreto, en una partida de reservas"

Así, si comparamos:

Amortización que imputó la empresa. 12.000

Ejercicio 1. . .   6.000

Ejercicio 2. . .   6.000

Amortización que debería estar imputando.   2.400

$$\text{Nueva cuota} = \frac{12.000}{10} = 1.200$$

Amortización acumulada: 1.200 x 2 años = 2.400

Ajuste (disminución amortización acumulada). 9.600

Que llevaremos a patrimonio neto, a una cuenta de reservas:

9.600	Amortización acumulada del inmovilizado material (281)	
	a Reservas voluntarias (113)	9.600

Y por el efecto impositivo:

2.400	Reservas voluntarias (113) (9.600x25%)	
	a Impuestos diferidos (6301)	2.400

El tratamiento contable de las operaciones realizadas con el fin de recuperar la capacidad productiva de elementos del inmovilizado material a su nivel inicial, está específicamente previsto en la RICAC 1/3/13, sobre el inmovilizado material e inversiones inmobiliarias, la cual en su Norma Segunda, apartado 2, subapartado 2.2. Renovación del inmovilizado material se define la renovación como el conjunto de operaciones mediante las que se recuperan las características iniciales del bien objeto de renovación. Se prevé también en la norma, que en caso de entrega de un elemento sustituido dentro del proceso de renovación, a cambio de un nuevo elemento, se aplicará lo relativo a las adquisiciones de inmovilizado entregando como pago parcial otro inmovilizado, tal como se desarrolla en la Norma Tercera de la mencionada Resolución.

Así, en esta Norma, encontramos lo regulado para las permutas del Inmovilizado Material, que establece:

"*Las operaciones de permuta en que se entrega como pago parcial efectivo u otro activo monetario se presumirán comerciales, salvo que la contraprestación monetaria no sea significativa en comparación con el componente no monetario de la transacción.*"

En nuestro caso:

Contraprestación monetaria.	1.143€
Componente no monetario.	8.857€
TOTAL	10.000€

Al tener serias dudas si el componente monetario 11,43% es o no significativo, acudiremos al apartado 1.3, de la Norma 2ª de Valoración. Así, nos indica que:

"*Se considerará que una permuta tiene carácter comercial si:*

a) La configuración (riesgo, calendario e importe) de los flujos de efectivo del inmovilizado recibido difiere de la configuración de los flujos de efectivo del activo entregado; o

b) El valor actual de los flujos de efectivo después de impuestos de las actividades de la empresa afectadas por la permuta, se ve modificado como consecuencia de la operación.

Además, es necesario que cualquiera de las diferencias surgidas por las anteriores causas a) o b), resulte significativa al compararla con el valor razonable de los activos intercambiados"

El enunciado establece que, en nuestro caso, los flujos de caja que producirán las máquinas nuevas serán similares a los obtenidos con las máquinas viejas, siendo además todas las máquinas bienes de la misma naturaleza y uso para la empresa. En consecuencia se tratará como una permuta no comercial.

De esta forma, y para su valoración diremos:

RECIBIDO = VALOR CONTABLE (ENTREGADO) + Contrapartidas monetarias
(en su caso)

Límite:

Cuando esté disponible del valor razonable del recibido.

Para nuestra empresa:

$$RECIBIDO = 9.600 + 1.143 = 10.743€$$

Que en nuestro caso, supera el límite establecido (10.000 €, del valor razonable recibido), por lo que será éste último el valor que tomaremos. Anotaremos:

―――――――――――― 1/10/X11 ――――――――――――

10.000	Maquinaria recibida (213.1)	a	Maquinaría entregada (213.0)	12.000
2.400	A.A del inmovilizado material(281)		H.P. IVA repercutido (477) [21% 8.857]	1.859,57
743	Pérdidas procedentes I.M. (671)		Bancos c/c (572) (240,03 + 1.143)[*]	1.383,03
2.100	H.P. iva soportado (472) [21%10.000]			

[*]
```
IVA soportado=10.000x21%.= ............................... 2.100
IVA repercutido=8.857x21%.= ............................ 1.859,97
DIFERENCIA A PAGAR DE IVA ................................ 240,03
DIFERENCIAL MONETARIO ................................. 1.143,00
        TOTAL A PAGAR ................................... 1.383,03
```

Cuando el valor por el que se registra el bien recibido (en una permuta no comercial), en nuestro caso 10.000 €, de acuerdo con lo establecido en la Normativa (PGC y RICAC), sea inferior al valor contable del inmovilizado entregado más contraprestación monetaria (10.743 €), lo que ocurre en nuestra situación, se registrará un resultado negativo que se anotará en la cuenta 671. "Pérdidas procedentes del inmovilizado material", por la diferencia (= 10.743-10.000 = 743). [Apartado 2.6. Norma Tercera. RICAC Inmovilizado Material],

SITUACIÓN 2: Contrato de arrendamiento operativo

—————————— 1/1/x8 ——————————

1.143	Arrendamientos y cánones (621)		
	a	Bancos (572)	1.143

Realizaremos este registro, si el fondo económico de los acuerdos alcanzados, es la cesión del control del derecho de uso sobre las máquinas por un periodo inferior a su vida económica a cambio de un precio, cuyo importe se ha predeterminado por diferencia entre la contraprestación acordada a cambio de las máquinas en el momento inicial y el valor residual garantizado por el proveedor.

En nuestro caso:

$$(10.000-8.857) = 1.143€$$

Pues bien, si el resultado del citado análisis confirma esta hipótesis, como parece inferirse de los términos del acuerdo, la operación debería calificarse a efectos contables como un arrendamiento operativo cuya contabilización está regulada en la Norma 8ª de Valoración del PGC "Arrendamientos y otras operaciones de naturaleza similar". [Consulta nº 8. Boicac 113]

Y por la periodificación derivada del alquiler, que anotaremos a fin de ejercicio:

—————————— 31/12/x8 ——————————

571,50	Gastos anticipados (480)		
	a	Arrendamientos y cánones (621) (1.143/2)	571,50

2.2.4. Donaciones

2.2.4.1. *Convenio de colaboración empresarial con fundación: registro ayuda económica aportada*

BOICAC 90, julio 2012. Consulta 5.

Sobre el reflejo contable de la aportación económica realizada por una empresa a dos fundaciones con las que se ha suscrito un convenio de colaboración empresarial.

Respuesta

El apartado 1 del artículo 25 de la Ley 49/2002, de 23 de diciembre, de régimen fiscal de las entidades sin fines lucrativos y de los incentivos fiscales al mecenazgo, señala:

"Se entenderá por convenio de colaboración empresarial en actividades de interés general, a los efectos previstos en esta Ley, aquel por el cual las entidades a que se refiere el artículo 16, a cambio de una **ayuda económica** para la realización de las actividades que efectúen en cumplimiento del objeto o finalidad específica de la entidad, se comprometen por escrito a difundir, por cualquier medio, la participación del colaborador en dichas actividades.

La difusión de la participación del colaborador en el marco de los convenios de colaboración definidos en este artículo **no constituye una prestación de servicios.**

Por su parte, el Plan General de Contabilidad, aprobado por el Real Decreto 1514/2007, de 16 de noviembre, en su primera parte, Marco Conceptual de la Contabilidad, dispone que los efectos de las transacciones o hechos económicos se registrarán cuando ocurran, imputándose al ejercicio al que las cuentas anuales se refieran, los gastos y los ingresos que afecten al mismo, con independencia de la fecha de su pago o de su cobro; que los gastos son decrementos en el patrimonio neto de la empresa durante el ejercicio, ya sea en forma de salidas o disminuciones en el valor de los activos, o de reconocimiento o aumento del valor de los pasivos, siempre que no tengan su origen en distribuciones, monetarias o no, a los socios o propietarios, en su condición de tales; que los pasivos son obligaciones actuales surgidas como consecuencia de sucesos pasados, para cuya extinción la empresa espera desprenderse de recursos que puedan producir beneficios o rendimientos económicos en el futuro; y que para reconocer un pasivo en el balance ha de ser probable que, a su vencimiento y para liquidar la obligación, deban entregarse o cederse recursos que incorporen beneficios o rendimientos económicos futuros, y siempre que se puedan valorar con fiabilidad.

Pues bien, para poder otorgar un adecuado tratamiento contable a los hechos descritos y, en particular, para concluir si el importe de la ayuda comprometida debe reconocerse como un gasto en el momento inicial de la firma del convenio, o si debe periodificarse a medida que se difunda la colaboración, la cuestión a dilucidar, como paso previo, es saber cuál es la causa del desplazamiento patrimonial.

Si una vez analizado el fondo económico del convenio de colaboración pudiera llegarse a concluir que las fundaciones asumen una obligación equivalente, en términos de racionalidad económica, a la contraprestación recibida para difundir la colaboración de la entidad aportante, el acuerdo debería calificarse como la prestación de un servicio de publicidad y la imputación del gasto a la cuenta de pérdidas y ganancias debería ajustarse al principio de devengo y, en consecuencia, reconocerse a medida que se fuese incurriendo en la prestación del servicio por parte de las fundaciones.

Por el contrario, si después de realizar el citado análisis, se llegase a la conclusión que la causa que justifica el desplazamiento patrimonial no es otra que conceder una ayuda a las citadas entidades a cambio de una contraprestación simbólica, en comparación con el importe comprometido, consistente en difundir la colaboración de la consultante en las actividades desarrolladas por las fundaciones, el acuerdo suscrito, a diferencia de los contratos de patrocinio (que se rigen por la Ley General de Publicidad) no parece que encierre dos obligaciones a ejecutar por las partes, sino que su naturaleza jurídica y, en consecuencia, económica, estaría más cercana a la donación. Si así fuese, desde un punto de vista contable, en la medida que la salida de recursos sea probable, y en sintonía con las definiciones que se han reproducido más arriba, la obligación incurrida por la empresa debería llevar a reconocer, en el momento inicial, un gasto y el correspondiente pasivo por el valor actual del importe total comprometido.

Comentario

```
                    CONVENIO
                   COLABORACIÓN
                    EMPRESARIAL

     Empresa                        Fundación

              €

          Ayuda económica
          para la realización          Tipo contraprestación,
            actividades                realizada por fundación


        676. Donación
   Gasto, teniendo contrapartida pasivo por        Contraprestación
   valor actual importe total comprometido            simbólica


        627. Publicidad                         Contraprestación
   Gasto, en el momento de producirse el          equivalente,
              servicio                           económicamente
```

Ejemplo

La sociedad CIP, es una compañía que incluye entre sus valores de empresa la solidaridad. Igualmente tiene interés en la tarea altruista y de carácter benéfico-asistencial que realizan muchas entidades sin fin de lucro, habiendo realizado actos solidarios en anteriores ocasiones en beneficio de éstas.

A principios de enero del X1 ha firmado un convenio de colaboración empresarial con la fundación "PROYECTO MUJER", que es una entidad jurídico privada sin ánimo de lucro. Las condiciones más relevantes del citado contrato son:

- Aportación económica: La sociedad CIP aportará anualmente una cantidad de 4.500 € en concepto de ayuda económica, por cada año de contrato (hasta 5 años), la cual será pagadera a 31/12.

La finalidad de la aportación será promover el sostenimiento y desarrollo de las herramientas necesarias a través de los instrumentos o actividades que desarrolle la "FUNDACIÓN PROYECTO MUJER" en cumplimiento de sus fines fundacionales.

- Por su parte "La FUNDACIÓN" se compromete a difundir en folletos, revistas, carteles, memorias y en cualquier otro medio de difusión utilizado al efecto, la colaboración de "la SOCIEDAD CIP" en las actividades encaminadas al cumplimiento de sus fines fundacionales.

De esta manera, "La FUNDACIÓN" se compromete a insertar en los citados medios de difusión el logotipo y los datos identificativos de "la SOCIEDAD CIP".

- "La FUNDACIÓN" justificará la ayuda económica recibida de "CIP" mediante la emisión de certificaciones, de conformidad con lo establecido en el artículo 24 de la Ley 49/2002, de 23 de diciembre, de régimen fiscal de las entidades sin fines lucrativos y de los incentivos fiscales al mecenazgo.

Por otra parte y a principios del mes de junio ha suscrito un convenio de colaboración empresarial por el que se ha comprometido a realizar una aportación económica única de 6.200 € a la fundación "CELTA DE VIGO" para contribuir a la realización de un evento consistente en un campus de verano de fútbol-base cuya fin esencial es promover la formación humana y deportiva de niños en edades comprendidas entre los 4 y 12 años. Por su parte la fundación incluirá en los folletos que realizará para promocionar el evento el logotipo y nombre de la sociedad, así como la difusión del evento en emisoras de radio de la ciudad de Vigo. Dicha contraprestación es satisfecha en el mes de julio, fecha del inicio de la actividad.

SE PIDE:

Registro de operaciones en el ejercicio X1.

Tipo de interés para el supuesto de tener que actualizar 6%.

SOLUCIÓN:

- Por las aportaciones al Proyecto Mujer.

Gráfico de los pagos a realizar a la fundación "PROYECTO MUJER".

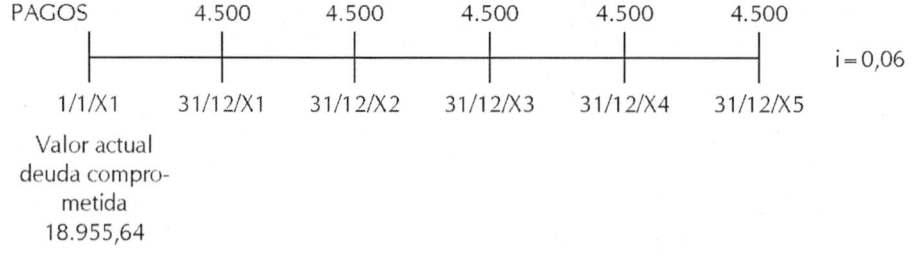

La cantidad que pagará anualmente la sociedad CIP asciende a 4.500 € durante cinco años, en consecuencia el valor actual de los citados pagos al 6% será:

$$\text{VALOR ACTUAL} = 4.500 \cdot a_{5 \rceil 0,06} \Rightarrow \text{V.A.} = 18.955,64$$

La sociedad CIP confeccionará el siguiente cuadro financiero para el seguimiento de la operación:

Periodo	Fecha	Pagos (1)	Intereses (2)	Amortización (3)	Pendiente amortizar (4)
0	1/1/X1				18.955,64
1	31/12/X1	4.500,00	1.137,34	3.362,66	15.592,98
2	31/12/X2	4.500,00	935,58	3.564,42	12.028,56
3	31/12/x3	4.500,00	721,71	3.778,29	8.250,27
4	31/12/x4	4.500,00	495,02	4.004,98	4.245,29
5	31/12/x5	4.500,00	254,72	4.245,29	——

Siendo:

(1) = Pago

(2) = $(4)_{-1} \times i$

(3) = (1) − (2)

(4) = $(4)_{-1}$ − (3)

En base a lo establecido en la presente consulta, deberemos diferenciar si la ayuda facilitada, tiene una contraprestación económica equivalente o no.

Analizado el fondo económico del convenio de colaboración puede llegarse a concluir que la fundación asume una obligación equivalente, en términos de racionalidad económica, a la contraprestación recibida para difundir la colaboración de la entidad aportante, el acuerdo debería calificarse como la prestación de un servicio de publicidad y la imputación del gasto a la cuenta de pérdidas y ganancias debería ajustarse al principio de devengo y, en consecuencia, reconocerse a medida que se fuese incurriendo en la prestación del servicio por parte de las fundaciones.

Así, nuestra sociedad encuadrará el pasivo financiero dentro de la categoría "Débitos y partidas a pagar", en la cual y para su valoración inicial en la Norma 9ª.3.1.1. de la 2ª parte del PGC nos dice que ésta será a su valor razonable. En nuestro caso, este valor razonable será el valor actual de los flujos de efectivo comprometido, ascendiendo el importe de los mismos a 18.955,64 €: (Marco

Conceptual. Criterios valoración: valor razonable, método descuento flujos efectivo estimados).

Registro de la operación:

		1/1/X1		
3.362,66	Gastos anticipados (480)			
15.592,98	Gastos anticipados largo plazo (26x))			
		a	Acreedores prestación de servicios (410)	3.362,66
			Acreedores prestación de servicios largo plazo (42x)	15.592,98

- Por las aportaciones a Fundación Celta de Vigo.

En cuanto a la aportación realizada a la FUNDACIÓN CELTA DE VIGO, según los contenidos de la presente consulta, y después de analizado el fondo de la operación observamos que es una ayuda de nuestra empresa a cambio de una contraprestación simbólica. Por tanto, su naturaleza jurídica y por tanto, económica, se sitúa más cerca de la donación.

Por tanto, registraremos:

		1/6/X1		
6.200	Donaciones efectuadas (676)	a	Deudas a c/p (521)	6.200

Y por su pago:

		1/7/X1		
6.200	Deudas a corto plazo (521)	a	Bancos (572)	6.200

- Operaciones realizadas a fin de ejercicio (31/12/X1)

• Por el pago de la primera anualidad comprometida a la FUNDACIÓN "PRO-YECTO MUJER"

————————————————————— 31/12/X1 —————————————————

3.362,66	Acreedores prestación de servicios (410)			
1.137,34	Intereses de deudas (662)	a	Bancos (572)	4.500

En el apartado 3.1.2. de la NRV 9ª, nos comenta que los pasivos financieros incluidos en esta categoría de "Débitos y partidas a pagar", valorará por su coste amortizado. Los intereses devengados se contabilizarán en la cuenta de Pérdidas y Ganancias, aplicando el tipo de interés efectivo.

• Por el reconocimiento del gasto:

————————————————————— 31/12/X1 —————————————————

3.362,66	Publicidad, propaganda y relaciones públicas (628)	a	Gastos anticipados (480)	3.362,66

Según las directrices de la presente consulta: *"(...) el gasto por servicio de publicidad se reconocerá a medida que se difunde la colaboración en virtud del principio de devengo (los hechos económicos se registran cuando ocurran, impu-tándose al ejercicio al que las cuentas anuales se refieran, los gastos y los ingresos que afecten al mismo, con independencia de la fecha de su pago o de su cobro) (...)".*

• Reclasificaciones:

————————————————————— 31/12/X1 —————————————————

3.564,42	Gastos anticipados (480)	a	Gastos anticipados largo plazo (26x)	3.564,42

31/12/X1			
3.564,42	Acreedores prestación de servicios largo plazo (42x)	a	Acreedores prestación de servicios (410) 3.564,42

2.2.4.2. Activo por usucapión: registro

BOICAC 113, marzo 2018. Consulta 6.

Sobre el registro contable de la adquisición de un activo por usucapión.

Respuesta

La consulta versa sobre el adecuado reflejo contable de la adquisición por usucapión (en virtud de una resolución judicial favorable) de una finca de naturaleza urbana sobre la que ha venido ostentando su posesión ininterrumpida por más de 35 años.

Los activos se definen en el apartado 4°. Elementos de las cuentas anuales del Marco Conceptual de la Contabilidad (MCC), incluido en la Primera parte del Plan General de Contabilidad (PGC), aprobado por Real Decreto 1514/2007, de 16 de noviembre, como sigue:

"1. Activos: bienes, derechos y otros recursos controlados económicamente por la empresa, resultantes de sucesos pasados, de los que se espera que la empresa obtenga beneficios o rendimientos económicos en el futuro."

En relación con el reconocimiento de un activo en el balance, en el apartado 5° del MCC se expresa lo siguiente:

"El registro o reconocimiento contable es el proceso por el que se incorporan al balance, la cuenta de pérdidas y ganancias o el estado de cambios en el patrimonio neto, los diferentes elementos de las cuentas anuales, de acuerdo con lo dispuesto en las normas de registro relativas a cada uno de ellos, incluidas en la segunda parte de este Plan General de Contabilidad.

El registro de los elementos procederá cuando, cumpliéndose la definición de los mismos incluida en el apartado anterior, se cumplan los criterios de probabilidad en la obtención o cesión de recursos que incorporen beneficios o rendimientos económicos y su valor pueda determinarse con un adecuado grado de fiabilidad. Cuando el valor debe estimarse, el uso de estimaciones razonables no menoscaba su fiabilidad. En particular:

1. Los activos deben reconocerse en el balance cuando sea probable la obtención a partir de los mismos de beneficios o rendimientos económicos para la empresa en el futuro, y siempre que se puedan valorar con fiabilidad. El reconocimiento contable de un activo implica también el reconocimiento simultáneo de un pasivo, la disminución de otro activo o el reconocimiento de un ingreso u otros incrementos en el patrimonio neto."

A partir de esta regulación, la calificación de activo cabría asociarla a dos requisitos constitutivos (consulta 1 del BOICAC nº 99, de septiembre de 2014):

a) La idea de control, inherente al uso o aprovechamiento del elemento a lo largo de su vida económica, así como a la facultad de disposición.

b) La idea de recuperación, consustancial con la nota de proyección económica futura.

Ambas características integran el núcleo de los riesgos y ventajas del elemento patrimonial. Con carácter general, cuando la empresa se desprende o se ve privada de alguno de los citados atributos es cuando puede concluirse que procede la baja o la corrección de valor del activo. En contraposición, no procede el registro de un activo si no se cumplen ambos requisitos.

En este sentido, el criterio publicado en la consulta nº 4 del BOICAC nº 67, de septiembre de 2006, resume todo lo indicado en los siguientes términos (a pesar de que esta consulta se elaboró en el marco del PGC de 1990):

"... con carácter general, se entiende que un bien se incorpora al patrimonio de una sociedad adquirente y, en consecuencia, debe ser dado de baja en la sociedad vendedora, cuando se produzca la transmisión de los riesgos y ventajas significativos asociados al mismo, sin perjuicio de que no se encuentre perfeccionada la transmisión jurídica, debiendo acudirse al fondo económico para otorgar el adecuado tratamiento contable a la operación."

En la Segunda parte del PGC no se regula de forma expresa la usucapión. Por ello, para dar respuesta a la cuestión planteada hay que traer a colación por analogía la interpretación publicada en la consulta 7 del BOICAC nº 99, de septiembre de 2014, sobre *el tratamiento contable de la adquisición de un inmueble y una indemnización en efectivo tras la resolución de un litigio.* Esta interpretación asimila las adquisiciones de elementos del inmovilizado sin contraprestación a las adquisiciones a título gratuito.

La Resolución de 1 de marzo de 2013, del Instituto de Contabilidad y Auditoría de Cuentas, por la que se dictan normas de registro y valoración del inmovilizado material y de las inversiones inmobiliarias, regula el criterio a seguir para contabilizar las adquisiciones a título gratuito en el apartado 1 de la Norma Tercera. *Formas especiales de adquisición del inmovilizado material:*

"1. El inmovilizado material adquirido sin contraprestación se reconocerá por su valor razonable, de acuerdo con lo previsto en la norma de

registro y valoración sobre subvenciones, donaciones y legados recibidos del Plan General de Contabilidad."

En concreto, la norma de registro y valoración (NRV) 18ª. Subvenciones, donaciones y legados recibidos del PGC, establece que las subvenciones, donaciones y legados no reintegrables se contabilizarán inicialmente, con carácter general, como ingresos directamente imputados al patrimonio neto y se reconocerán en la cuenta de pérdidas y ganancias como ingresos sobre una base sistemática y racional de forma correlacionada con los gastos derivados de la subvención, donación o legado, de acuerdo con los criterios que se detallan en el apartado 1.3 de esa norma.

En aplicación de esta NRV 18ª, y sobre la base de los antecedentes que se han reproducido, cabría concluir que la fecha relevante para reconocer una adquisición a título gratuito o sin contraprestación sería la fecha de efectiva incorporación del activo al patrimonio de la empresa, porque en tal fecha se haya producido la efectiva transmisión de los riesgos y ventajas significativos asociados a ese activo.

La usucapión es una forma de adquirir la propiedad mediante la posesión de buena fe y con justo título de un activo durante el plazo determinado por la Ley. Hasta que no se cumplen estas condiciones, a pesar de que el poseedor del activo pueda obtener los frutos que produzca la cosa, también está expuesto a la acción de reivindicación del dueño legítimo y, en consecuencia, desde una perspectiva contable, a esa posesión además de singular cabría calificarla como contingente. En estos casos, al desenlace de la incertidumbre y a la correspondiente seguridad jurídica solo se llega mediante la oportuna Sentencia judicial

En consecuencia, en relación con el fondo de la cuestión que se plantea, este Instituto opina que el activo debería reconocerse por su valor razonable en la fecha en que se dicte la Sentencia. La contrapartida del reconocimiento del activo será, de acuerdo con el tratamiento asimilable a una donación, un ingreso directamente imputado al patrimonio neto, pudiendo emplearse a tal efecto la cuenta 131. Donaciones y legados de capital.

Comentario

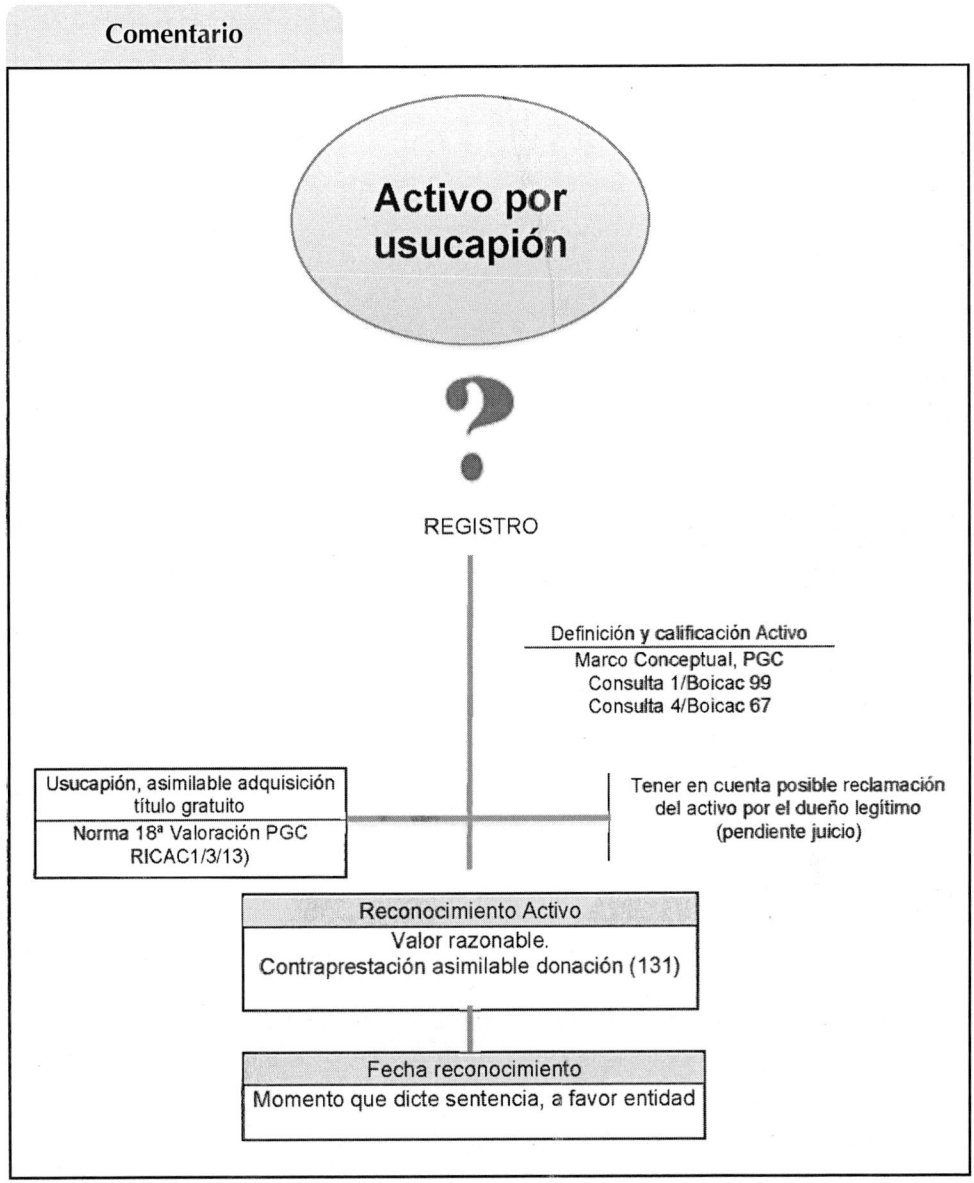

Activo por usucapión

?

REGISTRO

Definición y calificación Activo
Marco Conceptual, PGC
Consulta 1/Boicac 99
Consulta 4/Boicac 67

Usucapión, asimilable adquisición título gratuito
Norma 18ª Valoración PGC
RICAC1/3/13)

Tener en cuenta posible reclamación del activo por el dueño legítimo (pendiente juicio)

Reconocimiento Activo
Valor razonable.
Contraprestación asimilable donación (131)

Fecha reconocimiento
Momento que dicte sentencia, a favor entidad

Ejemplo

"MIÑO S.A.", ha obtenido un resultado antes de impuestos en el X16 de 90.000 €. Entre las operaciones realizadas en el ejercicio, sabemos que ésta adquiere, a principios del mes de julio, por usucapión (en virtud de una resolución judicial favorable) una finca de naturaleza urbana sobre la que ha venido ostentando su posesión ininterrumpida por más de 35 años. La oportuna Sentencia judicial, se dicta el 31/7/X16 y su valor razonable en dicha fecha es de 21.000€.

A fecha de cierre de ejercicio su importe recuperable es de 20.000€, registrando la empresa el oportuno deterioro.

SE PIDE: Anotaciones contables correspondientes a las relacionadas con la adquisición de la finca, así como el impuesto: sabiendo que las retenciones y pagos a cuenta efectuadas, han ascendido a 10.000 € y el tipo impositivo es del 25%.

SOLUCIÓN:

• Cuando la empresa recibe la sentencia judicial, anotará:

—————————————————— 31/7/X16 ——————————————————

| 21.000 | Terrenos y bienes naturales (210) | a | Ingresos de donaciones y legados de capital (941) | 21.000 |

La Consulta estudiada (6, Boicac 113), nos comenta: "(...) *La usucapión es una forma de adquirir la propiedad mediante la posesión de buena fe y con justo título de un activo, durante el plazo determinado por la Ley. Hasta que no se cumplen estas condiciones, a pesar de que el poseedor del activo pueda obtener los frutos que produzca la cosa, también está expuesto a la acción de reivindicación del dueño legítimo y, en consecuencia, desde una perspectiva contable, a esa posesión además de singular cabría calificarla como contingente. En estos casos, al desenlace de la incertidumbre y a la correspondiente seguridad jurídica solo se llega mediante la oportuna Sentencia judicial.*

En consecuencia, en relación con el fondo de la cuestión que se plantea,(...) el activo debería reconocerse por su valor razonable en la fecha en que se dicte la Sentencia (...)"

De igual forma, para su registro, nos guiaremos por la Norma 18ª de Valoración del PGC, la cual en su apartado 1.1, nos indica que: *"Las subvenciones, donaciones y legados no reintegrables se contabilizarán inicialmente, con carácter general, como ingresos directamente imputables al patrimonio neto (...)".*

Su valoración, tal y como nos comenta el ICAC en esta Consulta, en base a esta Norma 18ª y la RICAC 1/3/13, será por el valor razonable del bien recibido.

• A cierre de ejercicio, y para comprobar si existe un posible deterioro del activo, compararemos:

Valor contable	21.000
Importe recuperable	20.000
Deterioro.	1.000

Se producirá una pérdida por deterioro del valor de un elemento del inmovilizado material cuando su valor contable supere a su importe recuperable, entendido éste como el mayor importe entre su valor razonable menos los costes de venta y su valor en uso. [Apartado 2.2 de la Norma 2ª Valoración PGC].

Anotándose:

—————————————————— 31/12/X16 ——————————————————

1.000	Pérdidas por deterioro del inmovilizado material (691)	a	Terrenos y bienes naturales (210) **1.000**

Se considerarán en todo caso de naturaleza irreversible las correcciones valorativas por deterioro de los elementos en la parte en que éstos hayan sido financiados gratuitamente. [Apartado 1.3 de la Norma 18ª de Valoración PGC].

Al mismo tiempo, imputaremos la donación al resultado del ejercicio:

—————————————————— 31/12/X16 ——————————————————

1.000	Transferencia de donaciones y legados de capital (841)	a	Subvenciones, donaciones y legados transferidos al resultado del ejercicio (746) 1.000

De esta forma, el apartado 1.3 de la Norma 18ª de Valoración, nos comenta que a los efectos de imputar a resultados la donación de un activo de inmovilizado material: *"(...)se imputarán como ingresos del ejercicio en proporción a la dotación a la amortización efectuada en ese periodo para los citados elementos o, en su caso, cuando se produzca su enajenación, corrección valorativa por deterioro (como es nuestro caso) o baja en balance"*

• Por el efecto impositivo. Fiscalmente el tratamiento de esta operación (Art 17.4.a y 17.5 del LIS):

Art. 17.4.a LIS

La LIS, obliga a valorar las adquisiciones a título lucrativo, por su valor de mercado.

Entendido éste como: *"el que hubiera sido acordado por personas o entidades independientes (...)"* admitiéndose una serie de métodos (art 18.1 y 4).

Art. 17.5 LIS

En la adquisición a título lucrativo, la entidad adquirente integrará en su base imponible el valor de mercado del elemento patrimonial adquirido.

De tal manera, que en cuanto a la valoración, no existirá diferencia al entender que el valor razonable es un "valor de mercado". Si que existirán divergencias a la hora de la imputación a resultados, de tal manera que:

Contablemente	Iremos imputando en función de la depreciación
Fiscalmente	El importe del bien, se integrará en la base imponible en el momento de recibirlo

Por lo que dará lugar a ajustes en el impuesto corriente. En nuestro caso:

Ejercicio	Ingreso contable	Ingreso fiscal	Diferencia No temporaria[1]
X16	1.000	21.000	+20.000

[1] NOTA: En la Norma 15ª.2 de Valoración. Nos comenta, que las diferencias temporarias se producen: *"(...) b) En otros casos, tales como los derivados de los ingresos y gastos registrados directamente en el patrimonio neto, que no se computan en la base imponible, (...)"*.

En nuestro caso, este ingreso registrado directamente en el patrimonio neto, SI se computa en la base imponible (art. 17.5 LIS), por lo que no nos encontramos ante "diferencias temporarias"

Provocando una mayor deuda por impuesto corriente

Resultado Contable = ...   90.000

± Ajustes :

(+)Diferencia por Donación. . . . .   +20.000

= *Resultado Fiscal* 110.000

- Compensación Bases Imponibles Negativas   0

= *Base Imponible* 110.000

x tipo impositivo   x0,25

= Cuota íntegra	27.500
- Deducciones y Bonificaciones	0
= **Cuota líquida = Impuesto Corriente (6300)**	**27.500**
- Retenciones y pagos a cuenta (473)	(10.000)
A PAGAR:	17.500

Registrándose:

———————————————— 31/12/X16 ————————————————

22.500	Impuesto corriente (6300)	a	H.P. retenciones y pagos a cuenta (473)	10.000
5.000	Impuesto diferido (8301) [20.000x25%]		H.P. acreedora por impuesto sociedades (4752)	17.500

Y por la regularización de las cuentas de los grupos 8 y 9.

———————————————— 31/12/X16 ————————————————

21.000	Impuesto corriente (6300)	a	Transferencia de donaciones y legados de capital (841)	1.000
			Impuesto diferido (8301)	5.000
			Donaciones y legados capital (131)	15.000

2.2.5. Correcciones valorativas

2.2.5.1. *Valor en uso: caso activo subvencionado*

BOICAC 86, junio 2011. Consulta 1.

Sobre la determinación del valor en uso de un activo que se ha financiado parcialmente con una subvención.

Respuesta

Cuando una empresa identifica un indicio de deterioro en un activo debe calcular su valor razonable menos los costes de venta y el valor en uso o cantidad que puede recuperar si lo emplea en el curso ordinario de sus operaciones, considerando el valor temporal del dinero y los riesgos específicos del elemento patrimonial. El activo estará deteriorado si la mayor de estas dos cantidades es inferior a su valor en libros.

El valor en uso de un activo o de una unidad generadora de efectivo se define en el apartado 6º "Criterios de valoración" del Marco Conceptual de la Contabilidad, incluido en la primera parte del Plan General de Contabilidad (PGC), aprobado por el Real Decreto 1514/2007, de 16 de noviembre, como sigue:

> *"(...) es el valor actual de los flujos de efectivo futuros esperados, a través de su utilización en el curso normal del negocio, y en su caso, de su enajenación u otra forma de disposición, teniendo en cuenta su estado actual y actualizados a un tipo de interés de mercado sin riesgo, ajustado por los riesgos específicos del activo que no hayan ajustado las estimaciones de efectivo futuros (...)".*

Si el activo está subvencionado, para otorgar un adecuado tratamiento contable al flujo de efectivo que origina la subvención y que se aplica en la adquisición del activo, es preciso considerar las siguientes circunstancias.

La recuperación del valor en libros del activo en forma de flujos de efectivo a través de la venta de bienes o la prestación de servicios, previsiblemente carezca de relevancia desde la perspectiva del plan de negocios de la empresa, en la medida en que dichos costes han sido subvencionados y, en consecuencia, puede afirmarse que se han recuperado en el mismo momento en que se incurren.

Por otro lado, si el cálculo del valor en uso desconociese el efecto que origina la subvención, la incorporación del activo al patrimonio de la empresa previsiblemente vendría acompañada, ante la ausencia de un valor razonable, de la simultánea corrección valorativa y la correspondiente imputación de la subvención a la cuenta de pérdidas y ganancias, mostrándose en el balance de la entidad un efecto similar al que se derivaría de una prestación compensada del activo y la subvención, y contrario por tanto al criterio seguido por el PGC al considerar que el ingreso que pone de manifiesto la subvención recibida debe tener plenos efectos económicos.

Al amparo de estos argumentos, la subvención pendiente de imputar a la cuenta de pérdidas y ganancias vinculada a un activo subvencionado, se calificará como un componente más del valor en uso del activo para determinar si existe una pérdida por deterioro.

Sin perjuicio de lo anterior, en el supuesto de que la empresa se viera obligada a reembolsar la subvención, esta circunstancia debería ser considerada como un indicio de deterioro de valor.

Comentario

DETERIORO ACTIVO FINANCIADO PARCIALMENTE SUBVENCIÓN	¿Cálculo valor en uso?	Se tendrá en cuenta el efecto de la subvención en los flujos de efectivo
	Caso reembolso subvención	
	Será un indicio de deterioro	

Ejemplo 1: CASO PGC

La sociedad anónima "20 de abril" adquirió el 1 de enero del X0 una máquina por 150.000 €.

A dicha fecha solicitó una subvención a la XUNTA DE GALICIA para financiar ésta. El 1/10/X0, recibió comunicación del citado acuerdo de la concesión por un importe de 81.000 €, cantidad que fue recibida en el mes siguiente.

La vida útil del elemento adquirido se estima en 12 años, amortizándose en cuotas constantes sin valor residual.

Al comienzo del año X2, la empresa arrienda la máquina a la sociedad RANA S.A., por 5 años conviniendo un canon anual de 10.400 € a 31 de diciembre. Los costes directos del contrato imputables al arrendador ascendieron a 2.000 € satisfechos al contado. Al final del contrato de arrendamiento se estima que la máquina objeto del mismo podría ser enajenada por 55.000 €.

En el momento de formalizar el acuerdo de arrendamiento el valor razonable menos su coste de venta del citado elemento es de 130.000 €, a 31/12/X2 el importe es de 110.000 €. En el ejercicio X1 no existe deterioro de valor de la máquina.

SE PIDE:

A) Contabilizar, lo que proceda en la sociedad "20 de abril", las operaciones que se derivan del enunciado hasta el 31/12/X2, evaluando el rendimiento de este tipo de activos a un tipo de interés del 5% anual el cual coincide con el tipo de interés de los bonos del Estado a 5 años.

B) En el supuesto de que la Administración a fecha 1/7/X2 exigiese el reintegro de la subvención por incumplimiento del acuerdo de concesión y por un importe de 70.000 €, registrar lo que proceda a dicha fecha y a 31/12/X2.

NOTA: Tipo impositivo 30%. IVA 21%.

SOLUCIÓN:

Contabilización OPERACIONES DEL X0

A) Contabilización operaciones sociedad "20 abril" hasta 31/12/X2

Contabilización operaciones ejercicio X0

• Adquisición de la máquina:

―――――――――――――――――― 1/1/X0 ――――――――――――――――――

150.000	Maquinaria (213)	
31.500	HP IVA soportado (472)	
	a Bancos (572)	181.500

• Concesión de la subvención:

―――――――――――――――――― 1/10/X0 ――――――――――――――――――

81.000	HP deudor por subvenciones concedidas (4708)	
	a Ingresos de subvenciones oficiales de capital (940)	81.000

Las subvenciones, donaciones y legados no reintegrables se contabilizarán inicialmente, con carácter general, como ingresos directamente imputados al patrimonio neto [Norma 18ª Valoración PGC, apartado 1.1].

Y por el efecto impositivo:

———————————————— 1/10/X0 ————————————————

24.300	Impuesto diferido (8301)		
	(81.000 x 0,30)		
		a	Pasivo por diferencia temporaria imponible (479)
			24.300

En el momento de la concesión de la subvención y de acuerdo con lo establecido en la Consulta nº 11 del BOICAC 75 comprobamos:

A) Valor contable de la máquina a (1/10/X0 fecha de concesión). 140.625

- Precio de adquisición. 150.000

- Amortización acumulada. . . . .   (9.375)

$$\text{Cuota anual} = \frac{150.000}{12} = 12.500$$

$$\text{Amortización X0 (9 meses)} = \frac{12.500}{12} \times 9 = 9.375$$

B) Importe de la subvención. 81.000

Como A > B y según los contenidos de la consulta referenciada. *"(...) Si la subvención financia parte de un activo, y en el momento de registro de la subvención como ingreso de patrimonio neto, el valor contable del activo fuese superior al importe concedido, se aplicará el criterio general de imputar en la cuenta de pérdidas y ganancias la citada subvención, donación o legado, en proporción a la dotación a la amortización efectuada en ese periodo para el activo financiado, desde el momento del registro, es decir, prospectivamente (...)"*.

En este caso no procederá hacer imputaciones en función de la amortización de años previos, en tanto la subvención, donación o legado se ha debido registrar como un ingreso en un momento posterior de acuerdo con los criterios contables (en consecuencia, no se trata de un error ni de un cambio de criterio contable) y admite ser correlacionada con la imputación a la cuenta de pérdidas y ganancias del valor contable del activo a partir del momento en que, de acuerdo con la norma de registro y valoración 18ª del Plan General de Contabilidad, procede su registro como ingreso de patrimonio neto.

En consecuencia con lo anterior, imputaremos la subvención desde el momento de la concesión (1/10/X0) hasta la finalización de la vida útil, en nuestro caso por un periodo de 12 años menos 9 meses; es decir 135 meses, al ser el criterio de amortización lineal, cada ames imputaremos la cuantía de:

$$\frac{81.000}{135 \text{ meses}} = 600 \text{ €/mes}$$

• Por la percepción de la subvención:

---------------------------------- 1/11/X0 ----------------------------------

81.000	Bancos (572)		
	a	HP deudor por subvenciones concedidas (4708)	81.000

• Operaciones a 31/12/X0

- Por la amortización de la máquina:

$$\text{Cuota anual} = \frac{150.000}{12 \text{ años}} = 12.500$$

---------------------------------- 31/12/X0 ----------------------------------

12.500	Amortización del inmovilizado material (681)		
	a	Amortización acumulada del inmovilizado material (281)	12.500

- Por la imputación de la subvención (3 meses)

————————————————— 31/12/X0 —————————————————

1.800	Transferencia de subvenciones oficiales de capital (840)			
	(3 x 600)			
		a	Subvenciones, donaciones y legados transferidos al resultado del ejercicio (746)	1.800

- Por la reversión del efecto impositivo asociado a la subvención:

————————————————— 31/12/X0 —————————————————

540	Pasivo por diferencia temporaria imponible (479)			
	(1.800 x 0,30)			
		a	**Impuesto diferido (8301)**	540

- Por la regularización de las cuentas de los grupos 8 y 9:

————————————————— 31/12/X0 —————————————————

81.000	Ingresos de subvenciones oficiales de capital (940)			
		a	Transferencia de subvenciones oficiales de capital (840)	1.800
			Subvenciones oficiales de capital (130)	55.440
			Impuesto diferido (8301)	
			(24.300 - 540)	23.760

Contabilización operaciones ejercicio X1 (Operaciones a 31 de diciembre)

- Por la amortización de la máquina:

———————————————— 31/12/X1 ————————————————

12.500	Amortización del inmovilizado material (681)		
	a	Amortización acumulada del inmovilizado material (281)	12.500

- Por la imputación de la subvención (todo el año, 12 meses)

———————————————— 31/12/X1 ————————————————

7.200	Transferencia de subvenciones oficiales de capital (840)		
	(12 x 600)		
	a	Subvenciones, donaciones y legados transferidos al resultado del ejercicio (746)	7.200

- Por la reversión del efecto impositivo asociado a la subvención:

———————————————— 31/12/X1 ————————————————

2.160	Pasivo por diferencia temporaria imponible (479)		
	(7.200 x 0,30)		
	a	Impuesto diferido (8301)	2.160

-Por la regularización de las cuentas de los grupos 8 y 9:

—————————————— 31/12/X1 ——————————————

5.040	Subvenciones oficiales de capital (130)		
2.160	Impuesto diferido (8301)		
		a	Transferencia de subvenciones oficiales de capital (840) 7.200

Contabilización operaciones ejercicio X2

Nuestra empresa alquila la máquina (por importe de 10.400 € a cobrar cada 31 de diciembre) a comienzos de este ejercicio, y durante 5 años. El gráfico de la operación:

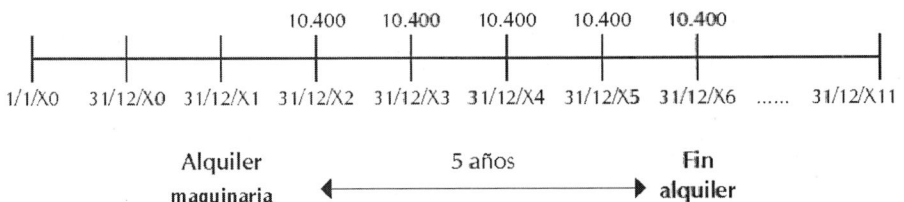

A 1/1/X2, la empresa tendrá abiertas las siguientes cuentas en relación con la maquinaria:

ACTIVO		PATRIMONIO NETO Y PASIVO	
(213) Maquinaria	150.000	(130) Subvenciones oficiales capital[2]	50.400
(281) AAIM[1]	(25.000)	(479) Pasivo por diferencia temporaria imponible	21.600

[1] Han transcurrido 2 años de su adquisición, habiéndose amortizado 12.500 € cada año. En total:
2 x 12.500 = 25.000 €
Han transcurrido dos años desde su adquisición, por tanto la amortización acumulada se cuantificará en:
2 x 12.500 = 25.000

[2] Subvención pendiente de imputar:

Importe concedido 81.000

Imputación: 15 meses x 600/mes 9.000

Pendiente imputación 72.000

De este importe:
70% Patrimonio Neto (Cuenta130): 70% 72.000 = 50.400

30% Impuesto sociedades (Cuenta 479): 30% 72.000 = 21.600

Durante el ejercicio X2, realizó las siguientes operaciones:

• En el momento de formalizar el acuerdo de arrendamiento (1/1/X2), comprobaremos si existen pérdidas por deterioro.

Se producirá éste en un elemento del inmovilizado material: *"(…) cuando su valor contable supere a su valor recuperable, entendido éste como el mayor importe entre su valor razonable menos los gastos de venta y su valor en uso (…)".* [Norma 2ª.2. Valoración PGC]. Es decir, compararemos:

* Valor contable (1/1/X2) [150.000 - 25.000]. 125.000

<u>NO SUPERA</u>

* Importe recuperable. . . . .   <u>131.761,62</u>

Mayor importe de:

    o Valor razonable-costes venta: 130.000

    o Valor en uso: 131.761,62

[Es el valor actual de los flujos de efectivo esperados, a través de su utilización en el curso normal del negocio teniendo en cuenta su estado actual y actualizados a un tipo de descuento adecuado]. Marco Conceptual.

$$\text{Valor Actual} = \left(\underbrace{10.400}_{\text{CUOTA}} + \underbrace{14.400 \times 70\%}_{\text{SUBVENCIÓN}} \right) \times a_{5 \rceil 0,05} + \underbrace{55.000 \times (1 + 0,05)^{-5}}_{\substack{\text{IMPORTE} \\ \text{ENAJENECIÓN}}} = 131.761,62 \quad [1]$$

DETERIORO. . . . .   **NO EXISTE**

NOTA:

[1] Siguiendo los contenidos de la presente consulta y para el cálculo del valor en uso se han tenido en cuenta, aparte de la definición de esta valoración en el Marco conceptual, la *"(…) subvención pendiente de imputar a la cuenta de pérdidas y ganancias vinculada a un activo subvencionado, se calificará como un componente más del valor en uso del activo para determinar si existe una pérdida por deterioro.*

En nuestro ejemplo la subvención pendiente de imputar es de 72.000 €, los cuales se han distribuido en el tiempo de la duración del contrato 5 años (14.400 año = 72.000/5 años) habiendo sido tenida en cuenta para calcular el valor en uso. Depurada del efecto impositivo 14.400 x 70% = 10.080

• Analizada la operación del arrendamiento, deberemos determinar qué tipo de arrendamiento es el que tiene que estar contabilizando la sociedad "20 de abril". El arrendamiento de forma genérica es *"(…) cualquier acuerdo (…) por el* que el arrendador cede al arrendatario, a cambio de percibir una suma única de dinero o una serie de pagos o cuotas, el derecho a utilizar un activo durante un periodo determinado". [Norma 8ª Valoración PGC].

El de carácter operativo en su definición, incluye que: "(...) sin que se trate de un arrendamiento de carácter financiero". ¿Cuándo lo consideraremos, pues, financiero?.

En la misma Norma, en su apartado 1.1., nos comenta: "Cuando de las condiciones económicas de un acuerdo de arrendamiento, se deduzca que se transfieren sustancialmente todos los riesgos y beneficios inherentes a la propiedad del activo objeto del contrato, dicho acuerdo deberá calificarse como arrendamiento financiero (...)".

Esta transferencia, se presume por diversas circunstancias, clasificándolas según que en el acuerdo exista o no opción de compra. En nuestro caso, no ésta no existe, por lo que la Norma 8ª en su redacción establece como "financiero" el acuerdo si:

a) (...)

b) (...) el plazo de arrendamiento coincida o cubra la mayor parte de la vida económica del activo, y siempre que de las condiciones pactadas se desprenda la racionalidad económica del mantenimiento de la cesión de uso.

En nuestro ejemplo no se cumple esta circunstancia, ya que:

- plazo de arrendamiento = 5 años

Es menor

- vida económica bien = 12 años

c) En aquellos casos en los que, al comienzo del arrendamiento, el valor actual de los pagos mínimos acordados por el arrendamiento suponga la práctica totalidad del valor razonable del activo arrendado.

Al igual que el apartado anterior, no se cumple tal circunstancia ya que:

- valor actual de los pagos mínimos = $10.400 \times a_{5\rceil 0,05} = 45.026,55$

Es menor

- Valor razonable bien = 130.000 €

En consecuencia y al no encontrarse con una de las condiciones establecidas anteriormente, se tratará como arrendamiento operativo y el arrendador continuará presentando y valorando los activos cedidos en arrendamiento conforme a su naturaleza, incrementando su valor contable en el importe de los costes directos del contrato que le sean imputables, los cuales se reconocerán como gasto durante el plazo del contrato aplicando el mismo criterio utilizado para el reconocimiento de los ingresos del arrendamiento.

[Norma 8ª.2 Valoración PGC].

Por tanto, anotaremos por los costes directos satisfechos:

———————————————————— 1/1/X2 ————————————————————

2.000   Maquinaria (213)

420   HP IVA soportado (472)

a   Bancos (572)   2.420

• Operaciones final ejercicio X2:

- Cobra la primera cuota:

———————————————————— 31/12/X2 ————————————————————

12.584   Bancos (572)

a   Ingresos por arrendamientos (752)   10.400

a   HP IVA repercutido (477)   2.184

Los ingresos derivados de los acuerdos de arrendamiento operativo serán considerados, como ingreso del ejercicio en el que los mismos se devenguen, imputándose a la cuenta de pérdidas y ganancias. [Apartado 2, Norma 8ª Valoración PGC].

- Amortización de la máquina:

———————————————————— 31/12/X2 ————————————————————

12.900   Amortización del inmovilizado material (681)

(12.500 + 400)

a   Amortización acumulada del
inmovilizado material (281)
(*)   12.900

(*) El gasto registrado como amortización, corresponde a 12.500 de la amortización anual y 400 de los costes directos que ascendieron a 2.000, los cuales se reconocerán como gasto durante el plazo del contrato aplicando el mismo criterio utilizado para el reconocimiento de los ingresos del arrendamiento, es decir se registrarán en 5 años (NRV 8ª.2).

- Por la imputación de la subvención:

—————————————————————— 31/12/X2 ——————————————————————

7.200	Transferencia de subvenciones oficiales de capital (840)			
	(12 x 600)			
		a	Subvenciones, donaciones y legados transferidos al resultado del ejercicio (746)	7.200

- Por la **reversión del efecto impositivo asociado a la subvención.**

—————————————————————— 31/12/X2 ——————————————————————

2.160	Pasivo por diferencia temporaria imponible (479)			
	(7.200 x 0,30)			
		a	Impuesto diferido (8301)	2.160

- Por la **regularización de las cuentas de los grupos 8 y 9:**

—————————————————————— 31/12/X2 ——————————————————————

5.040	Subvenciones oficiales de capital (130)			
2.160	Impuesto diferido (8301)			
		a	Transferencia de subvenciones oficiales de capital (840)	7.200

- Comprobamos, si existe deterioro de valor a esta fecha:

* Valor contable (31/12/X2). 114.100

$$150.000 + \underbrace{2.000}_{\substack{\text{Costes} \\ \text{Directos}}} - \underbrace{25.000 - 12.900}_{\substack{\text{Amortización} \\ \text{X2}}}$$

NO SUPERA

* Importe recuperable. 117.869,10

Mayor importe de:

• Valor razonable-costes venta: 110.000

• Valor en uso: 117.869,10

$$\text{Valor Actual} = \left(\underbrace{10.400}_{\text{CUOTA}} + \underbrace{14.400 \times 70\%}_{\text{SUBVENCIÓN}} \right) \times a_{4\rceil 0,05} + \underbrace{55.000 \times (1 + 0,05)^{-4}}_{\substack{\text{IMPORTE} \\ \text{ENAJENECIÓN}}} = 117.869,10$$

DETERIORO. . . . . **NO EXISTE**

B) Operaciones relacionadas con el incumplimiento condiciones subvención

• Operaciones realizadas a 1/7/X2

En este momento, recibimos la comunicación, por la administración, que se reintegre la subvención. De ésta quedaba pendiente de imputar, 72.000 € [Ver apartado A)]. Registrándose:

—————————————————— 1/7/X2 ——————————————————

50.400	Subvenciones oficiales de capital (130) [72.000 x 70%]			
21.600	Pasivo por diferencia temporaria imponible (479) [72.000 x 30%]			
		a	HP acreedor por subvenciones a reintegrar (4758)	70.000
			Ingresos excepcionales (778)	2.000

• Operaciones realizadas a 31/12/X2

- Cobra la primera cuota:

—————————————————— 31/12/X2 ——————————————————

12.584 Bancos (572)

                              a   Ingresos por arrendamientos (752)   10.400

                                      HP IVA repercutido (477)   2.184

- Amortización de la máquina:

—————————————————— 31/12/X2 ——————————————————

12.900 Amortización del inmovilizado material (681)

        (12.500 + 400)

                              a   Amortización acumulada del inmovilizado material (281) (*)   12.900

- Comprobamos si existe deterioro de valor:

  * Valor contable (31/12/X2). 114.100

  150.000 + 2.000 - 25.000 - 12.900

          Costes   Amortización
          Directos   X2

  <u>SUPERA</u>

  * Importe recuperable. . . . . <u>110.000</u>

  Mayor importe de:

  • Valor razonable-costes venta: 110.000

  • Valor en uso: 82.127

$$\text{Valor Actual} = 10.400 \times a_{4\rceil 0,05} + \underbrace{55.000 \times (1 + 0,05)^{-4}}_{\text{IMPORTE ENAJENECIÓN}} = 82.127$$

  DETERIORO. **4.100**

Registrándose:

──────────────────────── 31/12/X2 ────────────────────────

4.100	Pérdidas por deterioro del inmovilizado material (291)		
	a	Deterioro del valor del inmovilizado material (291)	4.100

Según los contenidos de la presente consulta: "*(…).en el supuesto de que la empresa se viera obligada a reembolsar la subvención, esta circunstancia debería ser considera como un indicio de deterioro de valor*". En nuestro ejemplo y de acuerdo con lo manifestado anteriormente, no se ha tenido en cuenta el efecto de la subvención en el cálculo del valor en uso.

Ejemplo 2: CASO PGC PYMES

Vamos a resolver el mismo caso anterior, pero bajo la hipótesis que la empresa sigue el PGC PYMES.

SOLUCIÓN:

Contabilización OPERACIONES DEL X0

A) Contabilización operaciones sociedad "20 abril" hasta 31/12/X2

Contabilización operaciones ejercicio X0

• Adquisición de la máquina:

———————————————————— 1/1/X0 ————————————————————

150.000	Maquinaria (213)		
31.500	HP IVA soportado (472)		
	a	Bancos (572)	181.500

• Concesión de la subvención:

———————————————————— 1/10/X0 ————————————————————

81.000	HP deudor por subvenciones concedidas (4708)		
	a	Subvenciones oficiales de capital (130)	81.000

Las subvenciones, donaciones y legados no reintegrables se contabilizarán inicialmente, con carácter general, como ingresos directamente imputados al patrimonio neto [Norma 18ª Valoración PGC PYMES, apartado 1.1].

Y por el efecto impositivo:

———————————————————— 1/10/X0 ————————————————————

24.300	Subvenciones oficiales de capital (130)		
	(81.000 x 0,30)		
	a	Pasivo por diferencia temporaria imponible (479)	24.300

En el momento de la concesión de la subvención y de acuerdo con lo establecido en la Consulta nº 11 del BOICAC 75 comprobamos:

A) Valor contable de la máquina a

(1/10/X0 fecha de concesión). 140.625

- Precio de adquisición. 150.000

- Amortización acumulada. . . . . (9.375)

$$\text{Cuota anual} = \frac{150.000}{12} = 12.500$$

$$\text{Amortización X0 (9 meses)} = \frac{12.500}{12} \times 9 = 9.375$$

B) Importe de la subvención. 81.000

Como A > B y según los contenidos de la consulta referenciada. *"(...) Si la subvención financia parte de un activo, y en el momento de registro de la subvención como ingreso de patrimonio neto, <u>el valor contable del activo fuese superior al importe concedido</u>, se aplicará el criterio general de imputar en la cuenta de pérdidas y ganancias la citada subvención, donación o legado, en proporción a la dotación a la amortización efectuada en ese periodo para el activo financiado, desde el momento del registro, es decir, prospectivamente (...)"*.

En este caso no procederá hacer imputaciones en función de la amortización de años previos, en tanto la subvención, donación o legado se ha debido registrar como un ingreso en un momento posterior de acuerdo con los criterios contables (en consecuencia, no se trata de un error ni de un cambio de criterio contable) y admite ser correlacionada con la imputación a la cuenta de pérdidas y ganancias del valor contable del activo a partir del momento en que, de acuerdo con la norma de registro y valoración 18ª del Plan General de Contabilidad, procede su registro como ingreso de patrimonio neto.

En consecuencia con lo anterior, imputaremos la subvención desde el momento de la concesión (1/10/X0) hasta la finalización de la vida útil, en nuestro caso por un periodo de 12 años menos 9 meses; es decir 135 meses, al ser el criterio de amortización lineal, cada ames imputaremos la cuantía de:

$$\frac{81.000}{135 \text{ meses}} = 600 \text{ €/mes}$$

• Por la percepción de la subvención:

—————————————— 1/11/X0 ——————————————

81.000 Bancos (572)

               a   HP deudor por subvencio-
                       nes concedidas (4708)   81.000

• Operaciones a 31/12/X0

- Por la amortización de la máquina:

$$\text{Cuota anual} = \frac{150.000}{12 \text{ años}} = 12.500$$

—————————————— 31/12/X0 ——————————————

12.500 Amortización del inmovili-
        zado material (681)

               a   Amortización acumulada del
                       inmovilizado material (281)   12.500

- Por la imputación de la subvención (3 meses)

—————————————— 31/12/X0 ——————————————

1.800 Subvenciones oficiales de
       capital (130) [3x600]

               a   Subvenciones, donaciones
                       y legados transferidos al
                       resultado del ejercicio (746)   1.800

-Por la reversión del efecto impositivo asociado a la subvención:

―――――――――――――――――― 31/12/X0 ――――――――――――――――――

540	Pasivo por diferencia temporaria imponible (479)		
	(1.800 x 0,30)		
		a	Subvenciones oficiales de capital (130) 540

Contabilización operaciones ejercicio X1 (Operaciones a 31 de diciembre)

- Por la amortización de la máquina:

―――――――――――――――――― 31/12/X1 ――――――――――――――――――

12.500	Amortización del inmovilizado material (681)		
		a	Amortización acumulada del inmovilizado material (281) 12.500

- Por la imputación de la subvención (todo el año, 12 meses)

―――――――――――――――――― 31/12/X1 ――――――――――――――――――

7.200	Subvención oficial de capital (130)		
	(12x600)		
		a	Subvenciones, donaciones y legados transferidos al resultado del ejercicio (746) 7.200

- Por la reversión del efecto impositivo asociado a la subvención:

―――――――――――――――――― 31/12/X1 ――――――――――――――――――

2.160	Pasivo por diferencia temporaria imponible (479)		
	(7.200 x 0,30)		
	a	Subvenciones oficiales de capital (130)	2.160

Contabilización operaciones ejercicio X2

Nuestra empresa alquila la máquina (por importe de 10.400 € a cobrar cada 31 de diciembre) a comienzos de este ejercicio, y durante 5 años. El gráfico de la operación:

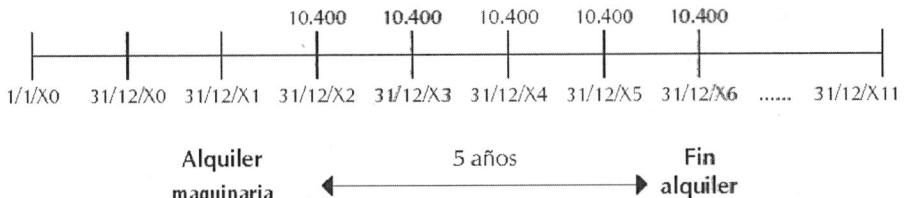

A 1/1/X2, la empresa tendrá abiertas las siguientes cuentas en relación con la maquinaria:

ACTIVO		PATRIMONIO NETO Y PASIVO	
(213) Maquinaria	150.000	(130) Subvenciones oficiales capital[2]	50.400
(281) AAIM[1]	(25.000)	(479) Pasivo por diferencia temporaria imponible	21.600

[1] Han transcurrido 2 años de su adquisición, habiéndose amortizado 12.500 € cada año. En total: 2 x 12.500 = 25.000 €
Han transcurrido dos años desde su adquisición, por tanto la amortización acumulada se cuantificará en: 2 x 12.500 = 25.000

[2] Subvención pendiente de imputar:

Importe concedido	81.000
Imputación: 15 meses x 600/mes	9.000
Pendiente imputación	72.000

De este importe:
70% Patrimonio Neto (Cuenta 130): 70% 72.000 = 50.400
30% Impuesto sociedades (Cuenta 479): 30% 72.000 = 21.600

Durante el ejercicio X2, realizó las siguientes operaciones:

• En el momento de formalizar el acuerdo de arrendamiento (1/1/X2), comprobaremos si existen pérdidas por deterioro.

Se producirá éste en un elemento del inmovilizado material: *"(...) cuando su valor contable supere a su valor recuperable, entendido éste como el mayor importe entre su valor razonable menos los gastos de venta y su valor en uso (...)"*. [Norma 2ª.2. Valoración PGC]. Es decir, compararemos:

* Valor contable (1/1/X2) [150.000-25.000] 125.000

                                                                                       NO SUPERA

* Importe recuperable 131.761,62

Mayor importe de:

• Valor razonable-costes venta: 130.000

• Valor en uso: 131.761,62

[Es el valor actual de los flujos de efectivo esperados,

A través de su utilización en el curso normal del negocio

teniendo en cuenta su estado actual y actualizados a un

tipo de descuento adecuado]. Marco Conceptual.

$$\text{Valor Actual} = \left(\underbrace{10.400}_{\text{CUOTA}} + \underbrace{14.400 \times 0,70}_{\text{SUBVENCIÓN}} \right) \times a_{5 \rceil 0,05} + \underbrace{55.000 \times (1 + 0,05)^{-5}}_{\substack{\text{IMPORTE}\\ \text{ENAJENECIÓN}}} = 131.761,62 \quad [1]$$

DETERIORO . . . .   **NO EXISTE**

NOTA:

[1] Siguiendo los contenidos de la presente consulta y para el cálculo del valor en uso se han tenido en cuenta, aparte de la definición de esta valoración en el Marco conceptual, la *"(...) subvención pendiente de imputar a la cuenta de pérdidas y ganancias vinculada a un activo subvencionado, se calificará como un componente más del valor en uso del activo para determinar si existe una pérdida por deterioro."*

En nuestro ejemplo la subvención pendiente de imputar es de 72.000 €, los cuales se han distribuido en el tiempo de la duración del contrato 5 años (14.400 año = 72.000/5 años) habiendo sido tenida en cuenta para calcular el valor en uso.

• Analizada la operación del arrendamiento, deberemos determinar qué tipo de arrendamiento es el que tiene que estar contabilizando la sociedad "20 de abril". El arrendamiento de forma genérica es *"(...) cualquier acuerdo (...) por el que el arrendador cede al arrendatario, a cambio de percibir una suma única de dinero o una serie de pagos o cuotas, el derecho a utilizar un activo durante un periodo determinado"*. [Norma 7ª Valoración PGC]

El de carácter operativo en su definición, incluye que: *"(...) sin que se trate de un arrendamiento de carácter financiero"*. ¿Cuándo lo consideraremos, pues, financiero?.

En la misma Norma, en su apartado 1.1., nos comenta: *"Cuando de las condiciones económicas de un acuerdo de arrendamiento, se deduzca que se transfieren sustancialmente todos los riesgos y beneficios inherentes a la propiedad del activo objeto del contrato, dicho acuerdo deberá calificarse como arrendamiento financiero (...)"*.

Esta transferencia, se presume por diversas circunstancias, clasificándolas según que en el acuerdo exista o no opción de compra. En nuestro caso, no ésta no existe, por lo que la Norma 8ª en su redacción establece como "financiero" el acuerdo si:

a) (...)

b) ...) *el plazo de arrendamiento coincida o cubra la mayor parte de la vida económica del activo, y siempre que de las condiciones pactadas se desprenda la racionalidad económica del mantenimiento de la cesión de uso.*

En nuestro ejemplo no se cumple esta circunstancia, ya que:

plazo de arrendamiento = 5 años

Es menor

- vida económica bien = 12 años

c) *En aquellos casos en los que, al comienzo del arrendamiento, el valor actual de los pagos mínimos acordados por el arrendamiento suponga la práctica totalidad del valor razonable del activo arrendado*

Al igual que el apartado anterior, no se cumple tal circunstancia ya que:

- valor actual de los pagos mínimos = $10.400 \times a_{5 \rceil 0,05} = 45.026,55$

Es menor

- Valor razonable bien = 130.000 €

En consecuencia y al no encontrarse con una de las condiciones establecidas anteriormente, se tratará como arrendamiento operativo y el arrendador continuará presentando y valorando los activos cedidos en arrendamiento conforme a su naturaleza, incrementando su valor contable en el importe de los costes directos del contrato que le sean imputables, los cuales se reconocerán como gasto durante el plazo del contrato aplicando el mismo criterio utilizado para el reconocimiento de los ingresos del arrendamiento. [Norma 7ª.2 Valoración PGC]

Por tanto, anotaremos por los costes directos satisfechos:

		1/1/X2		
2.000	Maquinaria (213)			
420	HP IVA soportado (472)			
		a	Bancos (572)	2.420

• Operaciones final ejercicio X2:

- Cobra la primera cuota:

		31/12/X2		
12.584	Bancos (572)			
		a	Ingresos por arrendamientos (752)	10.400
			HP IVA repercutido (477)	2.184

Los ingresos derivados de los acuerdos de arrendamiento operativo serán considerados, como ingreso del ejercicio en el que los mismos se devenguen, imputándose a la cuenta de pérdidas y ganancias. [Apartado 2, Norma 7ª Valoración PGC PYMES]

- Amortización de la máquina:

————————————— 31/12/X2 —————————————

12.900 Amortización del inmovi-
        lizado material (681)

        (12.500 + 400)

                        a   Amortización acumulada del
                             inmovilizado material (281)
                             (*)   12.900

———————————————   ———————————————

(*) El gasto registrado como amortización, corresponde a 12.500 de la amortización anual y 400 de los costes directos que ascendieron a 2.000, los cuales se reconocerán como gasto durante el plazo del contrato aplicando el mismo criterio utilizado para el reconocimiento de los ingresos del arrendamiento, es decir se registrarán en 5 años (NRV 8ª.2).

- Por la imputación de la subvención:

————————————— 31/12/X2 —————————————

7.200 Subvenciones oficiales de
       capital (130) [12 x 600]

                        a   Subvenciones, donaciones y
                             legados transferidos al resul-
                             tado del ejercicio (746)   7.200

———————————————   ———————————————

- Por la reversión del efecto impositivo asociado a la subvención.

————————————— 31/12/X2 —————————————

2.160 Pasivo por diferencia tem-
       poraria imponible (479)

       (7.200 x 0,30)

                        a   Subvenciones oficiales de
                             capital (130)   2.160

———————————————   ———————————————

- Comprobamos, si existe deterioro de valor a esta fecha:

* Valor contable (31/12/X2). 114.100

$$150.000 \; + \; \underbrace{2.000}_{\substack{\text{Costes} \\ \text{Directos}}} \; - \; 25.000 \; - \; \underbrace{12.900}_{\substack{\text{Amortización} \\ \text{X2}}}$$

NO SUPERA

* Importe recuperable). . . . .   <u>117.869,70</u>

Mayor importe de:

• Valor razonable-costes venta: 110.000

• Valor en uso: 117.869,70

$$\text{Valor} \atop \text{Actual} \; = \; \left(\underbrace{10.400}_{\text{CUOTA}} \; + \; \underbrace{14.400 \times 0,70}_{\text{SUBVENCIÓN}} \right) \times a_{4\rceil 0,05} \; + \; \underbrace{55.000 \times (1 + 0,05)^{-4}}_{\substack{\text{IMPORTE} \\ \text{ENAJENECIÓN}}} \; = 117.869,70$$

DETERIORO). . . . .   **NO EXISTE**

B) Operaciones relacionadas con el incumplimiento condiciones subvención

• Operaciones realizadas a 1/7/X2.

En este momento, recibimos la comunicación, por la administración, que se reintegre la subvención. De ésta quedaba pendiente de imputar, 72.000 € [Ver apartado A)]. Registrándose:

———————————————————— 1/7/X2 ————————————————————

50.400	Subvenciones oficiales de capital (130) [72.000 x 70%]		
21.600	Pasivo por diferencia temporaria imponible (479) [72.000 x 30%]		
		a	HP acreedor por subvenciones a reintegrar (4758) 70.000
			Ingresos excepcionales (778) 2.000

• Operaciones realizadas a 31/12/X2.

- Cobra la primera cuota:

—————————————————————— 31/12/X2 ——————————————————————

12.584   Bancos (572)

	a	Ingresos por arrendamientos (752)	10.400
		HP IVA repercutido (477)	2.184

- Amortización de la máquina:

—————————————————————— 31/12/X2 ——————————————————————

12.900   Amortización del inmovili-
         zado material (681)

(12.500 + 400)

	a	Amortización acumulada del inmovilizado material (281)	12.900

- Comprobamos, si existe deterioro de valor:

* Valor contable (31/12/X2). 114.100

150.000 + 2.000 - 25.000 - 12.900

   Costes   Amortización
   Directos   X2

                                                                              SUPERA

* Importe recuperable. 110.000

Mayor importe de:

• Valor razonable-costes venta: 110.000

• Valor en uso: 82.127

$$\underset{\text{Actual}}{\text{Valor}} = 10.400 \times a_{4\rceil\,0,05} + \underbrace{55.000}_{\substack{\text{IMPORTE} \\ \text{ENAJENACIÓN}}} \cdot (1+0,05)^{-4} = 82.127$$

DETERIORO. . **4.100**

Registrándose:

——————————————— 31/12/X2 ———————————————

4.100	Pérdidas por deterioro del inmovilizado material (291)	
	a Deterioro del valor del inmovilizado material (291)	4.100

Según los contenidos de la presente consulta: "*(…).en el supuesto de que la empresa se viera obligada a reembolsar la subvención, esta circunstancia debería ser considera como un indicio de deterioro de valor*". En nuestro ejemplo y de acuerdo con lo manifestado anteriormente, no se ha tenido en cuenta el efecto de la subvención en el cálculo del valor en uso.

2.2.5.2. *Amortización y Deterioro de inmovilizados materiales en explotación avícola*

BOICAC 97, marzo 2014. Consulta 4.

Sobre determinados aspectos relacionados con el tratamiento contable de una explotación avícola.

Respuesta

La consulta se formula en relación con una compañía cuyo objeto social es la actividad de producción, comercialización y venta de productos avícolas y pecuarios, ampliándose el mismo a la actividad de manipulación y envasado de productos avícolas y agropecuarios, así como la producción, comercialización, venta, manipulación y envasado de sus derivados. En ella se plantea la valoración de una camada de aves, que en el momento de su adquisición se registran como inmovilizado en curso y que tras la activación de los costes correspondientes se reclasifican como elementos del inmovilizado material, en particular se detalla la forma de amortizar y de calcular el deterioro de valor de dichas camadas.

A estos efectos, la consulta indica que las aves se amortizan en un periodo de 28 meses, aplicando porcentajes que van del 2% al 4,45% en función de la productividad mensual, hasta alcanzar el 100% del valor amortizable.

La consulta versa sobre si es adecuado mantener el criterio seguido hasta el momento, y que consiste en reflejar en cada ejercicio una perdida por deterioro calculada por diferencia entre el valor contable del inmovilizado y su valor de realización, entendido este último como el importe que se obtendría por la venta de la camada, considerando que transcurrido un corto espacio de tiempo (tres meses) desde el inicio de la producción se pierde aproximadamente el 75% de su valor. Como alternativa se plantea no dotar deterioro por entender que el valor en uso tiende al valor contable, siempre que se cumpla con el periodo normal de producción de 28 meses.

La valoración contable de los elementos del inmovilizado de la empresa debe ajustarse a los criterios establecidos en la norma de registro y valoración (NRV) 2ª Inmovilizado material, de la segunda parte del Plan General de Contabilidad (PGC), aprobado por Real Decreto 1514/2007, de 16 de noviembre. Adicionalmente se recuerda que en desarrollo de esta NRV se ha aprobado la Resolución de 1 de marzo de 2013, del Instituto de Contabilidad y Auditoría de Cuentas, por la que se dictan normas de registro y valoración del inmovilizado material y de las inversiones inmobiliarias y la Resolución de 18 de septiembre de 2013, del Instituto de Contabilidad y Auditoría de Cuentas, por la que se dictan normas de registro y valoración e información a incluir en la memoria de las cuentas anuales sobre el deterioro del valor de los activos.

Respecto a la amortización, el apartado 2.1 de la NRV 2ª Inmovilizado material, indica que las amortizaciones habrán de establecerse de manera sistemática y racional en función de la vida útil de los bienes y de su valor residual, atendiendo a la depreciación que normalmente sufran por su funcionamiento, uso y disfrute, sin perjuicio de considerar también la obsolescencia técnica o comercial que pudiera afectarlos.

El concepto económico de amortización abarca, por tanto, cualquier tipo de depreciación, incluida la ocasionada por el mero transcurso del tiempo, y su dotación es obligatoria independientemente del resultado de la empresa.

Por otro lado, el apartado 3.5 de la norma 2ª de la Resolución de 1 de marzo de 2013, en relación con los métodos de amortización, señala:

> *"Podrán utilizarse aquellos métodos de amortización que de acuerdo con un criterio técnico-económico **distribuyan los costes de la amortización a lo largo de la vida útil, con independencia de consideraciones fiscales o de las condiciones de rentabilidad en que se desenvuelve la empresa**. Entre estos métodos se incluyen, el método lineal que dará lugar a un cargo por amortización constante a lo largo de la vida útil del activo, el método de depreciación decreciente en función del valor contable del elemento y que dará lugar a un cargo por amortización que irá disminuyendo a lo largo de su vida útil y el método de unidades de producción que supondrá un gasto por amortización basado en la utilización o producción esperada".*

De lo anterior cabe concluir que la depreciación es una cuestión técnica, por lo que ésta, así como los parámetros necesarios para su cuantificación deberán justificarse bajo dicho planteamiento, sin que resulten admisibles los criterios fiscales, financieros o de reparto de resultados.

En cuanto a las correcciones valorativas, la NRV 2ª. Inmovilizado material, del PGC, en su apartado 2.2 Deterioro de valor, expresa:

> *"Se producirá una pérdida por deterioro del valor de un elemento del inmovilizado material cuando su valor contable supere a su importe recuperable, entendido éste como el mayor importe entre su valor razonable menos los costes de venta y su valor en uso".*

Considerando este criterio y, en su desarrollo, lo previsto en la Resolución de 18 de septiembre de 2013, cuando una empresa identifica un indicio de deterioro en un activo, debe calcular el valor en uso o cantidad que puede recuperar si lo emplea en el curso ordinario de sus operaciones, considerando el valor temporal del dinero y los riesgos específicos del elemento patrimonial, y su valor razonable menos los costes de venta. El activo estará deteriorado si la mayor de estas dos cantidades es inferior a su valor en libros.

De acuerdo con lo anterior, si la empresa consultante identifica un indicio del deterioro de valor de las camadas, solo deberá reconocer una pérdida por deterioro si el importe recuperable del inmovilizado, en los términos indicados, es inferior a su valor en libros.

Las correcciones valorativas por deterioro del inmovilizado material, así como su reversión cuando las circunstancias que las motivaron hubieran dejado de existir, se reconocerán como un gasto o un ingreso, respectivamente, en la cuenta de pérdidas y ganancias tal y como establece el apartado 2.2 de la NRV 2ª del PGC.

A mayor abundamiento se informa que la disposición final séptima del Real Decreto-ley 4/2014, de 7 de marzo, por el que se adoptan medidas urgentes en materia de refinanciación y reestructuración de deuda empresarial, amplía a los ejercicios sociales que se cierren en el año 2014 lo establecido en la disposición adicional única del Real Decreto-ley 10/2008, de 12 de diciembre, en el sentido de no computar las pérdidas por deterioro reconocidas en las cuentas anuales, derivadas del inmovilizado material, las inversiones inmobiliarias y las existencias o préstamos y partidas a cobrar, a los solos efectos de la determinación de las pérdidas para la reducción obligatoria de capital regulada en el artículo 327 del texto refundido de la Ley de Sociedades de Capital, aprobado por el Real Decreto Legislativo 1/2010, de 2 de julio, y para la disolución prevista en el artículo 363.1.e) del citado texto refundido, así como respecto del cumplimiento del presupuesto objetivo del concurso contemplado en el artículo 2 de la Ley 22/2003, de 9 de julio, Concursal.

Comentario

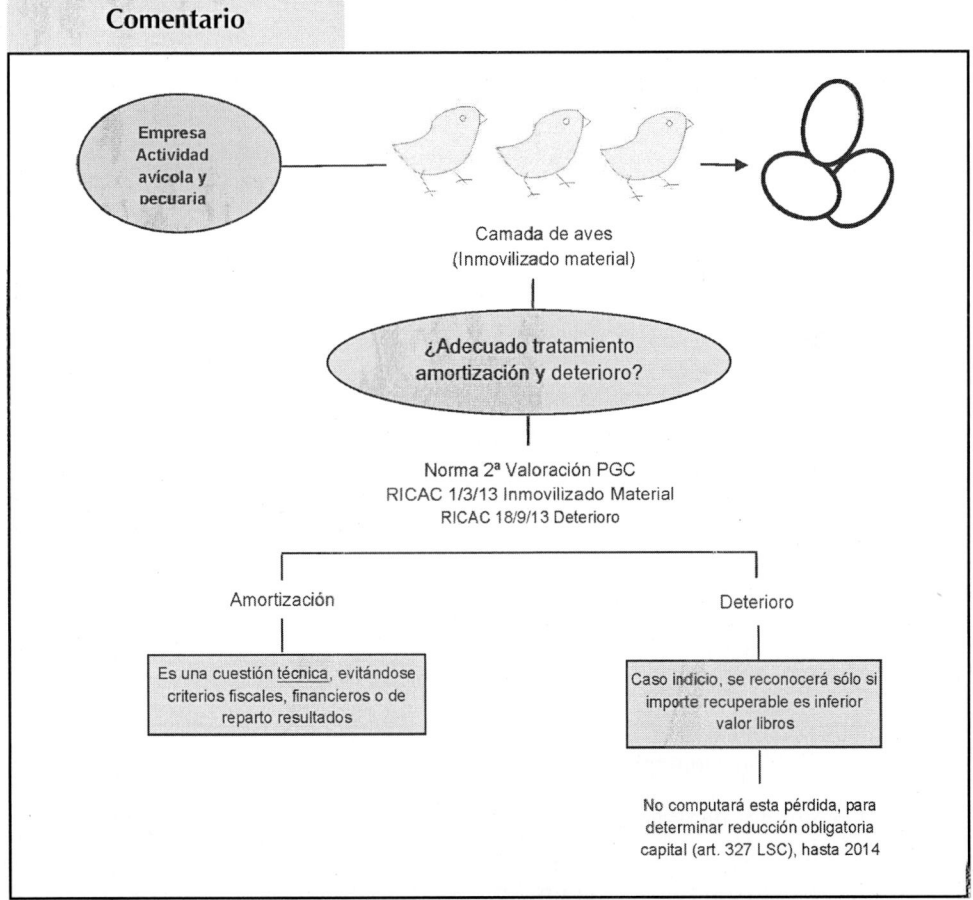

329

Ejemplo

La sociedad anónima PITAS E POLOS IGLESIAS DO PORRIÑO, cuyo objeto social es la actividad de producción, comercialización y venta de productos avícolas y pecuarios, presenta el 31/12/20X4 el siguiente Balance de Situación, expresado en euros:

	Activo	Patrimonio neto y Pasivo	
400.000	Inmovilizado intangible	Capital social	1.000.000
(200.000)	(Amortización acumulada inmovilizado intangible)	Prima de emisión de acciones	200.000
(100.000)	(Deterioro de valor del inmovilizado intangible)	Reserva legal	100.000
2.000.000	Inmovilizado material	Reservas voluntarias	40.000
(900.000)	(Amortización acumulada inmovilizado material)	(Acciones propias)	(20.000)
(300.000)	(Deterioro de valor del inmovilizado material)	(Resultado negativo del ejercicio)	(1.300.000)
400.000	Inversiones inmobiliarias	(Resultados negativos ejercicios anteriores)	(600.000)
(80.000)	(Amortización acumulada inversiones inmobiliarias)	Pasivo no corriente	2.000.000
(40.000)	(Deterioro valor inversiones inmobiliarias)	Pasivo corriente	700.000
1.000.000	Existencias		
(500.000)	(Deterioro de valor de las existencias)		
400.000	Deudores comerciales		
6.100	Créditos a terceros		
33.900	Tesorería		
2.120.000	TOTAL	TOTAL	2.120.000

Información complementaria referida al contenido del balance:

• El valor nominal de las acciones es de 1 euro y se encuentran totalmente desembolsadas.

• La Sociedad posee en cartera 40.000 acciones propias.

Operaciones realizadas en el ejercicio 20X5:

1. El 1/04/20X5 se celebra la Junta General de Accionistas y toma, entre otros, los siguientes acuerdos que se ejecutarán a lo largo del ejercicio:

1º.- Las pérdidas del ejercicio se destinan a resultados negativos de ejercicios anteriores.

2º.- Para evitar la disolución de la Sociedad acuerda ampliar capital en la cuantía mínima, suficiente para alcanzar el equilibrio legal. La Sociedad se acoge a la normativa existente en estos años, conforme a la cual no se computan ciertas pérdidas reconocidas en las cuentas anuales, que no computan para la disolución prevista en el Texto Refundido de la Ley de Sociedades de Capital. La ampliación se llevará a cabo emitiendo acciones nuevas, de valor nominal 1 euro, con derecho preferente a favor de los antiguos accionistas.

2. El 1/05/20X5 se inscribe en el Registro Mercantil la ampliación de capital, abonando por gastos de la ampliación 800 €. El desembolso ha sido total, a través de Bancos.

3. El 1/06/20x5 adquiere una camada de pollitas ponedoras de la raza GALIÑA DE MOS pagando un importe total de 6.000 €.

4. El 1/10/X5 de la contabilidad analítica de la empresa se conoce que el pienso consumido y demás costes directamente atribuidos a la producción de la camada han ascendido a 1.000 € los cuales fueron registrados en cuentas por naturaleza. La sociedad decide activarlos. En la fecha referenciada la camada se encuentra en condiciones de producción fijándose una vida útil de 28 meses y utilizando un criterio de amortización lineal.

5. A 31/12/X5 la sociedad amortiza la cuantía correspondiente, se conoce que el importe que podría obtenerse por su venta alcanzaría los 5.300 €, siendo los gastos de venta 100 €.

El valor en uso es de 6.000 €

6. A 31/12/X6 la sociedad amortiza la cuantía correspondiente, se conoce que el importe que podría obtenerse por su venta alcanzaría los 3.100 €, siendo los gastos de venta 100 €.

El valor en uso es de 2.500 €

SE PIDE: Registro de operaciones relatadas.

SOLUCIÓN:

• Las pérdidas del ejercicio X4, se destinan a resultados negativos ejercicios anteriores:

—————————————————————— 1/4/X5 ——————————————————————

1.300.000	Resultados negativos de ejercicios anteriores (121)		
	a	Resultado del ejercicio (129)	1.300.000

• Análisis de la situación patrimonial a efectos de la disolución de la sociedad:

Concepto	Euros
Capital social	1.000.000
Prima de emisión	200.000
Reserva legal	100.000
Reservas voluntarias	40.000
Acciones propias	(20.000)
Resultados negativos ejercicios anteriores	(600.000)
Resultado del ejercicio X4	(1.300.000)
Patrimonio neto contable 31/12/X4	**(580.000)**
Ajustes de los resultados del ejercicio 20X4 y ejercicios anteriores	840.000
Deterioro del inmovilizado material	300.000
Deterioro de las inv. Inmobiliarias	40.000
Deterioro de existencias	500.000
Patrimonio neto a efectos disolución de la sociedad 31/12/X4	**260.000**

La disposición final séptima del Real Decreto-ley 4/2014, de 7 de marzo, por el que se adoptan medidas urgentes en materia de refinanciación y reestructuración de deuda empresarial, amplía a los ejercicios sociales que se cierren en el año 2014 lo establecido en la disposición adicional única del Real Decreto-ley 10/2008, de 12 de diciembre, en el sentido de no computar las pérdidas por deterioro reconocidas en las cuentas anuales, derivadas del inmovilizado material, las inversiones inmobiliarias y las existencias o préstamos y partidas a cobrar, a los solos efectos de la determinación de las pérdidas para la reducción obligatoria de capital regulada en el artículo 327 del texto refundido de la Ley de Sociedades de Capital, aprobado por el Real Decreto Legislativo 1/2010, de 2 de julio, y para la disolución prevista en el artículo 363.1.e) del citado texto refundido, así como respecto del cumplimiento del presupuesto objetivo del concurso contemplado en el artículo 2 de la Ley 22/2003, de 9 de julio, Concursal.

Ampliación de capital en la cuantía mínima para restablecer el equilibrio patrimonial:

Se debe cumplir:

PATRIMONIO NETO = ½ CAPITAL SOCIAL

Llamando X al nominal de la ampliación de capital, resulta:

$$260.000 + X = \frac{1}{2} \times (1.000.000 + X)$$

Con X = importe ampliación capital

Despejando:

X = 480.000 €

Como la ampliación se lleva a cabo, emitiendo acciones nuevas, de 1 € nominal, y con derechos preferentes a favor de los antiguos accionistas, resultará una relación de canje de:

480.000 acciones nuevas/(1.000.000 acciones antiguas – 40.000 acciones propias) =

(480.000 N : 960.000 A) o 1 NUEVA x 2 ANTIGUAS,

es decir, cada accionista con dos acciones "viejas" tiene derecho preferente de suscripción de 1 acción "nueva". *Hay que recordar que el artículo 148 TRLSC, letra a), establece que los derechos económicos, a excepción del derecho a la asignación gratuita de nuevas acciones, se atribuye proporcionalmente al resto de acciones.*

• Por la emisión de las acciones:

—————————————————— 1/5/X5 ——————————————————

480.000	Acciones o participaciones emitidas (190)	
	a Capital emitido pendiente de inscripción (194)	480.000

• Por la suscripción y desembolso:

––––––––––––––––––––––– 1/5/X5 –––––––––––––––––––––––

480.000 Bancos c/c (572)

                    a   Acciones o participaciones emi-
                             tidas (190)   480.000

• Por los gastos de la ampliación de capital:

––––––––––––––––––––––– 1/5/X5 –––––––––––––––––––––––

800 Reservas voluntarias (113)

                    a   Bancos c/c (572)   800

• Por la inscripción en el Registro Mercantil de la ampliación de capital:

––––––––––––––––––––––– 1/5/X5 –––––––––––––––––––––––

480.000 Capital emitido pendiente de
           inscripción (194)

                    a   Capital social (100)   480.000

• Compra de las gallinas ponedoras:

––––––––––––––––––––––– 1/6/X5 –––––––––––––––––––––––

6.000 Otro inmovilizado material
      en curso (23x)

                    a   Bancos (572)   6.000

En el momento de su adquisición se registrarán como inmovilizado en curso. Consulta nº 4. BOICAC 97.

• Por la activación de los costes de producción:

―――――――――――――――― 1/10/X5 ――――――――――――――――

1.000 Otro inmovilizado material
      en curso (23x)

          a   Trabajos realizados para el
               inmovilizado material en
               curso (733)   1.000

• Por el traspaso a inmovilizado material:

―――――――――――――――― 1/10/X5 ――――――――――――――――

7.000 Otro inmovilizado material
      (219)

          a   Otro inmovilizado material
               en curso (23x)   7.000

Tras la activación de los costes correspondientes se reclasifican como elementos del inmovilizado material. En dicha fecha el inmovilizado se encuentra en condiciones de producción.

• Por la amortización y posible registro de deterioro de la camada:

– Por la amortización:

$$\text{Cuota mensual:} = \frac{7.000}{28} = 250 \text{ €/mes}$$

―――――――――――――――― 31/12/X5 ――――――――――――――――

750 Amortización del inmovili-
     zado material (681)

     (250 x 3)

          a   Amortización acumulada del
               inmovilizado material (281)   750

Respecto a la amortización, el apartado 2.1 de la NRV 2ª Inmovilizado material, indica que las amortizaciones habrán de establecerse de manera sistemática y racional en función de la vida útil de los bienes y de su valor residual, atendiendo a la depreciación que normalmente sufran por su funcionamiento, uso y disfrute, sin perjuicio de considerar también la obsolescencia técnica o comercial que pudiera afectarlos.

Por otro lado, el apartado 3.5 de la norma 2ª de la Resolución de 1 de marzo de 2013, en relación con los métodos de amortización, señala:

> *"Podrán utilizarse aquellos métodos de amortización que de acuerdo con un criterio técnico-económico distribuyan los costes de la amortización a lo largo de la vida útil, con independencia de consideraciones fiscales o de las condiciones de rentabilidad en que se desenvuelve la empresa. Entre estos métodos se incluyen, el método lineal que dará lugar a un cargo por amortización constante a lo largo de la vida útil del activo, (...)".*

– Por el registro del posible deterioro de la camada:

Comprobaremos, con efectos de registrar una posible pérdida de deterioro (Norma 2ª.2 Valoración PGC).

· Valor contable (31/12/X5)). . . . .   6.250 €

Coste de producción: 7.000 €

Amortización acumulada: (750)

Es mayor que:

(*) · Importe recuperable. . . . .   6.000 €

Mayor importe:

* Valor razonable – Gastos venta: 5.300 – 100 = 5.200

* Valor en uso: 6.000

PÉRDIDA POR DETERIORO.   **250**

(*) El importe recuperable de un activo, como expresión de los beneficios o rendimientos económicos futuros que se obtendrán del mismo, es la medida de referencia principal para determinar la existencia y cuantía del deterioro. [RICAC del deterioro de los activos. Norma segunda.2].

Cuando una empresa identifica un indicio de deterioro en un activo, debe calcular el valor en uso o cantidad que puede recuperar si lo emplea en el curso ordinario de sus operaciones, considerando el valor temporal del dinero y los riesgos específicos del elemento patrimonial, y su valor razonable menos los costes de venta. El activo estará deteriorado si la mayor de estas dos cantidades es inferior a su valor en libros.

Anotando:

──────────────────────────── 31/12/X5 ────────────────────────────

250	Pérdidas por deterioro del inmovilizado material (691)	
	a	Deterioro de valor del inmovilizado material (291) 250

En estos momentos, el valor contable de camada 6.000 € (= 7.000 – 750 – 250), con una vida útil restante de 25 meses. Para los próximos ejercicios, al existir correcciones valorativas por deterioro, ajustaremos las amortizaciones (Norma 2ª. 2.1 Valoración PGC). Así:

$$\text{Nueva amortización} = \frac{\text{Valor Contable}}{\text{Vida útil pendiente}} = \frac{6.000}{25 \text{ meses}} = \textbf{240 mes}$$

• **Amortización y deterioro a 31/12/X6**

– **Por la amortización, cuota mensual: 240 €/mes**

Cuota mensual: 240 €/mes

2.880	Amortización del inmovilizado material (681) [240 x 12]	
	a	Amortización acumulada del inmovilizado material (281) 2.880

– Por el registro del posible deterioro de la camada:

Comprobaremos, con efectos de registrar una posible pérdida de deterioro (Norma 2ª.2 Valoración PGC)

· Valor contable (31/12/X6). . . . . 3.120 €

Coste de producción: 7.000 €

  Amortización X5 (750)

  Amortización X6: (2.880)

  Deterioro: (250)

<u>Es mayor que:</u>

· Importe recuperable. . . . . <u>3.000 €</u>

  Mayor importe:

  * Valor razonable – Gastos venta: 3.100 – 100 = 3.000

  * Valor en uso: 2.500

DETERIORO. .**120**

TENEMOS REGISTRADO 250; . . . . LUEGO REVERTIRÁN 130

La reversión del deterioro debe reconocerse como un ingreso en la cuenta de pérdidas y ganancias cuando la pérdida no existe o ha disminuido. RICAC del deterioro de valor de los activos. Norma segunda.7.

Anotándose:

─────────────────────────── 31/12/X7 ───────────────────────────

| 130 | Deterioro de valor del inmo-vilizado material (291) | a | Reversión del deterioro del inmovilizado material (791) | 130 |

Dicha reversión, tendrá como límite el valor contable del inmovilizado que estaría reconocido en la fecha de reversión si no se hubiese registrado el deterioro de valor.

En estos momentos, el valor contable de este inmovilizado:

Camada.	7.000
Amortización Acumulada	
Años X5.	750
Años X6.	2880
Deterioro.	120
Valor Contable.	3.250

Quedándole una vida útil de (28 - 3 - 12) = 13 meses. Por lo que en los siguientes ejercicios, las nuevas cuotas de amortización ascenderán:

$$\text{Nueva amortización} = \frac{3.250}{13 \text{ meses}} = \mathbf{250/mes}$$

Así "(...) Cuando (...) proceda reconocer correcciones valorativas por deterioro, se ajustarán las amortizaciones de los ejercicios siguientes del inmovilizado deteriorado, teniendo en cuenta el nuevo valor contable. Igual proceder corresponderá en el caso de reversión de las correcciones valorativas por deterioro" [Norma 2ª.2.1 de Valoración sobre Amortización del Inmovilizado Material en el PGC].

2.2.5.3. Amortización instalación hotelera, caso existe límite en el uso del terreno instalado

BOICAC 115, septiembre 2018. Consulta 8

Sobre el criterio de amortización aplicable a una instalación hotelera, con aula taller, salón para conferencias, etcétera, que ha sido edificada en un terreno clasificado como suelo no urbanizable, previa autorización administrativa en los términos que se indican a continuación.

Respuesta

El consultante ha recibido, previa tramitación del oportuno expediente administrativo, una declaración de interés comunitario para la atribución del uso y aprovechamiento de un suelo no urbanizable, durante un plazo de vigencia de 25 años. A cambio, el consultante tendrá que pagar a la Administración un canon anual, actualizable anualmente conforme a la variación del Índice de Precios al Consumo.

Sobre la base de esta autorización, el consultante ha edificado una instalación hotelera. Además del canon, el consultante se compromete a cesar en el uso o aprovechamiento del suelo y a demoler y desmantelar las instalaciones construidas con reposición de las cosas a su estado inicial al término de los 25 años, sin perjuicio de las posibles prórrogas legales.

La consulta versa sobre el criterio a seguir para amortizar el inmovilizado material afecto a la instalación hotelera.

La vida útil se define en el punto 10. Valor residual, del apartado 6. Criterios de valoración, del Marco Conceptual de la Contabilidad, incluido en la primera parte del Plan General de Contabilidad, aprobado por Real Decreto 1514/2007, de 16 de noviembre, como sigue:

"La vida útil es el periodo durante el cual la empresa espera utilizar el activo amortizable o el número de unidades de producción que espera obtener del mismo. En particular, en el caso de activos sometidos a reversión, su vida útil es el periodo concesional cuando éste sea inferior a la vida económica del activo.

La vida económica es el periodo durante el cual se espera que el activo sea utilizable por parte de uno o más usuarios o el número de unidades de producción que se espera obtener del activo por parte de uno o más usuarios."

En relación con la amortización, en el apartado 2.1. Amortización de la norma de registro y valoración (NRV) 2ª. *Inmovilizado material*, del PGC se señala lo siguiente:

"2.1. Amortización

Las amortizaciones habrán de establecerse de manera sistemática y racional en función de la vida útil de los bienes y de su valor residual, atendiendo a la depreciación que normalmente sufran por su funcionamiento, uso y disfrute, sin perjuicio de considerar también la obsolescencia técnica o comercial que pudiera afectarlos."

Por otro lado, en la letra h) de la NRV 3ª. *Normas particulares sobre el inmovilizado material*, en lo que atañe a la amortización de las inversiones realizadas en locales arrendados, se expresa que:

"h) En los acuerdos que, de conformidad con la norma relativa a arrendamientos y otras operaciones de naturaleza similar, deban calificarse como arrendamientos operativos, las inversiones realizadas por el arrendatario que no sean separables del activo arrendado o cedido en uso, se contabilizarán como inmovilizados materiales cuando cumplan la definición de activo. La amortización de estas inversiones se realizará en función de su vida útil que será la duración del contrato de arrendamiento o cesión -incluido el periodo de renovación cuando existan evidencias que soporten que la misma se va a producir-, cuando ésta sea inferior a la vida económica del activo."

En desarrollo de estos criterios, en la Norma Segunda. Valoración posterior de la Resolución de 1 de marzo de 2013, del Instituto de Contabilidad y Auditoría de Cuentas por la que se dictan normas de registro y valoración del inmovilizado material y de las inversiones inmobiliarias, apartado 3. *Amortización*, subapartado 3.3. *Vida útil*, se introducen las siguientes aclaraciones:

"3.3. Vida útil

1. Vida útil es el periodo durante el cual la empresa espera utilizar el activo amortizable o el número de unidades de producción que espera obtener del mismo. En particular, en el caso de activos sometidos a reversión, su vida útil es el periodo concesional cuando éste sea inferior a la vida económica del activo; y en el de las inversiones en locales arrendados, que deban calificarse como arrendamientos operativos, y no sean separables del activo cedido en uso, la duración del contrato de arrendamiento, incluido el periodo de renovación cuando exista evidencia de que el mismo se va a producir, siempre que la citada duración sea inferior a la vida económica del activo.

2. Se entiende por vida útil, por tanto, el período durante el cual la empresa espera razonablemente consumir los beneficios económicos incorporados o inherentes al activo.

3. Se trata de un período estimado que se debe calcular en función de un criterio racional, teniendo en cuenta aquellos factores que pueden incidir en la vida productiva del inmovilizado. Entre estos, se destacan los siguientes:

a) El uso y desgaste físico esperado.

b) La obsolescencia técnica o comercial.

c) Los límites legales u otros que afecten a la utilización del activo."

A la vista de todos estos antecedentes, en el caso que nos ocupa, la vida útil de las instalaciones será la duración del plazo por el que se ha autorizado el uso o aprovechamiento del suelo, incluidas las posibles prórrogas legales cuando exista evidencia de que esta ampliación se va a producir, siempre que la citada duración sea inferior a la vida económica del activo. En caso contrario, se tomará esta última como plazo de amortización.

La razón que sostiene este criterio es identificar el período durante el cual la empresa espera razonablemente consumir los beneficios económicos incorporados o inherentes al activo, en términos similares a lo que sucede con los activos sometidos a reversión, o en las inversiones en locales arrendados, cuando la vida económica de estos activos excede el periodo de aprovechamiento económico por causa de la existencia de un plazo límite para su explotación inferior a la vida económica de los activos.

Comentario

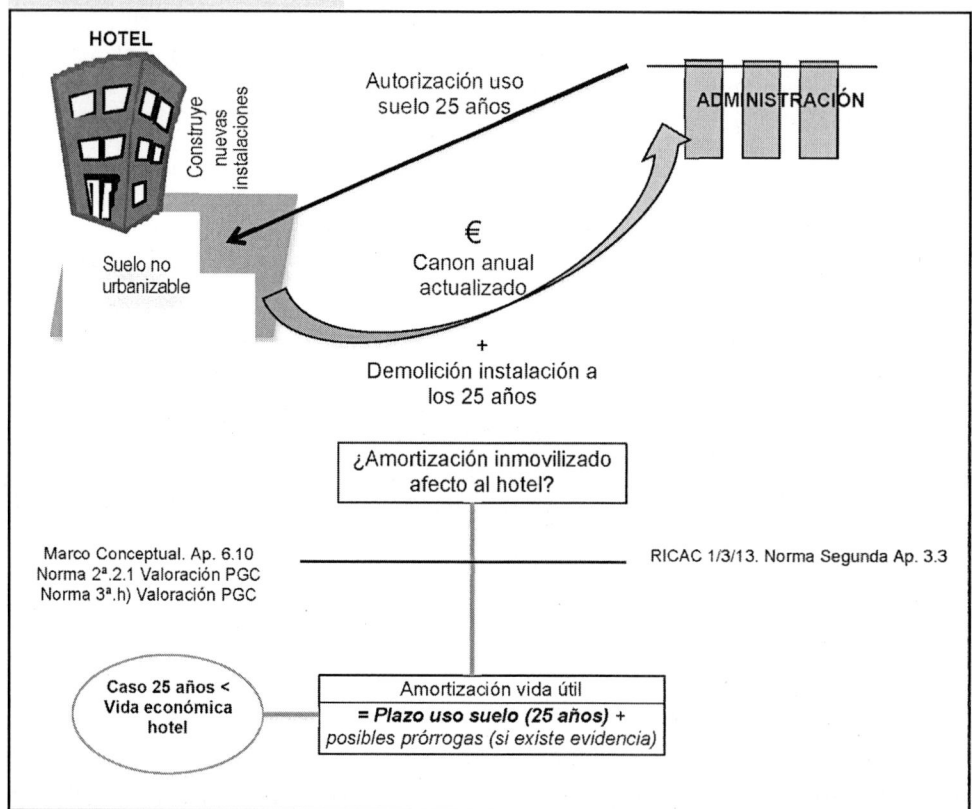

Ejemplo

La sociedad CANGAS S.A, posee un terreno no urbanizable en las inmediaciones de la playa de NERGA, y ha recibido, previa tramitación del oportuno expediente administrativo, una declaración de interés comunitario para la atribución del uso y aprovechamiento del suelo no urbanizable, durante un plazo de vigencia de 25 años, sin posibilidad de prórroga y que comenzará a contar desde que finalice la construcción de la instalación hotelera. A cambio, nuestra sociedad, tendrá que pagar a la Administración un canon anual de 20.000€ a finales de cada año, actualizable anualmente conforme a la variación del Índice de Precios al Consumo (IPC).

Sobre la base de esta autorización, la sociedad ha edificado una instalación hotelera, ascendiendo su coste a 285.234,86€, pagados por bancos (en enero del X12). Su vida útil se estima en 50 años. Además del canon, "CANGAS" se compromete a cesar en el uso o aprovechamiento del suelo y a demoler y desmantelar las instalaciones construidas lo cual supondrá un coste estimado de 50.000€ con reposición de las cosas a su estado inicial al término de los 25 años.

Sabiendo que el tipo de interés libre de riesgo 5%,

SE PIDE. Anótese lo correspondiente a estas fechas:

- Recepción de la instalación a 1/1/X12

- Pago del canon a 31/12/X12.

- Amortización del inmovilizado a 31/12/X12.

- Ajuste de la provisión a 31/12/X12.

- Sabemos a 1/1/X13, los gastos de desmantelamiento se estima que ascenderán a 60.000 € (no cambiando el tipo de actualización). ¿Qué ocurrirá con la amortización?.

- Pago del canon a 31/12/X13 sabiendo que el IPC ha crecido en un 1,25%

SOLUCIÓN:

• Construcción del inmovilizado. Valoración de la instalación hotelera.

En la valoración inicial de este inmovilizado, incluiremos:

Precio de adquisición.	285.234,86
+Estimación inicial del valor actual	
obligación desmantelamiento: $[50.000 \times (1,05)^{-25}]$.	<u>14.765,14</u>
Valoración.	300.000

Anotando:

		1/1/X12		
300.000	Construcciones (211)	a	Bancos c/c (572)	282.234,86
			Provisión por desmantelamiento, retiro o rehabilitación inmovilizado (143)	14.765,14

En la Norma 2ª.1 de Valoración del PGC, nos comenta que formará parte del valor del inmovilizado material: *"(...) la estimación inicial del valor actual de las obligaciones asumidas derivadas del desmantelamiento o retiro y otras asociadas al citado activo, tales como los costes de rehabilitación del lugar sobre el que se asienta, siempre que estas obligaciones den lugar al registro de provisiones, de acuerdo con lo dispuesto en la norma aplicable a éstas"*. En el mismo sentido se expresa la RICAC del Inmovilizado Material, en el apartado 2.1. de la Norma Primera.

- Pago del canon a la Administración:

31/12/X12

20.000	Otros tributos (631)	a Bancos (572)	20.000

- Amortización de la construcción. Vida útil 25 años.

31/12/X12

12.000	Amortización del I.M. (681)	a A.A.I.M. (281)	12.000

$$\text{Cuota anual amortización} = \frac{300.000}{25 \text{ años}} = 12.000$$

La vida útil de las instalaciones será la duración del plazo por el que se ha autorizado el uso o aprovechamiento del suelo, incluidas las posibles prórrogas legales cuando exista evidencia de que esta ampliación se va a producir, siempre que la citada duración sea inferior a la vida económica del activo. En caso contrario, se tomará esta última como plazo de amortización.

La razón que sostiene este criterio es identificar el período durante el cual la empresa espera razonablemente consumir los beneficios económicos incorporados o inherentes al activo, en términos similares a lo que sucede con los activos sometidos a reversión, o en las inversiones en locales arrendados, cuando la vida económica de estos activos excede el periodo de aprovechamiento económico por causa de la existencia de un plazo límite para su explotación inferior a la vida económica de los activos. [Consulta nº 8. BOICAC 115].

- En esta fecha de fin de ejercicio, también anotaremos los apuntes correspondientes a la actualización de la provisión. Así:

——————————————————— 31/12/X12 ———————————————————

| 738,26 | Gastos financieros por actualización de provisiones (660) [14.765,14 x 0,05] | a | Provisión por desmantelamiento, retiro o rehabilitación inmovilizado (143) | 738,26 |

De esta forma y según la definición de la cuenta 660, en la 5ª parte del Plan: *"Importe de la carga financiera correspondiente a los ajustes de valor de las provisiones en concepto de actualización financiera. Se cargará por el reconocimiento del ajuste, de carácter financiero, con abono a las correspondientes cuentas de provisiones, incluidas en los subgrupos 14 y 52".*

Igualmente en el apartado 2.2. de la Norma Primera de la RICAC del Inmovilizado Material, nos indica: *"Después del reconocimiento inicial, la empresa contabilizará la reversión del descuento financiero asociado a la provisión en la cuenta de pérdidas y ganancias y ajustará el valor del pasivo de acuerdo con el tipo de interés aplicado en el reconocimiento inicial, o en la fecha de su última revisión (...)"*

• A comienzos del X13, tenemos conocimiento de la modificación de los gastos por desmantelamiento al final de la vida útil. Compararemos en esta fecha

Lo anotado, hasta la fecha.. 14.765,14x1,05. . . . . 15.503,40

Cuantificación actual del desmantelamiento

en base a la nueva información: $[60.000 \times (1,05)^{-24}]$. 18.604,07

Ajuste. 3.100,67

Anotando:

——————————————————— 1/1/X13 ———————————————————

| 3.100,67 | Construcciones (211) | a | Provisión por desmantelamiento, retiro o rehabilitación inmovilizado (143) | 3.100,26 |

Así, y para el movimiento de la cuenta 143 nos dice que ésta se abonará: *"a₁) Al nacimiento de la obligación, o por cambios posteriores en su importe que supongan incremento de la provisión,* con cargo generalmente, a cuenta del sub-grupo 21 (...)"

En el mismo sentido la RICAC del Inmovilizado Material, en la normativa mencionada, nos dice: *"(...) la valoración inicial del inmovilizado material podrá verse alterada por cambios en estimaciones contables que modifiquen el importe de la provisión asociada a los costes de desmantelamiento y rehabilitación, una vez reconocida la reversión del descuento, y que podrán venir motivados por:*

a) *Un* <u>cambio</u> *en el calendario o en el* <u>importe de los flujos de efectivo</u> *estimados para cancelar la obligación asociada al desmantelamiento o la rehabilitación (...)"*

En estos casos, nos sigue comentando la Resolución: *"(...) la* <u>empresa incrementará o reducirá el valor contable del activo</u>, *en el mismo importe en el que se modifique el valor contable del pasivo"*

Este cambio, implicará modificaciones en la amortización. Aplicaremos la Norma 21ª de Valoración calificándolo como un "cambio en estimación contable": ya que es consecuencia de la obtención de una información adicional.

Así este cambio, se aplicará de forma "prospectiva". En nuestro caso, la maquinaria en nuestras cuentas está valorada:

211. Construcciones: 300.000 + 3.100,67.	303.100,67
281. A.A.I.M.	(12.000)
Valor contable.	291.100,67

Quedando pendientes, 24 años.

Por tanto, la nueva amortización sería para este ejercicio:

$$\text{Cuota anual amortización} = \frac{291.100,67}{24 \text{ años}} = 12.129,19$$

• Y por el pago del canon a la Administración:

1/1/X13

20.250	Otros tributos (631)	a	Bancos c/c (572)
	(20.000 x 1,0125)		
			20.250

2.2.6.   Enajenaciones y Bajas

2.2.6.1.   Indemnizaciones percibidas por el seísmo de Lorca: tratamiento contable

BOICAC 91, septiembre 2012. Consulta 8

Sobre el tratamiento contable de las indemnizaciones recibidas por los movimientos sísmicos que tuvieron lugar en la ciudad de Lorca en el año 2011.

Respuesta

La consulta versa sobre el tratamiento contable que debe darse a la indemnización percibida y a los costes de reconstrucción y, en su caso, de reparación como consecuencia de los daños causados en edificios, locales o dependencias empresariales o profesionales por los movimientos sísmicos que tuvieron lugar en la ciudad de Lorca en el año 2011. Los daños asegurados han sido indemnizados por el Consorcio de Compensación de Seguros, destinándose las cantidades percibidas a la reconstrucción de los locales y establecimientos y, en otros casos, a su reparación, a lo largo de varios ejercicios.

En particular, se plantea si la indemnización recibida por los conceptos señalados puede registrarse contablemente de modo equivalente a las subvenciones de capital, dado que el destino de los fondos recibidos es específico para reparar los daños sufridos en locales, instalaciones, mobiliario. Como normativa aplicable, los consultantes apelan a la consulta 1 del Boletín de este Instituto (BOICAC) nº 67, de septiembre de 2006, al Real Decreto-Ley 11/2012, de 30 de marzo, de medidas para agilizar el pago de las ayudas a los damnificados por el terremoto, reconstruir los inmuebles demolidos e impulsar la actividad económica de Lorca, así como al Real Decreto-ley 6/2011, de 13 de mayo, por el que se adoptan medidas urgentes para reparar los daños causados por los movimientos sísmicos acaecidos el 11 de mayo de 2011 en Lorca, Murcia.

El apartado 3º Principios contables, del Marco Conceptual de la Contabilidad (MCC) recogido en la primera parte del Plan General de Contabilidad (PGC), aprobado por el Real Decreto 1514/2007, de 16 de noviembre, señala:

> *"La contabilidad de la empresa y, en especial, el registro y la valoración de los elementos de las cuentas anuales, se desarrollarán aplicando obligatoriamente los principios contables que se indican a continuación:*
>
> *(...)*
>
> *2. Devengo. Los efectos de las transacciones o hechos económicos se registrarán cuando ocurran, imputándose al ejercicio al que las cuentas anuales se refieran, los gastos y los ingresos que afecten al mismo, con independencia de la fecha de su pago o de su cobro."*

Por otro lado, el apartado 5º Criterios de registro o reconocimiento contable de los elementos de las cuentas anuales del MCC, dispone:

"El registro o reconocimiento contable es el proceso por el que se incorporan al balance, la cuenta de pérdidas y ganancias o el estado de cambios en el patrimonio neto, los diferentes elementos de las cuentas anuales, de acuerdo con lo dispuesto en las normas de registro relativas a cada uno de ellos, incluidas en la segunda parte de este Plan General de Contabilidad.

El registro de los elementos procederá cuando, cumpliéndose la definición de los mismos incluida en el apartado anterior, se cumplan los criterios de probabilidad en la obtención o cesión de recursos que incorporen beneficios o rendimientos económicos y su valor pueda determinarse con un adecuado grado de fiabilidad".

A mayor abundamiento, sobre el tratamiento contable de la indemnización recibida de una entidad aseguradora a causa de un siniestro en el inmovilizado, este Instituto ya se ha pronunciado en la consulta 5 del BOICAC nº 77, de marzo de 2009, en los siguientes términos:

"(...) Respecto a las compensaciones a recibir de terceros la NRV 15ª, en su apartado 2, señala que «la compensación a recibir de un tercero en el momento de liquidar la obligación, no supondrá una minoración del importe de la deuda, sin perjuicio del reconocimiento en el activo de la empresa del correspondiente derecho de cobro, siempre que no existan dudas de que dicho reembolso será percibido.

Aplicando por analogía este criterio al supuesto planteado por el consultante, cabe concluir que cuando un activo se encuentre asegurado y la compensación a recibir sea prácticamente cierta o segura, es decir, la empresa se encuentre en una situación muy próxima a la que goza el titular de un derecho de cobro, habrá que registrar contablemente la indemnización a percibir en el mismo momento en que se registre la baja del activo, circunstancia que motivará el reconocimiento del correspondiente ingreso de acuerdo con los criterios incluidos en el Marco Conceptual de la Contabilidad. Hasta que no desaparezca la incertidumbre asociada a la indemnización que finalmente se acuerde, la empresa sólo podrá contabilizar un ingreso por el importe de la pérdida incurrida.

A tal efecto, podrá utilizarse la cuenta 778. Ingresos excepcionales que lucirá en la partida 11. b) Resultados por enajenaciones y otras, de la cuenta de pérdidas y ganancias, sin perjuicio de considerar igualmente aplicable, si la cuantía resulta significativa, el criterio incluido en la citada norma de elaboración de las cuentas anuales 7º. Cuenta de pérdidas y ganancias (...)".

De acuerdo con lo anterior, las indemnizaciones recibidas de una entidad aseguradora a causa de un siniestro en el inmovilizado se devengan cuando la compensación a recibir sea prácticamente cierta o segura, y se reconocen en ese mismo momento en la cuenta de pérdidas y ganancias.

En el caso que nos ocupa es preciso diferenciar dos conceptos: "ayudas" e "indemnizaciones". En concreto, la disposición adicional tercera. *Tratamiento fiscal de ayudas e indemnizaciones percibidas como consecuencia del movimiento sísmico,* del Real Decreto-Ley 11/2012, de 30 de marzo, mencionado, establece:

> *"A las indemnizaciones percibidas como consecuencia de la destrucción de elementos patrimoniales asegurados previstos en el artículo 3 del Real Decreto-ley 6/2011, de 13 de mayo, por el que se adoptan medidas urgentes para reparar los daños causados por los movimientos sísmicos acaecidos el 11 de mayo de 2011 en Lorca, Murcia, les serán de aplicación lo establecido en la disposición adicional quinta de la Ley 35/2006, de 28 de noviembre, del Impuesto sobre la Renta de las Personas Físicas y de modificación parcial de las leyes de los Impuestos sobre Sociedades, sobre la Renta de no Residentes y sobre el Patrimonio.*
>
> *Las ayudas públicas para reparación de elementos patrimoniales previstas en el citado artículo 3 y las indemnizaciones para la reparación de los elementos patrimoniales previstos en el párrafo anterior, no darán lugar a una ganancia patrimonial. En ningún caso, los costes de reparación, hasta el importe de la citada ayuda o indemnización, serán fiscalmente deducibles ni se computarán como mejora.*
>
> *Lo establecido en esta disposición adicional será aplicable a las indemnizaciones y ayudas percibidas a partir de la entrada en vigor del Real Decreto-ley 6/2011".*

Según el artículo 2 del Real Decreto-Ley 6/2011, las ayudas excepcionales por daños personales, allí previstas, están sometidas a las condiciones y requisitos establecidos en el Real Decreto 307/2005, de 18 de marzo, por el que se regulan las subvenciones en atención a determinadas necesidades derivadas de situaciones de emergencia o de naturaleza catastrófica, y se establece el procedimiento para su concesión, con las excepciones concretas mencionadas en el artículo, que especifica que se financiarán con cargo a una determinada aplicación presupuestaria. Las ayudas excepcionales por daños materiales se regulan en el artículo 3 del Real Decreto-ley 6/2011 y se financian, según el artículo 8, por las correspondientes Administraciones Públicas.

Por tanto, para el caso de ayudas públicas, el registro contable por las cantidades percibidas es, sin duda, el previsto en la norma de registro y valoración (NRV) 18ª. "Subvenciones, donaciones y legados recibidos", del PGC.

En relación con el caso concreto que parece plantearse en la consulta, las indemnizaciones a cargo del Consorcio de Compensación de Seguros (CCS) por los daños excepcionales ocasionados por el seísmo, como paso previo para su adecuado tratamiento contable, será preciso analizar su fondo económico y jurídico.

En relación con la naturaleza jurídica, régimen jurídico y fines del CCS, cabe citar los artículos 1, 2 y 3, del Real Decreto Legislativo 7/2004, de 29 de octubre, por el que se aprueba el texto refundido del Estatuto Legal del CCS, que disponen:

"Artículo 1. Naturaleza jurídica del Consorcio de Compensación de Seguros.

1. El Consorcio de Compensación de Seguros (en adelante, el Consorcio) se constituye como una entidad pública empresarial de las previstas en el artículo 43.1.b) de la Ley 6/1997, de 14 de abril, de Organización y Funcionamiento de la Administración General del Estado, con personalidad jurídica propia y plena capacidad de obrar para el cumplimiento de sus fines, dotada de patrimonio distinto al del Estado, que ajustará su actividad al ordenamiento jurídico privado.

2. El Consorcio está adscrito al Ministerio de Economía y Hacienda.

Artículo 2. Régimen Jurídico

1. El Consorcio se regirá por las disposiciones contenidas en este Estatuto Legal y, en lo que no se oponga al él, por las que expresamente la Ley 6/1997, de 14 de abril, de Organización y Funcionamiento de la Administración General del Estado, dedica en el capítulo III de su título III a las entidades públicas empresariales, así como las demás previstas para tales entidades en la legislación vigente.5

2. Quedará sometido, en el ejercicio de su actividad aseguradora y, en defecto de reglas especiales contenidas en este estatuto legal, a lo dispuesto en el texto refundido de la Ley de ordenación y supervisión de los seguros privados, aprobado por el Real Decreto Legislativo 6/2004, de 29 de octubre, y en la Ley 50/1980, de 8 de octubre, de contrato de seguro.

3. La contratación del Consorcio se rige por el derecho privado, salvo lo previsto para las entidades de derecho público en el artículo 2 del texto refundido de la Ley de Contratos de las Administraciones Públicas, aprobado por el Real Decreto Legislativo 2/2000, de 16 de junio.

Artículo 3. Fines.

1. El Consorcio, como organismo inspirado en el <u>principio de compensación</u>, tiene como fin cubrir los riesgos en los seguros que se determinan en este estatuto legal, con la amplitud que en él se fija o pueda hacerse en disposiciones específicas con rango de ley.

Para el adecuado cumplimiento de los fines citados, el Consorcio podrá celebrar pactos de coaseguro, así como ceder o retroceder en reaseguro parte de los riesgos asumidos a entidades aseguradoras españolas o extranjeras que están autorizadas para realizar operaciones de esta naturaleza. Asimismo, podrá aceptar en reaseguro en el seguro de riesgos nucleares y en el seguro agrario combinado en los términos previstos en este estatuto legal.

2. Fuera de los supuestos a que se refiere el apartado 1, el Consorcio podrá asumir la cobertura concertando pactos de coaseguro o aceptando en reaseguro en aquellos supuestos en que concurran razones de interés público que lo aconsejen, atendiendo la situación y circunstancias del mercado asegurador.

3. Son funciones públicas del Consorcio las concernientes a la exigibilidad de los recargos a favor del Consorcio, las que le atribuye la legislación reguladora del seguro de crédito a la exportación por cuenta del Estado y las que le confiere el artículo 16.

4. Corresponderá al Consorcio llevar a cabo la liquidación de las entidades aseguradoras que le sea encomendada en los supuestos previstos en este estatuto legal y en la legislación sobre ordenación y supervisión de los seguros privados, así como el ejercicio de las funciones que en el seno de los procedimientos concursales a que puedan verse sometidas las mismas entidades se le atribuyen en dichas normas."

Para el supuesto concreto de los daños asegurados por causa de acontecimientos extraordinarios, en particular, los terremotos, el CCS se rige por el Reglamento del seguro de riesgos extraordinarios, aprobado por el Real Decreto 300/2004, de 20 de febrero, modificado por el Real Decreto 1262/2006, de 8 de noviembre, y por el Real Decreto 1386/2011, de 14 de octubre.

El artículo 1. *Riesgos cubiertos*, del citado Reglamento del seguro de riesgos extraordinarios, señala:

"1. El CCS tiene por objeto, en relación con el seguro de riesgos extraordinarios que se regula en este reglamento, <u>indemnizar</u>, en la forma en él establecida, <u>en régimen de compensación</u>, las pérdidas derivadas de acontecimientos extraordinarios acaecidos en España y que afecten a riesgos en ella situados.

A estos efectos, serán pérdidas, en los términos y con los límites que se establecen en este reglamento, los daños directos en las personas y los bienes, así como las pérdidas de beneficios como consecuencia de aquéllos. Se entenderá, igualmente en los términos establecidos en este reglamento, por acontecimientos extraordinarios:

a) Los siguientes fenómenos de la naturaleza: los terremotos y (...)"

A la vista de estos antecedentes, es preciso concluir que las cantidades percibidas del CCS en concepto de indemnización, a diferencia de las ayudas extraordinarias concedidas por las Administraciones públicas, constituyen la contraprestación por los recargos abonados a dicha entidad al contratar las pólizas de seguro correspondientes. En este sentido, cabe citar el artículo 4 *Pólizas con recargo obligatorio a favor del CCS*, del Real Decreto 300/2004, de 20 de febrero, que dispone:

> *"1. El seguro de riesgos extraordinarios amparará, conforme legalmente se determina, a <u>los asegurados de las pólizas</u> que se indican a continuación, en las cuales es obligatorio el recargo a favor del CCS:*
>
> *a) En los seguros contra daños:(...)*
>
> *b) En los seguros de personas: (...)".*

Asimismo se puede traer a colación el apartado 2 del artículo 8. *Derechos y obligaciones del Consorcio en el seguro de riesgos extraordinarios*, del Estatuto Legal del CCS:

> *"2. La obligación del Consorcio <u>amparará necesaria y exclusivamente a las mismas personas o bienes y por las mismas sumas aseguradas que se hayan establecido en las pólizas de seguro,</u> (...)*
>
> *Esta obligación <u>se limitará a las indemnizaciones que proceda abonar conforme a la ley española de contrato de seguro</u>".*

Por tanto debe concluirse que, en principio, el CCS actúa como una entidad aseguradora y, en consecuencia, la relación contractual/legal de la que traen causa las indemnizaciones recibidas por los afectados del seísmo es análoga a la que se pone de manifiesto en cualquier otro contrato de seguro. No obstante, en este punto, restaría analizar si la financiación mediante los correspondientes recargos es suficiente, ya que en caso contrario las cantidades indemnizadas tal vez podrían tener naturaleza de subvención.

Para ello, se reproduce el artículo 13. *Tarifa de recargos del seguro de riesgos extraordinarios.*

> *"1. Las <u>tarifas de recargos del seguro de riesgos extraordinarios que deben satisfacer obligatoriamente por los asegurados</u> al Consorcio de Compensación de Seguros, que <u>deberán ser individualizadas</u> para la cobertura de los daños directos y para la de la pérdida de beneficios, serán aprobadas por la Dirección General de Seguros y Fondos de Pensiones a propuesta del Consorcio de Compensación de Seguros y se publicarán en el «Boletín Oficial del Estado».*
>
> *2. Las citadas <u>tarifas deberán respetar los principios de equidad y suficiencia fundados en las reglas de la técnica aseguradora,</u> y estar basadas en principios de compensación entre tipos de bienes o de riesgos, zonas geográficas y grados de exposición."*

En definitiva, a la vista del fondo económico y jurídico de la operación debe concluirse que la causa de la indemnización que se recibe es equivalente a la que hubiera desencadenado la obligación de pago por parte de una compañía aseguradora, por lo que el tratamiento contable de la operación deberá ajustarse al descrito en la consulta 5 del BOICAC nº 77.

Respecto a la segunda cuestión que se plantea en el escrito de consulta, sobre el tratamiento contable de los costes de reconstrucción y, en su caso, de reparación como consecuencia de los daños causados en edificios, locales o dependencias empresariales o profesionales, cabe indicar que los criterios aplicables serán los generales regulados en el PGC y en sus disposiciones de desarrollo, en particular, en la Resolución de 30 de julio de 1991, del Presidente del Instituto de Contabilidad y Auditoría de Cuentas por la que se dictan normas de valoración del inmovilizado material, sin que los hechos descritos ofrezcan especialidad alguna.

Comentario

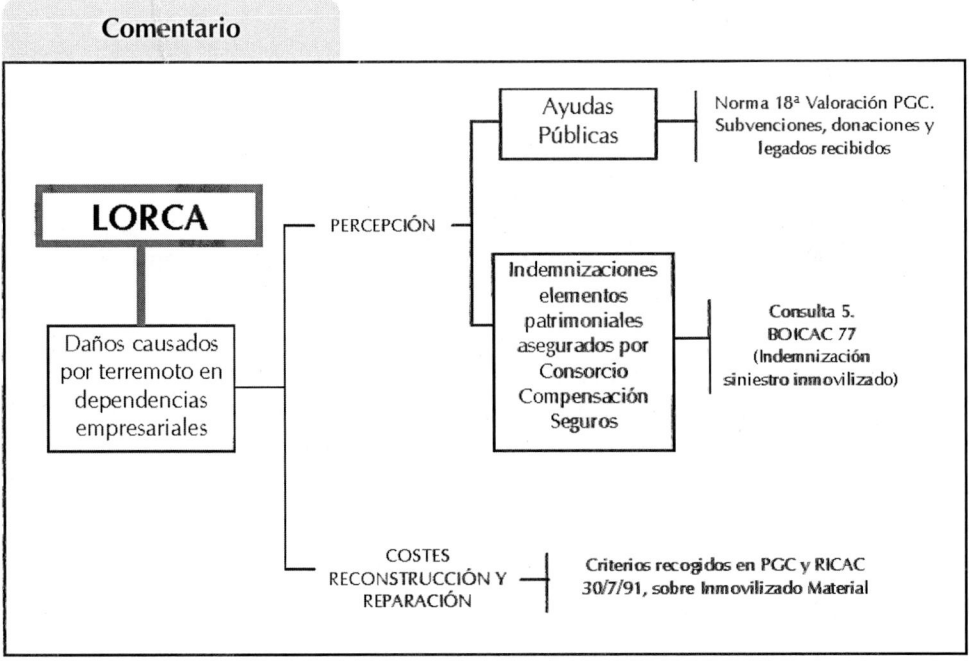

Ejemplo

La sociedad ANABEL S.A. posee un local comercial donde ejerce su actividad en la ciudad de LORCA, la situación del citado inmueble a 31/12/2010 era la siguiente:

(210) Terrenos y bienes naturales. . . . . 200.000 €

(211) Construcciones. . . . . 600.000 €

(2811) Amortización acumulada de construcciones. . . . . (300.000 €)

La vida útil se estableció en 40 años amortizándose de forma lineal.

El referenciado inmueble, se encuentra asegurado. La póliza incluye un recargo de riesgos extraordinarios, cuya tarifa se satisface al Consorcio de Compensación de Seguros.

El día 11 de mayo del 2011, un terremoto asola la ciudad de LORCA, afectando al inmueble de la empresa quedando este totalmente destruido. La sociedad notifica en el plazo establecido el siniestro simultáneamente al Consorcio y al mediador de seguros con el que se contrató la póliza. De igual manera procede a dar de baja el citado inmueble el 15/5/2011.

El 1/6/2011 la sociedad recibe a los peritos encargados de determinar los daños ocasionados, fijando estos una indemnización de 320.000 € cantidad que acepta la empresa.

Una vez evaluados los daños, la sociedad procede a la construcción en el propio solar de una nueva edificación, para lo cual procede a la demolición, desescombro y acondicionamiento del mismo pagando a la finalización de los trabajos a la sociedad "CHAPUZAS MOURIÑO" la cuantía de 15.000 €, haciendo efectivo su importe el (1/7/2011).

Por otra parte la sociedad solicita la Ayuda que el Gobierno otorga para la reconstrucción del local. El 1/9/2011 le ingresan la citada ayuda en la cuenta corriente de la empresa ascendiendo su cuantía a 18.000 €.

De igual manera, al cubrir la póliza el riesgo extraordinario acontecido, ha percibido una indemnización del Consorcio de Seguros por daños de demolición, desescombro, así como gastos para depositar en vertedero los bienes de contenido dañados (enseres domésticos etc.) cuyo importe asciende al 4% de la suma asegurada (320.000 €), los cuales fueron ingresados en la c/c de la empresa el 1/10/2011.

Asimismo, contrata con la sociedad DRAGADOS, la construcción de la edificación, la cual se presupuesta en 300.000 €. Dicha cuantía será satisfecha a medida que se presenten las certificaciones correspondientes. La primera de las cuales es presentada en diciembre del 2011, ascendiendo su importe a 200.000 € los cuales se pagan de contado.

SE PIDE:

• Registro de las operaciones efectuadas por la sociedad ANABEL en el año 2011.

• Liquidación del impuesto de sociedades del ejercicio 2011 sabiendo que el resultado contable obtenido es de 32.800 €. No existen otras diferencias entre los criterios contables y fiscales que las mencionadas en el presente ejercicio. La sociedad estima que en el ejercicio 2012 ya obtendrá beneficios fiscales que permitan compensación de activos fiscales.

Las deducciones y bonificaciones del ejercicio han sido de 3.000 €.

Las retenciones y pagos a cuenta han ascendido a 6.000 €.

Tipo impositivo 30%.

SOLUCIÓN:

• **Registro de operaciones del ejercicio 2011.**

• Con carácter previo a dar de baja la construcción, procederemos a su amortización.

───────────────── 15/05/2011 ─────────────────

5.625	Amortización del inmovilizado material (681)[*]		
		a	Amortización acumulada de construcciones (2818) 5.625

[*] Cuota anual de amortización:
(600.000 : 40 años) = 15.000; 4,5 meses = (15.000 : 12 meses) x 4,5 = 5.625

• Por la baja de la construcción:

Situación de la construcción a 15/05/2011:

(211) Construcciones. 600.000

(2818) Amortización acumulada de construcciones. . . . .   (305.625)

[300.000 + 5.625]

       Valor contable. 294.375

       Pérdida inmovilizado. 294.375

En base a la Norma de Valoración 2ª y a las directrices de la Consulta nº 5 del BOICAC 77, se establece:

"(...) si el siniestro impide que los bienes puedan ser utilizados y en consecuencia no se espera obtener beneficios económicos en el futuro, la empresa deberá dar de baja el activo siniestrado junto a su amortización acumulada a través del reconocimiento de un gasto en la cuenta 678. Gastos excepcionales, que lucirá con signo negativo en la partida 11. a) Deterioros y pérdidas, de la cuenta de pérdidas y ganancias, salvo que el importe resultase significativo en cuyo caso será de aplicación el criterio incluido en la norma de elaboración de las cuentas anuales 7º. Cuenta de pérdidas y ganancias, que requiere crear una partida con la denominación "Otros resultados", formando parte del resultado de explotación (...)

En consecuencia el registro contable de la operación será:

———————————————————— 15/5/2011 ————————————————————

305.625 Amortización acumulada del
         inmovilizado material (281)

294.375 Gastos excepcionales (678)

                                    a   Construcciones (211)   600.000
_____   _____

• Por el registro de la indemnización a percibir del Consorcio de Seguros.

———————————————————— 15/5/2011 ————————————————————

294.375 Créditos a corto plazo (542)

                                    a   Ingresos excepcionales (778)   294.375
_____   _____

Según lo establecido en la presente consulta: *"(…)Cuando la compensación a recibir sea prácticamente cierta o segura (…) habrá que registrar contablemente la indemnización a percibir en el mismo momento en que se registre la baja del activo, circunstancia que motivará el reconocimiento del correspondiente ingreso de acuerdo con los criterios incluidos en el Marco Conceptual de la Contabilidad. Hasta que no desaparezca la incertidumbre asociada a la indemnización que finalmente se acuerde, la empresa sólo podrá contabilizar un ingreso por el importe de la pérdida incurrida.*

A tal efecto, podrá utilizarse la cuenta 778. Ingresos excepcionales (…)"

• Por el registro y cobro de la indemnización acordada:

———————————————————— 1/6/2011 ————————————————————

320.000 Bancos (572)

                                    a   Créditos a corto plazo (542)   294.375

                                             Ingresos excepcionales (778)   25.625
_____   _____

• Por la demolición, desescombro y acondicionamiento del solar:

―――――――――――――――― 1/7/2011 ――――――――――――――――

15.000	Terrenos y bienes naturales (210)^(*)	
	a Bancos (572)	15.000

^(*) Según lo dispuesto en la NRV 3ª.a) Solares sin edificar. Así, se incluirán en su precio de adquisición: "(...) los gastos de acondicionamiento, como cierres, movimiento de tierras, obras de saneamiento y drenaje, los de derribo de construcciones cuando sea necesario para poder efectuar obras de nueva planta, (...)".

• Por la solicitud de la Ayuda gubernamental: no procede registro alguno.

• Por el cobro de la Ayuda gubernamental:

―――――――――――――――― 1/9/2011 ――――――――――――――――

18.000	Bancos (572)	
	a Ingresos de subvenciones oficiales de capital (940)	18.000

Según el artículo 2 del Real Decreto-Ley 6/2011, las ayudas excepcionales por daños personales, allí previstas, están sometidas a las condiciones y requisitos establecidos en el Real Decreto 307/2005, de 18 de marzo, por el que se regulan las subvenciones en atención a determinadas necesidades derivadas de situaciones de emergencia o de naturaleza catastrófica...(...)....

Por tanto, para el caso de ayudas públicas, el registro contable por las cantidades percibidas es, sin duda, el previsto en la norma de registro y valoración (NRV) 18ª. "Subvenciones, donaciones y legados recibidos", del PGC.

• Por el efecto impositivo:

―――――――――――――――― 1/9/2011 ――――――――――――――――

5.400	Impuesto diferido (8301)	
	a Pasivo por diferencia temporaria imponible (479) (18.000 x 30%)	5.400

• Por el cobro de la indemnización del Consorcio de Seguros por los daños de demolición, desescombro:

─────────────────── 1/10/2011 ───────────────────

12.800 Bancos (572)

(320.000 x 4%)

a   Ingresos excepcionales (778)   12.800

Según las directrices de la presente consulta *(...) las indemnizaciones recibidas de una entidad aseguradora a causa de un siniestro en el inmovilizado se devengan cuando la compensación a recibir sea prácticamente cierta o segura, y se reconocen en ese mismo momento en la cuenta de pérdidas y ganancias. Las cantidades percibidas del CCS en concepto de indemnización, a diferencia de las ayudas extraordinarias concedidas por las Administraciones públicas, constituyen la contraprestación por los recargos abonados a dicha entidad al contratar las pólizas de seguro correspondientes.*

• Pago de la 1ª certificación a DRAGADOS:

─────────────────── 1/12/2011 ───────────────────

200.000 Construcciones en curso
(231)

a   Bancos (572)   200.000

En la presente Consulta se dice "*(...) el tratamiento contable de los costes de reconstrucción y, en su caso, de reparación como consecuencia de los daños causados en edificios, locales o dependencias empresariales o profesionales, cabe indicar que los criterios aplicables serán los generales regulados en el PGC y en sus disposiciones de desarrollo, en particular, en la Resolución de 30 de julio de 1991, del Presidente del Instituto de Contabilidad y Auditoría de Cuentas por la que se dictan normas de valoración del inmovilizado material, sin que los hechos* descritos ofrezcan especialidad alguna.

• Por la regularización de la subvención al cierre del ejercicio 2011:

```
                            ──── 31/12/2011 ────

  18.000  Ingresos de subvenciones
          oficiales de capital (940)

                                 a    Impuesto diferido (8301)        5.400

                                      Subvenciones oficiales de
                                      capital (130)                   12.600
```

• Registro del impuesto corriente. Liquidación. Impuesto diferido

Resultado Contable =	32.800
± Ajustes:	
Del ejercicio:	
(+)Diferencias permanente negativas[*]...............	(332.800)
(294.375 + 25.625 + 12.800)	
= **Resultado Fiscal**	(300.000)
- Compensación Bases Imponibles Negativas	(0)
= **Base Imponible**	(300.000)
	x tipo impositivo: x30%
= **Cuota íntegra:**	0
- Deducciones y Bonificaciones	(3.000)
= **Cuota líquida**	0
- Retenciones y pagos a cuenta (473)	(6.000)
A DEVOLVER:	(6.000)

[*] Según dispone la presente Consulta: "A las indemnizaciones percibidas como consecuencia de la destrucción de elementos patrimoniales asegurados previstos en el artículo 3 del Real Decreto-ley 6/2011, de 13 de mayo, por el que se adoptan medidas urgentes para reparar los daños causados por los movimientos sísmicos acaecidos el 11 de mayo de 2011 en Lorca, Murcia, les serán de aplicación lo establecido en la disposición adicional quinta de la Ley 35/2006, de 28 de noviembre, del Impuesto sobre la Renta de las Personas Físicas y de modificación parcial de las leyes de los Impuestos sobre Sociedades, sobre la Renta de no Residentes y sobre el Patrimonio.

Las ayudas públicas para reparación de elementos patrimoniales previstas en el citado artículo 3 y las indemnizaciones para la reparación de los elementos patrimoniales previstos en el párrafo anterior, **no darán lugar a una ganancia patrimonial**. En ningún caso, los costes de reparación, hasta el importe de la citada ayuda o indemnización, serán fiscalmente deducibles ni se computarán como mejora.

Lo establecido en esta disposición adicional será aplicable a las indemnizaciones y ayudas percibidas a partir de la entrada en vigor del Real Decreto-ley 6/2011."

Anotándose:

——————————————— 31/12/2011 ———————————————

6.000	HP deudor por devolución de impuestos (4709)		
		a	HP retenciones y pagos a cuenta (473) 6.000

- Y por el derecho a compensar la Base Imponible en ejercicios futuros:

——————————————— 31/12/X11 ———————————————

90.000	Crédito por pérdidas a compensar (4745)$^{(*)}$		
	(300.000 x 30%)		
		a	Impuesto diferido (6301) 90.000

$^{(*)}$ En el 2011 ANABEL, registrará el derecho a compensar la base imponible negativa surgida en este ejercicio. Así en el apartado 2.3 e la Norma 13ª de Valoración, nos comenta que "De acuerdo con el principio de prudencia se reconocerán activos por impuesto diferido en la medida en que resulte probable que la empresa disponga de ganancias fiscales futuras que permitan la aplicación de estos activos (...)".

Y por las deducciones que no pudo estar aplicando la empresa: en este ejercicio, se han originado un total de 3.000 €, que registraremos amparándonos en lo comentado en el punto anterior.

——————————————— 31/12/2011 ———————————————

3.000	Derechos por deducciones y bonificaciones pendientes de aplicar (4742)		
		a	Impuesto diferido (6301) 3.000

Con respecto al efecto impositivo que origina la subvención ya ha sido registrado.

2.2.6.2.   Venta activos hipotecados

BOICAC 94, junio 2013. Consulta 2.

Sobre el tratamiento contable de la venta de activos sobre los que se había constituido una garantía hipotecaria, con el objetivo de cancelar la deuda garantizada.

Respuesta

El apartado 2.5 *Baja en ejecución de una garantía, y por la dación en pago o para pago de una deuda* de la Norma Cuarta. *Baja en cuenta* de la Resolución de 1 de marzo de 2013 del Instituto de Contabilidad y Auditoría de Cuentas por la que se dictan normas de registro y valoración el inmovilizado material y de las inversiones inmobiliarias, expresa:

"1. Los bienes del inmovilizado cedidos en ejecución de una garantía o la dación en pago o para pago de una deuda se darán de baja por su valor en libros, circunstancia que originará la cancelación total o parcial, según proceda, del correspondiente pasivo financiero y, en su caso, el reconocimiento de un resultado.

2. A tal efecto, la diferencia entre el valor razonable del inmovilizado y su valor en libros se calificará como un resultado de la explotación, y la diferencia entre el valor del pasivo que se cancela y el valor razonable del bien como un resultado financiero".

Por tanto, en el caso de que los activos sobre los que versa la consulta formasen parte del inmovilizado material o de las inversiones inmobiliarias, los ingresos obtenidos no se mostrarán en la cifra de negocios, sino como un resultado procedente de la baja del inmovilizado.

En cambio, en el caso de que los inmuebles que se transmiten formasen parte de las existencias de la empresa, al aplicarse por analogía el citado criterio, la empresa debería contabilizar en el importe neto de la cifra de negocios el valor razonable de los activos que se dan de baja.

Comentario

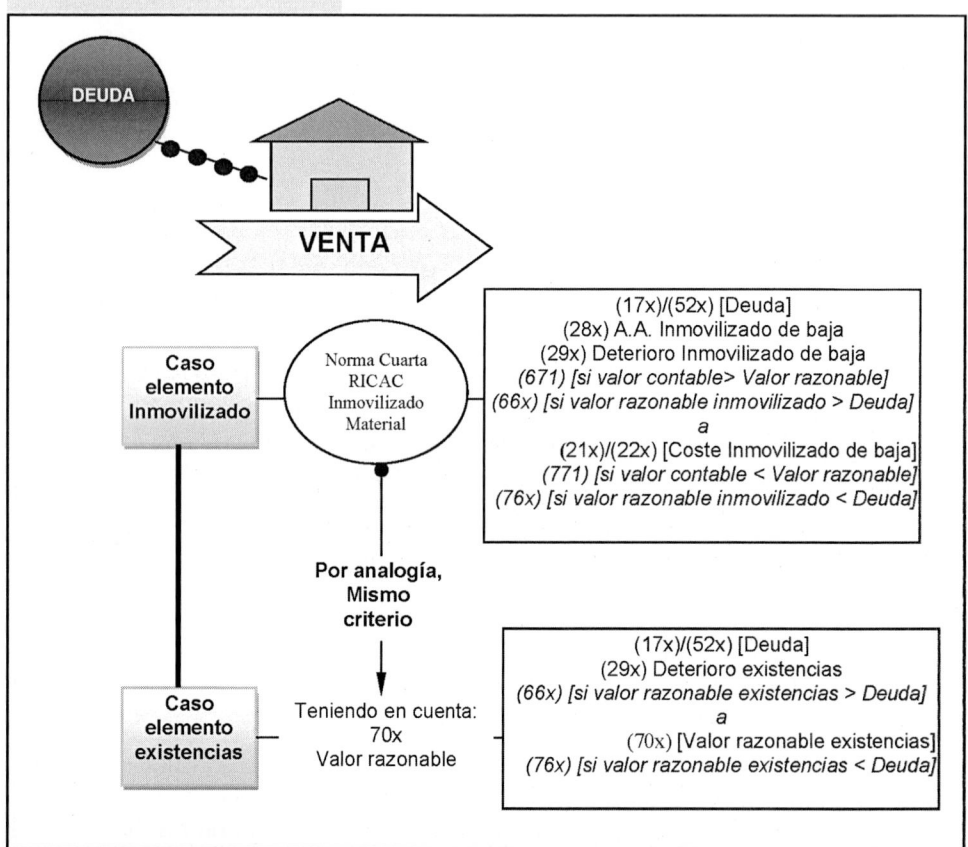

Ejemplo 1

La sociedad "PRAIA DA ARGAZADA S.A", presenta en su balance de situación, entre otras, las siguientes cuentas en relación con un inmueble hipotecado a 31/12/X12:

210. Terrenos y Bienes Naturales.	100.000
211. Construcciones.	300.000
170. Deudas l/p entidades de crédito.	150.000
520. Deudas c/p entidades de crédito.	50.000
527. Intereses a c/p deudas entidades de crédito.	42.000

El valor razonable de la construcción es de 420.000 €; en tanto que la del pasivo, es coincidente con su valor en libros.

A principios del X13, y ante la imposibilidad de atender a los pagos periódicos de la deuda y de los intereses correspondientes, se llega a un acuerdo con la entidad financiera de proceder a la dación en pago de la deuda con ella contratada: mediante la entrega del edificio que figura en el balance, sin ninguna contraprestación ni obligación adicional.

SE PIDE:

Realícense las anotaciones contables correspondientes a los hechos relatados.

SOLUCIÓN:

Para el registro de esta transmisión, la Consulta 2 del BOICAC 94 (junio, 2013) nos remite a la RICAC del Inmovilizado Material, que en su apartado 2.5 de la Norma Cuarta, nos comenta: *"Los bienes del inmovilizado cedidos en ejecución de una garantía o la dación en pago o para pago de una deuda se darán de baja por su valor en libros, circunstancia que originará la cancelación total o parcial, según proceda, del correspondiente pasivo financiero y, en su caso, el reconocimiento de un resultado (...)".*

En nuestro caso:

* El valor en libros del inmovilizado que damos de baja:

(210). Terrenos y Bienes Naturales.	100.000
(211). Construcciones.	300.000
Total.	400.000

El pasivo financiero que cancelaremos (deuda con el banco):

(170). Deudas l/p entidades de crédito.	150.000
(520). Deudas c/p entidades de crédito.	50.000
(527). Intereses a c/p deudas entidades de crédito.	42.000
Total.	242.000

Al comparar ambas cantidades, nos surgirá un resultado (pérdida global para la empresa) por:

* Resultado, al comparar los elementos intercambiados.	158.000

En este resultado, hemos de diferenciar dos tramos, la mencionada normativa nos sigue dice: *"A tal efecto, la diferencia entre el valor razonable del inmovilizado y su valor en libros se calificará como un resultado de la explotación, y la diferencia entre el valor del pasivo que se cancela y el valor razonable del bien como un resultado financiero".*

De esta forma:

Resultado explotación:

Valor razonable inmovilizado.	420.000
Valor en libros inmovilizado.	400.000
Resultado explotación (Beneficio).	20.000

Resultado financiero:

Valor razonable inmovilizado.	420.000
Valor pasivo que se cancela.	242.000
Resultado financiero (Gasto financiero). . .	178.000

Por todo ello, anotaremos:

———————————————————— x ————————————————————

150.000	Deudas l/p entidades de crédito (170)			
50.000	Deudas c/p entidades de crédito (520)			
42.000	Intereses a c/p deudas entidades de crédito (527)			
178.000	Otros gastos financieros (669)			
		a	Terrenos y Bienes Naturales (210)	100.000
			Construcciones (211)	300.000
			Bº procedentes del IM (771)	20.000

Ejemplo 2

La promotora inmobiliaria LOS OLMOS S.A. posee, entre otros, los siguientes elementos patrimoniales en relación con un edificio construido y la deuda hipotecaria sobre el mismo contraída con una entidad financiera a 31/12/X12:

(350). Edificios construidos de viviendas.	280.000
(170). Deudas l/p entidades de crédito.	300.000
(520). Deudas c/p entidades de crédito.	50.000
(527). Intereses a c/p deudas entidades de crédito.	35.000

El valor razonable del edificio es de 500.000 €; en tanto que la del pasivo, es coincidente con su valor en libros.

A principios del ejercicio X13, ante la imposibilidad de atender a los pagos de la deuda y de los intereses correspondientes, se lleva a un acuerdo con la entidad financiera de proceder a la dación en pago de la deuda con ella contratada, mediante la entrega del edificio que figura en el balance sin ninguna contraprestación ni obligación adicional.

SE PIDE:

Realícese las anotaciones contables correspondientes a los hechos relatados.

SOLUCIÓN:

La Consulta estudiada (2, BOICAC 94) nos relata qué ocurre en el caso de que el inmovilizado resulte pertenecer a las existencias de la empresa. Así: *"(…) en el caso de que los inmuebles que se transmiten formasen parte de las existencias de la empresa, al aplicarse por analogía el citado criterio, la empresa debería contabilizar en el importe neto de la cifra de negocios el valor razonable de los activos que se dan de baja".*

Por tanto, y aplicando la misma metodología que el caso anterior:

* El valor razonable edificio (existencias)	500.000
* El pasivo financiero que cancelaremos (deuda con el banco):	
(170). Deudas l/p entidades de crédito.	300.000
(520). Deudas c/p entidades de crédito.	50.000
(527). Intereses a c/p deudas entidades de crédito.	35.000
Total.	385.000
Al comparar ambas cantidades, nos surgirá un resultado por:.	115.000

Que será considerado un resultado financiero, en base a lo establecido en la RICAC del Inmovilizado Material: *"(...) la diferencia entre el valor del pasivo que se cancela y el valor razonable del bien como un resultado financiero"*.

De esta forma, anotaremos:

		x		
300.000	Deudas l/p entidades de crédito (170)			
50.000	Deudas c/p entidades de crédito (520)			
35.000	Intereses a c/p deudas entidades de crédito (527)			
115.000	Otros gastos financieros (669)			
		a	Ventas de edificios construidos (700)	500.000

Daremos de baja el elemento transmitido, regularizaremos las existencias, anotando:

		x		
280.000	Variación de existencias de edificios construidos (712)			
		a	Edificios construidos de viviendas (350)	280.000

De esta manera, en cuentas acabará reflejado el resultado de explotación:

Valor razonable edificio.	500.000
Valor en libros inmovilizado.	280.000
Resultado explotación (Beneficio).	220.000

El cual está distribuido entre:

(700). Ventas edificios construidos	500.000
(712). Variación existencias.	(280.000)
Resultado explotación (Beneficio).	220.000

2.2.6.3. Servidumbre paso terreno: importes percibidos

BOICAC 96, diciembre 2013. Consulta 8.

Sobre el tratamiento contable del importe/indemnización recibido por la constitución de una servidumbre de paso sobre un terreno.

Respuesta

El Código Civil diferencia entre servidumbre de paso y servidumbre de andamiaje, en los siguientes términos:

"Art. 564. (...) Si esta servidumbre se constituye de manera que pueda ser continuo su uso para todas las necesidades del predio dominante estableciendo una vía permanente, la indemnización consistirá en el valor del terreno que se ocupe y en el importe de los perjuicios que se causen en el predio sirviente.

Art. 569. Si fuere indispensable para construir o reparar algún edificio pasar materiales por predio ajeno, o colocar en él andamios u otros objetos para la obra, el dueño de este predio está obligado a consentirlo, recibiendo la indemnización correspondiente al perjuicio que se le irrogue".

Teniendo en cuenta lo anterior, si el importe recibido corresponde a la ocupación temporal, se reflejará contablemente como un ingreso por naturaleza que se devengará durante el período de tiempo que dure la ocupación, de manera equivalente al registro que realizaría el arrendador de un terreno en un contrato de arrendamiento calificado como "operativo".

Por el contrario, si dicho importe corresponde a la constitución de una servidumbre de paso y se estima que ésta ha sido a perpetuidad, habrá que tener en cuenta lo establecido en el artículo 564 anterior, en el sentido de que la indemnización consistirá en el valor del terreno que se ocupe más los perjuicios que por ello se pudiera ocasionar, de tal forma que por la parte que corresponda a la indemnización por perjuicios que se reciba, se tendrá en cuenta lo establecido en el párrafo anterior, y por la parte que corresponda al valor del terreno, se podría asimilar a una enajenación del mismo, en cuyo caso habría que dar de baja el valor del terreno en términos de proporción de la parte enajenada. La diferencia existente entre el valor contable que se da de baja y el importe recibido en contraprestación se contabilizará en la cuenta de pérdidas y ganancias.

En particular, la parte proporcional que se enajena se podría obtener considerando la relación existente entre el valor del suelo antes y después de realizarse la operación, en términos de valor razonable actual, aplicando al valor en libros del inmueble esa proporción, determinando así el valor contable objeto de transmisión a través de la constitución de la servidumbre de paso indicada.

Comentario

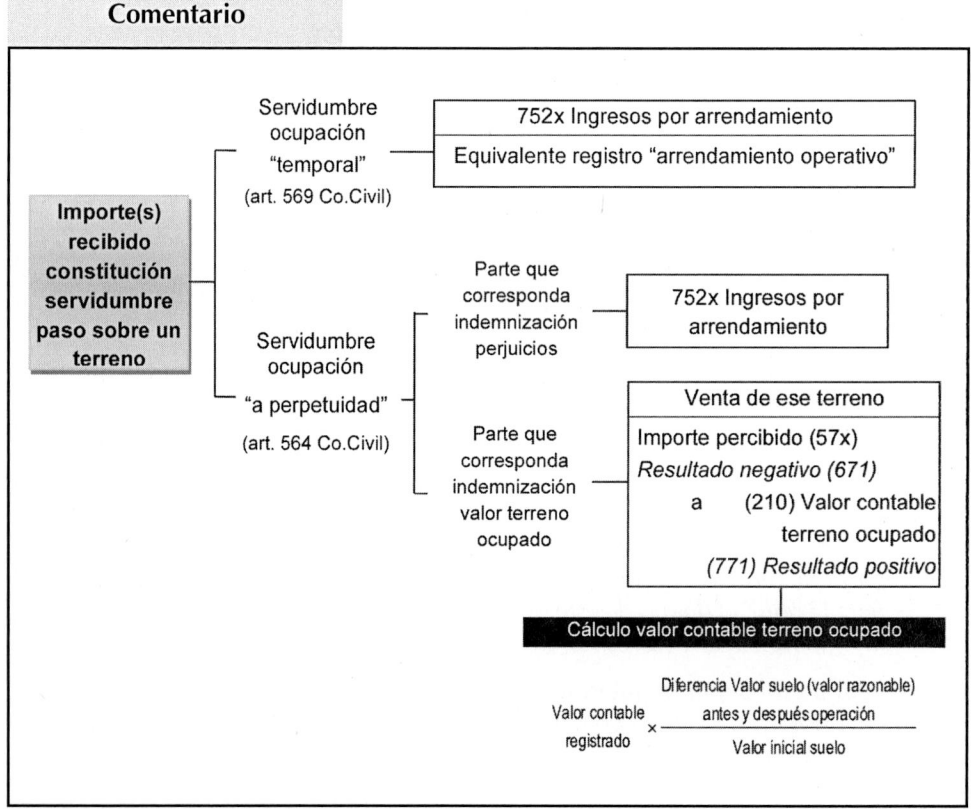

Ejemplo

La sociedad ANGI-DANI S.A., posee unos terrenos adyacentes a su domicilio social los cuales figuran registrados en contabilidad por un importe de 200.000 €.

Hoy, 1/7/X1, se constituye una servidumbre de andamiaje con el fin de facilitar el paso de materiales sobre la citada finca para la construcción de una nave que se está realizando en una finca adyacente. Por dicho concepto se ha percibido la cantidad de 12.000 €: como indemnización por los perjuicios causados, estimándose que la ocupación durará 9 meses.

Por otra parte, el día 1/10/X1, se constituye una servidumbre de paso por la citada finca, para el uso continuado de varias empresas ubicadas en el polígono industrial donde se encuentra el terreno, para lo cual y para atender a dichas necesidades se establece una vía permanente. La cuantía pactada para esta servidumbre de paso constituida a perpetuidad se cifra en 150.000 €: correspondiendo, de este importe, 50.000 € a la indemnización por perjuicios causados.

Se ha requerido a un API para determinar el valor razonable del terreno antes y después en esta segunda operación. La valoración efectuada fue:

- Valor del suelo antes. . . . .   500.000 €

- Valor del suelo después. . . . .   400.000 €

En el año siguiente, y a 1/5/X2, extinguido la servidumbre de andamiaje, la sociedad ANGI-DANI acuerda con la sociedad NUEVA que aportará el terrero de referencia en una ampliación de capital: consistente en la emisión de 20.000 acciones de 10 € de valor nominal y emitidas a 20 €. El valor otorgado en la escritura de constitución para el terreno es de 400.000 €. La ampliación se inscribió en el Registro Mercantil el 1/7/X2.

SE PIDE: Registro de las operaciones descritas. La ampliación de capital se contabilizará en las dos sociedades intervinientes.

SOLUCIÓN:

Operaciones relacionadas con las servidumbres

- En julio del X1, por la constitución de la servidumbre de andamiaje (que durará nueve meses), anotará:

---------------------------------- 1/7/X1 ----------------------------------

12.000	Bancos (572)		
		a	Ingresos por arrendamientos (752) 12.000

En la presente Consulta, nos comenta que por la ocupación temporal del terreno el importe recibido: "*(...) se reflejará como un ingreso por naturaleza que se devengará durante el periodo de tiempo que dure la ocupación, de manera equivalente al registro que realizaría el arrendador (...) en un contrato de arrendamiento calificado como operativo (...)*".

- En octubre del mismo año, se percibe 150.000 €. El motivo, es la ocupación de forma permanente de parte del terreno como servidumbre de paso a varias empresas ubicadas en el polígono industrial. De tal manera que de la cuantía recibida, corresponde:

- Por los perjuicios. . . . . 50.000 €

- Por el valor del terreno ocupado. . . . . 100.000 €

En cuanto a los perjuicios, se actuará de igual forma que en el punto anterior:

———————————————————— 1/10/X1 ————————————————————

50.000 Bancos (572)

a   Ingresos por arrendamientos
(752)   50.000

Y en cuanto al valor del terreno: "(...) *se podría asimilar a una enajenación del mismo, en cuyo caso habría que dar de baja el valor del terreno en términos de proporción de la parte enajenada. La diferencia existente entre el valor contable que se da de baja y el importe recibido en contraprestación se contabilizará en cuenta de pérdidas y ganancias (...)*" [Consulta 8, BOICAC 96].

¿Cómo averiguamos la parte proporcional que se enajena?

La parte proporcional que se enajena se podría obtener, siguiendo las directrices de la mencionada consulta, considerando la relación existente entre el valor del suelo antes y después de realizarse la operación, en términos de valor razonable actual, aplicando al valor en libros del inmueble esa proporción, determinando así el valor contable objeto de transmisión a través de la constitución de la servidumbre de paso indicada.

Así, podemos representar la formulación antes mencionada como:

$$\text{Valor contable dicho inmueble} \times \frac{\text{Diferencia Valor suelo(valor razonable) antes y después operación}}{\text{Valor inicial suelo}}$$

Sustituyendo:

$$200.000 \times \frac{100.000}{500.000 - 400.000} = 40.000$$
$$\frac{}{500.000}$$

Con lo que anotaremos:

——————————————— 1/10/X1 ———————————————

100.000	Bancos (572)	a	Terrenos y Bienes Naturales (210)	40.000

		Beneficios procedentes del Inmovilizado Material (771)	60.000

• A finales del X1, por la periodificación de la indemnización de la servidumbre de andamiaje (tres meses):

——————————————— 1/10/X1 ———————————————

3.000	Ingresos por arrendamientos (752)

	a	Ingresos anticipados (485)	3.000

Gráficamente:

1/7/X1	31/12/X1	30/3/X2

6 meses   3 meses

$$\text{Anticipo del ingreso} = \frac{12.000}{12 \text{ meses}} \times 3 \text{ meses} = 3.000$$

• Y a comienzos del X2, imputaremos el ingreso que corresponde a este ejercicio:

——————————————— 1/1/X2 ———————————————

3.000	Ingresos anticipados (485)	a	Ingresos por arrendamientos (752)	3.000

Operaciones relacionadas con la ampliación de capital

• En mayo del X2, la situación del terreno es la siguiente:

(210) Terrenos y Bienes Naturales 160.000

[200.000 – 40.000]

Lo aportamos a la ampliación de capital de NUEVA.

Para su registro seguiremos lo establecido en la Norma tercera. Apartado 3.2 de la RICAC de 1 de marzo de 2013, por la que se dictan normas de registro y valoración del inmovilizado material y de las inversiones inmobiliarias.

Según la mencionada normativa, el aportante de los bienes contabilizará la operación de acuerdo con los criterios recogidos en la presente norma para las operaciones de permuta.

Así, en la mencionada normativa y para el caso de permutas comerciales (tal y como es nuestro caso), nos comenta: *"(…) el inmovilizado material recibido se valorará por el valor razonable del activo entregado más, en su caso, las contrapartidas monetarias que se hubieran entregado a cambio, salvo que se tenga una mejor evidencia del valor razonable del activo recibido y con el límite de este último. Las diferencias de valoración que pudieran surgir al dar de baja el elemento entregado se reconocerán en la cuenta de pérdidas y ganancias"*. En consecuencia:

Valoración (acciones) = Valor razonable (terreno) = 200.000

Anotándose:

_____ 1/5/X2 _____

200.000	Inversiones financieras a largo plazo en instrumentos de patrimonio (250)		
	a	Terrenos y Bienes Naturales (210)	160.000
		Beneficios procedentes del Inmovilizado Material (771)	40.000

¿Cómo contabilizaría esta operación la sociedad receptora (AMPLIA)?

Aplicaremos para esta operación lo establecido en la Norma tercera. Apartado 3.1 de la RICAC de 1 de marzo de 2013 por la que se dictan normas de registro y valoración del inmovilizado material y de las inversiones inmobiliarias. En la cual, nos indica que: *"(…) Los bienes de inmovilizado recibidos en concepto de aportación no dineraria de capital se valorarán por su valor razonable en el momento de la aportación conforme a lo señalado en la norma sobre transaccio-*

nes con pagos basados en instrumentos de patrimonio del Plan General de Contabilidad, pues en este caso se presume que siempre se puede estimar con fiabilidad el valor razonable de dichos bienes".

Así, registraremos:

• Por la emisión (20.000 títulos valor nominal 10 € y emisión 20 €):

		1/5/X2		
400.000	Acciones o participaciones emitidas (190)			
	[20.000 tit x 20 €/tit]			
		a	Capital social, pendiente de inscripción (194)	200.000

• Por la recepción del terreno:

		1/5/X2		
400.000	Terrenos y Bienes Naturales (210)			
		a	Acciones o participaciones emitidas (190)	400.000

• En julio del X2, se procede a la inscripción en el registro mercantil.

		1/8/X2		
400.000	Capital social, pendiente de inscripción (194)			
		a	Capital Social (100)	200.000
			Prima emisión acciones (110)	200.000

2.2.6.4. Ejecución garantía hipotecaria, constituida a favor de una dependiente

BOICAC 96, diciembre 2013. Consulta 12.

Sobre el tratamiento contable de la ejecución de una garantía hipotecaria constituida a favor de una sociedad dependiente.

Respuesta

Una sociedad dominante otorgó, con su patrimonio inmobiliario, una garantía a favor de una sociedad dependiente frente a las deudas que ésta última mantenía con una entidad de crédito. Para ello, la sociedad dominante constituyó, en escritura pública, una hipoteca inmobiliaria sobre una finca urbana de su propiedad a favor de la entidad bancaria señalada, con objeto de responder de las citadas deudas.

En la actualidad la sociedad dependiente se encuentran en concurso de acreedores y es muy probable que se produzca la ejecución directa de la hipoteca, lo cual implicará, la transmisión directa por parte de la sociedad dominante de la finca urbana a la entidad bancaria.

A la vista de esta descripción se pregunta acerca del adecuado tratamiento contable de los hechos en las cuentas anuales de la sociedad dominante.

La Resolución de 1 de marzo de 2013, del Instituto de Contabilidad y Auditoría de Cuentas por la que se dictan normas de registro y valoración del inmovilizado material y de las inversiones inmobiliarias, en la Norma Cuarta. Baja en cuentas, apartado 2.5. Baja en ejecución de una garantía, y por la dación en pago o para pago de una deuda, dispone:

> *"1. Los bienes del inmovilizado cedidos en ejecución de una garantía o la dación en pago o para pago de una deuda se darán de baja por su valor en libros, circunstancia que originará la cancelación total o parcial, según proceda, del correspondiente pasivo financiero y, en su caso, el reconocimiento de un resultado.*
>
> *2. A tal efecto, la diferencia entre el valor razonable del inmovilizado y su valor en libros se calificará como un resultado de la explotación, y la diferencia entre el valor del pasivo que se cancela y el valor razonable del bien como un resultado financiero".*

De lo anterior se infiere que la baja de un activo, en todo caso origina el reconocimiento de un resultado por diferencia entre el valor razonable del mismo y su valor en libros.

Aplicando por analogía este criterio al caso objeto de consulta cabría concluir que cuando se produzca la ejecución hipotecaria, la entidad consultante contabilizará la baja del inmueble y reconocerá un resultado por diferencia entre el valor razonable de la contraprestación recibida, en principio, equivalente al importe del derecho de cobro frente a la sociedad dependiente, y el valor en libros que se da de baja.

Una vez registrado el activo financiero, la consultante analizará su posible deterioro o pérdida por insolvencia firme en función de la prelación en el cobro que resulte de la situación concursal descrita en la consulta y, en su caso, contabilizará un gasto en la cuenta de pérdidas y ganancias.

De acuerdo con lo anterior, en el supuesto de que no se prevea recuperación alguna, el resultado neto de la operación será igual al valor en libros de la finca. Si la pérdida se califica como definitiva y posteriormente se obtiene algún importe de la sociedad dependiente, la consultante reconocerá un ingreso de naturaleza excepcional.

Comentario

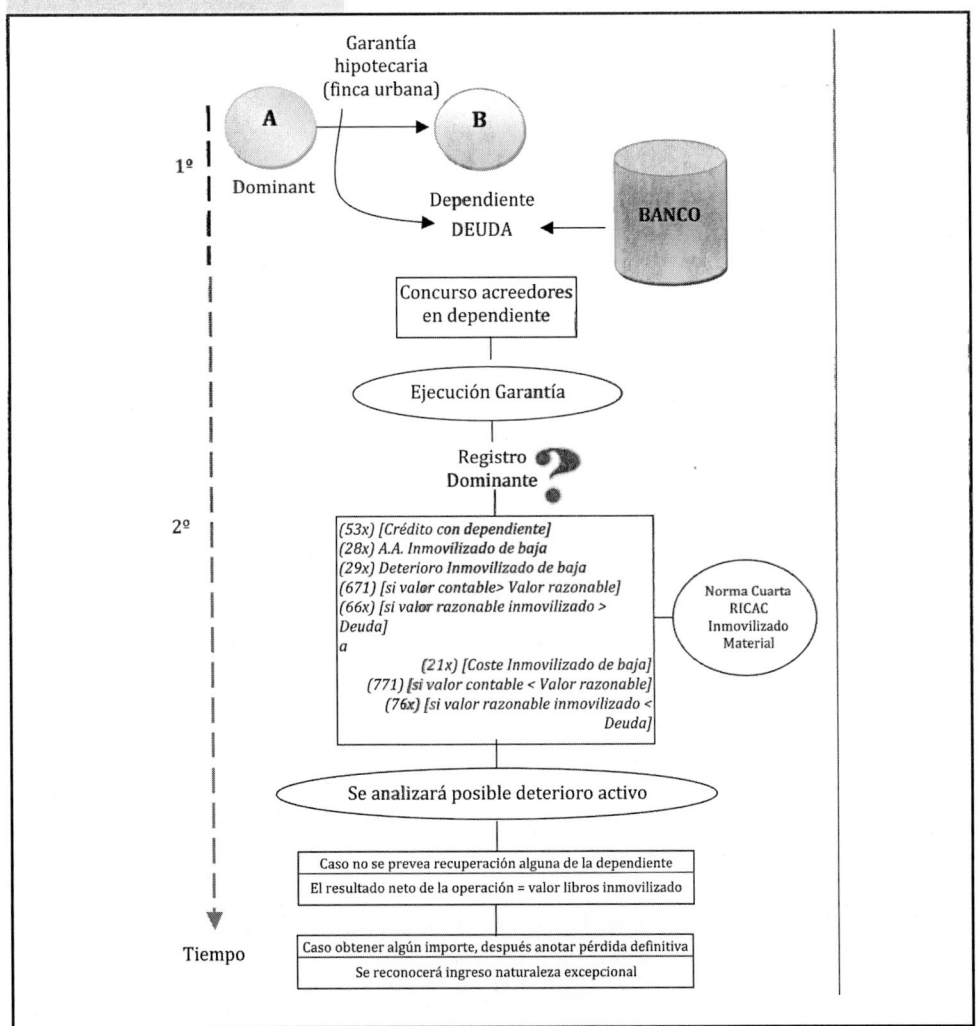

Ejemplo

La sociedad dominante "A" otorgó, con su patrimonio inmobiliario, una garantía a favor de una sociedad dependiente "B" frente a las deudas que ésta última mantenía con una entidad de crédito. Para ello, la sociedad dominante constituyó, en escritura pública, una hipoteca inmobiliaria sobre una finca urbana de su propiedad: a favor de la entidad bancaria señalada, con objeto de responder de las citadas deudas.

La situación del citado inmueble a 31/12/X0 es la siguiente:

(210). Terrenos y bienes naturales.	20.000
(211). Construcciones.	240.000
(281). Amortización acumulada del inmovilizado materia.	(72.000)
Valor en libros.	188.000

Sabemos que la vida útil estimada fue de 40 años, utilizándose el método lineal de amortización.

En la actualidad la sociedad dependiente "B", se encuentra en concurso de acreedores y a fecha de 1/7/X1, se produce le ejecución hipotecaria del inmueble a favor de la entidad de crédito. La deuda de la filial con la entidad de crédito en dicha fecha ascendía a 170.000 €: incluidas principal, intereses así como las comisiones de cancelación además de recargos legales. El valor razonable del inmueble en dicha fecha asciende a 210.000 €.

SE PIDE:

Registro de la operación reseñada en la sociedad dominante "A", analizado a finales del ejercicio X1 su posible deterioro o pérdida en función de la prelación en el cobro que resulte de la situación concursal descrita. La sociedad estima que no obtendrá importe alguno.

SOLUCIÓN:

• Por la amortización del inmueble, previo a la baja del mismo:

$$\text{Cuota anual} = \frac{240.000}{40 \text{ años}} = 6.000$$

Y hasta este momento, le correspondería, la parte proporcional a 6 meses:

$$\frac{6.000}{12 \text{ meses}} \times 6 \text{ meses} = 3.000$$

Anotándose:

—————————————— 1/7/X1 ——————————————

3.000 Amortización del inmovilizado material (681)

a   Amortización acumulada del
inmovilizado material (281)   3.000

• Cuando se produce la ejecución hipotecaria, la Consulta 12, BOICAC 96 nos remite a la RICAC del Inmovilizado Material, que en su apartado 2.5 de la Norma Cuarta, nos comenta: *"Los bienes del inmovilizado cedidos en ejecución de una garantía o la dación en pago o para pago de una deuda se darán de baja por su valor en libros, circunstancia que originará la cancelación total o parcial, según proceda, del correspondiente pasivo financiero y, en su caso, el reconocimiento de un resultado (...)".*

En nuestro caso:

* El valor en libros del inmovilizado que damos de baja:

(210). Terrenos y Bienes Naturales. 20.000

(211). Construcciones. 240.000

(281). A.A. Inmovilizado Material: 72.000 + 3.000 =. . . . .   (75.000)

         Total. 185.000

* El pasivo financiero que cancelaremos

(deuda que tiene la dependiente con el banco).   170.000

Al comparar ambas cantidades, nos surgirá un resultado (pérdida global para la empresa) por:

* Resultado, al comparar los elementos intercambiados. 15.000

En este resultado, hemos de diferenciar dos tramos, la mencionada normativa nos sigue dice: *"A tal efecto, la diferencia entre el valor razonable del inmovili-*

zado y su valor en libros se calificará como un resultado de la explotación, y la diferencia entre el valor del pasivo que se cancela y el valor razonable del bien como un resultado financiero".

De esta forma:

Resultado explotación:

Valor razonable inmovilizado.	210.000
Valor en libros inmovilizado.	185.000
Resultado explotación (Beneficio):.	25.000 (771)

Resultado financiero:

Valor razonable inmovilizado.	210.000
Valor pasivo que se cancela.	170.000
Resultado financiero (Gasto financiero).	40.000 (669)

Anotándose:

1/7/X1

170.000	Créditos a corto plazo con empresas del grupo (5323)(*)			
75.000	Amortización acumulada del inmovilizado material (281)			
40.000	Otros gastos financieros (669)			
		a	Terrenos y bienes naturales (210)	20.000
			Construcciones (211)	240.000
			Beneficios procedentes del inmovilizado material (771)	25.000

(*) Valor razonable de la contraprestación recibida, en principio, equivalente al importe del derecho de cobro frente a la sociedad dependiente (Consulta 12, BOICAC 96)

• A finales de ejercicio, analizando el posible deterioro del crédito reconocido con su dependiente, la sociedad estima que no recibirá importe alguno; por lo que dará de baja definitiva el crédito con "B".

──────────────── 31/12/X1 ────────────────

170.000 Pérdidas de créditos a corto
plazo, empresas del grupo
(6675)

a   Créditos a corto plazo con
empresas del grupo (5323)   170.000

Según dispone la Consulta nº 12. BOICAC 96: *"(...) En el supuesto de que no se prevea recuperación alguna, el resultado neto de la operación será igual al valor en libros de la finca (...)"*. Comprobemos esto:

RESULTADO NETO DE LA OPERACIÓN:

(669). Otros gastos financieros. . . . . (40.000)

(771). Beneficios procedentes del inmovilizado. . . . . + 25.000

(6675). Pérdidas de créditos. Empresas del grupo. . . . . (170.000)

RESULTADO NETO. . . . . (185.000)

Es igual

VALOR EN LIBROS. 185.000

2.3. ARRENDAMIENTOS

2.3.1. Arrendamiento financiero

2.3.1.1. Registro de un alquiler inmueble, con posibilidad de compra al final contrato

BOICAC 99, septiembre 2014. Consulta 6.

Sobre la contabilización de un contrato de arrendamiento de inmueble con opción de compra.

Respuesta

La consulta formulada versa sobre el adecuado tratamiento contable a aplicar a un acuerdo de "arrendamiento de inmueble y opción de compra", por el cual un edificio propiedad de la entidad A es arrendado a la entidad B bajo las siguientes condiciones:

a) La entidad B (arrendataria) pagará una renta mensual, equivalente al importe de la cuota mensual que la entidad A (arrendadora) viene obligada a pagar a la entidad bancaria que le prestó la financiación para adquirir dicho inmueble.

b) La entidad A otorga a la entidad B una opción de compra, con un plazo máximo de ejercicio de cinco años que coincide con la duración del arrendamiento.

c) No se establece precio por la opción de compra, pero sí el precio de venta del edificio en caso de ejercicio de la opción, que se acuerda en un importe determinado considerándose a cuenta del mismo las cantidades que la entidad B haya efectuado en concepto de arrendamiento, por lo que, en caso de ejercerse al final del periodo señalado, la cantidad restante a pagar por el valor residual del edificio sería dicho importe menos las cuotas satisfechas.

En particular, la consultante solicita confirmación sobre "si como parece, en virtud del citado acuerdo y de la norma 8ª.1 de valoración del Plan General de Contabilidad, aprobado por el RD 1514/2007, dicha propiedad debería de registrarse en la contabilidad del arrendatario, como consecuencia de la asunción de riesgos de la misma por dicha sociedad. Al mismo tiempo, el arrendador, debería darla de baja contablemente, registrando el correspondiente resultado contable".

La opinión de este Instituto sobre el criterio aplicable a los acuerdos de arrendamiento de inmuebles con opción de compra está publicada en la consulta 5 del BOICAC nº 78, de junio de 2009, donde se aclara que cuando de las condiciones económicas de un acuerdo de arrendamiento, se deduzca que se transfieren sustancialmente todos los riesgos y beneficios inherentes a la propiedad del activo objeto del contrato, dicho acuerdo deberá calificarse como arrendamiento financiero. En particular, en un acuerdo de arrendamiento con opción de compra, se presumirá que se transfieren sustancialmente todos los riesgos y beneficios inherentes a la propiedad, cuando no existan dudas razonables de que se va a ejercitar dicha opción.

A tal efecto, desde una perspectiva económica racional, ese requisito se debería entender cumplido si el valor razonable del activo en la fecha de ejercicio de la opción supera, de manera significativa, el precio acordado por la transferencia del activo, circunstancia que corresponde evaluar a los administradores de la sociedad, pero que cabría presumir en el supuesto de que dicho importe fuese equivalente al valor razonable del inmueble en la fecha de la firma del acuerdo de arrendamiento menos las mensualidades que el arrendatario abone hasta el ejercicio de la opción.

Comentario

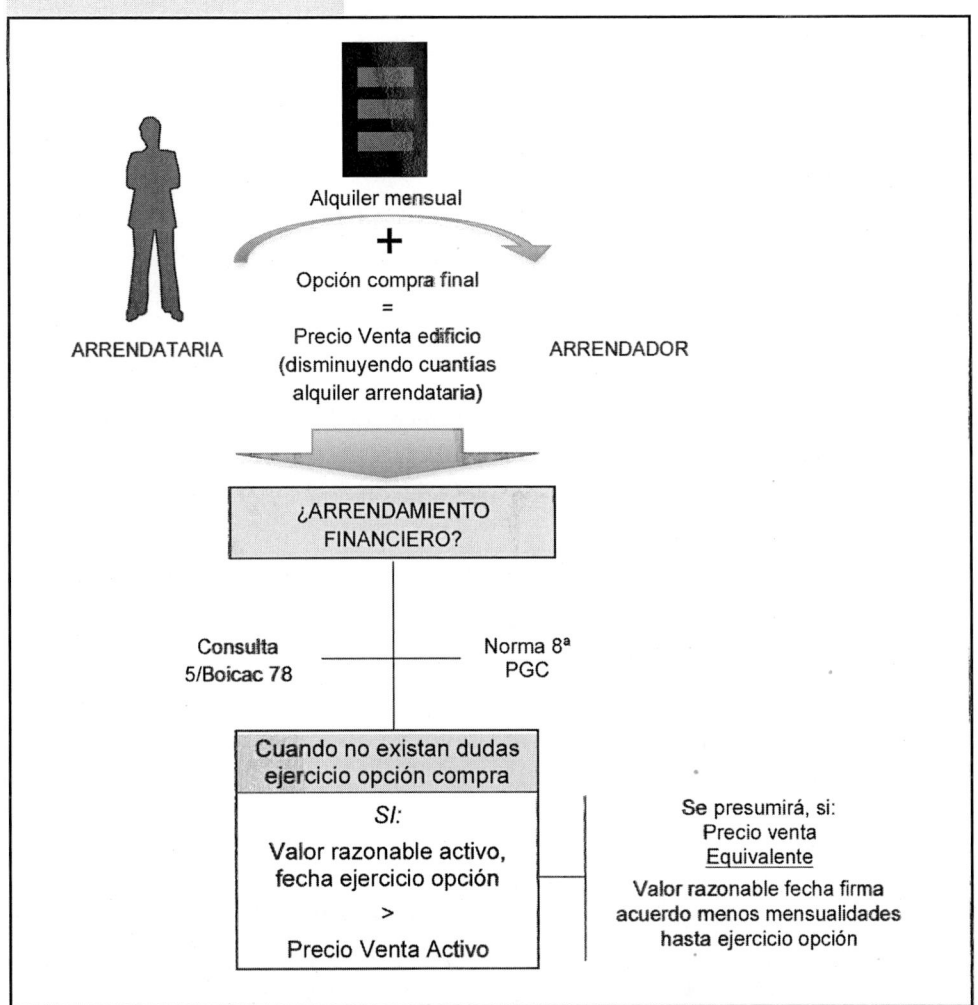

Alquiler mensual

+

Opción compra final

=

Precio Venta edificio
(disminuyendo cuantías
alquiler arrendataria)

ARRENDATARIA   ARRENDADOR

¿ARRENDAMIENTO
FINANCIERO?

Consulta
5/Boicac 78

Norma 8ª
PGC

Cuando no existan dudas
ejercicio opción compra

SI:

Valor razonable activo,
fecha ejercicio opción

>

Precio Venta Activo

Se presumirá, si:
Precio venta
Equivalente

Valor razonable fecha firma
acuerdo menos mensualidades
hasta ejercicio opción

Ejemplo

La sociedad "A.S.A". adquirió el 1/1/X0 un edificio por un importe de 200.000 €. Para realizar dicha compra, solicitó y obtuvo en dicha fecha un préstamo de 150.000 € a pagar en cuotas mensuales iguales pospagables durante un periodo de 10 años al tipo de interés del 10% anual. La vida útil del bien se estimó en 40 años. El valor del suelo representa el 20% del precio de adquisición.

El día 2/1/X5 y una vez pagada la cuota mensual (nº 60) correspondiente, el edificio propiedad de "A.S.A"., es arrendado a la sociedad "B.S.A" que lo destinará a su sede social por un periodo de 5 años y con las siguientes condiciones:

a) La entidad B (arrendataria) pagará una renta mensual, equivalente al importe de la cuota mensual que la entidad A (arrendadora) viene obligada a pagar a la entidad bancaria que le prestó la financiación para adquirir dicho inmueble.

b) La entidad A otorga a la entidad B una opción de compra, con un plazo máximo de ejercicio de cinco años que coincide con la duración del arrendamiento.

c) No se establece precio por la opción de compra, pero sí el precio de venta del edificio en caso de ejercicio de la opción, que se acuerda en un importe de 182.000 € considerándose a cuenta del mismo las cantidades que la entidad B haya efectuado en concepto de arrendamiento, por lo que, en caso de ejercerse al final del periodo señalado, la cantidad restante a pagar por el valor residual del edificio sería dicho importe menos las cuotas satisfechas.

d) El valor razonable del inmueble en la fecha de la celebración del contrato es de 185.000 €.

e) Se adjunta al final el cuadro de la operación financiera del préstamo con la entidad bancaria. (ANEXO)

SE PIDE:

1.- Registro del contrato de arrendamiento en las dos sociedades.

2.- Registro del pago y cobro de la cuota el 1/2/X5 en la sociedad arrendataria B y arrendador A.

3.- Pago de la última cuota y ejercicio de la opción de compra en las dos sociedades 5/2/X10.

ANEXO (Cuadro financiero del préstamo)

Cálculo de la mensualidad:

$$150.000 = a \cdot a_{120]\,0,008333} \Rightarrow a = 1.982,26$$

Mes	Mensualidad	Cuota Interés	Capital amortizado	Capital Vivo
0				150.000,00 €
1	1.982,26 €	1.250,00 €	732,26 €	149.267,74 €
2	1.982,26 €	1.243,90 €	738,36 €	148.529,38 €
3	1.982,26 €	1.237,74 €	744,52 €	147.784,86 €
4	1.982,26 €	1.231,54 €	750,72 €	147.034,14 €
5	1.982,26 €	1.225,28 €	756,98 €	146.277,16 €
6	1.982,26 €	1.218,98 €	763,28 €	145.513,88 €

Mes	Mensualidad	Cuota Interés	Capital amorti-zado	Capital Vivo
7	1.982,26 €	1.212,62 €	769,65 €	144.744,23 €
8	1.982,26 €	1.206,20 €	776,06 €	143.968,17 €
9	1.982,26 €	1.199,73 €	782,53 €	143.185,65 €
10	1.982,26 €	1.193,21 €	789,05 €	142.396,60 €
11	1.982,26 €	1.186,64 €	795,62 €	141.600,98 €
12	1.982,26 €	1.180,01 €	802,25 €	140.798,72 €
13	1.982,26 €	1.173,32 €	808,94 €	139.989,79 €
14	1.982,26 €	1.166,58 €	815,68 €	139.174,11 €
15	1.982,26 €	1.159,78 €	822,48 €	138.351,63 €
16	1.982,26 €	1.152,93 €	829,33 €	137.522,30 €
17	1.982,26 €	1.146,02 €	836,24 €	136.686,06 €
18	1.982,26 €	1.139,05 €	843,21 €	135.842,85 €
19	1.982,26 €	1.132,02 €	850,24 €	134.992,61 €
20	1.982,26 €	1.124,94 €	857,32 €	134.135,29 €
21	1.982,26 €	1.117,79 €	864,47 €	133.270,82 €
22	1.982,26 €	1.110,59 €	871,67 €	132.399,15 €
23	1.982,26 €	1.103,33 €	878,93 €	131.520,21 €
24	1.982,26 €	1.096,00 €	886,26 €	130.633,95 €
25	1.982,26 €	1.088,62 €	893,64 €	129.740,31 €
26	1.982,26 €	1.081,17 €	901,09 €	128.839,22 €
27	1.982,26 €	1.073,66 €	908,60 €	127.930,62 €
28	1.982,26 €	1.066,09 €	916,17 €	127.014,44 €
29	1.982,26 €	1.058,45 €	923,81 €	126.090,64 €
30	1.982,26 €	1.050,76 €	931,51 €	125.159,13 €
31	1.982,26 €	1.042,99 €	939,27 €	124.219,86 €
32	1.982,26 €	1.035,17 €	947,10 €	123.272,77 €
33	1.982,26 €	1.027,27 €	954,99 €	122.317,78 €

Mes	Mensualidad	Cuota Interés	Capital amorti-zado	Capital Vivo
34	1.982,26 €	1.019,31 €	962,95 €	121.354,83 €
35	1.982,26 €	1.011,29 €	970,97 €	120.383,86 €
36	1.982,26 €	1.003,20 €	979,06 €	119.404,80 €
37	1.982,26 €	995,04 €	987,22 €	118.417,58 €
38	1.982,26 €	986,81 €	995,45 €	117.422,13 €
39	1.982,26 €	978,52 €	1.003,74 €	116.418,39 €
40	1.982,26 €	970,15 €	1.012,11 €	115.406,28 €
41	1.982,26 €	961,72 €	1.020,54 €	114.385,74 €
42	1.982,26 €	953,21 €	1.029,05 €	113.356,69 €
43	1.982,26 €	944,64 €	1.037,62 €	112.319,07 €
44	1.982,26 €	935,99 €	1.046,27 €	111.272,80 €
45	1.982,26 €	927,27 €	1.054,99 €	110.217,81 €
46	1.982,26 €	918,48 €	1.063,78 €	109.154,03 €
47	1.982,26 €	909,62 €	1.072,64 €	108.081,39 €
48	1.982,26 €	900,68 €	1.081,58 €	106.999,81 €
49	1.982,26 €	891,67 €	1.090,60 €	105.909,21 €
50	1.982,26 €	882,58 €	1.099,68 €	104.809,53 €
51	1.982,26 €	873,41 €	1.108,85 €	103.700,68 €
52	1.982,26 €	864,17 €	1.118,09 €	102.582,59 €
53	1.982,26 €	854,85 €	1.127,41 €	101.455,18 €
54	1.982,26 €	845,46 €	1.136,80 €	100.318,38 €
55	1.982,26 €	835,99 €	1.146,27 €	99.172,11 €
56	1.982,26 €	826,43 €	1.155,83 €	98.016,28 €
57	1.982,26 €	816,80 €	1.165,46 €	96.850,82 €
58	1.982,26 €	807,09 €	1.175,17 €	95.675,65 €
59	1.982,26 €	797,30 €	1.184,96 €	94.490,69 €
60	1.982,26 €	787,42 €	1.194,84 €	93.295,85 €

Mes	Mensualidad	Cuota Interés	Capital amortizado	Capital Vivo
61	1.982,26 €	777,47 €	1.204,80 €	92.091,05 €
62	1.982,26 €	767,43 €	1.214,84 €	90.876,22 €
63	1.982,26 €	757,30 €	1.224,96 €	89.651,26 €
64	1.982,26 €	747,09 €	1.235,17 €	88.416,09 €
65	1.982,26 €	736,80 €	1.245,46 €	87.170,63 €
66	1.982,26 €	726,42 €	1.255,84 €	85.914,79 €
67	1.982,26 €	715,96 €	1.266,30 €	84.648,49 €
68	1.982,26 €	705,40 €	1.276,86 €	83.371,63 €
69	1.982,26 €	694,76 €	1.287,50 €	82.084,13 €
70	1.982,26 €	684,03 €	1.298,23 €	80.785,91 €
71	1.982,26 €	673,22 €	1.309,05 €	79.476,86 €
72	1.982,26 €	662,31 €	1.319,95 €	78.156,91 €
73	1.982,26 €	651,31 €	1.330,95 €	76.825,95 €
74	1.982,26 €	640,22 €	1.342,04 €	75.483,91 €
75	1.982,26 €	629,03 €	1.353,23 €	74.130,68 €
76	1.982,26 €	617,76 €	1.364,51 €	72.766,17 €
77	1.982,26 €	606,38 €	1.375,88 €	71.390,30 €
78	1.982,26 €	594,92 €	1.387,34 €	70.002,96 €
79	1.982,26 €	583,36 €	1.398,90 €	68.604,05 €
80	1.982,26 €	571,70 €	1.410,56 €	67.193,49 €
81	1.982,26 €	559,95 €	1.422,32 €	65.771,18 €
82	1.982,26 €	548,09 €	1.434,17 €	64.337,01 €
83	1.982,26 €	536,14 €	1.446,12 €	62.890,89 €
84	1.982,26 €	524,09 €	1.458,17 €	61.432,72 €
85	1.982,26 €	511,94 €	1.470,32 €	59.962,40 €
86	1.982,26 €	499,69 €	1.482,57 €	58.479,82 €
87	1.982,26 €	487,33 €	1.494,93 €	56.984,89 €

Mes	Mensualidad	Cuota Interés	Capital amortizado	Capital Vivo
88	1.982,26 €	474,87 €	1.507,39 €	55.477,51 €
89	1.982,26 €	462,31 €	1.519,95 €	53.957,56 €
90	1.982,26 €	449,65 €	1.532,61 €	52.424,94 €
91	1.982,26 €	436,87 €	1.545,39 €	50.879,56 €
92	1.982,26 €	424,00 €	1.558,26 €	49.321,29 €
93	1.982,26 €	411,01 €	1.571,25 €	47.750,04 €
94	1.982,26 €	397,92 €	1.584,34 €	46.165,70 €
95	1.982,26 €	384,71 €	1.597,55 €	44.568,15 €
96	1.982,26 €	371,40 €	1.610,86 €	42.957,29 €
97	1.982,26 €	357,98 €	1.624,28 €	41.333,01 €
98	1.982,26 €	344,44 €	1.637,82 €	39.695,19 €
99	1.982,26 €	330,79 €	1.651,47 €	38.043,72 €
100	1.982,26 €	317,03 €	1.665,23 €	36.378,49 €
101	1.982,26 €	303,15 €	1.679,11 €	34.699,38 €
102	1.982,26 €	289,16 €	1.693,10 €	33.006,28 €
103	1.982,26 €	275,05 €	1.707,21 €	31.299,08 €
104	1.982,26 €	260,83 €	1.721,44 €	29.577,64 €
105	1.982,26 €	246,48 €	1.735,78 €	27.841,86 €
106	1.982,26 €	232,02 €	1.750,25 €	26.091,61 €
107	1.982,26 €	217,43 €	1.764,83 €	24.326,78 €
108	1.982,26 €	202,72 €	1.779,54 €	22.547,25 €
109	1.982,26 €	187,89 €	1.794,37 €	20.752,88 €
110	1.982,26 €	172,94 €	1.809,32 €	18.943,56 €
111	1.982,26 €	157,86 €	1.824,40 €	17.119,16 €
112	1.982,26 €	142,66 €	1.839,60 €	15.279,56 €
113	1.982,26 €	127,33 €	1.854,93 €	13.424,63 €
114	1.982,26 €	111,87 €	1.870,39 €	11.554,24 €

Mes	Mensualidad	Cuota Interés	Capital amorti-zado	Capital Vivo
115	1.982,26 €	96,29 €	1.885,98 €	9.668,26 €
116	1.982,26 €	80,57 €	1.901,69 €	7.766,57 €
117	1.982,26 €	64,72 €	1.917,54 €	5.849,03 €
118	1.982,26 €	48,74 €	1.933,52 €	3.915,51 €
119	1.982,26 €	32,63 €	1.949,63 €	1.965,88 €
120	1.982,26 €	16,38 €	1.965,88 €	0,00 €
0	237.871,33 €	87.871,33 €	150.000,00 €	

SOLUCIÓN:

1.- Registro del contrato de arrendamiento

SOCIEDAD "B.S.A". (arrendatario)

Los arrendamientos conjuntos de terreno y edificio se clasificarán como operativos o financieros con los mismos criterios que los arrendamientos de otro tipo de activo. Norma Valoración 8ª.4 del PGC.

Comprobaremos previamente, si dicho contrato reúne los requisitos establecidos para que pueda ser registrado tal y como se establece en la Norma Valoración 8ª.1 del PGC.

De tal manera que si de las condiciones económicas de un acuerdo de arrendamiento: "(...) se deduzca que se transfieren sustancialmente todos los riesgos y beneficios inherentes a la propiedad del activo objeto del contrato (...)".

Cuando existe opción de compra, se presumirá tal transferencia cuando "(...) no existan dudas razonables de que se va a ejercitar dicha opción (...)".

Al no existir precio para la opción de compra estaremos a lo establecido en la Consulta nº 6 del BOICAC 99 que establece: "En particular, en un acuerdo de arrendamiento con opción de compra, se presumirá que se transfieren sustancialmente todos los riesgos y beneficios inherentes a la propiedad, cuando no existan dudas razonables de que se va a ejercitar dicha opción.

A tal efecto, desde una perspectiva económica racional, ese requisito se debería entender cumplido si el valor razonable del activo en la fecha de ejercicio de la opción supera, de manera significativa, el precio acordado por la transferencia del activo, circunstancia que corresponde evaluar a los administradores de la sociedad, pero que cabría presumir en el supuesto de que dicho importe fuese equivalente al valor razonable del inmueble en la fecha de la firma del acuerdo de arrendamiento menos las mensualidades que el arrendatario abone hasta el ejercicio de la opción". Comprobemos este extremo:

A) Valor razonable del activo en la fecha de ejercicio de la opción. 182.000

B) Precio acordado por la transferencia del activo:. 91.704,15

(Se presume que dicho importe fuese equivalente al valor razonable del inmueble en la fecha de la firma del acuerdo de arrendamiento menos las mensualidades que el arrendatario abone hasta el ejercicio de la opción)

Valor razonable en la firma del contrato: 185.000

(-) Mensualidades abonadas (ver cuadro financiero): 93.295,85

Como A > B SE TRATA DE UN CONTRATO DE ARRENDAMIENTO FINANCIERO

Registro Contable del contrato:

Registraremos la operación de arrendamiento financiero por parte del arrendatario, según establece la Norma de Valoración 8ª.1.2. del PGC. Ésta, nos dice: *"El arrendatario en el momento inicial, registrará un activo de acuerdo con su naturaleza, según se trate de un elemento del inmovilizado material o del intangible, y un pasivo financiero por el mismo importe, que será el menor entre el valor razonable del activo arrendado y el valor actual al inicio del arrendamiento de los pagos mínimos acordados, entre los que se incluye el pago de la opción de compra cuando no existan dudas razonables sobre su ejercicio y cualquier importe que haya sido garantizado, directa o indirectamente y se excluyen las cuotas de carácter contingente, el coste de los servicios y los impuestos repercutibles por el arrendador (...)"*

Si desgranamos lo establecido en este párrafo, y para nuestro caso concreto, tenemos:

Inmueble. . . . .   182.000 €

Donde contabilizaremos el activo según su naturaleza por un importe, que será el menor del:

- Valor razonable inmueble. . . . .   185.000 €

- Valor actual pagos mínimos acordados

durante plazo arrendamiento (incluido opción). . . . .   182.000 €

Valor actual de los pagos mínimos (ver cuadro financiero): 93.295,85

+ Importe de la opción [182.000 (precio de venta) - 93.295,85] = 88.704,15

Y por este mismo importe, registraremos el pasivo financiero (que diferenciaremos entre el corto y largo plazo). Así, anotaremos:

─────────────────────────── 1/2/X5 ───────────────────────────

36.400	Terrenos y bienes naturales (210)	
	(182.000 x 20%)	
145.600	Construcciones (211)	
	(182.000 x 80%)	
	a Acreedores por arrenda-miento financiero a corto plazo (524)$^{(*)}$	15.138,94
	Acreedores por arrenda-miento financiero a largo plazo (174)$^{(**)}$	166.861,06

$^{(*)}$ Sumas de las cuotas de amortización (61-72) inclusive.

$^{(**)}$ 182.000-15.138,94 = 166.861,06

SOCIEDAD "A.S.A". (arrendador)

Analizada la operación anteriormente se trata de un arrendamiento financiero, ya que cumple con lo establecido en la Norma 8ª.1.1. del PGC (Ver comentario en "B")

En consecuencia, el arrendador en el momento inicial: "(...) *reconocerá el resultado derivado de la operación de arrendamiento según lo dispuesto en el apartado 3 de la norma sobre inmovilizado material (...)*" [Norma 8ª.1.3. Valoración PGC].

——————————————— 2/1/X5 ———————————————

15.138,94	Créditos a corto plazo por enajenación del inmovilizado (543)		
166.861,06	Créditos a largo plazo por enajenación del inmovilizado (253)		
20.000	Amortización acumulada del inmovilizado material (281)[*]		
	a	Terrenos y bienes naturales (210)	
		(200.000 x20%)	40.000
		Construcciones (211)	160.000
		(200.000x80%)	
		Beneficios procedentes del inmovilizado material (771)	2.000

[*] Cuota anual de amortización (160.000:40) = 4.000 x 5 años = 20.000

2.- Registro del pago y cobro de la cuota el 1/2/X5 en la sociedad arrendataria B y arrendador A

SOCIEDAD "B.S.A". (arrendatario)

——————————————— 1/2/X5 ———————————————

1.204,80	Acreedores por arrendamiento financiero corto plazo (524)[*]		
777,47	Intereses de deudas (662)[*]		
	a	Bancos c/c (572)	1.982,26

[*] Ver cuadro financiero desglose de la cuota nº 61

La carga financiera total se distribuirá a lo largo del plazo del arrendamiento y se imputará a la cuenta de pérdidas y ganancias del ejercicio en que se devengue, aplicando el método del tipo de interés efectivo. [NRV 8ª.1.2.]

SOCIEDAD "A.S.A". (arrendador)

——————————————— 1/2/X5 ———————————————

1.982,26 Bancos (572)

	a	Créditos a corto plazo por enaje-	
		nación del inmovilizado (543)	1.204,80
		Ingresos de créditos (762)	777,47

La diferencia entre el crédito contabilizado en el activo del balance y la cantidad a cobrar, correspondiente a intereses no devengados, se imputará a la cuenta
de pérdidas y ganancias del ejercicio en que dichos intereses se devenguen, de
acuerdo con el método del tipo de interés efectivo. [NRV 8ª.1.3.]

**3.- *Pago de la última cuota y ejercicio de la opción de compra en las dos
sociedades 5/2/X10***

SOCIEDAD "B.S.A". (arrendatario)

Por el pago de la última cuota (nº 120)

——————————————— 1/2/X10 ———————————————

1.965,88 Acreedores por arrendamiento financiero corto
plazo (524)[*]

16,38 Intereses de deudas (662)[*]

| | a | Bancos (572) | 1.982,26 |

[*] Ver desglose de la última cuota.

Ejercicio de la opción de compra:

——————————————— 5/2/X10 ———————————————

88.704,15 Acreedores por arrendamiento financiero corto
plazo (524)

| | a | Bancos (572) | 88.704,15 |

SOCIEDAD "A.S.A". (arrendador)

Cobro de la última cuota:

———————————————— 1/2/X10 ————————————————

1.982,26 Bancos (572)

    a   Créditos a corto plazo por
         enajenación del inmovili-
         zado (543)   1.965,88

         Ingresos de créditos (762)   777,47

Ejercicio de la opción de compra por parte del arrendatario:

———————————————— 5/2/X10 ————————————————

88.704,15 Bancos (572)

    a   Créditos a corto plazo por
         enajenación del inmovili-
         zado (543)   88.704,15

2.3.2. Arrendamiento operativo

2.3.2.1. Pagos efectuados por usufructuario

BOICAC 82, junio 2010. Consulta 6.

Sobre el tratamiento contable de un derecho de usufructo por parte del usufructuario.

Respuesta

Una sociedad recibe en usufructo un recinto para ejercer su actividad durante un plazo de 20 años. A cambio del derecho de usufructo la sociedad pagará anualmente una cantidad que se determinará en función de la facturación y un importe fijo al final del contrato de usufructo.

El usufructo es un derecho real de uso y goce de una cosa ajena durante un período de tiempo, que desde una perspectiva contable y de acuerdo con la información facilitada puede asimilarse a un contrato de arrendamiento en el que el arrendatario tiene que efectuar unos pagos anuales variables y un pago al final del período de arrendamiento, por lo que ambos conceptos forman la remuneración total del arrendador.

La propia definición de arrendamiento descrita en la norma de registro y valoración (NRV) 8ª. Arrendamientos y otras operaciones de naturaleza similar, del Plan General de Contabilidad (PGC), aprobado por Real Decreto 1514/2007, de 16 de noviembre, recoge esta situación al definir la actividad de arrendamiento en los siguientes términos:

> "(...) cualquier acuerdo, con independencia de su situación jurídica, por el que el arrendador cede al arrendatario, a cambio de percibir una suma única de dinero o una serie de pagos o cuotas, el derecho a utilizar un activo durante un período de tiempo determinado".

Respecto a la calificación contable del arrendamiento cabe indicar que si se hubiesen transferido sustancialmente todos los riesgos y beneficios inherentes a la propiedad del activo objeto del contrato, porque se diesen las circunstancias previstas en la norma, se trataría de un arrendamiento financiero, debiendo registrarse conforme al apartado 1.2 de la citada NRV.

En caso contrario se trataría de un arrendamiento operativo, en el que se establecen unos pagos anuales variables y un pago al final del período y que deberán registrarse de acuerdo con el principio de devengo, contenido en el Marco Conceptual de la Contabilidad recogido en la primera aparte del PGC, es decir imputando los gastos correspondientes al ejercicio que afecten, con independencia de la fecha de su pago.

Bajo la hipótesis de que el arrendamiento tuviera que calificarse como operativo, dado que el servicio derivado del derecho de usufructo se recibe a lo largo del período contratado, 20 años, su importe se deberá distribuir a lo largo del mismo, circunstancia que motivará el reconocimiento de un gasto por arrendamiento cada año en la cuenta de pérdidas y ganancias, y el registro de un pasivo.

La deuda será un pasivo financiero que se valorará de acuerdo con lo previsto en el apartado 3.1. Débitos y partidas a pagar, de la NRV 9ª. Instrumentos financieros, del PGC. A estos efectos, tal y como se ha indicado, el valor actual en el momento de celebrar el contrato del importe a pagar en el momento final, se distribuirá como gasto a lo largo de los 20 años, registrándose los intereses devengados anualmente en la cuenta de pérdidas y ganancias, aplicando el tipo de interés efectivo de la operación hasta alcanzar el valor de reembolso de la deuda.

Es decir, el gasto devengado anualmente tendrá dos componentes, la parte correspondiente a gasto por arrendamiento y la parte correspondiente al gasto por intereses, siendo la contrapartida la cuenta acreedora correspondiente, que se incluirá en el epígrafe B.VI que se creará en el pasivo no corriente del balance, con la denominación "Acreedores comerciales no corrientes".

En cualquier caso, si los costes que conlleva el cumplimiento del contrato exceden a los beneficios económicos que se esperan recibir del mismo, la empresa deberá contabilizar una provisión de acuerdo con lo dispuesto en la NRV 15ª. Provisiones y contingencias del PGC.

Comentario

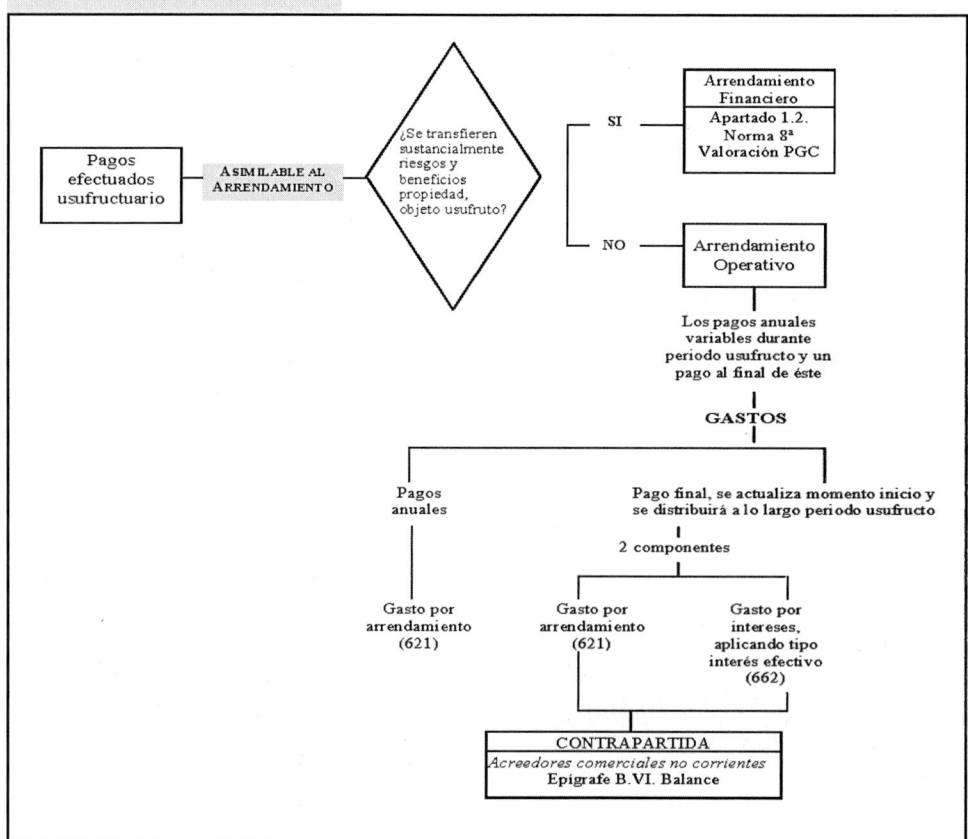

Ejemplo

La sociedad ANRA S.A., a comienzos del ejercicio X0 recibe en usufructo un recinto ferial cuyo valor razonable a dicha fecha es de 2.500.000 €, siendo su vida útil restante de 30 años. A cambio del derecho de usufructo la sociedad pagará anualmente y a final de cada año una cantidad que será el 10% de la facturación anual y adicionalmente reembolsará al final del usufructo (20 años) la cantidad de 100.000 €.

El contrato se formaliza a principios del ejercicio X0. Realizado un estudio de viabilidad del proyecto por parte de la empresa, se estima que en el primar año la facturación ascenderá a 500.000 €, la cual se incrementará anualmente en un 5%.

SE PIDE:

Registro de las operaciones correspondientes al contrato del usufructo durante los dos primeros años, sabiendo que las facturaciones correspondientes ascendieron a 502.000 y 520.000 € respectivamente.

Sabemos que el tipo de interés efectivo para las operaciones que realiza la empresa a igual periodo con el que trabajamos, es del 5% anual.

SOLUCIÓN:

Desde una perspectiva contable y de acuerdo con la información facilitada, la operación descrita, puede asimilarse a un contrato de arrendamiento en el que el arrendatario tiene que efectuar unos pagos anuales variables y un pago al final del período de arrendamiento, por lo que ambos conceptos forman la remuneración total del arrendador.

Analizando las circunstancias económicas de la operación, no podemos concluir que se trate de un arrendamiento financiero. El motivo, la Norma 8ª.1. de Valoración del PGC comenta que aquellos acuerdos de arrendamiento que no tienen opción de compra podremos calificarlos como "financieros" si cumplen circunstancias que relata en diversos apartados.

En ellos, podemos estar comprobando que no se transfieren "sustancialmente todos los riesgos y beneficios inherentes a la propiedad". Así con el apartado b), vemos que el periodo de arrendamiento (20 años) no coincide ni cubre la mayor parte de la vida económica del activo (30 años).

Igualmente en el apartado c) nos comenta que al comienzo del arrendamiento, el valor actual de los pagos mínimos acordados por el arrendamiento suponga la práctica totalidad del valor razonable del activo arrendado. Esto último tampoco se cumple, ya que:

Dados los siguientes pagos a realizar por el usufructurario, y teniendo en cuenta el tipo de interés del 5% para actualizar:

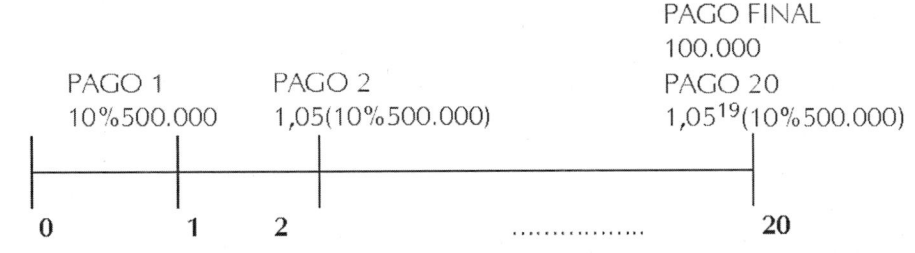

Valor actual pagos =

[Valor actual renta variable progresión geométrica (pagos en función facturación), con razón igual a 1 + i]

+

Valor actual de un único pago a realizar al final de la operación (20 años)

$$\text{Valor actual pagos } 50.000 \times 20 \ \frac{1}{1 + 0,05} + 100.000 \times (1 + 0,05) - 20$$

$$= 952.380,95 + 37.688,95 = 990.069,90$$

Dicho valor, comprobamos que es muy inferior y no igual a"(...) *la práctica totalidad del valor razonable del activo arrendado* [2.500.000 €](...)", según la redacción de la presente normativa.

Por lo que, y basándonos en lo anterior, contabilizaremos la presente operación, como un **arrendamiento operativo**.

Según los contenidos de la Consulta estudiada, el valor actual en el momento de celebrar el contrato del importe a pagar en el momento final (100.000 €), se distribuirá como gasto a lo largo de los 20 años, registrándose los intereses devengados anualmente en la cuenta de pérdidas y ganancias, aplicando el tipo de interés efectivo de la operación hasta alcanzar el valor de reembolso de la deuda.

Veamos esta distribución:

Gráficamente:

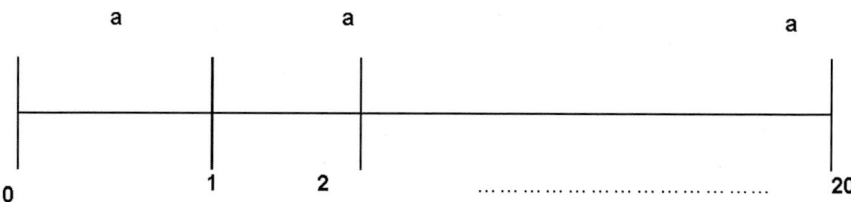

Valor actual

37.688,95

Teniendo en cuenta el tipo de actualización del 5% anual, plantearemos la siguiente equivalencia financiera en el origen:

$$37.688,95 = a \cdot a_{20]\,0,05}$$

Resolviendo, obtenemos:

$$a = 3.024,26$$

Veremos a través de distintos cuadros, la distribución de estas cantidades en dos componentes (arrendamiento y gastos financieros). Así y por el gasto de arrendamiento:

Año	Factor actualización momento 0 (1)	Anualidad actualizada (2) Gasto por arrendamiento
1	0,952380952	2880,25
2	0,907029478	2743,09
3	0,863837599	2612,47
4	0,822702475	2488,07
5	0,783526166	2369,59
6	0,746215397	2256,75
7	0,71068133	2149,29
8	0,676839362	2046,94
9	0,644608916	1949,46
10	0,613913254	1856,63
11	0,584679289	1768,22
12	0,556837418	1684,02
13	0,530321351	1603,83
14	0,505067953	1527,46
15	0,481017098	1454,72
16	0,458111522	1385,45
17	0,436296688	1319,47
18	0,415520655	1256,64
19	0,395733957	1196,80
20	0,376889483	1139,81
Total		37.688,95

Siendo:

(1) = $(1 + i)^{-\text{(tiempo hasta el momento cero)}}$

(2) = 3.024,26 x (1)

Y por el gasto financiero de la operación:

Año	Gasto por intereses (3)	Deuda pendiente (4)
0	---	37688,95
1	1884,4475	39573,40
2	1978,66988	41552,07
3	2077,60337	43629,67
4	2181,48354	45811,15
5	2290,55771	48101,71
6	2405,0856	50506,80
7	2525,33988	53032,14
8	2651,60687	55683,74
9	2784,18722	58467,93
10	2923,39658	61391,33
11	3069,56641	64460,89
12	3223,04473	67683,94
13	3384,19696	71068,14
14	3553,40681	74621,54
15	3731,07715	78352,62
16	3917,63101	82270,25
17	4113,51256	86383,76
18	4319,18819	90702,95
19	4535,1476	95238,10
20	4761,90498	**100.000,00**

Con:

$(3) = (4)_{-1} \times i$

$(4) = (4)_{-1} + (3)$

Unificaremos los cuadros anteriores, en uno único para una mejor visión de la operación:

Periodo	Gasto por arrendamiento (2)	Gasto por intereses (3)	Total (2) + (3)
1	2880,25	1884,4475	4764,70
2	2743,09	1978,66988	4721,76
3	2612,47	2077,60337	4690,07
4	2488,07	2181,48354	4669,55
5	2369,59	2290,55771	4660,14
6	2256,75	2405,0856	4661,83
7	2149,29	2525,33988	4674,62
8	2046,94	2651,60687	4698,55
9	1949,46	2784,18722	4733,65
10	1856,63	2923,39658	4780,03
11	1768,22	3069,56641	4837,79
12	1684,02	3223,04473	4907,07
13	1603,83	3384,19696	4988,03
14	1527,46	3553,40681	5080,86
15	1454,72	3731,07715	5185,80
16	1385,45	3917,63101	5303,08
17	1319,47	4113,51256	5432,99
18	1256,64	4319,18819	5575,83
19	1196,80	4535,1476	5731,95
20	1139,81	4761,90498	5901,72
Total			100.000

Registro de operaciones en el año X0:

• Por el pago de la cuantía anual en función de la facturación: 10% 502.000 = 50.200

----------------------------------- 31/12/X0 -----------------------------------

50.200	Arrendamientos y cánones (621)		
		a Bancos (572)	50.200

• Por el gasto devengado en el año X0 correspondiente al valor actual del pago final (véanse los cuadros explicativos)

—————————————————— 31/12/X0 ——————————————————

2.880,25	Arrendamientos y cánones (621)		
1.884,45	Intereses de deudas (662)		
	a	Acreedores comerciales no corrientes largo plazo (17X)	4.764,70

Según los contenidos de la Consulta estudiada (Nº 6, BOICAC 82), el gasto devengado anualmente tendrá dos componentes, la parte correspondiente a gasto por arrendamiento y la parte correspondiente al gasto por intereses, siendo la contrapartida la cuenta acreedora correspondiente, que se incluirá en el epígrafe B.VI que se creará en el pasivo no corriente del balance, con la denominación "Acreedores comerciales no corrientes".

Registro de operaciones en el año X1:

Efectuaremos unas anotaciones similares al ejercicio pasado, variando la cuantía correspondiente:

• Por el pago de la cuantía anual en función de la facturación: 10%520.000 = 52.000:

—————————————————— 31/12/X1 ——————————————————

52.000	Arrendamientos y cánones (621)		
	a	Bancos (572)	52.000

• Por el gasto devengado en el año X1 correspondiente al valor actual del pago final.

—————————————————— 31/12/X1 ——————————————————

2.743,09	Arrendamientos y cánones (621)			
1.978,67	Intereses de deudas (662)			
		a	Acreedores comerciales no corrientes largo plazo (17X)	4.721,76

2.3.2.2. Arrendamiento operativo, con periodo de carencia

BOICAC 87, septiembre 2011. Consulta 3.

Sobre el criterio que debe seguirse para reconocer el gasto relacionado con un contrato de arrendamiento operativo que incorpora un periodo de carencia.

Respuesta

Una empresa (arrendataria) ha firmado varios contratos de arrendamiento de locales comerciales, para cuya puesta en funcionamiento es preciso realizar una serie de reformas que durarán aproximadamente dos meses, plazo equivalente al periodo de carencia que le conceden los arrendadores. La licencia de apertura se obtendrá con posterioridad a la firma del contrato, en la fecha prevista para el inicio de la actividad, una vez finalicen las obras.

La consulta versa sobre el momento a partir del cual se inicia el devengo del servicio recibido y, en consecuencia, resulta necesario contabilizar el correspondiente gasto.

La norma de registro y valoración 8ª. "Arrendamientos y otras operaciones de naturaleza similar" del Plan General de Contabilidad (PGC) aprobado por el Real Decreto 1514/2007, de 16 de noviembre, regula en su apartado 2 el arrendamiento operativo en los siguientes términos:

"Se trata de un acuerdo mediante el cual el arrendador conviene con el arrendatario el derecho a usar un activo durante un período de tiempo determinado, a cambio de percibir un importe único o una serie de pagos o cuotas, sin que se trate de un arrendamiento de carácter financiero.

Los ingresos y gastos, correspondientes al arrendador y al arrendatario, derivados de los acuerdos de arrendamiento operativo serán considerados, respectivamente, como ingreso y gasto del ejercicio en el que los mismos se devenguen, imputándose a la cuenta de pérdidas y ganancias".

Por otra parte, en el apartado 3º. "Principios contables" del Marco Conceptual de la Contabilidad del PGC se define el principio de devengo como sigue:

"2. Los efectos de las transacciones o hechos económicos se registrarán cuando ocurran, imputándose al ejercicio al que las cuentas anuales se refieran, los gastos y los ingresos que afecten al mismo, con independencia de la fecha de su pago o de su cobro".

De conformidad con estos criterios, cabe concluir que el plazo de arrendamiento comienza en la fecha en que la empresa controle el derecho de uso que, con carácter general, debería coincidir con la puesta a disposición del activo arrendado, pudiendo ser esta fecha anterior a la del inicio de la actividad, como es el caso que nos ocupa, debido a que el arrendatario necesita realizar obras de reforma en los locales arrendados.

A mayor abundamiento cabe señalar que en determinadas ocasiones los contratos de arrendamiento incluyen incentivos para que el arrendatario acepte el contrato, cuyo adecuado tratamiento contable es calificarlos como una contrapartida neta acordada por la utilización del activo con independencia de la naturaleza del incentivo o del calendario de los pagos a realizar.

En este sentido, el periodo inicial de carencia de dos meses incluido en los contratos debe entenderse como un incentivo al arrendamiento que la empresa contabilizará como un menor gasto a lo largo del periodo de arrendamiento, para lo cual se utilizará, con carácter general, un sistema de reparto lineal, sin perjuicio de que tal y como se ha indicado la cuota resultante de aplicar el incentivo, en todo caso, comience a devengarse cuando la empresa asuma el control del activo, circunstancia que se producirá, con carácter general, a la firma de los correspondientes contratos.

Comentario

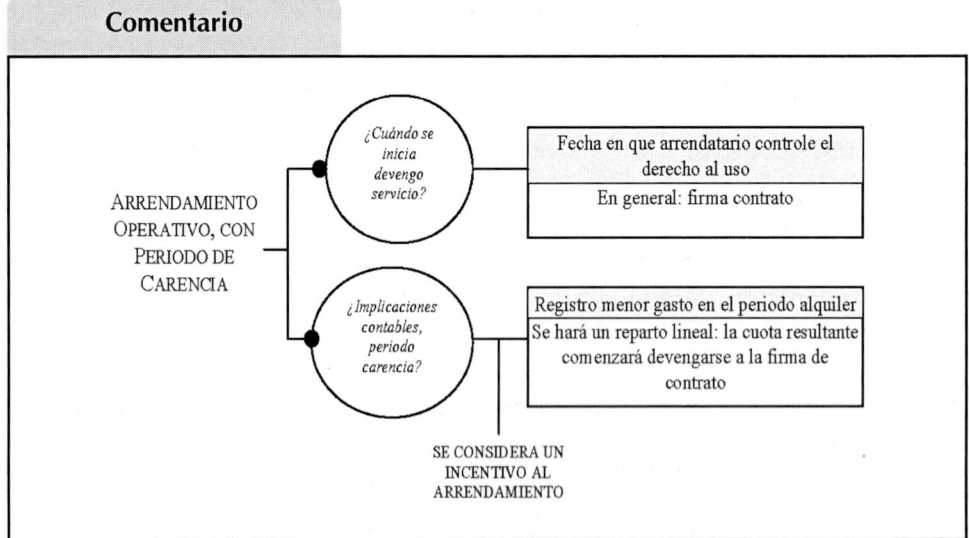

Ejemplo

TOMBO DO CAN S.A. ha formalizado un arrendamiento operativo el 1 de enero del X0 de un local comercial para abrir una nueva sucursal.

Las inversiones realizadas en obras de acondicionamiento han supuesto 90.000 €, siendo la duración de las mismas de dos meses.

El contrato de arrendamiento es por un periodo de 10 años, sin posibilidad alguna de prórroga. Éste, consistirá en el pago de 118 cuotas mensuales de 900 € a pagar la primera de ellas el 1/3/X0, existiendo como incentivo facilitado por el arrendador un periodo de carencia de 2 meses.

Asimismo en la fecha del contrato se deposita una fianza de 1.800 €. El valor razonable del local comercial asciende a 300.000 € y su vida útil se estima es 30 años, existe una opción de compra al final del arrendamiento por un importe de 280.000 €

A 31 de diciembre del X0, procede a dotar la amortización correspondiente a las inversiones realizadas en el activo arrendado. La dirección ha estimado que el valor recuperable es de:

* Inversiones realizadas .... 88.000 €

SE PIDE, contabilizar las operaciones derivadas de los siguientes hechos:

A) Registro inicial acuerdo arrendamiento y registro contable el incentivo de la carencia de 2 meses (enero y febrero del X0).

B) Registro contable de la fianza entregada a la firma del contrato. Tipo de interés para estas operaciones 5,5%

C) Pago de la primera mensualidad a 1/3/X0 fecha de la finalización de las obras realizadas y otorgamiento de la licencia de apertura.

D) Amortización anual de las inversiones realizadas por el procedimiento lineal de cuotas constantes y operaciones realizadas al cierre del ejercicio en relación con la fianza y el incentivo de la carencia de dos meses en el pago.

SOLUCIÓN:

A) Registro inicial acuerdo de arrendamiento y el incentivo de la carencia en las cuotas

Primero deberemos determinar qué tipo de arrendamiento es el que tiene que estar contabilizando TOMBO DO CAN. El arrendamiento de forma genérica es "(...) cualquier acuerdo (...) por el que el arrendador cede al arrendatario, a cambio de percibir una suma única de dinero o una serie de pagos o cuotas, el derecho a utilizar un activo durante un periodo determinado". [Norma 8ª Valoración PGC]

El de carácter operativo en su definición, incluye que: "(...) sin que se trate de un arrendamiento de carácter financiero". ¿Cuándo lo consideraremos, pues, financiero? En la misma Norma, en su apartado 1.1., nos comenta: "Cuando de *las condiciones económicas de un acuerdo de arrendamiento, se deduzca que se transfieren sustancialmente todos los riesgos y beneficios inherentes a la propiedad del activo objeto del contrato, dicho acuerdo deberá calificarse como arrendamiento financiero (...)".*

Esta transferencia, se presume por diversas circunstancias, clasificándolas según que en el acuerdo exista o no opción de compra. En nuestro caso, ésta existe, por lo que la Norma 8ª en su redacción establece como "financiero" cuando no existan dudas razonables de que se va a ejercitar dicha opción.

¿Cuándo ocurre esto? Cuando en el momento de firmar el contrato el precio de dicha opción, sea menor que el valor residual que se estima tendrá el bien en la fecha en que se ejercite la opción de compra (RICAC 21/1/92, Norma octava). Por tanto, compararemos:

- Precio de la opción de compra (A)   280.000 €

                                                   Es mayor que:

- Valor del local comercial al finalizado el contrato (B)   200.000 €
  (Valor inicial - Amortización acumulada fin del año 10)

$$(300.000 - \underbrace{\cfrac{\cfrac{300.000}{30\,años} \times 10\,años}{}}_{100.000})$$

En este caso, al existir dudas del ejercicio de la opción de compra, registraremos el acuerdo como un arrendamiento operativo.

De tal manera que según la Norma 8ª.2: *"(...) Los (...) gastos correspondientes al (...) arrendatario, derivados de los acuerdos de arrendamiento operativo serán considerados (...) como (...) gasto del ejercicio en el que los mismos se devenguen, imputándose a la cuenta de pérdidas y ganancias".*

- <u>Incentivo. Gasto por arrendamiento mes de enero.</u>

La cuantía del incentivo asciende a:

$$2 \text{ mensualidades} \times 900 \text{ €/mes} = 1.800 \text{ €}$$

Lo cual supone un incentivo mensual (durante el periodo total del alquiler: 10 años 12 mes/año = 120 meses):

$$\frac{1.800}{120 \text{ meses}} = 15 \text{ €/mes}$$

Registro del gasto por arrendamiento del mes de enero:

--------------------------------- 1/1/X0 ---------------------------------

885 Arrendamientos operativos
(6210)

(900 € - 15 €)

a   Ingresos anticipado a largo
plazo por arrendamientos
operativos (18X)

(885-150)[*]

735

Ingresos Anticipados por
arrendamientos operativos a
corto plazo (48X)[*] [10
meses x 15 €]

150

----

[*] Según los contenidos de la presente consulta: "(...) el plazo de arrendamiento comienza en la fecha en que la empresa controle el derecho de uso que, con carácter general, debería coincidir con la puesta a disposición del activo arrendado, pudiendo ser esta fecha anterior a la del inicio de la actividad, como es el caso que nos ocupa, debido a que el arrendatario necesita realizar obras de reforma en los locales arrendados (...)".

El periodo inicial de carencia de dos meses incluido en el contrato debe entenderse como un incentivo al arrendamiento. Su tratamiento contable, nos sigue diciendo la mencionada consulta, será: "(...) como un menor gasto a lo largo del periodo de arrendamiento, para lo cual se utilizará, con carácter general, un sistema de reparto lineal, sin perjuicio de que tal y como se ha indicado la cuota resultante de aplicar el incentivo, en todo caso, comience a devengarse cuando la empresa asuma el control del activo, circunstancia que se producirá, con carácter general, a la firma de los correspondientes contratos".

- Registro del gasto por arrendamiento, del mes de febrero:

--------------------------------- 1/2/X0 ---------------------------------

885 Arrendamientos operativos
(6210)

(900 € - 15 €) (*)

a   Ingresos anticipado a largo
plazo por arrendamientos operativos (18x)

885

Cuantificándose el gasto por un importe menor, al tener en cuenta el incentivo (que se ha divido entre el periodo de alquiler, de forma lineal): 15 €/mes

En estos momentos y después de los registros efectuados por el devengo del gasto por el arrendamiento de los meses de enero y febrero, tendríamos abiertas las siguientes cuentas:

• Ingresos Anticipados por arrendamientos operativos a corto plazo (48X). . . . .   150 €

(corresponden al incentivo de los meses de marzo a diciembre del año X0 15 €/mes)

• Ingresos anticipado a largo plazo por arrendamientos operativos (18X). . . . . .   1.620 €

(corresponden al incentivo de los nueves años restantes 15 €/mes x 108 meses)

B) Registro fianza entregada firma contrato

Gráficamente:

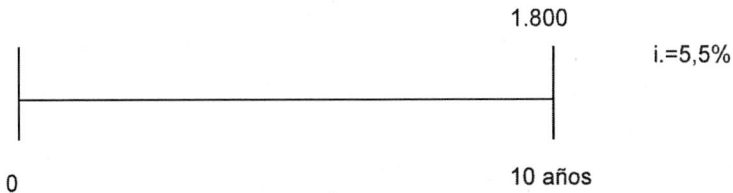

Valoración fianza = $1.800 \times (1 + 0,055)^{-10} = 1.053,78$

Anotándose:

	1/1/X0		
1.053,78	Fianzas constituidas a largo plazo (260)		
746,22	Gasto pagado por anticipado a l/p (26X)		
		a Bancos (572)	1.800

Así, en el apartado 5.6 de la Norma 9ª de Valoración del PGC, nos comenta que: *"En las fianzas entregadas (…) por arrendamientos operativos (…) la diferencia entre su valor razonable y el importe desembolsado (…) se considerará como un pago (…) anticipado por el arrendamiento (…)".*

C) Pago primera mensualidad. Inversiones realizadas en el activo arrendado

• Realizaremos el registro contable como gasto, de la cuota devengada en cada periodo por la utilización del servicio de alquiler:

———————————————————— 1/3/X0 ————————————————————

15	Ingresos Anticipados por arrendamientos operativos a corto plazo (48X)		
885	Arrendamientos operativos (6210) (900 - 15)$^{(*)}$		
		a Bancos (572)	900

$^{(*)}$ El incentivo por arrendamiento se ha registrado como un menor gasto.

• Anotaciones realizadas, por el pago de las inversiones realizadas en el local comercial:

———————————————————— 1/3/X0 ————————————————————

90.000	Otro inmovilizado material (*)		
		a Bancos (572)	90.000

Así la Norma 3ª h) Valoración del PGC, nos comenta: *"En los acuerdo que, de conformidad con la norma relativa a arrendamientos (...), deban calificarse como arrendamientos operativos, las inversiones realizadas por el arrendatario que no sean separables del activo arrendado o cedido en uso, se contabilizarán como inmovilizados materiales cuando cumplan la definición de activo (...)"*

D) Operaciones fin ejercicio

• Amortización anual del local comercial

No amortizaremos el activo, al no haber sido registrado contablemente ya que se trata de un arrendamiento operativo.

• Amortización anual de las inversiones en el local comercial

———————————————— 31/12/X0 ————————————————

9.000   Amortización el inmovilizado
          material (681)

               90.000
            ────────────
              10 años

                                    a   Amortización acumulada
                                             del inmovilizado material
                                             (281)   9.000

Según el apartado h) de la Norma 3ª de Valoración del PGC, *"(...) La amortización de estas inversiones se realizará en función de su vida útil o de la duración del contrato de arrendamiento o cesión si éste fuese menor"*. En nuestro caso, este último plazo es menor: 10 años, frente a 30 años.

• Deterioro de las inversiones realizadas.

Se producirá una pérdida por deterioro de valor de un elemento del inmovilizado material, *" (...) cuando su valor contable supere a su importe recuperable, entendido éste como el mayor importe entre su valor razonable menos los gastos de venta y su valor en uso (...)"*.[Norma 2ª.2. Valoración PGC]. Es decir, compararemos:

· Valor contable (31/12/X0). 81.000

[90.000 - 9.000]

                                                           Es menor que:

· Valor recuperable. 88.000

Pérdida por deterioro. . . . .   **NO EXISTE**

• Operaciones relacionadas con la fianza

Al final de año, por el ingreso financiero devengado:

———————————————— 31/12/X0 ————————————————

57,96   Fianzas constituidas a largo
          plazo (260)

                                    a   Ingresos de créditos (762)

                                             (1.053,78 x 5,5%)
                                                                               57,96

Así en la 5ª parte del PGC y para el movimiento de la 260 nos dice que ésta se cargará: "(...) a2) Por el ingreso financiero devengado hasta alcanzar el valor de reembolso de la fianzas con abono, generalmente, a la cuenta 762".

En cuanto al gasto anticipado: "(...) se imputará a la cuenta de pérdidas y ganancias durante el periodo de arrendamiento (...)" [según el apartado 5.6 de la Norma 9ª de Valoración PGC]. En consecuencia:

— 31/12/X0 —

57,96	Arrendamientos operativos (6210)		
	a	Gasto pagado por anticipado a l/p (26X)	57,96

- Operaciones relacionadas con el incentivo registrado

Por la reclasificación del incentivo periodificado, y todavía no devengado, correspondiente a las cuotas del año X1:

— 31/12/X0 —

180	Ingresos anticipado a largo plazo por arrendamientos operativos (18X) (12 mensualidades x 15 €)		
	a	Ingresos Anticipados por arrendamientos operativos a corto plazo (48X)	180

2.3.2.3. Rentas escalonadas en un alquiler: rectificación registro

BOICAC 96, diciembre 2013. Consulta 11.

Sobre la contabilización de un contrato de arrendamiento operativo de un local de negocio con "rentas escalonadas".

Respuesta

Una empresa ha firmado un contrato de arrendamiento de local de negocio por el que paga una renta creciente (rentas escalonadas), manifestándose en la consulta que dicho arrendamiento es de tipo "operativo" de acuerdo con la norma de registro y valoración (NRV) 8ª "Arrendamientos y otras operaciones de naturaleza similar" de la segunda parte del Plan General de Contabilidad (PGC), aprobado por el Real Decreto 1514/2007, de 16 de noviembre.

La entidad cierra su ejercicio contable el 31 de enero de cada año. En los ejercicios cerrados el 31 de enero de 2012, 2011, 2010 y 2009 se imputó como gasto en la cuenta de pérdidas y ganancias las cuotas por arrendamiento acordadas para cada ejercicio, sin tener en cuenta el incentivo descrito en forma de menores pagos en los primeros años del contrato.

En el ejercicio cerrado el 31 de enero de 2013, la consultante ha considerado que debe cambiar la forma de contabilizar los arrendamientos, repartiendo el total a pagar por los mismos entre los ejercicios que restan, teniendo como resultado unas cuotas constantes. Por este motivo, la consultante considera que ha cambiado de criterio contable y ha registrado en el ejercicio cerrado el 31 de enero de 2013 un gasto por el ajuste correspondiente a los cuatro ejercicios anteriores, contra una cuenta de reservas de libre disposición, en aplicación de la NRV 22ª "Cambios en criterios contables, errores y estimaciones contables".

La consulta versa sobre si los hechos descritos deben calificarse como un cambio de criterio contable o como una subsanación de errores relativos a ejercicios anteriores.

De acuerdo con lo dispuesto en la NRV 8ª.2 del PGC, los gastos derivados de los acuerdos de arrendamiento operativo serán considerados un gasto del ejercicio en el que los mismos se devenguen, imputándose a la cuenta de pérdidas y ganancias. Adicionalmente, en la citada NRV 8ª también se aclara que cualquier pago que pudiera hacerse al contratar un derecho de arrendamiento calificado como operativo, se tratará como un pago anticipado por el arrendamiento que se imputará a resultados a lo largo del periodo de arrendamiento a medida que se reciban los beneficios económicos del activo arrendado.

De lo anterior se infiere que, de conformidad con el principio de devengo, el gasto por arrendamiento debe reconocerse en función de la corriente real del servicio incurrido.

A mayor abundamiento, y en desarrollo del citado principio, en la consulta número 3 del BOICAC 87, de septiembre de 2011, se recoge la interpretación de este Instituto sobre el criterio que debe seguirse para reconocer el gasto relacionado con un contrato de arrendamiento operativo que incorpora un periodo de carencia, que es preciso traer a colación por analogía para otorgar un adecuado tratamiento contable a los hechos descritos en la consulta.

A la vista de estos antecedentes, desde una perspectiva general, cabe inferir el siguiente registro contable de un contrato de arrendamiento operativo con rentas escalonadas:

a) Cuando un contrato de arrendamiento operativo incluye incentivos, como pudiera ser el supuesto de hecho descrito por la consultante, en todo caso, el gasto por arrendamiento debe contabilizar a medida que se reciban los beneficios económicos del activo arrendado, al margen de cuando se produzca la corriente financiera.

b) A tal efecto, salvo mejor evidencia, la empresa deberá distribuir de forma lineal el importe total de la contraprestación en el plazo contractual.

c) Por último, al objeto de contabilizar la renta diferida que constituye el incentivo al arrendamiento en función de su naturaleza, la empresa deberá considerar el efecto financiero de la operación.

Por otro lado, según se define en la NRV 22ª *"(...) se entiende por errores las omisiones o inexactitudes en las cuentas anuales de ejercicios anteriores por no haber utilizado, o no haberlo hecho adecuadamente, información fiable que estaba disponible cuando se formularon y que la empresa podría haber obtenido y tenido en cuenta en la formulación de dichas cuentas"*.

En consecuencia, dado que la aplicación del principio de devengo es obligatoria, en opinión de este Instituto los hechos descritos deberían calificarse como la "subsanación de error contable".

Comentario

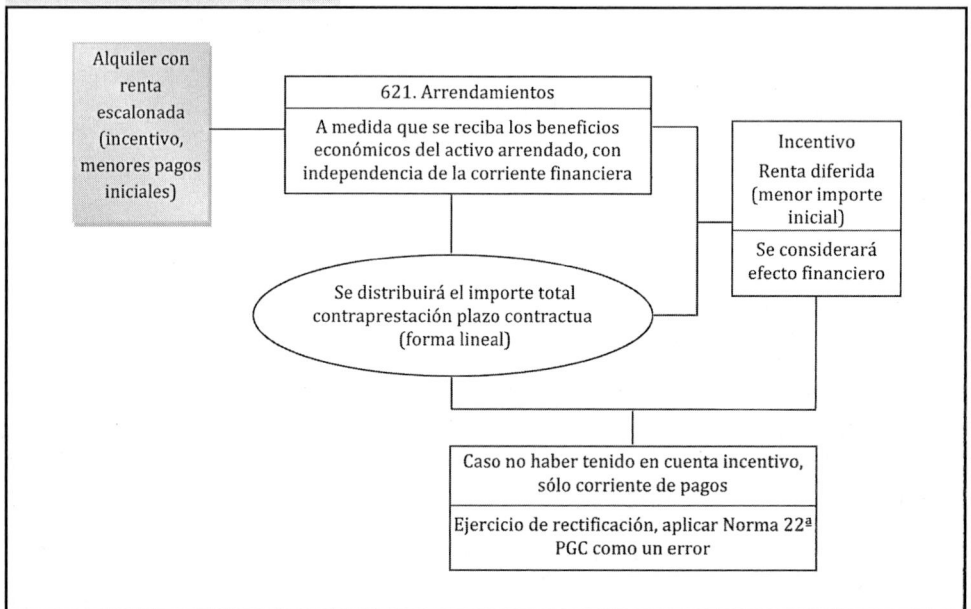

Ejemplo

CAMINO DE LOURDES S.A. formalizó un arrendamiento operativo el 1 de enero del 2009 de un local comercial para abrir una nueva sucursal. Las inversiones realizadas en obras de acondicionamiento han supuesto 90.000 €, siendo la duración de las mismas de dos meses.

El contrato de arrendamiento es por un periodo de 10 años sin posibilidad alguna de prórroga y consistirá en el pago de 120 cuotas mensuales, cuya cuantía los primeros 4 años será de 1.200 € a pagar a principios de mes. La sociedad ha ido registrando contablemente el gasto por arrendamiento en función del importe efectivamente pagado.

La rentabilidad del mercado de este tipo de inmuebles es del 6% anual, lo que supondría unas cuotas mensuales de 1500 €, siendo la diferencia de las mismas el incentivo concedido por el arrendador dada la escasez de demanda de alquiler de locales durante el periodo de recisión (2009-2012). A partir del año 2013 las cuotas mensuales serán de 1.500 €, incrementándose anualmente en el 2% hasta el final del contrato.

En la fecha del contrato, se depositó una fianza de 3000 €.

El valor razonable del local comercial asciende a 300.000 € y su vida útil se estima es 30 años; existe una opción de compra al final del arrendamiento por un importe de 280.000 €

A 31 de diciembre del 2009, procedió a dotar la amortización correspondiente a las inversiones realizadas en el activo arrendado. La dirección ha estimado que el valor recuperable es de:

* Inversiones realizadas .... 88.000 €

SE PIDE:

Contabilizar las operaciones derivadas de los siguientes hechos:

a) Registro inicial acuerdo arrendamiento a principios de enero del 2009, sabiendo que la sociedad registró el gasto por arrendamiento de acuerdo al importe pagado.

b) Registro contable de la fianza entregada a la firma del contrato. Tipo de interés incremental de las deudas de la empresa 5,5%.

c) Registro a 1/3/2009 de la inversión realizada en las obras de acondicionamientos, así como de su amortización anual, por el procedimiento lineal de cuotas constantes y operaciones realizadas al cierre del ejercicio en relación con la fianza.

d) La sociedad, ha considerado a 31/12/2013 que debe cambiar la forma de contabilizar los arrendamientos, imputando el gasto por arrendamiento en función de la corriente real (mercado) y no financiera (pagos). Por este motivo, al considerar que ha cambiado de criterio contable registró en el ejercicio cerrado el 31 de enero de 2013, un gasto por el ajuste correspondiente a los cuatro ejercicios anteriores, contra una cuenta de reservas de libre disposición, en aplicación de la NRV 22ª "Cambios en criterios contables, errores y estimaciones contables", realizando el siguiente asiento:

—————————————— 31/12/13 ——————————————

5.760 Arrendamientos operativos (6210)$^{(*)}$

	a	Reservas voluntarias (113)	5.760

$^{(*)}$ Cuotas satisfechas (2009 - 2012) : 1.200 x 12 meses x 4 años =............... 57.600

Cuotas reales (a precios de mercado 1.500 x 12 meses x 4 años = ... 72.000

DIFERENCIA (INCENTIVO TOTAL) 14.400

$$\text{El de cuatro años} = \frac{14.400}{10 \text{ años}} \times 4 \text{ años} = 5.760$$

Determinar si el registro realizado es correcto, y proponer, en su caso, los ajustes pertinentes. Asimismo redactar el registro contable del arrendamiento el 1/1/2014.

SOLUCIÓN:

A) Registro Inicial Acuerdo de Arrendamiento

Primero deberemos determinar qué tipo de arrendamiento es el que tiene que estar contabilizando "CAMINO DE LOURDES SA".. El arrendamiento de forma genérica es *"(...) cualquier acuerdo (...) por el que el arrendador cede al arrendatario, a cambio de percibir una suma única de dinero o una serie de pagos o cuotas, el derecho a utilizar un activo durante un periodo determinado".* [Norma 8ª Valoración PGC]

El de carácter operativo en su definición, incluye que: *"(...) sin que se trate de un arrendamiento de carácter financiero".* ¿Cuándo lo consideraremos, pues, financiero? En la misma Norma, en su apartado 1.1., nos comenta: *"Cuando de las condiciones económicas de un acuerdo de arrendamiento, se deduzca que se transfieren sustancialmente todos los riesgos y beneficios inherentes a la propiedad del activo objeto del contrato, dicho acuerdo deberá calificarse como arrendamiento financiero (...)".*

Esta transferencia, se presume por diversas circunstancias, clasificándolas según que en el acuerdo exista o no opción de compra. En nuestro caso, ésta existe, por lo que la Norma 8ª en su redacción establece como "financiero" cuando no existan dudas razonables de que se va a ejercitar dicha opción.

¿Cuándo ocurre esto? Cuando en el momento de firmar el contrato el precio de dicha opción, sea menor que el valor residual que se estima tendrá el bien en la fecha en que se ejercite la opción de compra. Por tanto, compararemos.

- Precio de la opción de compra (A)   280.000

                                             Es mayor que:

- Valor del local comercial al finalizado el contrato (B)   200.000
(Valor inicial - Amortización acumulada fin del año 10)

$$(300.000 - \underbrace{\frac{300.000}{30 \, años} \times 10 \, años}_{100.000})$$

En este caso, al existir dudas del ejercicio de la opción de compra, registraremos el acuerdo como un arrendamiento operativo. De tal manera que según la Norma 8ª.2: *"(...) Los (...) gastos correspondientes al (...) arrendatario, derivados de los acuerdos de arrendamiento operativo serán considerados (...) como (...) gasto del ejercicio en el que los mismos se devenguen, imputándose a la cuenta de pérdidas y ganancias".*

Anotándose por el gasto por arrendamiento del mes de enero:

――――――――――――――――――― 1/1/09 ――――――――――――――――

1.200   Arrendamientos operativos
        (6210)[(*)]

                              a   Bancos (572)   1.200

[(*)] La empresa contabilizó el gasto por arrendamiento en función del importe pagado y no por el importe real (renta de mercado), sin considerar el incentivo como un menor gasto a lo largo del periodo de arrendamiento, para lo cual se utilizará, con carácter general, un sistema de reparto lineal, sin perjuicio de que tal y como se ha indicado la cuota resultante de aplicar el incentivo, en todo caso, comience a devengarse cuando la empresa asuma el control del activo, circunstancia que se producirá, con carácter general, a la firma de los correspondientes contratos.[Consulta nº 3 del BOICAC 87].

En nuestro caso **el registro efectuado ha sido incorrecto**.

B) Registro Inicial Fianza Constituida

Gráficamente:

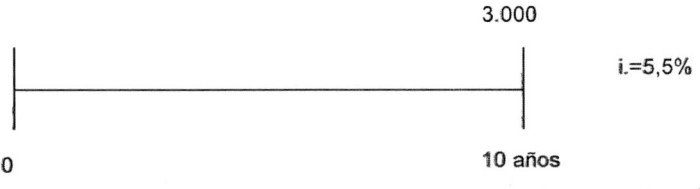

$$\text{VALORACIÓN FIANZA} = 3.000 \cdot (1 + 0,055)^{-10} = 1.756,29$$

Registrando:

――――――――――――――――――― 1/1/09 ――――――――――――――――

1.756,29   Fianzas constituidas a largo
           plazo (260)

1.243,71   Gasto pagado por anticipado
           a l/p (26x)

                              a   Bancos (572)   3.000

Así, en el apartado 5.6 de la Norma 9ª de Valoración del PGC, nos comenta que: *"En las fianzas entregadas (...) por arrendamientos operativos (...) la diferencia entre su valor razonable y el importe desembolsado (...) se considerará como un pago (...) anticipado por el arrendamiento (...)"*.

C) Registro Inversiones realizadas en el Activo Arrendado y Operaciones Fin de Ejercicio

En la Norma 3ª h) de Valoración del PGC, nos comenta que: *"En los acuerdo que, de conformidad con la norma 8ª, deban calificarse como arrendamientos operativos, las inversiones realizadas por el arrendatario que no sean separables del activo arrendado o cedido en uso, se contabilizarán como inmovilizados materiales cuando cumplan la definición de activo (...)"*.

Por tanto, cuando nuestra empresa realiza el desembolso anotará:

―――――――――――――――――― 1/3/09 ――――――――――――――――――

90.000	Inversiones realizadas en activos arrendado (219.1) (*)		
	a	Bancos (572)	90.000

Con respecto a las operaciones de cierre de ejercicio, tenemos:

* <u>La amortización del local comercial</u>, no se realizará, al no haberse registrado contablemente como inmovilizado: tratándose de un arrendamiento operativo.

* <u>La amortización de las inversiones en el local alquilado</u>, se hará en función de su vida útil o la duración del contrato de arrendamiento si éste fuese menor (Norma 3ª.h Valoración PGC). En nuestro caso, este último plazo es menor (10 años < 30 años). Por tanto:

$$\text{Cuota anual} = \frac{90.000}{} = 9.000$$

$$\text{Dotación ejercicio 2009 (10 meses, desde el 1/3/09)} = \frac{9.000}{12 \text{ meses}} \text{x10 meses} = 7.500$$

Anotándose:

―――――――――――――――――― 31/12/09 ――――――――――――――――――

7.500	Amortización el inmovilizado material (681)		
	a	Amortización acumulada del inmovilizado material (281)	7.500

* Comprobación si existe deterioro, en las inversiones realizadas

Se producirá una pérdida por deterioro de valor de un elemento del inmovilizado material, *"(...) cuando su valor contable supere a su importe recuperable, entendido éste como el mayor importe entre su valor razonable menos los gastos de venta y su valor en uso (...)"*.[Norma 2ª.2. Valoración PGC]. Es decir, compararemos, y para el caso de la inversión efectuada en el local alquilado:

- Valor contable (31/12/X0). 82.500

[90.000 – 7.500]

                                                              Es menor que:

- Valor recuperable.   88.000

· Pérdida por deterioro. . . . .   **NO EXISTE**

* Operaciones efectuadas a fin de ejercicio, en relación con la fianza:

A fin de año, por el ingreso financiero devengado:

96,60 Fianzas constituidas a largo plazo (260)	31/12/09	
	a	Ingresos de créditos (762)
		(1.756,29 x 5,5%) 96,60

Así en la 5ª parte del PGC y para el movimiento de la 260 nos dice que ésta se cargará: *"(...) a2) Por el ingreso financiero devengado hasta alcanzar el valor de reembolso de la fianzas con abono, generalmente, a la cuenta 762"*.

En cuanto al gasto anticipado: *"(...) se imputará a la cuenta de pérdidas y ganancias durante el periodo de arrendamiento (...)"* [según el mencionado apartado 5.6]. En consecuencia:

96,60 Arrendamientos operativos (6210)	31/12/2009	
	a	Gasto pagado por anticipado a l/p (26x) 96,60

D) Determinar si el Registro realizado es Correcto y Proponer, en su caso, los Ajustes Pertinentes a 31/12/13

Siguiendo lo dispuesto en la Consulta nº 11 del BOICAC 96: *"(...) cabe inferir el siguiente registro contable de un contrato de arrendamiento operativo con rentas escalonadas.*

a) Cuando un contrato de arrendamiento operativo incluye incentivos, como pudiera ser el supuesto de hecho descrito de rentas escalonadas, el gasto por arrendamiento debe contabilizar a medida que se reciban los beneficios económicos del activo arrendado, al margen de cuando se produzca la corriente financiera.

b) A tal efecto, salvo mejor evidencia, la empresa deberá distribuir de forma lineal el importe total de la contraprestación en el plazo contractual (...)"

En consecuencia con lo anterior se propone el siguiente registro:

Incentivo de las rentas escalonadas:

Cuotas satisfechas (2009 - 2012): 1.200 x 12 meses x 4 años =. 57.600

Cuotas reales (a precios de mercado): 1.500 x 12 meses x 4 años =. 72.000

DIFERENCIA. **14.400**

Este incentivo se distribuirá de forma lineal en función de la duración del contrato, debiendo registrar un menor gasto por arrendamiento que en nuestro caso asciende a:

$$\frac{14.400}{120 \text{ cuotas}} = 120 \text{ €/mes}$$

El registro contable <u>que debería haber realizado la empresa durante todos los meses</u> de los años 2009 al 2014 habría sido el siguiente.

• Por el registro del arrendamiento y pago de cada cuota:

1.500	Arrendamientos operativos (6210)[*]	x	
		a Bancos (572)	1.200
		Ingresos Anticipados (485)[**]	120
		Ingresos anticipados a largo plazo (18x)	180

[*] Importe de la renta de mercado

[**] Importe del incentivo mensual

- Simultáneamente por el registro del incentivo como menor gasto:

---------------------------------- x ----------------------------------

120 Ingresos Anticipados (485)	
	a Arrendamientos operativos (6210) 120

Por consiguiente con todo lo anterior y aplicando lo establecido en la NRV 22ª "(...) se entiende por errores las omisiones o inexactitudes en las cuentas anuales de ejercicios anteriores por no haber utilizado, o no haberlo hecho adecuadamente, información fiable que estaba disponible cuando se formularon y que la empresa podría haber obtenido y tenido en cuenta en la formulación de dichas cuentas".

En consecuencia, dado que la aplicación del principio de devengo es obligatoria, y en base a la Consulta antes mencionada, los hechos descritos deberían calificarse como la "subsanación de error contable".

En consecuencia la empresa debería haber efectuado el siguiente ajuste contable:

---------------------------------- x ----------------------------------

8.640 Reservas voluntarias (113)	
	a Arrendamientos operativos (6210) (*)
	(120 x 12) 1.440
	Ingresos Anticipados (485) (**)
	(120 x 12) 1.440
	Ingresos anticipados a largo plazo (18X) (***)
	(120 x 48) 5.760

Teniendo en cuenta que, en el año 2013 le empresa registró un gasto mensual por arrendamiento de 1500 €:

(*) Importe del incentivo del 2013, como menor gasto

(**) Importe del incentivo, del año 2014

(***) Importe del incentivo, hasta el final del contrato

Proponiéndose **el siguiente ajuste:**

14.400 Reservas voluntarias (113)	x	
	a	Arrendamientos operativos (6210)
		(5.760 + 1.440) 7.200
		Ingresos Anticipados (485)
		(120 x 12) 1.440
		Ingresos anticipados a largo plazo (18X)
		(120 x 48) 5.760

E) Anotaciones en Enero del 2014, con respecto al Alquiler

• Por el registro del arrendamiento y pago de la cuota de enero del 2014 (las cuotas se irán incrementando un 2% anual, después del 2013):

1.530 Arrendamientos operativos (6210)	1/1/04	
(1500x1,02)		
	a	Bancos (572) 1.530

• Y simultáneamente, por la anotación del incentivo, como menor gasto:

120 Ingresos Anticipados (485)	1/1/04	
	a	Arrendamientos operativos (6210) 120

2.3.2.4. Conceptos incluidos en un recibo de alquiler

BOICAC 98, junio 2014. Consulta 3.

Sobre el registro contable de una factura en un determinado contrato de arrendamiento operativo.

Respuesta

Según indica el consultante, la factura incluye unos importes que corresponden al arrendamiento de un módulo de oficina, gastos suplidos a cuenta del consumo eléctrico, regularización por dicho consumo eléctrico, Impuesto sobre el Valor Añadido (IVA) y retención al arrendador.

La empresa deberá registrar los gastos, según su naturaleza, teniendo en cuenta el principio de devengo, contenido en el apartado 3º del Marco Conceptual de la Contabilidad (MCC): "Los efectos de las transacciones o hechos económicos se registrarán cuando ocurran, imputándose al ejercicio al que las cuentas anuales se refieran, los gastos y los ingresos que afecten al mismo, con independencia de la fecha de su pago o de su cobro".

En desarrollo de este principio, la norma de registro y valoración (NRV) 8ª. "Arrendamientos y otras operaciones de naturaleza similar" del PGC, en su apartado 2, dispone que los desembolsos derivados de los acuerdos de arrendamiento operativo se contabilizarán como un gasto del ejercicio en la cuenta de pérdidas y ganancias en el momento en que se devenguen. Adicionalmente, en la citada NRV también se aclara que cualquier pago que pudiera hacerse al contratar un derecho de arrendamiento calificado como operativo, se tratará como un pago anticipado por el arrendamiento que se imputará a resultados a lo largo del periodo de arrendamiento a medida que se reciban los beneficios económicos del activo arrendado.

De lo anterior se infiere que, de conformidad con el principio de devengo, el gasto por arrendamiento debe reconocerse en función de la corriente real del servicio incurrido.

Por otro lado, la cantidad que figura como gastos suplidos y la regularización se registrará de acuerdo al fondo económico de la operación, en este sentido si se trata de cantidades que ha pagado el arrendador por cuenta del arrendatario, correspondiendo el gasto a este último, se aplicará lo indicado en el párrafo anterior, es decir, se registrarán como gastos por naturaleza.

En cuanto al registro del IVA, se realizará conforme a la NRV 12ª del PGC, en el sentido de que el IVA soportado no deducible formará parte del precio de adquisición de los activos corrientes y no corrientes, así como de los servicios, que sean objeto de las operaciones gravadas por el impuesto. En cuanto al IVA soportado deducible, para su registro podrá utilizar la cuenta 472. "Hacienda pública, IVA soportado", cuyo movimiento y motivos de cargo y abono, se recogen en la quinta parte del PGC.

Por último, la retención que se practica al arrendador se registrará con abono a la cuenta 4751. "*Hacienda Pública, acreedora por retenciones practicadas*".

En todo caso se recuerda lo dispuesto en el artículo segundo del Real Decreto 1514/2007, de 16 de noviembre, en relación con el carácter no vinculante de los movimientos contables incluidos en la quinta parte del PGC y los aspectos relativos a numeración y denominación de cuentas incluidos en la cuarta parte, excepto en aquellos aspectos que contengan criterios de registro o valoración.

Comentario

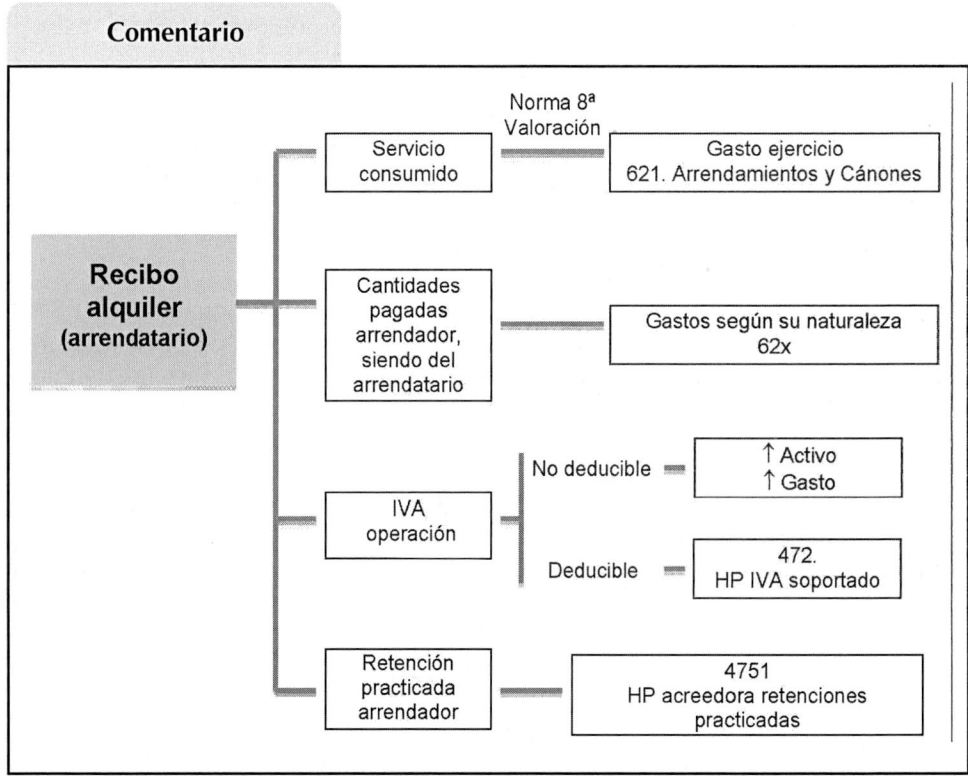

Ejemplo

La sociedad MAR Y SOL, cuyo objeto social es la distribución de marisco fresco de las rías gallegas, ha firmado un contrato de arrendamiento operativo de un módulo de oficina en el recinto ferial COTOGRANDE donde se celebrará por espacio de un mes la feria internacional del marisco.

El precio pactado con la arrendadora RECINTOS FERIALES S.L. es de 1.200 € por la oficina y servicios anexos. El consumo eléctrico del periodo pactado será a cargo de la sociedad MAR Y SOL, pero el citado será pagado por la sociedad arrendadora, la cual repercutirá el importe del mismo a la sociedad SOL Y MAR sin el cobro de ninguna retribución por la prestación de dicho servicio de intermediación.

En la fecha del contrato, se entrega como anticipo el importe del arrendamiento del módulo de oficina.

Posteriormente, se recibe la factura que incluye los importes que corresponden al arrendamiento de un módulo de oficina, gastos suplidos a cuenta del consumo eléctrico e Impuesto sobre el Valor Añadido (IVA).

SE PIDE:

Registro de la operación efectuada en las dos sociedades, sabiendo que el consumo de energía eléctrica pagado por la sociedad arrendadora ascendió a 363 € (IVA incluido al 21%).

Tipo de retención del arrendamiento y subarrendamiento de inmuebles 21%.

El objeto social de la sociedad RECINTOS FERIALES, es el arrendamiento de módulos de oficina en recintos feriales para la celebración de ferias de muestras.

SOLUCIÓN:

Sociedad "MAR Y SOL"

Por el anticipo entregado a la firma del contrato practicando la retención correspondiente.

---------------------------------- x ----------------------------------

1.200	Anticipo a acreedores (41x)		
252	HP IVA soportado (472)		
		a Bancos (572)	1.200
		HP acreedor por retenciones practicadas (4751)	
		$(1.200 \times 21\%)^{(*)}$	252

[(*)] La retención que se practica al arrendador se registrará con abono a la cuenta 4751. "Hacienda Pública, acreedora por retenciones practicadas".

Por el registro del gasto por arrendamiento y el consumo telefónico:

		x		
1.200	Arrendamientos operativos (621.1)[(*)]			
300	Suministros (628)[(**)]			
63	HP IVA soportado (472)			
	(300 x 21%)			
		a	Anticipo acreedores (41x)	1.200
			Bancos (572)[(***)]	363

[(*)] Los desembolsos derivados de los acuerdos de arrendamiento operativo se contabilizarán como un gasto del ejercicio en la cuenta de pérdidas y ganancias en el momento en que se devenguen. [NRV 8ª PGC].

[(**)] La cantidad que figura como gastos suplidos, que ha pagado el arrendador por cuenta del arrendatario, correspondiendo el gasto a este último, se aplicará lo indicado en el párrafo anterior, es decir, se registrarán como gastos por naturaleza.

[(***)] Importe pagado:

Concepto	Importe
Alquiler del módulo de oficina y servicios anexos con su respectivo IVA	1.200 x 1,21 = 1.452
Suministro eléctrico con su IVA	300 x 1,21 = 363
(-) Retención practicada al arrendador	1.200 x 21% = (252)
IMPORTE A PAGAR	1.563
SE PAGARON EN EL ANTICIPO	(1.200)
LÍQUIDO RESULTANTE PAGADO	363

Sociedad arrendadora "RECINTOS FERIALES S.L".

Por la recepción del anticipo:

		x		
1.200	Bancos (572)			
252	HP retenciones y pagos a cuenta (473)			
	(1.200 x 21%)			
		a	Anticipos de clientes (438)	1.200
			HP IVA repercutido (477)	

Por el pago del suministro eléctrico realizado por cuenta de SOL Y MAR,

	x		
363	Cuenta corriente con SOL Y MAR (55x)		
		a Bancos (572)	363

Las operaciones realizadas por una empresa en ejecución de un mandato, o cualquier otra figura similar, no tienen, en principio, influencia en los resultados de la empresa mandataria, sin perjuicio de que si el servicio prestado es retribuido, deberá contabilizarse el ingreso correspondiente.

Por ello, si la empresa realiza actividades por cuenta de otra, ya sea en su nombre o en nombre propio, sólo originará el registro contable de los movimientos de tesorería que pudieran producirse y, en su caso, el de la contabilización del ingreso correspondiente a la retribución.

En relación con los aspectos contables, y en particular las cuentas a emplear en la contabilización de los movimientos de tesorería que se puedan producir, podrán utilizarse cuentas del subgrupo 55 contenido en la segunda parte del Plan General de Contabilidad. [Consulta nº 1. BOICAC 19].

Por el cobro de la luz y remisión de la factura del servicio prestado a SOL Y MAR,

	x		
1.200	Anticipos de clientes (438)		
363	Bancos (572)		
		a Prestación de servicios (705)	1.200
		Cuenta corriente con SOL Y MAR (55X)	363

2.3.2.5. Arrendamiento con opción de compra, ejercida por sociedad vinculada a la arrendataria

BOICAC 104, diciembre 2015. Consulta 2.

Sobre el tratamiento contable de una prima percibida por una sociedad arrendadora en concepto de opción de compra.

Respuesta

La sociedad que realiza la consulta (en adelante, la arrendadora) es una entidad de propósito especial constituida para la adquisición y arrendamiento a un tercero (en adelante, la arrendataria) de un determinado activo por un período de 17 años, junto con otros elementos necesarios para su explotación.

Adicionalmente al contrato de arrendamiento la arrendadora suscribió un contrato de opción de compra del activo arrendado con otra entidad vinculada a la arrendataria (en adelante, la optante), en virtud del cual la arrendadora concede a la optante una opción de compra sobre el activo al final del período de arrendamiento previo pago de una prima por un importe aproximado al valor actualizado del 10 por 100 del coste.

El importe de la prima debe ser invertido por la arrendadora en un producto financiero con un determinado rating y rentabilidad financiera. Se eligió un depósito con una rentabilidad fija y vencimiento a la finalización del contrato de arrendamiento.

En caso de que la optante decidiera ejercer la opción de compra, la transmisión de la propiedad del activo se produciría al término del plazo de arrendamiento. En este supuesto, el precio de adquisición sería aproximadamente el 45 por 100 del coste de adquisición de dicho activo, descontando el importe de la prima de la opción de compra pagada y la rentabilidad obtenida por el depósito.

En caso de que la optante decidiese no ejercer la opción de compra a la finalización del contrato de arrendamiento, la prima cobrada no sería reembolsable.

La cuestión concreta que se plantea es el tratamiento contable de la prima cobrada por la arrendadora y de los intereses que genera su inversión en el depósito.

La norma de registro y valoración (NRV) 8ª. "Arrendamientos y otras operaciones de naturaleza similar" del Plan General de Contabilidad (PGC), aprobado por Real Decreto 1514/2007, de 16 de noviembre, diferencia entre arrendamiento financiero y arrendamiento operativo.

Cuando de las condiciones económicas de un acuerdo de arrendamiento se deduzca que se transfieren sustancialmente todos los riesgos y beneficios inherentes a la propiedad del activo objeto del contrato, dicho acuerdo deberá calificarse como arrendamiento financiero. En particular, en un acuerdo de arrendamiento con opción de compra, se presumirá que se transfieren sustancialmente todos los riesgos y beneficios inherentes a la propiedad cuando no existan dudas razonables de que se va a ejercitar dicha opción. A estos efectos, el acuerdo se calificará como un contrato con opción de compra cuando la optante y la arrendataria sean partes vinculadas.

A mayor abundamiento se informa que también se presumirá, salvo prueba en contrario, dicha transferencia, aunque no exista opción de compra, entre otros, en los siguientes casos:

a) Cuando las especiales características de los activos objeto del arrendamiento hacen que su utilidad quede restringida al arrendatario.

b) Cuando el arrendatario puede cancelar el contrato de arrendamiento y las pérdidas sufridas por el arrendador a causa de tal cancelación fueran asumidas por el arrendatario.

c) Los resultados derivados de las fluctuaciones en el valor razonable del importe residual recaen sobre el arrendatario.

En el caso que nos ocupa sería preciso analizar estas circunstancias y concluir si el arrendamiento debe calificarse como financiero u operativo.

Si una vez analizados todos los antecedentes y circunstancias relevantes de la operación en su conjunto el arrendamiento tuviera la calificación de financiero, en el momento inicial, el arrendador contabilizará un crédito por el valor actual de los pagos mínimos a recibir por el arrendamiento más el valor residual del activo, aunque no esté garantizado, descontados al tipo de interés implícito del contrato. Asimismo, reconocerá el resultado de la operación en sintonía con lo dispuesto en el apartado 3 de la norma sobre inmovilizado material, salvo cuando sea el fabricante o distribuidor del bien, supuesto en el que se considerarán operaciones de tráfico comercial y deberá registrarse la correspondiente venta de existencias.

Bajo esta hipótesis, la prima recibida formará parte de la contraprestación y el activo financiero adquirido se contabilizará siguiendo los criterios establecidos en la NRV 9ª. "Instrumentos financieros" del PGC.

En el caso de que no se den las circunstancias para considerar la operación como un arrendamiento financiero, sería de aplicación el apartado 2 de la NRV 8ª, en cuya virtud, los ingresos correspondientes al arrendador derivados del contrato de arrendamiento serán considerados un ingreso del ejercicio en el que los mismos se devenguen.

Bajo esta segunda hipótesis, la prima recibida se tratará como un cobro anticipado por el acuerdo de cesión que se imputará a resultados a lo largo del período del contrato, a medida que se reciban los beneficios económicos del activo arrendado, y para cuyo registro, dado que la operación es a largo plazo, podrá emplear la cuenta 181. Anticipos recibidos por ventas o prestaciones de servicios a largo plazo.

El depósito en la entidad financiera se contabilizará siguiendo los criterios establecidos en la NRV 9ª. "Instrumentos financieros" del PGC.

Comentario

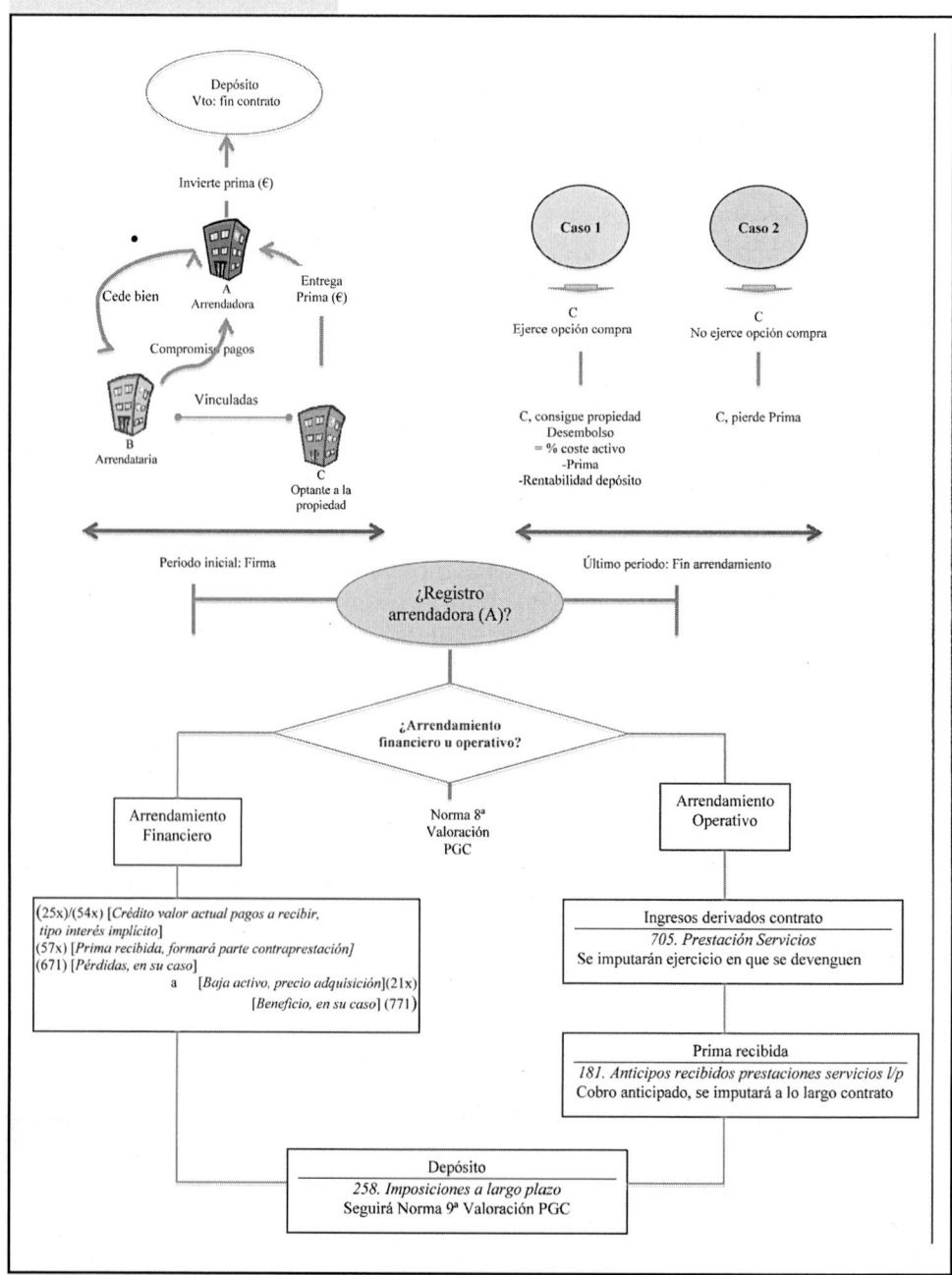

Ejemplo

La sociedad de propósito especial ARRENDAMIENTOS DE BUQUES S.A., se constituye a principios del ejercicio X0 con un capital totalmente desembolsado de 3.000.000 €.

Dicha sociedad adquiere, pocos días después de su constitución, un buque frigorífico para la pesca de bacalao por un importe total de 2.400.000 € (IVA 21%), pagados al contado. Dicho buque, es arrendado de forma inmediata a la sociedad PESCA VIGO S.A. por un periodo de 17 años, y unas cuotas anuales pagaderas a 31 de diciembre por 48.000 € (IVA 21%).

Adicionalmente al contrato de alquiler, ARRENDAMIENTOS DE BUQUES (arrendadora) suscribe un contrato de opción de compra del activo arrendado con otra entidad PESCA GALICIA, la cual posee el 100% de PESCA VIGO (en adelante, la optante), en virtud de la cual, la arrendadora concede a la optante una opción de compra sobre el activo al final del período de arrendamiento previo pago de una prima por un importe aproximado al valor actualizado del 10 por 100 del coste. Que en el caso que nos ocupa asciende a 171.399,02 € (10% de 2.400.000) [tipo de interés de mercado 2% anual, efectivo].

En caso de que la optante decidiera ejercer la opción de compra, la transmisión de la propiedad del activo se produciría al término del plazo de arrendamiento. En este supuesto, el precio de adquisición sería aproximadamente el 45 por 100 del coste de adquisición de dicho activo (1.080.000 €), descontando el importe de la prima de la opción de compra pagada y la rentabilidad obtenida por el depósito.

El importe de la prima debe ser invertido por la arrendadora en un producto financiero con un determinado rating, y rentabilidad financiera. Se eligió un depósito a plazo fijo con una rentabilidad del 1% anual efectivo, a cobrar, junto al principal, a la finalización del contrato de arrendamiento.

En caso de que la optante decidiese no ejercer la opción de compra a la finalización del contrato de arrendamiento, la prima cobrada no sería reembolsable.

SE PIDE:

A) Registro contable de las operaciones descritas en la sociedad arrendadora ARRENDAMIENTO DE BUQUES durante el año X0 y al final del contrato si no se ejercita la opción. La vida útil del barco es de 25 años.

B) Supuesto de que el contrato de arrendamiento consista en el pago de 17 cuotas anuales pagaderas a 31 de diciembre por 124.303,38 € (IVA 21%) y que la vida útil del bien arrendado se estime en 40 años. El resto de condiciones igual que el caso A). Registro de operaciones en el X0, y en relación a la operación descrita.

SOLUCIÓN:

CASO A)

OPERACIONES AÑO X0

• Por la emisión, suscripción y desembolso de las acciones:

———————————————— Principios del X0 ————————————————

3.000.000	Bancos (572)		
	a	Capital social (100)	3.000.000

• Por la compra del buque:

———————————————— Principios del X0 ————————————————

2.400.000	Elementos de transporte (218)		
504.000	HP IVA soportado (472)		
	a	Bancos (572)	2.904.000

• Por el contrato de arrendamiento del bien:

Deberemos determinar qué tipo de alquiler, es el que tiene que estar contabilizando ARRENDAMIENTO DE BUQUES. El arrendamiento de forma genérica es *"(...) cualquier acuerdo (...) por el que el arrendador cede al arrendatario, a cambio de percibir una suma única de dinero o una serie de pagos o cuotas, el derecho a utilizar un activo durante un periodo determinado".* [Norma 8ª Valoración PGC]

El de carácter operativo en su definición, incluye que: *"(...) sin que se trate de un arrendamiento de carácter financiero".* ¿Cuándo lo consideraremos, pues, financiero? En la misma Norma, en su apartado 1.1., nos comenta: *"Cuando de las condiciones económicas de un acuerdo de arrendamiento, se deduzca que se transfieren sustancialmente todos los riesgos y beneficios inherentes a la propiedad del activo objeto del contrato, dicho acuerdo deberá calificarse como arrendamiento financiero (...)".*

Esta transferencia, se presume por diversas circunstancias, clasificándolas según que en el acuerdo exista o no opción de compra. En nuestro caso, ésta existe, por lo que la Norma 8ª en su redacción establece como "financiero" cuando no existan dudas razonables de que se va a ejercitar dicha opción.

A estos efectos, el acuerdo **se calificará como un contrato con opción de compra** cuando la optante y la arrendataria sean partes vinculadas. [Consulta nº 2. BOICAC 104].

¿Cuándo ocurre esto? Cuando en el momento de firmar el contrato el precio de dicha opción, sea menor que el valor residual que se estima tendrá el bien en la fecha en que se ejercite la opción de compra. Por tanto, compararemos:

- Precio de la opción de compra (A). . . . .   877.011,38 €[(*)]

Opción de compra. . . . .

[= 45% 2.400.000] = 1.080.000 €

(-) Prima de la opción = 171.399,02

(-) Rendimientos obtenidos por el depósito = 31.589,60

$[171.399{,}02\ (1+0{,}01)^{17} - 171.399{,}02]$

TOTAL = 877.011,38

<u>Es mayor que:</u>

- Valor esperado del buque finalizado el contrato (B). . . . .   768.000 €

(Valor inicial - Amortización acumulada fin año 17)

$$\left[2.400.000 - \right]\ \frac{2.400.000}{40}\ \times 17]$$

[(*)] Si la optante decidiera ejercer la opción de compra, la transmisión de la propiedad del activo se produciría al término del plazo de arrendamiento. En este supuesto, el precio de adquisición sería aproximadamente el 45 por 100 del coste de adquisición de dicho activo, descontando el importe de la prima de la opción de compra pagada y la rentabilidad obtenida por el depósito.

En este caso, al existir dudas del ejercicio de la opción de compra (A>B), registraremos el acuerdo como un arrendamiento operativo. De tal manera que según la Norma 8ª.2: *"(...) Los (...) ingresos correspondientes al (...) arrendador, derivados de los acuerdos de arrendamiento operativo serán considerados (...) como (...) ingresos del ejercicio en el que los mismos se devenguen, imputándose a la cuenta de pérdidas y ganancias"*.

Por tanto, por el contrato de arrendamiento del buque, al tratarse de un arrendamiento operativo, <u>no procede registro alguno</u>.

- Por el cobro de la prima a la optante PESCA GALICIA:

```
───────────────────── Principios del X0 ─────────────────────

171.399,02  Bancos (572)

                              a        Anticipos recibidos por
                                       ventas o prestaciones de
                                       servicios a largo plazo
                                       (181)                    171.399,02
```

Valor actual = 10% 2.400.000 $(1+0,02)^{-17}$ = 171.399,02

Al tratarse de un arrendamiento operativo, la prima recibida se tratará como un cobro anticipado por el acuerdo de cesión que se imputará a resultados a lo largo del período del contrato, a medida que se reciban los beneficios económicos del activo arrendado, y para cuyo registro, dado que la operación es a largo plazo, podrá emplear la cuenta 181. Anticipos recibidos por ventas o prestaciones de servicios a largo plazo. [Consulta nº 2. BOICAC 104]

• Por la constitución del depósito a plazo:

```
───────────────────── Principios del X0 ─────────────────────

171.399,02  Imposiciones a largo plazo
            (258)

                              a        Bancos c/c (572)       171.399,02
```

El importe de la prima debe ser invertido por la arrendadora en un producto financiero con un determinado rating y rentabilidad financiera. Se eligió un depósito con una rentabilidad fija y vencimiento a la finalización del contrato de arrendamiento. Para su registro, nos guiaremos por la Norma 9ª de Valoración del PGC. [Consulta 2, BOICAC 104]

• Operaciones a 31/12/X0:

* Por el cobro de la primera cuota:

```
─────────────────────── 31/12/X0 ───────────────────────

58.080  Bancos (572)

                              a        Prestación de servicios (705)    48.000

                                       HP IVA repercutido (477)         10.080
```

Los ingresos correspondientes al arrendador derivados de los acuerdos de arrendamiento operativo serán considerados, como ingreso del ejercicio en el que los mismos se devenguen, imputándose a la cuenta de pérdidas y ganancias. [Apartado 2, de la Norma 8ª de Valoración. PGC]

* Por la amortización del buque:

――――――――――――――――― 31/12/X0 ―――――――――――――――――

96.000	Amortización del inmovili-zado material (681)		
	(2.400.000/25) = 96.000		
	a	Amortización acumulada del inmovilizado material (281)	96.000

* Por el rendimiento generado por la imposición:

――――――――――――――――― 31/12/X0 ―――――――――――――――――

1.713,99	Imposiciones a largo plazo (258)		
	a	Ingresos de créditos (762)	1.713,99

Rendimiento anual obtenido: 171.399,02 x 1% = 1.713,99 €

* Por la actualización de la prima recibida:

――――――――――――――――― 31/12/X0 ―――――――――――――――――

3.427,28	Intereses de deudas (662)		
	a	Anticipos recibidos por ventas o prestaciones de servicios a largo plazo (181)	3.427,28

Actualización primer año: 171.399,02 x 2% = 3.427,28 €

De esta manera, y en base a la 5ª parte del PGC, la cuenta 181 se abonará: *"(...)a2) Por el importe de los ajustes que surjan por la actualización de su valor, con cargo, generalmente, a la cuenta 662"*.

OPERACIONES FIN CONTRATO

• Al no ejercitarse la opción de compra:

	x		
240.000	Anticipos recibidos por ventas o prestaciones de servicios a largo plazo (181)		
	a	Ingresos excepcionales (778)	240.000

De esta forma y en el caso de que la optante decidiese no ejercer la opción de compra (como es nuestro caso) a la finalización del contrato de arrendamiento, la prima cobrada no sería reembolsable. [Consulta nº 2. BOICAC 104].

• Y por el reintegro del depósito constituido:

Montante final $= 171.399,02 \, (1 + 0,01)^{17} = 202.988,62$

	x		
202.988,62	Bancos (572)		
	a	Imposiciones a corto plazo (548)	202.988,62

CASO B)

OPERACIONES AÑO X0

• Comprobaremos previamente, si dicho contrato reúne los requisitos establecidos para que pueda ser registrado tal y como se establece en la Norma Valoración 8ª.1. del PGC.

De tal manera que si de las condiciones económicas de un acuerdo de arrendamiento: *"(...) se deduzca que se transfieren sustancialmente todos los riesgos y beneficios inherentes a la propiedad del activo objeto del contrato (...)"*.

Cuando existe opción de compra, se presumirá tal transferencia cuando *"(...) no existan dudas razonables de que se va a ejercitar dicha opción (...)"*. Comprobemos esta circunstancia:

• Precio de la opción de compra (A). . . . . 877.011,38 €[(*)]

Opción de compra

[= 45% 2.400.000] = 1.080.000 €

(-) Prima de la opción = 171.399,02

(-) Rendimientos obtenidos por el depósito = 31.589,60

$[171.399,02 (1+0,01)^{17} - 171.399,02]$

TOTAL = 877.011,38

Es menor que:

• Valor esperado del buque finalizado el contrato (B). . . . . 1.380.000 €

(Valor inicial - Amortización acumulada fin año 17)

[2.400.000 –]

[(*)] Si la optante decidiera ejercer la opción de compra, la transmisión de la propiedad del activo se produciría al término del plazo de arrendamiento. En este supuesto, el precio de adquisición sería aproximadamente el 45 por 100 del coste de adquisición de dicho activo, descontando el importe de la prima de la opción de compra pagada y la rentabilidad obtenida por el depósito.

Como A < B, no existen dudas que se va a ejercitar la opción y por tanto se trata de un arrendamiento financiero.

ANEXO: (Cuadro de la operación financiera, tipo interés efectivo anual 2%)

Año	Pagos	Intereses	Amortización	Capital pendiente
0				2.400.000,00
1	124.303.38	48.000,00	76.303,38	2.323.696,62
2	124.303,38	46.473,93	77.829,45	2.245.867,17
3	124.303,38	44.917,34	79.386,04	2.166.481,13
4	124.303,38	43.329,62	80.973,76	2.085.507,37
5	124.303,38	41.710,15	82.593,23	2.002.914,14
6	124.303,38	40.058,28	84.245,10	1.918.669.04
7	124.303,38	38.373,38	85.930,00	1.832.739,04
8	124.303,38	36.654,79	87.648,60	1.745.090,44
9	124.303,38	34.901,81	89.401,57	1.655.688,87
10	124.303,38	33.113,78	91.189,60	1.564.499,27
11	124.303,38	31.289,99	93.013,39	1.471.485,88

Año	Pagos	Intereses	Amortización	Capital pendiente
12	124.303,38	29.429,72	94.873,66	1.376.612,22
13	124.303,38	27.532,24	96.771,14	1.279.841,08
14	124.303,38	25.596,82	98.706,56	1.181.134,52
15	124.303,38	23.622,69	100.680,69	1.080.453,83
16	124.303,38	21.609,08	102.694,30	977.759,53
17	124.303,38	19.555,19	104.748,19	873.011,38

Por tanto, y por el registro del arrendamiento, estaremos a lo establecido en el apartado 1.3 de la Norma 8ª de Valoración del PGC: *"El arrendador en el momento inicial, reconocerá un crédito por el valor actual de los pagos mínimos a recibir por el arrendamiento más el valor residual del activo, aunque no esté garantizado, descontados al tipo de interés implícito del contrato (...)".*

Igualmente nos comenta que reconocerá el resultado derivado de la operación de arrendamiento, según lo dispuesto en el apartado 3 de la norma sobre inmovilizado material (Baja, apartado 3 Norma 2ª de Valoración).

Por tanto, anotaremos:

————————————————— Principios del X0 —————————————————

76.303,38 Créditos a corto plazo
(542)

2.323.696,62 Créditos a largo plazo
(252)

(2.400.000-76.303,38)

171.399,02 Bancos (572)[(*)]

a　　　　　Elementos de trans-
porte (218)　　　　　2.400.000

Beneficios pro ceden-
tes del inmovilizado
material (771)　　　　171.399,02

[(*)] Bajo esta hipótesis, la prima recibida formará parte de la contraprestación [Consulta 2, BOICAC 104].

• Por la constitución del depósito a plazo:

————————————————— Principios del X0 —————————————————

171.399,02	Imposiciones a l/p (258)		
	a	Bancos c/c (572)	171.399,02

Para su registro, nos guiaremos por la Norma 9ª de Valoración del PGC [Consulta 2, BOICAC 104].

• Operaciones a 31/12/X0:

* Por el cobro de la primera anualidad:

————————————————— 31/12/X0 —————————————————

150.407,09	Bancos (572)		
	a	Créditos a corto plazo (542)	76.303,38
		Ingresos de créditos (762)	48.000,00
		HP IVA repercutido (477)	26.103,71

La diferencia entre el crédito contabilizado en el activo del balance y la cantidad a cobrar, correspondiente a intereses no devengados, se imputará a la cuenta de pérdidas y ganancias del ejercicio en que dichos intereses se devenguen, de acuerdo con el método del tipo de interés efectivo [Apartado 1.3 de la Norma 8ª Valoración PGC].

* Por la amortización del buque, no se realizará apunte alguno, ya que se ha dado de baja.

* Por el rendimiento generado por la imposición:

————————————————— 31/12/X0 —————————————————

1.713,99	Imposiciones a largo plazo (258)		
	a	Ingresos de créditos (762)	1.713,99

Rendimiento anual obtenido: 171.399,02 x 1% = 1.713,99 €

OPERACIONES FIN CONTRATO

Caso de ejercitarse la opción de compra, se anotaría el cobro de ésta:

—————————————————— x ——————————————————

1.056.343,77	Bancos (572)		
	a	Créditos a corto plazo (542)	873.011,38
		HP IVA repercutido (477)	183.332,39

2.3.2.6.   Calificación coches cedidos por fabricantes a "rent a car"

BOICAC 106, junio 2016. Consulta 6.

Sobre el adecuado reflejo contable de la compra de vehículos por las empresas dedicadas a su alquiler y posterior venta.

Respuesta

Las entidades de "rent a car" se dedican al alquiler a corto plazo de automóviles sin conductor. Para ello firman un contrato marco anual con los fabricantes de los vehículos. A la vista de la información que se facilita en la consulta, la entrega de los automóviles se clasifica en dos grandes grupos:

1. Vehículos "buy – back". Se trata de vehículos en los que existe un pacto de recompra a precio fijo otorgado por el fabricante. Se caracterizan por:

a. Limitaciones al uso por las entidades de "rent a car".

b. Transmisión del riesgo por pérdida o destrucción a las entidades de "rent a car".

c. Opción de venta para la empresa "rent a car" y obligación de recompra por el fabricante a precio fijo en función de los meses de utilización del vehículo (estos no se identifican individualmente sino que es un porcentaje del total de vehículos adquiridos).

d. Además del derecho, la entidad "rent a car" tiene en ocasiones la obligación de revender los vehículos.

2. Vehículos "risk". Se trata de vehículos en los que no existe un pacto de recompra por el fabricante. Se caracterizan por:

a. Quedan excluidos de la obligación de recompra por parte del fabricante.

b. Transcurrido un determinado plazo de tiempo estos vehículos son vendidos.

A la vista de estos antecedentes, se solicita la opinión de este Instituto sobre el adecuado tratamiento contable de estas operaciones y, en particular, acerca de las siguientes cuestiones:

a) Vehículos "buy – back": si deben ser calificados como inmovilizado por la empresa "rent a car" en la medida en que, desde la perspectiva del fabricante que entrega el vehículo, puede entenderse que se cumplen los requisitos recogidos en la Norma de registro y valoración (NRV) 14ª. "Ingresos por ventas y prestación de servicios" del Plan General de Contabilidad (PGC), aprobado por el Real Decreto 1514/2007 de 16 de noviembre, o por el contrario y por la razón inversa cabría considerar los hechos descritos como un acuerdo de arrendamiento operativo.

b) Vehículos "risk": si deben ser calificados como un inmovilizado hasta el momento mismo de la venta bajo la hipótesis de que el curso ordinario de las operaciones de este tipo de entidades está compuesto sólo por la actividad de alquiler siendo la compra y venta de vehículos puramente auxiliar, o bien deben ser calificados como existencias desde el momento en que se decide su venta ya que, en el ciclo normal de explotación de estas entidades, no existe disociación entre la venta y alquiler posterior, adquiriendo vehículos desde el primer momento para su uso y posterior enajenación.

El registro contable de cualquier operación requiere un previo análisis del fondo económico y jurídico de la misma, tal y como exige el artículo 34.2 del Código de Comercio y, en su desarrollo, el Marco Conceptual de la Contabilidad (MCC) recogido en la primera parte del PGC, de manera que la contabilización de las operaciones responda y muestre la sustancia económica y no sólo la forma jurídica utilizada para instrumentarlas.

Para dar una adecuada respuesta a las cuestiones suscitadas, en primer lugar se analizará si los hechos descritos constituyen, desde la perspectiva de la empresa que vende los vehículos (el fabricante), una operación que cumple los requisitos para contabilizar un ingreso por venta de bienes.

Una vez aclarado este aspecto, y exclusivamente para el supuesto en que se cumplan los mencionados requisitos, a continuación se indicarán los criterios generales para calificar los vehículos adquiridos por la empresa "rent a car" como inmovilizado o existencias.

1. Vehículos "buy – back". La empresa fabricante o distribuidora de los vehículos reconocerá un ingreso por la venta de bienes a la empresa "rent a car" si el acuerdo cumple las condiciones establecidas en la NRV 14ª del PGC, que estipula lo siguiente:

"Sólo se contabilizarán los ingresos procedentes de la venta de bienes cuando se cumplan todas y cada una de las siguientes condiciones:

a) La empresa ha transferido al comprador los riesgos y beneficios sig-nificativos inherentes a la propiedad de los bienes, con independencia de su transmisión jurídica. Se presumirá que no se ha producido la citada transferencia, cuando el comprador posea el derecho de vender los bienes a la empresa, y ésta la obligación de recomprarlos por el precio de venta inicial más la rentabilidad normal que obtendría un prestamista.

b) La empresa no mantiene la gestión corriente de los bienes vendidos en un grado asociado normalmente con su propiedad, ni retiene el control efectivo de los mismos.

c) El importe de los ingresos puede valorarse con fiabilidad.

d) Es probable que la empresa reciba los beneficios o rendimientos eco-nómicos derivados de la transacción, y

e) Los costes incurridos o a incurrir en la transacción pueden ser valo-rados con fiabilidad".

En relación con estas características propias y definitorias del reconocimiento de un ingreso la más relevante es la que versa sobre la transferencia de los riegos y beneficios significativos inherentes a la propiedad de los bienes, porque si esta circunstancia se cumple es habitual que los restantes requisitos también se verifi-quen.

Sin embargo no es extraño que en algunas operaciones la transferencia de la propiedad se emplee como medio o instrumento accesorio de otro acuerdo prin-cipal cuya verdadera causa difiere de la inherente al contrato de compraventa. En estos casos, el apartado 1 de la NRV 14ª introduce un criterio en el que se concreta la aplicación del principio establecido en el artículo 34 del Código de Comercio que exige considerar el fondo económico y no solo la forma jurídica en el análisis de las operaciones: "_Con el fin de contabilizar los ingresos atendiendo al fondo económico de las operaciones, puede ocurrir que_ los componentes identificables de una misma transacción deban reconocerse aplicando criterios diversos, como una venta de bienes y los servicios anexos; a la inversa, _transacciones diferentes pero ligadas entre sí se tratarán contablemente de forma conjunta_".

En este contexto normativo, la primera cuestión a resolver es si los vehículos "buy-back" son elementos incorporados al patrimonio de la empresa "rent a car", o por el contrario si los hechos descritos pueden englobarse dentro de la categoría de negocios jurídicos en los que la forma elegida difiere del fondo económico.

A tal efecto, no cabe duda que el aspecto medular a considerar es el hecho de que la empresa "rent a car" tiene una opción de venta y el fabricante la obligación de recompra de los vehículos a un precio fijo, pero inferior al valor razonable, circunstancia que podría llevar a cuestionar el cumplimiento de los requisitos regulados en la NRV 14ª del PGC para reconocer la venta y la correspondiente compra de estos bienes. Esto es, será necesario analizar cuál es el sentido econó-mico de la cláusula y, en particular, si a la vista de los efectos que produce cabría sostener que el contrato de compraventa y la opción de venta, considerados en su conjunto, son la forma empleada para producir unos efectos económicos similares a los derivados de un acuerdo de arrendamiento operativo.

En términos similares, desde la perspectiva de la empresa "rent a car" cabría analizar los rasgos asociados a la adquisición de un activo y determinar si los efectos combinados de las cláusulas del contrato están más cerca de los típicos que produce su adquisición (para lo que es habitual emplear el negocio de compraventa), en cuyo caso, forma jurídica y fondo económico serían coincidentes, o de las consecuencias que se derivan de los acuerdos de arrendamiento operativo, lo que llevaría a contabilizar la operación como un negocio análogo a estos arrendamientos.

Para efectuar esta aproximación es relevante traer a colación la opinión de este Instituto publicada en la consulta 1 del BOICAC nº 99, de septiembre de 2014, acerca del tratamiento contable de la adquisición de un inmueble sometido a una condición, y en la que sobre la cuestión que nos ocupa se recoge la siguiente explicación:

> "A partir de este razonamiento, el ICAC en la contestación a numerosas consultas consolidó la siguiente doctrina administrativa sobre la transferencia de activos vinculando la calificación de activo a dos requisitos constitutivos:
>
> • La idea de control, inherente al uso o aprovechamiento del elemento a lo largo de su vida económica, así como a la facultad de disposición.
>
> • La idea de recuperación, consustancial con la nota de proyección económica futura.
>
> Ambas características integran el núcleo de los riesgos y ventajas del elemento patrimonial.
>
> Con carácter general, cuando la empresa se desprende o se ve privada de alguno de los citados atributos es cuando puede concluirse que procede la baja o la corrección de valor del activo. En contraposición, no procede el registro de un activo si no se cumplen ambos requisitos".

Pues bien, entrando en el fondo de la cuestión que se plantea cabe señalar que si a la vista del contrato fuera posible apreciar, en el momento inicial (entrega de los vehículos), un incentivo económico significativo en la empresa "rent a car" para ejercitar su opción de venta, se debería sostener que el fabricante no ha transmitido los riesgos y beneficios significativos del activo y que aquella, en esencia, no adquiere el aprovechamiento del bien a lo largo de su vida económica. Esto es, la citada cláusula (opción de venta) y la evidencia sobre su más que probable ejecución desde el inicio del acuerdo interrumpe el uso tendencial del activo a lo largo de su vida económica y el pleno poder de disposición de la empresa "rent a car". Y lo anterior permite a su vez identificar en la operación descrita los elementos característicos de un acuerdo de arrendamiento operativo; a saber, el derecho a usar un bien identificable durante un periodo de tiempo determinado inferior a la vida económica del activo a cambio de una contraprestación.

En este sentido es oportuno reproducir la interpretación de este Instituto sobre las características de los acuerdos de arrendamiento incluida en la consulta 4 del BOICAC nº 96, de diciembre de 2013, sobre el tratamiento contable de los contratos de "servicios energéticos":

"La NRV 8ª del PGC define las operaciones de arrendamiento como sigue:

> *"Se entiende por arrendamiento, a efectos de esta norma, cualquier acuerdo, con independencia de su instrumentación jurídica, por el que el arrendador cede al arrendatario, a cambio de percibir una suma única de dinero o una serie de pagos o cuotas, el derecho a utilizar un activo durante un periodo de tiempo determinado, con independencia de que el arrendador quede obligado a prestar servicios en relación con la explotación o mantenimiento de dicho activo (...)*

> *2. Arrendamiento operativo*

> *Se trata de un acuerdo mediante el cual el arrendador conviene con el arrendatario el derecho a usar un activo durante un periodo de tiempo determinado, (...)"*

Conforme a lo anterior, el PGC establece dos elementos esenciales a la hora de identificar un arrendamiento.

En primer lugar, el contrato de arrendamiento tiene que tener por objeto "un activo" determinado o identificable, por lo que no podrá hablarse de contrato de arrendamiento de cualquier activo, sino de un activo explícitamente identificado en el contrato. En consecuencia, desde una perspectiva contable, no existe acuerdo de arrendamiento si el cumplimiento del mismo es independiente del uso de ese activo.

(...)

En segundo lugar, se establece que para que haya un arrendamiento el acuerdo implica la "cesión del derecho de uso del activo durante un periodo de tiempo determinado", lo que solo sucede si efectivamente se transfiere al cliente el derecho a controlar el uso del activo porque se cumpla alguna de las siguientes condiciones:

1. El cliente tiene la capacidad o el derecho de explotar el activo, o dirigir a otros para que lo exploten en la forma que determine, con el fin de obtener o controlar un importe, que no sea insignificante, de la producción u otros servicios provenientes del activo.

2. El cliente tiene la capacidad o el derecho de controlar el acceso físico al activo, mientras, simultáneamente obtiene o controla una cantidad, que no sea insignificante, de la producción u otros servicios provenientes del activo.

3. Los hechos y circunstancias indican que es remota la posibilidad de que un tercero obtengan más que un importe insignificante de la producción u otros servicios que el activo genere durante el periodo del acuerdo, y que el precio que el cliente pagará por la producción no está fijado contractualmente por unidad de producto ni es equivalente al precio de mercado corriente, por unidad de producto, en la fecha de entrega de dicho producto."

En definitiva y como conclusión, en la medida que a la vista de los antecedentes y circunstancias de la operación de compraventa y, en particular, de la opción de venta que recibe la empresa "rent a car", se pueda apreciar un incentivo económico significativo para devolver los vehículos a cambio de un precio determinado desde el inicio del acuerdo, los efectos económicos del contrato no serán los propios o inherentes a la adquisición de un activo a título de propiedad sino que por el contrario se tornarán en los típicos de un contrato de arrendamiento.

A la hora de analizar si la empresa "rent a car" tiene un incentivo económico significativo para ejercer ese derecho se considerará toda la información disponible, y, en particular, la relación del precio de recompra con el valor de mercado esperado del activo en la fecha de ejercicio de la opción, así como el tiempo hasta que venza el derecho. Por ejemplo, si el precio de recompra se espera que supere de forma significativa el valor de mercado del activo sería lógico concluir que el cliente tiene un incentivo económico significativo para ejercer la opción de venta.

Si después del análisis de fondo sobre los efectos de la opción de venta hubiera que calificar los hechos como un acuerdo de arrendamiento operativo, la operación se contabilizará de acuerdo con los criterios recogidos en la NRV 8ª. "Arrendamientos y otras operaciones de naturaleza similar" del PGC. En tal caso, cualquier entrega de efectivo de la empresa "rent a car" por un importe superior al gasto devengado que procedería reconocer en un acuerdo de arrendamiento operativo de características equivalentes, en principio, se contabilizará como una operación de naturaleza financiera.

2. Vehículos "risk". En ausencia de opción de venta los vehículos se contabilizarán en la empresa "rent a car" de acuerdo con la NRV que corresponda en función del criterio de clasificación que se detalla en el siguiente punto.

3. Clasificación de los vehículos adquiridos en la empresa "rent a car". Atendiendo a lo establecido en el PGC, la clasificación de inmovilizado o existencias de los activos de una empresa vendrá determinada por su afectación al proceso productivo. Así, tendrán la calificación de inmovilizado los bienes destinados a ser utilizados de forma duradera en el desarrollo de las actividades de la empresa, mientras que si un activo está destinado a ser vendido en el curso normal de la explotación pertenecerá al grupo de existencias. Este criterio viene recogido en la consulta 3 del BOICAC nº 52, de diciembre de 2002, que en el marco del actual PGC se considera en vigor tal y como se ha precisado en la consulta 8 del BOICAC nº 98, de junio de 2014.

De la citada interpretación se infiere que el criterio delimitador aplicable a un elemento para adscribirlo al inmovilizado es el destino al que va a servir de acuerdo con el objeto propio de la actividad de la empresa. En otras palabras, es la función que desempeña en relación con la actividad objeto de explotación, la causa determinante para establecer su pertenencia al inmovilizado, con preferencia sobre la naturaleza del bien concreto u otras consideraciones como pudiera ser el plazo. De acuerdo con lo anterior, resulta fundamental determinar en qué situaciones se entiende que un inmovilizado ha sido utilizado; en concreto, para aquellos activos en que teniendo una utilización mínima o irrelevante, se destinan a ser incorporados al ciclo de comercialización de la actividad ordinaria de la empresa.

A este respecto, en la medida en que el destino de los bienes como inmovilizado carezca de importancia en comparación con la utilidad del propio bien, en términos cuantitativos y cualitativos, deberá atenderse a la verdadera naturaleza de la operación. Esta circunstancia supondrá que aquellos activos destinados a la venta como una parte de la actividad de comercialización propia de la sociedad, deberán formar parte, en su caso, de las existencias de las mencionadas empresas, sin que una utilización mínima o accidental debiera limitar ni alterar la verdadera calificación que procediera otorgar al bien.

Sin embargo el hecho de que el modelo de negocio de la empresa "rent a car" arroje evidencia de que tarde o temprano toda la flota de vehículos será enajenada, o lo que es lo mismo, que para estos vehículos no parece que exista una clara disociación entre el alquiler y la venta, no debe llevar a concluir que los vehículos, en esencia, son adquiridos desde el primer momento para su enajenación y que por lo tanto deben ser contabilizados en todo caso como existencias.

Por el contrario, si el uso de estos activos no es irrelevante se clasificarán como inmovilizado tal y como se deduce del criterio expresado en la Resolución de 1 de marzo de 2013, del Instituto de Contabilidad y Auditoría de Cuentas, por la que se dictan normas de registro y valoración del inmovilizado material y de las inversiones inmobiliarias, que en su regla cuarta dispone lo siguiente:

> *"2.4 Elementos del inmovilizado material, distintos de los inmuebles, adquiridos para su arrendamiento temporal y posterior venta en el curso ordinario de las operaciones.*
>
> *Cuando una entidad, en el curso ordinario de sus actividades, ceda en uso elementos del inmovilizado material, distintos de los inmuebles, en régimen de arrendamiento operativo, para su posterior enajenación, reclasificará estos elementos patrimoniales a las existencias en la fecha en que se acuerde el cambio de destino, y, en consecuencia, el ingreso derivado de la baja se presentará formando parte del importe neto de la cifra anual de negocios".*

Comentario

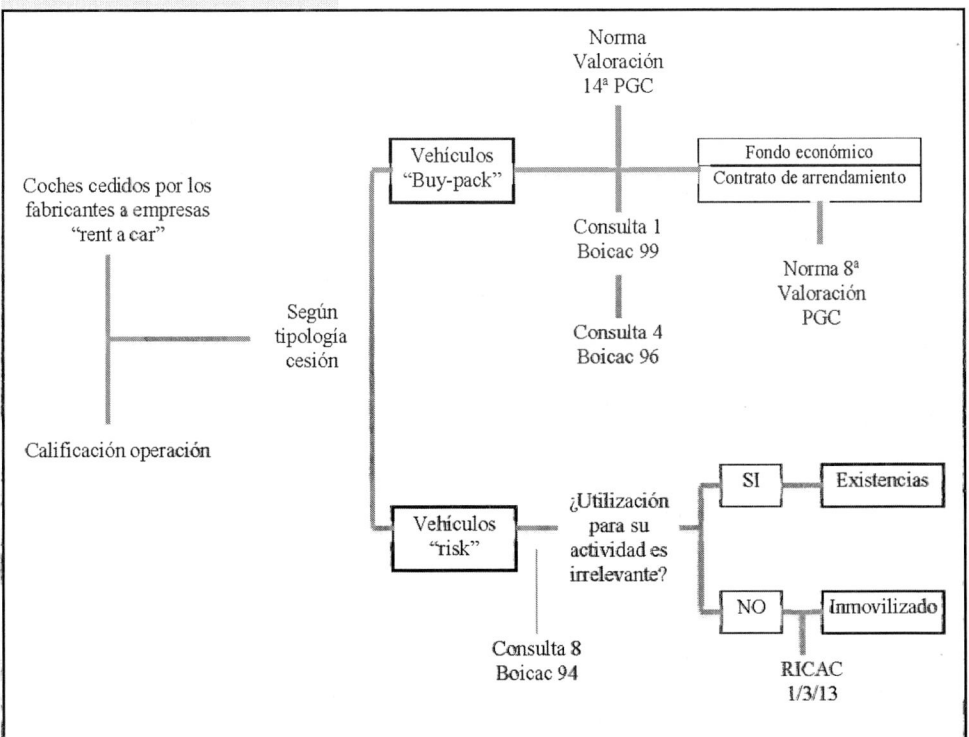

Ejemplo

La sociedad "VIGO RENT A CAR", ha firmado a principios del año X1, un contrato con el fabricante de automóviles CITROEM para la adquisición de 200 vehículos iguales de modelo C4 exclusive, por un importe de 3.000.000€ pagaderos al contado.

El 20% de los vehículos (40) se adquieren en la modalidad de "buy-back" y el resto (160) en la modalidad de "risk".

Los aspectos más relevantes del contrato son los siguientes:

1. Vehículos "buy – back". Se trata de vehículos en los que existe un pacto de recompra a 12 meses a precio fijo otorgado por el fabricante de 7.000€ cada vehículo, siendo el valor de mercado de los mismos a fecha de recompra de 10.000€. Se caracterizan por:

   a. Limitaciones al uso, por las entidades de "rent a car". Los kilómetros recorridos por los citados vehículos, no excederán de 20.000 kms

b. Transmisión del riesgo por pérdida o destrucción a las entidades de "rent a car".

c. Opción de venta para la empresa "rent a car" y obligación de recompra por el fabricante a precio fijo en función de los meses de utilización del vehículo (estos no se identifican individualmente sino que es un porcentaje del total de vehículos adquiridos).

d. Además del derecho, la entidad "rent a car" tiene en ocasiones la obligación de revender los vehículos.

2. Vehículos "risk". Se trata de vehículos en los que no existe un pacto de recompra por el fabricante. Se caracterizan por:

a. Quedan excluidos de la obligación de recompra por parte del fabricante.

b. Transcurrido un determinado plazo de tiempo estos vehículos son vendidos.

SE PIDE:

- Operaciones de adquisición de vehículos y registro de operaciones a cierre de ejercicio. Para los automóviles modalidad "risk", tienen una vida económica de 5 años y los mismos serán enajenados al final del tercer año.

- A 31/12/X1 CITROEM ha recomprado los 20 vehículos al precio pactado de 7.000€/vehículo.

- Operaciones a realizar a 31/12/X3, fecha en que de acuerdo a lo previsto los vehículos en régimen "risk", se decide destinarlos a la venta, siendo enajenados los mismos a la casa de compra-venta "PUFOS MOGOLLÓN" a un precio de 6.500€ unidad.

SOLUCIÓN:

• Adquisición de vehículos y registro operaciones a cierre ejercicio

- Por la adquisición de los vehículos:

1/1/X1

600.000	Arrendamientos y cánones (621) (1)			
	[200 cochesx20%x15.000]			
2.400.000	Elementos de transporte (218)[2] [160 coches x15.000]	a	Bancos c/c (572)	3.000.000

(1) Veamos si los hechos descritos constituyen, desde la perspectiva de la empresa que vende los vehículos (el fabricante), una operación que cumple los requisitos para contabilizar un ingreso por venta de bienes y como consecuencia la empresa de "rent a car" como inmovilizado.

El aspecto clave a considerar es el hecho de que la empresa "rent a car" tiene una opción de venta y el fabricante la obligación de recompra de los vehículos a un precio fijo (7.000€), pero inferior al valor razonable (10.000€), circunstancia que podría llevar a cuestionar el cumplimiento de los requisitos regulados en la Norma 14ª de Valoración del PGC, para reconocer la venta y la correspondiente compra de estos bienes. Esto es, será necesario analizar cuál es el sentido económico de la cláusula y, en particular, si a la vista de los efectos que produce cabría sostener que el contrato de compraventa y la opción de venta, considerados en su conjunto, son la forma empleada para producir unos efectos económicos similares a los derivados de un acuerdo de arrendamiento operativo.

Analizando el fondo de la cuestión que se plantea cabe señalar que si a la vista del contrato fuera posible apreciar, en el momento inicial (entrega de los vehículos), un incentivo económico significativo en la empresa "rent a car" para ejercitar su opción de venta, se debería sostener que el fabricante no ha transmitido los riesgos y beneficios significativos del activo y que aquella, en esencia, no adquiere el aprovechamiento del bien a lo largo de su vida económica. Esto es, la citada cláusula (opción de venta) y la evidencia sobre su más que probable ejecución desde el inicio del acuerdo interrumpe el uso tendencial del activo a lo largo de su vida económica y el pleno poder de disposición de la empresa "rent a car". Y lo anterior permite a su **vez identificar en la operación descrita los elementos característicos de un acuerdo de arrendamiento operativo**; a saber, el derecho a usar un bien identificable durante un periodo de tiempo determinado inferior a la vida económica del activo a cambio de una contraprestación. [Consulta nº 6. BOICAC 106]

(2) Si el uso de estos activos no es irrelevante se clasificarán como inmovilizado tal y como se deduce del criterio expresado en la Resolución de 1 de marzo de 2013, del Instituto de Contabilidad y Auditoría de Cuentas, por la que se dictan normas de registro y valoración del inmovilizado material y de las inversiones inmobiliarias, en su Norma Cuarta, apartado 2.4.

- Operaciones cierre de ejercicio

* Por la amortización de los vehículos "risk":

$$\text{Cuota anual} = \frac{240.000}{5} = 480.000€$$

Registrando:

	31/12/X1		
480.000	Amortización del inmovilizado material (681)	a	A.A.I.M (281)
			480.000

* Por el ejercicio de la opción de compra por parte del fabricante:

----------------------------------- 31/12/X1 -----------------------------------

280.000	Bancos c/c (572)	a	Arrendamientos y cáno-	
	(7.000€x40 coches)		nes (621)	280.000

• Operaciones a 31 de diciembre del X3

- Por la amortización de los vehículos:

----------------------------------- 31/12/X3 -----------------------------------

480.000	Amortización del inmovili-	a	A.A.I.M (281)	
	zado material (681)			480.000

- Por el cambio de destino:

----------------------------------- 31/12/X3 -----------------------------------

1.440.000	Amortización acumulada del inmovilizado material (281)			
	(480.00x3 años)			
960.000	Inmovilizado transformado en existencias (30x)	a	Elemento de transporte (218)	2.400.000

- Por la venta de los vehículos:

----------------------------------- 31/12/X3 -----------------------------------

1.040.000	Bancos c/c (572)	a	Ventas de mercaderías (700)	
			(160 coches x6.500)	1.040.000

Según dispone la RICAC del inmovilizado material en su norma cuarta, apartado 2.4 sobre elementos del inmovilizado material, distintos de los inmuebles, adquiridos para su arrendamiento temporal y posterior venta en el curso ordinario de las operaciones: *"Cuando una entidad, en el curso ordinario de sus actividades, ceda en uso elementos del inmovilizado material, distintos de los inmuebles, en régimen de arrendamiento operativo, para su posterior enajenación, reclasificará estos elementos patrimoniales a las existencias en la fecha en que se acuerde el cambio de destino, y, en consecuencia, el ingreso derivado de la baja se presentará formando parte del importe neto de la cifra anual de negocios".*

2.3.2.7. Indemnizaciones a arrendatarios históricos de suelo rústico por extinción contrato al cambiar su uso

BOICAC 115, septiembre 2018. Consulta 9.

Sobre el tratamiento contable a otorgar a las indemnizaciones abonadas a personas físicas por extinción de contratos de arrendamientos rústicos históricos, cuando estos se extinguen por el cambio de la naturaleza del suelo de rústico a urbano.

Respuesta

La sociedad consultante era propietaria de terrenos agrícolas arrendados. Los terrenos estaban situados a las afueras de una ciudad y fueron transformados en solares por la expansión del planeamiento urbano. En ejecución del citado planeamiento, la sociedad recibió derechos edificatorios sobre parcelas ya urbanas que enajenó a un promotor en el ejercicio 2007.

De acuerdo con la legislación de la Comunidad Autónoma, los denominados arrendatarios históricos de suelo rústico tienen derecho a ser indemnizados, entre otros casos, cuando se modifica la calificación del suelo que obligue a extinguir el contrato de arrendamiento por imposibilidad técnica para su uso agrario. De los términos en que está redactada la consulta, parece que la indemnización se fija cuando dicho suelo se venda, ya como urbano, mediante una participación en el *plus valor* de dicha enajenación, participación que puede oscilar entre el 50% y 60% de dicho plus valor, en función de determinadas circunstancias.

Este concepto de *plus valor* está definido en la ley autonómica que trata los arrendamientos rústicos históricos, como la diferencia entre el valor de aprovechamiento urbanístico (descontadas las cargas de urbanización y los costes variables exigidos por el propietario) y el valor agrario de la finca arrendada.

Según se afirma en la consulta, los arrendatarios históricos, con fundamento en los derechos que les corresponde conforme a la legislación antes mencionada, han reclamado el pago de las indemnizaciones que por extinción de sus contratos les corresponde. Esta reclamación aún no ha llegado a los tribunales de justicia porque las negociaciones entre las partes han llegado a un principio de acuerdo en una cantidad, con la que se darían por finiquitados y pagados todos sus derechos derivados de sus participaciones en el *plus valor* por transformación de la finca.

El tratamiento que tiene previsto realizar la sociedad consultante ante el próximo pago de las indemnizaciones será aplicar la norma de registro y valoración (NRV) 22ª. *Cambios en criterios contables, errores y estimaciones contables* del Plan General de Contabilidad, aprobado por Real Decreto 1514/2007, de 16 de noviembre. Conforme a esta norma, la subsanación del error debe hacerse de forma retroactiva, esto es desde el año de la venta el 2007, y el importe de las indemnizaciones se imputará directamente al patrimonio neto, en concreto, a una partida de reservas.

La consulta versa sobre el adecuado tratamiento contable de los hechos que se han descrito.

Los hechos descritos por el consultante se refieren al ejercicio 2007. El marco de información financiera vigente en aquel año era el Plan General de Contabilidad de 1990.

En aquel entonces, como en la actualidad, el principio que regía el reconocimiento de ingresos y gastos era el principio de devengo, que en el PGC de 1990 se expresaba en los siguientes términos:

> "La imputación de ingresos y gastos deberá hacerse en función de la corriente real de bienes y servicios que los mismos representan y con independencia del momento en que se produzca la corriente monetaria o financiera derivada de ellos."

De acuerdo con la interpretación publicada por este Instituto en la consulta 1 del BOICAC 42, de junio de 2000, en principio y con carácter general, los costes de indemnizaciones a arrendatarios se incorporan al activo, como mayor valor del bien arrendado en la medida que supongan un aumento de la rentabilidad futura del mismo.

Si tal y como afirma el consultante, el derecho a la indemnización trae causa de la venta del activo, o de los "*concretos derechos edificatorios sobre parcelas ya urbanas*" que se recibieron como resultado de la ejecución de los planes de desarrollo urbanístico que afectaron a los terrenos agrícolas que tenía arrendados, en todo caso, el importe devengado por la indemnización se debería haber contabilizado, por su valor actual, como un ajuste al resultado de esa enajenación, esto es, un menor beneficio devengado en el año 2007.

Sin embargo, de los términos en que está redactada la consulta se infiere con claridad que la sociedad consultante no contabilizó un menor beneficio y el correspondiente pasivo en el año 2007. Lo que no resulta tan evidente es cuál es el momento en que se produjo la reclamación de los arrendatarios, o si el nacimiento de su derecho estaba condicionado por algún evento posterior a los hechos que se detallan en el escrito de consulta.

Pues bien, a la vista de estos antecedentes, cabría sostener que el nacimiento de la obligación a efectos contables surgió en el ejercicio 2007, siempre que en aquella fecha fuese probable que por causa de la venta de los derechos edificatorios se fuese a producir una salida de recursos del patrimonio de la sociedad. Si por el contrario, a la vista de la información existente en aquella fecha, no se hubiera podido llegar a dicha conclusión, el nacimiento de la obligación debería haberse ubicado en el ejercicio en que se cumplieron esas condiciones y originar con ello el reconocimiento de un gasto en la cuenta de pérdidas y ganancias y del correspondiente pasivo.

La entrada en vigor para los ejercicios iniciados a partir del 1 de enero de 2008 del Plan General de Contabilidad aprobado por el Real Decreto 1514/2007, de 16 de noviembre, no altera esta conclusión, en la medida que los criterios de devengo y reconocimiento de ingresos y provisiones en este nuevo marco de información financiera no se han visto sustancialmente alterados en comparación con los vigentes en aplicación del PGC de 1990.

En definitiva y como conclusión, si en aplicación de los criterios que se han expuesto la fecha de devengo de la indemnización fuese anterior al inicio del ejercicio en que se ha llegado al acuerdo con los arrendatarios, la subsanación del error contable que ahora se advierte se contabilizará como un cargo en las reservas y el reconocimiento de un pasivo en los términos regulados en la NRV 22ª del PGC.

A mayor abundamiento se informa que la interpretación de este Instituto sobre si la subsanación de un error contable implica la reformulación de cuentas anuales está publicada en la consulta 3 del BOICAC nº 86, de junio de 2011, en la que se concluye que, con carácter general, los errores contables deben subsanarse en el ejercicio en que se detectan, debiendo reflejarse la citada rectificación en las cuentas anuales de dicho ejercicio.

De todo lo anterior se dará cumplida información en la memoria de las cuentas anuales, con el objetivo de que aquellas en su conjunto expresen la imagen fiel del patrimonio, de la situación financiera y de los resultados de la empresa.

Comentario

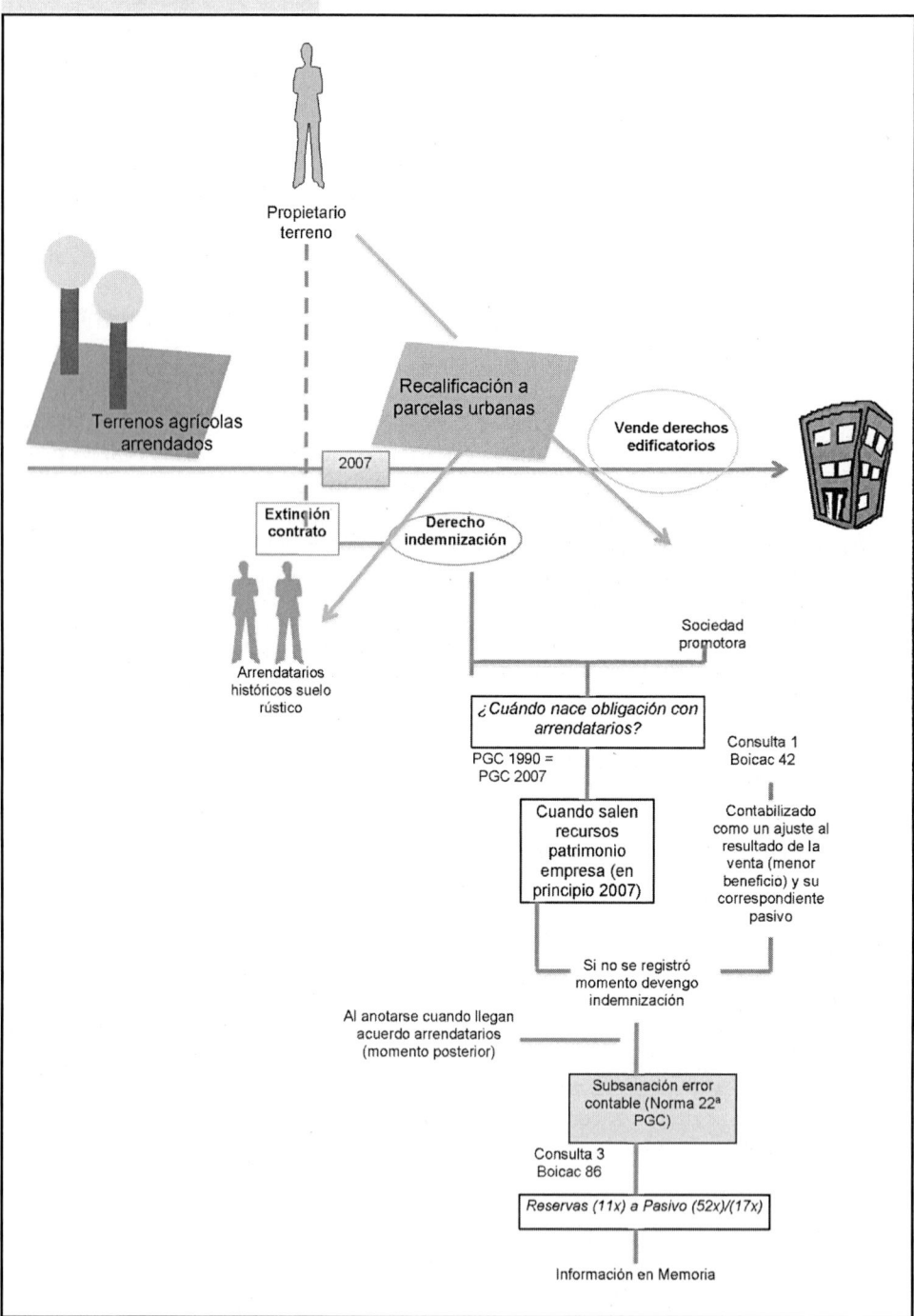

Propietario
terreno

Terrenos agrícolas
arrendados

Recalificación a
parcelas urbanas

Vende derechos
edificatorios

2007

Extinción
contrato

Derecho
indemnización

Arrendatarios
históricos suelo
rústico

Sociedad
promotora

¿Cuándo nace obligación con
arrendatarios?

Consulta 1
Boicac 42

PGC 1990 =
PGC 2007

Cuando salen
recursos
patrimonio
empresa (en
principio 2007)

Contabilizado
como un ajuste al
resultado de la
venta (menor
beneficio) y su
correspondiente
pasivo

Si no se registró
momento devengo
indemnización

Al anotarse cuando llegan
acuerdo arrendatarios
(momento posterior)

Subsanación error
contable (Norma 22ª
PGC)

Consulta 3
Boicac 86

Reservas (11x) a Pasivo (52x)/(17x)

Información en Memoria

Ejemplo

La sociedad SAMIL S.A., era propietaria de terrenos agrícolas arrendados. Los terrenos estaban situados a las afueras de la ciudad de Vigo y fueron transformados en solares por la expansión del planeamiento urbano. En ejecución del citado planeamiento, la sociedad recibió derechos edificatorios sobre parcelas, ya urbanas, que enajenó a un promotor en el ejercicio 2007.

En el año 2018, el arrendatario, ha reclamado el pago de las indemnizaciones que por extinción de sus contratos les correspondían, las negociaciones entre las partes han llegado a un principio de acuerdo en una cantidad de 10.000€, con la que se darían por finiquitados y pagados todos sus derechos derivados de sus participaciones en el plus valor por transformación de la finca.

La sociedad no ajustó el resultado del 2007 por el importe de la indemnización, como un menor beneficio devengado, ni tampoco registro el correspondiente pasivo.

SE PIDE:

1.- Registro de la reclamación del arrendatario. Tipo impositivo 25%.

2.- Indicar si estaría obligada la sociedad a reformular las cuentas anuales.

3.- Liquidación del Impuesto de sociedades y formular el cuadro de conciliación, sabiendo que ha obtenido un resultado antes de impuestos de 25.000€. Conocemos, igualmente, los siguientes hechos, relacionados con el impuesto sobre beneficios:

* Durante el ejercicio se registró el error relatado anteriormente y su correspondiente efecto impositivo.

* En el balance se ha registrado una máquina por 10.000 € cuya vida útil se estimó en dos años. Fiscalmente se considera que se amortiza todo en este ejercicio.

* Existe un gasto por 2.000 € que según la legislación fiscal vigente (art. 15 LIS) no es deducible.

* Se compensa una base imponible negativa procedente ejercicio pasado, no registrada contablemente, de 2.000€.

* Las retenciones y pagos a cuenta han ascendido a 1.000€.

SOLUCIÓN

1. Registro de la operación en el año 2018.

En este ejercicio, nuestra empresa ha llegado a un acuerdo con los arrendatarios con respecto a la indemnización que tendría que haberles desembolsado por la extinción de su contrato, anotándose:

————————————————— X —————————————————

| 10.000 | Reservas voluntarias (113) | a | Deudas a corto plazo (521) | 10.000 |

Y por su efecto impositivo:

————————————————— X —————————————————

| 2.500 | Impuesto diferido (6301) | a | Reservas voluntarias (113) | |
| | [10.000 x25%] | | | 2.500 |

De esta forma, y si la fecha de devengo de la indemnización hubiese sido anterior al inicio del ejercicio en que se ha llegado al acuerdo con los arrendatarios, la subsanación del error contable que ahora se advierte se contabilizará como un cargo en las reservas y el reconocimiento de un pasivo en los términos regulados en la Norma 22ª de Valoración del PGC. [Consulta nº 9. BOICAC 115]

En la mencionada Norma sobre "Cambios en criterios contables, errores y estimaciones contables" recogida en la segunda parte del PGC , nos indica que en la subsanación de errores relativos a ejercicios anteriores serán de aplicación las mismas reglas que para los cambios de criterios contables. En éstos se señala que: "(...) el ingreso o gasto correspondiente a ejercicios anteriores que se derive de dicha aplicación motivará, en el ejercicio en que se produce el cambio de criterio, el correspondiente ajuste por el efecto acumulado de las variaciones de los activos y pasivos, el cual se imputará directamente en el patrimonio neto, en concreto en una partida de reservas (...), se modificarán las cifras afectadas en la información comparativa de los ejercicios a los que afecte el cambio del criterio contable (...)".

El error detectado proviene del año 2007. Además, puesto que en la segunda parte del Estado de cambios en el Patrimonio Neto (ECPN) deben figurar, caso de haberlos, los ajustes por errores del año anterior en un epígrafe (C. II.) y los de dos años atrás y anteriores en otro (A. II.).

En la siguiente tabla, se ha dispuesto la información de forma que facilite la elaboración del citado estado financiero:

Ajustes contra Reservas por corrección de errores			
Ajuste clasificable en el epígrafe A. II. (ejercicio 2017 y anteriores): 7.500			
2007	10.000		10.00x0,25 = 2.500

2. Indicar si estaría obligada la sociedad a reformular las cuentas anuales.

Cuando se advierta un error en el ejercicio a que se refieren las cuentas anuales que corresponda a un ejercicio anterior al comparativo, se informará en la memoria, e incluirá el correspondiente ajuste en el epígrafe A.II. del Estado total de cambios en el patrimonio neto, de forma que el patrimonio inicial de dicho ejercicio comparativo será objeto de modificación en aras de recoger la rectificación del error.

En el supuesto de que el error corresponda al ejercicio comparativo: dicho ajuste se incluirá en el epígrafe C.II. del Estado total de cambios en el patrimonio neto.

Por su parte, la reformulación de cuentas es un hecho excepcional previsto en el artículo 38 c) del Código de Comercio y en el Marco Conceptual de la Contabilidad del PGC que, al desarrollar el principio de prudencia, dispone: "Excepcionalmente, si los riesgos se conocieran entre la formulación y antes de la aprobación de las cuentas anuales y afectaran de forma muy significativa a la imagen fiel, las cuentas anuales deberán ser reformuladas".

En este mismo sentido se pronuncia el PGC en su introducción al señalar: "Esta regla legal relativa a hechos posteriores al cierre del ejercicio, no tiene como objetivo imponer a los administradores una exigencia de reformulación de las cuentas anuales ante cualquier circunstancia significativa que se produzca antes de la aprobación por el órgano competente. Por el contrario sólo situaciones de carácter excepcional y máxima relevancia en relación con la situación patrimonial de la empresa, de riesgos que aunque conocidos con posterioridad existieran en la fecha de cierre de las cuentas anuales, deberían llevar a una reformulación de éstas. Dicha reformulación debería producirse con carácter general hasta el momento en que se ponga en marcha el proceso que lleva a la aprobación de las mismas."

En definitiva, con carácter general, los errores contables deben subsanarse en el ejercicio en que se detectan, debiendo reflejarse la citada rectificación en las cuentas anuales de dicho ejercicio.

3. Liquidación del impuesto de sociedades y cuadro de conciliación.

• Diferencias entre criterios contables y fiscales. Liquidación del impuesto y registro.

- En la valoración de la maquinaria, nos encontramos con la siguiente situación en los dos ámbitos:

Ej.	Valor contable (Activo)	Base Fiscal (Activo)	Diferencias Temporarias	
			Diferencia	Variación anual diferencias
2018	10.000 – 5.000= 5.000	10.000 – 10.000= 0	-5.000	---
2019	10.000 – 10.000= 0	0	0	+5.000 (revierte)

Nos encontramos con una diferencia temporaria, al incidir en la carga fiscal futura. Será ésta "imponible" al ocasionar mayores pagos por impuesto en ejercicios futuros.

- Determinaremos para la cuantía del impuesto corriente, el importe de la liquidación fiscal:

Resultado Contable =	25.000
± Ajustes :	
(-)Gastos deducible fiscalmente imputado a PN[1]	(10.000)
(+) Diferencia permanente positiva. [Gastos no deducibles]	+2.000
(-) Diferencia temporaria imponible [Maquinaria]	(5.000)
= *Resultado Fiscal*	12.000
- Compensación Bases Imponibles Negativa	(2.000)
= *Base Imponible*	10.000
x tipo impositivo	X0,25
= *Cuota íntegra*	2.500
- Deducciones y Bonificaciones	(0)
= **Cuota líquida = Impuesto Corriente (6300)**	**2.500**
- Retenciones y pagos a cuenta (473)	(1.000)
A PAGAR (4752)	1.500

[1] El art. 11.3 LIS, nos comenta: *"No serán fiscalmente deducibles los gastos que no se hayan imputado contablemente en la cuenta de pérdidas y ganancias, o en una <u>cuenta de reservas</u> si así lo establece una norma legal o reglamentaria (...)"*

Anotándose:

31/12/18

2.500	Impuesto corriente (6300)	a	
		H.P. acreedora impuesto sociedades (4752)	1.500
		H.P. retenciones y pagos a cuenta(473)	1.000

- En cuanto al registro del impuesto diferido, derivado de la amortización acelerada:

—————————— 31/12/18 ——————————

1.250	Impuesto diferido (6301)	a	Pasivo por diferencia temporaria deducible (479)	
			(5.000x25%)	1.250

- Sobre el crédito fiscal que no fue reconocido en el ejercicio pasado, pero que se aplica en éste, rebajaremos el importe del impuesto corriente, sin que sea necesario el registro del activo (Consulta 3, Boicac 94)

- Determinación del resultado después de impuestos:

—————————— 31/12/18 ——————————

6.250	Resultado del ejercicio (129)	a	Impuesto diferido (6301)
			(1.250 + 2.500) 3.750
			Impuesto corriente (6300) 2.500

Por lo que el resultado neto, se cifra en:

25.000-3.750-2.500 = 18.750 €

• Conciliación del importe neto de ingresos y gastos del ejercicio, con la base imponible

Incluiremos el siguiente cuadro, dentro de la nota de Memoria "Situación fiscal", en base a lo establecido en el apartado 4 del art. 22 de la RICAC impuesto sobre beneficios:

CONCILIACIÓN DEL IMPORTE NETO DE INGRESOS Y GASTOS DEL EJERCICIO CON LA BASE IMPONIBLE DEL IMPUESTO SOBRE BENEFICIOS[1]

	Cuenta de Pérdidas y Ganancias		Ingresos y gastos directamente imputados al patrimonio neto		Reservas		Total
Saldo de ingresos y gastos del ejercicio	18.750[2]		—		(7.500)[2]		11.250
	Aumentos (A)	Disminuciones (D)	(A)	(D)	(A)	(D)	
Impuesto sobre Sociedades	6.250					2.500	3.750
Diferencias permanentes	2.000						2.000[3]
Diferencias temporarias: - con origen en el ejercicio. con origen en ejercicios anteriores		5.000					(5.000)[4]
Compensación de bases imponibles negativas de ejercicios anteriores	(2.000)						(2.000)[5]
Base imponible (resultado fiscal)	10.000						10.000

[1] La conciliación del saldo de los ingresos y gastos del ejercicio, compuesto por los imputados a la cuenta de pérdidas y ganancias y los imputados directamente al patrimonio neto, con la base imponible del Impuesto sobre Sociedades, se obtendrá ajustando el resultado "ampliado" con las correcciones derivadas del impuesto sobre sociedades, las diferencias permanentes y temporarias y la compensación de bases imponibles negativas, debiendo calificarse a estos efectos el gasto contabilizado en las reservas, desde una perspectiva estrictamente contable, como un menor resultado contable, neto del efecto impositivo, y no como una diferencia permanente. [Consulta nº 1. Boicac 87]

[2] El resultado contable del ejercicio correspondiente a Pérdidas y Ganancias será la diferencia entre el Beneficio antes de Impuestos: 25.000 € y el gasto por el impuesto sobre el beneficio del grupo 6, 6.250 €

(suma de los saldos de las cuentas de impuesto corriente, 2.500 e impuesto diferido, 3.750). Por su parte, los gastos del error se imputaron a reservas (10.000, netos efecto impositivo)

[3] Diferencia permanente, por los gastos no deducibles (2.000 €).

[4] Diferencia temporaria imponible con origen en el ejercicio, por la libertad de amortización.

[5] Se compensó la base imponible no registrada contablemente (2.000 €).

2.3.2.8. Comisiones agentes inmobiliarios, como mayor valor activo arrendado

BOICAC 118, julio 2019. Consulta 3

Sobre el tratamiento contable de las comisiones abonadas a los agentes de la propiedad inmobiliaria a través de los cuales una compañía arrienda locales, en régimen de arrendamiento operativo, por un período de 10 años.

Respuesta

La compañía arrendataria de los locales realiza mejoras o construye instalaciones en el activo arrendado. El consultante pregunta sobre el tratamiento contable de estas actuaciones y acerca de si se puede activar como mayor valor de las instalaciones las comisiones abonadas a los agentes inmobiliarios, que según manifiesta la empresa sólo se pagan si el local finalmente es arrendado.

La norma de registro y valoración (NRV) 3ª. *Normas particulares sobre inmovilizado material,* contenida en la segunda parte del Plan General Contable (PGC), aprobado por el Real Decreto 1514/2007, de 16 de noviembre, establece en el apartado h) lo siguiente:

"En los acuerdos que, de conformidad con la norma relativa a arrendamientos y otras operaciones de naturaleza similar, deban calificarse como arrendamientos operativos, las inversiones realizadas por el arrendatario que no sean separables del activo arrendado o cedido en uso, se contabilizarán como inmovilizados materiales cuando cumplan la definición de activo. La amortización de estas inversiones se realizará en función de su vida útil que será la duración del contrato de arrendamiento o cesión - -incluido el periodo de renovación cuando existan evidencias que soporten que la misma se va a producir-, cuando ésta sea inferior a la vida económica del activo."

Por otra parte, dicha norma de valoración 3ª en el apartado b) establece:

"b) Construcciones. Su precio de adquisición o coste de producción estará formado, además de por todas aquellas instalaciones y elementos que tengan carácter de permanencia, por las tasas inherentes a la construcción y los honorarios facultativos de proyecto y dirección de obra. Deberá valorarse por separado el valor del terreno y el de los edificios y otras construcciones."

Sobre la base de la normativa anterior, la sociedad registrará los gastos incurridos por las obras de adaptación de los locales de negocio como un inmovilizado material. Adicionalmente, las comisiones sobre las que versa la consulta también se contabilizarán como mayor valor del inmovilizado, en la medida que se puedan identificar como costes incrementales directamente atribuibles a la adquisición de los derechos de uso que determinan la calificación de las posteriores inversiones como un activo.

Comentario

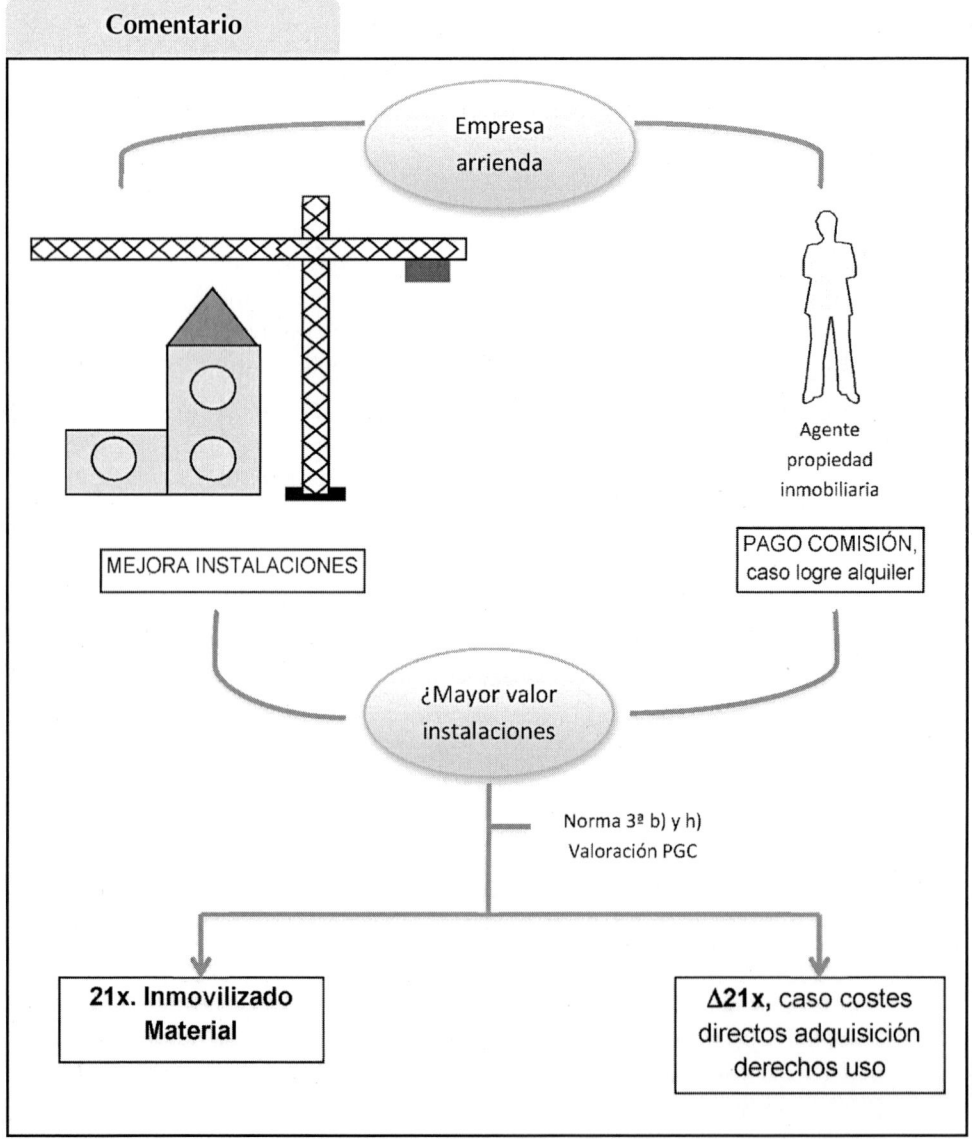

Ejemplo

"MORACHO S.A." ha encargado a un agente inmobiliario, la búsqueda de un local para llevar a cabo su actividad: acordando que solamente se pagaran comisiones en el supuesto de que el local sea finalmente arrendado, y su importe quedará establecido en una mensualidad.

A principios del ejercicio X0 se formaliza el contrato de arrendamiento operativo de un local comercial consistente en:

-cuotas mensuales de 900€, abonando en este momento 1 año por anticipado, y

-dos meses en concepto de fianza

pagándose al agente inmobiliario la comisión pactada.

Posteriormente, se realizan inversiones en obras de acondicionamiento: ascendiendo su importe a 90.000 euros; para el pago de dichas obras, se procedió a pedir un crédito bancario a abonar en tres años. Los gastos de concesión del crédito ascendieron a 500€. El tipo de interés es del 6% anual sobre el capital pendiente de amortizar, y la devolución del capital se realizará en cuotas anuales constantes, abonándose el 31 de diciembre de cada año.

La vida útil de las inversiones realizadas es de 20 años, y la duración del contrato de arrendamiento 10 años sin posibilidad de prórroga alguna.

A 31 de diciembre del X0, procede a dotar la amortización correspondiente, y la dirección ha estimado que el valor recuperable es de:

Inversiones realizadas. .   85.000 €

Sabiendo que el tipo de interés de actualización de la fianza es del 5,5%,

SE PIDE: Contabilizar las operaciones correspondientes al ejercicio X0.

SOLUCIÓN:

• Sobre la financiación recibida por MORACHO para efectuar las obras de acondicionamiento, representaremos gráficamente la situación:

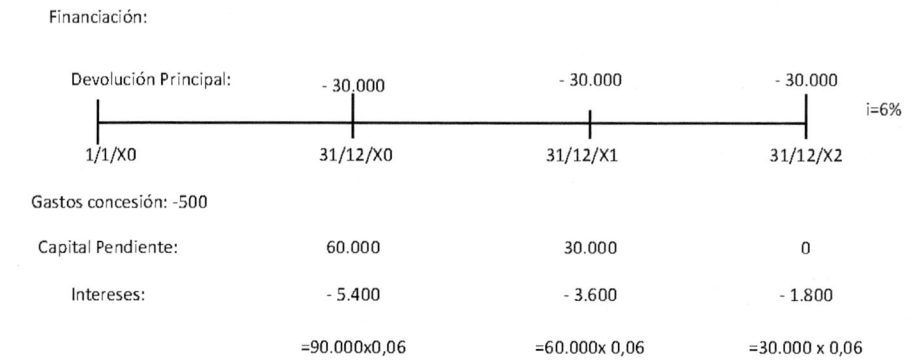

Financiación:

Gastos concesión: -500

Capital Pendiente:	60.000	30.000	0
Intereses:	- 5.400	- 3.600	- 1.800
	=90.000x0,06	=60.000x 0,06	=30.000 x 0,06

Podremos calcular el tipo de interés efectivo de la operación, planteando la equivalencia financiera en origen:

LO QUE RECIBE = LO QUE DA

$$90.000 - 500 = 35.400\,((1+i)^{-1} + 33.600\,((1+i)^{-2} + 31.800\,((1+i)^{-3}$$

A través de una hoja de cálculo o calculadora financiera, averiguaremos que el tanto efectivo de la operación es: 6,30727143%.

Por lo que podremos elaborar el siguiente cuadro de asignación financiera:

Periodo	Coste Financiero (1)	Pagos	Capital Amortizado (2)	Capital Pendiente (3)
0				89.500
1	5.645,01	35.400	29.754,99	59.745,01
2	3.768,28	33.600	29.831,72	29.913,29
3	1.886,71	31.800	29.913,29	0
Total	**11.300**		89.500	

[1] (3)-1 x i

[2] Pagos – (1)

[3] (3)-1 – (2)

En el momento de la concesión del préstamo, la empresa lo habrá clasificado en la partida "Débitos y partidas a pagar" de Pasivos financieros. De tal manera y según la Norma 9ª de valoración PGC (apartado 3.1.1.), se valorará inicialmente por su valor razonable que salvo evidencia en contrario será el precio de la transacción, que equivaldrá al valor razonable de la contraprestación recibida ajustado por los gastos de transacción que les sean directamente atribuibles. Por tanto:

——————————————————— 1/1/X0 ———————————————————

89.500	Bancos c/c (572)	a	Deudas a c/p entidades de cré-
	[90.000 – 500]		dito (520)[*]
			29.754,99
			Deudas a l/p entidades de crédito
			(170) [29.831,72 + 29.913,29]
			[**]
			59.745,01

[*] Capital amortizado, en base al anterior cuadro para el año 1.

[**] Suma del capital amortizado para los años 2 y 3.

• Esta financiación, le ayudará a pagar las obras realizadas en su local (90.000€):

——————————————————— 1/1/X0 ———————————————————

90.000	Otro Inmovilizado Mate-	a	Bancos c/c (572)
	rial (219)		
			90.000

Así la Norma 3ª h) Valoración del PGC, nos comenta: *"En los acuerdo que, de conformidad con la norma relativa a arrendamientos y otras operaciones de natu-raleza similar, deban calificarse como arrendamientos operativos, las inversiones realizadas por el arrendatario que no sean separables del activo arrendado o cedido en uso, se contabilizarán como inmovilizados materiales cuando cumplan la definición de activo (...)"*.

• Por el pago de un año de arrendamiento:

——————————————————— 1/1/X0 ———————————————————

10.800	Arrendamientos y cánones	a	Bancos c/c (572)
	(621)		
	(900 x12)		
			10.800

Así, como por el pago de la comisión al agente inmobiliario.

———————————————————— 1/1/X0 ————————————————————

900	Servicios de profesionales independientes (632)	a	Bancos c/c (572)	
				900

• Éstas últimas, las activaremos como mayor valor del activo representativo de las obras efectuadas:

———————————————————— 1/1/X0 ————————————————————

900	Otro Inmovilizado Material (219)	a	Trabajos realizados para el inmovilizado material(731)	
				900

De esta manera, la Consulta Nº3, BOICAC 118, nos comenta que las comisiones pagadas al agente inmobiliario, se contabilizarán como mayor valor del inmovilizado, en la medida que se puedan identificar como costes incrementales directamente atribuibles a la adquisición de los derechos de uso que determinan la calificación de las posteriores inversiones como un activo.

• Por la constitución de la fianza.

Gráficamente, representaremos la situación:

```
                                    1.800
         |————————————————————————————|        i.=5,5%
         0                         10 años
```

$$\text{Valoración fianza} = 1.800 \cdot (1+0,055)^{-10} = 1.053,78$$

Anotándose:

———————————————————— 1/1/X0 ————————————————————

1.053,78	Fianzas constituidas a largo plazo (260)			
746,22	Gasto pagado por anticipado a l/p (26X)	a	Bancos c/c (572)	
				1.800

De esta manera, el apartado 5.6 de la Norma 9ª de Valoración del PGC, nos comenta que: "En las fianzas entregadas (...) por arrendamientos operativos (...)

la diferencia entre su valor razonable y el importe desembolsado (...) se considerará como un pago (...) anticipado por el arrendamiento (...)"

• Operaciones realizadas a final de año:

- Pago cuota anual del préstamo:

El 31 de diciembre, y siguiendo las condiciones del préstamo bancario, pagará la parte correspondiente del principal y los intereses al 6%

Así la empresa registrará:

––––––––––––––––––––––––––– 31/12/X0 –––––––––––––––––––––––––––

29.754,99	Deudas a c/p entidades de crédito (520)		
5.645,01	Intereses de deudas (662)	a Bancos c/c (572)	35.400

- Reclasificación a corto plazo del principal a devolver en el ejercicio siguiente:

––––––––––––––––––––––––––– 31/12/X0 –––––––––––––––––––––––––––

29.831,72	Deudas a l/p entidades de crédito (170)	a Deudas a c/p entidades de crédito (520)	29.831,72

- Amortización de las inversiones realizadas en el activo.

Según el apartado h) de la Norma 3ª de Valoración del P.G.C, *"(...) La amortización de estas inversiones se realizará en función de su vida útil o de la duración del contrato de arrendamiento o cesión (...) cuando ésta sea inferior a la vida económica del activo"*. En nuestro caso, este último plazo es menor (10 años, frente a 20 años). Por tanto:

––––––––––––––––––––––––––– 31/12/X0 –––––––––––––––––––––––––––

9.090	Amortización del Inmovilizado Material (681)	a Amortización acumulada del inmovilizado material (281)	
	[90.900/10] = 9.090		9.090

- Pérdidas por deterioro:

Se producirá una pérdida por deterioro de valor de un elemento del inmovilizado material, " (...) *cuando su valor contable supere a su importe recuperable, entendido éste como el mayor importe entre su valor razonable menos los costes de venta y su valor en uso (...)*".[Norma 2ª.2. Valoración P.G.C]. Es decir, comparemos:

- Valor contable (31/12/X0).	81.810
[90.900 – 9.090]	Es inferior
- Valor recuperable.	85.000
Pérdida por deterioro.	**NO EXISTE**

- Operaciones relacionadas con la fianza

Al final de año, por el ingreso financiero devengado:

───────────────── 31/12/X0 ─────────────────

57,96	Fianzas constituidas a largo plazo (260)	a	Ingresos de créditos (762) (1.053,78 x 5,5%) 57,96

Así en la 5ª parte del PGC y para el movimiento de la 260 nos dice que ésta se cargará: "(...) *a₂) Por el ingreso financiero devengado hasta alcanzar el valor de reembolso de la fianzas con abono, generalmente, a la cuenta 762*"

En cuanto al gasto anticipado: "(...) *se imputará a la cuenta de pérdidas y ganancias durante el periodo de arrendamiento (...)*" [según el apartado 5.6 de la Norma 9ª de Valoración PGC]. En consecuencia:

───────────────── 31/12/X0 ─────────────────

57,96	Arrendamientos y cánones (621)	a	Gasto pagado por anticipado a l/p (26X) 57,96

2.4. INVERSIONES INMOBILIARIAS

2.4.1. Calificación inversiones inmobiliarias

2.4.1.1. Costes urbanización en un derecho de superficie

BOICAC 96, diciembre 2013. Consulta 1.

Sobre el tratamiento contable de los costes de urbanización de un terreno sobre el que está constituido un derecho de superficie.

Respuesta

La sociedad consultante tiene entre los bienes integrantes de su activo, a título de pleno dominio, un terreno sobre el que constituyó un derecho de superficie durante 40 años, siendo la contratante o superficiaria otra entidad jurídica.

Los términos del contrato son los siguientes:

a) La entidad superficiaria construirá sobre el terreno un hotel que explotará durante el plazo de vigencia del contrato, y una vez finalizado el mismo, será objeto de reversión a la sociedad consultante.

b) La contraprestación consiste en un canon superficiario mensual (revisable en función de la evolución de los precios al consumo), y por otra, la futura reversión de la propiedad de la construcción realizada por la superficiaria.

c) Los gastos derivados del desarrollo urbanístico del terreno serán asumidos por la sociedad consultante en su totalidad.

A la vista de esta descripción, se pregunta el criterio a seguir para contabilizar los costes de urbanización. En particular, si sería correcto calificarlos como una inversión en construcción (inversión inmobiliaria), siendo susceptible de amortización desde el momento en que finalicen las obras.

El Plan General de Contabilidad (PGC) aprobado por el Real Decreto 1514/2007, de 16 de noviembre, define las inversiones inmobiliarias como activos no corrientes que sean inmuebles y que se posean para obtener rentas, plusvalías o ambas, en lugar de para:

a) Su uso en la producción o suministro de bienes o servicios distintos del alquiler, o bien para fines administrativos; o

b) Su venta en el curso ordinario de las operaciones de la empresa.

Adicionalmente, en desarrollo de esta definición puede concluirse que si el modelo de negocio de la empresa consiste en la tenencia de inmuebles con el objetivo de obtener ganancias en el largo plazo, a la espera de que se produzca una variación en su valor razonable que le permita obtener una adecuada rentabilidad, dichos inmuebles se calificarán como inversiones inmobiliarias porque en estos casos será difícil identificar un ciclo normal de explotación. Esta conclusión no varía si el inmueble está en proceso de construcción o mejora.

467

Por el contrario, si los inmuebles se adquieren con el propósito de venderlos en el curso ordinario de las actividades del negocio o bien se encuentran en proceso de construcción o desarrollo con vistas a dicha venta, por ejemplo, propiedades adquiridas exclusivamente para su enajenación en el corto plazo o para concluir su desarrollo inmobiliario y proceder a su venta, estos activos se calificarán como existencias.

De acuerdo con esta definición, el terreno de la empresa consultante deberá calificarse como una inversión inmobiliaria, por destinarse a la obtención de rentas, que ha sido objeto de una operación, la constitución del derecho de superficie, asimilable desde una perspectiva contable a un contrato de arrendamiento.

En relación con el tratamiento contable de las inversiones inmobiliarias, la norma de registro y valoración (NRV) 4ª "Inversiones inmobiliarias" del PGC dispone que a estos activos se les aplicarán los criterios establecidos para el inmovilizado material.

Considerando estos antecedentes, y una vez calificado el arrendamiento sobre el inmueble como operativo, la NRV 3ª "Normas particulares sobre inmovilizado material" del PGC, señala:

> "a) *Solares sin edificar. Se incluirán en su precio de adquisición los gastos de acondicionamiento, como cierres, movimiento de tierras, obras de saneamiento y drenaje, los de derribo de construcciones cuando sea necesario para poder efectuar obras de nueva planta, los gastos de inspección y levantamiento de planos cuando se efectúen con carácter previo a su adquisición, así como, en su caso, la estimación inicial del valor actual de las obligaciones presentes derivadas de los costes de rehabilitación del solar.*
>
> *<u>Normalmente los terrenos</u> tienen una vida ilimitada y, por tanto, <u>no se amortizan</u> (...)".*

Este criterio no ha variado en relación con el PGC del año 1990, en cuyo desarrollo el ICAC publicó en su *Boletín* (BOICAC) nº 16 la consulta 2 sobre el tratamiento de los gastos de urbanización de un polígono industrial realizados por una empresa instalada con anterioridad a la urbanización del polígono.

En este mismo sentido, la Norma segunda, apartado 3, letra c) de la Resolución de 1 de marzo de 2013, del Instituto de Contabilidad y Auditoría de Cuentas (RICAC), por la que se dictan normas de registro y valoración del inmovilizado material y de las inversiones inmobiliarias, expresa:

> "c) *En particular, los gastos de urbanización de un terreno se contabilizarán como mayor valor del mismo si los costes en los que incurre la empresa cumplen alguno de los requisitos recogidos en la letra a), incluso cuando la empresa se hubiera instalado con anterioridad al momento en que se inicien las actuaciones".*

Por lo tanto, con carácter general, los gastos de urbanización de un terreno se contabilizarán como mayor valor del activo teniendo como límite máximo el importe recuperable del terreno.

Además, de conformidad con la NRV 3ª del PGC se informa que los terrenos tienen una vida indefinida y por lo tanto no se amortizan, tal y como se aclara en la Norma segunda, apartado 3.8.5, de la RICAC:

> "(...) los terrenos (...) no se amortizan, dejando al margen algunas excepciones como minas, canteras y vertederos, o algunos componentes depreciables como los cierres. Si el coste de un terreno incluye los costes de desmantelamiento, traslado y rehabilitación, esa porción del coste del terreno se amortizará a lo largo del periodo en el que se obtengan beneficios por haber incurrido en esos costes".

A mayor abundamiento cabe señalar que el criterio de este Instituto sobre la forma de contabilizar la constitución de un derecho de superficie por parte de la sociedad propietaria de un terreno, que como remuneración recibe un canon periódico y la propiedad de un inmueble a la fecha de finalización del citado derecho está publicado en la consulta 6 del BOICAC nº 40, que también se considera vigente en aplicación del nuevo PGC con las necesarias adaptaciones terminológicas y de presentación, en los siguientes términos:

a) El canon variable originará el reconocimiento de un ingreso anual de conformidad con el principio de devengo.

b) Adicionalmente, en la medida que el inmueble construido en el terreno por cuenta de la sociedad superficiaria constituye una contraprestación más de la operación, la empresa deberá reflejar contablemente el futuro derecho de propiedad sobre el inmueble como un activo (derecho de crédito a recibir el inmueble) y el correspondiente ingreso de forma sistemática durante el plazo del contrato, de acuerdo con un criterio financiero, sin perjuicio de la posible aplicación del principio de importancia relativa.

A tal efecto, salvo mejor evidencia de lo contrario, el importe que debería lucir en el activo de la empresa propietaria del terreno al finalizar el derecho de superficie podría asimilarse al valor neto contable de la construcción en la empresa superficiaria, en dicha fecha, en el supuesto de que la amortización se calculase en función de la vida económica del activo. En su caso, al cierre de cada ejercicio se deberán efectuar las correcciones valorativas necesarias.

Por último, considerando su naturaleza, el citado activo se presentará en el epígrafe "Deudores comerciales no corrientes".

Comentario

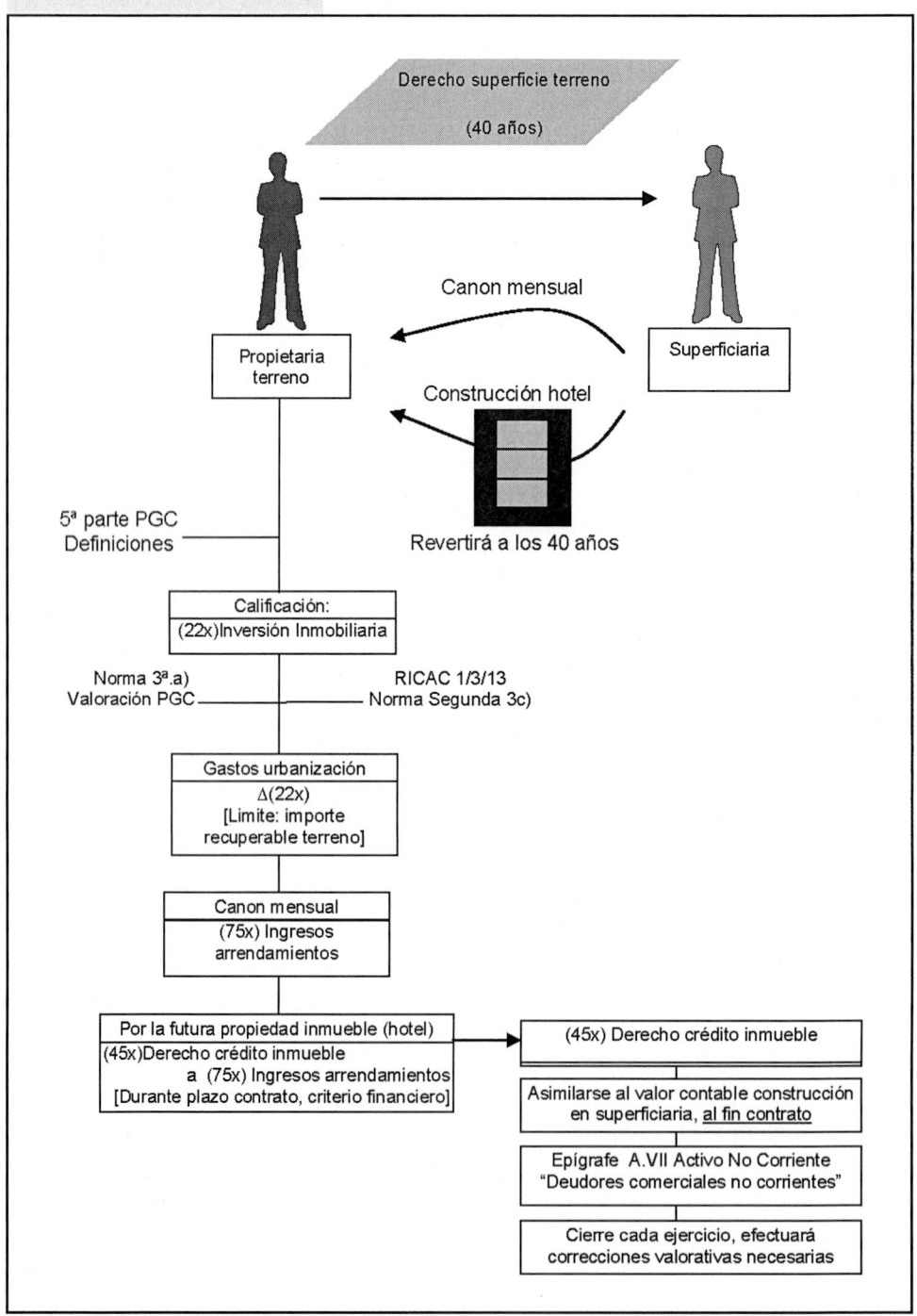

Ejemplo

ANPI S.A. posee un terreno registrado en cuentas por su precio de adquisición: que ascendió en su día a 600.000 €.

Hoy, 1/1/X0, constituye un derecho de superficie sobre el mismo, a favor de ANTELA S.A., por un periodo de 40 años. Los términos del contrato son los siguientes:

a) La entidad superficiaria ANTELA construirá sobre el terreno un hotel que explotará durante el plazo de vigencia del contrato. Y, una vez finalizado el mismo, será objeto de reversión a la sociedad ANPI.

b) La contraprestación consiste en un canon mensual por importe de 1.200 €, que el superficiario pagará a principios de cada mes (revisable anualmente en función de la evolución de los precios al consumo). Además, de la futura reversión de la propiedad de la construcción realizada por la superficiaria.

c) Los gastos derivados del desarrollo urbanístico del terreno, serán asumidos por la sociedad ANPI en su totalidad.

Estos gastos fueron satisfechos a 1/3/X0, ascendiendo su importe a 50.000 €.

El 1/1/X1, terminaron las obras del edificio: suponiendo un coste de 4.900.000 €, y estimándole una vida económica de 50 años.

SE PIDE:

Registro de las anotaciones correspondientes, en ANPI:

• Correspondientes los ejercicios X0 y X1, y para las siguientes fechas:

Año X0:

1/1/X0

1/3/X0, por los gastos de urbanización

31/12/X0, operaciones fin ejercicio. Sabemos que el importe recuperable del terreno es de 1.100.000 €

Año X1:

1/1/X1

• Apuntes referidos al fin del contrato

NOTA: Sabemos que el IPC, para el año X1 experimentó un incremento del 2%, y que el tipo de interés efectivo para estas operaciones es del 3% anual.

SOLUCIÓN:

AÑO X0

• Se constituye el derecho de superficie, a favor de ANTELA. Nuestra empresa, reclasificará el terreno como una inversión inmobiliaria:

———————————————————— 1/1/X0 ————————————————————

600.000   Inversiones en terrenos y
          bienes naturales (220)

                                   a   Terrenos y bienes naturales
                                          (210)   600.000

Así, y según la presente Consulta (1, BOICAC 96) esta calificación se realizará por destinarse el activo a la obtención de renta, ya que la constitución de un derecho de superficie es "(...) *asimilable desde una perspectiva contable a un contrato de arrendamiento (...)*".

• Una de las contraprestaciones que realizará la superficiaria, será el pago mensual de un canon por importe de 1.200 € que se revisará anualmente en función del IPC. Por tanto, anotaremos cuando nos entregue la cuantía a comienzos de mes:

———————————————————— 1/1/X0 ————————————————————

1.200   Bancos (572)

                                   a   Ingresos por arrendamientos
                                          (752)   1.200

En base a la consulta estudiada, este canon variable: "*(...) originará el reconocimiento de un ingreso anual de conformidad con el principio de devengo*"

• En marzo, ANPI tiene que efectuar el desembolso correspondiente por los gastos de urbanización.

Para su tratamiento, y teniendo en cuenta la Norma 4ª de Valoración del PGC, en la que nos comenta que acudiremos a los criterios establecidos para el inmovilizado material cuando estemos trabajando con las inversiones inmobiliarias, acudiremos tanto a la Norma 3ª a) de Valoración del PGC y para mayor abundamiento a la reciente RICAC 1/3/13; la cual en su Norma Segunda, apartado 3c), nos comenta: "*(...) los gastos de urbanización de un terreno se contabilizarán como mayor valor del mismo (..) incluso cuando la empresa se hubiera instalado con anterioridad al momento en que se inicien las actuaciones (...)*". De esta forma:

—————————————————— 1/3/X0 ——————————————————

50.000   Inversiones en terrenos y
         bienes naturales (220)

                                    a   Bancos (572)   50.000

La Consulta referida, concluye que con carácter general, estos gastos se contabilizarán como mayor valor del activo, teniendo como límite máximo el importe recuperable del terreno (que en nuestro caso, por valor de 1.100.000 €, no supera).

• Operaciones a cierre ejercicio del X0.

En la medida de que el inmueble construido en el terreno por cuenta de la sociedad superficiaria constituye una contraprestación más de la operación, la empresa deberá reflejar contablemente el futuro derecho de propiedad sobre el inmueble como un activo (derecho de crédito a recibir el inmueble) y el correspondiente ingreso de forma sistemática durante el plazo del contrato, de acuerdo con un criterio financiero, sin perjuicio de la posible aplicación del principio de importancia relativa (Consulta 1, BOICAC 96).

De esta manera, y para efectuar el cálculo adecuado, la Consulta nos indica que el importe que en ANPI debería reflejar el activo al finalizar el contrato, sería asimilable al valor contable de la construcción en la empresa superficiaria. Así:

Valor contable hotel fin contrato = Precio Adquisición - A.Acumulada (31/12/X39)

$$4.900.000 - \frac{4.900.000}{50 \text{ años}} \times 39 \text{ años} = 1.078.000$$

Este valor se alcanzará tras la distribución de importes, durante el periodo establecido (desde finales del X0, hasta finales del X39, momento de la reversión), teniendo en cuenta un criterio financiero y sabiendo que se aplica un tipo de interés del 3% anual. De tal forma, que plantearemos la siguiente igualdad:

$x + x \bullet 1,03 + x \bullet 1,03^2 + x \bullet 1,03^3 + ... + x \bullet 1,03^{39} = 1.078.000$

Siendo x = primer importe a imputar en el ejercicio X0 (31/12/X0)

Operando:

$$x \cdot (\underbrace{1 + 1{,}03 + 1{,}03^2 + 1{,}03^3 + \dots + 1{,}03^{39}}_{\text{Suma elementos siguen progresión geométrica de razón 1,03}}) = 1.078.000$$

$$x \cdot (\underbrace{\frac{1{,}03^{39} \cdot 1{,}03 - 1}{1{,}03 - 1}}_{\substack{\text{Último término xrazón - 1er término} \\ \text{razón-1}}}) = 1.078.000$$

Despejando:

X = 14.296,84

Por lo que podremos averiguar las cuantías que la empresa asignará en cada ejercicio:

Fecha	Cuantía	Importes en €
31/12/X0	x	14.296,84
31/12/X1	1,03x	14.725,75
31/12/X2	$1{,}03^2$x	15.167,52
......	...	...
31/12/X39	$1{,}03^{39}$x	45.278,49
TOTAL		**1.078.000,00**

Por tanto, ANPI, anotará por el derecho de crédito correspondiente al X0:

—————————————————— 31/12/X0 ——————————————————

14.296,84 Deudores comerciales no
           corrientes (4501)[*]

                            a   Ingresos por arrendamien-
                                 tos (752)   14.296,84

———————————————————————   ———————————————————————

[*] Considerando su naturaleza, el citado activo se presentará en el epígrafe "Deudores comerciales no corrientes".

AÑO X1

En enero, cobraremos el canon mensual que se incrementará con respecto al ejercicio anterior en base al IPC. Así, el importe ascenderá a:

$$1.200 \times 1,02 = 1.224 \ €$$

Anotándose:

─────────────────────── 1/1/X1 ───────────────────────

1.224	Bancos (572)			
		a	Ingresos por arrendamientos (752)	1.224

Fin contrato

• Anotación correspondiente, a la imputación del ingreso procedente del dere-cho de crédito por el inmueble (ejercicio X39, véase cuadro):

─────────────────────── 31/12/X39 ───────────────────────

45.278,49	Deudores comerciales no corrientes (4501)			
		a	Ingresos por arrendamien-tos (752)	45.278,49

• Se recibe el hotel, una vez finalizado el fin del contrato:

─────────────────────── 31/12/X39 ───────────────────────

1.078.000	Inversiones en construccio-nes (221)[*]			
		a	Deudores comerciales no corrientes (4501)	1.078.000

[*] Los terrenos y edificios cuyos usos futuros no estén determinados en el momento de su incorporación al patrimonio de la empresa se calificarán como inversión inmobiliaria.[Resolución de 1 de marzo de 2013, del Instituto de Contabilidad y Auditoría de Cuentas, por la que se dictan normas de registro y valoración del inmovilizado material y de las inversiones inmobiliarias. Norma quinta. Apartado 2.]

2.4.1.2. Derecho superficie propietario terreno: Contraprestaciones

BOICAC 106, junio 2016. Consulta 2.

Sobre el tratamiento contable de la contraprestación acordada por la constitución de un derecho de superficie.

Respuesta

Una entidad ha constituido un derecho de superficie sobre un terreno con un plazo de duración de 15 años y dos prórrogas automáticas de 5 años cada una, salvo oposición expresa del superficiario. El contrato incluye contraprestaciones periódicas, fijas y variables y la entrega de una construcción al final de la duración del contrato.

La consulta trata sobre cuál es el valor por el que debe contabilizarse la contraprestación del contrato materializada en la propiedad que revierte y cuál es la duración a considerar para la imputación de los ingresos anuales, teniendo en cuenta las prórrogas contempladas en el contrato.

La opinión de este Instituto en el marco del Plan General de Contabilidad (PGC), aprobado por el Real Decreto 1514/2007, de 16 de noviembre, sobre el tratamiento contable de la constitución de un derecho de superficie desde la perspectiva del propietario del terreno está publicada en la consulta 1 del BOICAC nº 96, de diciembre de 2013, y que a continuación se reproduce:

"A mayor abundamiento cabe señalar que el criterio de este Instituto sobre la forma de contabilizar la constitución de un derecho de superficie por parte de la sociedad propietaria de un terreno, que como remuneración recibe un canon periódico y la propiedad de un inmueble a la fecha de finalización del citado derecho está publicado en la consulta 6 del BOICAC nº 40, que también se considera vigente en aplicación del nuevo PGC con las necesarias adaptaciones terminológicas y de presentación, en los siguientes términos:

a) El canon variable originará el reconocimiento de un ingreso anual de conformidad con el principio de devengo.

b) Adicionalmente, en la medida que el inmueble construido en el terreno por cuenta de la sociedad superficiaria constituye una contraprestación más de la operación, la empresa deberá reflejar contablemente el futuro derecho de propiedad sobre el inmueble como un activo (derecho de crédito a recibir el inmueble) y el correspondiente ingreso de forma sistemática durante el plazo del contrato, de acuerdo con un criterio financiero, sin perjuicio de la posible aplicación del principio de importancia relativa.

A tal efecto, salvo mejor evidencia de lo contrario, el importe que debería lucir en el activo de la empresa propietaria del terreno al finalizar el derecho de superficie podría asimilarse al valor neto contable de la cons-

trucción en la empresa superficiaria, en dicha fecha, en el supuesto de que la amortización se calculase en función de la vida económica del activo. En su caso, al cierre de cada ejercicio se deberán efectuar las correcciones valorativas necesarias. Por último, considerando su naturaleza, el citado activo se presentará en el epígrafe "Deudores comerciales no corrientes"."

Respecto al plazo a tener en cuenta para realizar dichos cálculos cabría traer a colación por analogía el criterio incluido en la letra h) de la norma de registro y valoración 3ª. Normas particulares sobre el inmovilizado material del PGC, en cuya virtud, el periodo a considerar será la duración del contrato de arrendamiento o cesión -incluido el periodo de renovación cuando existan evidencias que soporten que la misma se va a producir-, cuando ésta sea inferior a la vida económica de la construcción.

Comentario

" O PORRIÑO S.A." posee un terreno registrado en cuentas por su precio de adquisición: que ascendió en su día a 600.000€.

Hoy, 1/1/X0, constituye un derecho de superficie sobre el mismo por un periodo de duración de 15 años y dos prórrogas automáticas de 5 años cada una, salvo oposición expresa del superficiario y a favor de "PONTEAREAS S.A". Los términos del contrato son los siguientes:

a) La entidad superficiaria PONTEAREAS construirá sobre el terreno un hotel que explotará durante el plazo de vigencia del contrato. Y, una vez finalizado el mismo, será objeto de reversión a la sociedad O PORRIÑO.

b) La contraprestación consiste en un canon mensual por importe de 1.500€, que el superficiario pagará a principios de cada mes (revisable anualmente en función de la evolución de los precios al consumo). Además, de la futura reversión de la propiedad de la construcción realizada por la superficiaria.

c) Los gastos derivados del desarrollo urbanístico del terreno, serán asumidos por la sociedad O PORIÑO en su totalidad.

Estos gastos fueron satisfechos a 1/3/X0, ascendiendo su importe a 50.000€.

El 31/12/X0, terminaron las obras del edificio: suponiendo un coste de 5.000.000€, y estimándole una vida económica de 50 años.

SE PIDE. Registro de las anotaciones correspondientes, en O PORRIÑO:

- Correspondientes los ejercicios X0 y X1, y para las siguientes fechas:

- Año X0:
  * 1/1/X0
  * 1/3/X0, por los gastos de urbanización
  * 31/12/X0, operaciones fin ejercicio.

- Año X1:
  * 1/1/X1

- Apuntes referidos al fin del contrato

NOTA: Sabemos que el IPC, para el año X1 experimentó un incremento del 2%, y que el tipo de interés efectivo para estas operaciones es del 3% anual.

SOLUCIÓN:

AÑO X0

• Se constituye el derecho de superficie, a favor de PONTEAREAS. Nuestra empresa, reclasificará el terreno como una inversión inmobiliaria:

--- 1/1/X0 ---

600.000	Inversiones en terrenos y bienes naturales (220)	a	Terrenos y bienes naturales (210) 600.000

Así, y según la Consulta 1, Boicac 96 esta calificación se realizará por destinarse el activo a la obtención de renta, ya que la constitución de un derecho de superficie es "(...)asimilable desde una perspectiva contable a un contrato de arrendamiento (...)"

• Una de las contraprestaciones que realizará la superficiaria, será el pago mensual de un canon por importe de 1.500 € que se revisará anualmente en función del IPC. Por tanto, anotaremos cuando nos entregue la cuantía a comienzos de mes:

	1/1/X0		
1.500 Bancos (572)	a	Ingresos por arrendamientos (752)	1.500

En base a la consulta nº 2 del BOICAC 106, este canon variable: "(...) originará el reconocimiento de un ingreso anual de conformidad con el principio de devengo"

• En marzo, O PORRIÑO tiene que efectuar el desembolso correspondiente por los gastos de urbanización.

Para su tratamiento, y teniendo en cuenta la Norma 4ª de Valoración del PGC, en la que nos comenta que acudiremos a los criterios establecidos para el inmovilizado material cuando estemos trabajando con las inversiones inmobiliarias, acudiremos tanto a la Norma 3ªa) de Valoración del PGC y para mayor abundamiento a la RICAC 1/3/13; la cual en su Norma Segunda, apartado 3c), nos comenta: "(...) los gastos de urbanización de un terreno se contabilizarán como mayor valor del mismo (..) incluso cuando la empresa se hubiera instalado con anterioridad al momento en que se inicien las actuaciones (...)". De esta forma:

	1/3/X0		
50.000 Inversiones en terrenos y bienes naturales (220)	a	Bancos c/c (572)	50.000

La Consulta nº 2 del BOICAC 106, concluye que con carácter general, estos gastos se contabilizarán como mayor valor del activo, teniendo como límite máximo el importe recuperable del terreno .

• Operaciones a cierre ejercicio del X0.

En la medida que el inmueble construido en el terreno por cuenta de la socie-dad superficiaria constituye una contraprestación más de la operación, la empresa deberá reflejar contablemente el futuro derecho de propiedad sobre el inmueble como un activo (derecho de crédito a recibir el inmueble) y el correspondiente ingreso de forma sistemática durante el plazo del contrato, de acuerdo con un criterio financiero, sin perjuicio de la posible aplicación del principio de impor-tancia relativa. [Consulta nº 2. BOICAC 106]

De esta manera, y para efectuar el cálculo adecuado, la Consulta referenciada nos indica que el importe que debería lucir en el activo de la empresa propietaria del terreno al finalizar el derecho de superficie podría asimilarse al valor neto contable de la construcción en la empresa superficiaria, en dicha fecha, en el supuesto de que la amortización se calculase en función de la vida económica del activo. Así:

Valor contable hotel fin contrato = Precio Adquisición– Amortización acumulada

$$5.000.000 = \frac{5.000.000}{50 \text{ años}} \times 24 \text{ años} = 2.600.000$$

Se ha de tener en cuenta que el hotel tarda un año en construirse.

Respecto al plazo a tener en cuenta para realizar dichos cálculos cabría traer a colación por analogía el criterio incluido en la letra h) de la norma de registro y valoración 3ª. Normas particulares sobre el inmovilizado material del PGC, en cuya virtud, el periodo a considerar será la duración del contrato de arrendamiento o cesión -incluido el periodo de renovación cuando existan evidencias que sopor-ten que la misma se va a producir-, cuando ésta sea inferior a la vida económica de la construcción. [Consulta nº 2. BOICAC 106]

Este valor se alcanzará tras la distribución de importes, durante el periodo esta-blecido (desde finales del X0, hasta finales del X24, momento de la reversión), teniendo en cuenta un criterio financiero y sabiendo que se aplica un tipo de interés del 3% anual. De tal forma, que plantearemos la siguiente igualdad:

$$X + X.1{,}03 + X.1{,}03^2 + X.1{,}03^3 + \ldots\ldots\ldots + X.1{,}03^{24} = 2.600.000$$

Siendo x = primer importe a imputar en el ejercicio X0 (31/12/X0)

Operando:

$$x \cdot \underbrace{\left(1 + 1{,}03 + 1{,}03^2 + 1{,}03^3 + \ldots + 1{,}03^{24} \right)}_{\text{Suma elementos siguen progresión geométrica de razón 1,03}} = 2.600.000$$

$$x \cdot \left(\frac{1{,}03^{24} \cdot 1{,}03 - 1}{1{,}03 - 1} \right) = 2.600.000$$

Último término xrazón-1er término
razón-1

Despejando:

$$X = 71.312{,}76$$

Por lo que podremos averiguar las cuantías que la empresa asignará en cada ejercicio:

Fecha	Cuantía	Importes en €
31/12/X0	x	71.312,46
31/12/X1	1,03x	73.451,84
31/12/X2	$1{,}03^2$x	75.655,39
......	...	...
31/12/X24	$1{,}03^{24}$x	144.963,55
	TOTAL	**2.600.000**

Por tanto, O PORRIÑO , anotará por el derecho de crédito correspondiente al X0:

―――――――――――――――― 31/12/X0 ――――――――――――――――

71.312,46	Deudores comerciales no corrientes (4501)[*]	a	Ingresos por arrendamientos (752)	71.312,46

[*] Considerando su naturaleza, el citado activo se presentará en el epígrafe "Deudores comerciales no corrientes". [Consulta nº 1. BOICAC 106]

AÑO X1

En enero, cobraremos el canon mensual que se incrementará con respecto al ejercicio anterior en base al IPC. Así, el importe ascenderá a:

$$1.500 \times 1{,}02 = 1.530 \text{ €}$$

Anotándose:

——————————————————— 1/1/X1 ———————————————————

| 1.530 Bancos (572) | a | Ingresos por arrendamien- |
| | | tos (752) 1.530 |

Fin contrato

• Anotación correspondiente, a la imputación del ingreso procedente del dere-cho de crédito por el inmueble (ejercicio X24, véase cuadro):

——————————————— 31/12/X24 ———————————————

| 144.963,55 Deudores comerciales | a | Ingresos por arrendamien- |
| no corrientes (4501) | | tos (752) 144.963,55 |

• Se recibe el hotel, una vez finalizado el fin del contrato:

——————————————— 31/12/X39 ———————————————

| 2.600.000 Inversiones en construc- | a | Deudores comerciales no |
| ciones (221)[(*)] | | corrientes (4501) 2.600.000 |

[(*)] Los terrenos y edificios cuyos usos futuros no estén determinados en el momento de su incorporación al patrimonio de la empresa se calificarán como inversión inmobiliaria.[Resolución de 1 de marzo de 2013, del Instituto de Contabilidad y Auditoría de Cuentas, por la que se dictan normas de registro y valoración del inmovilizado material y de las inversiones inmobiliarias. Norma quinta. Apartado 2.

2.4.1.3. Venta parcelas, que iban a destinarse para construir inmuebles

BOICAC 118, julio 2019. Consulta 2.

Sobre el tratamiento contable de la venta de unas parcelas.

Respuesta

La entidad consultante forma parte de un grupo que se dedica al sector turístico y su actividad consiste en construir y adquirir inmuebles para su arrendamiento a otras empresas del Grupo.

La sociedad es propietaria del edificio que constituyen las oficinas y sede social del Grupo y que arrienda a otras sociedades del mismo Grupo. La sociedad adquirió cinco parcelas urbanas colindantes en un polígono industrial de reciente desarrollo.

El destino del terreno adquirido era la construcción de la nueva sede social corporativa del Grupo, recuperando la inversión a través del arrendamiento a distintas sociedades del Grupo como venía haciendo hasta la fecha. A tales efectos la sociedad encargó la redacción de un proyecto básico de construcción de un edificio de oficinas, solicitó presupuestos de ejecución de dicho proyecto básico y tramitó y obtuvo la correspondiente licencia municipal de obras en relación a tres de las cinco parcelas adquiridas, quedando el resto como reserva de suelo para futuras ampliaciones de las oficinas. La consultante señala que el inicio de la construcción de las oficinas se ha demorado durante cerca de cuatro años, debido a diferentes modificaciones del proyecto.

No obstante, antes de iniciarse las obras de construcción, la sociedad ha recibido una oferta de compra que doblaba el precio de adquisición y ha vendido los solares. El año anterior a la venta la sociedad había obtenido la renovación de la licencia de obra.

La consulta versa sobre si, en aplicación del Plan General de Contabilidad, aprobado por el Real Decreto 1514/2007, de 16 de noviembre, y su normativa de desarrollo, la transacción de venta de dichos solares se debe tratar como un ingreso ordinario dentro del importe neto de la cifra de negocios o como un beneficio por enajenación de inmovilizado.

Por otro lado, se plantea si la respuesta sería diferente para los dos solares contiguos y adquiridos y enajenados conjuntamente que no se incluían en el proyecto para la construcción del edificio de la sede corporativa del Grupo, a la espera de definir su destino dentro de la actividad ordinaria de la sociedad.

Las inversiones inmobiliarias se definen en la quinta parte del PGC, Subgrupo 22. Inversiones inmobiliarias, como:

> "*Activos no corrientes que sean inmuebles y que se posean para obtener rentas, plusvalías o ambas, en lugar de para:*
>
> *- Su uso en la producción o suministro de bienes o servicios, o bien para fines administrativos; o*
>
> *- Su venta en el curso ordinario de las operaciones.*"

A los efectos del tratamiento contable, la norma de registro y valoración *4ª Inversiones inmobiliarias*, estipula que los criterios contenidos en las normas de registro y valoración 2ª y 3ª, relativas al inmovilizado material, también se aplicarán a las inversiones inmobiliarias.

Sobre esta materia, en desarrollo del PGC se ha publicado la Resolución de 1 de marzo de 2013, del Instituto de Contabilidad y Auditoría de Cuentas, por la que se dictan normas de registro y valoración del inmovilizado material y de las inversiones inmobiliarias cuya norma quinta se dedica a las Inversiones Inmobiliarias.

En el apartado 1 *Definición* de esta norma quinta se expresa lo siguiente:

"1. Son inversiones inmobiliarias las definidas en el Plan General de Contabilidad como activos no corrientes que sean inmuebles y que se posean para obtener rentas, plusvalías o ambas, en lugar de para:

a) Su uso en la producción o suministro de bienes o servicios distintos del alquiler, o bien para fines administrativos; o

b) Su venta en el curso ordinario de las operaciones de la empresa.

2. Los terrenos y edificios cuyos usos futuros no estén determinados en el momento de su incorporación al patrimonio de la empresa se calificarán como inversión inmobiliaria. Asimismo, los inmuebles que estén en proceso de construcción o mejora para su uso futuro como inversiones inmobiliarias, se calificarán como tales.

3. En aquellos casos en los que un inmueble se destine tanto para la generación de plusvalías o rentas como para la producción o suministro de bienes o servicios, incluyendo su utilización para fines administrativos, resultarán de aplicación de forma separada los criterios establecidos en las normas primera a cuarta inclusive de esta Resolución y en la norma quinta siempre que los distintos componentes puedan ser vendidos de forma independiente. En caso contrario, el inmueble solo podrá calificarse como inversión inmobiliaria cuando se utilice una porción insignificante del mismo para la producción o suministro de bienes o servicios o para fines administrativos.

4. La prestación de servicios complementarios a los ocupantes de un inmueble no impedirá su tratamiento como inversión inmobiliaria en la medida en que dichos servicios puedan ser calificados como poco significativos en relación al contrato global."

Por su parte, en el apartado 3 *Cambio de destino* de la citada norma quinta se indica que:

"3.2 Reclasificación de inversiones inmobiliarias a existencias. La reclasificación tendrá lugar cuando la empresa <u>inicie una obra encaminada a producir una transformación sustancial</u> del inmueble con la intención de venderlo. <u>Si se decide enajenar o disponer por otra vía del inmueble, sin llevar a cabo una obra sustancial con carácter previo, el inmueble se seguirá considerando una inversión inmobiliaria.</u> Asimismo, si la entidad inicia una obra sobre una inversión inmobiliaria que no tiene por objeto el cambio de la utilidad o función desempeñada por el activo, no procederá su reclasificación durante la nueva etapa de desarrollo".

En conclusión, si las parcelas no se poseen para su venta en el curso ordinario de las actividades de la empresa, la enajenación de las fincas destinadas a su arrendamiento no debe producir un cambio de destino manteniéndose el activo como inversión inmobiliaria y, por tanto, el resultado de la operación no debería recogerse como Importe de la cifra de negocios en la cuenta de pérdidas y ganancias. La misma solución cabría otorgar a las dos fincas colindantes adquiridas y enajenadas conjuntamente que no se incluían en el proyecto para la construcción del edificio de la sede corporativa del Grupo.

A mayor abundamiento se informa que acerca de qué debe entenderse por "*poseer un inmueble para su venta en el curso ordinario de las actividades de la empresa*", en la consulta 1 publicada en el BOICAC nº 96, de diciembre de 2013, se incluye la siguiente explicación:

> "*Adicionalmente, en desarrollo de esta definición puede concluirse que si el modelo de negocio de la empresa consiste en la tenencia de inmuebles con el objetivo de obtener ganancias en el largo plazo, a la espera de que se produzca una variación en su valor razonable que le permita obtener una adecuada rentabilidad, dichos inmuebles se calificarán como inversiones inmobiliarias porque en estos casos será difícil identificar un ciclo normal de explotación. Esta conclusión no varía si el inmueble está en proceso de construcción o mejora.*
>
> Por el contrario, si los inmuebles se adquieren con el propósito de venderlos en el curso ordinario de las actividades del negocio o bien se encuentran en proceso de construcción o desarrollo con vistas a dicha venta, por ejemplo, propiedades adquiridas exclusivamente para su enajenación en el corto plazo o para concluir su desarrollo inmobiliario y proceder a su venta, estos activos se calificarán como existencias".

Comentario

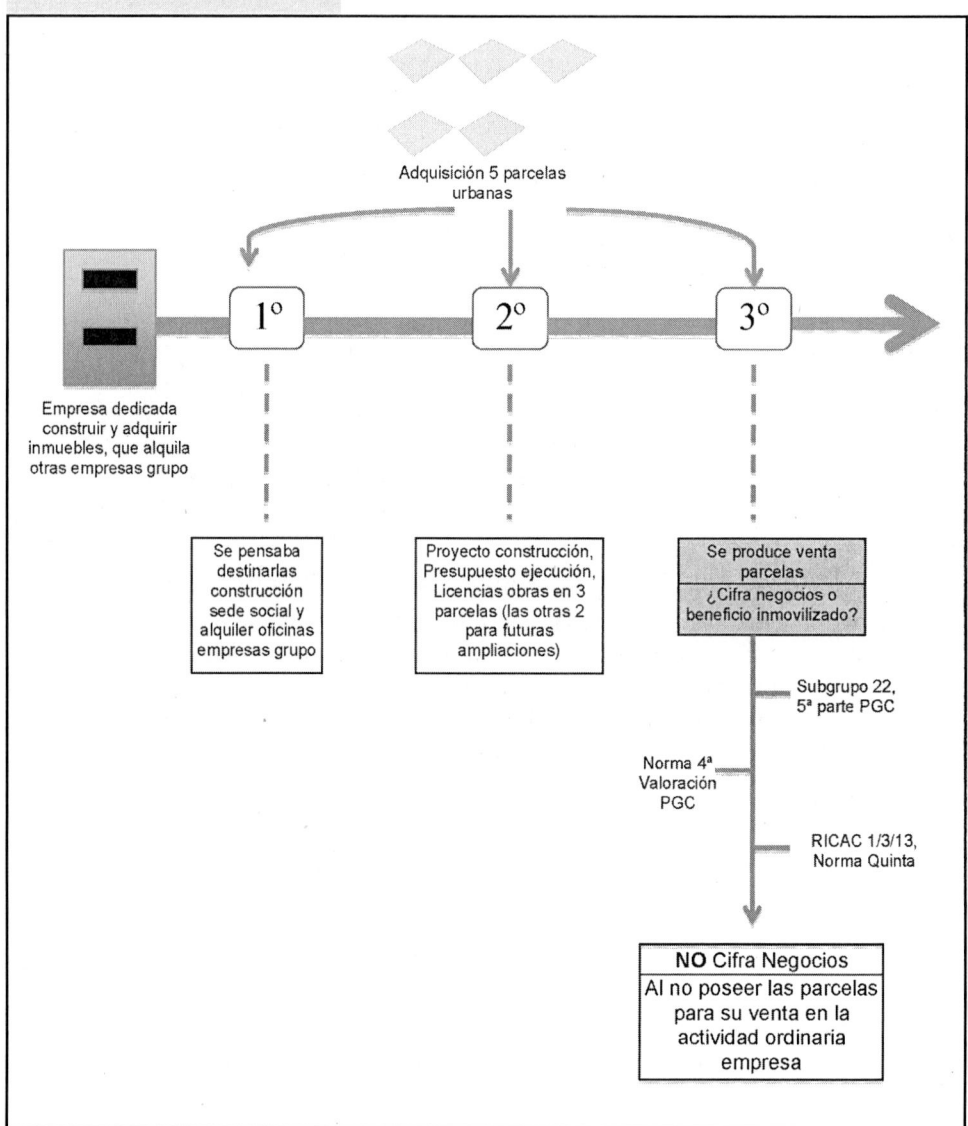

Adquisición 5 parcelas urbanas

1º **2º** **3º**

Empresa dedicada construir y adquirir inmuebles, que alquila otras empresas grupo

Se pensaba destinarlas construcción sede social y alquiler oficinas empresas grupo

Proyecto construcción, Presupuesto ejecución, Licencias obras en 3 parcelas (las otras 2 para futuras ampliaciones)

Se produce venta parcelas
¿Cifra negocios o beneficio inmovilizado?

Subgrupo 22, 5ª parte PGC

Norma 4ª Valoración PGC

RICAC 1/3/13, Norma Quinta

NO Cifra Negocios
Al no poseer las parcelas para su venta en la actividad ordinaria empresa

Ejemplo

La sociedad "ARIAS", forma parte de un grupo que se dedica al sector turístico y su actividad consiste en construir y adquirir inmuebles para su arrendamiento a otras empresas del Grupo.

La sociedad adquirió, a principios del ejercicio X0, cinco parcelas urbanas colindantes en un polígono industrial de reciente desarrollo: habiendo pagado un importe total de 500.000€ (100.000 € cada parcela).

Posteriormente, inicia obras de saneamiento, drenaje y derribo de construcciones para edificar obras de nueva planta en tres de las parcelas, por las cuales pagó 30.000€ el 1/2/X0.

El destino del terreno adquirido, era la construcción de la nueva sede social corporativa del Grupo: recuperando la inversión, a través del arrendamiento a distintas sociedades del mismo como venía haciendo hasta la fecha. A tales efectos, la sociedad encargó la redacción de un proyecto básico de construcción de un edificio de oficinas en tres de las parcelas, por lo cual realizó un pago el 1/3/X0 de 30.000€.

La correspondiente licencia municipal de obras en relación a tres de las cinco parcelas adquiridas, fue abonada el 1/1/X1: ascendiendo su importe a 12.000€ y quedando el resto como reserva de suelo para futuras ampliaciones de las oficinas. La sociedad retrasó el inicio de la construcción de las oficinas durante cerca de cuatro años, debido a diferentes modificaciones del proyecto.

Antes de iniciarse las obras de construcción, la sociedad ha recibido una oferta de compra que doblaba el precio de adquisición y ha vendido las tres parcelas con licencia por 700.000€ el 1/1/X4.

Días más tarde (3/1/X4), vende las otras dos parcelas en un importe de 300.000€.

SE PIDE: Registro de operaciones relatadas.

SOLUCIÓN:

• A inicios del X0, por la adquisición de las cinco parcelas ARIAS, anotó:

			1/1/X0		
500.000	Inversiones en terrenos y bienes naturales (220)		a	Bancos c/c (572)	
					500.000

De esta forma, en la 5ª parte del Plan, y para la definición del subgrupo 22, nos comenta que en éste se incluye: *"Activos no corrientes que sean inmuebles y que se posean para obtener rentas, plusvalías o ambas, en lugar de para:*

- Su uso en la producción o suministro de bienes o servicios, o bien para fines administrativos; o

- Su venta en el curso ordinario de las operaciones (...)"

En el mismo sentido se expresa la RICAC 1/3/13 por la que se dictan normas de registro y valoración del inmovilizado material y de las inversiones inmobiliarias, su Norma Quinta. Igualmente, los inmuebles que estén en proceso de construcción o mejora para su uso futuro como inversiones inmobiliarias, se calificarán como tales [Consulta nº 2. BOICAC 118]

• Por los gastos de saneamiento, drenaje y derribo en tres de las parcelas, tendremos en cuenta lo establecido en el apartado a) de la Norma 3ª Valoración PGC: *"Se incluirán en su precio de adquisición los gastos de acondicionamiento, como cierres, movimientos de tierras, obras de saneamiento y drenaje, los de derribo de construcciones cuando sea necesario para poder efectuar obras de nueva planta (...)"*. Con lo cual, registraremos:

1/2/X0

30.000	Inversiones en terrenos y bienes naturales (220)	a	Bancos c/c (572)	
				30.000

• Por el pago del proyecto, y según el apartado b) de la Norma 3ª Valoración del PGC, el precio de adquisición o coste de producción de las construcciones estará formado, además de por todas aquellas instalaciones y elementos que tengan carácter de permanencia, por las tasas inherentes a la construcción y los honorarios facultativos de proyecto y dirección de obra. De esta forma:

1/3/X0

30.000	Inversiones en terrenos y bienes naturales (220)	a	Bancos c/c (572)	
				30.000

• En igual sentido, realizaremos el apunte por la licencia municipal:

1/1/X1

12.000	Inversiones en terrenos y bienes naturales (220)	a	Bancos c/c (572)	
				12.000

• Cuando se efectúa la venta de aquellas parcelas con licencia de edificación, ARIAS anotará:

```
————————————————————————— 1/1/X4 ————————————————————————

700.000   Bancos c/c (572)              a      Inversiones en terrenos y
                                               bienes naturales (220)

                                               [3 parcelas x100.000
                                               +30.000]
                                                                          330.000

                                               Inversiones en construccio-
                                               nes (221) [30.000 +12.000]   42.000

                                               Beneficios procedentes de
                                               inversiones    inmobiliarias
                                               (772)
                                                                          328.000
————————————————————————————————————————————————————————————————————
```

Si las parcelas no se poseen para su venta en el curso ordinario de las actividades de la empresa, la enajenación de las fincas destinadas a su arrendamiento no debe producir un cambio de destino manteniéndose el activo como inversión inmobiliaria y, por tanto, el resultado de la operación no

debería recogerse como Importe de la cifra de negocios en la cuenta de pérdidas y ganancias. La misma solución cabría otorgar a las dos fincas colindantes adquiridas y enajenadas conjuntamente que no se incluían en el proyecto para la construcción del edificio de la sede corporativa del Grupo. [Consulta nº 2. BOICAC 118]

En el mismo sentido, y por la venta de las dos parcelas restantes:

```
————————————————————————— 3/1/X4 ————————————————————————

300.000   Bancos c/c (572)              a      Inversiones en terrenos y
                                               bienes naturales (220)

                                               [3 parcelas x100.000]
                                                                          200.000

                                               Beneficios procedentes de
                                               inversiones    inmobiliarias
                                               (772)
                                                                          100.000
————————————————————————————————————————————————————————————————————
```

NOTA: A los efectos del tratamiento contable, la norma de registro y valoración 4ª Inversiones inmobiliarias, estipula que los criterios contenidos en las normas de registro y valoración 2ª y 3ª, relativas al inmovilizado material, también se aplicarán a las inversiones inmobiliarias

2.4.2. Adquisiciones

2.4.2.1. Adquisición inmueble, sometido a condición

BOICAC 99, septiembre 2014. Consulta 1.

Sobre el tratamiento contable de la adquisición de un inmueble sometido a una condición.

Respuesta

La entidad consultante ha formalizado la compraventa de un inmueble sujeta a las siguientes estipulaciones:

a) Mientras que la totalidad del pago aplazado no sea satisfecho, la parte compradora no podrá enajenar la finca sin consentimiento de la parte vendedora, siendo por tanto, el pago de la totalidad del precio aplazado, condición suspensiva de la transmisión.

b) La falta de pago de cualquiera de las sumas aplazadas, dejará sin efecto la transmisión, quedando todos los importes recibidos hasta la fecha, en poder de la parte vendedora a modo de indemnización por daños y perjuicios y por los derechos que la parte compradora haya podido disfrutar sobre la finca durante el tiempo que haya tenido la posesión de la misma.

c) Se hace entrega inmediata de la posesión del inmueble a la parte compradora adquiriendo ésta todos los derechos y obligaciones derivados de los contratos de arrendamientos del inmueble vigentes a fecha de la compraventa. La parte vendedora cede a favor de la compradora todos los derechos sobre las fianzas de los arrendamientos que recaen sobre el inmueble.

d) A partir de la firma del acuerdo, todos los gastos e ingresos derivados de la posesión del inmueble son por cuenta de la parte compradora.

La consulta versa sobre si la sociedad adquirente debe contabilizar el inmueble en la fecha de la firma del contrato privado o, por el contrario, dicho reconocimiento debe postergarse hasta que expire la condición suspensiva.

Para considerar que se ha producido la enajenación/adquisición de un bien (también sería aplicable a un derecho), será necesario que de las condiciones económicas de la operación se desprenda que los riesgos y ventajas sustanciales inherentes a la propiedad del bien han sido efectivamente transmitidos/recibidos.

La transferencia de la propiedad no se configura como un elemento esencial para dar de baja el activo por parte del vendedor y contabilizar, en su caso, el correspondiente beneficio. El criterio rector de la citada baja es que se haya producido la cesión de los riesgos y ventajas inherentes a la propiedad del bien, esto es, a la condición de propietario. Este criterio, desde un punto de vista jurídico se materializa en el derecho de gozar y disponer del activo y desde una perspectiva económica en la obtención de los ingresos suficientes para recuperar su valor neto contable, bien mediante su uso en el plazo de vida útil que económicamente corresponda, o bien a través de la obtención de los frutos que produzca (rendimientos o beneficios económicos) y del importe resultante de su posterior enajenación o disposición por otra vía.

A partir de este razonamiento, el ICAC en la contestación a numerosas consultas consolidó la siguiente doctrina administrativa sobre la transferencia de activos vinculando la calificación de activo a dos requisitos constitutivos:

> • La idea de control, inherente al uso o aprovechamiento del elemento a lo largo de su vida económica, así como a la facultad de disposición.

> • La idea de recuperación, consustancial con la nota de proyección económica futura.

Ambas características integran el núcleo de los riesgos y ventajas del elemento patrimonial.

Con carácter general, cuando la empresa se desprende o se ve privada de alguno de los citados atributos es cuando puede concluirse que procede la baja o la corrección de valor del activo. En contraposición, no procede el registro de un activo si no se cumplen ambos requisitos.

En este sentido, el criterio publicado en la consulta nº 4 del BOICAC nº 67 resume todo lo indicado en los siguientes términos (esta consulta se elaboró en el marco del PGC de 1990 pero su contenido se considera vigente en el PGC de 2007):

> "... con carácter general, se entiende que un bien se incorpora al patrimonio de una sociedad adquirente y, en consecuencia, debe ser dado de baja en la sociedad vendedora, cuando se produzca la transmisión de los riesgos y ventajas significativos asociados al mismo, sin perjuicio de que no se encuentre perfeccionada la transmisión jurídica, debiendo acudirse al fondo económico para otorgar el adecuado tratamiento contable a la operación.

> En el caso de que los riesgos y ventajas aludidos se transmitan en el momento de la firma del contrato, la empresa vendedora deberá contabilizar la baja de inventario de los bienes objeto de compraventa con sus correcciones valorativas, procediendo a reconocer el correspondiente resultado.

> (...) En el caso de que, de acuerdo con las condiciones y circunstancias concurrentes en la operación, no se haya transmitido el inmueble, es decir, si el vendedor retiene de forma significativa los riesgos y ventajas inherentes a la propiedad, porque, entre otros casos, exista en términos racionales incertidumbre sobre la posibilidad de rescisión del contrato, la operación no deberá registrarse como una venta, sino que, de acuerdo con su naturaleza económica, el cedente deberá reflejar la entrada de tesorería, con abono a una deuda en el pasivo del balance, hasta que se produzcan las circunstancias necesarias para considerar que se han trasmitido los citados riesgos y ventajas y, por tanto, que el activo ha sido transmitido, sin perjuicio de que se deban tener en cuenta las nuevas circunstancias a efectos de las posibles correcciones valorativas".

En el caso que nos ocupa, la compraventa se somete a una condición y la cuestión a dilucidar es el alcance y eficacia de la misma. Pues bien, las condiciones suspensivas o resolutorias son elementos accidentales que se incorporan a los negocios jurídicos (en nuestro caso, a la compraventa), en cuya virtud la causa típica del contrato (una parte quiere vender y la otra comprar) se autolimita por los intervinientes. Ni la voluntad ni el negocio quedan pendientes de la condición. Lo único que pende de la condición (que se configura como un acontecimiento futuro y arbitrario en la medida en que puede presentarse o no) son los efectos o eficacia jurídica del negocio, que como tal, queda limitada.

El tratamiento contable de estas operaciones depende de lo que podría denominarse la "*potencia rescisoria*" de la condición impuesta por las partes, a cuyo efecto es preciso analizar todas las circunstancias y antecedentes que en condiciones normales de mercado se presentan en este tipo de transacciones. Desde una perspectiva estrictamente contable, la mera incorporación de una condición resolutoria/suspensiva en un contrato no debe llevar a negar la compra y el reconocimiento del activo objeto del negocio jurídico en balance de la empresa.

Es más, entrando en el fondo de la cuestión planteada, y considerando que la única posibilidad de que el vendedor recupere los derechos inherentes a la plena propiedad del inmueble es el incumplimiento de pago por parte del comprador, cabe concluir que el adquirente ha asumido de manera sustancial los riesgos y beneficios del inmueble, configurándose la condición incorporada al contrato, desde una perspectiva económica racional, como un elemento accesorio con el objetivo de garantizar el cobro total del precio aplazado.

Comentario

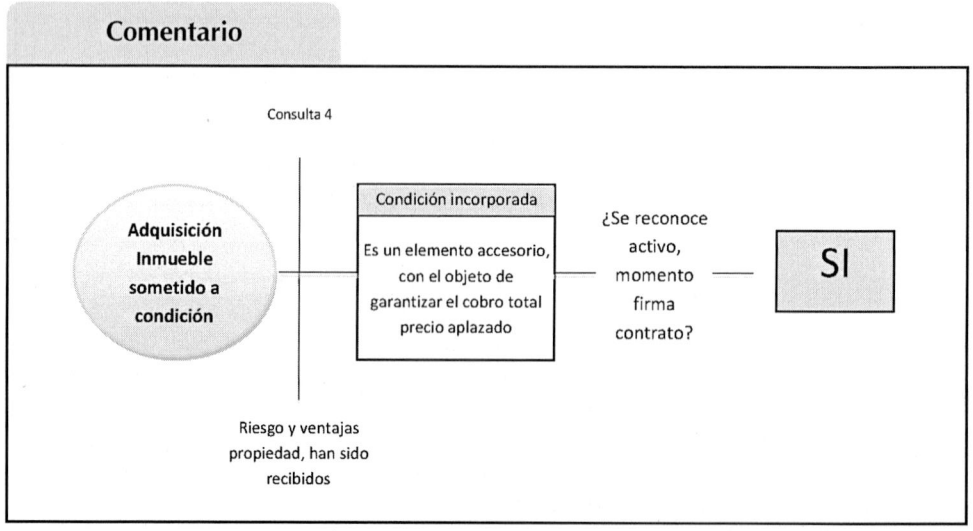

Consulta 4

Adquisición Inmueble sometido a condición

Condición incorporada

Es un elemento accesorio, con el objeto de garantizar el cobro total precio aplazado

¿Se reconoce activo, momento firma contrato?

SI

Riesgo y ventajas propiedad, han sido recibidos

Ejemplo

El 1/1/X0 la sociedad HUGO S.A., ha formalizado la venta de un inmueble destinado al alquiler de oficinas a la sociedad GONZALO S.A. Del acuerdo de compra-venta se desprenden las siguientes estipulaciones:

Mientras que la totalidad del pago aplazado no sea satisfecho, la parte compradora no podrá enajenar la finca sin consentimiento de la parte vendedora, siendo por tanto, el pago de la totalidad del precio aplazado, condición suspensiva de la transmisión.

La falta de pago de cualquiera de las sumas aplazadas, dejará sin efecto la transmisión, quedando todos los importes recibidos hasta la fecha, en poder de la parte vendedora a modo de indemnización por daños y perjuicios y por los derechos que la parte compradora haya podido disfrutar sobre la finca durante el tiempo que haya tenido la posesión de la misma.

A partir de la firma del acuerdo, todos los gastos e ingresos derivados de la posesión del inmueble son por cuenta de la parte compradora.

El precio pactado por el citado inmueble es de 1.000.000 €, pagando en este momento 500.000 € por bancos y el resto será satisfecho durante un periodo de cuatro años, mediante cuotas mensuales pospagables de la misma cuantía pagaderas a principios de mes a un tipo de interés anual del 6%.

Previamente a la operación la sociedad GONZALO S.A. encargo a la sociedad ÁNGEL S.A. un proyecto de viabilidad de la citada operación en la cual se concluía que la operación generaría ingresos suficientes para asumir todos los costes y recuperar la totalidad de la inversión en un periodo de diez.

La sociedad HUGO en su día recibió fianzas por el alquiler de las oficinas del citado inmueble por un importe de 25.000 € que serán reintegradas a los arrendatarios al final de los respectivos contratos que vencen todos ellos el 1/1/X10.

De los términos del contrato de compra-venta se desprende que la parte vendedora cede a favor de la compradora todos los derechos sobre las fianzas de los arrendamientos que recaen sobre el inmueble, por lo cual entrega en este momento los 25.000 € correspondientes a las fianzas recibidas en su día.

La sociedad GONZALO S.A. destinará el inmueble al arrendamiento de oficinas y locales comerciales.

Se estima una vida útil del inmueble de 32 años, representando el valor del suelo el 20% del total del precio.

La sociedad vendedora HUGO tiene registrado el inmueble y las fianzas recibidas por los siguientes importes en euros:

Inversiones en terrenos y bienes naturales (220). 260.000

Inversiones en construcciones (221). 640.000

Amortización acumulada de inversiones inmobiliarias (282). . . . . (80.000)

Fianzas recibidas a largo plazo (180). 13.959,87

Cobros anticipados a largo plazo (18x). 11.040,13

Tipo de interés incremental de las deudas en la sociedad GONZALO S.A.: 6,5%.

Se adjunta como ANEXO el cuadro del préstamo contraído con la sociedad HUGO S.A.

SE PIDE:

Registro de operaciones en las siguientes fechas y en la sociedades HUGO S.A. y GONZALO S.A.

a) 1/1/X0 en la celebración del contrato de compra-venta.

b) 1/2/X0 por el pago de la primera cuota mensual.

c) 31/12/X0 operaciones en relación con el préstamo obtenido de HUGO, reclasificaciones oportunas y amortización del inmueble.

<u>Anexo:</u> Cuadro de la operación financiera del préstamo:

Mes	Mensualidad	Cuota Interés	Capital amortizado	Capital Vivo
0				500.000,00 €
1	11.742,51 €	2.500,00 €	9.242,51 €	490.757,49 €
2	11.742,51 €	2.453,79 €	9.288,73 €	481.468,76 €
3	11.742,51 €	2.407,34 €	9.335,17 €	472.133,59 €
4	11.742,51 €	2.360,67 €	9.381,85 €	462.751,74 €
5	11.742,51 €	2.313,76 €	9.428,76 €	453.322,99 €
6	11.742,51 €	2.266,61 €	9.475,90 €	443.847,09 €
7	11.742,51 €	2.219,24 €	9.523,28 €	434.323,81 €
8	11.742,51 €	2.171,62 €	9.570,90 €	424.752,91 €
9	11.742,51 €	2.123,76 €	9.618,75 €	415.134,16 €
10	11.742,51 €	2.075,67 €	9.666,84 €	405.467,32 €

Mes	Mensualidad	Cuota Interés	Capital amortizado	Capital Vivo
11	11.742,51 €	2.027,34 €	9.715,18 €	395.752,14 €
12	11.742,51 €	1.978,76 €	9.763,75 €	385.988,39 €
13	11.742,51 €	1.929,94 €	9.812,57 €	376.175,81 €
14	11.742,51 €	1.880,88 €	9.861,64 €	366.314,18 €
15	11.742,51 €	1.831,57 €	9.910,94 €	356.403,23 €
16	11.742,51 €	1.782,02 €	9.960,50 €	346.442,74 €
17	11.742,51 €	1.732,21 €	10.010,30 €	336.432,43 €
18	11.742,51 €	1.682,16 €	10.060,35 €	326.372,08 €
19	11.742,51 €	1.631,86 €	10.110,65 €	316.261,43 €
20	11.742,51 €	1.581,31 €	10.161,21 €	306.100,22 €
21	11.742,51 €	1.530,50 €	10.212,01 €	295.888,21 €
22	11.742,51 €	1.479,44 €	10.263,07 €	285.625,13 €
23	11.742,51 €	1.428,13 €	10.314,39 €	275.310,75 €
24	11.742,51 €	1.376,55 €	10.365,96 €	264.944,78 €
25	11.742,51 €	1.324,72 €	10.417,79 €	254.526,99 €
26	11.742,51 €	1.272,63 €	10.469,88 €	244.057,11 €
27	11.742,51 €	1.220,29 €	10.522,23 €	233.534,89 €
28	11.742,51 €	1.167,67 €	10.574,84 €	222.960,05 €
29	11.742,51 €	1.114,80 €	10.627,71 €	212.332,33 €
30	11.742,51 €	1.061,66 €	10.680,85 €	201.651,48 €
31	11.742,51 €	1.008,26 €	10.734,26 €	190.917,22 €
32	11.742,51 €	954,59 €	10.787,93 €	180.129,29 €
33	11.742,51 €	900,65 €	10.841,87 €	169.287,42 €
34	11.742,51 €	846,44 €	10.896,08 €	158.391,35 €
35	11.742,51 €	791,96 €	10.950,56 €	147.440,79 €
36	11.742,51 €	737,20 €	11.005,31 €	136.435,48 €
37	11.742,51 €	682,18 €	11.060,34 €	125.375,14 €

Mes	Mensualidad	Cuota Interés	Capital amortizado	Capital Vivo
38	11.742,51 €	626,88 €	11.115,64 €	114.259,50 €
39	11.742,51 €	571,30 €	11.171,22 €	103.088,29 €
40	11.742,51 €	515,44 €	11.227,07 €	91.861,21 €
41	11.742,51 €	459,31 €	11.283,21 €	80.578,00 €
42	11.742,51 €	402,89 €	11.339,62 €	69.238,38 €
43	11.742,51 €	346,19 €	11.396,32 €	57.842,06 €
44	11.742,51 €	289,21 €	11.453,30 €	46.388,75 €
45	11.742,51 €	231,94 €	11.510,57 €	34.878,18 €
46	11.742,51 €	174,39 €	11.568,12 €	23.310,06 €
47	11.742,51 €	116,55 €	11.625,96 €	11.684,09 €
48	11.742,51 €	58,42 €	11.684,09 €	0,00 €

SOLUCIÓN:

De los contenidos de la Consulta nº 1 del BOICAC 99, se desprende lo siguiente:

Para considerar que se ha producido la enajenación/adquisición de un bien (también sería aplicable a un derecho), será necesario que de las condiciones económicas de la operación se desprenda que los riesgos y ventajas sustanciales inherentes a la propiedad del bien han sido efectivamente transmitidos/recibidos.

A partir de este razonamiento, el ICAC en la contestación a numerosas consultas consolidó la siguiente doctrina administrativa sobre la transferencia de activos vinculando la calificación de activo a dos requisitos constitutivos:

a) La idea de control, inherente al uso o aprovechamiento del elemento a lo largo de su vida económica, así como a la facultad de disposición.

b) La idea de recuperación, consustancial con la nota de proyección económica futura.

Ambas características integran el núcleo de los riesgos y ventajas del elemento patrimonial.

Desde una perspectiva estrictamente contable, la mera incorporación de una condición resolutoria/suspensiva en un contrato no debe llevar a negar la compra y el reconocimiento del activo objeto del negocio jurídico en balance de la empresa.

SOCIEDAD GONZALO:

a) Celebración del contrato de compra-venta (1/1/x0)

De las condiciones del contrato se deduce que han sido transferidos los riesgos y ventajas significativos asociados al mismo, sin perjuicio de que no se encuentre perfeccionada la transmisión jurídica, debiendo acudirse al fondo económico para otorgar el adecuado tratamiento contable a la operación. Es más, entrando en el fondo de la cuestión planteada, y considerando que la única posibilidad de que el vendedor recupere los derechos inherentes a la plena propiedad del inmueble es el incumplimiento de pago por parte del comprador, cabe concluir que el adquirente ha asumido de manera sustancial los riesgos y beneficios del inmueble, configurándose la condición incorporada al contrato, desde una perspectiva económica racional, como un elemento accesorio con el objetivo de garantizar el cobro total del precio aplazado.

En consecuencia con lo anterior registraremos el activo:

```
─────────────────────────────────  1/1/X0  ──────────────────────────

200.000   Inversiones en terrenos y
          bienes naturales (220)⁽*⁾

          (1.000.000 x 20%)


800.000   Inversiones en construccio-
          nes (221)⁽*⁾

          (1.000.000 x 80%)

                                    a    Bancos(572)                      500.000

                                         Proveedores de inmovili-
                                         zado corto plazo (523)⁽**⁾     114.011,61

                                         Proveedores de inmovili-
                                         zado largo plazo (173)⁽***⁾    385.988,39
```

(*) Son inversiones inmobiliarias las definidas en el Plan General de Contabilidad como activos no corrientes que sean inmuebles y que se posean para obtener rentas, plusvalías o ambas, en lugar de para:
a) Su uso en la producción o suministro de bienes o servicios distintos del alquiler, o bien para fines administrativos; o
b) Su venta en el curso ordinario de las operaciones de la empresa.
Los terrenos y edificios cuyos usos futuros no estén determinados en el momento de su incorporación al patrimonio de la empresa se calificarán como inversión inmobiliaria. [RICAC del inmovilizado material e inversiones inmobiliarias. Norma quinta]
Los pasivos financieros incluidos en la categoría de "Débitos y partidas a pagar", se valorarán inicialmente por su valor razonable, que, salvo evidencia en contrario, será el precio de la transacción, que equivaldrá

al valor razonable de la contraprestación recibida ajustado por los costes de transacción que les sean directamente atribuibles. [NRV 9ª. 3.1.1]

(**) Sumas de las cuotas de amortización 1-12 (inclusive): (ver cuadro financiero)

(***) Sumas de las restantes cuotas amortizativas (13-48)

Por el registro de fianzas depositadas por los arrendatarios y pagadas por HUGO a GONZALO.

―――――――――――――――――― 1/1/X0 ――――――――――――――――――

25.000 Bancos (572)		
	a Fianzas recibidas a largo plazo (180) (*)	13.318,15
	Cobros anticipados a largo plazo (18x)	11.681,85

Valor actual de la fianza (V.A.) = $25.000(1+0,065)^{-10}$ = 13.318,15

(*) En las fianzas entregadas o recibidas por arrendamientos operativos o por prestación de servicios, la diferencia entre su valor razonable y el importe desembolsado (debida, por ejemplo, a que la fianza es a largo plazo y no está remunerada) se considerará como un pago o cobro anticipado por el arrendamiento o prestación del servicio. [NRV 9ª.5.6]

b) 1/2/X0. Por el pago de la primera cuota mensual (Ver cuadro financiero)

―――――――――――――――――― 1/2/X0 ――――――――――――――――――

9.242,51 Proveedores de inmovilizado a corto plazo (523)		
2.500 Intereses de deudas (662)		
	a Bancos (572)	11.742,51

Los intereses devengados se contabilizarán en la cuenta de pérdidas y ganancias, aplicando el método del tipo de interés efectivo. [NRV 9ª. 3.1.2.]

c) 31/12/X0. Operaciones en relación con el préstamo obtenido de HUGO, reclasificaciones oportunas

Registro de los intereses devengados de la mensualidad nº 12 (ver cuadro financiero).

——————————————————————— 31/12/X0 ———————————————————————
1.978,76 Intereses de deudas (662)		
	a	Proveedores de inmovili- zado a corto plazo (523) 1.978,76

Reclasificación de las cuotas amortizativas (13 a 24), inclusive.

121.043,61 Proveedores de inmovi- lizado a largo plazo (1733) 31/12/X0		
	a	Proveedores de inmovilizado a corto plazo (523) 121.043,61

Por la periodificación de las fianzas recibidas:

——————————————————————— 31/12/X0 ———————————————————————
865,68 Intereses de deudas (662)		
	a	Fianzas recibidas a largo plazo (180)[(*)] [13.318,15 x 0,065] 865,68

[(*)] Según lo dispuesto en el PGC en su quinta parte y para la cuenta 180, Se abonará "a2) Por el gasto financiero devengado hasta alcanzar el valor de reembolso de la fianza, con cargo, general-mente, a la cuenta 662".

Al mismo tiempo por el ingreso por arrendamiento:

865,68 Cobros anticipados a largo plazo (18x) 31/12/X0		
	a	Ingreso por arrendamiento (752) 865,68

Por la amortización del inmueble:

——————————————————— 31/12/X0 ———————————————————

25.000 Amortización de inversiones inmobiliarias (682)

                                  a   Amortización acumulada de
inversiones inmobiliarias (282)

Cuota anual = (800.000/32)   25.000

SOCIEDAD HUGO (vendedora)

a) Celebración del contrato de compra-venta (1/1/X0)

En el caso de que los riesgos y ventajas aludidos se transmitan en el momento de la firma del contrato, la empresa vendedora deberá contabilizar la baja de inventario de los bienes objeto de compraventa con sus correcciones valorativas, procediendo a reconocer el correspondiente resultado.

En consecuencia con lo anterior daremos de baja el activo:

——————————————————— 1/1/X0 ———————————————————

500.000 Bancos (572)

114.071,61 Créditos a corto plazo por
enajenación del inmovili-
zado (543) (*)

385.988,39 Créditos a largo plazo por
enajenación del inmovili-
zado (253) (**)

80.000 Amortización acumulada
de inversiones inmobilia-
rias (282)

                                  a   Inversiones en terrenos y
bienes naturales (220)   260.000

Inversiones en construcciones (221)   640.000

Beneficios procedentes del
inmovilizado material (771)
(*)   180.000

(*) Valor contable. 820.000

Precio de adquisición: 900.000

(-) Amortización acumulada: (80.000)

Precio de venta. 1.000.000

BENEFICIO. 180.000

Los activos financieros incluidos en la categoría de "Préstamos y partidas a cobrar", se valorarán inicialmente por su valor razonable, que, salvo evidencia en contrario, será el precio de la transacción, que equivaldrá al valor razonable de la contraprestación recibida ajustado por los costes de transacción que les sean directamente atribuibles. [NRV 9ª. 2.1.1.]

(*) Sumas de las cuotas de amortización 1-12 (inclusive): (ver cuadro financiero)

(**) Sumas de las restantes cuotas amortizativas (13-48)

Por el registro de fianzas recibidas por los arrendatarios y pagadas a GONZALO.

		1/1/X0		
13.959,87	Fianzas recibidas a largo plazo (180)			
11.040,13	Cobros anticipados a largo plazo (18x)			
		a	Bancos (572)	25.000

b) 1/2/X0. Por el cobro de la primera cuota mensual (Ver cuadro financiero)

		1/2/X0		
11.742,51	Bancos (572)			
		a	Créditos a corto plazo por enajenación del inmovilizado (543)	9.242,51
			Ingresos de créditos (762)	2.500

c) 31/12/X0. Operaciones en relación con el préstamo concedido a GON-ZALO y, reclasificaciones oportunas

Registro de los intereses devengados de la mensualidad nº 12 (ver cuadro financiero)

——————————————————————— 31/12/X0 ———————————————————————

1.978,76 Intereses a corto plazo de créditos (546)	
	a Ingresos de créditos (762) 1.978,76

Reclasificación de las cuotas amortizativas (13 a 24), inclusive.

121.043,61 Créditos a corto plazo por enajenación del inmovili-zado (543) 31/12/X0	
	a Créditos a largo plazo por enajenación del inmovili-zado (253) 121.043,61

2.4.2.2.   Adquisición de un inmueble y una indemnización en efectivo, tras la resolución de un litigio

BOICAC 99, septiembre 2014. Consulta 7.

Sobre el tratamiento contable de la adquisición de un inmueble y una indemnización en efectivo tras la resolución de un litigio.

Respuesta

La entidad consultante es propietaria de una finca. Según el Plan Especial de Reforma Interior de la ciudad, la consultante tiene derecho a construir en el subsuelo del inmueble un aparcamiento de, al menos, dos plantas.

Otra sociedad, propietaria de una finca colindante, al construir en la misma plazas de garaje, invadió el terreno de la sociedad consultante. En la consulta se expone que según sentencia definitiva y firme se ha declarado el derecho de propiedad de la sociedad consultante sobre todo lo construido en el terreno de su propiedad. Como consecuencia, le fueron entregadas un determinado número de plazas de garaje y además obtuvo el derecho a ser indemnizada con una cantidad en efectivo por las plazas construidas en su terreno pero que ya habían sido transmitidas a terceros.

La consulta versa sobre el criterio a seguir en la incorporación de las plazas de garaje al patrimonio de la sociedad, sin contraprestación, y de la indemnización pendiente de cobro.

Para dar respuesta a las dudas planteadas es preciso diferenciar los dos supuestos que se describen en los antecedentes:

a) Plazas de garaje recibidas sin contraprestación

La Resolución de 1 de marzo de 2013, del Instituto de Contabilidad y Auditoría de Cuentas, por la que se dictan normas de registro y valoración del inmovilizado material y de las inversiones inmobiliarias, regula el criterio a seguir para contabilizar las adquisiciones a título gratuito en el apartado 1 de la Norma Tercera. *Formas especiales de adquisición del inmovilizado material:*

> "1. *El inmovilizado material adquirido sin contraprestación se reconocerá por su valor razonable, de acuerdo con lo previsto en la norma de registro y valoración sobre subvenciones, donaciones y legados recibidos del Plan General de Contabilidad".*

En concreto, la norma de registro y valoración 18ª. "Subvenciones, donaciones y legados recibidos" del Plan General de Contabilidad, aprobado por Real Decreto 1514/2007, de 16 de noviembre, establece que las subvenciones, donaciones y legados no reintegrables se contabilizaran inicialmente, con carácter general, como ingresos directamente imputados al patrimonio neto y se reconocerán en la cuenta de pérdidas y ganancias como ingresos sobre una base sistemática y racional de forma correlacionada con los gastos derivados de la subvención, donación o legado, de acuerdo con los criterios que se detallan en el apartado 1.3 de esa norma.

En particular, las plazas de garaje, el valor de la construcción, se contabilizarán por su valor razonable en la fecha de reconocimiento inicial.

b) Indemnización recibida

En este segundo caso, el terreno propiedad de la consultante ha salido de su patrimonio al haberse transmitido las plazas de garaje a terceros, habiéndose acordado en sentencia judicial firme el derecho de la empresa a recibir una indemnización por tal concepto.

Pues bien, para otorgar un adecuado tratamiento contable a estos hechos cabría traer a colación por analogía el criterio recogido en el apartado 2.2. *Baja por expropiación de la Norma Cuarta. Baja en cuentas* de la Resolución de 1 de marzo de 2013. A tal efecto, en la fecha de la resolución del litigio, la empresa deberá contabilizar la baja del terreno, reconocer el derecho de cobro y por diferencia contabilizar el resultado de la operación en la cuenta de pérdidas y ganancias.

Para identificar la parte del terreno que se da de baja, la empresa debería aplicar al valor en libros del terreno la proporción existente entre el valor razonable de la parte que haya sido transmitida a terceros y el valor razonable del terreno en su conjunto.

Comentario

Resolución litigio por invasión terreno

A

Recibe un inmueble

RICAC	Norma 18ª
I.Material	Valoración
Norma 3ª.1	PGC

22x. Inmueble
Valor razonable fecha reconocimiento

Recibe indemnización por invadir otra sociedad parte terreno (que ya ha transmitido a terceros)

RICAC
I.Material
Norma 3ª.1

En la fecha resolución litigio

Derecho indemnización(54x)
Resultado negativo(672)
a   (220) Inversión terrenos
(valor libros)
(772) Resultado positivo

Cálculo valor libros terreno ocupado

$$\text{Valor libros terreno x } \frac{\text{Valor razonable parte transmitida a terceros}}{\text{Valor razonable todo el terreno}}$$

Ejemplo

La sociedad COLOMBIA S.A. es propietaria de una finca; la citada tiene derecho a construir en el subsuelo del inmueble un aparcamiento de, al menos, dos plantas.

La sociedad LA CANARIA, es propietaria de una finca colindante, al construir en la misma plazas de garaje, invadió el terreno de la sociedad COLOMBIA. Según sentencia definitiva y firme se ha declarado el derecho de propiedad de la sociedad consultante sobre todo lo construido en el terreno de su propiedad. Como consecuencia, le fueron entregadas 20 plazas de garaje y además obtuvo el derecho a ser indemnizada con una cantidad en efectivo de 60.000 € que está pendiente de cobro por las plazas construidas en su terreno pero que ya habían sido transmitidas a terceros.

El valor razonable de las plazas de garaje recibidas ascendió a 380.000 €

La finca figura registrada por un importe de 140.000 €·· En la fecha de resolución del litigio, el valor razonable de la finca en su conjunto es de 300.000 €, siendo el valor razonable de la parte transmitida de 120.000 €.

SE PIDE:

Registro de los hechos relatados.

SOLUCIÓN:

Vamos a diferenciar los dos supuestos descritos:

* Plazas de garaje recibidas sin contraprestación

La Resolución de 1 de marzo de 2013, del Instituto de Contabilidad y Auditoría de Cuentas, por la que se dictan normas de registro y valoración del inmovilizado material y de las inversiones inmobiliarias, regula el criterio a seguir para contabilizar las adquisiciones a título gratuito en el apartado 1 de la Norma Tercera. Formas especiales de adquisición del inmovilizado material: "*1. El inmovilizado material adquirido sin contraprestación se reconocerá por su valor razonable, de acuerdo con lo previsto en la norma de registro y valoración sobre subvenciones, donaciones y legados recibidos del Plan General de Contabilidad*".

En concreto, la norma de registro y valoración 18ª. "Subvenciones, donaciones y legados recibidos" del Plan General de Contabilidad, aprobado por Real Decreto 1514/2007, de 16 de noviembre, establece que las subvenciones, donaciones y legados no reintegrables se contabilizaran inicialmente, con carácter general, como ingresos directamente imputados al patrimonio neto y se reconocerán en la cuenta de pérdidas y ganancias como ingresos sobre una base sistemática y racional de forma correlacionada con los gastos derivados de la subvención, donación o legado, de acuerdo con los criterios que se detallan en el apartado 1.3 de esa norma.

En particular, las plazas de garaje, el valor de la construcción, se contabilizarán por su valor razonable en la fecha de reconocimiento inicial. En consecuencia:

380.000	Inversiones inmobiliarias (221) (*)	
	a Otras subvenciones, donaciones y legados (132)	380.000

(*) Los terrenos y edificios cuyos usos futuros no estén determinados en el momento de su incorporación al patrimonio de la empresa se calificarán como inversión inmobiliaria. [Norma quinta. Apartado 2. RICAC del inmovilizado material e inversiones inmobiliarias]

Por el efecto impositivo:

114.000	Impuesto diferido (8301)	
	a Pasivo por diferencia temporaria imponible (479) (380.000 x 30%)	114.000

* Por la indemnización recibida:

Para identificar la parte del terreno que se da de baja, la empresa debería aplicar al valor en libros del terreno la proporción existente entre el valor razonable de la parte que haya sido transmitida a terceros y el valor razonable del terreno en su conjunto. [Consulta nº 7. BOICAC 99]

$$\frac{\text{Valor razonable parte transmitida a terceros}}{\text{Valor razonable todo el terreno}} = \frac{120.000}{300.000} x100 = 40\%$$

——————————————————— x ———————————————————

60.000   Créditos a corto plazo (542)

                                    a   Terrenos y bienes naturales (210)

                                          (40% 140.000)   56.000

                                          Beneficios procedentes del inmovilizado material (771)   4.000

El apartado 2.2. Baja por expropiación de la Norma Cuarta. [RICAC 1/3/13], establece: "(...) *en la fecha de la resolución del litigio, la empresa deberá contabilizar la baja del terreno, reconocer el derecho de cobro y por diferencia contabilizar el resultado de la operación en la cuenta de pérdidas y ganancias*".

2.5. ACTIVOS NO CORRIENTES MANTENIDOS PARA LA VENTA

2.5.1. Grupo enajenable

2.5.1.1.   Adquisición sociedad con el propósito exclusivo de su enajenación: consolidación

BOICAC 91, septiembre 2012. Consulta 7.

Sobre la consolidación de una sociedad adquirida por un grupo con el propósito exclusivo de su posterior enajenación.

> **Respuesta**

La consulta versa sobre el tratamiento en cuentas individuales y consolidadas (en la primera y posteriores consolidaciones) de la diferencia que pudiera existir entre el precio de adquisición y el valor razonable menos los costes de venta, en la adquisición del control de una sociedad que se hace con el exclusivo propósito de venderla posteriormente.

En primer lugar, se debe resaltar que la situación planteada en la consulta es poco habitual en la práctica, siendo el escenario más común que la adquisición se realice en el marco de una operación en la cual la sociedad que se quiere enajenar es una dependiente de la adquirida. En este caso más común, como consecuencia de la aplicación del método de adquisición establecido en la norma de registro y valoración (NRV) 19ª. "Combinaciones de negocio" del Plan General de Contabilidad (PGC) aprobado por el Real Decreto 1514/2007, de 16 de noviembre, en el posterior proceso de consolidación del grupo adquirido, las diferencias que pudieran existir entre el precio de adquisición de la sociedad y su valor razonable menos coste de venta figurará registrada como fondo de comercio.

No obstante, el tratamiento contable en cuentas individuales de la situación planteada en la consulta es el establecido en la NRV 7ª. "Activos no corrientes y grupos enajenables de elementos mantenidos para la venta", que señala:

> "Los activos no corrientes mantenidos para la venta *se valorarán en el momento de su clasificación en esta categoría, por el menor de los dos importes siguientes: su valor contable y su valor razonable menos costes de venta.*
>
> *Para la determinación del valor contable en el momento de la reclasificación, se determinará el deterioro del valor en ese momento y se registrará, si procede, una corrección valorativa por deterioro de ese activo".*

Del mismo modo, si la clasificación se produce en el mismo momento en que el activo se incorpora al patrimonio de la empresa la diferencia entre el importe entregado y el valor razonable menos los costes de venta se contabilizará como una pérdida por deterioro.

A efectos consolidados será de aplicación el artículo 14 de las Normas para la Formulación de las Cuentas Anuales Consolidadas (NFCAC), aprobadas por el Real Decreto 1159/2010, de 17 de septiembre, que señala:

> "4. Cuando el grupo adquiera una sociedad exclusivamente con el propósito de su posterior enajenación, clasificará dicha sociedad como mantenida para la venta, en la fecha de adquisición, sólo si se cumple el requisito del apartado I.b.3 de la NRV 7ª. Activos no corrientes y grupos enajenables de elementos, mantenidos para la venta, y sea altamente probable que cualquier otro requisito de los contenidos en el apartado I.b) de la citada norma, que no se cumplan a esa fecha, sean cumplidos dentro de un corto periodo tras la adquisición, que por lo general, no se extenderá más allá de los tres meses siguientes.
>
> En estas circunstancias, el activo no corriente o grupo enajenable adquirido se valorará por su valor razonable menos los costes de venta estimados".

Por tanto, al efectuar la consolidación de la dependiente, no se aplicará el método de integración global, sino el criterio de valoración que se ha expuesto.

En los supuestos excepcionales en que mediara una nueva consolidación, se aplicará ese mismo criterio valorativo con el límite del precio de adquisición. Si posteriormente la sociedad dominante ya no tiene la intención de vender la participación, es decir, la inversión adquirida deja de cumplir los criterios para mantener tal clasificación, será de aplicación por analogía lo dispuesto en el artículo 14.3 de las citadas normas.

Comentario

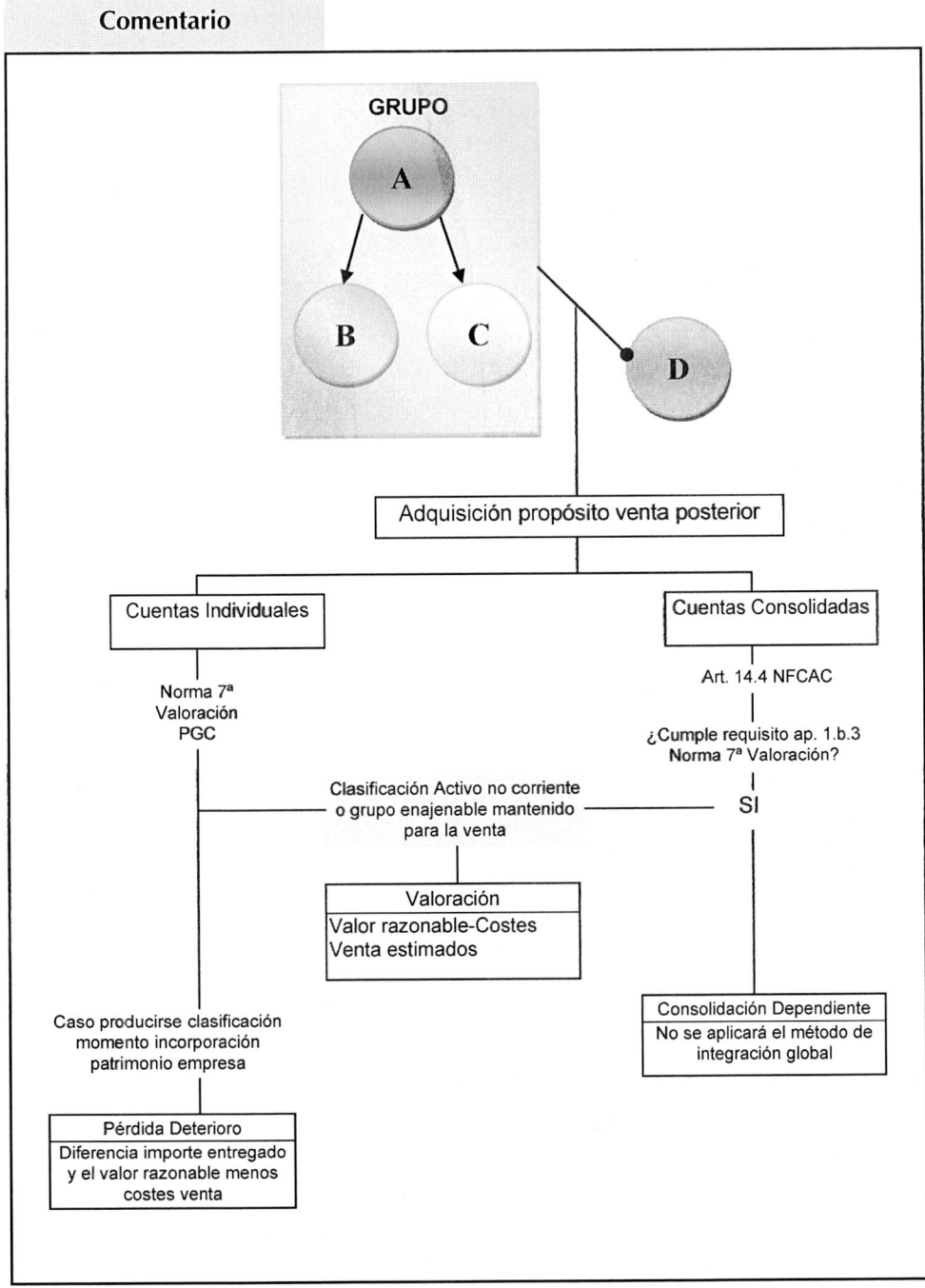

Ejemplo

La empresa MAR, adquiere la totalidad del patrimonio de RÍO, S.A. con el propósito exclusivo de su venta posterior. A fecha 1/12/X0, RÍO presenta el siguiente patrimonio a valores netos contables en unidades monetarias:

ACTIVO		PATRIMONIO NETO Y PASIVO	
(211) Construcciones	4.500	(100) Capital social	1.300
(217) Equipos informáticos	1.000	(11x) Reservas	200
(216) Mobiliario	500	(171) Deudas a l/p	2.500
(30x) Existencias	800	(40x) Deudas comerciales	3.500
(43x) Derechos de cobro	700		
TOTAL	7.500	*TOTAL*	7.500

Tras las negociaciones entre ambas partes, se ha llegado a los siguientes acuerdos:

1º.- Será necesaria una regulación de empleo en el total de la plantilla que se valora en 2.000.

2º.- El coste financiero de la deuda pendiente de RÍO y que asume MAR, se estima en 400.

3º.- El valor razonable de los activos adquiridos es: Construcciones, 7.000; Equipos informáticos, 700; Existencias, 300. El resto coincide con su valor contable.

4º.- MAR pagará en efectivo a los propietarios de RÍO 900 como valor definitivo de la compra.

SE PIDE:

A) Valorar el fondo de comercio generado en la operación.

B) Anotaciones contables derivadas de la operación, en las cuentas individuales de la sociedad adquirente MAR en el año X0.

C) La sociedad MAR como consecuencia del propósito de vender la sociedad adquirida RÍO procede a calificar dicha empresa como un grupo enajenable de elementos mantenidos para la venta al cumplir con lo establecido en la NRV 7ª del PGC. En el momento de la reclasificación el valor razonable menos los costes de venta del grupo enajenable se estiman en 1.200.

D) Llegado el cierre de ejerció 31/12/X0, la sociedad MAR que formula cuentas anuales consolidadas necesita saber en qué partidas y por qué importe figurará el grupo enajenable, sabiendo que a dicha fecha el valor razonable menos los costes de venta del grupo enajenable es de 1200.

SOLUCIÓN:

A) *Valoración del fondo de comercio*

De acuerdo con lo establecido en la NRV 19ª.1 de PGC, la operación relatada en el presente ejemplo es una combinación de negocios.

Las combinaciones de negocios, en función de la forma jurídica empleada, pueden originarse como consecuencia de:

> *"b) La adquisición de todos los elementos patrimoniales de una empresa o de una parte que constituya uno o más negocios"*.

Para valorara el Fondo de Comercio, seguiremos lo establecido en la Norma 19ª.2.5 de Valoración:

> *"El exceso en la fecha de adquisición, del coste de la combinación de negocios sobre el correspondiente valor de los activos identificables adquiridos menos el de los pasivos asumidos (...) se reconocerá como un fondo de comercio (...)"*.

En nuestro caso, compararemos:

• (A) **(Coste de la combinación de negocios. NRV 19ª.2.3)**. **3.300**

- Valor razonable de los activos entregados (Tesorería): 900

+ Valor razonable de los pasivos asumidos: 400

[Coste financiero de la deuda: 400]

+ Valor razonable de cualquier contraprestación contingente que dependa de eventos futuros: 2.000

[Regulación empleo de plantilla: 2.000]

• Diferencia entre (1 – 2) (B):. **3.200**

* Activos identificables adquiridos : 9.200 (1)

* Pasivos asumidos: 6.000 (2)

• **Diferencia (A - B)**. . . . .   **+ 100**

ACTIVOS ADQUIRIDOS

Elemento	Valor razonable
Construcciones	7.000
Equipos informáticos	700
Mobiliario	500
Existencias	300

Elemento	Valor razonable
Derechos cobro	700
TOTAL Activo	**9.200**

PASIVOS ASUMIDOS

Elemento	Valor razonable
Deudas a l/p	2.500
Deudas comerciales	3.500
TOTAL Pasivo	**6.000**

Fondo de comercio: al comparar (A), con (B), se obtiene una diferencia positiva, *"(...), el exceso se reconocerá como un fondo de comercio "*

B) Anotaciones contables derivadas de la operación en la sociedad adquirente MAR

• La adquirente MAR valorará los activos identificables adquiridos y los pasivos asumidos a sus valores razonables en la fecha de adquisición, siempre que dichos valores puedan determinarse con suficiente fiabilidad. [NRV 19ª. 2.4. b)].

			x		
7.000	Construcciones (211)				
700	Equipos informáticos (217)				
500	Mobiliario (216)				
300	Existencias (30x)				
700	Derechos de cobro (43x)				
100	Fondo de comercio (204)				
			a	Intereses c/p de deudas (527)	400
				Deudas a l/p (171)	2.500
				Deudas comerciales (40x)	3.500
				Provisión otras responsabilidades (14 2)	2.000
				Socios de la sociedad disuelta (5530)	900

En la 5ª parte del PGC y para la definición y movimiento de la cuenta 5530, nos comenta que es la *"cuenta corriente de la sociedad absorbente o la sociedad de nueva creación con los socios de la sociedad disuelta en una fusión (...)"*. Y ésta se abonará:

> *"(...) en el momento de la recepción del traspaso de los activos adquiridos y pasivos asumidos".*

• Por el pago a los accionistas de RÍO:

900	Socios de la sociedad disuelta (5530)	
	a Bancos (572)	900

C) Registro de la reclasificación de la sociedad adquirida como un grupo enajenable en venta

Se entiende por grupo enajenable de elementos mantenidos para la venta, el conjunto de activos y pasivos directamente asociados de los que se va a disponer de forma conjunta, como grupo, en una única transacción. Podrá formar parte de un grupo enajenable cualquier activo y pasivo asociado de la empresa, aun cuando no cumpla la definición de activo no corriente, siempre que se vayan a enajenar de forma conjunta.

Para su valoración se aplicarán las mismas reglas que lo establecido para los activos no corrientes en venta.

Los activos no corrientes mantenidos para la venta se valorarán en el momento de su clasificación en esta categoría, por el menor de los dos importes siguientes: su valor contable y su valor razonable menos los costes de venta.

Valor contable del grupo enajenable

(Activos - Pasivos, 9300 - 8400)................... 900

Valor razonable menos costes de venta............. 1.200

En consecuencia el grupo enajenable quedará valorado en 900.

Reclasificación de los activos no corrientes que forman parte del grupo de los elementos mantenidos para la venta:

8.300	Inmovilizado (580)		
	(7.000 + 700 + 500 + 100)		
	a	Construcciones (211)	7.000
		Equipos informáticos (217)	700
		Mobiliario (216)	500
		Fondo de comercio (204)	100

Reclasificación de los activos corrientes que forman parte del grupo de elementos mantenidos para la venta.

1.000	Existencias, deudores comerciales y otras cuentas a cobrar (583)		
	a	Existencias (30x)	300
		Derechos de cobro (43x)	700

Reclasificación de pasivos que forman parte del grupo de elementos mantenidos para la venta:

3.500	Deudas comerciales (40x)		
2.500	Deudas a l/p (171)		
400	Intereses c/p de deudas (527)		
	a	Acreedores comerciales y otras cuentas a pagar (588)	6.400

Reclasificación del resto de pasivos que forman parte del grupo de elementos mantenidos para la venta:

---

		x		

2.000	Provisión otras responsabilida-des (142)			
		a	Otros pasivos (589)	2.000

D) Determinación del importe y partidas en las que aparecerá el grupo enajenable de elementos en el balance consolidado de MAR

Como la sociedad adquirida RÍO cumple con lo establecido en la NRV 7ª.1.b, esta sociedad debe ser clasificada a efectos de grupo como un grupo enajenable de elementos mantenidos para la venta.

Por consiguiente su valoración debe ser el menor de los dos importes siguientes:

Valor contable.   900

Valor razonable menos costes de venta. 1.200

En consecuencia el importe y partidas del grupo enajenable en el Balance consolidado será por 900:

ACTIVO		PATRIMONIO NETO Y PASIVO	
B) I. Activos no corrientes mantenidos para la venta	9.300	C) I. Pasivos vinculados a activos no corrientes	8.400

Según lo dispuesto en la presente Consulta, a efectos consolidados será de aplicación el artículo 14 de las Normas para la Formulación de las Cuentas Anuales Consolidadas (NFCAC), aprobadas por el Real Decreto 1159/2010, de 17 de septiembre, que señala:

> "4. Cuando el grupo adquiera una sociedad exclusivamente con el propósito de su posterior enajenación, clasificará dicha sociedad como mantenida para la venta, en la fecha de adquisición, sólo si se cumple el requisito del apartado I.b.3 de la NRV 7ª. Activos no corrientes y grupos enajenables de elementos, mantenidos para la venta, y sea altamente probable que cualquier otro requisito de los contenidos en el apartado I.b) de la citada norma, que no se cumplan a esa fecha, sean cumplidos dentro de un corto periodo tras la adquisición, que por lo general, no se extenderá más allá de los tres meses siguientes.

> En estas circunstancias, el activo no corriente o grupo enajenable adquirido se valorará por su valor razonable menos los costes de venta estimados".

Por tanto, al efectuar la consolidación de la dependiente, no se aplicará el método de integración global, sino el criterio de valoración que se ha expuesto.

3. INSTRUMENTOS FINANCIEROS. VALORES NEGOCIABLES

3. INSTRUMENTOS FINANCIEROS. VALORES NEGOCIABLES

Sumario

3.1. PRECIO DE ADQUISICIÓN

3.1.1. Gastos operación

3.1.1.1. Registro honorarios asesores, caso combinación negocios

BOICAC 115, septiembre 2018. Consulta 3.

Sobre el tratamiento contable del importe pagado a los asesores de una empresa por la intermediación en la compra de la totalidad de las acciones de una sociedad.

Respuesta

Una sociedad adquiere en el ejercicio 2017 mediante compraventa la totalidad de las acciones de varias sociedades, que parecen cumplir la definición de negocio, y en las que previamente no mantenía ninguna participación. Según afirma el consultante, la sociedad adquirente ha incurrido en unos gastos de asesores (cláusulas de éxito de la operación, asesoría legal, estudios de mercado y *due diligence*, principalmente) directamente atribuidos a la indicada operación.

La consulta versa sobre si esos gastos deben contabilizarse como mayor valor de la inversión en empresas del grupo o si deben ser reconocidos como gastos del ejercicio en la cuenta de pérdidas y ganancias.

De la lectura de la norma de registro y valoración (NRV) 19ª. *Combinaciones de negocios* del Plan General de Contabilidad (PGC), aprobado por el Real Decreto 1514/2007, de 16 de noviembre, apartado 1. *Ámbito y normas de aplicación*, se infieren las siguientes conclusiones:

a. La adquisición de las acciones o participaciones en el capital de una empresa, incluyendo las recibidas en virtud de una aportación no dineraria en la constitución de una sociedad o posterior ampliación de capital, se califica como una combinación de negocios cuando la sociedad que ha emitido o creado las mencionadas acciones o participaciones cumple la definición de negocio.

b. Un negocio es un conjunto integrado de actividades y activos susceptibles de ser dirigidos y gestionados con el propósito de proporcionar un rendimiento, menores costes u otros beneficios económicos directamente a sus propietarios o partícipes y control es el poder de dirigir las políticas financieras y de explotación de un negocio con la finalidad de obtener beneficios económicos de sus actividades.

c. Cuando se realice una combinación de negocios por medio de la adquisición de las acciones o participaciones en el capital de una sociedad, la empresa inversora, en sus cuentas anuales individuales, valorará la inversión en el patrimonio de las empresas del grupo conforme a lo previsto para dichas empresas en el apartado 2.5 de la norma relativa a instrumentos financieros (NRV 9ª. Instrumentos financieros del PGC).

Por su parte, el apartado 2.5.1. Valoración inicial de la NRV 9ª. *Instrumentos financieros*, dispone que:

> "*Las inversiones en el patrimonio de empresas del grupo, multigrupo y asociadas se valorarán inicialmente al coste, que equivaldrá al valor razonable de la contraprestación entregada más los costes de transacción que les sean directamente atribuibles, debiéndose aplicar, en su caso, en relación con las empresas del grupo, el criterio incluido en el apartado 2 de la norma relativa a operaciones entre empresas del grupo y los criterios para determinar el coste de la combinación establecidos en la norma sobre combinaciones de negocios (...)*"

Y, en particular, en el apartado 2.3. Coste de la combinación de negocios de la NRV 19ª, en relación con la cuestión que nos ocupa, se dispone que:

> "*Los restantes honorarios abonados a asesores legales, u otros profesionales que intervengan en la operación se contabilizarán como un gasto en la cuenta de pérdidas y ganancias. En ningún caso se incluirán en el coste de la combinación los gastos generados internamente por estos conceptos, ni tampoco los incurridos por la entidad adquirida relacionados con la combinación.*"

Por lo tanto, como excepción a la regla general, cuando se adquiere el control de un negocio por medio de la adquisición de las acciones o participaciones de otra sociedad, los honorarios abonados a asesores legales, u otros profesionales que intervengan en la operación se contabilizarán como un gasto en la cuenta de pérdidas y ganancias.

Comentario

Adquisición títulos sociedades

100%

Negocio

Control

100%

EMPRESA INVERSORA

100%

Norma 19ª.1 y 2.3
Norma 9ª.2.5.1
Valoración PGC

Pago asesores por la operación

Registro Honorarios asesores

Se considerarán gasto y no mayor valor inversión

Ejemplo

La sociedad "ALFA S.A" ha acordado el 1/1/X1, la adquisición de la totalidad de las acciones de las sociedades "UNO" y "DOS". Para realizar la citada adquisición, ha contratado un grupo de asesores que aseguraren la viabilidad de las citadas empresas así como la realización de estudios de mercado, cláusulas de éxito de la operación y demás operaciones de naturaleza jurídico económica.

Los gastos facturados por dicho equipo de asesores, han ascendido 150.000€.

El precio pagado por la sociedad "UNO" ha sido de 200.000.000€ y por la sociedad "DOS" 250.000.000€

El valor razonable de los activos adquiridos menos los pasivos asumidos se corresponden con sus valores razonables, en el supuesto de que exista un fondo de comercio, este se amortizará en el plazo establecido en la legislación mercantil.

Sabemos que el tipo impositivo aplicado es del 25% y que a cierre de ejercicio, el patrimonio neto de la sociedad UNO, es de 180 millones de euros, en tanto que la de DOS es de 200 millones de euros.

Los balances de ambas sociedades en el momento de la compra son los siguientes (en millones de euros). Ambas sociedades constituyen un negocio:

"UNO S.A."

	ACTIVO	PATRIMONIO NETO Y PASIVO	
100	Inmovilizado	Capital Social (50.000 acciones de 1.000€)	50
200	Existencias	Reservas	100
20	Deudores	Deudas	200
30	Tesorería		
350	TOTAL ACTIVO	TOTAL PATRIMONIO NETO Y PASIVO	350

"DOS S.A."

	ACTIVO	PATRIMONIO NETO Y PASIVO	
280	Inmovilizado	Capital Social (100.000 acciones de 1.000€)	100
120	Existencias	Reservas	100
150	Deudores	Deudas	400

	ACTIVO	PATRIMONIO NETO Y PASIVO	
50	Tesorería		
600	TOTAL ACTIVO	TOTAL PATRIMONIO NETO Y PASIVO	600

SE PIDE: Contabilizar las operaciones relacionadas con la adquisición.

SOLUCIÓN:

• Por la compra del 100% de las acciones de las sociedades UNO y DOS, estaremos a lo establecido en el apartado 2.5.1 de la Norma 9ª Valoración del PGC, en la cual nos comenta que para la valoración inicial de las inversiones en el patrimonio de empresas de grupo, mutigrupo y asociadas, *"(...) se valorarán inicialmente al coste, que equivaldrá al valor razonable de la contraprestación entregada más los costes que les sean directamente atribuibles, debiéndose aplicar, en su caso, en relación con las empresas del grupo, el criterio incluido en el apartado 2 de la norma relativa a operaciones entre empresas del grupo y los criterios para determinar el coste de la combinación establecidos en la norma sobre combinaciones de negocio (...)"*. En nuestro caso:

— 1/1/X1 —

450.000.000	Participaciones a l/p en empresas del grupo (2403)	a	Bancos c/c (572)	
	(200.000.000 + 250.000.000)			450.000.000

Compararemos para ambas sociedades, este coste de la combinación de negocios, con los valores razonables de activos y pasivos, así:

Sociedad UNO:

* Coste de la combinación de negocios 200.000.000

* Valor razonable de los activos adquiridos menos los pasivos asumidos 150.000.000

FONDO DE COMERCIO 50.000.000

Según lo establecido en el apartado c) de la Norma 6ª de Valoración del PGC, el Fondo de comercio: *"Sólo podrá figurar en el activo cuando su valor se ponga de manifiesto en virtud de una adquisición onerosa, en el contexto de una com-*

binación de negocios. Su importe se determinará de acuerdo con lo indicado en la norma relativa a combinaciones de negocios [Norma 19ª Valoración PGC] (...)".

Así, en el apartado 2.5 de la Norma 19ª, comenta: "El exceso, en la fecha de adquisición, del coste de la combinación de negocios sobre el valor de los activos identificables adquiridos menos el de los pasivos asumidos (...) se reconocerá como un fondo de comercio (...)"

De igual manera, en el mimo apartado de la Norma 6ª de Valoración, nos indica que: "(...) El fondo de comercio se amortizará durante su vida útil (...) Se presumirá, salvo prueba en contrario, que la vida útil del fondo de comercio es de diez años y que su recuperación es lineal (...)". Con lo cual, y en nuestro caso:

$$\text{Depreciación anual} = \frac{50.000.000}{10 \text{ años}} = 5.000.000 \text{ €}$$

Sociedad DOS:

Continuando con el mismo razonamiento que la empresa anterior, obtendremos:

* Coste de la combinación de negocios 250.000.000

* Valor razonable de los activos adquiridos menos los pasivos asumidos 200.000.000

FONDO DE COMERCIO 50.000.000

Dicho fondo de comercio, al igual que ocurrió en "UNO", se amortizará de forma lineal y en un plazo de 10 años.

• Por los gastos de asesores:

	X	
150.000 Servicios de profesionales independientes (623)	a	Acreedores prestación de servicios (410) 150.000

De esta manera, en el apartado 2.3 de la Norma 19ª de Valoración sobre las combinaciones de negocios, nos comenta: "(...) Los restantes honorarios abonados a asesores legales, u otros profesionales que intervengan en la operación, se contabilizarán como un gasto en la cuenta de pérdidas y ganancias. En ningún caso se incluirán en el coste de la combinación los gastos generados internamente por estos conceptos, ni tampoco los incurridos por la entidad adquirida relacionados con la combinación (...)". Con lo cual, la Consulta 3, Boicac 115 indica que cuando se adquiere el control de un negocio, mediante la adquisición de los títulos de otra sociedad, los honorarios que se abonan a asesores legales u otros profesionales que intervengan en la operación, se contabilizarán como un gasto en la cuenta de pérdidas y ganancias.

• Operaciones de cierre de ejercicio, comprobaremos si nuestra participaciones están deterioradas, así:

<u>Sociedad UNO:</u>

En una valoración posterior (situándonos a finales de ejercicio), y según la Norma 9ª de Valoración PGC , apartado 2.5.2., las inversiones en empresas del grupo, multigrupo o asociadas se realizará por su coste menos, en su caso, el importe acumulado de las correcciones valorativas por deterioro. Por lo que comprobaremos si es necesario, realizar alguna corrección valorativa. De esta manera, compararemos (apartado 2.5.3. de la referida normativa):

Ø Valor en Libros . . . .   200.000.000 €

Ø Importe recuperable . . . .   <u>213.750.000 €</u>

Mayor:

* Valor razonable – costes de venta

* Valor actual de los flujos de efectivo futuros por los flujos derivados de la inversión.

Calculados bien:

• Estimación de los que se espera recibir procedentes del reparto dividendos realizado por la empresa participada y de su enajenación o baja en cuentas de la inversión en la misma

ó

• Estimación de su participación en los flujos que se espera sean generados por la participada, procedentes tanto de sus actividades ordinarias como de su enajenación o baja en cuentas

Salvo mejor evidencia del importe recuperable de las inversiones, se considerará el patrimonio neto de la entidad participada corregido en el importe de las plusvalías tácitas existentes en la fecha de la valoración.

Es decir:

% sobre Patrimonio Neto: 100% 180.000.000 . . . .   180.000.000

+Plusvalía tácita neta del efecto impositivo: 45.000.000x0,75 .   33.750.000

Fondo de comercio = 50.000.000

(-) A. A. fondo de comercio = (5.000.000)

Plusvalía tácita = 45.000.000

Total 213.750.000

Diferencia. . . . .   NO EXISTE DETERIORO

Igual razonamiento, haremos con la Sociedad DOS:

— Valor en Libros . . . .   250.000.000€

— Importe recuperable . . . .   233.750.000€

[Salvo mejor evidencia del importe recuperable de las inversiones, se considerará el patrimonio neto de la entidad participada corregido en el importe de las plusvalías tácitas existentes en la fecha de la valoración.]

Es decir:

% sobre Patrimonio Neto: 100% 200.000.000 . . . .   200.000.000€

+Plusvalía tácita neta del efecto impositivo: 33.750.000
45.000.000x0,75. . . . .

Fondo de comercio = 50.000.000

(-) A. A. fondo de comercio = (5.000.000)

Plusvalía tácita = 45.000.000

Total 233.750.000

Diferencia . . . .   16.250.000€

Las plusvalías a considerar, en la medida en que el objetivo es estimar el importe recuperable de la inversión, y cualquier otra plusvalía tácita existente en el momento en que se realiza la valoración, netas del efecto impositivo. [RICAC del deterioro de valor de los activos. Norma cuarta.3.4]

———————————————————— 31/12/X1 ————————————————————

16.250.000	Pérdidas por deterioro de participaciones en instrumentos de patrimonio neto a		a	Deterioro de valor de participaciones a l/p 16.250.000

largo plazo, empresas del grupo (6960)

en empresas del grupo (2933)

3.1.2. Instrumentos Financieros Derivados

3.1.2.1. Contrato "Equity Swap"

BOICAC 97, marzo 2014. Consulta 3.

Sobre el tratamiento contable de un contrato denominado por el consultante como «Equity Swap».

Respuesta

Los términos del «Equity Swap» (ES) que se describen en los antecedentes de la consulta parecen responder a un contrato de intercambio de flujos de efectivo, en cuya virtud, la sociedad A se obliga a pagar un interés (fijo o variable) y la contraparte (una entidad de crédito propietaria de las acciones de la sociedad B) se compromete a entregar el dividendo recibido por su inversión en la sociedad B.

Adicionalmente, en la fecha de ejercicio (vencimiento del contrato) las partes acuerdan intercambiar la diferencia entre el precio de ejercicio y el valor razonable de las acciones en ese momento (asumiendo la sociedad el riesgo de valor razonable de los títulos). Hasta un determinado ejercicio la liquidación se acuerda por diferencias (en efectivo) y a partir de esa fecha, previa novación del contrato, mediante la entrega física de las acciones.

La consulta versa sobre el adecuado tratamiento contable de esta operación en la sociedad A, antes y después de la novación del contrato, en cuya virtud la sociedad recibe los derechos de voto de las acciones y el ES pasa a liquidarse mediante la entrega de los instrumentos de patrimonio, salvo que la cotización descienda por debajo de un determinado importe.

En principio, los contratos de ES se califican desde un punto de vista contable como instrumentos financieros derivados, a la vista de la definición de derivado financiero incluida en la norma de registro y valoración (NRV) 9.ª «Instrumentos financieros» del Plan General de Contabilidad (PGC), aprobado por Real Decreto 1514/2007, de 16 de noviembre:

> *«1. Su valor cambia en respuesta a los cambios en variables tales como los tipos de interés, los precios de instrumentos financieros y materias primas cotizadas, los tipos de cambio, las calificaciones crediticias y los índi-*

ces sobre ellos y que en el caso de no ser variables financieras no han de ser específicas para una de las partes del contrato.

2. No requiere una inversión inicial o bien requiere una inversión inferior a la que requieren otro tipo de contratos en los que se podría esperar una respuesta similar ante cambios en las condiciones de mercado.

3. Se liquida en una fecha futura».

Cuando las empresas contratan este tipo de «productos» (con un elevado riesgo, si se pone en comparación el potencial resultado que puede originar la inversión inicial), el PGC extrema los requerimientos de transparencia de la información en beneficio de la relevancia y, en última instancia, del objetivo de imagen fiel. A tal efecto (y siempre que el derivado no sea un contrato de garantía financiera ni haya sido designado como instrumento de cobertura), se requiere valorar los derivados financieros por su valor razonable con cambios en la cuenta de pérdidas y ganancias, se prohíbe la reclasificación del instrumento a otras carteras (categorías contables con diferente tratamiento) y se solicita información en la memoria y en el informe de gestión sobre las principales características del instrumento y la política de gestión de riesgos financieros de la entidad, respectivamente.

En relación con el caso que nos ocupa, el aspecto relevante a considerar para concluir que la calificación y registro como un derivado financiero es correcta, es la forma de liquidar el contrato, que hasta la fecha de su novación podía ser en efectivo.

Por el contrario, cuando el ES se liquida en acciones (se reciben o se entregan) la calificación del contrato requiere un previo análisis, en su conjunto, del intercambio de flujos y de la operación principal (intercambio de acciones, presente o futuro), con el objetivo de concluir si el fondo económico del contrato sigue siendo un derivado «genuino» o auténtico derivado, o por el contrario el derivado financiero se configura como un medio para retener los riesgos de unas acciones previamente enajenadas (circunstancia que implicaría negar la baja), o con el propósito de asumir los riesgos y beneficios inherentes a la condición de propietario antes de adquirir la titularidad jurídica de los instrumentos de patrimonio (lo que traería consigo el reconocimiento de una adquisición de acciones con pago aplazado).

Pues bien, una vez modificado el contrato, en el supuesto de que la liquidación en acciones fuese probable, circunstancia que implica un análisis de la evolución del precio de la acción hasta la fecha de vencimiento, desde una perspectiva estrictamente contable cabría afirmar que se ha producido la adquisición de las acciones porque las condiciones económicas de la operación ponen de manifiesto que la sociedad asume, desde la novación del ES, los riesgos y ventajas sustanciales inherentes a la titularidad de esos instrumentos de patrimonio.

Sin embargo, en todo caso es preciso recordar que el tratamiento contable de las operaciones depende de la «verdadera» naturaleza que subyace en las mismas. Es decir, en el registro contable debe prevalecer el fondo de las operaciones sobre su instrumentación jurídica, de tal manera que las cuentas anuales reflejen la imagen fiel del patrimonio, la situación financiera y los resultados de la empresa. Por ello, como paso previo al registro contable, siempre es necesario realizar un análisis de la operación en su conjunto. Solo después del citado análisis, que requiere un detenido estudio de todos los antecedentes y circunstancias de la operación, será posible abordar el adecuado tratamiento contable de los hechos que se han descrito.

Comentario

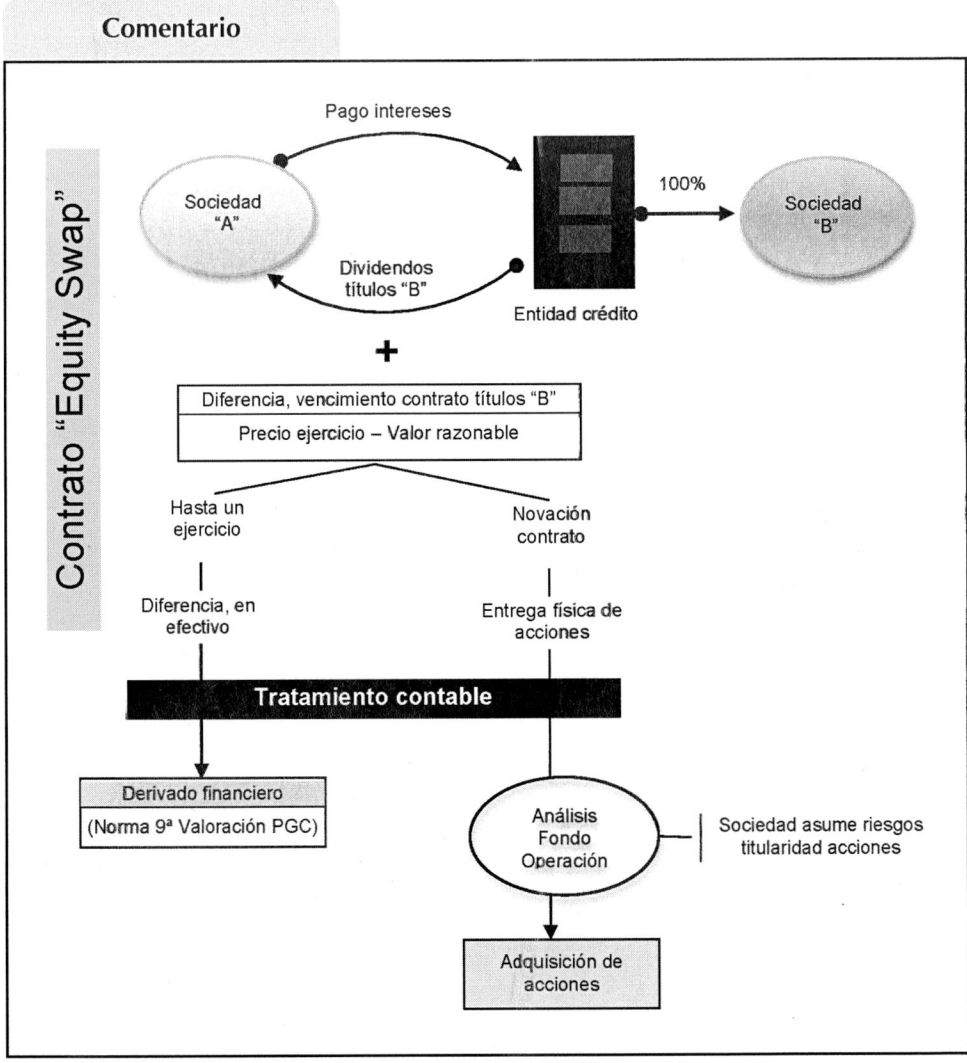

Ejemplo

La sociedad A.S.A. posee una cartera de valores formada por 100.000 acciones de la petrolera REPSOL.

La sociedad «A» estima que, ante la previsible bajada del crudo, se producirá una rentabilidad negativa en el corto plazo. Ante tal circunstancia, el 1/1/X14 firma un contrato con el banco Pastor por el cual se intercambian los rendimientos de la cartera (plusvalías más dividendos) por un interés variable LIBOR + 0,03, siendo el vencimiento del «equity-swap» de 6 meses con pago/cobro al vencimiento por diferencias. La cotización de las acciones en la fecha de la celebración del contrato es de 10€/acción.

El principal del contrato nocional se establece en el valor razonable de las acciones (1.000.000€). La finalidad de dicho contrato, es neutralizar el rendimiento de la cartera para convertirlo en un tipo de interés mitigando los posibles rendimientos negativos de la cartera, sin perder el derecho de voto, además de evitar costes de transacción (impuestos incluidos).

A la finalización del contrato referenciado, el LIBOR es del 5,97% anual, siendo el valor razonable de las acciones 9,80€/acción. Durante el período de duración del contrato, la empresa REPSOL procedió a realizar una ampliación de capital consistente en la emisión de acciones en la proporción de 1 acción nueva por cada 20 antiguas íntegramente liberadas.

Los dividendos percibidos durante el período del contrato han ascendido a 0,02€/acción.

Los gastos originados en la fecha de formalización del contrato ascendieron a 100€.

SE PIDE:

1.-Registro de las operaciones relatadas.

2.- Lo mismo que en el caso anterior pero en el supuesto de que el «Equity Swap» se liquida en acciones (se reciben o se entregan). Realizado un análisis del contrato por parte de la empresa, se concluye que el derivado financiero se configura como un medio para retener los riesgos de unas acciones previamente enajenadas. Las acciones de REPSOL, se encuentran calificadas en la cartera de «Activos financieros disponibles para la venta»

SOLUCIÓN:

1.- Registro de las operaciones relatadas

Un «Equity swap» es un contrato mediante el que dos partes (una empresa y un Banco) se intercambian los rendimientos de una cartera por unos tipos de interés. Si la empresa tiene una cartera de inversión, mediante un Equity swap puede vincular sus rendimientos de un determinado plazo a los tipos de interés.

A vencimiento de cada período, el cliente:

Recibe el tipo de interés estipulado (EURIBOR 6 meses, en nuestro caso) más un diferencial.

Paga el rendimiento de la cartera (plusvalías más dividendos).

El Equity swap liquida por diferencias. El efecto de las liquidaciones del Equity swap para la empresa, consiste en neutralizar el rendimiento de su cartera para convertirlo en un tipo de interés.

Por los gastos originados:

		1/01/X14		
100	Activos por derivados financieros a corto plazo cartera de negociación (5590)[1]			
		a	Bancos (572)	100

[1] Importe correspondiente a las operaciones con derivados financieros cuyo plazo de liquidación no sea superior a un año:
«(…)a) Se cargará: a1) Por las cantidades satisfechas en el momento de la contratación, con abono, generalmente, a cuentas del subgrupo 57. (…)»

Por la liquidación al vencimiento:

La empresa «A» recibe:

Intereses producidos,

Nominal del nocional: 1.000.000€ x (5,97 + 0,03) = 60.000€ anuales;

6 meses corresponden 30.000€

La empresa «A» paga:

Rendimiento de la cartera:

* Dividendos percibidos: 0,02€/acción x 100.000 acciones = 2.000€
* Revalorización de la cartera:

Valor inicial de la cartera: 100.000 acciones x 10€ = 1.000.000€

Valor final de la cartera: (100.000 + 5.000 acciones ampliación) x 9,80€/acción = 1.029.000€[1]

REVALORIZACIÓN. . . . .   29.000 €   (= 1.029.000-1.000.000)

DIVIDENDOS. . . . .   2.000 €

TOTAL. . . . .   31.000 €

Lo cual supondrá una pérdida de (31.000€-30.000€) = 1.000€ los cuales se incrementaran con los gastos producidos en la formalización del contrato. TOTAL = 1.100€

[1] En la ampliación de capital de 1N x20 A; nos corresponden 5.000 acciones

Registraremos, por la valoración desfavorable del derivado financiero:

	1/07/X14		
1.100	Pérdidas de cartera de negociación (6630)		
	a	Pasivos por derivados financieros a c/p cartera de negociación (5595)	1.000
		Activos por derivados financieros a c/p cartera de negociación (5590)	100

El derivado financiero habrá sido calificado en la cartera «Activos financieros mantenidos para negociar», siempre que no sea un contrato de garantía financiera ni haya sido designado como instrumento de cobertura. [NRV 9.ª.2.3]

El derivado financiero se valorará por su valor razonable con cambios en la cuenta de pérdidas y ganancias, se prohíbe la reclasificación del instrumento a otras carteras (categorías contables con diferente tratamiento.

Por el pago de la liquidación:

	1/07/X14		
1.000	Pasivos por derivados financieros a corto plazo cartera de negociación (5595)		
	a	Bancos (572)	1.000

2.- Mismo caso anterior, supuesto de que el «Equity Swap» se liquida en acciones (se reciben o se entregan)

En este caso, se trata de una cobertura de flujos de efectivo para su registro seguiremos lo establecido en la NRV 9.ª.6:

> «(...)cubre la exposición a la variación de los flujos de efectivo que se atribuya a un riesgo concreto asociado a activos o pasivos reconocidos o a una transacción prevista altamente probable, siempre que pueda afectar a la cuenta de pérdidas y ganancias».

Por los gastos originados:

		1/01/X14		
100	Activos por derivados financieros a corto plazo instrumentos de cobertura (5593)			
		a	Bancos (572)	100

Con respecto a las operaciones realizadas para el cálculo de la liquidación son iguales que en el apartado anterior:

En consecuencia deberemos entregar acciones por un importe de 1.000€ (diferencia entre los cobros y pagos generados del contrato), como el valor razonable de las acciones en fecha de ejercicio es de 9,80€/acción se le entregarán (1.000/9,80) = 102 acciones.

Por la valoración a valor razonable de las acciones a entregar:

(10€ - 9,80 €) x 102 acciones = 20,40 €

		1/07/X14		
20,40	Pérdidas en activos financieros disponibles para la venta (800)			
		a	Inversiones financieras a l/p en instrumentos de patrimonio (250)	20,40

Por el efecto impositivo:

———————————————— 1/07/X14 ————————————————

6,12   Activos por diferencia tem-
         poraria deducible (4740)

[20,40 x 30%]

                                    a   Impuesto diferido (8301)   6,12

Por la valoración del instrumento de cobertura:

———————————————— 1/07/X14 ————————————————

1.100   Pérdidas por coberturas de
          flujos de efectivo (810)

                                    a   Pasivos por derivados finan-
                                                cieros a c/p instrumentos de
                                                cobertura (5598)   1.000

                                                Activos por derivados finan-
                                                cieros a c/p instrumentos de
                                                cobertura (5593)   100

Por el efecto impositivo:

———————————————— 1/07/X14 ————————————————

330   Activos por diferencia tem-
        poraria deducible (4740)

[1.100 x 30%]

                                    a   Impuesto diferido (8301)   330

Por la entrega de las acciones para la liquidación:

――――――――――――――――――― 1/07/X14 ―――――――――――――

1.000 Pasivos por derivados
        financieros a c/p instru-
        mentos de cobertura
        (5598)

                        a   Inversiones financieras a l/p
                               en instrumentos de patrimo-
                               nio (250)

                               (102 acciones x9,80)   999,60

                               Bancos (572)   0,40

―――

Por la transferencia del resultado generado por las acciones:

――――――――――――――――――― 1/07/X14 ―――――――――――――

20,40 Pérdidas en disponibles
        para la venta (6632)

                        a   Transferencias de pérdidas en
                               disponibles para la venta
                               (902)   20,40

―――

Por la reversión del efecto impositivo:

――――――――――――――――――― 1/07/X14 ―――――――――――――

6,12 Impuesto diferido (8301)

                        a   Activos por diferencia tem-
                               poraria deducible (4740)

                               (20,40 x30%)   6,12

―――

Por la regularización de la cartera de disponibles para la venta:

————————————————— 31/12/X14 —————————————————

20,40	Transferencias de pérdidas en disponibles para la venta (902)	
	a Pérdidas en activos financieros disponibles para la venta (800)	20,40

Por la transferencia del resultado generado en la cobertura:

————————————————— 1/07/X14 —————————————————

1.100	Pérdida de instrumentos de cobertura (6633)	
	a Transferencia de pérdidas de coberturas de flujos de efectivo (912)	1.100

Por la reversión del efecto impositivo:

————————————————— 1/07/X14 —————————————————

330	Impuesto diferido	
	a Activos por diferencia temporaria deducible (4740)	
	(1.100 x 30%)	330

Por la regularización de la cobertura de flujos de efectivo:

————————————————— 31/12/X14 —————————————————

1.100	Transferencia de pérdidas de coberturas de flujos de efectivo (912)	
	a Pérdidas por coberturas de flujos de efectivo (810)	1.100

3.1.2.2.   "Swap" de inflación

BOICAC 97, marzo 2014. Consulta 8.

Sobre la posibilidad de calificar, a efectos contables, el «flujo operativo de caja» generado por un negocio como partida cubierta en una operación de cobertura realizada a través de un «swap de inflación»

Respuesta

La consultante es la sociedad concesionaria de un Hospital en virtud del contrato firmado con una Administración Pública (Comunidad Autónoma). El pliego de cláusulas administrativas particulares que desarrolla dicho contrato, con una vigencia de 30 años, establece, entre otras obligaciones, que la sociedad debería redactar el proyecto, construir y explotar el Hospital mediante la prestación de 12 servicios no asistenciales necesarios para su funcionamiento. Como contraprestación recibiría un canon, que se incrementaría en la misma proporción que experimente la menor de las siguientes inflaciones, la general o la de la Comunidad Autónoma en la que está radicado.

La sociedad elaboró un Plan Económico Financiero en el que entre otras hipótesis se estableció una inflación futura media del 2,7%, que sirvió como base para el estudio de la financiación del proyecto.

En la oferta presentada por la agrupación de empresas que acudió a la licitación el canon se fijó inicialmente en un determinado importe anual, que posteriormente se ha incrementado en dos ocasiones con motivo de la ejecución de trabajos adicionales sobre la infraestructura a solicitud de la Administración.

Para la prestación del servicio la sociedad subcontrata a terceros los 12 servicios a que le obliga el contrato con la Comunidad Autónoma, y además incurre en una serie de gastos generales como sueldos y salarios de la plantilla de la sociedad, seguros, gastos por avales, impuestos, etc. Estos gastos están en su mayor parte vinculados contractualmente a la evolución de la inflación. La diferencia con los ingresos procedentes del canon pagado por la Administración es el «flujo operativo de caja» que la sociedad pretende cubrir con la cobertura que se describe en el párrafo siguiente.

Para protegerse de los efectos adversos que como consecuencia de las variaciones en la inflación pudiera tener sobre el «flujo operativo de caja» de la compañía y por tanto su capacidad para atender sus obligaciones derivadas del contrato de préstamo firmado con una entidad de crédito para la construcción del Hospital, la sociedad contrató una permuta financiera denominada «Swap de Inflación». El nominal del contrato se estableció en un importe fijo, el vencimiento de la operación dentro de 20 años, y la inflación asegurada en el 2,7%, coincidiendo con la prevista en el Plan Económico Financiero presentada para la financiación del proyecto.

A la vista de esta descripción se pregunta si es posible calificar como partida cubierta por una permuta financiera «Swap de Inflación», el «flujo operativo de caja generado por el negocio» de la sociedad y reconocer la variación de valor del «Swap» directamente en el patrimonio neto.

Con fecha 1 de enero de 2008 entró en vigor el Plan General de Contabilidad (PGC), aprobado por el Real Decreto 1514/2007, de 16 de noviembre. Este plan contenía entre otras novedades el registro contable de los derivados financieros. Según la norma de registro y valoración (NRV) 9.ª «Instrumentos financieros» del PGC, las variaciones de valor de estos contratos deben reflejarse en la cuenta de pérdidas y ganancias, salvo que pudieran ser designados como instrumento de cobertura.

El reconocimiento de una cobertura contable implica que, cuando se cumplan determinados requisitos, los instrumentos de cobertura y las partidas cubiertas se registran aplicando unos criterios específicos que suponen una excepción a los criterios generales de contabilización de la partida cubierta (coberturas de valor razonable) o de los instrumentos de cobertura (cobertura de flujos de efectivo).

Es por ello que la NRV 9.ª del PGC, en su apartado 6, delimita el concepto de partida cubierta y establece un conjunto de requisitos que aseguren la disponibilidad de información suficiente y la alta eficacia de la cobertura. Solo así se garantiza y puede afirmarse, desde la perspectiva del objetivo de imagen fiel, que el riesgo que se pretende cubrir en la partida designada se compensa y se compensará efectivamente con la variación de signo contrario en el instrumento de cobertura.

No obstante, antes de entrar en el fondo de la cuestión que se plantea, y con la finalidad de identificar con claridad la partida cubierta («flujo operativo de caja generado por el negocio»), es preciso hacer un breve comentario general sobre el tratamiento contable que deben seguir en nuestro país las empresas concesionarias.

La Orden EHA/3362/2010, de 23 de diciembre, por la que se aprueban las normas de adaptación del Plan General de Contabilidad a las empresas concesionarias de infraestructuras públicas (NAECIP), regula el tratamiento contable a seguir para los denominados «acuerdos de concesión», definidos en la norma primera como: «aquel en cuya virtud la entidad concedente encomienda a una empresa concesionaria la construcción, incluida la mejora, y explotación, o solamente la explotación, de infraestructuras que están destinadas a la prestación de servicios públicos de naturaleza económica durante el período de tiempo previsto en el acuerdo, obteniendo a cambio el derecho a percibir una retribución».

A modo de síntesis y desde una perspectiva general, el tratamiento contable de estos acuerdos es el siguiente:

a) El canon de la Administración retribuye el servicio de construcción y el de explotación. Por lo tanto, como paso previo, la empresa debe identificar los flujos de efectivo asociados a cada servicio.

b) Los flujos de efectivo que retribuyen el servicio de explotación se contabilizarán como un ingreso en la cuenta de pérdidas y ganancias de acuerdo con el principio de devengo.

c) Los flujos de efectivo que retribuyen el servicio de construcción solo se contabilizarán como un ingreso, en su totalidad, si el acuerdo debe clasificarse en el denominado «modelo del activo intangible». Por el contrario, si el acuerdo cumple los requisitos para aplicar el «modelo del activo financiero», en el momento inicial, la empresa debe reconocer un derecho de cobro por un importe equivalente al valor razonable del servicio de construcción; con posterioridad, el activo financiero, con carácter general, seguirá el criterio del coste amortizado. En el supuesto de que en el contrato no se identificasen los flujos de caja que retribuyen cada servicio, lo que podría ser habitual, es necesario emplear juicio profesional para descomponer el acuerdo empleando como tasa de aproximación, por ejemplo, el tipo de interés incremental del Ente concedente.

d) Los criterios recogidos en las NAECIP son de aplicación a los ejercicios iniciados a partir del 1 de enero de 2011. Hasta esa fecha la infraestructura debía lucir como un inmovilizado material y el canon contabilizarse como un ingreso en la cuenta de pérdidas y ganancias. La Disposición transitoria única de la Orden establece las reglas de aplicación de las normas de adaptación en el primer ejercicio que se inicie a partir de la entrada en vigor de la Orden, al objeto de reclasificar el inmovilizado material como inmovilizado intangible o activo financiero.

En este contexto, entrando en el fondo de la cuestión que se pregunta, cabe realizar las siguientes observaciones.

1.- Según el apartado 6 de la NRV 9.ª:

> «Podrán tener la calificación de partidas cubiertas, los activos y pasivos reconocidos, los compromisos en firme no reconocidos, las transacciones previstas altamente probables y las inversiones netas en un negocio en el extranjero, que expongan a la empresa a riesgos específicamente identificados de variaciones en el valor razonable o en los flujos de efectivo. En ningún caso se podrá considerar partida cubierta una posición neta de activos y pasivos».

Aplicando por analogía el último inciso al caso sobre el que versa la consulta, en principio cabría concluir que tampoco es posible considerar como partida cubierta un importe neto, como el «flujo operativo de caja generado por el negocio».

No obstante, se puede conseguir casi el mismo efecto de la contabilización de la cobertura de una posición neta designando como partida cubierta parte de los elementos subyacentes.

2.- El cumplimiento de dichos requisitos depende de que la partida cubierta sea claramente identificable y se pueda medir con fiabilidad, especialmente si la partida cubierta corresponde a una porción de flujos de efectivo o algunos riesgos, pero no todos.

El Plan General de Contabilidad no reconoce expresamente la posibilidad de que los activos o pasivos puedan ser una partida cubierta con respecto a los riesgos que estén asociados únicamente con una porción de los flujos de efectivo o del valor razonable de estos, aunque tampoco lo prohíbe, como ocurre con las posiciones netas de activo y pasivo.

3.- En el caso objeto de consulta, si resultase de aplicación el «modelo del activo financiero», la cuestión a dilucidar debería reconducirse a analizar si el instrumento de cobertura «Swap de inflación» puede tener como partida cubierta una porción de los flujos del activo financiero que representa la concesión: la porción de inflación que se estima necesaria cubrir.

Necesariamente la partida cubierta así designada deberá ser claramente identificable y medible con fiabilidad. Para ello se requiere juicio profesional. No obstante, en el caso suscitado estas condiciones solo se cumplirán si la porción de inflación es una porción de flujos de efectivo especificada contractualmente y el resto de flujos de efectivo de la partida cubierta son independientes de la misma.

Solo así, a su vez, podrá evaluarse el cumplimiento de los requisitos de eficacia y probabilidad exigidos por la NRV 9.ª.

4.- En definitiva y como conclusión, considerando las incertidumbres que se podrían plantear en la operación descrita, tanto en relación con la identificación de los flujos de efectivo que retribuyen cada servicio que presta la empresa, como respecto a la identificación y medición fiable de la partida cubierta, salvo clara evidencia de lo contrario, este Instituto opina que la empresa debería contabilizar el «Swap de inflación» conforme a la regla general para los derivados establecida en la norma de registro y valoración 9.ª del PGC.

Comentario

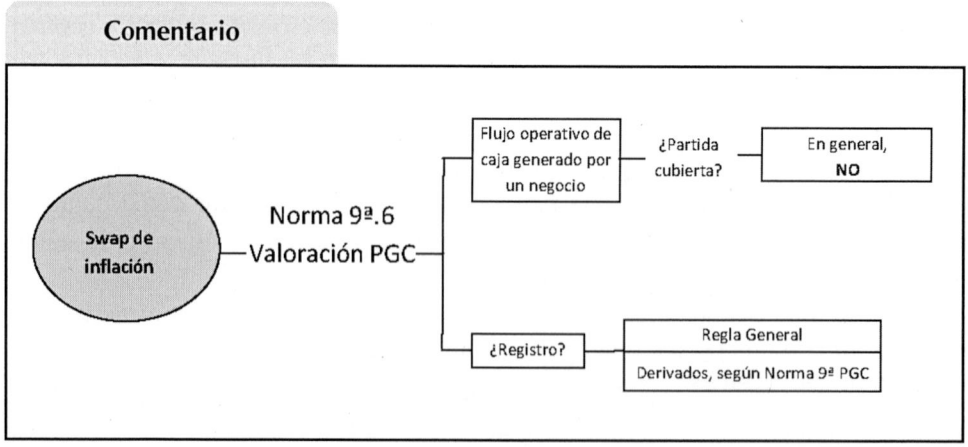

Ejemplo

La sociedad PIVISA es la concesionaria de un Hospital, en virtud del contrato firmado en su día con la XUNTA DE GALICIA.

El pliego de cláusulas administrativas particulares que desarrolla dicho contrato, con una vigencia de 30 años, establece, entre otras obligaciones, que la sociedad debería redactar el proyecto, construir y explotar el Hospital mediante la prestación de 12 servicios no asistenciales necesarios para su funcionamiento. Como contraprestación recibiría un canon, que se incrementaría en la misma proporción que experimente la menor de las siguientes inflaciones: la general, o la de la Comunidad Autónoma en la que está radicado.

Para la prestación del servicio, la sociedad subcontrata a terceros los 12 servicios a que le obliga el contrato con la Comunidad Autónoma, y además incurre en una serie de gastos generales: como sueldos y salarios de la plantilla de la sociedad, seguros, gastos por avales, impuestos, etc. Estos gastos están en su mayor parte vinculados contractualmente a la evolución de la inflación. La diferencia con los ingresos procedentes del canon pagado por la Administración es el «flujo operativo de caja».

Para protegerse de los efectos adversos que como consecuencia de las variaciones en la inflación pudiera tener sobre el «flujo operativo de caja» de la compañía, y por tanto su capacidad para atender sus obligaciones derivadas del contrato de préstamo firmado con una entidad de crédito para la construcción del Hospital, la sociedad contrata a inicios del ejercicio X15 con la entidad financiera BANDESCO una permuta financiera denominada «Swap de Inflación». El nominal del contrato, se estableció en un importe 1.000.000€; el vencimiento de la operación será dentro de 20 años, con liquidación anual a 1/1 y la inflación asegurada en el 2,7%. Los gastos originados en la formalización de dicho contrato ascendieron a 600€ pagados de contado.

A finales del año X15 se conoce que la inflación general ha sido del 2,6%, siendo la de la Comunidad Autónoma de Galicia el 2,5%.

SE PIDE:

1.- Si es posible calificar como partida cubierta por una permuta financiera «Swap de Inflación», el «flujo operativo de caja generado por el negocio» de la sociedad y reconocer la variación de valor del «Swap» directamente en el patrimonio neto.

2.- Registro de operaciones en el ejercicio X15.

SOLUCIÓN:

1.- Calificación operación

La Norma 9.ª del PGC, en su apartado 6, delimita el concepto de partida cubierta y establece un conjunto de requisitos que aseguren la disponibilidad de información suficiente y la alta eficacia de la cobertura. Solo así se garantiza y puede afirmarse, desde la perspectiva del objetivo de imagen fiel, que el riesgo que se pretende cubrir en la partida designada se compensa y se compensará efectivamente con la variación de signo contrario en el instrumento de cobertura.

> *«Podrán tener la calificación de partidas cubiertas, los activos y pasivos reconocidos, los compromisos en firme no reconocidos, las transacciones previstas altamente probables y las inversiones netas en un negocio en el extranjero, que expongan a la empresa a riesgos específicamente identificados de variaciones en el valor razonable o en los flujos de efectivo. En ningún caso se podrá considerar partida cubierta una posición neta de activos y pasivos».*

En consecuencia y considerando las incertidumbres que se podrían plantear en la operación descrita, tanto en relación con la identificación de los flujos de efectivo que retribuyen cada servicio (construcción y explotación) que presta la empresa, como respecto a la identificación y medición fiable de la partida cubierta, salvo clara evidencia de lo contrario, el ICAC opina que la empresa debería contabilizar el «Swap de inflación» conforme a la regla general para los derivados establecida en la norma de registro y valoración 9.ª del PGC. [Consulta 8 del BOICAC 96].

En resumen, como norma general, no podrá ser tratado como un instrumento de cobertura.

2.- Registro operaciones X15

Se trata de un instrumento financiero derivado que debe ser incluido en la cartera «Activos financieros para negociar» según dispone la NRV 9.ª 2.3.c): «(....) Sea un instrumento financiero derivado, siempre que no sea un contrato de garantía financiera ni haya sido designado como instrumento de cobertura (...)».

– Por los gastos originados en la formalización del contrato:

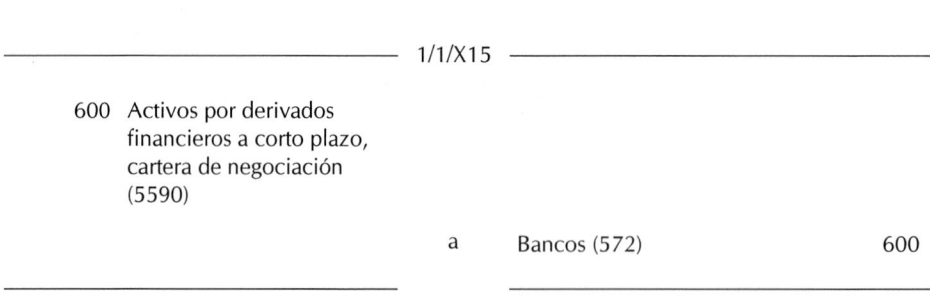

La cuenta 5590. Activos por derivados financieros a corto plazo, cartera de negociación Figurará en el activo corriente del balance, y su movimiento:

«a) Se cargará: a1) Por las cantidades satisfechas en el momento de la contratación, con abono, generalmente, a cuentas del subgrupo 57».

– Operaciones a cierre de ejercicio:

Flujo operativo con la inflación del 2,5% (menor de 2,6 y 2,5).

(1.000.000 x 2,5%) =. 25.000

Flujo operativo asegurado al 2,7%.(1.000.000 x 2,7%) =. 27.000

DIFERENCIA. 2.000

──────────────────────── 31/12/X15 ────────────────────────

2.000	Activos por derivados financieros a corto plazo, cartera de negociación (5590)[1]		
		a	Beneficios en cartera de negociación (7630) 2.000

---

[1] En base a la 5.ª parte del PGC, que nos comenta: «(...) a2) Por las ganancias que se generen en el ejercicio, con abono a la cuenta 7630».

Los activos financieros mantenidos para negociar se valorarán por su valor razonable, sin deducir los costes de transacción en que se pudiera incurrir en su enajenación. Los cambios que se produzcan en el valor razonable se imputarán en la cuenta de pérdidas y ganancias del ejercicio. [NRV 9.ª.2.3.2.]

3.1.3.   Pasivos Financieros. Valoración Inicial

3.1.3.1.   Préstamos participativos

BOICAC 78, agosto 2009. Consulta 1.

Sobre la contabilización de los préstamos participativos conforme a la norma de registro y valoración (NRV) 9.ª «Instrumentos financieros» del Plan General de Contabilidad (PGC 2007), aprobado por Real Decreto 1514/2007, de 16 de noviembre. En particular, se plantean las siguientes cuestiones.

Cuestión 1.ª: Si en los préstamos participativos en los que el pago de intereses está referenciado a la evolución de la actividad de la empresa prestataria (en función de magnitudes tales como la cifra de ventas, beneficios, EBITDA, ratios de fondos

543

propios, etc.), existe atendiendo a la definición de derivado financiero, un derivado implícito.

Cuestión 2.ª. En el caso de que se considere que los préstamos participativos no tienen un derivado financiero, se pregunta cómo han de ser clasificados y valorados los préstamos participativos por la empresa prestamista y prestataria.

Respuesta

El art. 20 del Real Decreto Ley 7/1996, de 7 de junio, sobre Medidas urgentes de carácter Fiscal y de Fomento y Liberalización de la Actividad Económica, establece en su apartado Uno que se considerarán préstamos participativos aquéllos que tengan, entre otras, las siguientes características:

«a) La entidad prestamista perciba un interés variable que se determinará en función de la evolución de la actividad de la empresa prestataria. El criterio para determinar dicha evolución podrá ser: el beneficio neto, el volumen de negocio, el patrimonio total o cualquier otro que libremente acuerden las partes contratantes. Además, podrán acordar un interés fijo con independencia de la evolución de la actividad».

En relación con la primera de las cuestiones planteadas, este Instituto considera que magnitudes tales como la cifra de ventas o beneficio del prestatario, constituyen, a estos efectos, variables no financieras de una de las partes del contrato y que, por lo tanto, no conllevan la existencia de un derivado financiero según se definen en la NRV 9.ª del PGC 2007.

«Un derivado financiero es un instrumento financiero que cumple las características siguientes:

1. Su valor cambia en respuesta a los cambios en variables tales como los tipos de interés, los precios de instrumentos financieros y materias primas cotizadas, los tipos de cambio, las calificaciones crediticias y los índices sobre ellos y que en <u>*el caso de no ser variables financieras no han de ser específicas para una de las partes del contrato.*</u>

2. (...)».

Respecto a la segunda cuestión cabe señalar que los préstamos participativos se clasificarán en alguna de las categorías a las que se refiere la NRV 9.ª del PGC 2007.

De acuerdo con los criterios previstos en la citada norma, con carácter general, la parte prestamista los clasificará como «préstamos y partidas a cobrar» y para la parte prestataria normalmente han de ser clasificados como «débitos y partidas a pagar».

El criterio de registro y valoración será el que corresponda a cada una de las citadas categorías. Por tanto, en la medida en que con carácter general procede clasificar los préstamos participativos como préstamos y partidas a cobrar (o como débitos y partidas a pagar), con posterioridad al reconocimiento inicial se valorarán al coste amortizado siempre que a la vista de las condiciones contractuales puedan realizarse estimaciones fiables de los flujos de efectivo del instrumento financiero.

Sin embargo, en aquellos contratos en que los intereses tengan carácter contingente, bien porque se pacte un tipo de interés fijo o variable condicionado al cumplimiento de un hito en la empresa prestataria, por ejemplo, la obtención de beneficios, o bien porque se calculen exclusivamente por referencia a la evolución de la actividad de la citada empresa, el fondo económico de la operación resulta similar al de los contratos de cuentas en participación.

En estos casos, el prestamista valorará el préstamo al coste, incrementado por los resultados que deba atribuirse y menos, en su caso, el importe acumulado de las correcciones valorativas por deterioro.

Por su parte el prestatario valorará el débito al coste, incrementado por los intereses que deba abonar al prestamista de acuerdo con las condiciones contractuales pactadas.

En este supuesto, los costes de transacción se imputarán a la cuenta de pérdidas y ganancias, de forma lineal a lo largo de la vida del préstamo participativo.

Sin perjuicio de todo lo anterior, si de las condiciones de la operación se desprendiera que hay una subvención o donación inherente en los términos del acuerdo, ésta deberá contabilizarse de conformidad con lo dispuesto en la norma de registro y valoración 18.ª del Plan General de Contabilidad.

Comentario

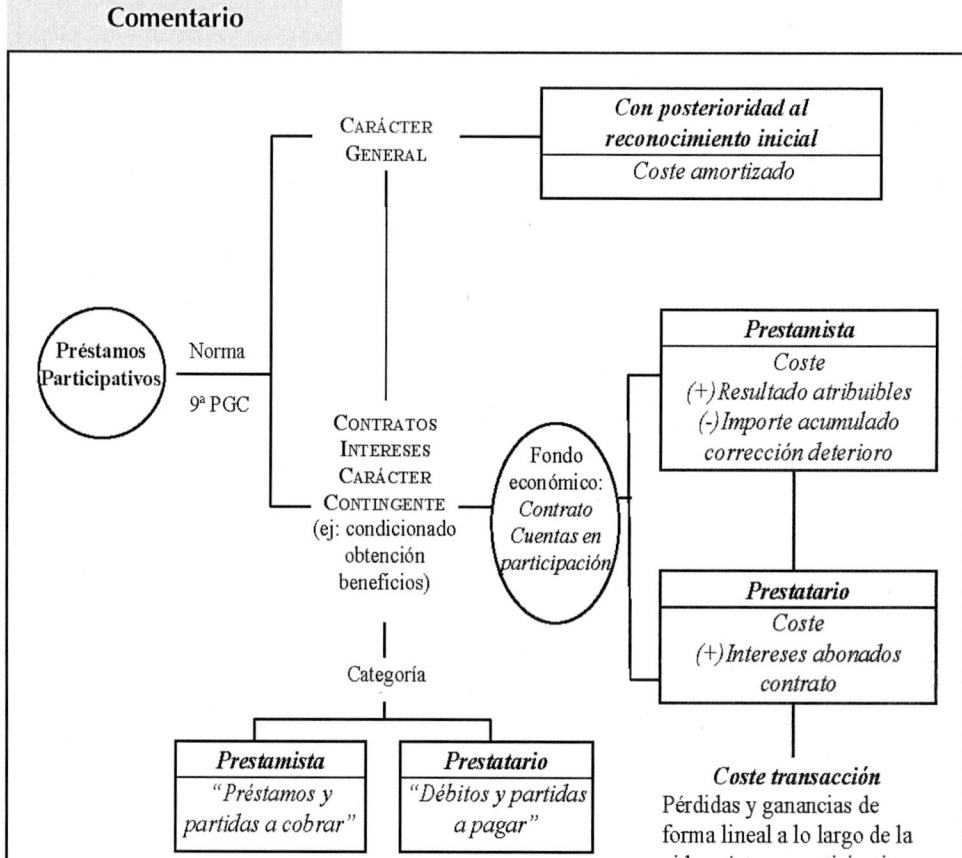

Ejemplo

VIGO S.A., que tiene un capital de 300.000.000€, desembolsado en un 75%, obtiene de la sociedad CANGAS el 1 de enero del X9 un préstamo participativo de 10.000.000 de€ a un tipo de interés fijo del 1% pagadero por años vencidos cada 31 de diciembre; también será retribuido adicionalmente en función de la evolución de la actividad de la empresa, en concreto participará en un 6% de los beneficios netos a pagar cuando se distribuya el resultado. Los costes de transacción han ascendido 5.000€ que la sociedad CANGAS ha descontado al ingresar el importe neto en la cuenta corriente de VIGO. La amortización se llevará a efecto al cabo de 10 años con reembolso único del principal recibido. Otros datos:

– Los fundadores tienen reconocido las máximas ventajas que permite la Ley de Sociedades Anónimas.

– Los estatutos de la sociedad establecen una participación de los administradores en los beneficios del 10%; así como una dotación a reservas estatutarias del 10%

– El convenio colectivo en vigor, ha reconocido a los trabajadores, una participación en los beneficios del 5%.

En el Balance a 31/12/X9 aparecen, entre otras, las siguientes cuentas:

Capital Social.	300.000.000
Socios por desembolsos no exigidos.	75.000.000
Dividendo activo a cuenta.	7.500.000
Reserva Legal.	15.000.000

El Beneficio antes de impuestos y de la retribución de fundadores, trabajadores, administradores y préstamo participativo, asciende a 90.000.000€.

SE PIDE:

– Contabilización del préstamo participativo durante los años X9 y X10 en las dos sociedades.

– Registro de la aplicación del resultado del X9, sabiendo que la Junta General de Accionistas aprobó repartir un dividendo del 12%, llevando los beneficios no destinados a otras aplicaciones legales o estatutarias a reservas libres

SOLUCIÓN:

Sociedad «VIGO»

– Por la concesión del préstamo:

———————————————— 1/1/X9 ————————————————

9.995.000	Bancos c/c (572)		
	[10.000.000 – 5.000]		
		a	Acreedores por operaciones en común. Préstamo participativo (419x)
			9.995.000

De acuerdo con lo establecido en la Norma de valoración 9.ª y en el contenido de la presente Consulta, el préstamo participativo recibido, se clasificará en la cartera de «Débitos y partidas a pagar» que se valorarán inicialmente por su valor razonable, que, salvo evidencia en contrario, será el precio de la transacción, que equivaldrá al valor razonable de la contraprestación recibida ajustado por los costes de transacción que les sean directamente atribuibles.

– En una valoración posterior, y debido a las características peculiares de esta operación la presente Consulta nos comenta:

«(…) *en la medida en que con carácter general procede clasificar los préstamos participativos como préstamos y partidas a cobrar (o como débitos y partidas a pagar), con posterioridad al reconocimiento inicial se valorarán al coste amortizado siempre que a la vista de las condiciones contractuales puedan realizarse estimaciones fiables de los flujos de efectivo del instrumento financiero.*

Sin embargo, en aquellos contratos en que los intereses tengan carácter contingente, bien porque se pacte un tipo de interés fijo o variable condicionado al cumplimiento de un hito en la empresa prestataria, por ejemplo, la obtención de beneficios, o bien porque se calculen exclusivamente por referencia a la evolución de la actividad de la citada empresa, el fondo económico de la operación resulta similar al de los contratos de cuentas en participación (…)».

Así, en estos casos (nos dice la mencionada Consulta) el prestatario valorará el débito al coste, incrementado por los intereses que deba abonar al prestamista de acuerdo con las condiciones contractuales pactadas. Por tanto, anotaremos:

	31/12/X9		
100.000	Intereses de deudas (662)		
	[1% 10.000.000]		
		a	Acreedores por operaciones en común .Préstamo participativo (419x) 100.000

Y por el pago:

	31/12/X9		
100.000	Acreedores por operaciones en común Préstamo participativo (419x)		
		a	Bancos c/c (572) 100.000

Y siguiendo este caso, nos dice que los costes de transacción (que ascienden a 5.000€) se imputarán a la cuenta de pérdidas y ganancias, de forma lineal a lo largo de la vida del préstamo participativo:

―――――――――――――――――― 31/12/X9 ――――――――――――――――――

500   Intereses de deudas (662)

      [5.000/2010]

                              a   Acreedores por operaciones
                                     en común. Préstamo partici-
                                     pativo (419x)   500

― Registro de gastos de cálculo implícito y del impuesto corriente a finales del X9.

Hemos de determinar en primer lugar el beneficio repartible, liquido ó neto; teniendo en cuenta para ello una serie de gastos ó retribuciones, denominados implícitos, por calcularse sobre la magnitud del beneficio neto, que resulta desconocida.

Así expresamos la fórmula de cálculo del beneficio neto, como:

BENEFICIO NETO = RESULTADO CONTABLE - GASTOS CÁLCULO IMPLÍCITO - IMPUESTO SOCIEDADES

Siendo:

Gastos cálculo implícito = Participación fundadores + Participación administradores + Participación plantilla + Participación Préstamos Participativos.

Impuestos = 30% (Resultado Contable - Gastos Implícitos ± Diferencias Permanentes) - Deducciones

Determinación de los distintos Gastos de cálculo implícito:

* PARTICIPACIÓN FUNDADORES:

Según el art 11 TRLSA: «Los fundadores y los promotores de la sociedad podrán reservarse derechos especiales de contenido económico, cuyo valor en conjunto, cualquiera que sea su naturaleza, no podrá exceder del diez por ciento de los beneficios netos obtenidos según balance, una vez deducida la cuota destinada a la reserva legal y por un período máximo de diez años. Los estatutos habrán de prever un sistema de liquidación para los supuestos de extinción anticipada de estos derechos especiales».

Luego:

$$\text{Participación Fundadores} = 10\% \times \left(\text{B° NETO} - \underbrace{10\% \times \text{B° NETO}}_{\text{Reserva Legal(*)}} \right) = 0,09 \text{ B.°NETO}$$

(*) Reserva Legal: Art. 274 LSC, «*En todo caso, una cifra igual al diez por ciento del beneficio del ejercicio, se destinará a la reserva legal (...)*»

* PARTICIPACIÓN ADMINISTRADORES:

Según los Estatutos de la Sociedad «A», tienen una participación en los beneficios del 10%, así:

$$\text{Participación Administradores} = 10\% \times \text{B.°NETO}$$

* PARTICIPACIÓN PLANTILLA:

El convenio colectivo, reconoció a los trabajadores una participación del 5%, así:

$$\text{Participación Plantilla} = 5\% \text{ B.° NETO}$$

* PARTICIPACIÓN PRÉSTAMO PARTICIPATIVO.

Se cuantifica como: Participación Préstamo Participativo = 6% B.° NETO.

Luego, **Total de Gastos de cálculo implícito** = 0,09 B.° NETO + 0,10 B.° NETO + 0,05 B.° NETO + 0,06 B.° NETO = **0,3 B.° NETO**

Retomando la fórmula de Cálculo del Beneficio Neto, tenemos:

BENEFICIO NETO = RESULTADO CONTABLE - GASTOS CÁLCULO IMPLÍCITO – I.S.

B.° NETO = R.C - 0,3 B.° NETO - 30% [R.C - 0,3 B.° NETO + 0,09 B.° NETO [1]]

En la solución hemos considerado la retribución con el hecho de ser socios, con lo cual estaremos en presencia de una diferencia permanente positiva de 0,09 B.° NETO.

---

[1] La retribución de los fundadores, será un gasto fiscalmente deducible, cuando se retribuye la realización de algún servicio personal, pero no será deducible cuando la participación en beneficios, corresponda únicamente al hecho de ser socios fundadores o promotores.

B.º NETO = R.C - 0,3 B.º NETO - 0,30 R.C +0,063 B.º NETO

B.º NETO + 0,3 B.º NETO - 0,063 B.º NETO = R.C - 0,30 R.C.

1,237 B.º NETO = 0,70 R.C B.º NETO $= \dfrac{0,70 \times 90.000.000}{1,237} = 50.929.669$

Una vez que hemos determinado el Beneficio Neto, registraremos contable-mente estos gastos implícitos devengados, así:

—————————————————————— 31/12/X9 ——————————————————————

4.583.670	Gastos de fundadores (62x) [50.929.669 x 0,09]	
5.092.967	Gastos de administra-dores (64x) [50.929.669 x 0,10]	
2.546.483	Sueldos y salarios (640) [50.929.669 x 0,05]	
3.055.780	Intereses de deudas (662) [50.929.669 x 0,06]	
	a Remuneraciones pen-dientes de pago (465) [5.092.967 + 2.546.483]	7.639.450
	Acreedores prestación de servicios (410)	4.583.670
	Acreedores por operacio-nes en común. Préstamo participativo (419x)	3.055.780

– Por la regularización de los gastos de cálculo implícito.

—————————————————— 31/12/X9 ——————————————————

15.278.900	Resultado del ejercicio (129)	
	a	Gastos de fundadores (62x) 4.583.670
		Gastos de administradores (64x) 5.092.967
		Sueldos y salarios (640) 2.546.483
		Intereses de deudas (662) 3.055.780

– Por el registro del gasto corriente del impuesto sociedades

—————————————————— 31/12/X9 ——————————————————

23.791.431	Impuesto corriente (6300)	
	90 Mill -(15.278.900)	
	-4.583.670	
	a	HP acreedor IS (4752) 23.791.431

– Por la regularización del impuesto corriente:

—————————————————— 31/12/X9 ——————————————————

23.791.431	Resultado del ejercicio (129)	
	a	Impuesto corriente (6300) 23.791.431

– Propuesta de aplicación del resultado: (AÑO X10)

―――――――――――――――――――― X ――――――――――――――――――――

50.929.669　Resultado del ejercicio (129)

a　Reserva legal (112)	
[10% 50.929.669]	5.092.967
Reserva estatutaria (1141)	
[10% 50.929.669]	5.092.967
Dividendo activo a cuenta (557)	7.500.000
Dividendo activo a pagar (525)	
[12% de 300M -(75M)] -7.500.000[1]	19.500.000
Reservas Voluntarias (113)	13.743.735

[1] Art 275 LSC: «La distribución de dividendos a los accionistas ordinarios se realizará en proporción al capital que hayan desembolsado (...)».

– Registro de los intereses explícitos devengados del préstamo participativo y posterior pago:

―――――――――――――――――― 31/12/X10 ――――――――――――――――――

100.000　Intereses de deudas (662)

　　　　　[10.000.000 x 1%]

a　　Acreedores por operaciones común. préstamo participativo (419x)	100.000

Y por el pago:

―――――――――――――――――― 31/12/X10 ――――――――――――――――――

100.000　Acreedores por operaciones común. Préstamo participativo (419x)

a　　Bancos (572)	100.000

– Imputación de los costes de transacción:

―――――――――――――――――――― 31/12/X10 ――――――――――――――――――

500   Intereses de deudas (662)

         [5.000/10)]

                                              a   Acreedores por operacio-
                                                       nes en común. Préstamo
                                                       participativo (419x)   500

―――

Sociedad «CANGAS»

– Por la concesión del préstamo:

―――――――――――――――――――――― 1/1/X9 ――――――――――――――――――――

10.000.000 Deudores por operacio-
                 nes en común. Crédito
                 participativo (449)

                                        a   Bancos (572)   10.000.000

―――

– Según lo contenidos en la presente Consulta, el prestamista clasificará los préstamos participativos como préstamos y partidas a cobrar, y con posterioridad al reconocimiento inicial se valorarán al coste amortizado siempre que a la vista de las condiciones contractuales puedan realizarse estimaciones fiables de los flujos de efectivo del instrumento financiero.

Sin embargo, en aquellos contratos en que los intereses tengan carácter contingente, bien porque se pacte un tipo de interés fijo o variable condicionado al cumplimiento de un hito en la empresa prestataria, por ejemplo, la obtención de beneficios, o bien porque se calculen exclusivamente por referencia a la evolución de la actividad de la citada empresa, el fondo económico de la operación resulta similar al de los contratos de cuentas en participación.

En estos casos, el prestamista valorará el préstamo al coste, incrementado por los resultados que deba atribuirse y menos, en su caso, el importe acumulado de las correcciones valorativas por deterioro.

Por tanto:

* Registro de los intereses explícitos devengados del préstamo participativo y posterior cobro.

---------------------------------- 31/12/X9 ----------------------------------

100.000   Deudores por operaciones en común. Préstamo participativo (449x)

[10.000.000 x 1%]

         a   Ingresos de créditos (762)   100.000

---------------------------------- 31/12/X9 ----------------------------------

100.000   Bancos (572)

         a   Deudores por operaciones en común. Préstamo participativo (449x)   100.000

– Por el registro de los intereses variable del crédito participativo.

---------------------------------- 31/12/X9 ----------------------------------

3.055.780   Deudores por operaciones en común. Préstamo participativo (449x)

[50.929.669 x 0,06]

         a   Ingresos de créditos (762)   3.055.780

El prestamista valorará el préstamo por el coste, incrementado por los resultados que deban atribuirse de acuerdo con los contenidos de la presente consulta.

Por el cobro:

—————————————————————— 31/12/X9 ——————————————————————

3.055.780 Bancos (572)		
	a	Deudores por operacio- nes en común. Préstamo participativo (419x) 3.055.780

– Registro de los intereses explícitos devengados del préstamo participativo y posterior cobro.

—————————————————————— 31/12/X10 ——————————————————————

100.000 Deudores por operaciones en común. Préstamo participativo [10.000.000 x 1%]		
	a	Ingresos de créditos (762) 100.000

—————————————————————— 31/12/X10 ——————————————————————

100.000 Bancos (572)		
	a	Deudores por operaciones en común. Préstamo parti- cipativo (449x) 100.000

– El registro de los intereses variables del préstamo participativo, están en función del beneficio neto que desconocemos cual es para el año X10, su registro y contabilización se efectuaría igual que enero año X9.

3.1.3.2.   Póliza de crédito y descubierto en cuenta

BOICAC 98, junio 2014. Consulta 1.

Sobre el tratamiento contable de una póliza de crédito y un descubierto en cuenta corriente.

Respuesta

La primera cuestión planteada se refiere al tratamiento contable de una póliza de crédito concedida a la sociedad y, en particular, al registro contable de las cantidades dispuestas. Asimismo se pregunta sobre las cuentas que deben utilizarse para reflejar la operación.

El Plan General de Contabilidad (PGC), aprobado por Real Decreto 1514/2007, de 16 de noviembre, señala el momento en que procede registrar un pasivo financiero. Así, el apartado 5.º. Criterios de registro o reconocimiento contable de los elementos de las cuentas anuales, del Marco Conceptual de la Contabilidad (MCC) del PGC, indica que:

«El registro de los elementos procederá cuando, cumpliéndose la definición de los mismos incluida en el apartado anterior, se cumplan los criterios de probabilidad en la obtención o cesión de recursos que incorporen beneficios o rendimientos económicos y su valor pueda determinarse con un adecuado grado de fiabilidad. Cuando el valor debe estimarse, el uso de estimaciones razonables no menoscaba su fiabilidad. En particular:

(...)

2. Los pasivos deben reconocerse en el balance cuando sea probable que, a su vencimiento y para liquidar la obligación, deban entregarse o cederse recursos que incorporen beneficios o rendimientos económicos futuros, y siempre que se puedan valorar con fiabilidad.(...)»

Por su parte, el principio de devengo, contenido en el apartado 3.º del MCC establece:

«Los efectos de las transacciones o hechos económicos se registrarán cuando ocurran, imputándose al ejercicio al que las cuentas anuales se refieran, los gastos y los ingresos que afecten al mismo, con independencia de la fecha de su pago o de su cobro».

De acuerdo con lo anterior, la empresa deberá reconocer un pasivo financiero por la póliza de crédito cuando se convierta en parte obligada, se cumplan los criterios de probabilidad en la cesión de recursos y siempre que dicho pasivo se pueda valorar con fiabilidad. En concreto, en el caso consultado las anteriores circunstancias parecen producirse a medida que se realiza la disposición de efectivo.

En concordancia con lo expuesto, y de acuerdo con lo establecido en el apartado 3.1.1 de la norma de registro y valoración (NRV) 9.ª «Instrumentos financieros» del PGC, la empresa registrará la deuda inicialmente por su valor razonable, que salvo evidencia en contrario equivaldrá al valor razonable de la contraprestación recibida ajustada por los costes de transacción que les sean directamente atribuibles.

En el caso de que la empresa aplique el Plan General de Contabilidad de Pequeñas y Medianas Empresas, aprobado por el Real Decreto 1515/2007, de 16 de noviembre (PGC PYMES), habrá que considerar lo dispuesto en la NRV 9.2.1. Pasivos financieros a coste amortizado, y la valoración inicial de la deuda será al coste, que equivaldrá al valor razonable de la contraprestación recibida, ajustado por los costes de transacción que les sean directamente atribuibles, si bien, dichos costes, así como las comisiones financieras que se carguen a la empresa, podrán registrarse en la cuenta de pérdidas y ganancias en el momento inicial.

En cualquier caso, en la memoria de las cuentas anuales se deberá facilitar toda la información significativa sobre el tema objeto de consulta, de forma que aquéllas en su conjunto muestren la imagen fiel del patrimonio, de la situación financiera y de los resultados de la empresa, en concreto se ajustará al caso consultado la información requerida en el caso de líneas o pólizas de crédito, es decir, el subapartado d) del apartado 9.2.3.d) de la memoria que señala:

> «d) El importe disponible en las líneas de descuento, así como las pólizas de crédito concedidas a la empresa con sus límites respectivos, precisando la parte dispuesta».

Por otra parte, a efectos del registro contable de las cantidades dispuestas, el PGC incorpora la cuenta 5201. «Deudas a corto plazo por crédito dispuesto». No obstante, en relación con la cuenta indicada debe señalarse que su utilización no es obligatoria, ya que el art. 2 del Real Decreto 1514/2007, por el que se aprueba el PGC, establece el carácter no vinculante de los movimientos contables incluidos en la quinta parte y de los aspectos relativos a la numeración y denominación de cuentas incluidos en la cuarta parte, excepto aquellos aspectos que contengan criterios de registro o valoración.

La segunda cuestión versa sobre una cuenta bancaria que presenta un descubierto y se pregunta sobre la forma de reflejar en contabilidad este saldo negativo de la cuenta corriente.

El saldo negativo de una cuenta corriente representa, desde un punto de vista económico, un pasivo para la sociedad que deberá reflejarlo en la cuenta correspondiente de acuerdo con esta naturaleza. En este sentido, el movimiento de la cuenta 572. «Bancos e instituciones de crédito c/c vista,€»., recogida en la quinta parte del PGC, expresa:

> «Se excluirán de contabilizar en este subgrupo los saldos en los Banco s e instituciones citadas cuando no sean de disponibilidad inmediata, así como los saldos de disponibilidad inmediata si no estuvieran en poder de Bancos o de las instituciones referidas. También se excluirán los descubiertos bancarios que figurarán en todo caso en el pasivo corriente del balance».

De acuerdo con lo indicado, el saldo negativo de la cuenta bancaria figurará en el pasivo del balance formando parte de la partida «Deudas con entidades de crédito» del epígrafe C.III «Deudas a corto plazo».

Comentario

¿Póliza de crédito?	Pasivo financiero a medida que se realiza disposición efectivo
	5201. Deudas c/p por crédito dispuesto

¿Descubierto en cuenta?	NO	CUENTA 572 (No aparecerá saldo negativo)
	SI	CUENTA 520 Deudas c/p entidades crédito

Ejemplo 1

La sociedad CORUXO S.A. realiza durante el ejercicio X1 distintas operaciones respeto a una línea de crédito obtenida de su banco:

a) Solicita el 1/5/X1 un crédito de cuenta corriente, por un límite de 20.000€, en el Banco POSTOR, a un año. Concedido éste, le cargan los gastos de apertura y estudio en la propia cuenta de crédito por 1.000€.

b) Se retiran 4.000€ de la cuenta de crédito, ingresándose en la cuenta corriente.

c) Se ordena el pago con cargo a la cuenta de crédito de 14.000€ adeudados a los proveedores.

d) Un cliente nos abona su deuda en la cuenta de crédito: 1.200€

e) Retiramos en efectivo 500€ para atender a pequeños pagos.

f) Se hacen efectivas distintas facturas de agua y luz por importe de 1.210€ (IVA 21% incluido) contra la cuenta de crédito.

g) Llegado el cierre del ejercicio (31/12/X1), conocemos que los intereses correspondientes ascienden a 200€ y la comisión de disponibilidad por 100€. Por otra parte se conoce que el saldo de la cuenta corriente que mantiene la empresa en dicha entidad presente un saldo acreedor de 3.500€ (números rojos).

h) Llegado el vencimiento (1/5/X2), se decide la cancelación del crédito. Transferimos de nuestra cuenta corriente el importe necesario que cubra el saldo actual, así como los intereses correspondientes que ascienden a 300€ y la comisión de disponibilidad por 100€.

SE PIDE:

Registro de las operaciones relatadas así como en su caso menciones en las cuentas anuales del X1 a efectuar por la sociedad CORUXO.

SOLUCIÓN:

a) Se dispondrá del crédito por el importe correspondiente a la comisión de apertura y estudio

————————————————————— X —————————————————————

1.000   Otros gastos financieros (669)

a   Deudas corto plazo por crédito
dispuesto (5201)   1.000

La empresa deberá reconocer un pasivo financiero por la póliza de crédito cuando se convierta en parte obligada, se cumplan los criterios de probabilidad en la cesión de recursos y siempre que dicho pasivo se pueda valorar con fiabilidad. En concreto, las anteriores circunstancias parecen producirse a medida que se realiza la disposición de efectivo. [Consulta n.º 1. BOICAC 98]

b) Retirada de fondos de la cuenta de crédito

————————————————————— X —————————————————————

4.000   Bancos (572)

a   Deudas corto plazo por crédito
dispuesto (5201)   4.000

A efectos del registro contable de las cantidades dispuestas, el PGC incorpora la cuenta 5201. «Deudas a corto plazo por crédito dispuesto». No obstante, en relación con la cuenta indicada debe señalarse que su utilización no es obligatoria, ya que el art. 2 del Real Decreto 1514/2007, por el que se aprueba el PGC, establece el carácter no vinculante de los movimientos contables incluidos en la quinta parte y de los aspectos relativos a la numeración y denominación de cuentas incluidos en la cuarta parte, excepto aquellos aspectos que contengan criterios de registro o valoración.

c) Por el pago a proveedores con cargo a la cuenta de crédito

		X		
14.000	Proveedores(400)			
		a	Deudas corto plazo por crédito dispuesto (5201)	14.000

d) Cobro de un cliente ingresando su importe en la cuenta de crédito

		X		
1.200	Deudas corto plazo por crédito dispuesto (5201)			
		a	Clientes (430)	1.200

e) Retirada de fondos

		X		
500	Caja (570)			
		a	Deudas corto plazo por crédito dispuesto (5201)	500

f) Pagos de facturas diversas a cargo cuenta de crédito

		X		
1.000	Suministros (628)			
210	HP IVA soportado (472)			
		a	Deudas corto plazo por crédito dispuesto (5201)	1.210

g) Operaciones de cierre de ejercicio (31/12/X1)

– Por el registro de los intereses devengados así como la comisión de disponibilidad:

```
————————————————————————  X  ————————————————————————

 200  Intereses de deudas (662)

 100  Otros gastos financieros(669)

                                  a   Deudas corto plazo por crédito
                                      dispuesto (5201)              300
```

– La información relativa a esta cuenta de crédito en Memoria, sería la siguiente:

Tipo	Garantía	Límite	Dispuesto a l/p	Dispuesto a c/p
Pólizas de crédito a c/p	Personal	20.000	----	$19.810^{(1)}$

[1] Saldo cuenta crédito:

Deudas c/p crédito dispuesto

```
             1.200 (d)  │  1.000 (a)
                        │
                        │  4.000 (b)
                        │
                        │  14.000 (c )
                        │
                        │  500 ( e )
                        │
                        │  1.210 (f)
                        │
                        │  300 (g)
             Sh = 19.810
```

En la memoria de las cuentas anuales se deberá facilitar toda la información significativa sobre el tema tratado, de forma que aquéllas en su conjunto muestren la imagen fiel del patrimonio, de la situación financiera y de los resultados de la empresa, en concreto se ajustará al caso consultado la información requerida en el caso de líneas o pólizas de crédito, es decir, el subapartado d) del apartado 9.2.3.d) de la memoria que señala:

> «d) El importe disponible en las líneas de descuento, así como las pólizas de crédito concedidas a la empresa con sus límites respectivos, precisando la parte dispuesta».

– Por el descubierto bancario en la cuenta corriente:

```
————————————————————————— X —————————————————————————

3.500  Bancos (572)

                              a   Deudas corto plazo con entida-
                                  des de crédito (520)              3.500

————————————————————————————————————————————————————————————
```

El saldo negativo de una cuenta corriente representa, desde un punto de vista económico, un pasivo para la sociedad que deberá reflejarlo en la cuenta correspondiente de acuerdo con esta naturaleza. En este sentido, el movimiento de la cuenta 572. «Bancos e instituciones de crédito c/c vista, euros», recogida en la quinta parte del PGC, expresa:

> «Se excluirán de contabilizar en este subgrupo los saldos en los Bancos e instituciones citadas cuando no sean de disponibilidad inmediata, así como los saldos de disponibilidad inmediata si no estuvieran en poder de Bancos o de las instituciones referidas. También se excluirán los descubiertos bancarios que figurarán en todo caso en el pasivo corriente del balance».

De acuerdo con lo indicado, el saldo negativo de la cuenta bancaria figurará en el pasivo del balance formando parte de la partida «Deudas con entidades de crédito» del epígrafe C.III «Deudas a corto plazo».

– Cancelación de la cuenta de crédito:

```
————————————————————————— X —————————————————————————

19.810  Deudas corto plazo por crédito dis-
        puesto (5201)

   300  Intereses de deudas (662)

   100  Otros gastos financieros (669)

                              a   Bancos (572)                    20.210

————————————————————————————————————————————————————————————
```

3.2. RETRIBUCIONES INSTRUMENTOS FINANCIEROS

3.2.1. Dividendos

3.2.1.1. Cuantificación dividendos, caso inversiones sucesivas en una sociedad

BOICAC 113, marzo 2018. Consulta 9.

Sobre la correcta interpretación de la norma de registro y valoración (NRV) 9ª Instrumentos financieros, apartado 2.8 Intereses y dividendos recibidos de activos financieros del Plan General de Contabilidad, cuando se realizan inversiones sucesivas.

Respuesta

La sociedad A participa en el cincuenta por ciento del capital social de la sociedad B desde la constitución de esta última. Con posterioridad (una vez han transcurrido varios ejercicios), la sociedad A adquiere el otro cincuenta por ciento. A partir de esa fecha la sociedad B ha repartido dividendos con cargo a reservas.

La consulta versa sobre la correcta interpretación del apartado 2.8 Intereses y dividendos recibidos de activos financieros de la NRV 9ª. Instrumentos financieros del Plan General de Contabilidad, aprobado por Real Decreto 1514/2007, de 16 de noviembre, que se trascribe a continuación:

"2.8. Intereses y dividendos recibidos de activos financieros.

Los intereses y dividendos de activos financieros devengados con posterioridad al momento de la adquisición se reconocerán como ingresos en la cuenta de pérdidas y ganancias.

(...), si los dividendos distribuidos proceden inequívocamente de resultados generados con anterioridad a la fecha de adquisición porque se hayan distribuido importes superiores a los beneficios generados por la participada desde la adquisición, no se reconocerán como ingresos, y minorarán el valor contable de la inversión."

Y, en particular, se pregunta sobre el criterio a seguir para juzgar el origen de los beneficios generados por la participada que son objeto de reparto, cuando se producen inversiones sucesivas.

Conforme a la NRV 9ª.2.8, el reparto de un dividendo se reconoce como un ingreso, salvo que procedan de forma inequívoca de resultados generados con anterioridad a la fecha de adquisición, porque se hayan distribuido importes superiores a los beneficios obtenidos por la participada desde esa fecha.

Cuando se producen inversiones sucesivas, a efectos contables, en cada inversión se determina un nuevo coste medio de la cartera. En estos casos, es claro que la norma contable no considera por separado cada inversión sucesiva. Por lo tanto, para juzgar la procedencia de los beneficios que se distribuyen, cabría concluir que, con carácter general, todo reparto de reservas que reduzca los fondos propios de la sociedad participada hasta un importe equivalente al precio de adquisición de la inversión, minorado en el importe de las plusvalías adquiridas, debería reconocerse como un ingreso en las cuentas anuales de la sociedad A.

Es decir, en el caso que nos ocupa, las reservas distribuidas se contabilizarán como ingresos en la sociedad A en el importe resultante de multiplicar los resultados acumulados de la participada por el porcentaje de participación en su capital. Si dicho porcentaje se modifica por haberse realizado inversiones sucesivas, la renta devengada en ese periodo se multiplicará por el nuevo porcentaje de participación. En definitiva, de acuerdo con los datos facilitados por la consultante, esa cifra sería el 50 por 100 de la renta generada por la participada desde la fecha de adquisición inicial, porque el otro 50 por 100 constituye patrimonio adquirido. Una vez repartido dicho importe, cualquier reparto adicional debería calificarse como una recuperación de la inversión.

Comentario

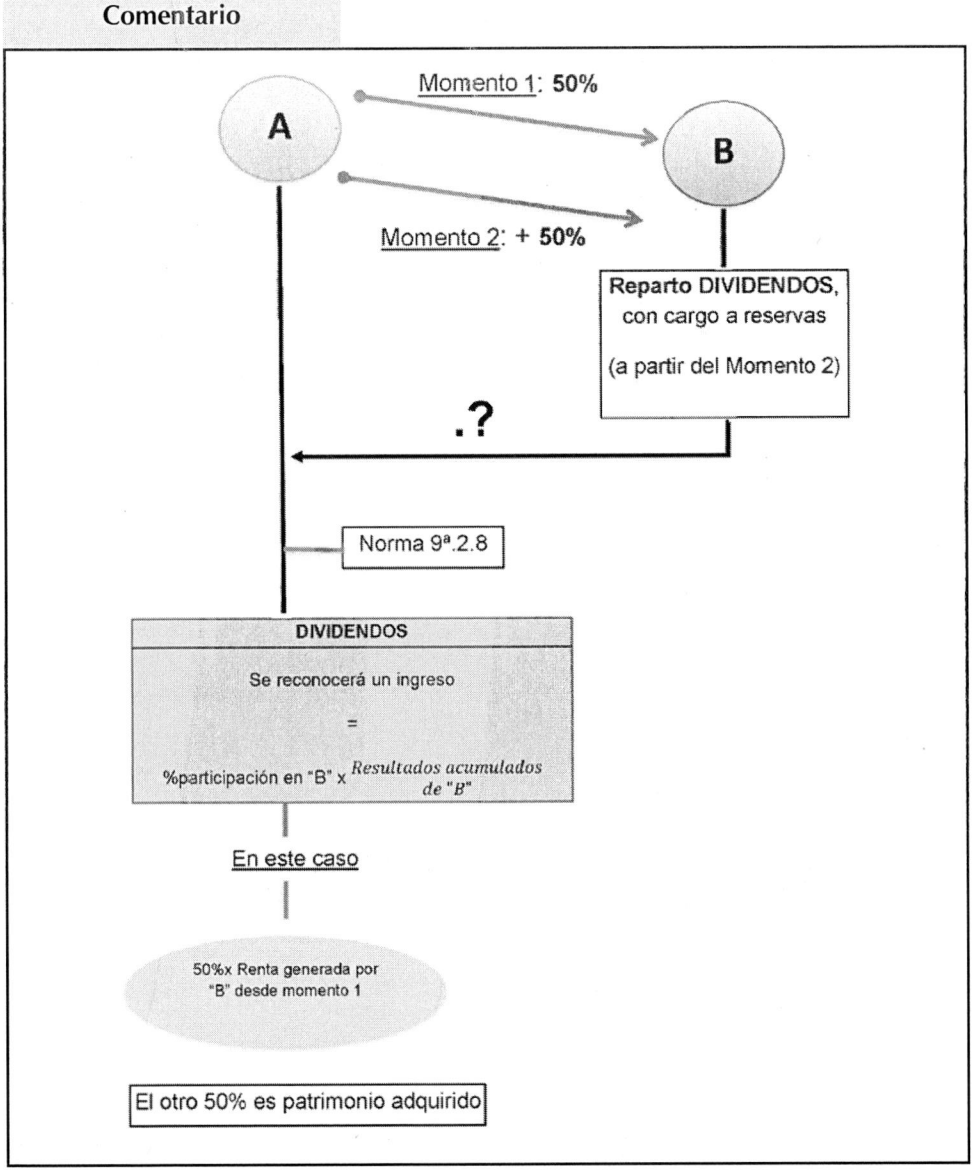

Ejemplo

La sociedad "PONTEAREAS S.A.", se constituyó a principios del ejercicio X0, con un capital social de 10.000 acciones y valor nominal 10€, emitidas por el nominal. Dicha sociedad estaba formada por dos socios PONTE Y AREAS, con un porcentaje de participación del 50% cada uno. Durante los primeros años, dicha sociedad obtuvo beneficios importantes que ha ido distribuyendo y acumulando en reservas. Sin embargo, en el ejercicio X7 los resultados han sido negativos y por un importe de 12.000€. A finales del ejercicio X7 la sociedad PONTE adquiere a la sociedad AREAS su porcentaje del 50%, pagando por el mismo un importe de 70.000€.

El 1/3/X8, se celebra la junta general de accionistas, en la que se toma el acuerdo de repartir un dividendo con cargo a reservas de 20.000€ (retención del 19%) el cual se pagará el 1/4.

SE PIDE: Registro de operaciones en la sociedad "PONTE"

SOLUCIÓN:

• La sociedad PONTE, al poseer una participación del 50%, tendrá registrada su inversión en la cartera de "Inversiones en el patrimonio de empresas del grupo, multigrupo y asociadas". En la constitución, hizo el siguiente asiento:

——————————————————— X ———————————————————

50.000	Participaciones a largo plazo en empresas asociadas (2404)	a	Bancos (572)	
	[5.000 acciones x10]			50.000

———————————————————————————————————————

• Por la adquisición del otro 50% a la sociedad AREAS:

——————————————————— X ———————————————————

70.000	Participaciones a largo plazo en empresas del grupo (2403)	a	Bancos (572)	
	[5.000 acciones x14]			70.000

———————————————————————————————————————

• Después de la adquisición de la participación del otro 50%, tendremos el 100% en consecuencia, reclasificaremos la inversión previa:

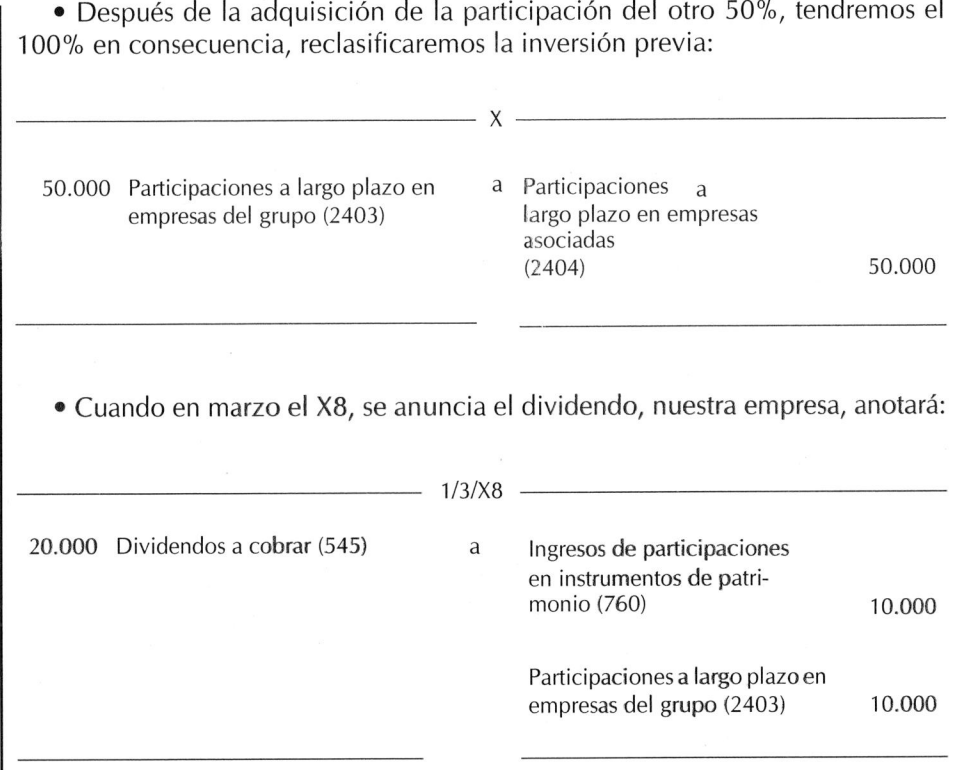

	X	
50.000 Participaciones a largo plazo en empresas del grupo (2403)	a	Participaciones a largo plazo en empresas asociadas (2404) 50.000

• Cuando en marzo el X8, se anuncia el dividendo, nuestra empresa, anotará:

	1/3/X8	
20.000 Dividendos a cobrar (545)	a	Ingresos de participaciones en instrumentos de patri-monio (760) 10.000
		Participaciones a largo plazo en empresas del grupo (2403) 10.000

De tal manera, y según lo establecido en el apartado 2.8 de la Norma 9ª de Valoración, nos comenta: "(...) si los dividendos distribuidos proceden inequívocamente de resultados generados con anterioridad a la fecha de adquisición porque se hayan distribuido importes superiores a los beneficios generados por la participada desde la adquisición, no se reconocerán como ingresos, y minorarán el valor contable de la inversión"

Es decir, y para el caso de nuestra empresa, las reservas distribuidas, se contabilizarán como ingresos en la sociedad PONTE en el importe resultante de multiplicar los resultados acumulados de la participada por el porcentaje de participación en su capital. Si dicho porcentaje se modifica por haberse realizado inversiones sucesivas, la renta devengada en ese periodo se multiplicará por el nuevo porcentaje de participación. Por todo ello, y en base a los datos manejados, esa cifra sería el 50% de la renta generada por la participada desde la fecha de adquisición inicial, porque el otro 50 % constituye patrimonio adquirido. Una vez repartido dicho importe, cualquier reparto adicional debería calificarse como una recuperación de la inversión [Consulta 9/Boicac 113]

• En abril, por el cobro del dividendo:

```
————————————————————— 1/4/X8 —————————————————————
16.200  Bancos c/c (572)

 3.800  H.P retenciones y pagos           a    Dividendos a cobrar (545)
        cuenta (473)                                                        20.000
```

3.3. CORRECCIONES VALORATIVAS

3.3.1. Otras categorías

3.3.1.1.   Renovación contrato alquiler: tratamiento contable fianza entregada

BOICAC 84, diciembre 2010. Consulta 1.

Sobre el tratamiento contable de las fianzas entregadas cuando se produce una revisión de las condiciones iniciales del contrato de arrendamiento.

Respuesta

Una empresa suscribe un contrato de alquiler como arrendataria por un período obligatorio de tres años entregando una fianza que aparece reflejada en contabilidad de acuerdo con los criterios establecidos en el apartado 5.6 de la norma de registro y valoración (NRV) 9.ª. «Instrumentos financieros» del Plan General de Contabilidad (PGC) aprobado por Real Decreto 1514/2007, de 16 de noviembre. La consulta versa sobre el tratamiento contable de la fianza en los siguientes escenarios:

1.- Un año antes de concluir el contrato de alquiler se acuerda una prórroga del mismo por un período de cuatro años y se mantiene la fianza entregada inicialmente.

2.- Un año antes de concluir el contrato de alquiler se devuelve la fianza constituida y se acuerda firmar un nuevo contrato para el que se entrega una nueva fianza. El registro contable de cualquier operación requiere un previo análisis del fondo económico y jurídico de la misma, tal y como exige el art. 34.2 del Código de Comercio y, en su desarrollo, el Marco Conceptual de la Contabilidad recogido en la primera parte del PGC, en cuya virtud, «en la contabilización de las operaciones se atenderá a su realidad económica y no sólo a su forma jurídica».

Por ello, considerando que el plazo es una de las condiciones esenciales de todo contrato de arrendamiento, el tratamiento contable de los dos supuestos descritos por el consultante debería ser similar.

En ambos casos, la empresa deberá estimar el nuevo valor razonable de la fianza en función del nuevo plazo de vencimiento y el tipo de interés incremental de la empresa arrendadora en esa fecha, es decir, el tipo de interés al que la empresa arrendadora podría financiarse en condiciones equivalentes a las que resultan del importe recibido en concepto de fianza.

A tal efecto, en aquellos casos en que el arrendador no pueda disponer de los fondos recibidos y, en consecuencia, no pueda identificarse una operación financiera subyacente entre arrendador y arrendatario, porque deba a su vez entregarlos en depósito a un tercero, esta circunstancia se tendrá en consideración por el arrendatario para determinar el citado tipo de descuento.

La diferencia entre el valor razonable y el valor en libros de la fianza deberá reclasificarse a la cuenta de periodificación en la que luzca el importe entregado al arrendador y el citado anticipo se irá imputando a lo largo del nuevo período de arrendamiento.

En cualquier caso, las cantidades imputadas a la cuenta de pérdidas y ganancias de los ejercicios anteriores no se modificarán. A mayor abundamiento, y desde una perspectiva general, cabe indicar que el PGC solo prevé la actualización de las fianzas a largo plazo. En este sentido, la NRV 9.ª.5.6 señala:

> «Al estimar el valor razonable de las fianzas, se tomará como período remanente el plazo contractual mínimo comprometido durante el cual no se pueda devolver su importe, sin tomar en consideración el comportamiento estadístico de devolución. Cuando la fianza sea a corto plazo, no será necesario realizar el descuento de flujos de efectivo si su efecto no es significativo».

Por tanto, solo deberán actualizarse las fianzas cuyo plazo contractual de devolución sea superior al año, a pesar de que el comportamiento estadístico de devolución ponga de manifiesto que en virtud de sucesivas prórrogas en algunos contratos de duración anual, tendencialmente el plazo podría superar el período mínimo inicial.

Comentario

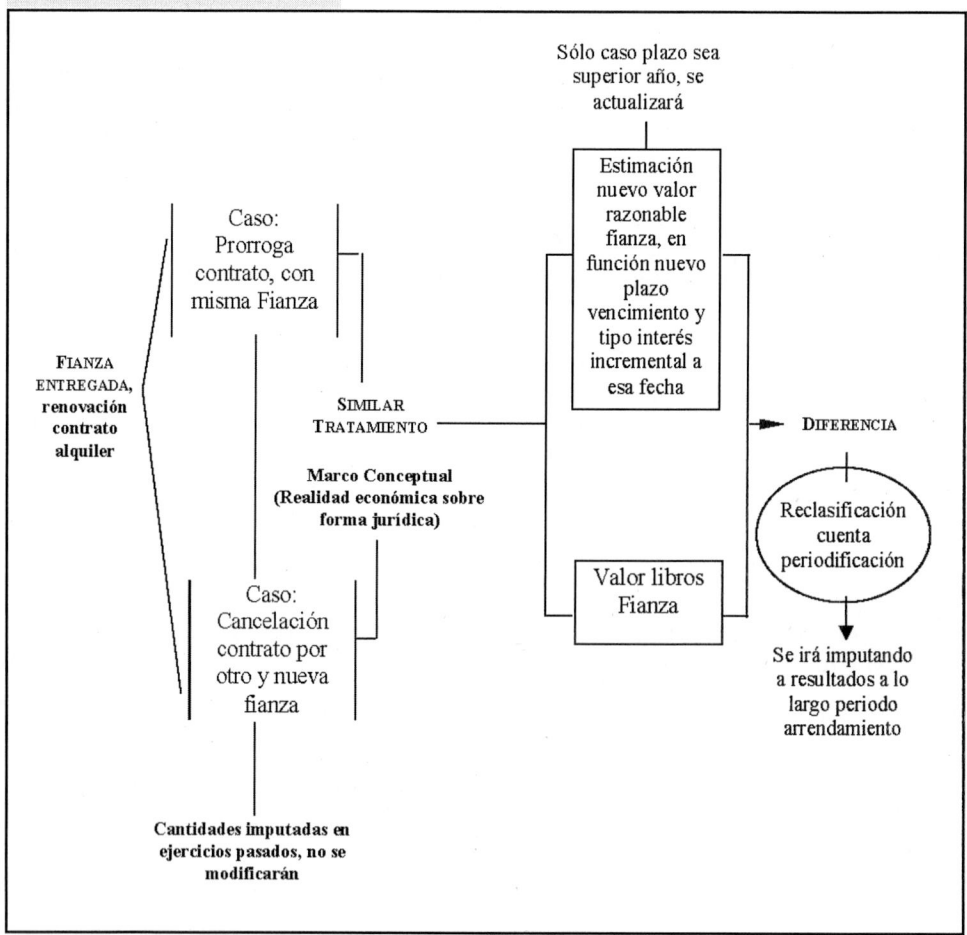

Ejemplo

MARVIGO S.A. alquila un local comercial en enero del X8 por un período obligatorio de 3 años, finalizando el mismo el 31/12/X10. Entrega al arrendador una fianza de 4.000€ que le será devuelto al finalizar el contrato.

SE PIDE: Registrar las anotaciones correspondientes hasta el 31/12/X10, sabiendo que el tipo de interés para este tipo de operaciones es del 4%. y en las dos situaciones siguientes:

1.- Un año antes de concluir el contrato de alquiler se acuerda una prórroga del mismo por un período de cuatro años y se mantiene la fianza entregada inicialmente.

2.- Un año antes de concluir el contrato de alquiler se devuelve la fianza constituida y se acuerda firmar un nuevo contrato para el que se entrega una nueva fianza de 5.000€.

En ambos casos el tipo de interés incremental de la empresa arrendadora en esa fecha (31/12/X9), es el 5%.

SOLUCIÓN:

SITUACIÓN 1: PRORROGA CONTRATO Y MANTENIMIENTO FIANZA

Gráficamente, inicialmente:

inicialmente:

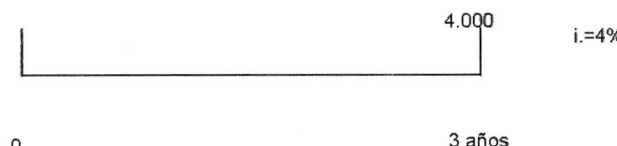

$$\text{Valoración fianza} = 4.000 \cdot (1 + 0,04)\text{-}3 = 3.555,99$$

		1/1/X8		
3.555,99	Fianzas constituidas a l/p (260)			
444,01	Gasto pagado por anticipado a l/p (26x)			
		a	Bancos (572)	4.000

Así, en el apartado 5.6 de la Norma 9.ª de Valoración del PGC, nos comenta que: «*En las fianzas entregadas (…) por arrendamientos operativos (…) la diferencia entre su valor razonable y el importe desembolsado (…) se considerará como un pago (…) anticipado por el arrendamiento (…)*».

Al final de año X8, por el ingreso financiero devengado:

		31/12/X8		
142,24	Fianzas constituidas a l/p (260)			
		a	Ingresos de créditos (762)	
			[3.555,99 x 4%]	142,24

Así en la 5.ª parte del PGC y para el movimiento de la 260 nos dice que ésta se cargará: «(...) a2) *Por el ingreso financiero devengado hasta alcanzar el valor de reembolso de la fianzas con abono, generalmente, a la cuenta 762»*.

En cuanto al gasto anticipado: «(...) *se imputará a la cuenta de pérdidas y ganancias durante el período de arrendamiento (...)»* [según el mencionado apartado 5.6]. ¿Cómo realizaremos tal imputación? De una forma financiera, podemos plantear la siguiente igualdad:

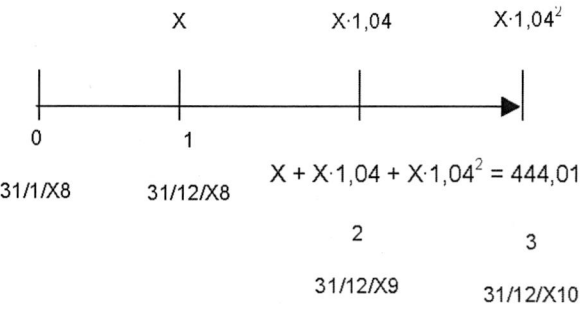

$$X \bullet (1 + 1,04 + 1,04^2) = 444,01$$

Resolviendo:

$$X = 142,24$$

Asignándose a cada año:

1er. Año	142,24
2.º año	147,93
3.º año	153,85
	444,01

Anotándose para el ejercicio en curso:

———————————————————————— 31/12/X8 ————————————————————————

142,24 Arrendamientos y cánones
     (621)

              a   Gastos pagados por anticipado a largo plazo
                             (26x)   142,24

Al final de año X9, por el ingreso financiero devengado:

-- 31/12/X9 --

147,93 Fianzas constituidas a largo plazo (260)		
	a	Ingresos de créditos (762)
		[3.555,99 + 142,24] x 4% 147,93

E igualmente, por el gasto anticipado para ese ejercicio:

-- 31/12/X9 --

147,93 Arrendamientos y cánones (621)		
	a	Gastos pagados por antici- pado a largo plazo (26x) 147,93

Una vez reflejadas las anteriores operaciones aparecen reflejados en los libros contables y en relación con la fianza los siguientes importes:

Fianzas constituidas a largo plazo. 3.846,16

(3.555,99 + 142,24 + 147,93)

Gastos anticipados a largo plazo. 153,84

(844,01 - 142,24 - 147,93)

En estos momentos se prorroga la operación 4 años más, manteniéndose el importe de la fianza. Gráficamente.

Valor razonable:
$4.000 (1+0,05)^{-7}$
$=2.842,73$

4.000

i.=5%

0   31/12/X9   31/12/X10   31/12/X11   31/12/X12   31/12/X13   31/12/X14

1/1/X8   HOY   Prorroga: 4 años

Valor razonable:
$4.000 (1+0,05)^{-5}$
$=3.134,10$

Siguiendo las directrices de la presente consulta, la empresa deberá estimar el nuevo valor razonable de la fianza en función del nuevo plazo de vencimiento y el tipo de interés incremental de la empresa arrendadora en esa fecha, es decir el (31/12/X9), siendo el importe de la misma el siguiente.

Valor razonable de la fianza a (31/12/X9) = 4.000 (1+0,05)-5 = **3.134,10**

Para la imputación de los rendimientos de la fianza y el devengo de los gastos anticipados, confeccionaremos la siguiente tabla (Cuadro 1):

Fecha	Valoración al inicio del período de la fianza	Rendimiento al 5%	Valoración al final del período
1/1/X8	2.842,73	142,14	2.984,86
31/12/X8	2984,86	149,24	3134,10
31/12/X9	3.134,10	156,71	3290,81
31/12/X10	3290,81	164,54	3455,35
31/12/X11	3455,55	172,77	3628,12
31/12/X12	3628,12	181,41	3809,53
31/12/X13	3809,53	190,48	4000,00

Según los contenidos de la presente consulta, la diferencia entre el valor razonable y el valor en libros de la fianza deberá reclasificarse a la cuenta de periodificación en la que luzca el importe entregado al arrendador y el citado anticipo se irá imputando a lo largo del nuevo período de arrendamiento. En cualquier caso, las cantidades imputadas a la cuenta de pérdidas y ganancias de los ejercicios anteriores no se modificarán. En consecuencia:

Valor en libros de la fianza (31/12/X9). 3.846,16

Valor razonable a dicha fecha. 3.134,10

DIFERENCIA. **712,06**

―――――――――――――――――― 31/12/X9 ――――――――――――――――――

712,06	Gastos pagados por anticipado a l/p (26x)	
	a Fianzas constituidas a largo plazo (260)	712,06

Una vez realizado el ajuste anterior a 31/12/X9, la fianza queda registrada en su valor razonable que asciende a 3134,10 y en Gastos Anticipados a largo plazo 865,90 (712,06 + 153,84).

En la columna señalada del cuadro 1, las cantidades suman 865,90 ésta la imputaremos a cada ejercicio en la cuantía correspondiente que figura en la tabla. En cualquier caso, las cantidades imputadas a la cuenta de pérdidas y ganancias de los ejercicios anteriores no se modificarán.

Al final de año X10, por el ingreso financiero devengado (Ver cuadro 1):

—————————————————— 31/12/X10 ——————————————————

156,71	Fianzas constituidas a largo plazo (260)		
	a	Ingresos de créditos (762) [3134,10 x 5%]	156,71

Anotándose por el gasto anticipado para este ejercicio:

—————————————————— 31/12/X10 ——————————————————

156,71	Arrendamientos y cánones (621)		
	a	Gastos pagados por anticipado a largo plazo (26x)	156,71

SITUACIÓN 2: CONCLUYE CONTRATO ALQUILER, CON DEVOLUCIÓN FIANZA. SE FIRMA OTRO CONTRATO, NUEVA FIANZA

Los apuntes registrados hasta el 31/12/X9 son los mismos que en el caso anterior. A dicha fecha y siguiendo los contenidos de la presente consulta, en la que se dice: «*En ambos casos, la empresa deberá estimar el nuevo valor razonable de la fianza en función del nuevo plazo de vencimiento y el tipo de interés incremental de la empresa arrendadora en esa fecha*» En consecuencia:

El valor razonable de la nueva fianza a 31/12/X9 será el siguiente:

Valor razonable = 5.000 (1 + 0,05)-5 = **3.917,63**

Para la imputación de los rendimientos de la fianza y el devengo de los gastos anticipados, confeccionaremos la siguiente tabla (Cuadro 2):

Fecha	Valoración al inicio del período de la fianza	Rendimiento al 5%	Valoración al final del período
31/12/X9	3.917,63	195,88	4.113,51
31/12/X10	4.113,51	205,68	4.319,19
31/12/X11	4.319,19	215,96	4.535,15
31/12/X12	4.535,15	226,76	4.761,90
31/12/X13	4.761,90	238,10	5.000,00
SUMA		1082,38	

Por la devolución de la antigua fianza:

—————————————————————— 31/12/X9 ——————————————————————

4.000	Bancos (572)			
		a	Fianzas constituidas a l/p (260)	3.846,16
			Gasto pagado por anticipado a l/p (26x)	153,84

Por la constitución de la nueva:

—————————————————————— 31/12/X9 ——————————————————————

3.917,63	Fianzas constituidas a l/p (260)			
		a	Bancos (572)	5.000
1.082,38	Gasto pagado por anticipado a l/p (26x)			

Al final de año X10, por el ingreso financiero devengado (Ver cuadro 2):

———————————————— 31/12/X10 ————————————————

195,88	Fianzas constituidas a largo plazo (260)	
	a	Ingresos de créditos (762)
		[3917,63 x 5%]
		195,88

Anotándose por el gasto anticipado para el ejercicio en curso:

———————————————— 31/12/X10 ————————————————

195,88	Arrendamientos y cánones (621)	
	a	Gastos pagados por anticipado a largo plazo (26x)
		195,88

3.4. BAJAS

3.4.1. Activos Financieros

3.4.1.1. Impago crédito con garantía hipotecaria: punto vista acreedor

BOICAC 90, julio 2012. Consulta 1.

Sobre el reconocimiento y valoración de un crédito con garantía hipotecaria cuyo deudor y garante se encuentran declarados en concurso de acreedores.

Respuesta

Una empresa ha concedido un crédito a otra sociedad con la garantía hipotecaria de un tercero. Ante el cese del deudor en el cumplimiento de sus obligaciones, se ha procedido a declarar el vencimiento anticipado del préstamo y a requerir de pago al deudor en el ejercicio 2011, como paso previo a la demanda de ejecución hipotecaria. Posteriormente, tanto el deudor como el garante hipotecario han sido declarados en concurso de acreedores en el citado ejercicio.

La consulta versa sobre el criterio contable que se debe aplicar a los intereses y a las cuotas del crédito, desde la perspectiva del acreedor, antes y después de la declaración de vencimiento anticipado y requerimiento de pago, a la espera de que la administración concursal de la garante pueda tomar eventuales acciones de reintegración de la garantía hipotecaria al amparo de lo previsto en el art. 71 de la Ley 22/2003, de 9 de julio, Concursal, en cuya virtud: «*Declarado el concurso, serán rescindibles los actos perjudiciales para la masa activa realizados por el deudor dentro de los dos años anteriores a la fecha de la declaración, aunque no hubiese existido intención fraudulenta*».

En particular, se formulan las siguientes preguntas:

1.- ¿Si debe contabilizarse una pérdida por deterioro en el ejercicio 2011, en relación con los intereses remuneratorios y moratorios devengados hasta la fecha en que se declaró el vencimiento anticipado de la deuda?

2.- ¿Si debe contabilizarse una pérdida por deterioro en relación con las cuotas pendientes de cobro del principal de la deuda hasta la fecha en que se dio por vencido el crédito?

3.- ¿Si debe contabilizarse una pérdida por deterioro en relación con las cantidades no vencidas del principal de la deuda, en la fecha en que se da por cancelado el préstamo?

4.- ¿Si deben contabilizarse, de acuerdo con el principio de devengo, los intereses moratorios acordados en la escritura del préstamo desde la fecha en que se declaró el vencimiento de la operación, o si por el contrario dicho reconocimiento ha de posponerse hasta que, en su caso, se produzca la ejecución de la garantía hipotecaria?

Todo ello, considerando que la tasación de los inmuebles sobre los que se ha constituido la garantía hipotecaria cubre el total importe del principal de la deuda y de los intereses, tanto de los remuneratorios como de los moratorios que pudieran corresponder, sin perjuicio de la contingencia descrita más arriba en relación con la citada garantía.

La norma de registro y valoración 9.ª. «Instrumentos financieros» del Plan General de Contabilidad (PGC), aprobado por el Real Decreto 1514/2007, de 16 de noviembre, señala que los activos financieros incluidos en la categoría de préstamos y partidas a cobrar se valoran inicialmente por su valor razonable, y con posterioridad deben seguir el criterio del coste amortizado, en cuya virtud los intereses devengados se contabilizan en la cuenta de pérdidas y ganancias aplicando el método del tipo de interés efectivo.

Adicionalmente, al menos al cierre del ejercicio deben efectuarse las correcciones valorativas necesarias siempre que exista evidencia objetiva de que el valor de un crédito se ha deteriorado como resultado de uno o más eventos que hayan ocurrido después de su reconocimiento inicial y que ocasionen una reducción o retraso en los flujos de efectivo estimados futuros, que pueden venir motivados por la insolvencia del deudor.

La pérdida por deterioro del valor de estos activos financieros será la diferencia entre su valor en libros y el valor actual de los flujos de efectivo futuros que se estima van a generar, descontados al tipo de interés efectivo calculado en el momento de su reconocimiento inicial. Para los activos financieros a tipo de interés variable, se empleará el tipo de interés efectivo que corresponda a la fecha de cierre de las cuentas anuales de acuerdo con las condiciones contractuales.

Asimismo, cabe señalar que de acuerdo con el criterio publicado en la consulta 5 del Boletín de este Instituto núm. 80, de diciembre de 2009, en la estimación de los flujos de efectivo futuros se deberán tener en cuenta los que podrían resultar por la ejecución de las garantías recibidas; a tal efecto, será preciso estimar el valor de mercado del inmueble menos los gastos de adjudicación, impuestos incluidos, y considerar el plazo hasta su adjudicación y posterior venta, así como los gastos incurridos para enajenar el bien.

De acuerdo con lo anterior, en lo que respecta a las dudas suscitadas sobre el registro de una pérdida por deterioro, la empresa deberá aplicar el criterio general que se ha reproducido y, en consecuencia, al cierre de cada ejercicio deberá realizar el citado análisis y, en su caso, contabilizar el correspondiente gasto en la cuenta de pérdidas y ganancias.

Las eventuales acciones de reintegración de la garantía hipotecaria no alteran este criterio, sin perjuicio de que la incertidumbre asociada al citado evento aconseje extremar la prudencia en las estimaciones y valoraciones a realizar, de acuerdo con lo dispuesto en el apartado 3. «Principios contables» del Marco Conceptual de la Contabilidad (MCC), sin menoscabo de la necesaria imparcialidad y objetividad que debe presidir dicha labor.

También se pregunta si las circunstancias descritas, impago del deudor y posterior declaración de concurso, deben originar la que podríamos denominar «suspensión» del registro contable de los intereses moratorios acordados en la escritura del préstamo desde la fecha en que se declaró su vencimiento, esto es, el cese en su reconocimiento contable de acuerdo con el método del tipo de interés efectivo.

Desde la perspectiva del acreedor, la declaración de concurso no interrumpe la aplicación de los principios de empresa en funcionamiento y devengo. La suspensión del devengo de los intereses a que se refiere el art. 59 de la Ley Concursal tiene un alcance estrictamente procesal/concursal, que no surte plenos efectos económicos hasta que no se apruebe el convenio y, en su caso, el acuerdo concluya con una quita del principal o, en el supuesto de espera, el deudor y sus acreedores pacten que los intereses postconcursales no se cobren. En todo caso, el citado precepto exceptúa de la suspensión de devengo a los créditos con garantía real, que serán exigibles hasta donde alcance la respectiva garantía.

En consecuencia, los efectos de las transacciones o hechos económicos se registrarán cuando ocurran, imputándose al ejercicio al que las cuentas anuales se refieran, los gastos y los ingresos que afecten al mismo, con independencia de la fecha de su pago o de su cobro.

Tampoco se alteran los criterios de reconocimiento de los elementos de las cuentas anuales. Por ello, el interés moratorio deberá reconocerse como un derecho de cobro siempre que sea probable la obtención de beneficios o rendimientos económicos para la empresa en el futuro, y se pueda valorar con fiabilidad.

Entrando en el fondo de la duda planteada y dado que la cuantía del interés moratorio puede determinarse con fiabilidad, la cuestión a dilucidar es si en la situación en la que se encuentra el deudor es probable la obtención de beneficios o rendimientos económicos.

Pues bien, en principio, tal y como señala la NRV 9.ª del PGC, en su apartado 2.1.3 la situación de insolvencia del deudor es un evento que arroja dudas sobre la recuperación del derecho de cobro que trae causa del interés moratorio. Sin embargo, cuestión distinta es que al amparo de este razonamiento se niegue el reconocimiento de un activo de cuyo nacimiento y valoración no cabe duda, porque así viene recogido en la correspondiente escritura en que se ha formalizado el contrato, al margen de que de manera simultánea y precisamente a la vista de la situación descrita, la empresa deba evaluar si dicho importe será objeto de recuperación y, en su caso, contabilice la correspondiente pérdida por deterioro. Esta interpretación, consistente en reconocer el ingreso y, en su caso, la correspondiente pérdida por deterioro, guarda sintonía con el principio de no compensación recogido en el apartado 3 del MCC, por el cual, «salvo que una norma disponga de forma expresa lo contrario, no podrán compensarse las partidas del activo y del pasivo o las de gastos e ingresos, y se valorarán separadamente los elementos integrantes de las cuentas anuales».

Por tanto y como conclusión, la empresa continuará reconociendo los intereses, hasta que se llegue a una solución de convenio o se declare la apertura de la fase de liquidación, y, en su caso, contabilizará el oportuno deterioro.

Comentario

Garantía Hipotecaria

TERCERO

1° € →

PRESTAMISTA

PRESTATARIO

2° IMPAGO

Concurso acreedores

Comprobar Pérdida por Deterioro
Se tendrá en cuenta la ejecución de la garantía recibida
(deducidos gastos e impuesto), en los flujos de efectivo futuros

Norma 9ª
Valoración PGC
Deterioro: diferencia
valor libros y valor
actual flujos de
efectivo futuros

Intereses moratorios, acordados escritura préstamo
No se interrumpen su anotación, pese a la declaración del
concurso

Principios empresa en
funcionamiento y
Devengo

Dudas cobro
intereses
moratorios

Caso tras
convenio, entre
en fase
liquidación: se
anotará pérdida
deterioro

Norma 9ª
Valoración
PGC y
Principio no
compensación

Ejemplo

La sociedad «A» concedió a principios del ejercicio X9 a la sociedad «B» un préstamo con garantía hipotecaria de 150.000€, cuyo deudor garante es la sociedad «C» propietaria del inmueble hipotecado.

El cuadro de la operación financiera se adjunta como ANEXO: el tipo de interés pactado 6% anual, y se devolverá en cinco pagos anuales constantes pagaderas a 31 de diciembre.

A finales del X10, y a pesar del impago de la cuota correspondiente, no existen indicios de deterioro. Los intereses moratorios acordados los cuales figuran en la escritura del préstamo ascienden al 12% anual (cláusula cuarta).

A principios del mes de marzo X11, la sociedad «A» ante el impago de la anualidad cuyo vencimiento era 31/12/X10 y de repetidas comunicaciones sin que se atendiera el mismo, se inicia un procedimiento judicial declarando el vencimiento anticipado del préstamo (cláusula quinta), procediendo a requerir de pago al deudor como paso previo a la demanda de ejecución hipotecaria. Con posterioridad y a principios del mes de septiembre del X11, tanto la sociedad «B» (deudora) como la sociedad «C» (garante hipotecario) han sido declarados en concurso de acreedores.

SE PIDE:

a) Registro de las operaciones realizadas por la sociedad «A» en el ejercicio X11. De las estimaciones de los flujos de efectivo a percibir por la sociedad, se contempla que al gozar el crédito de garantía real y teniendo en cuenta la situación de insolvencia en que se encuentra el deudor, en la estimación de los mismos ha de tenerse en cuenta los posible gastos que originaría la ejecución de la garantía, estimándose los mismos según informe elaborado por un A.P.I. en las siguientes cuantías:

Valor razonable del inmueble.	156.500
Gastos de adjudicación incluidos impuestos.	10.000
Gastos en que incurriría en su venta posterior.	2.500

b) Registro de las operaciones del año X12. A principios del mes de enero, ha sido ejecutada la hipoteca obteniendo un importe neto de la totalidad gastos de 143.500€.

ANEXO: Préstamo concedido por la sociedad «A» a la sociedad «B».

Periodo	Fecha	Pagos (1)	Intereses (2)	Amortización (3)	Pendiente amortizar (4)
0	1/1/X9				150.000,00

Periodo	Fecha	Pagos (1)	Intereses (2)	Amortización (3)	Pendiente amortizar (4)
1	31/12/X9	35.609,46	9.000	26.609,46	123.390,54
2	31/12/X10	35.609,46	7403,43	28.206,03	95.184,51
3	31/12/x11	35.609,46	5.711,07	29.898,39	65.286,12
4	31/12/X12	35.609,46	3.917,17	31.692,29	35.593,83
5	31/12/X13	35.609,46	2.015,63	33.593,83	-------

Siendo:

(1); Pago $150.000 = a\, a_{\overline{5}|\,0,06} \Rightarrow a = 35.609,46$

$(2) = (4)_{-1} \times i$

$(3) = (1) - (2)$

$(4) = (4)_{-1} - (3)$

– Cláusula Cuarta (Intereses moratorios): «El prestamista y la parte prestataria convienen que las obligaciones de pago nacidas del préstamo contrato para la parte prestataria y que vencidas no hayan sido satisfechas, tanto si se refieren al principal como al pago de intereses comisiones y gastos, devengarán intereses moratorios desde que dicha obligación de pago se produzca hasta el pago efectivo de la misma, exigible mensualmente, al tipo que resulte de incrementar 6 puntos al tipo fijado en la anterior cláusula tercera [un tipo del 12%]».

– Cláusula Quinta (Resolución anticipada): «El presente contrato podrá ser resuelto por el prestamista y exigible por su saldo deudor más intereses, comisiones y gastos, en los casos siguientes: (...) c) Por incumplimiento de cualquiera de las obligaciones pactadas en esta póliza y, en especial, en el pago de intereses y / o comisiones y/o devolución del principal».

SOLUCIÓN:

Gráfico del préstamo hipotecario:

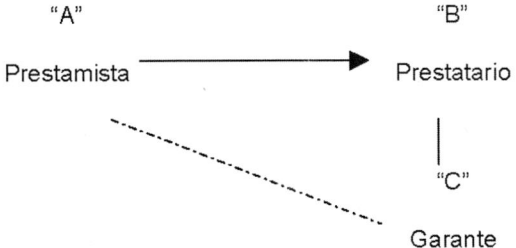

a) Registro de operaciones realizadas por la sociedad «A» en el año X11

• A principios del ejercicio X11 y en relación con el citado crédito hipotecario, la sociedad «A» tendría abiertas las siguientes cuentas:

Créditos a corto plazo 58.104,42

[28.206,03 (principal cuota X10) + 29.898,39 (principal cuota(X11)]

Créditos a largo plazo 65.286,12

[Cuotas de principal de X12, X13]

Intereses corto plazo de créditos 7.403,43

[Intereses devengados del X10]

TOTAL DE LA DEUDA **130.793,97**

• A principios del mes de marzo y por el vencimiento anticipado del crédito:

– Registro de los intereses devengados de enero y febrero del X11 (Ver cuadro financiero de la operación):

1/3/X11

951,85   Intereses a corto plazo de créditos (528)

[(5.711,07:12) x 2 = 951,85]

	a	Ingresos de créditos (762) 951,85

A partir de esta fecha (vencimiento anticipado del préstamo); este devengará los intereses moratorios correspondientes al 12% anual.

La norma de registro y valoración 9.ª «Instrumentos financieros» del PGC señala que los activos financieros incluidos en la categoría de préstamos y partidas a cobrar se valoran inicialmente por su valor razonable, y con posterioridad deben seguir el criterio del coste amortizado, en cuya virtud los intereses devengados se contabilizan en la cuenta de pérdidas y ganancias aplicando el método del tipo de interés efectivo.

– Reclasificación por considerarse vencidas las cuotas de principal de los años X12 y X13.

——————————————— 1/3/X11 ———————————————

65.286,12 Créditos a corto plazo
           (542)

                          a   Créditos a corto plazo
                                  (252)   65.286,12

• Registro de operaciones al cierre del ejercicio X11

– Por los intereses moratorios:

La deuda total a 1/3/X11 (fecha del vencimiento anticipado)

Deuda:. 131.745,82

[130.793,97 (deuda a 1/1/X11)+951,85 (intereses hasta 1/3/X11))]

Intereses moratorios. 13.174,58

[(131.745,82 x 12%) = 15.809,50 anuales]

Desde 1/3 - 31/2012) = 10 meses; (15.809,50/2012) x 10 = **13.174,58**

DEUDA TOTAL. 144.920,40

Registrándose:

——————————————— 31/12/X11 ———————————————

13.174,58 Créditos a corto plazo
           (542)

                          a   Ingresos de créditos (762)   13.174,58

Según los contenidos de la presente consulta:

> «(...) Desde la perspectiva del acreedor, la declaración de concurso no interrumpe la aplicación de los principios de empresa en funcionamiento y devengo. La suspensión del devengo de los intereses a que se refiere el art. 59 de la Ley Concursal tiene un alcance estrictamente procesal/concursal, que no surte plenos efectos económicos hasta que no se apruebe el convenio y, en su caso, el acuerdo concluya con una quita del principal o, en el supuesto de espera, el deudor y sus acreedores pacten que los intereses postconcursales no se cobren».

En todo caso, el citado precepto exceptúa de la suspensión de devengo a los créditos con garantía real, que serán exigibles hasta donde alcance la respectiva garantía.

De la misma manera y siguiendo con la consulta, tampoco se alteran los criterios de reconocimiento de los elementos de las cuentas anuales. Por ello, **el interés moratorio deberá reconocerse como un derecho de cobro siempre que sea probable la obtención de beneficios o rendimientos económicos para la empresa en el futuro, y se pueda valorar con fiabilidad**, lo cual ocurre en el caso planteado.

– Comprobaremos si existe un posible deterioro.

Lo comprobaremos en base a lo establecido en el apartado 2.1.3. de la Norma 9.ª de Valoración. Así, compararemos:

Valor en Libros.	144.920,40
	Es superior
Valor actual de los flujos de efectivo futuros estimados descontados al tipo de interés efectivo calculado en el momento de su reconocimiento inicial[1].	144.000
DETERIORO:.	**920,40**

[1] En nuestro caso, este importe según los contenidos de la presente consulta se determinará en consonancia con el criterio publicado en la consulta 5 BOICAC 80 (diciembre, 2009). En la estimación de los flujos de efectivo futuros se deberán tener en cuenta los que podrían resultar por la ejecución de las garantías recibidas. A tal efecto, será preciso estimar el valor de mercado del inmueble menos los gastos de adjudicación, impuestos incluidos, y considerar el plazo hasta su adjudicación y posterior venta, así como los gastos incurridos para enajenar el bien. Por tanto:

Valor razonable del inmueble	156.500
Gastos de adjudicación incluidos impuestos	10.000
Gastos en que incurriría en su venta posterior.	2.500
VALOR ACTUAL FLUJOS DE EFECTIVO	**144.000**

Anotándose por el deterioro:

──────────────── 31/12/X11 ────────────────

920,40	Pérdidas por deterioro de créditos a corto plazo (699)		
	a	Deterioro de valor de créditos a corto plazo (598)	920,40

b) Registro de operaciones realizadas por la sociedad «A» en el año X12

Por la ejecución de la hipoteca, registraremos:

──────────────── 1/1/X12 ────────────────

143.500	Bancos (572)		
920,40	Deterioro de valor de créditos a corto plazo (598)		
500,00	Pérdidas de créditos a corto plazo, otras empresas (6678)		
	a	Créditos a corto plazo (542)	
		[58.104,42 + 65.286,12 + 13.174,58]	136.565,12
		Intereses a corto plazo de créditos (548)	
		[7.403,43 + 951,85]	8.355,28

3.4.1.2. Fecha devengo ingreso, derivado precio pendiente de confirmar por resolución arbitral

BOICAC 92, diciembre 2012. Consulta 3.

Sobre el tratamiento contable de un determinado contrato de compraventa de participaciones en el que se estipuló el precio, entre otras circunstancias, en función de los resultados de la sociedad objeto de la compraventa.

Respuesta

La sociedad compradora abonó a la vendedora la estimación inicial del precio, en la fecha en la que se firmó el contrato de compraventa (ejercicio 2006). No obstante, posteriormente, respecto a la determinación del resultado que debía tomarse como referencia para cuantificar el tramo contingente de la contraprestación, surgieron divergencias entre las partes y se acordó, tal y como preveía el contrato, someter las mismas a un Tribunal de Arbitraje.

En el ejercicio 2011, la Corte de Arbitraje resolvió las diferencias surgidas a favor de la sociedad vendedora, fijando un importe adicional, que debía abonar la compradora, así como los intereses devengados hasta la fecha de la resolución del arbitraje. Al cierre del citado ejercicio, la sociedad compradora procedió a efectuar el pago resultante del Laudo arbitral.

A la vista de estos antecedentes, la consulta versa sobre la fecha en que se produce el devengo del importe cobrado en el ejercicio 2011.

La operación descrita se desarrolla entre los años 2006 y 2011 por lo que será preciso analizar los distintos marcos normativos aplicables en el tiempo.

Hasta los ejercicios iniciados a partir del 1 de enero de 2008, el Plan General de Contabilidad (PGC) aprobado por el Real Decreto 1643/1990, de 20 de diciembre, al amparo del principio de prudencia disponía que:

> *«Únicamente se contabilizarán los beneficios realizados a la fecha de cierre del ejercicio. Por el contrario, los riesgos previsibles y las pérdidas eventuales con origen en el ejercicio o en otro anterior, deberán contabilizarse tan pronto sean conocidas; a estos efectos se distinguirán las reversibles o potenciales de las realizadas o irreversibles».*

En desarrollo de este principio y del resto de principios contables recogidos en la primera parte del PGC, este Instituto emitió una interpretación que es preciso traer a colación por analogía para resolver el caso que ahora nos ocupa, publicada en la consulta 4 del BOICAC n.º 68, de diciembre de 2006, sobre el tratamiento contable de un procedimiento de expropiación forzosa de un inmueble donde una parte del precio, un tramo contingente, se recibía después de resolverse un procedimiento judicial que venía a resolver las diferentes estimaciones que las partes en conflicto habían realizado sobre el precio final del bien enajenado.

La citada consulta aclara que la contabilización del crédito por la estimación del justiprecio tendrá como límite máximo el valor por el que el inmueble figure en contabilidad minorado en el importe recibido, sin que proceda, en consecuencia, el registro del citado crédito ni de beneficio alguno (por el tramo contingente de la contraprestación) cuando el importe recibido supera el valor en libros del activo que se da de baja.

A raíz de la entrada en vigor del Plan General de Contabilidad (PGC 2007) aprobado por el Real Decreto 1514/2007, de 16 de noviembre, cabría plantearse si los hechos descritos en la consulta debieron tener alguna implicación en la fecha de transición. Pues bien, dicho impacto solo se hubiera producido en el supuesto de que la operación objeto de consulta tuviese un distinto tratamiento en el nuevo PGC 2007, circunstancia que como se indica a continuación no acontece.

En este sentido, en la consulta 3 del BOICAC n.º 78, de junio de 2009, este Instituto se ha vuelto a pronunciar «sobre el tratamiento contable de un proceso de expropiación, en el supuesto de que se recurriese en la jurisdicción ordinaria el importe inicialmente fijado», en cuya respuesta se concluye que «<u>para considerar que la empresa</u> expropiada <u>tiene un activo</u> que controla económicamente, <u>debe ser prácticamente cierta la entrada de beneficios o rendimientos económicos en la empresa procedentes de dicho activo</u>, circunstancia que con carácter general se entenderá producida en la fijación de un precio en el acta de consignación del precio y ocupación, así como en la existencia de un nuevo precio por <u>sentencia firme</u>».

De conformidad con los antecedentes y fundamentos que se han reproducido, se informa que el ingreso que trae causa del tramo contingente se devenga en el ejercicio en que la Corte de Arbitraje resuelve el litigio.

En todo caso, hasta que desaparezca la incertidumbre asociada a la resolución del proceso arbitral, en la memoria de las cuentas anuales se deberá incluir toda la información significativa sobre la operación descrita en la consulta, para que aquellas, en su conjunto, expresen la imagen fiel del patrimonio, de la situación financiera y de los resultados de la empresa.

Comentario

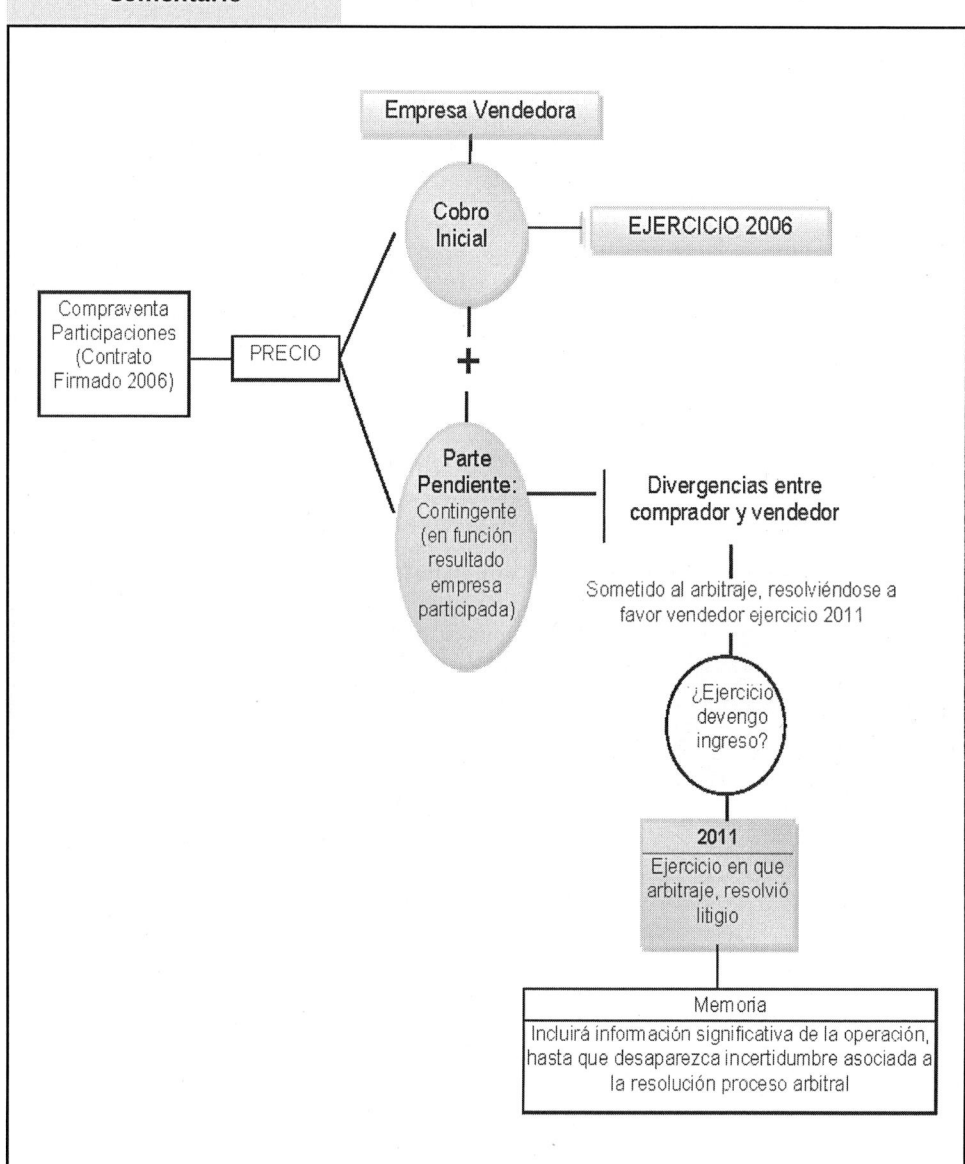

Ejemplo

A mediados del año 2006, la sociedad HUGO. S.A. vendió el 60% de las acciones que poseía de la sociedad VIGO S.A.

El precio inicial fue de 200.000€, acordándose adicionalmente un importe contingente que estaría basado en función de los resultados que obtenga la sociedad VIGO en un período de 4 años. La sociedad estima este importe en 5.000€.

El valor contable de la participación ascendía a 150.000€, registrando la sociedad HUGO el beneficio pertinente. De igual manera se acordó en el momento de la venta, que en el supuesto de que existiesen divergencias en el importe contingente, las partes litigantes se someterían a un Tribunal de Arbitraje.

Estas divergencias, se confirman en el período estudiado, sometiéndose las partes al arbitraje.

A finales del 2011 (27 diciembre), la Corte de Arbitraje resolvió las diferencias surgidas a favor de la sociedad vendedora, fijando un importe adicional de 10.000€, que debía abonar la compradora, así como los intereses devengados hasta la fecha de la resolución del arbitraje (1.200€). Al cierre del citado ejercicio, la sociedad compradora procedió a efectuar el pago resultante del Laudo arbitral.

SE PIDE:

a) Registro de la operación de venta en el año 2006.

b) Fecha en que se produce el devengo del importe contingente cobrado en el 2011 y registro de la operación.

SOLUCIÓN:

a) Registro operación venta año 2006

Por la venta de las participaciones de VIGO, nuestra sociedad apuntará:

1/07/06

200.000 Bancos (572)		
	a Participaciones largo plazo en empresas del grupo (2403)	150.000
	Beneficios procedentes de participaciones a l/p empresas del grupo (7733)	50.000

¿Qué ocurre con el importe que estima la empresa (5.000€) que recibirá de forma adicional? Comentar, que es «estimativo» porque depende de circunstancias no conocidas, como es en este caso los resultados de la dependiente. Es decir, identificamos un importe «contingente».

Para su tratamiento, y por analogía, teniendo en cuenta el marco normativo de la fecha estudiada (PGC, Real Decreto 1643/1990, de 20 de diciembre) y en concreto el principio de prudencia, la Consulta 4, BOICAC 68 (diciembre, 2006) sobre el tratamiento contable de un procedimiento de expropiación forzosa de un inmueble; donde una parte del precio, un tramo contingente, se recibía después de resolverse un procedimiento judicial que venía a resolver las diferentes estimaciones que las partes en conflicto habían realizado sobre el precio final del bien enajenado: nos aclara que la contabilización del crédito por la estimación del justiprecio, tendrá como límite máximo el valor por el que el inmueble figure en contabilidad minorado en el importe recibido, sin que proceda, en consecuencia, el registro del citado crédito ni de beneficio alguno (por el tramo contingente de la contraprestación) cuando el importe recibido supera el valor en libros del activo que se da de baja.

En nuestro caso:

El importe recibido (200.000) > Valor en libros (150.000)

En consecuencia con lo establecido en el marco normativo vigente en el año 2006; no procedió registro contable del importe contingente estimado (5.000€).

b) Fecha en que se produce el devengo del importe contingente cobrado en el 2011, y registro de la operación

En los ejercicios iniciados a partir del 2008, existe un nuevo marco normativo a través del RD 1514/2007, 16 noviembre. Sin embargo, y sobre el caso que nos ocupa, este hecho no perturba lo que hasta la fecha la empresa ha realizado. De esta manera, y en este sentido, el ICAC en la Consulta 3, BOICAC 78 sobre el tratamiento contable de un proceso de expropiación, en el supuesto de que se recurriese en la jurisdicción ordinaria el importe inicialmente fijado (junio, 2009), se volvió a pronunciar, indicando que:

> «para considerar que la empresa expropiada tiene un activo que controla económicamente, debe ser prácticamente cierta la entrada de beneficios o rendimientos económicos en la empresa procedentes de dicho activo, circunstancia que con carácter general se entenderá producida en la fijación de un precio en el acta de consignación del precio y ocupación, así como en la existencia de un nuevo precio por sentencia firme».

De conformidad con los antecedentes y fundamentos que se han reproducido, se informa que el ingreso que trae causa del tramo contingente se devenga en el ejercicio en que la Corte de Arbitraje resuelve el litigio.

Con lo cual, por el devengo del importe contingente:

```
────────────────────────── 27/12/11 ──────────────────────

11.200   Créditos a corto plazo (542)

                                a       Otros ingresos financie-
                                        ros(769)                    1.200

                                        Beneficios procedentes de
                                        participaciones a l/p
                                        empresas del grupo (7733)   10.000
```

Y por el cobro:

```
────────────────────────── 1/1/X9 ──────────────────────

11.200   Bancos (572)

                                a       Créditos a corto plazo (542)   11.200
```

3.4.2. Pasivos Financieros

3.4.2.1. *Deuda tras convenio acreedores en que no se fijan intereses*

BOICAC 102, junio 2015. Consulta 6.

Sobre el tratamiento contable de la aprobación de un convenio de acreedores en un procedimiento concursal, en el que no se fijan intereses para la deuda remanente.

Respuesta

Del texto de la consulta parece desprenderse que una sociedad inmersa en un concurso de acreedores ha recibido el convenio por el cual se acuerda una quita del 50 por 100 de la deuda y el resto a pagar en 5 años, sin intereses. El consultante pregunta el tratamiento contable de esta operación.

Sobre el tratamiento contable de esta operación este Instituto se ha pronunciado en la consulta n.º 1 publicada en el BOICAC n.º 76. En dicha consulta se indica que la contabilización del efecto de la aprobación del convenio con los acreedores se reflejará en las cuentas anuales del ejercicio en que se apruebe judicialmente siempre que de forma racional se prevea su cumplimiento, y que la empresa pueda seguir aplicando el principio de empresa en funcionamiento.

A tal efecto, el deudor, en aplicación de la norma de registro y valoración en materia de baja de pasivos financieros, realizará un registro en dos etapas: primero analizará si se ha producido una modificación sustancial de las condiciones de la deuda para lo cual descontará los flujos de efectivo de la antigua y de la nueva empleando el tipo de interés inicial, para posteriormente, en su caso (si el cambio es sustancial), registrar la baja de la deuda original y reconocer el nuevo pasivo por su valor razonable (lo que implica que el gasto por intereses de la nueva deuda se contabilice a partir de ese momento aplicando el tipo de interés de mercado en esa fecha; esto es, el tipo de interés incremental del deudor o tasa de interés que debería pagar en ese momento para obtener financiación en moneda y plazo equivalente a la que ha resultado de los términos en que ha sido aprobado el Convenio).

En la memoria de las cuentas anuales deberá incluirse toda la información significativa sobre la situación concursal en la que se encuentre la empresa, al objeto de que aquéllas, en su conjunto, reflejen la imagen fiel de su patrimonio, la situación financiera y los resultados. En particular, si al cierre del ejercicio la empresa hubiera solicitado la declaración voluntaria de concurso deberá informarse de esta circunstancia.

En todo caso, una empresa con un convenio aprobado en un procedimiento concursal y en ejecución a la fecha de aprobación de las cuentas anuales, señalará en su memoria la fecha de la sentencia de aprobación del convenio, características, situación de las deudas del convenio aprobado, y variaciones más significativas, indicando las producidas por quitas y por aplazamientos en la exigibilidad de los pasivos.

También se informará sobre el cumplimiento del convenio, precisando para las deudas más significativas lo siguiente: deuda inicial con expresión de su plazo de vencimiento original y su tipo de interés efectivo, deuda en el convenio aprobado, indicando el plazo de vencimiento y su tipo de interés efectivo, así como la parte de la deuda satisfecha de acuerdo con las condiciones del convenio. Asimismo, si no se hubieran formulado cuentas anuales desde el inicio de la solicitud de declaración de concurso hasta la sentencia de aprobación del convenio, también se informará sobre la fecha de la solicitud, juzgado y fecha del auto y propuesta de convenio, indicando los medios con los que cuenta para hacer frente a las deudas.

Comentario

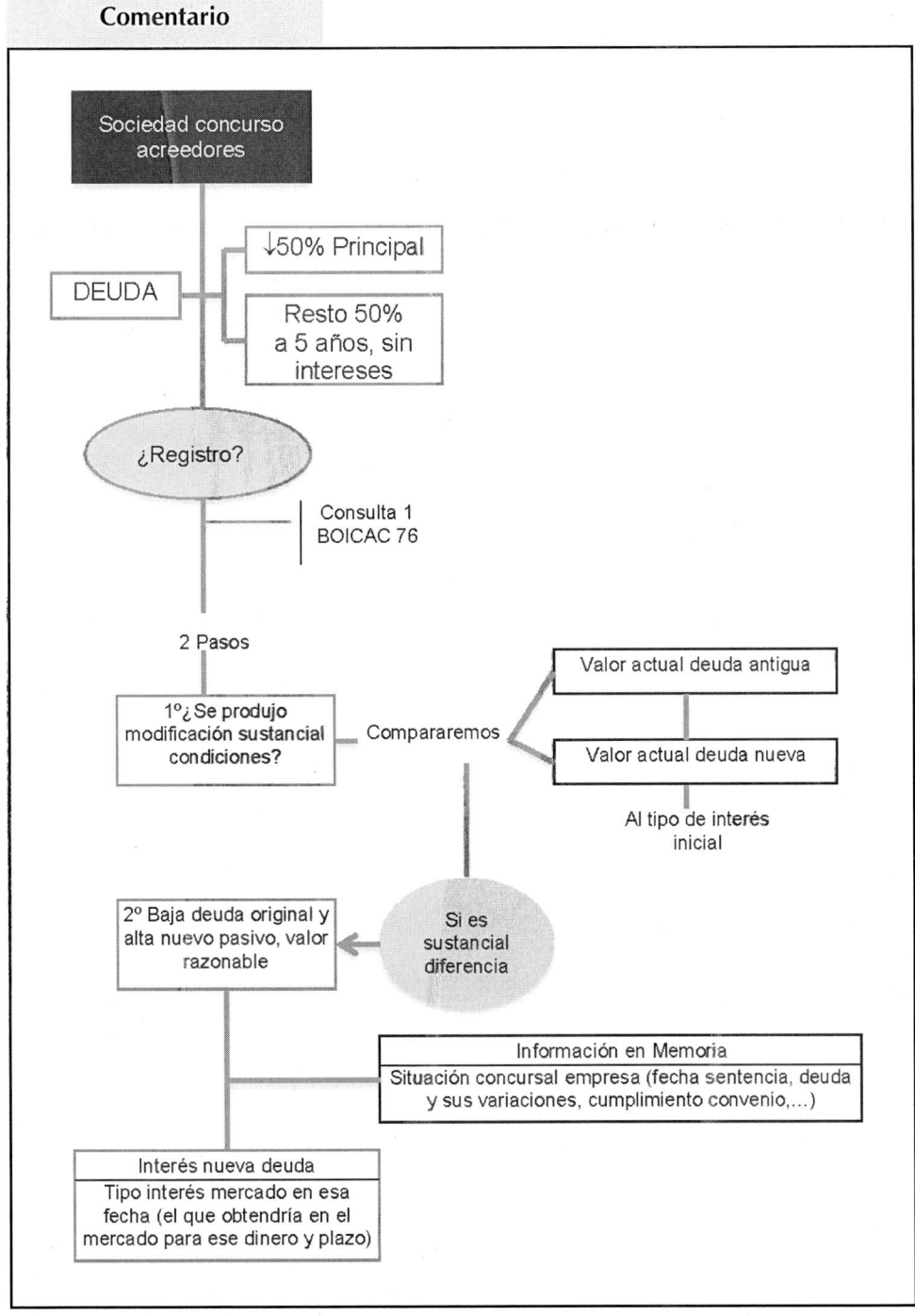

Ejemplo

La empresa PRAIA DO BAO, S.A., presenta a fecha 31/12/X1 la siguiente partida en el Pasivo de su balance:

Deudas a c/p (521).	90.900€.
Intereses a c/p de deudas (528).	9.100€
Total deuda.	100.000€

Dicha deuda, por la que pagaba un interés del 10% anual, y cuyo nominal es de 91.000€: es líquida, vencida y exigible en esta misma fecha. Pero PRAIA DO BAO, se acogió en su día a un procedimiento concursal para hacer frente a sus obligaciones.

La fecha de la sentencia de su aprobación fue el 1/1/X2, y se acuerda una reducción de la deuda del 50%; aplazándose el resto, a pagar a los cinco años sin intereses.

Los gastos originados como consecuencia de la novación de la deuda, ascendieron a 362,91€.

El tipo de interés de mercado en fecha del convenio, ascendía al 6%. Este tipo de interés, es el tipo de interés incremental del deudor, o tasa de interés que debería pagar en ese momento para obtener financiación en moneda y plazo equivalente, a la que ha resultado de los términos en que ha sido aprobado el Convenio.

SE PIDE:

Registrar las consecuencias del procedimiento, y el resto de las operaciones en el ejercicio X2

SOLUCIÓN:

• Comprobemos si las deudas intercambiadas, tienen o no condiciones sustancialmente diferentes:

Veamos gráficamente como calcular el «valor actual de flujos de efectivo del nuevo pasivo financiero»:

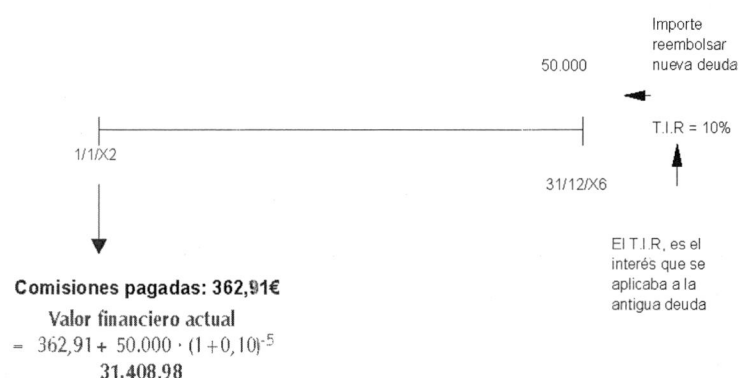

Comisiones pagadas: 362,91€

Valor financiero actual

$= 362,91 + 50.000 \cdot (1+0,10)^{-5}$

31.408,98

Según lo establecido en la Norma de valoración 9.ª.3.5 del PGC:

«(...) las condiciones de los contratos se considerarán sustancialmente diferentes cuando el valor actual de los flujos de efectivo del nuevo pasivo financiero, incluyendo las comisiones netas cobradas o pagadas, sea diferente, al menos en un diez por ciento del valor actual de los flujos de efectivo remanentes del pasivo financiero original, actualizados ambos al tipo de interés efectivo de éste».

Así, compararemos:

Valor actual de los flujos de efectivo del nuevo pasivo financiero.	31.408,98
Valor actual de los flujos de efectivo del pasivo financiero original	100.000,00
DIFERENCIA	68.591,02
	Es superior
	10% de 100.000

Que difiriere de al menos un 10 % del pasivo original (100.000 x 10% = 10.000); en consecuencia, los préstamos tienen condiciones sustancialmente diferentes.

– El 1/1/X2, DO BAO S.A, registrará el siguiente apunte, toda vez que se aprueba el convenio con los acreedores:

	1/1/X2		

40.900	Deudas c/p (Antigua) (521)		
9.100	Intereses a corto plazo de deudas (528)		
		a	Deuda l/p (Nueva) (171) (1)
			[37.362,91 - 362,91] 37.000
			Ingresos financieros derivados del concurso acreedores (76x) 12.637,09
			Bancos (572) 362,91

(1) Valor razonable del nuevo pasivo financiero = 50.000 (1 + 0,06)-5 = 37.362,91

Según lo establecido en la Norma de valoración antes mencionada:

«(...) Si se produjese un intercambio de instrumentos de deuda entre un prestamista y un prestatario, siempre que éstos tengan condiciones sustancialmente diferentes, se registrará la baja del pasivo financiero original y se reconocerá el nuevo pasivo financiero por su valor razonable. De la misma forma se registrará una modificación sustancial de las condiciones actuales de un pasivo financiero».

La diferencia entre el valor en libros del pasivo financiero o de la parte del mismo que se haya dado de baja y la contraprestación pagada incluidos los costes de transacción atribuibles y en la que se recogerá asimismo cualquier activo cedido diferente del efectivo o pasivo asumido, se reconocerá en la cuenta de pérdidas y ganancias del ejercicio en que tenga lugar.

La nueva deuda será clasificada en la cartera de «Débitos y partidas a pagar» y en una valoración posterior se hará a coste amortizado; luego necesitaremos confeccionar el cuadro de la operación financiera.

Al existir costes de transacción del nuevo pasivo financiero, este quedará valorado por su valor razonable ajustado por dichos costes, es decir por (37.362,91-362,91) =37.000; para su registro en una valoración posterior calcularemos el nuevo tipo de interés efectivo que será:

$$37.000 (1 + i)5 = 50.000$$

Operando:

$$i = 0,062071258$$

Cuadro financiero de la nueva deuda

Fecha	Periodo	Pagos	Coste financiero	Amortización	Coste amortizado
1/1/X2	0				37.000,00
31/12/X2	1	-----	2.296,64	(2.296,64)	39.296,64
31/12/X3	2	-----	2.439,19	(2.439,19)	41.735,83
31/12/X4	3	-----	2.590,60	(2.590,60)	44.326,43
31/12/X5	4	-----	2.751,40	(2.751,40)	47.077,83
31/12/X6	5	-----	2.922,17	(2.922,17)	50.000,00

– Registro de los intereses devengados (ver cuadro operación financiera), en el X2:

———————————————————— 31/12/X2 ————————————————————

2.296,64 Intereses de deudas (662)
(1)

a   Deudas a largo plazo
        (171)   2.296,64

————————————————————————

(1) El gasto por intereses de la nueva deuda que se contabilice a partir de ese momento, aplicando el tipo de interés de mercado en esa fecha; esto es, el tipo de interés incremental del deudor o tasa de interés que debería pagar en ese momento para obtener financiación en moneda y plazo equivalente a la que ha resultado de los términos en que ha sido aprobado el Convenio). Consulta n.º 6. BOICAC 102.

3.5. DEFINICIONES

3.5.1. En base a una normativa

3.5.1.1. Interpretación de términos en la ley concursal

BOICAC 102, junio 2015. Consulta 1.

Sobre la correcta interpretación de los términos «pasivo», «pasivos financieros» y «grupo» regulados en el art. 71.bis y la Disposición adicional cuarta de la Ley 22/2003, de 9 de julio, Concursal.

> **Respuesta**

1. Antecedentes

El art. 71 bis y la Disposición adicional cuarta de la Ley 22/2003, de 9 de julio, Concursal, han sido objeto de tres reformas legislativas muy cercanas en el tiempo en materia de refinanciación y reestructuración de deuda empresarial. La primera, que es sobre la que pregunta el consultante, introducida por el Real Decreto-ley 4/2014, de 7 de marzo, que entró en vigor el 9 de marzo de 2014, la segunda operada por la Ley 17/2014, de 30 de septiembre, que entró en vigor el 2 de octubre de 2014, y la tercera, por la Ley 9/2015, de 25 de mayo, de medidas urgentes en materia concursal, que entró en vigor el 27 de mayo de 2015, y en relación con la cual se realiza la presente contestación.

Según la exposición de motivos de estas normas, con estos acuerdos se persigue sanear empresas viables desde un punto de vista operativo, con el fin de que la deuda remanente sea soportable, permitiendo así que la empresa siga atendiendo sus compromisos en el tráfico económico, conjugándose con el respeto a las legítimas expectativas de los acreedores, los cuales habrán de participar activamente en estos procedimientos de alivio de carga financiera con las máximas garantías y, en última instancia, evitar el concurso en beneficio de ambas partes.

En el escrito de consulta se indica que la redacción de los arts. 71.bis y la Disposición adicional cuarta de la Ley Concursal, que a continuación se reproducen, suscita algunas dudas interpretativas.

«Art. 71 bis Régimen especial de determinados acuerdos de refinanciación (redacción Ley 9/2015)

1. No serán rescindibles los acuerdos de refinanciación alcanzados por el deudor, así como los negocios, actos y pagos, cualquiera que sea la naturaleza y la forma en que se hubieren realizado, y las garantías constituidas en ejecución de los mismos, cuando:

a) En virtud de éstos se proceda, al menos, a la ampliación significativa del crédito disponible o a la modificación o extinción de sus obligaciones, bien mediante prórroga de su plazo de vencimiento o el establecimiento de otras contraídas en sustitución de aquéllas, siempre que respondan a un plan de viabilidad que permita la continuidad de la actividad profesional o empresarial en el corto y medio plazo; y

b) Con anterioridad a la declaración del concurso:

1.º El acuerdo haya sido suscrito por acreedores cuyos créditos representen al menos tres quintos del **pasivo** *del deudor en la fecha de adopción del acuerdo de refinanciación. A los efectos del cómputo de esa mayoría de* **pasivo** *se entenderá que, en los acuerdos sujetos a un régimen o pacto de sindicación, la totalidad de los acreedores sujetos a dicho acuerdo suscriben el acuerdo de refinanciación cuando voten a su favor los que repre-*

senten al menos el 75 por ciento del **pasivo** afectado por el acuerdo de sindicación, salvo que las normas que regulan la sindicación establezcan una mayoría inferior, en cuyo caso será de aplicación esta última.

En el caso de acuerdos de **grupo**, el porcentaje señalado se calculará tanto en base individual, en relación con todas y cada una de las sociedades afectadas, como en base consolidada, en relación con los créditos de cada **grupo o subgrupo** afectados y excluyendo en ambos casos del cómputo del pasivo los préstamos y créditos concedidos por sociedades del **grupo**.

2.º Se emita certificación del auditor de cuentas del deudor sobre la suficiencia del **pasivo** que se exige para adoptar el acuerdo. De no existir, será auditor el nombrado al efecto por el registrador mercantil del domicilio del deudor y, si éste fuera un **grupo o subgrupo** de sociedades, el de la sociedad dominante.

3.º El acuerdo haya sido formalizado en instrumento público al que se habrán unido todos los documentos que justifiquen su contenido y el cumplimiento de los requisitos anteriores.

(...)

Disposición adicional cuarta. Homologación de los acuerdos de refinanciación (redacción Ley 9/2015)

1. Podrá homologarse judicialmente el acuerdo de refinanciación que habiendo sido suscrito por acreedores que representen al menos el 51 por ciento de los pasivos financieros, reúna en el momento de su adopción, las condiciones previstas en la letra a) y en los núms. 2.º y 3.º de la letra b) del apartado 1 del art. 71 bis. Los acuerdos adoptados por la mayoría descrita no podrán ser objeto de rescisión conforme a lo dispuesto en el apartado 13. Para extender sus efectos serán necesarias las mayorías exigidas en los apartados siguientes.

No se tendrán en cuenta, a efectos del cómputo de las mayorías indicadas en esta disposición, los pasivos financieros titularidad de acreedores que tengan la consideración de persona especialmente relacionada conforme al apartado 2 del art. 93 quienes, no obstante, podrán quedar afectados por la homologación prevista en esta disposición adicional.

A los efectos de esta disposición, tendrán la consideración de acreedores de pasivos financieros los titulares de cualquier endeudamiento financiero con independencia de que estén o no sometidos a supervisión financiera. Quedan excluidos de tal concepto los acreedores por créditos laborales, los acreedores por operaciones comerciales y los acreedores de pasivos de derecho público.

En caso de acuerdos sujetos a un régimen o pacto de sindicación, se entenderá que la totalidad de los acreedores sujetos a dicho acuerdo suscriben el acuerdo de refinanciación cuando voten a su favor los que repre-

senten al menos el 75 por ciento del **pasivo** afectado por el acuerdo de sindicación, salvo que las normas que regulan la sindicación establezcan una mayoría inferior, en cuyo caso será de aplicación esta última.

Voluntariamente podrán adherirse al acuerdo de refinanciación homologado los demás acreedores que no lo sean de pasivos financieros ni de pasivos de derecho público. Estas adhesiones no se tendrán en cuenta a efectos del cómputo de las mayorías previstas en esta disposición. (...)

3. A los acreedores de pasivos financieros que no hayan suscrito el acuerdo de refinanciación o que hayan mostrado su disconformidad al mismo y cuyos créditos no gocen de garantía real o por la parte de los créditos que exceda del valor de la garantía real, se les extenderán, por la homologación judicial, los siguientes efectos acordados en el acuerdo de refinanciación:

a) Si el acuerdo ha sido suscrito por acreedores que representen al menos el 60 por ciento **del pasivo financiero**, las esperas, ya sean de principal, de intereses o de cualquier otra cantidad adeudada, con un plazo no superior a cinco años, o la conversión de deuda en préstamos participativos durante el mismo plazo.

b) Si el acuerdo ha sido suscrito por acreedores que representen al menos el 75 por ciento del **pasivo financiero**, las siguientes medidas: (...)

4. **Por la homologación judicial, se extenderán** a los acreedores de **pasivos financieros** que no hayan suscrito el acuerdo de refinanciación o que hayan mostrado su disconformidad al mismo, por la parte de su crédito que no exceda del valor de la garantía real, los efectos señalados en el apartado anterior, siempre que uno o más de dichos efectos hayan sido acordados, con el alcance que se convenga, por las siguientes mayorías, calculadas en función de la proporción del valor de las garantías aceptantes sobre el valor total de las garantías otorgadas:

a) Del 65%, cuando se trate de las medidas previstas en la letra a) del apartado anterior.

b) Del 80%, cuando se trate de las medidas previstas en la letra b) del apartado anterior (...)».

En particular, la consulta versa sobre la correcta interpretación de los siguientes términos:

a) Qué debe entenderse por «pasivo», y qué criterio de valoración debe emplearse para cuantificarlo a los efectos del cómputo de la mayoría regulado en el art. 71.bis.1.b)1.º de la Ley Concursal.

b) Qué debe entenderse por «pasivo financiero», y qué criterio de valoración debe emplearse para cuantificarlo a los efectos del cómputo de las mayorías reguladas en la Disposición adicional cuarta de Ley Concursal.

c) Cuál es el correcto significado del término «grupo» a los efectos regulados en el art. 71.bis.1 de la Ley Concursal.

2. Interpretación del ICAC

a) Qué debe entenderse por «pasivo», y qué criterio de valoración debe emplearse para cuantificarlo a los efectos del cómputo de la mayoría regulada en el art. 71.bis.1.b)1.º de la Ley Concursal.

De acuerdo con el art. 3 del Código Civil (CC), las normas se interpretarán según el sentido propio de sus palabras, en relación con el contexto, los antecedentes históricos y legislativos, y la realidad social del tiempo en que han de ser aplicadas, atendiendo fundamentalmente al espíritu y finalidad de aquellas.

El objetivo de la regulación que ahora se interpreta es facilitar el logro de un consenso entre el deudor y sus acreedores, para lograr que estos últimos vean atendidos sus créditos, aunque sea de forma parcial o en un plazo de tiempo superior al inicialmente acordado, y que el deudor empresario pueda continuar el ejercicio de su actividad. A tal efecto, ambas partes, deudor y acreedores, deben acordar o pactar con la mayoría requerida en el art. 71.bis.1.b)1.º.

Adicionalmente, parece razonable considerar que la mayoría de acreedores regulada en el art. 71.bis.1.b)1.º, por referencia a los tres quintos del pasivo de la empresa, se debería obtener comparando dos conceptos homogéneos, es decir, la proporción de acreedores que acuerdan respecto al total de acreedores (que pueden prestar su consentimiento).

Pues bien, para que los acreedores puedan manifestar su voluntad y el auditor certificar que el acuerdo ha sido suscrito por los titulares de «créditos» que representan al menos tres quintos del pasivo, es preciso que a su vez acrediten dicha condición, esto es, que gocen de un título de crédito, que haya un reconocimiento previo de deuda a favor del acreedor, o que este último pueda dar testimonio del derecho en que funda su pretensión.

En consecuencia, este Instituto opina que para cuantificar el «pasivo» regulado en el art. 71.bis.1.b)1.º de la Ley Concursal, el pasivo que luciría en el balance de una empresa, en la fecha del acuerdo de refinanciación, puede constituir un primer punto de partida sobre el que tal vez sería preciso realizar ajustes para excluir conceptos como los pasivos por impuestos diferidos, las provisiones y los ajustes por periodificación en la medida que no puedan calificarse como acreedores en sentido estricto, esto es, titulares de un derecho de crédito frente a la empresa.

Por lo que respecta a la valoración del pasivo se informa que de acuerdo con el literal de la ley parece inferirse que la cuantificación del mencionado porcentaje debe realizarse en función del importe a que ascienda la deuda en la fecha del acuerdo (en concepto de principal, de intereses o de cualquier otra cantidad adeudada), para cuya determinación habrá que estar a los términos de cada contrato, pudiendo emplearse como aproximación el valor contable o en libros del pasivo en el caso de deudas valoradas al coste amortizado.

A continuación se reproducen otros artículos de la Ley Concursal en los que se aprecia, en sintonía con esta interpretación, como el término pasivo parece emplearse como sinónimo de acreedor o titular de un derecho de crédito.

> «Art. 88.1: *A los solos efectos de la **cuantificación del pasivo**, todos los **créditos** se computarán en dinero y se expresarán en moneda de curso legal, sin que ello suponga su conversión ni modificación.*
>
> Art. 106.1: *Para su admisión a trámite, la propuesta deberá ir acompañada de adhesiones de **acreedores** de cualquier clase, prestadas en la forma establecida en esta Ley y **cuyos créditos superen la quinta parte del pasivo** presentado por el deudor. Cuando la propuesta se presente con la propia solicitud de concurso voluntario bastará con que las adhesiones alcancen la décima parte del mismo pasivo.*
>
> Art. 113.1: *(...) También podrán hacerlo los **acreedores cuyos créditos** consten en el concurso y superen, conjunta o individualmente, **una quinta parte del total pasivo resultante de la lista definitiva de acreedores**, salvo que el concursado tuviere solicitada la liquidación.*
>
> Art. 124.1: *Para que una propuesta de convenio se considere aceptada por la junta serán necesarias las siguientes mayorías: a) El 50% del **pasivo ordinario** (...)».*

En definitiva, cuando el legislador emplea el término «pasivo» en estos artículos (y en el que es objeto de la presente interpretación; art. 71.bis.1) se está refiriendo a una cuantificación de los créditos, o por decirlo de otra forma, a una ponderación de cada acreedor, para darles un peso proporcional al valor de sus créditos a la hora de la toma de decisiones o el cumplimiento de ciertos requisitos.

Por ello, y como conclusión, en el art. 71.bis.1.b)1.º de la Ley Concursal el término pasivo se referiría a la suma del importe adeudado a todos los acreedores, titulares de un derecho de crédito o exigible de otro modo, y no a la cifra de pasivo del modelo de balance. Esta interpretación se soporta en la propia literalidad del precepto, en el que se alude a los acreedores y sus créditos, analizado en el contexto y finalidad de la citada regulación.

b) Qué debe entenderse por «pasivo financiero», y qué criterio de valoración debe emplearse para cuantificarlo a los efectos del cómputo de las mayorías reguladas en la Disposición adicional cuarta de la Ley Concursal.

En el apartado 1 de la Disposición adicional cuarta de la Ley Concursal, se establece:

> «*(...) A los efectos de esta disposición, tendrán la consideración de acreedores de pasivos financieros los titulares de cualquier endeudamiento financiero con independencia de que estén o no sometidos a supervisión financiera. Quedan excluidos de tal concepto los acreedores por créditos laborales, los acreedores por operaciones comerciales y los acreedores de pasivos de derecho público*».

Por lo tanto, el concepto a delimitar será el de «*titular de cualquier endeuda-miento financiero*» con las excepciones que se indican en la propia norma.

Para ello cabría traer a colación las definiciones que la Ley Concursal establece en el art. 94.2, en relación con estos conceptos:

«*1.º Laborales, entendiéndose por tales los acreedores de derecho labo-ral. Quedan excluidos los vinculados por la relación laboral de carácter especial del personal de alta dirección en lo que exceda de la cuantía pre-vista en el art. 91.1.º*

2.º Públicos, entendiéndose por tales los acreedores de derecho público.

3.º Financieros, entendiéndose por tales los titulares de cualquier endeudamiento financiero con independencia de que estén o no sometidos a supervisión financiera.

4.º Resto de acreedores, entre los cuales se incluirán los acreedores por operaciones comerciales y el resto de acreedores no incluidos en las cate-gorías anteriores».

Pues bien, considerando que el literal de la norma hace referencia a los titulares «*de cualquier endeudamiento financiero*», para luego aclarar que determinados acreedores (comerciales, laborales y de derecho público) quedan excluidos de tal concepto, cabría concluir que a los efectos que nos ocupan el concepto «titular de cualquier endeudamiento financiero» es una categoría autónoma, claramente identificable, cualquier acreedor que ha suministrado financiación a la empresa en su significado más intuitivo, es decir, que ha suministrado fondos o efectivo a la misma, y distinta a las restantes categorías de acreedores contenidas en el art. 94.2.

En consecuencia, esta categoría debe incluir a los acreedores como las entida-des de crédito, con independencia del instrumento con el que se haya formalizado la financiación y en su caso de las garantías exigidas, así como otras personas, entidades o intermediarios ya sean sometidos o no a supervisión financiera y que hayan financiado a la empresa mediante los mercados de capitales (bonos, paga-rés, etcétera) o de forma bilateral o multilateral (préstamos sindicados, etcétera). La categoría de pasivos financieros excluye, por lo tanto, a los acreedores labora-les, a los acreedores de derecho público, a los acreedores por operaciones comer-ciales, así como a otros acreedores cuya financiación otorgada no responda a los criterios anteriores previstos para los acreedores financieros.

c) Cuál es el correcto significado del término «grupo» a los efectos regulados en el art. 71.bis.1 de la Ley Concursal.

En la Disposición adicional sexta. Grupo de sociedades, de la Ley Concursal se afirma que: «*A los efectos de esta ley, se entenderá por grupo de sociedades lo dispuesto en el* art. 42.1 del Código de Comercio».

Por otro lado, se informa que este Instituto ha publicado varias consultas sobre la correcta interpretación del concepto de grupo regulado en el art. 42.1 del Código de Comercio (CdC), pudiendo citarse, por todas, la consulta 4 publicada en el Boletín del ICAC n.º 92, de diciembre de 2012.

A modo de resumen se recuerda que en la contestación a dicha consulta se diferencian dos conceptos de grupo:

a) El grupo del art. 42 del CdC formado, al menos, por dos sociedades cuando una controla a la otra, y, donde la sociedad dominante (sociedad que ejerce el control) es una sociedad española sujeta a la obligación de consolidar regulada en el art. 42 del CdC (sin perjuicio de que a su vez pudiera estar dispensada de formular cuentas anuales consolidadas), y

b) El denominado grupo «ampliado» definido en la Norma de elaboración de las cuentas anuales (NECA) 13.ª. «Empresas del grupo, multigrupo y asociadas» del Plan General de Contabilidad (PGC), aprobado por el Real Decreto 1514/2007, de 16 de noviembre, formado por las sociedades del art. 42 del CdC y las empresas controladas por cualquier medio por una o varias personas físicas o jurídicas, que actúen conjuntamente o se hallen bajo dirección única por acuerdos o cláusulas estatutarias.

A la vista de estos antecedentes, en una interpretación literal y conjunta del art. 71.bis.1.b) y la Disposición adicional sexta de la Ley Concursal, cabría llegar a las siguientes conclusiones:

1. Los acuerdos de grupo son acuerdos colectivos de refinanciación en el que el deudor es el conjunto integrado por las sociedades del grupo que firman el acuerdo.

2. Estos acuerdos deben ir acompañados de un plan de viabilidad elaborado por un experto independiente, cuyo nombramiento, de conformidad con el apartado 4 del art. 71.bis corresponderá al registrador mercantil del domicilio del deudor. Si el acuerdo de refinanciación afectara a varias sociedades del mismo grupo, el informe podrá ser único y elaborado por un solo experto, designado por el registrador del domicilio de la sociedad dominante, si estuviera afectada por el acuerdo o, en su defecto, por el del domicilio de cualquiera de las sociedades del grupo.

3. De lo anterior se infiere que el acuerdo de grupo puede ser firmado por la sociedad dominante española y una o varias dependientes, por un subgrupo (formando por una filial española que a su vez controla a otra sociedad española), o por dos sociedades dependientes españolas controladas por la dominante de un grupo o subgrupo sin que la sociedad que ejerce el control deba integrarse en el acuerdo. No cabe duda que todos estos acuerdos serían acuerdos de grupo en el sentido del art. 42.1 del CdC, porque todas las sociedades que se han citado formarían parte del grupo que se regula en el mencionado artículo.

4. En el caso de acuerdo de grupo, el porcentaje de tres quintos del pasivo se calculará tanto en base individual, en relación con todas y cada una de las sociedades afectadas, como en base consolidada, en relación con los créditos de cada grupo o subgrupo afectados (esto es, solo de las sociedades del grupo o subgrupo que hayan firmado el acuerdo) y excluyendo en ambos casos del cómputo del pasivo los préstamos y créditos concedidos por todas las sociedades del grupo.

Es decir, tanto en base individual como consolidada, en el caso de acuerdo de grupo, deberán excluirse los préstamos y créditos concedidos por todas las sociedades del grupo (radicadas en España y en el extranjero) se hayan integrado o no en el acuerdo.

5. Por último se informa que la necesidad de computar el porcentaje de los tres quintos en base consolidada no trae consigo la obligación de formular cuentas anuales consolidadas del grupo o subgrupo que haya suscrito el acuerdo, porque la Ley Concursal no impone esta obligación.

Comentario

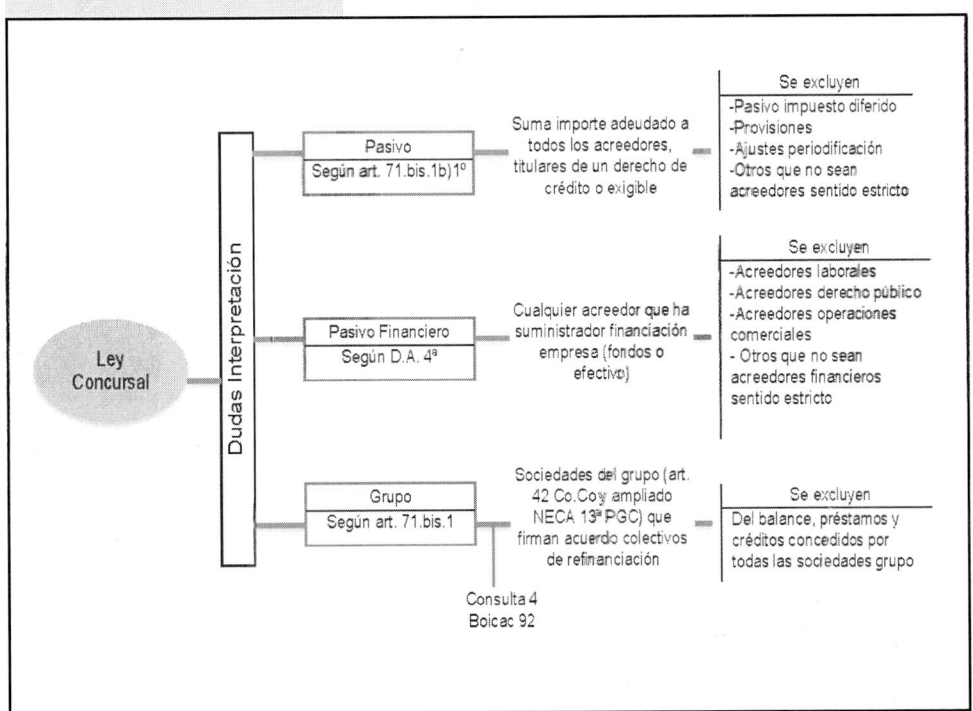

Ejemplo

La sociedad CIES S.A., es adquirida por TORALLA S.A., en el X14, siendo su participación del 100% en el capital.

En el X20, CIES, muestra problemas financieros, al disminuir sus ventas: e inicia una serie de acuerdos con sus acreedores, entre los que se encuentra, también, TORALLA. Presentándoles un plan de viabilidad, por el cual en años futuros piensa remontar su actividad comercial. En dicho plan, se incluye a la dominante, que acepta, al igual que los demás, los acuerdos.

Entre tanto, presenta concurso de acreedores; y todo ello, con el fin de beneficiar a las partes: aliviando financieramente a la empresa, y consiguiendo recuperar, en su mayor medida, lo cedido.

Con el objeto de delimitar distintos términos que establece la Ley Concursal, CIES, presenta los elementos que figuran bajo el epígrafe de PASIVO, en su balance de situación:

PASIVO NO CORRIENTE	
143. Provisión desmantelamiento	7.000
170. Deudas l/p entidades de crédito	150.000
177. Obligaciones y bonos	30.000
1633. Otras deudas l/p empresas grupo	100.000
479. Pasivo impuesto diferido	1.750
PASIVO CORRIENTE	
520. Deudas c/p entidades crédito	20.000
5133. Otras deudas c/p empresas grupo	10.500
400. Proveedores	50.000
410. Acreedores	15.000
465. Remuneraciones pendientes de pago	40.000
475. HP acreedor por conceptos fiscales	50.000
476. Organismos SS. Acreedores	60.000
485. Ingresos anticipados	1.000
TOTAL	535.250

SE PIDE:

1.º) Comentar cómo incide que nuestra empresa, forme parte de un grupo de sociedades, y la interpretación que le da la Consulta.

2.º) Cuantificar el término «PASIVO», a los efectos del art. 71 bis 1 b) 1.º, de la Ley Concursal.

3.º) Cuantificar el término «PASIVO FINANCIERO» a los efectos de la D.A 4.ª de la Ley Concursal.

SOLUCIÓN:

(1 y 2) Incidencia del término «GRUPO». Cuantificación término «PASIVO» art. 71 bis 1 b) 1.º, Ley Concursal.

El art. 71 de la Ley Concursal, nos indica unas proporciones y porcentajes de pasivo, para determinar la representación de los acreedores, en relación a los acuerdos suscritos con la sociedad.

En el caso de que estos acuerdos fueran también con el «grupo», nos señala que excluiremos del cómputo del pasivo, aquellos préstamos y créditos concedidos por las sociedades de «grupo».

En nuestro caso, el «grupo», es el formado por la dominante TORALLA y nuesta empresa CIES, controlada ésta al 100%: cumpliendo así, con el art. 42 del Co.Co. Todas firman el acuerdo, e igualmente, se elabora un plan de viabilidad (indicadores éstos, establecidos por la Consulta, para sustentar el término la referida Ley).

Ya sólo nos queda excluir del pasivo, las deudas vinculadas, así:

Pasivo total, según balance	535.250
(-) 1633. Otras deudas l/p empresas grupo	(100.000)
(-) 5133. Otras deudas c/p empresas grupo	(10.500)
Pasivo según balance, neto deudas vinculadas	**424.750**

Sin embargo, todavía existen partidas en esta cuantía, a las que según la Consulta, deberíamos sustraer para definir «PASIVO», en base al mencionado art. 71

Así, el término se referiría a la suma del importe adeudado a todos los acreedores titulares de un derecho de crédito o exigible de otro modo; excluyendo, por tanto: pasivo por impuesto diferido, provisión, ajustes por periodificación.

De esta forma:

Pasivo según balance, neto deudas vinculadas	424.750
(-)143. Provisión desmantelamiento	(7.000)
(-) 479. Pasivo impuesto diferido	(1.750)

(-) 485. Ingresos anticipados	(1.000)
PASIVO, según art. 71 Ley Concursal	**415.000**

3) Cuantificación término «PASIVO FINANCIERO» D.A 4.ª de la Ley Concursal.

Según la presente Consulta, se debería identificar con est término cualquier acreedor que ha suministrado financiación a la empresa, en su significado más intuitivo (fondos o efectivo), como las entidades de crédito. Así y para nuestro caso:

170. Deudas l/p entidades de crédito	150.000
177. Obligaciones y bonos	30.000
520. Deudas c/p entidades crédito	20.000
PASIVO FINANCIERO, según D.A. 4.ª Ley Concursal	200.000

Se excluyen a los acreedores laborales, a los acreedores de derecho público, a los de operaciones comerciales así como aquellas que no respondan a lo indicado como «acreedor financiero». Igualmente, hemos aplicado lo constatado en los apartados anteriores, en torno al concepto de «PASIVO» y que sea una entidad del «grupo».

4. EXISTENCIAS

4. EXISTENCIAS

4.1. VALORACIÓN INICIAL

4.1.1. Precio adquisición

4.1.1.1. «Rappels» por compras futuras

BOICAC 91, septiembre 2012. Consulta 5.

Sobre la vigencia del criterio incluido en la consulta 2 publicada en el Boletín del ICAC (BOICAC) n.º 53, de marzo de 2003, a raíz de la entrada en vigor del Plan General de Contabilidad (PGC), aprobado por el Real Decreto 1514/2007, de 16 de noviembre.

Respuesta

La consulta 2 del BOICAC n.º 53 establece el tratamiento contable de la cantidad recibida por una empresa de un proveedor, con la condición de asumir el compromiso de compra en exclusiva de un volumen preestablecido de productos durante un período de tiempo determinado. En su respuesta, este Instituto calificaba la operación como un rappel cobrado por anticipado a contabilizar en «Ingreso a distribuir en varios ejercicios», que debía imputarse a resultados del ejercicio a medida que se fuese devengando por cumplir los requisitos estipulados en el contrato, y de acuerdo, a su vez, con el principio de correlación de ingresos y gastos.

El consultante pregunta cómo se deberá reconocer la contraprestación reci- bida, que de acuerdo con el Plan de 1990 y el criterio previsto en la consulta n.º 2 del BOICAC n.º 53 se registraba como «ingresos a distribuir en varios ejercicios.»

El nuevo PGC define los pasivos en su primera parte «Marco Conceptual de la Contabilidad» (MCC), apartado 4.º, como:

> *«Obligaciones actuales surgidas como consecuencia de sucesos pasa- dos, para cuya extinción la empresa espera desprenderse de recursos que puedan producir beneficios o rendimientos económicos en el futuro».*

Adicionalmente, en el apartado 5.º se indica que:

> *«Los pasivos deben reconocerse en el balance cuando sea probable que, a su vencimiento y para liquidar la obligación, deban entregarse o cederse recursos que incorporen beneficios o rendimientos económicos futuros, y siempre que se puedan valorar con fiabilidad (...)».*

Respecto al principio de correlación de ingresos y gastos incluidos en la pri- mera parte del Plan de 1990, el último párrafo de este apartado 5.º dispone que:

> *«Se registrarán en el período a que se refieren las cuentas anuales, los ingresos y gastos devengados en éste, estableciéndose en el caso en que sea pertinente, una correlación entre ambos, que en ningún caso puede llevar al registro de activos o pasivos que no satisfagan la definición de éstos».*

Por su parte, el principio de devengo se enuncia en el nuevo Plan como sigue:

«Los efectos de las transacciones o hechos económicos se registrarán cuando ocurran, imputándose al ejercicio al que las cuentas anuales se refieran, los gastos y los ingresos que afecten al mismo, con independencia de la fecha de su pago o de su cobro».

La interpretación sistemática de todo lo anterior debe llevar a concluir que la correlación entre ingresos y gastos se contempla en el PGC siempre supeditada a que proceda reconocer el correspondiente pasivo.

Por ello, este Instituto considera en vigor el criterio recogido en la consulta 2 del BOICAC núm. 53 en el marco del nuevo PGC, siempre que a la vista del acuerdo suscrito con el proveedor deba concluirse que, en caso de incumplimiento, la empresa deba entregar o ceder recursos que incorporen beneficios o rendimientos económicos futuros.

Para contabilizar o reclasificar el citado importe, la empresa podrá emplear una cuenta del subgrupo 18 con adecuada denominación, que se imputará a la cuenta de pérdidas y ganancias según se vaya devengando el rappel.

Comentario

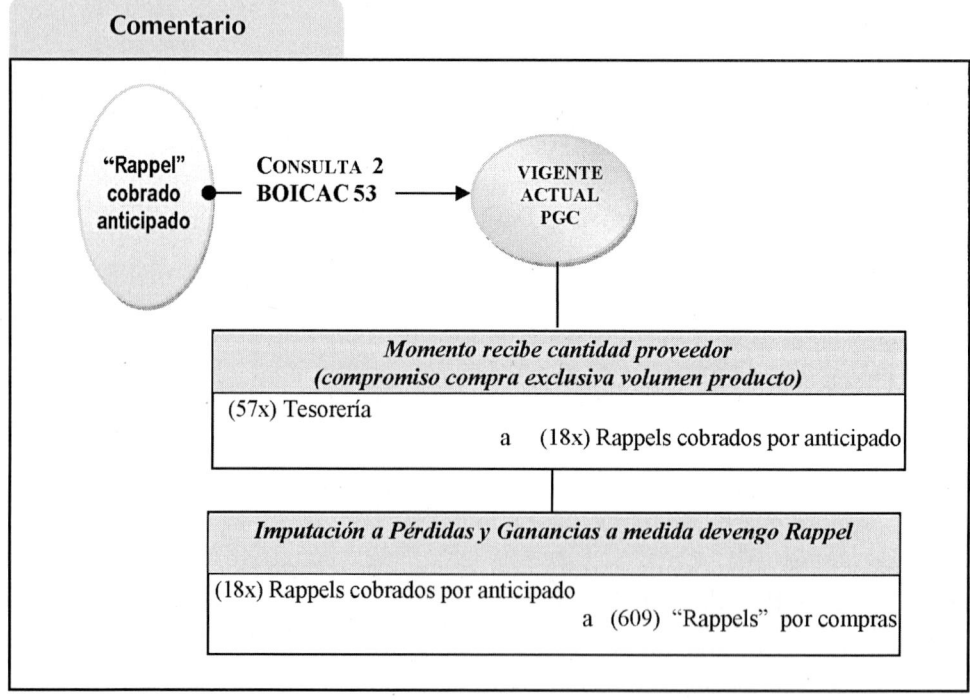

Ejemplo

Los supermercados FROAZ S.A., ha formalizado un contrato con la sociedad GADISA, distribuidora de productos alimenticios, mediante el cual se ha comprometido a comprar en exclusiva productos de la citada firma, por importe de 2.000.000€ durante un período de dos años. En contrapartida, FROAZ recibe como remuneración, un 8% del citado importe, el cual, ha sido ingresado en cuenta corriente en la fecha del contrato (1/7/20X3).

Durante el año 20X3, las compras realizadas a GADISA han ascendido a 1,2 millones de€, y durante el año 20X4, a 600.000€. No se ha realizado adquisiciones adicionales hasta el fin del período considerado.

SE PIDE:

– Contabilizar lo que proceda durante el período de duración del contrato. IVA de las operaciones: 10%

– En el citado contrato, se estableció que en el caso de no conseguir el volumen de compras pactado durante el período considerado, se reintegraría la cuantía correspondiente recibida, junto con un interés del 3% anual compuesto y devengado desde la fecha del contrato, sin ninguna penalización adicional.

SOLUCIÓN:

– A mediados del 20X3 (Julio), FROAZ realizará la siguiente anotación por el «rappel» cobrado por anticipado:

	1/7/X3		
176.000	Bancos c/c (572)		
	a	Rappels cobrados por anticipado (18x)[2]	
		[8% de 2.000.000	160.000
		HP IVA repercutido (477)[1]	16.000

[1] Según lo dispuesto en el art. 75.dos de la Ley del IVA, los pagos anticipados devengan IVA.

[2] Según los contenidos de la presente consulta: «(...) para contabilizar o reclasificar el citado importe, la empresa podrá emplear una cuenta del subgrupo 18 con adecuada denominación, que se imputará a la cuenta de pérdidas y ganancias según se vaya devengando el rappel».

– Hasta lo que queda de año, nuestra empresa ha realizado compras por volumen de 1,2 millones de €. El asiento resumen por las mismas:

―――――――――――――――――――― X ――――――――――――――――――――

1.200.000	Compras de mercaderías (600)		
110.400	HP IVA soportado (472)		
	[(1.200.000 - 8% 1.200.000) x 10%]		
	a	Bancos (572)	1.310.400

―――

Por el devengo de los «rappels» de estas compras, al cumplir los requisitos estipulados en el contrato y de acuerdo con el principio de correlación de ingresos y gastos:

«Se registrarán en el período a que se refieren las cuentas anuales, los ingresos y gastos devengados en éste, estableciéndose en el caso en que sea pertinente, una correlación entre ambos, que en ningún caso puede llevar al registro de activos o pasivos que no satisfagan la definición de éstos».

―――――――――――――――――――― X ――――――――――――――――――――

96.000	Rappels cobrados por anticipado (18x)		
	[8% de 1.200.000]		
	a	Rappels sobre compras (609)	96.000

―――

– En el ejercicio siguiente (20X4), la empresa efectúa compras por 600.000€, anotando por ellas:

―――――――――――――――――――― X ――――――――――――――――――――

600.000	Compras de mercaderías (600)		
55.200	HP IVA soportado (472)		
	[(600.000 - 8% 600.000) x 10%]		
	a	Bancos (572)	655.200

―――

Al mismo tiempo, por el devengo de los «rappels» de estas compras:

	X	
48.000		

48.000   Rappels cobrados por anticipado
(18x)

[8% de 600.000]

           a   Rappels sobre compras
               (609)   48.000

– Terminado el período establecido en el contrato (2 años), FROAZ no alcanzó el volumen de compras acordado (2.000.000€), faltándole 200.000€. Por lo que tendrá que reintegrar la cuantía del «rappel» correspondiente, además de un interés del 3% anual que se calcula desde la fecha en que firmaron el contrato.

Así el 2/7/20X5, determinaremos la cuantía total a reintegrar:

Sabiendo que, el volumen de compras no efectuadas se elevó a:

Compromiso de compra.	2.000.000€
Compras de 1/7/X3 - 1/7/X5.	1.800.000€
Incumplimiento.	200.000€

Calcularemos:

«Rappels» correspondientes a las compras no efectuadas: 8% 200.000 =. . . . .   16.000€

Intereses correspondientes al 3% anual compuesto de la cantidad adeudada:
$16.000 \cdot (1,03)^2 - 16.000 =$. . . . .   974,40€

Total Deuda Proveedor = «Rappels» devueltos + Intereses =. **16.974,40**

Registrando:

———————————————————————— X ————————————————————

16.000   Rappels cobrados por anticipado
         (18x)

         [8% de 200.000]

974,40   Intereses de deudas (662)

 1.600   HP IVA repercutido (477)

         [16.000 x 10%]

                                    a   Proveedores (400)   18.574,40

4.1.1.2.   Calificación mobiliario destinado a exposición, que luego podría venderse

BOICAC 98, junio 2014. Consulta 8.

Sobre la calificación contable del mobiliario adquirido por una empresa destinado a la exposición en tiendas y ferias.

Respuesta

Del texto de la consulta parece desprenderse que una empresa dedicada a la compraventa de mobiliario de viviendas, ha adquirido mobiliario destinado a la exposición en tienda y ferias y que, posteriormente, pasados dos años podría vender.

El consultante pregunta si este mobiliario de exposición debe estar contabilizado en el activo de la empresa como inmovilizado material o como existencias.

De acuerdo con las definiciones incluidas en la quinta parte del Plan General de Contabilidad, aprobado por el Real Decreto 1514/2007, de 16 de noviembre, en el activo no corriente y, en particular, en el inmovilizado material se presentan los bienes destinados a servir de forma duradera en las actividades de la empresa. Por su parte, las existencias son activos poseídos para ser vendidos en el curso normal de la explotación, en proceso de producción o en forma de materiales o suministros para ser consumidos en el proceso de producción o en la prestación de servicios.

Por lo tanto, con carácter general, tendrán la consideración contable de existencias los elementos destinados a la venta como actividad ordinaria de la empresa, y aquellos elementos vinculados a la empresa de manera permanente pertenecerán al inmovilizado, calificándose como inmovilizado material cuando sean de naturaleza tangible y no deban calificarse como inversiones inmobiliarias.

Salvo en relación a esta última categoría, la entrada en vigor del PGC no ha supuesto un cambio relevante en estos conceptos, por lo que para otorgar un adecuado tratamiento contable al caso que nos ocupa cabría traer a colación el criterio de este Instituto publicado en la consulta n.º 3 del BOICAC n.º 52 sobre los efectos de la utilización de un activo en su calificación contable como existencias o inmovilizado, en los siguientes términos:

«Por consiguiente, el criterio delimitador aplicable a un elemento para adscribirlo al inmovilizado es el destino al que va a servir de acuerdo con el objeto propio de la actividad de la empresa. En otras palabras, es la función que desempeña en relación con la actividad objeto de explotación, la causa determinante para establecer su pertenencia al inmovilizado, con preferencia sobre la naturaleza del bien concreto u otras consideraciones como pudiera ser el plazo. (...)

De acuerdo con lo anterior, resulta fundamental determinar en qué situaciones se entiende que un inmovilizado ha sido utilizado; en concreto, para aquellos activos en que teniendo una utilización mínima o irrelevante, se destinan a ser incorporados al ciclo de comercialización de la actividad ordinaria de la empresa.

A este respecto, se entiende que en la medida en que el destino a que se ha hecho referencia anteriormente para calificar los bienes como inmovilizado sea irrelevante respecto a la utilidad del propio bien, en términos cuantitativos y cualitativos, deberá atenderse a la verdadera naturaleza de la operación, circunstancia que supondrá que aquellos activos destinados a la venta como una parte de la actividad de comercialización propia de la sociedad, deberán formar parte, en su caso, de las existencias de las mencionadas empresas, sin que una utilización mínima o accidental debiera limitar ni alterar la verdadera calificación que procediera otorgar al bien».

Teniendo en cuenta lo expuesto anteriormente, tendrá la consideración contable de existencias todo el mobiliario destinado a incorporarse o que se haya incorporado al ciclo de comercialización, que constituye el objeto propio de la actividad económica de la empresa. Por el contrario, el mobiliario destinado a la exposición en tienda y ferias que ha sido objeto de utilización para un fin distinto del de la actividad ordinaria, y por tanto, no va a ser vendido en el curso normal de la explotación, tendrá, a efectos contables, la naturaleza de inmovilizado.

Comentario

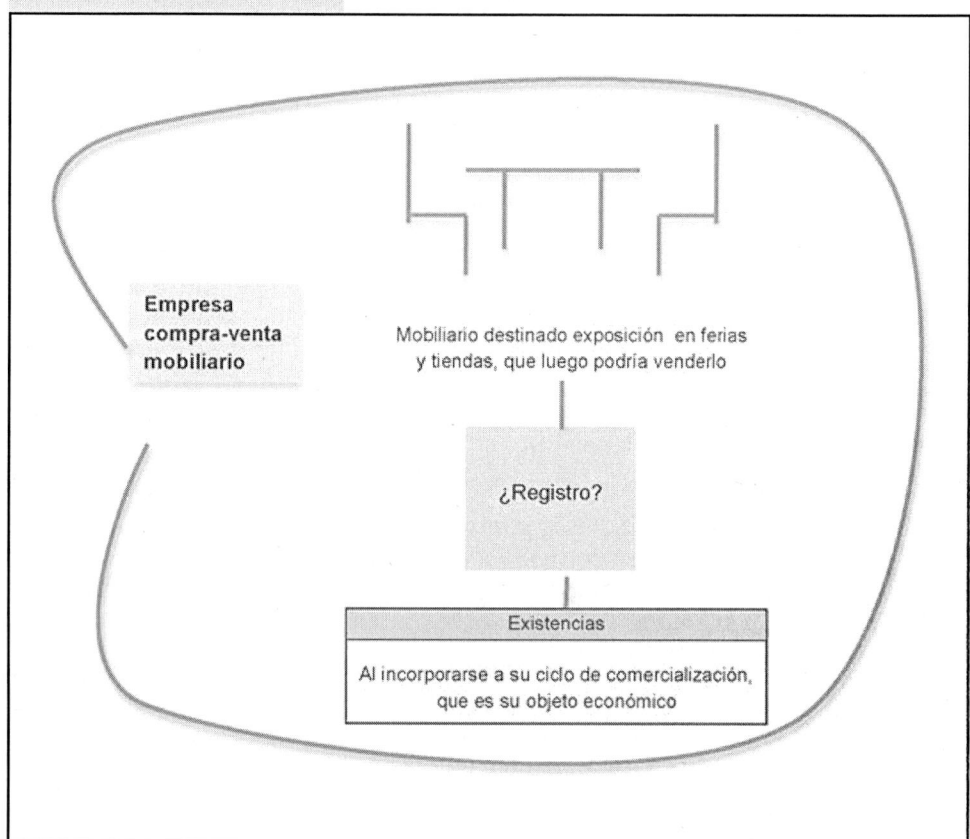

Ejemplo

La sociedad EXPOSICIONES ANGI S.L. dedicada a la compraventa de mobiliario de viviendas, ha adquirido mobiliario destinado a la exposición en tiendas y ferias y que, posteriormente, podría vender transcurridos dos años.

En el transcurso de tal actividad, y teniendo varias exposiciones y ferias de muestras contratadas, tanto en la comunidad de Galicia como en Portugal, adquiere a principios del ejercicio X0 una partida de 400 muebles iguales del modelo fiesta a la firma MUEBLES DEL ULLA por un importe de 100.000€.

Los gastos derivados de dicha compra han sido:

Transporte sobre compra:. . . . .   15.000€

Seguro de mercancía:. . . . .   5.000€

A finales del mes de enero del X0, los muebles se encuentran ubicados en el almacén para su venta.

En el mes de febrero del X0, procede al traslado de una partida de 100 muebles a las exposiciones que va a realizar en la comunidad de Galicia; soportando unos gastos de transporte y seguro que ascienden a 3.600€.

A mediados mes de diciembre del X0 ha firmado con una empresa de Málaga, un contrato de venta en firme de 300 muebles a cumplir posteriormente. El precio de venta pactado y cobrado en este momento es de 400€/ mueble. Los gastos por transporte de venta, son a cargo de la empresa y se han contratado en 5€/ unidad y la comisión del vendedor asciende a 20€/unidad. Los gastos de almacenamiento hasta la entrega se ha contratado en 1.200€.

Al cierre de ejercicio se conoce que el precio de venta de los muebles deducidos los costes de venta es de 450€/unidad.

A principios del mes de febrero del X1, procede al transporte y entrega de los muebles a la firma de Málaga.

A mediados del año X1, la sociedad decide, al no tener contratos de exposiciones, retirar los muebles de las citadas exposiciones, procediendo a su traslado a los almacenes de la empresa, lo cual supone unos gastos totales de transporte de 2.400€.

En dicho ejercicio consigue vender 98 muebles a un precio de venta de 280€ cada uno, concediendo al cliente un descuento por pronto pago del 5%; la utilización de los citados muebles ha sido irrelevante en términos cualitativos y cuantitativos. Por el resto de los muebles (dos), al no conseguir su venta decide utilizarlos en la actividad de la empresa.

SE PIDE:

Registro de las operaciones efectuadas en los ejercicios X0 y X1 así como valoración y contabilización de las existencias al final del ejercicio X0.

SOLUCIÓN:

– Por la compra de muebles:

120.000	Compres de mercaderías (600)		
25.200	HP IVA soportado (472)		
		a Bancos (572)	145.200

De acuerdo con las definiciones incluidas en la quinta parte del Plan General de Contabilidad, aprobado por el Real Decreto 1514/2007, de 16 de noviembre, las existencias:

> «son activos poseídos para ser vendidos en el curso normal de la explotación, en proceso de producción o en forma de materiales o suministros para ser consumidos en el proceso de producción o en la prestación de servicios (...)»

Por lo tanto, con carácter general, tendrán la consideración contable de existencias los elementos destinados a la venta como actividad ordinaria de la empresa. De acuerdo con lo anterior los muebles adquiridos se registrarán como existencias.

Según la Norma 10.ª.1.1. de valoración:

> «El precio de adquisición incluye el importe facturado por el vendedor después de deducir cualquier descuento, rebaja en el precio u otras partidas similares, así como los intereses incorporados al nominal de los débitos y se añadirán todos los gastos adicionales que se produzcan hasta que los bienes se hallan ubicados para su venta, tales como transportes (...), seguros, etc. (...)».

Por lo tanto, los siguientes costes formarán parte del precio de adquisición de las mercancías:

Precio consignado en factura:.	100.000
Transportes.	15.000
Seguros.	5.000
TOTAL.	120.000€

Y el coste unitario de cada mueble, será de:

$$\frac{120.000}{400} = 300 \text{ €/mueble}$$

– Por el traslado de una partida de muebles con destino a exposiciones:

―――――――――――――――― Febrero – X0 ――――――――――――――――

3.600	Transportes (624)			
756	HP IVA soportado (472)			
		a	Bancos (572)	4.356

―――――――――――――――――――――――――――――――――――――――

Los gastos adicionales incurridos, al ser posteriores a su ubicación para su venta, no formaran parte del precio de adquisición.

– Por el precio cobrado, del contrato de la venta en firme:

―――――――――――――――― Diciembre – X0 ――――――――――――――――

145.200	Bancos (572)			
	[300 muebles x 400€]			
		a	Anticipo de clientes (438)	120.000
			HP IVA repercutido (477)	25.200

―――――――――――――――――――――――――――――――――――――――

Las mercancías objeto del contrato de venta en firme, cuyo cumplimiento tiene lugar después del cierre de ejercicio y en el que los riesgos significativos de la propiedad son de la empresa, deben computarse como existencias.

– Al cierre del ejercicio X0: Por el registro de las existencias de muebles:

―――――――――――――――――― 31/12/X0 ―――――――――――――――――

120.000	Mercaderías (300)			
	[400 muebles x 300]			
		a	Variación de existencias de mercaderías (610)	120.000

―――――――――――――――――――――――――――――――――――――――

Tendrá la consideración contable de existencias, todo el mobiliario destinado a incorporarse o que se haya incorporado al ciclo de comercialización, que constituye el objeto propio de la actividad económica de la empresa.

También en esta fecha, y a efectos de registrar posibles deterioros de valor de las existencias, compararemos el valor contable con el valor neto realizable de las mercancías. Así:

Para las mercancías con Contrato de Venta en firme:

Siguiendo la anterior normativa (Norma 10.ª.2.), compararemos:

- Precio venta estipulado:300 muebles x 400€/mueble 120.000

- + Precio de Adquisición: 300 muebles x 300€mueble 90.000
  + Costes pendientes de realizar que sean
  necesarios para la ejecución del contrato 8.700
  * Gastos de transporte: 5€ unidad x300 =1.500
  * Comisión: 20€/ unidad x 300 = 6.000
  * Gastos almacenamiento = 1.200
  Total 101.200

> No registramos deterioro

No procede registrar deterioro de valor, ya que según la citada Normativa «(...) el precio de venta estipulado en dicho contrato (debe cubrir) como mínimo, el precio de adquisición (...) de tales bienes, más todos los costes pendientes de realizar que sean necesarios para la ejecución del contrato»

Para el Resto de Las Mercancías (100 muebles):

Compararemos:

Precio de Adquisición:.   300

Valor neto realizable:.   450
_____

NO Existe deterioro de Valor

– Principios del mes de febrero, X1: pago del transporte de los muebles del contrato de venta en firme y entrega de los mismos:

_____ 01/02/X1 _____

1.200   Transportes (624)

 252   HP IVA soportado (472)

                                    a   Bancos (572)   1.452

_____

– Registro de la venta:

———————————————— 01/02/X1 ————————————————

120.000 Anticipo de clientes
(438)

                                a   Ventas de mercade-
rías (700)   120.000

– Por el traslado de los muebles de las exposiciones al almacén de la empresa:

———————————————— X ————————————————

2.400 Transportes (624)

504 HP IVA soportado (472)

                                a   Bancos (572)   2.904

– Venta de 98 muebles:

———————————————— X ————————————————

31.542,28 Bancos (572)

                          a   Ventas de mercaderías
(700)

                                  [98 muebles x 280€/
mueble x 95%]   26.068

                                  HP IVA repercutido
(477)   5.474,28

En la medida en que el destino para calificar los bienes como inmovilizado sea irrelevante, respecto a la utilidad del propio bien, en términos cuantitativos y cualitativos, deberá atenderse a la verdadera naturaleza de la operación, circunstancia que supondrá que aquellos activos destinados a la venta como una parte de la actividad de comercialización propia de la sociedad, deberán formar parte, en su caso, de las existencias de las mencionadas empresas, sin que una utilización mínima o accidental debiera limitar ni alterar la verdadera calificación que procediera otorgar al bien.

– Por los dos muebles que la empresa se reserva para su uso:

———————————————————— X ————————————————————

600 Mobiliario (216)

  [2 muebles x 300€/unidad]

                              a   Incorporación de existen-
                                   cias al inmovilizado (73x)   600

————————————————————   ————————————————————

El mobiliario destinado a la exposición en tienda y ferias que ha sido objeto de utilización para un fin distinto del de la actividad ordinaria, y por tanto, no va a ser vendido en el curso normal de la explotación, tendrá, a efectos contables, la naturaleza de inmovilizado.

4.1.1.3. Anticipos a proveedores, moneda extranjera

BOICAC 108, diciembre 2016. Consulta 2.

Sobre el tratamiento contable de la adquisición de existencias en moneda extranjera, cuando previamente se ha realizado un anticipo al proveedor.

Respuesta

La norma de registro y valoración (NRV) 10ª. Existencias, contenida en la segunda parte del Plan General de Contabilidad (PGC), aprobado por Real Decreto 1514/2007, de 16 de noviembre, establece en su apartado 1.1 que:

> *«El precio de adquisición incluye el importe facturado por el vendedor después de deducir cualquier descuento, rebaja en el precio u otras partidas similares, así como los intereses incorporados al nominal de los débitos, y se añadirán todos los gastos adicionales que se produzcan hasta que los bienes se hallen ubicados para su venta, tales como transportes, aranceles de aduanas, seguros y otros directamente atribuibles a la adquisición de las existencias.»*

Por lo tanto, desde un punto de vista contable, el precio de adquisición será el consignado en factura más todos los gastos adicionales que se produzcan hasta que los bienes se encuentren en almacén, tales como transportes, aduanas, seguros, entre otros, e incluidos los impuestos que graven la adquisición y no sean recuperables de la Hacienda Pública. Lógicamente, parte de este importe se corresponderá con la deuda con el proveedor y otros prestadores de servicios de transporte, seguros, etcétera, y el importe restante se corresponderá con una deuda con la Hacienda Pública o, en su caso, por pagos en metálico.

Por otra parte, las transacciones en moneda extranjera se regulan en la NRV 11ª del PGC. En relación con el tratamiento de estas transacciones la citada norma incorpora dos apartados dedicados a determinar la valoración inicial y la valoración final de las partidas.

En cuanto a la valoración inicial, toda transacción en moneda extranjera, ya se trate de una partida monetaria o una partida no monetaria, se convertirá a moneda funcional (euro), aplicando al importe en moneda extranjera, el tipo de cambio de contado, es decir, el tipo de cambio utilizado en las transacciones con entrega inmediata, entre ambas monedas, en la fecha de la transacción, entendida como aquella en la que se cumplan los requisitos para su reconocimiento, establecidos en el Marco Conceptual de la Contabilidad recogido en la primera parte del PGC.

Pues bien, para otorgar un adecuado tratamiento contable a la cuestión planteada el aspecto a dilucidar es qué se entiende por fecha de la transacción cuando se entrega un anticipo en moneda extranjera. Esto es, si por tal fecha debe entenderse el momento en que se produzca la incorporación de las existencias al patrimonio de la empresa, o si en caso de realizarse una entrega a cuenta el importe ya desembolsado en moneda extranjera es un componente del valor inicial del activo a recibir, que debe valorarse al tipo de contado en la fecha en que se ha producido la citada entrega y no cabe volver a valorar.

A los efectos de la NRV 11ª, los elementos patrimoniales se diferenciarán, según su consideración, en:

a) Partidas monetarias: son el efectivo, así como los activos y pasivos que se vayan a recibir o pagar con una cantidad determinada o determinable de unidades monetarias. Se incluyen, entre otros, los préstamos y partidas a cobrar, los débitos y partidas a pagar y las inversiones en valores representativos de deuda que cumplan los requisitos anteriores.

b) Partidas no monetarias: son los activos y pasivos que no se consideren partidas monetarias, es decir, que se vayan a recibir o pagar con una cantidad no determinada ni determinable de unidades monetarias. Se incluyen, entre otros, los inmovilizados materiales, inversiones inmobiliarias, el fondo de comercio y otros inmovilizados intangibles, las existencias, las inversiones en el patrimonio de otras empresas que cumplan los requisitos anteriores, los anticipos a cuenta de compras o ventas, así como los pasivos a liquidar mediante la entrega de un activo no monetario.

La calificación de los anticipos a cuenta como partidas no monetarias implica su valoración inicial y posterior al tipo de cambio de contado en la fecha de la transacción (o entrega del efectivo en moneda extranjera). De lo que cabe inferir que, con carácter general, si se ha entregado un anticipo al proveedor extranjero su importe se aplicará al pago de la correspondiente factura y se reconocerá la adquisición del activo por el mismo importe, sin que por dicho tramo del precio de adquisición proceda reconocer diferencia de cambio alguna. Esta forma de razonar originará, lógicamente, que el contravalor inicial de las existencias en moneda funcional se deba obtener considerando, al menos, dos tipos de cambio de contado.

En consecuencia, las mercancías importadas se incorporarán al inventario valoradas en parte al tipo de cambio de contado existente en la fecha en que se realizó el anticipo y en parte al que hubiera en el momento de la adquisición (fecha de la segunda transacción).

Sin perjuicio de todo lo expuesto, cuando en el anticipo entregado pueda identificarse un componente financiero significativo, por ejemplo, porque entre el plazo de la entrega y su cancelación transcurran más de doce meses, será preciso considerar el efecto financiero de la operación como un componente más del coste del anticipo en su contravalor al correspondiente tipo de cambio.

Comentario

1º

Anticipo

Moneda
extranjera

2º

Adquisición

Registro
contable

Norma 10ª
Existencias

Norma 11ª
Moneda

Partida no
monetaria

1º Anticipo proveedores moneda extranjera

= Importe anticipo moneda extranjera x Tipo
cambio fecha se produce entrega

No se vuelve a
valorar

Caso componente financiero anticipo:

Se considerará en su coste, al
correspondiente tipo de cambio

2º Adquisición mercancías

= Resto pendiente moneda extranjera x Tipo
cambio fecha incorporación existencias

Le añadiremos valor anticipo anterior, _sin
reconocer diferencia de cambio por éste_

Ejemplo

La sociedad «PONTEAREAS», que se dedica a la compraventa de artículos deportivos, ha acordado realizar una compra de diverso material en Estados Unidos por un importe de 800.000 $.

En ese momento (1/11/X8), el proveedor exige un anticipo de 200.000 dólares: que se le envía, siendo el tipo de cambio 1 $ = 0,80 €. Para cubrir el riesgo de una posible revalorización del dólar, «PONTEAREAS» compra 600 contratos de futuros sobre el dólar con un nominal de 1.000$ cada uno de ellos y un tipo de cambio de 1 $ = 0,80 €. Vencimiento del futuro 1 de febrero del X9, que es la fecha prevista de la recepción de la mercancía. Se procede a la entrega de 50 $ por contrato en concepto de garantía.

Sabemos que el tipo de cambio a fin de ejercicio (31/12/X8) se sitúa en: 1$ = 0,82€.

El 1 de febrero del X9, efectúa la compra prevista: procediendo al pago de la cuantía pendiente, y sabiendo que tipo de cambio a esta fecha es de 1 $ = 0,85 €. Desembolsa el IVA (21%) en aduanas, al contado por bancos, e igualmente, se resuelve el contrato de futuro en los términos pactados.

SE PIDE:

Registro de las operaciones descritas, sabiendo que tipo impositivo es del 25%.

SOLUCIÓN:

EJERCICIO X8

– Por la entrega del anticipo a cuenta, al proveedor estadounidense (asiento resumen, incluido el pago del IVA a la hacienda española):

———————————————— 1/1/X8 ————————————————

160.000	Anticipo a proveedores, moneda extranjera (4074) (200.000$x0,80€/$)			
33.600	H.P. I.V.A. soportado (472) (160.000x21%)	a	Bancos (572)	
				193.600

En cuanto a la valoración inicial, toda transacción en moneda extranjera, ya se trate de una partida monetaria o una partida no monetaria, se convertirá a moneda funcional (euro), aplicando al importe en moneda extranjera, el tipo de cambio de contado, es decir, el tipo de cambio utilizado en las transacciones con entrega inmediata, entre ambas monedas, en la fecha de la transacción, entendida como aquella en la que se cumplan los requisitos para su reconocimiento, establecidos en el Marco Conceptual de la Contabilidad recogido en la primera parte del PGC [Norma 11ª Valoración PGC y Consulta 2, Boicac 108]

– Nos encontramos, además, con un instrumento de cobertura, regulado en el apartado 6 de la Norma 9ª de Valoración PGC. Y, para el caso estudiado, la operación debería calificarse como una «cobertura de flujos de efectivo», ya que *su objetivo es cubrir el riesgo de cambio relacionado con una transacción prevista altamente probable la compra de existencias que afectará a la cuenta de pérdidas y ganancias».*

Inicialmente, la valoración del derivado se corresponderá con su valor razonable, equivalente, a la prima que la empresa ha desembolsado:

———————————————————— 1/11/X8 ————————————————————

24.000	Activos por derivados financieros a corto plazo, instrumentos de cobertura (5593)	a	Bancos (572)
	(600 contratosx50$x0,80€/$)		24.000

– Operaciones a fin de ejercicio X8:

* Al cierre del ejercicio, el tipo de cambio se situaba en 1$ = 0,82€. Lo cual significa para la empresa una ganancia de:

$$(0,82€/\$-0,80€/\$)\times1.000\$\times600 \text{ contratos} = 12.000$$

———————————————————— 31/12/X8 ————————————————————

12.000	Activos por derivados financieros a corto plazo, instrumentos de cobertura (5593)	a	Beneficios por coberturas de flujos de efectivo(910) 12.000

De tal manera que: «(...) *la parte de la ganancia o pérdida del instrumento de cobertura que se haya determinado como cobertura eficaz, se reconocerá transitoriamente en el patrimonio neto, (...)»* [Norma 9.6 b) PGC].

Igualmente, en la 5ª parte del PGC y para el movimiento de la 5593, nos comenta: «(...)*c) Cuando el derivado se utilice como instrumento de cobertura, en otras operaciones de cobertura, por la parte eficaz, se cargará o abonará, por la ganancia o pérdida que se generen en el ejercicio al aplicar las reglas que rigen la contabilidad de coberturas, con abono o cargo a las cuentas del subgrupo 91 y 81, respectivamente (...)»*

Y por su efecto impositivo: 25% 12.000 = 3.000, anotándose:

――――――――――――― 31/12/X8 ―――――――――――――

3.000	Impuesto diferido (8301)	a	Pasivos por diferencias temporarias imponibles (479)
			3.000

En cuanto a la regularización de las cuentas del grupo 8 y 9:

――――――――――――― 31/12/X8 ―――――――――――――

12.000	Beneficios por coberturas de flujos de efectivo(910)	a	Impuesto diferido (8301) 3.000
			Cobertura de flujos de efectivo (1340) 9.000

* Con respecto al anticipo realizado, se trata de una partida no monetaria, y su valoración posterior se realizará de acuerdo a lo establecido en el apartado 1.2.2.1 de la Norma 11ª Valoración PGC, la cual nos indica que: «*Se valorarán aplicando el tipo de cambio de la fecha de transacción (…)*

La valoración así obtenida no podrá exceder, en cada cierre posterior, del importe recuperable en ese momento, aplicando a este valor, si fuera necesario, el tipo de cambio de cierre; es decir, de la fecha a la que se refieren las cuentas anuales (…)»

En nuestro caso, compararemos:

Valor contable.	160.000
Importe recuperable = 200.000$ x0,82€/$ = ...	164.000
¿Deterioro?.	NO EXISTE

Por otra parte y siguiendo las directrices de la presente consulta [Nº2, BOICAC 108]: «*(…) si se ha entregado un anticipo al proveedor extranjero su importe se aplicará al pago de la correspondiente factura y se reconocerá la adquisición del activo por el mismo importe, sin que por dicho tramo del precio de adquisición proceda reconocer diferencia de cambio alguna. Esta forma de razonar originará, lógicamente, que el contravalor inicial de las existencias en moneda funcional se deba obtener considerando, al menos, dos tipos de cambio de contado*»

EJERCICIO X9

– En febrero del X9, PONTEAREAS efectúa la compra del material deportivo. El tipo de cambio en esos momentos se situaba: 1$ = 0,85€, por lo que deberá al proveedor:

$$600.000\$ \times 0,85€/\$ = 510.000 €$$

Y en aduana por el IVA, desembolsará:

$$21\% \ 510.000 = 107.100 €$$

Anotándose:

Por la compra de mercancías, pagando el importe correspondiente:

		1/2/X9		
670.000	Compra de mercaderías (600)	a	Anticipo a proveedo-res, moneda extranjera (4074)	160.000
	(510.000 + 160.000)		Bancos c/c (572)	510.000

Las mercancías importadas se incorporarán al inventario valoradas en parte al tipo de cambio de contado existente en la fecha en que se realizó el anticipo y en parte al que hubiera en el momento de la adquisición (fecha de la segunda transacción).Todo ello de acuerdo con los contenidos de la presente consulta [Nº2, BOICAC 108]

Y por el desembolso del IVA:

		1/2/X9		
107.100	H.P. iva soportado (472)	a	Bancos (572)	107.100

– Con respecto al contrato de cobertura, la Consulta nº 3 del BOICAC 77, nos dice que la ganancia o pérdida reconocida transitoriamente en el patrimonio neto, se imputará como menor o mayor valor de las existencias cuando se produzca su adquisición. Es decir:

		1/2/X9		
12.000	Transferencia de beneficios por coberturas de flujos de efectivo(812)	a	Compra de mercaderías (600)	
				12.000

Así y para el movimiento de la cuenta 812 en la 5ª parte del PGC, nos comenta que ésta se cargará: «a_1) *Cuando la cobertura de una transacción prevista o la cobertura del riesgo de tipo de cambio de un compromiso en firme, diera lugar al reconocimiento posterior de un activo financiero o pasivo financiero, por el importe positivo reconocido directamente en el patrimonio neto, a medida que dicho activo o pasivo afecte al resultado del ejercicio, con abono a una cuenta que se imputará a la cuenta de pérdidas y ganancias en la misma partida en la que se incluya la pérdida que se genere en la partida cubierta (...)*»

Y por la reversión del efecto impositivo:

		1/2/X9		
3.000	Pasivos por diferencias temporarias imponibles (479)	a	Impuesto diferido (8301)	
				3.000

En cuanto la variación de valor que ocurre en este ejercicio (desde fin de ejercicio hasta febrero del X9):

$$(0,85€/\$-0,82€/\$)\text{x}1.000\$\text{x}600 \text{ contratos } = 18.000 €$$

Imputaremos igualmente como menor o valor de las existencias:

		1/2/X9		
18.000	Activos por derivados financieros a corto plazo, instrumentos de cobertura (5593)	a	Compra de mercaderías (600)	
				18.000

En cuanto a la liquidación del instrumento de cobertura: con la adquisición de las existencias, finalizará la cobertura contable; en la medida en que al haberse registrado la compra, habrá desaparecido el riesgo específico cubierto que podía tener impacto en la cuenta de pérdidas y ganancias [Consulta 3/BOICAC 77]

1/11/X8: Se adquirieron:

> 600 contratos futuros (1.000$, nominal) y tipo cambio 1$ = 0,80€

1/2/X9: Cancelación contrato,

> tipo de cambio 1$ = 0,85€

> Ganancia obtenida: 600 contratos x 1.000 $ (0,85€/$-0,80€/$)...........................   30.000

> Fianza entregada (1/11/X8)..................   24.000

> A cobrar....................   54.000

Registrando:

	1/2/X9	
54.000 Bancos c/c (572)	a Activos por derivados financieros a corto plazo, instrumentos de cobertura (5593)	54.000

4.1.1.4. Tipo de cambio aplicar adquisición mercancías importadas

BOICAC 115, septiembre 2018. Consulta 2.

Sobre el tratamiento contable a aplicar en relación con el tipo de cambio que debe emplearse para contabilizar la importación de unas mercancías.

Respuesta

El consultante pregunta sobre el tipo de cambio que debe emplearse para contabilizar las mercancías adquiridas y, en particular, si debe aplicarse el tipo de cambio de contado existente en la fecha del Documento único administrativo (DUA) o si se debe utilizar el tipo de cambio de contado en la fecha de la factura.

La norma de registro y valoración (NRV) 10ª. Existencias del Plan General de Contabilidad (PGC), aprobado por Real Decreto 1514/2007, de 16 de noviembre, establece en su apartado 1.1 que:

> *«El precio de adquisición incluye el importe facturado por el vendedor después de deducir cualquier descuento, rebaja en el precio u otras partidas similares, así como los intereses incorporados al nominal de los débitos, y*

635

se añadirán todos los gastos adicionales que se produzcan hasta que los bienes se hallen ubicados para su venta, tales como transportes, aranceles de aduanas, seguros y otros directamente atribuibles a la adquisición de las existencias.»

Asimismo, se estipula que:

«El importe de los impuestos indirectos que gravan la adquisición de las existencias sólo se incluirá en el precio de adquisición cuando dicho importe no sea recuperable directamente de la Hacienda Pública.»

Por tanto, con independencia del precio que se establezca oficialmente a efectos tributarios en la Aduana, desde el punto de vista contable el precio de adquisición será el consignado en factura más todos los gastos adicionales que se produzcan hasta que los bienes se encuentren en almacén, tales como transportes, aduanas, seguros, entre otros, e incluidos los impuestos que graven la adquisición y no sean recuperables de la Hacienda Pública.

Por otra parte, las transacciones en moneda extranjera se regulan en la NRV 11ª del PGC. En relación con el tratamiento de estas transacciones la citada norma incorpora dos apartados dedicados a determinar la valoración inicial y la valoración posterior de las partidas.

En cuanto a la valoración inicial, toda transacción en moneda extranjera, ya se trate de una partida monetaria o una partida no monetaria, se convertirá a moneda funcional (euro), aplicando al importe en moneda extranjera, el tipo de cambio de contado, es decir, el tipo de cambio utilizado en las transacciones con entrega inmediata, entre ambas monedas, en la fecha de la transacción, entendida como aquella en la que se cumplan los requisitos para su reconocimiento, establecidos en el Marco Conceptual de la Contabilidad recogido en la primera parte del PGC.

Por lo tanto, en el caso planteado en la consulta, el gasto por compras y la partida de proveedores en moneda extranjera se valorarán al tipo de cambio de contado que hubiera en el momento de la compra (fecha de la transacción). Posteriormente, cuando se pague la correspondiente factura, o, al cierre del ejercicio, se deberá aplicar el tipo de cambio de contado en esa fecha, y la diferencia, positiva o negativa, que surja por la variación del tipo de cambio se reconocerá en la cuenta de pérdidas y ganancias.

En consecuencia, las mercancías importadas se incorporarán al inventario valoradas al tipo de cambio de contado que hubiera en el momento de la compra (fecha de la transacción). Este valor se incrementará en el importe de los aranceles que se liquiden por la aduana.

Comentario

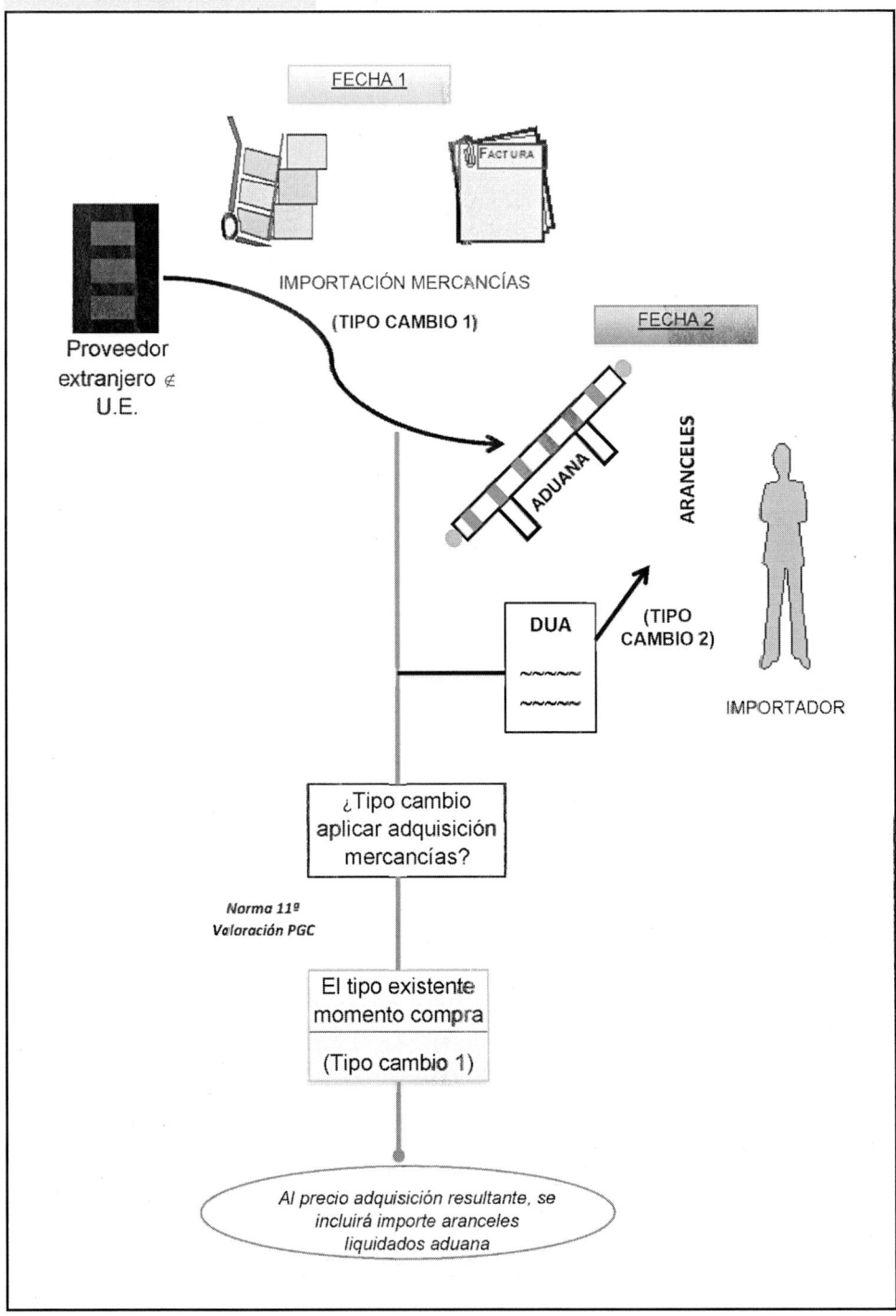

Ejemplo

«NOTARIO S.A.» compra el 20 de diciembre del X6 una partida de géneros a un proveedor estadounidense por 200.000$ a crédito y vencimiento a tres meses (20/3/X7). En esta fecha, se produce la trasmisión de los riesgos y beneficios inherentes a la propiedad de los bienes. La cotización del euro frente al dólar en esos momentos era de 1€ = 1,25$.

El día 27 de diciembre es despachada la mercancía en la Aduana de Vigo, pagando la sociedad de derechos arancelarios 16.000€ más el importe del IVA al 21%, a través de bancos.

A finales de año el tipo de cambio aumenta a 1€ = 1,28$.

Llegado el vencimiento, nuestra sociedad hace efectiva su deuda, a través de bancos, siendo la cotización a esa fecha de 1€ = 1,24$.

SE PIDE: Registrar las operaciones descritas.

SOLUCIÓN:

• Registraremos la adquisición de mercancías, aplicando el tipo de cambio vigente en la fecha que se produce esta operación (Norma 11ª.1.1 Valoración PGC). Así:

$$\frac{200.000\$}{1,25\$/€} = 160.000 €$$

		20/12/X6			
160.000	Compra de Mercaderías (600)		a	Proveedores, moneda extranjera (4004)	160.000

El gasto por compras y la partida de proveedores en moneda extranjera se valorarán al tipo de cambio de contado que hubiera en el momento de la compra (fecha de la transacción). [Consulta nº2. BOICAC 115]

• Por el pago de los derechos arancelarios e IVA de la operación:

		27/12/X6			
16.000	Compra de Mercaderías (600)				
36.960	H.P. I.V.A. soportado (472)		a	Bancos (572)	52.960

Siendo:

* Derechos arancelarios.	16.000 €
* IVA (16.000 + 160.000) x21%.	36.960 €

Las mercancías importadas se incorporarán al inventario valoradas al tipo de cambio de contado que hubiera en el momento de la compra (fecha de la transacción). Este valor se incrementará en el importe de los aranceles que se liquiden por la aduana. [Consulta nº 2. BOICAC 115].

• En un momento posterior (fin de ejercicio), observamos que existe una variación en el tipo de cambio del euro frente al dólar. Para ver las repercusiones que este hecho ocasiona en la deuda que hemos registrado, primero tendremos que saber si dicha partida la calificaremos, a los efectos de la Norma aquí estudiada, como «Monetaria» o «No monetaria».

Así, en el primer apartado nos comenta que serán «monetarios» aquellos «(...)activos y pasivos que se vayan a recibir o pagar con una cantidad determinada o determinable de unidades monetarias», descripción que encaja, aquí, con nuestro pasivo.

De tal manera que, para éstos, a fecha de balance, se valorarán utilizando el tipo de cambio en la fecha de cierre. Las diferencias que surjan por ello (tanto positivas como negativas, se registrarán en Pérdidas y Ganancias [apartado 1.2. Norma 11ª PGC]. Comparamos:

Valor en libros:. . . . . $\dfrac{200.000\ \$}{1,25\$/€}$ 160.000 €

Valor deuda al tipo de cambio fecha 31/12:

$\dfrac{200.000\ \$}{1,28\ \$/€}$ 156.250 €

DIFERENCIA POSITIVA. 3.750

(al disminuir una deuda)

Registrando:

———————————————— 31/12/X6 ————————————————

3.750	Proveedores, moneda extranjera (4004)	a	Diferencias positivas de cambio (768)	3.750

• Al año siguiente, haremos efectiva nuestra deuda con el proveedor. En este momento la cotización ha vuelto a modificarse respecto a lo registrado contablemente, por lo que las diferencias que surjan, se llevarán nuevamente a resultados (Norma 11ª.1.2):

$$\frac{200.000\$}{1,24\$/€} = 161.290 \text{ €}$$

20/3/X7

156.250	Proveedores, moneda extranjera (4004)			
5.040	Diferencias negativas de cambio (668) [161.290-156.250]	a	Bancos (572)	161.290

4.1.1.5. Compromiso en firme adquisición existencias

BOICAC 115, septiembre 2018. Consulta 4.

Sobre el tratamiento contable de un acuerdo firmado por una empresa con un proveedor para la fijación del precio de las existencias que se compromete a adquirir en un determinado plazo.

Respuesta

Una empresa firma un acuerdo con uno de sus proveedores dentro del cual las compras de material que realice dentro de un determinado plazo y hasta una determinada cantidad, serán a un precio fijado, y las compras que realice una vez finalizado ese plazo o que excedan de la cantidad acordada serán al precio de mercado existente en ese momento.

El consultante pregunta si este acuerdo debe contabilizarse como un instrumento de cobertura.

La norma de registro y valoración (NRV) 9ª. *Instrumentos financieros* del Plan General de Contabilidad (PGC), aprobado por Real Decreto 1514/2007, de 16 de noviembre, en su apartado 5.4, señala:

«*5.4. Contratos que se mantengan con el propósito de recibir o entregar un activo no financiero*

Los contratos que se mantengan con el propósito de recibir o entregar un activo no financiero de acuerdo con las necesidades de compra, venta o utilización de dichos activos por parte de la empresa, se tratarán como anticipos a cuenta o compromisos, de compras o ventas, según proceda.

No obstante, se reconocerán y valorarán según lo dispuesto en esta norma para los instrumentos financieros derivados, aquellos contratos que se puedan liquidar por diferencias, en efectivo o en otro instrumento financiero, o bien mediante el intercambio de instrumentos financieros o, aun cuando se liquiden mediante la entrega de un activo no financiero, la empresa tenga la práctica de venderlo en un periodo de tiempo corto e inferior al periodo normal del sector en que opere la empresa con la intención de obtener una ganancia por su intermediación o por las fluctuaciones de su precio, o el activo no financiero sea fácilmente convertible en efectivo.»

Por tanto, con carácter general y en la medida en que la empresa no realice ningún desembolso en el momento de la firma del acuerdo, el compromiso en firme relacionado con las existencias no se reflejará ni en el balance ni en la cuenta de pérdidas y ganancias, y solo se informará de la operación en la memoria de las cuentas anuales, salvo que el compromiso en firme tuviera que calificarse como un contrato oneroso porque los costes que conlleve el cumplimiento del contrato excedan a los beneficios económicos que se esperen recibir del mismo, en cuyo caso se deberán aplicar los criterios establecidos en la NRV 15ª. *Provisiones y Contingencias* del PGC para registrar el impacto derivado del contrato oneroso.

Si la empresa realizara un desembolso a cuenta de futuras compras, ese importe deberá contabilizarse como un anticipo a proveedores.

Comentario

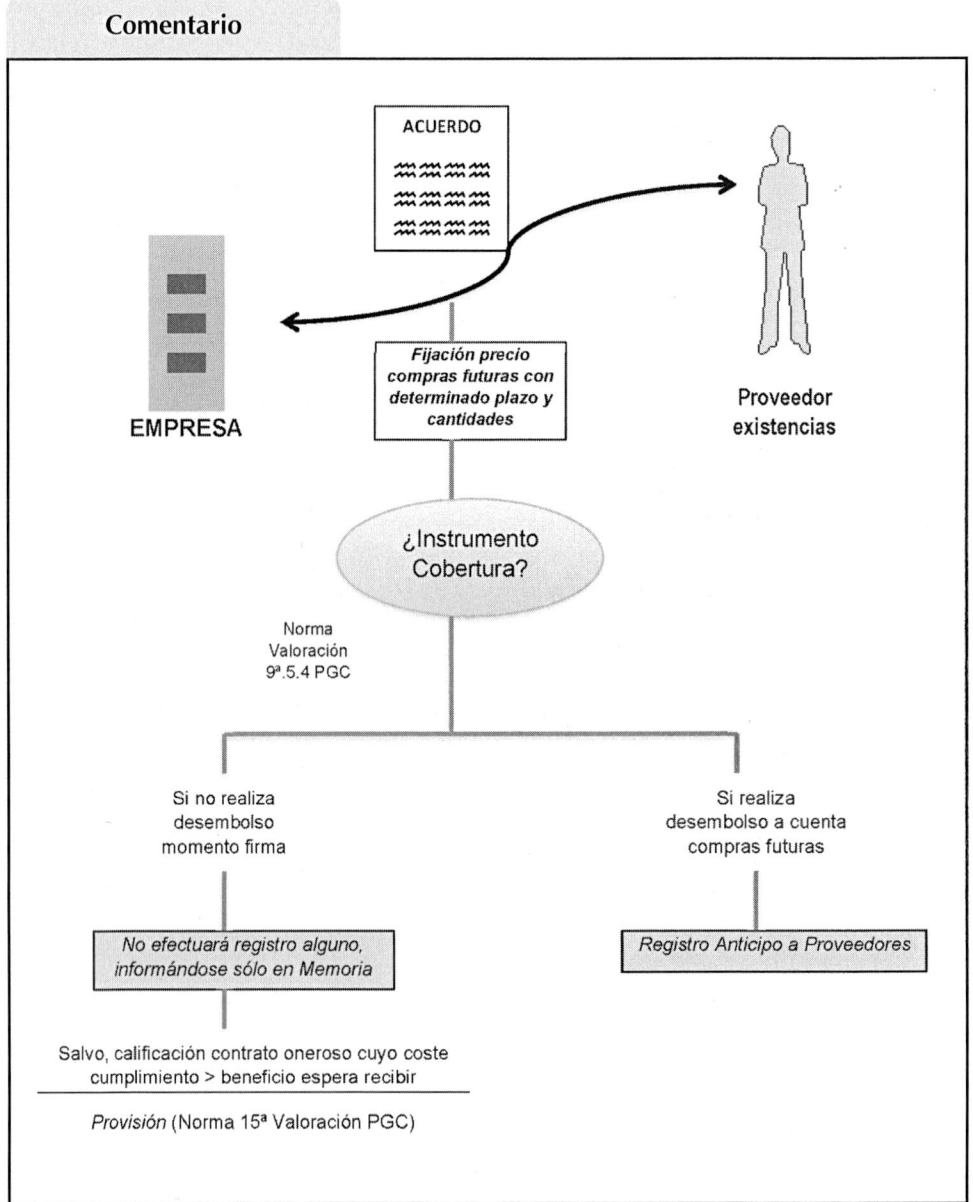

Ejemplo

La empresa «CANGAS S.A» , a principios del ejercicio X1, firma un acuerdo con uno de sus proveedores. De esta manera, las compras de material que realice dentro de un plazo de 3 meses y hasta un importe total de 200.000€, serán a un precio fijo, y las compras que realice una vez finalizado ese plazo o que excedan de la cantidad acordada serán al precio de mercado existente en ese momento.

El 2/1/X1, «CANGAS» envía un anticipo al proveedor, a cuenta de futuras compras, de tal forma que le transfiere 60.500€ a su cuenta corriente, IVA 21% incluido.

El 30/2/X1, realiza una compra de mercancías por valor de 200.000 €. Se cancela el anticipo anterior y paga el resto de contado. IVA 21%.

El 30/3/X1, realiza al citado proveedor una compra cuyo precio de mercado en esa fecha es de 60.000€. Se aplica un descuento por pronto pago del 10% y efectúa un pago por portes y comisiones de 2.000 €, IVA 21%.

SE PIDE: Registro de operaciones descritas

SOLUCIÓN:

- A inicios del X1, CANGAS remite un anticipo a su proveedor, anotando:

2/1/X1

50.000	Anticipo a proveedores (407)		
	(60.500/1,21)		
10.500	H.P. iva soportado (472)	a Bancos (572)	
	21% 50.000		60.500

De esta forma, el apartado 5.4 de la Norma 9ª de Valoración del PGC, nos comenta: *«Los contratos que se mantengan con el propósito de recibir o entregar un activo no financiero de acuerdo con las necesidades de compra, venta o utilización de dichos activos por parte de la empresa, se tratarán como anticipos a cuenta o compromisos, de compras o ventas, según proceda (...)»*

Por tanto, y en relación con la firma del acuerdo con su proveedor, la Consulta 4, BOICAC 115 nos aclara que, el compromiso en firme relacionado con las existencias no se reflejará ni en el balance ni en la cuenta de pérdidas y ganancias, y solo se informará de la operación en la memoria de las cuentas anuales, si no existe desembolso en el momento de la firma.

Sin embargo, nos sigue comentando la mencionada consulta, si realizase un pago a cuenta de compras futuras, se anotará el correspondiente anticipo con el proveedor.

- Cuando en febrero, realiza la compra del material, nuestra empresa tendrá en cuenta el anticipo antes realizado y anotará:

———————————————— 30/2/X1 ————————————————

| 200.000 | Compra Mercaderías (600) | a | Anticipos proveedores (407) | 50.000 |
| 31.500 | H.P iva soportado (472) 21%(200.000-50.000) | | Bancos c/c (572) (150.000 x1,21) | 181.500 |

Una de las consecuencias que tendrá esta compra, es que ya hemos llegado al umbral establecido en el acuerdo con nuestro proveedor (200.000 €), por lo que los siguientes pedidos se realizarán al precio de mercado.

• A finales de marzo, «CANGAS» efectúa la segunda compra, donde aplicará un descuento por anticipar su pago y añadirá gastos adicionales provenientes de portes y comisiones:

———————————————— 30/3/X1 ————————————————

| · 56.000 | Compra mercaderías (600) (60.000-10%60.000+2.000) | | | |
| 11.760 | H.P. iva soportado (472) | a | Bancos (572) | 67.760 |

De esta manera, la Norma 10ª.1.1 de Valoración PGC nos dice que en el precio de adquisición de los bienes comprendidos en las existencias: *«(...) incluye el importe facturado por el vendedor después de deducir cualquier descuento, rebaja en el precio u otras partidas similares (...) y se añadirán todos los gastos adicionales que se produzcan hasta que los bienes se hallen ubicados para su venta (...)».*

4.1.2. Coste Producción

4.1.2.1. Asignación costes producción a viviendas, en una promoción inmobiliaria

BOICAC 91, septiembre 2012. Consulta 6.

Sobre la determinación del coste de producción por parte de una promotora inmobiliaria.

Respuesta

La consulta versa sobre la distribución de costes entre las viviendas de una promoción inmobiliaria iniciada en 2009 y finalizada en 2011, habiéndose vendido sobre plano el 60% de unidades de la promoción. Las características de todas las viviendas son similares, salvo los metros cuadrados, y los valores de realización del 40% de las unidades no vendidas que es inferior al valor de las unidades vendidas sobre plano.

Según manifiesta el consultante, el coste de producción de la promoción inmobiliaria se debería calcular en base a la Resolución de 9 de mayo de 2000, del ICAC por el que se establecen criterios para la determinación del coste de producción, más concretamente de acuerdo con el apartado quinto que regula la producción conjunta, en los siguientes términos:

> «Si en un proceso de fabricación, de forma inexorable, se fabrica simultáneamente más de un producto, la asignación de los costes que no son imputables a un producto concreto se basará en criterios o indicadores lo más objetivos posibles con la orientación, con carácter general, de que los costes imputados a cada producto sean lo más paralelos o proporcionales al valor neto de mercado o de realización del citado producto. En la memoria de las cuentas anuales se señalarán los criterios o indicadores utilizados en la asignación de los referidos costes».

Se solicita confirmación sobre si es apropiada la aplicación de este criterio de determinación del coste de producción conjunta en el presente caso.

La Disposición transitoria quinta del Real Decreto 1514/2007, de 16 de noviembre, por el que se aprueba el Plan General de Contabilidad (PGC), señala:

> «Con carácter general, las adaptaciones sectoriales y otras disposiciones de desarrollo en materia contable en vigor a la fecha de publicación de este real decreto seguirán aplicándose en todo aquello que no se oponga a lo dispuesto en el Código de Comercio, Texto Refundido de la Ley de Sociedades Anónimas, aprobado por Real Decreto Legislativo 1564/1989, de 22 de diciembre, Ley 2/1995, de 23 de marzo, de Sociedades de Responsabilidad Limitada, disposiciones específicas y en el presente Plan General de Contabilidad».

El coste de producción de las existencias se define en la norma de registro y valoración (NRV) 10.ª «Existencias» del PGC, apartado 1.2, como sigue:

> «El coste de producción se determinará añadiendo al precio de adquisición de las materias primas y otras materias consumibles, los costes directamente imputables al producto. También deberá añadirse la parte que razonablemente corresponda de los costes indirectamente imputables a los productos de que se trate, en la medida en que tales costes correspondan al período de fabricación, elaboración o construcción, en los que se haya

incurrido al ubicarlos para su venta y se basen en el nivel de utilización de la capacidad normal de trabajo de los medios de producción».

La Orden del Ministerio de Economía y Hacienda de 28 de diciembre de 1994, por la que se aprueban las normas de adaptación del Plan General de Contabilidad a las empresas inmobiliarias define el coste de producción de las existencias sin establecer singularidad alguna que afecte a la cuestión específica que plantea la consulta, por lo que será analizada según los criterios generales; la Resolución de 9 de mayo de 2000 del ICAC por la que se establecen criterios para la determinación del coste de producción, en cuya norma cuarta se distinguen los costes indirectos y los costes conjuntos.

Así, la norma cuarta. Costes indirectos, los define con el siguiente tenor:

«1. Costes indirectos son los que se derivan de recursos que se consumen en la fabricación, elaboración o construcción de un producto, afectando a un conjunto de actividades o procesos, por lo que no resulta viable una medición directa de la cantidad consumida por cada unidad de producto. Por ello, para su imputación al producto, es necesario emplear unos criterios de distribución o reparto previamente definidos.»

Por tanto, los costes indirectos hacen referencia a los costes a repartir entre múltiples unidades de un mismo producto, entendido éste como la clase de bien que se produce. Según señala el PGC los criterios de reparto deben ser razonables, debiéndose entender que la racionalidad en el establecimiento de estos criterios hará primar aquéllos que estén vinculados directamente con el proceso productivo, por encima de los que se vinculen con otras circunstancias que no afecten a la producción.

El reparto de los costes conjuntos representa precisamente una excepción a lo mencionado en el apartado anterior, estableciendo el apartado quinto de la Resolución que el criterio de reparto más apropiado será, con carácter general, aquel que sea más paralelo o proporcional al valor de realización de los productos.

La situación de hecho que da origen a la aplicación de esta regulación son los procesos de fabricación en los que, de forma inexorable, se fabrique simultáneamente más de un producto. Es decir, se debe fabricar un producto y, de forma inexorable, es decir, independiente de la voluntad del productor, obtener otro producto distinto. En la producción conjunta no se hace referencia a las unidades de producto sino a las clases de productos que se obtienen en el proceso de producción.

Según los términos de la consulta, las viviendas producidas tienen básicamente las mismas características, por lo que debe entenderse que la promoción inmobiliaria constituye el producto y las viviendas son las unidades producidas, sin que pueda afirmarse, con los datos señalados, que existe la situación de hecho que originaría la aplicación de las normas de producción conjunta.

Comentario

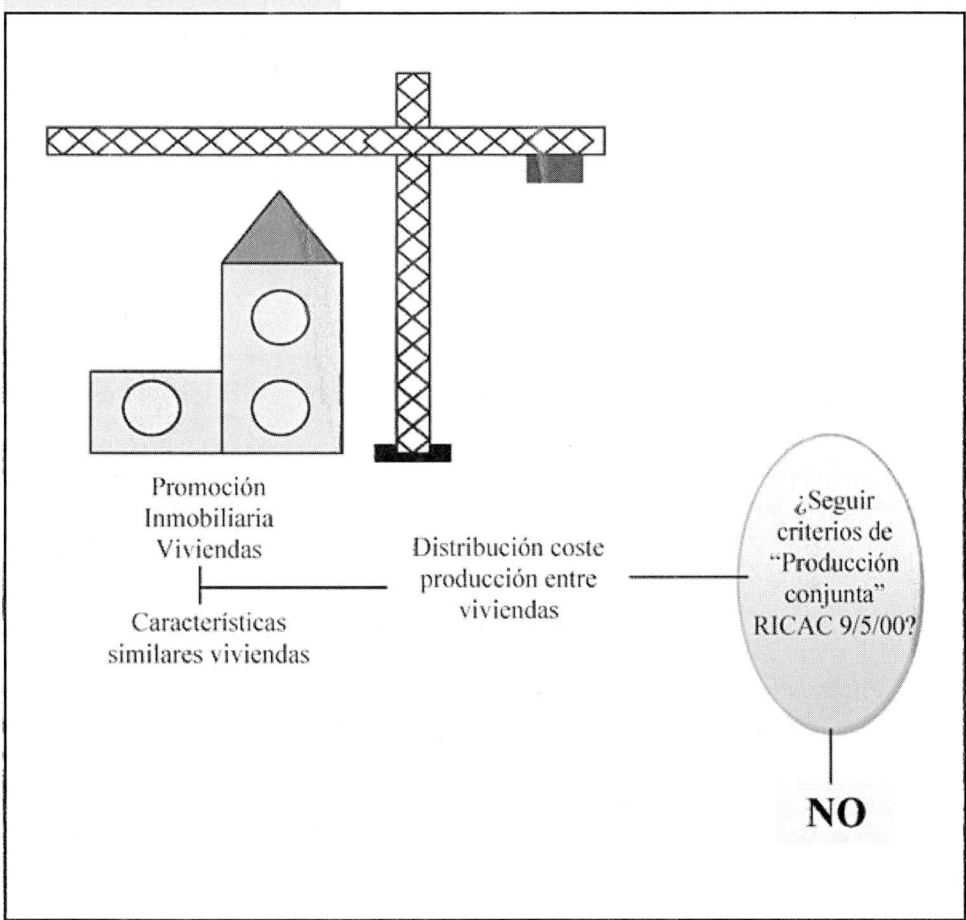

Ejemplo 1

La sociedad Inmobiliaria PRAIA DE BARRA S.A., presenta en el Activo de su Balance a 31/12/X7, entre otras, las siguientes cuentas:

Edificios construidos de viviendas .... 888.000€

Durante el siguiente ejercicio (X8), realizó las siguientes operaciones:

Con respecto al edificio construido de viviendas que aparece en balance, recoge el coste de las 6 viviendas que quedan por vender:

2 Pisos de 200 m² cada uno.

2 Pisos de 240 m² cada uno

2 Pisos de 300 m² cada uno.

El coste se aplica de forma homogénea por metro cuadrado, siendo calculado el mismo de acuerdo con lo dispuesto en la NRV 10.ª (Existencias). El inmueble se encuentra totalmente terminado.

PRAIA DE BARRA, aplica un 80% sobre el coste de cada piso, como margen de beneficios para determinar su precio de venta.

Las dos primeras viviendas (de 200 m^2) fueron vendidas al contado por un precio de 432.000€.

En cuanto a las viviendas de 240 m^2, fueron vendidas bajo la modalidad de pago aplazado. Para ellas, la empresa estableció las siguientes condiciones:

– Aplicar un 10% de interés simple anual sobre las cantidades adeudadas.

– En el momento de la venta, el comprador desembolsará un 40% del precio de la vivienda así como el IVA del 10% de la operación y los intereses de preamortización.

– Fecha de venta, para las dos viviendas de 240 m^2: el 1/7/X8.

De tal manera que por la cantidad aplazada (el 60% del precio), los compradores aceptaron dos letras cuyo nominal está formado por la mitad del principal y los intereses devengados hasta la fecha de vencimiento (1 y 2 años respectivamente desde 1/1/X9, momento a partir del cual se considera que empieza a amortizarse el principal adeudado).

SE PIDE:

a) Determinar el coste de producción por m^2 y comentar si en la determinación del mismo, es aplicable lo establecido en la Resolución del ICAC sobre la determinación del coste de producción en el caso de la producción conjunta.

b) Contabilizar lo que proceda durante el X8. Al cierre de dicho ejercicio quedan sin vender las dos viviendas de 300 m^2 habiendo descendido el valor neto realizable de las viviendas ascendiendo el mismo a 800€/m2.

SOLUCIÓN:

a) Determinación del coste de producción

El Inmueble, lo tiene registrado por 888.000€ estableciéndose un reparto uniforme del coste por metro cuadrado.

Así si el edificio dispone en total de:

Total m^2

2 Pisos de 200 m² cada uno =	400 m²
2 Pisos de 240 m² cada uno =	480 m²
2 Pisos de 300 m² cada uno =	600 m²
SUMA:	1.480 m²

El metro cuadrado se valorará en: $\dfrac{888.000}{1.480 \text{ m}^2} = 600 \text{ €/m}^2$

El **coste de producción**, se habrá establecido según las directrices del enunciado aplicando los contenidos de la (NRV) **10.ª**. «Existencias» del PGC, apartado 1.2, como sigue:

«*El coste de producción se determinará añadiendo al precio de adquisición de las materias primas y otras materias consumibles, los costes directamente imputables al producto. También deberá añadirse la parte que razonablemente corresponda de los costes indirectamente imputables a los productos de que se trate, en la medida en que tales costes correspondan al período de fabricación, elaboración o construcción, en los que se haya incurrido al ubicarlos para su venta y se basen en el nivel de utilización de la capacidad normal de trabajo de los medios de producción*».

Al aplicar **PRAIA DAS DORNAS** un margen del 80% sobre el **precio de coste**, el metro cuadrado lo venderá a:

Precio Venta = Precio Coste + 80% Precio Coste

Precio Venta = 600 + 80% 600 = 1.080€/m2

Podemos comprobarlo con el precio que estableció para los dos pisos que vende al contado, ambos de 200 m²:

400 m² x 1.080€/m2 = 432.000 (CORRECTO).

En cuanto a la determinación del coste, en el supuesto de la producción conjunta, comentar:

En los procesos de fabricación en los que, de forma inexorable, se fabrique simultáneamente más de un producto. Es decir, se debe fabricar un producto y, de forma independiente de la voluntad del productor, obtener otro producto distinto. En la producción conjunta no se hace referencia a las unidades de producto sino a las clases de productos que se obtienen en el proceso de producción.

Según los términos de la consulta, las viviendas producidas tienen básicamente las mismas características, por lo que debe entenderse que la promoción inmobiliaria constituye el producto y las viviendas son las unidades producidas, sin que pueda afirmarse, con los datos señalados, que existe la situación de hecho que originaría la aplicación de las normas de producción conjunta: En consecuencia no podrá emplearse los criterios contenidos para el cálculo del coste en la producción conjunta.

b) Operaciones realizadas en el ejercicio X8

PRAIA DE BARRA, registrará la venta de las dos viviendas al contado, así:

―――――――――――――― X ――――――――――――――

475.200	Bancos c/c (572)		
	a	Venta de edificaciones (700)	432.000
		HP IVA repercutido (477)	
		[10% 432.000]	43.200

En cuanto las ventas de las viviendas de 240 m^2, los ha vendido bajo la modalidad de pago aplazado, de tal manera que:

* Por las dos viviendas de 240 m^2 cada una, formalizó la operación el 1/7/X8, estableciéndose que:

Los clientes pagasen al contado:

• 40% Precio de Venta $= 40\% \left(\dfrac{\overbrace{518.400}}{240 \text{ m}^2 \times 2 \times 1.080€/\text{m}^2} \right) = \dots\dots$ 207.360

   • IVA de la operación $=$ 10% Precio Venta $=$ 10% 518.400 $= \dots\dots$ 51.840

   • Intereses de Preamortización (anticipados) sobre el total aplazado

(6 meses, a partir de los cuales comenzará a amortizarse el principal adeudado)

$\dfrac{= 6 \text{ meses}}{12 \text{ meses}} \times \left[10\% \left(\dfrac{\overbrace{311.040 \text{ APLAZADO}}}{518.400 - 207.300} \right) \right] \dots\dots$ 15.552

Total Cobrado $\dots\dots\dots\dots\dots\dots\dots\dots\dots\dots\dots\dots\dots\dots\dots\dots\dots\dots\dots\dots$ 274.752

Mientras que por la cantidad aplazada (60% precio de venta: 311.040), aceptasen dos letras cuyo nominal estaría formado por la mitad de esta cantidad así como los intereses que se generarían hasta la fecha de vencimiento de cada una de éstas, calculados a un 10% de interés simple y devengados a partir de enero del X9. Por tanto:

	Vencimiento	Principal (1)	Tiempo aplazado	Intereses (10%) (2)	Total adeudado (1) + (2) (Nominal Efecto)
1.º efecto	1/1/X10	155.520	1 año	155.520 x 10% x 1 = 15.552	171.072
2.º efecto	1/1/X11	155.520	2 años	155.520 x 10% x 2 = 31.104	186.624
Totales		311.040		46.656	357.696

Registrándose en diario:

———————————————————— 1/7/X8 ————————————————————

274.752   Bancos c/c (572)

311.040   Clientes, efectos comerciales a cobrar a l/p (451)

[155.520 + 155.520][1]

            a   Venta de edificaciones (700)   518.400

                  Ingresos de créditos (762)   15.552

                  HP IVA repercutido (477)   51.840

———

[1] Cuenta propuesta en el plan sectorial de empresas inmobiliarias.

En el ejercicio X8 no hay intereses devengados, estos se generan a partir del año X9, así el PGC, no comenta en su 2.ª parte:

«(...) Los activos financieros incluidos en la categoría de «préstamos y partidas a cobrar» se valorarán inicialmente por su valor razonable, que, salvo evidencia en contrario, será el precio de la transacción, que equivaldrá al valor razonable de la contraprestación entregada más los costes de transacción que les sean directamente atribuibles».

Con respecto a las existencias finales:

Quedan sin vender 2 pisos de 300 m^2 estando registrados:

Edificios construidos de viviendas . . . .   360.000€

(300 x 2 x 600€/m^2)

Baja de las existencias iniciales:

888.000	Variación de existencias de edificios construidos (712)		
		a	Edificios construidos de viviendas (350) 888.000

Por las existencias finales:

360.000	Edificios construidos de viviendas (350)		
		a	Variación de existencias de edificios construidos (712) 360.000

Registro del posible deterioro:

Comprobaremos en base al apartado 2 de la Norma 10.ª de Valoración PGC, si:

Coste de Producción. 360.000

¿Es mayor que?

Valor Neto realizable: (800€ x600 m²). 480.000

Es el importe que se puede obtener por su enajenación en el mercado, de manera natural y no forzada, deduciendo los costes estimados necesarios para llevarla a cabo [Marco Conceptual]

¿Deterioro?. . . . .   NO EXISTE

Ejemplo 2

Sobre la determinación del coste de producción en la producción conjunta

Ideas Claras S.A., fabrica simultáneamente 2 productos: «A» y «B», en su primer año de actividad.

Los gastos habidos en los centros de costes, durante el ejercicio, han sido (en €):

COSTES DIRECTOS	Producto A	Producto B
Consumo de Materias Primas	50.000.000	60.000.000
Mano de obra directa	24.000.000	30.000.000

Costes Indirectos: El reparto de los mismos, se efectúa de acuerdo con el siguiente cuadro de imputación a secciones:

Costes \ Secciones	Aprovisiona-miento	Transforma-ción	Comercial	Adminis-tración	Subactividad
Mano obra Indirecta	20%	70%	5%	5%	—
Servicios Exteriores	10%	73,5%	5%	5%	6,5%
Amortizaciones	10%	70%	10%	5%	5%
Gastos financieros	—	—	20%	80%	—

El importe de los costes indirectos del ejercicio, han sido (en €.):

Mano de Obra Indirecta 60.000.000

Servicios Exteriores 40.000.000

Amortizaciones 22.000.000

Gastos financieros 4.000.000

Los valores netos realizables de los productos «A» y «B», son respectivamente: 10€./kg y 15€/kg.

En el proceso de fabricación, se obtiene adicionalmente y de forma simultánea, el subproducto AB y el residuo ABC, cuyos valores netos realizables, son respectivamente: 4€/Kg y 1€/kg.

El número de unidades producidas durante el ejercicio, ha ascendido a:

Producto A.	21.800 Kg.
Producto B.	14.250 Kg.
Subproducto AB.	4.000 Kg
Residuo ABC.	4.000 Kg.

SE PIDE:

Determinar el coste de producción

SOLUCIÓN:

El Coste de Producción de un producto, según redacción de la Norma 10.ª. 1.2. del P.G.C y de la Norma. Segunda de la RICAC del coste de producción:

> «(...) es el formado por el precio de adquisición (...) de las materias primas y otras materias consumibles necesarias para su producción, así como los costes directamente imputables al producto y la parte que razonablemente corresponda de los costes indirectamente imputables, en la medida que tales costes correspondan al período de fabricación (...)».

Con lo cual, incorporaremos según dicha Normativa, el Consumo de materias primas y la Mano de obra directa costes directamente imputables en la determinación del coste de producción de «A» y «B».

En cuanto a los Costes Indirectos, cuyo reparto se cuantifica según el siguiente cuadro:

Secciones / Costes	Total	Aprovisionamiento	Transformación	Comercial	Administración	Subactividad
M.O Indirecta	60.000.000	20%60 Mill = 12.000.000	70%60 Mill = 42.000.000	5%60Mill = 3.000.000	5%60Mill = 3.000.000	---
Servicios Exteriores	40.000.000	10%40 Mill = 4.000.000	73,5%40 Mill = 29.400.000	5%40 Mill = 2.000.000	5%40 Mill = 2.000.000	6,5%40 Mill = 2.600.000
Amortizaciones	22.000.000	10%22 Mill = 2.200.000	70%22 Mill = 15.400.000	10%20 Mill = 2.200.000	5%22 Mill = 1.100.000	5%22 Mill = 1.100.000
Gastos. Financieros.	4.000.000	---	---	20%4 Mill = 800.000	80%4 Mill = 3.200.000	---
Totales	126.000.000	18.200.000	86.800.000	8.000.000	9.300.000	3.700.000

Total Imputables
←— **105.000.000** —→ ←— NO IMPUTABLES —→

No imputaremos como mayor coste de los productos, los de subactividad, comercialización y administración, tal y como se señala en las Normas cuarta, séptima y octava respectivamente de la Resolución.

Con lo que sólo formarán parte, los de aprovisionamiento y transformación.

¿Cuánto del total de estos costes (105.000.000€), imputaremos a cada uno de los productos (A y B) que se obtienen de forma simultánea en el proceso de fabricación?

En este caso, y con carácter general, los costes los asignaremos a cada producto, en proporción a su valor neto realizable (Norma quinta RICAC del coste de producción, sobre producción conjunta). Si además, se obtienen adicionalmente subproductos, residuos (que es lo que aquí ocurre), su valoración se realizará utilizando este mismo criterio. No obstante, cuando esta valoración, sea de importancia secundaria, se podrá valorar por el valor neto realizable, según corresponda, importe que se deducirá del coste de los productos principales.

Vamos a seguir, en nuestro caso, el criterio general, distribuyendo el total de los costes indirectos entre los productos principales así como subproductos y residuos, por sus valores netos realizables:

	Valor Neto de Mercado	Total Costes Indirectos Imputables
Producto «A»	21.800 Kg x 10€./kg = 218.000€	50.670
Producto «B»	14.250 Kg x 15.000€./kg = 213.750€.	49.682
Subproducto «AB»	4.000 Kg x 4€./kg = 16.000€	3.719
Residuo «ABC»	4.000 Kg x 1€./kg = 4.000	929
Totales	451.750	105.000

En resumen, elaboraremos el siguiente cuadro sobre el cálculo definitivo del coste de producción, correspondiente a los productos A, B, subproducto AB y residuo ABC:

	A	B	AB	ABC
Consumo Materia Prima	50.000.000	60.000.000	—	—
Mano de Obra Directa	24.000.000	30.000.000	—	—
Costes Indirectos	50.670	49.682	3.719	929
Totales	74.050,67	90.049,68	3.719	929
Núm. Kgs. producidos	21.800 kgs	14.250 kgs	4.000 kgs.	4.000 kgs.
Coste Producción Unitario	3,40€/kg	6,32€./kg	0,93/kg	0,23€./kg

4.1.2.2.   Valoración de residuos en una prestación de servicios

BOICAC 113, marzo 2018. Consulta 1.

Sobre la valoración de los residuos que obtiene una empresa en la prestación de un servicio.

Respuesta

Una empresa recibe una contraprestación e incurre en una serie de gastos (mano de obra y transporte) por prestar el servicio de retirada de residuos a otras empresas, que posteriormente utiliza como materia prima en la elaboración de un producto. En la consulta se pregunta cuál es el importe por el que se deben incorporar los residuos al balance de la empresa.

En la Norma Quinta de la Resolución de 14 de abril de 2015, del Instituto de Contabilidad y Auditoría de Cuentas, por la que se establecen criterios para la determinación del coste de producción, se tratan los casos en los que en el proceso productivo se obtienen de forma adicional subproductos, residuos, desechos, desperdicios o materiales recuperables, definiéndose los mismos y regulándose su valoración, en los siguientes términos:

«Quinta. Producción conjunta.

1. Si en un determinado proceso de fabricación, de forma inexorable, se fabrica simultáneamente más de un producto, la asignación de los costes que no son imputables inequívocamente a un producto concreto se basará en criterios o indicadores lo más objetivos posibles con la orientación, con carácter general, de que los costes imputados a cada producto sean lo más paralelos o proporcionales al valor neto realizable del citado producto.

2. Si en el proceso de fabricación se obtienen adicionalmente subproductos, residuos, desechos, desperdicios o materiales recuperados, su valoración se realizará de acuerdo con lo indicado en el número anterior. No obstante, cuando esta valoración sea de importancia secundaria, se podrán valorar por el valor neto realizable, importe que se deducirá del coste del producto o productos principales.

Si alguno de estos componentes obtenidos en la producción conjunta tuviera un valor neto realizable negativo, como puede ser el caso de los residuos que no tengan mercado y deban ser objeto de un proceso de eliminación obligatorio, el coste separable del residuo se sumará al coste del producto o productos principales.

3. A efectos de esta norma, tendrán la consideración de:

a) Subproductos: los de carácter secundario o accesorio de la fabricación principal.

b) Residuos, desechos o desperdicios: los obtenidos inevitablemente y al mismo tiempo que los productos o subproductos, siempre que tengan valor intrínseco y puedan ser reutilizados o vendidos.

c) Materiales recuperados: los que, por tener valor intrínseco, entran nuevamente en almacén después de haber sido utilizados en el proceso productivo, y una vez que han sido reacondicionados para su uso.»

Por lo tanto, en la medida que los residuos se obtienen del proceso de prestación del servicio, de acuerdo con el criterio que se ha reproducido, la empresa los incorporará al activo por su valor neto realizable, importe que se deducirá del coste de prestación del servicio.

Comentario

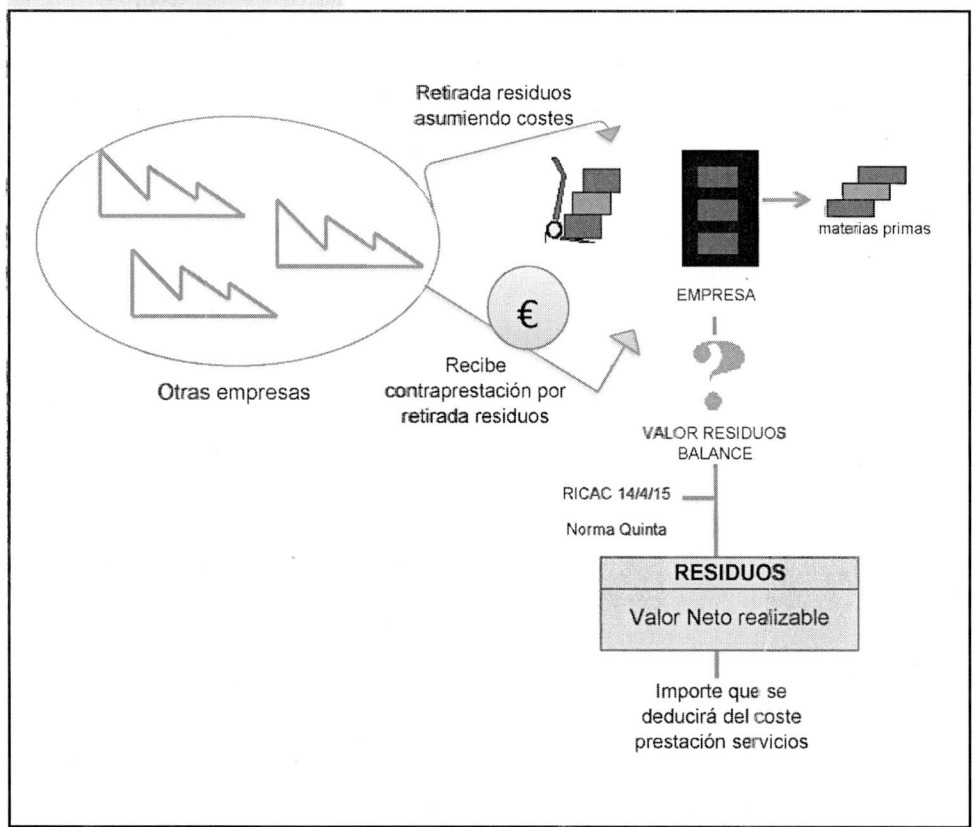

Ejemplo 1

La sociedad «LAGARES» se dedica a la prestación del servicio de recogida de residuos de otras empresas, a cambio de una contraprestación por realizar dicha labor. En dicha operación, incurre en una serie de gastos (mano de obra, transportes).

Las existencias iniciales a 1 de enero del año X0 son las siguientes:

Residuos	
Kilos	Valor total
5.000 Kg	1.600 €

La sociedad utiliza como criterio de valoración de existencias el F.I.F.O.

Durante el mes de enero del X0 se han recogido 30.000 kg, siendo los costes directos asociados a esta recogida, registrados en la contabilidad financiera, los siguientes:

- Costes de personal: . . . .   9.000 €

- Transportes: . . . .   3.000 €

Los costes incurridos en la prestación del servicio son los siguientes:

– Kilos consumidos de residuos: 28.000 Kilos.

– Costes de almacenamiento: 5.200 €

– Costes directos de la prestación del servicio: 12.000 €

– Costes indirectos imputados racionalmente durante el proceso de prestación del servicio: 4.000€.

La contraprestación recibida por el servicio realizado ha ascendido a 42.000 €.

SE PIDE: Valoración a 31/1/X0 del residuo. Se sabe que el valor neto realizable del residuo es de 0,50€/kilo. Registro contable de la variación de existencias.

SOLUCIÓN:

Cálculo del coste de producción

El apartado 1.4 de la Norma 10ª de Valoración del PGC, establece que para el coste de las existencias en la prestación de servicios, tendremos en cuenta los apartados previos de la mencionada Norma, igualmente nos indica que: «(…)las existencias incluirán el coste de producción de los servicios en tanto aún no se haya reconocido el ingreso por prestación de servicios correspondiente conforme a lo establecido en la norma relativa a ingresos por ventas y prestación de servicios»

De esta forma, sabemos que:

	Unidades	Valoración Total	Valoración unitaria
Existencias iniciales	5.000 Kg	1.600 €	$\dfrac{1.600€}{5.000\ kg} = 0,32€/kg$
Residuos recogidos	30.000 Kg	9.000 + 3.000 = 12.000 €	$\dfrac{12.000€}{30.000kg} = 0,4€/kg$

Igualmente, determinamos que:

Concepto	Valoración en euros
Consumo de residuos: 28.000Kilos (F.I.F.O) (5.000 kilos x0,32 + 23.000 kilos x0,40) = 10.800	10.800 €
Costes de almacenamiento	5.200 €
Costes directos	12.000 €
Costes indirectos imputados racionalmente	4.000 €
COSTE DE PRODUCCIÓN	**32.000**

El coste de producción estará formado por el precio de adquisición de las materias primas y otras materias consumibles, así como el resto de los bienes o servicios consumidos y directamente imputables al activo. También deberá añadirse la parte que razonablemente corresponda de los costes indirectamente imputables al activo, en la medida en que tales costes correspondan al periodo de producción, construcción o fabricación, se basen en el nivel de utilización de la capacidad normal de trabajo de los medios de producción y sean necesarios para la puesta del activo en condiciones operativas, esto es, para que puedan cumplir con la función que le resulta propia o acorde a su clasificación contable. [Norma segunda. Apartado 1. RICAC del coste de producción.]

Existencias finales de residuos: 7.000 kilos (Existencias iniciales + recogidos-consumidos):

5.000 + 30.000-28.000 = 7.000 Kilos.

Valoración: Valor neto realizable = 0,50€/kilo x7.000 = 3.500€.

Coste de producción – valor neto realizable del residuo: 32.000-3.500 = 28.500€.

Por lo tanto, en la medida que los residuos se obtienen del proceso de prestación del servicio, de acuerdo con el criterio que se ha reproducido, la empresa los incorporará al activo por su valor neto realizable, importe que se deducirá del coste de prestación del servicio. [Consulta nº 1. BOICAC 113]

Anotaciones contables realizadas

• Por la contraprestación recibida:

————————————————————— X —————————————————————

| 42.000 | Bancos c/c (572) | a | Prestación de servicios (705) | 42.000 |

• Registro contable de las existencias:

– Baja de las existencias iniciales de los residuos:

————————————————————— X —————————————————————

| 1.600 | Variación existencias de materias primas (610) | a | Materias primas (310) | 1.600 |

– Por las existencias finales, de residuos:

————————————————————— X —————————————————————

| 3.500 | Materias primas (310) | a | Variación existencias de materias primas (610) | 3.500 |

Ejemplo 2

La sociedad «MIÑO» se dedica a la fabricación del componente electrónico «A». Entre sus funciones, se encuentran la recogida de residuos de otras empresas a cambio de una contraprestación por realizar dicha labor. En dicha operación, incurre en una serie de gastos (mano de obra, transportes). Dichos residuos los utilizará posteriormente en la elaboración del producto «A».

Las existencias iniciales a 1 de enero del año X0 son las siguientes:

Residuos	
Kilos	Valor total
5.000 Kg	1.600 €

Producto Terminado «A»
Valor total
12.000 €

La sociedad utiliza como criterio de valoración de existencias el F.I.F.O.

Durante el mes de enero del X0 se han recogido 30.000 kg. Y los costes directos asociados a esta recogida en la contabilidad financiera, son los siguientes:

– Costes de personal: **9.000 €**

– Transportes: 3.000 €.

Los costes incurridos en la elaboración del producto «A» son los siguientes:

– Kilos consumidos de residuos: 28.000 Kilos.

– Otras materias primas consumidas: 5.200 €

– Costes directos de elaboración del producto «A»: 12.000 €

– Costes indirectos imputados racionalmente durante el proceso de fabricación: 4.000 €.

SE PIDE: Valoración a 31/1/X0 del residuo y del producto «A». Se sabe que el valor neto realizable del residuo es de 0,50 €/kilo. Registro contable de la variación de existencias.

SOLUCIÓN:

Cálculo del coste de producción

En la determinación del coste unitario de los residuos almacenados en la empresa, tenemos:

	Unidades	Valoración Total	Valoración unitaria
Existencias iniciales	5.000 Kg	1.600 €	$\dfrac{1.600€}{5.000 \text{ kg}} = 0,32€/kg$
Residuos recogidos	30.000 Kg	9.000 + 3.000 = 12.000 €	$\dfrac{12.000€}{30.000kg} = 0,4€/kg$

Igualmente, y para la determinación del coste de producción, en base al apartado 1, Norma Segunda, RICAC 14/4/15, del coste de producción:

Concepto	Valoración en euros
Consumo de residuos: 28.000Kilos (F.I.F.O) (5.000 kilos x0,32 + 23.000kilos x0,40) = 10.800	10.800
Otras materias primas consumidas	5.200
Costes directos	12.000
Costes indirectos imputados racionalmente durante el proceso de fabricación	4.000
COSTE DE PRODUCCIÓN	**32.000**

Existencias finales de residuos: 7.000 kilos (Existencias iniciales + recogidos-consumidos)

Valoración: Valor neto realizable = 0,50€/kilo x7.000 = **3.500€.**

Existencias finales del producto «A»:

Coste de producción – valor neto realizable del residuo
= 32.000-3.500 = **28.500€.**

Por lo tanto, en la medida que los residuos se obtienen del proceso de prestación del servicio, de acuerdo con el criterio que se ha reproducido, la empresa los incorporará al activo por su valor neto realizable, importe que se deducirá del coste de prestación del servicio. [Consulta nº 1. BOICAC 113]

Anotaciones contables realizadas

• Por la baja de las existencias iniciales:

  * De residuos:

X

1.600	Variación existencias de materias primas (610)	a	Materias primas (310)	
				1.600

---

* Del producto «A»

—————————————————————————— X ——————————————————————————

   12.000 Variación existencias productos   a   Productos terminados
           terminados (712)   (350)   12.000

• Por las existencias finales:

  * De residuos:

—————————————————————————— X ——————————————————————————

   3.500 Materias primas (310)   a   Variación existen-
                                   cias de materias pri-
                                   mas (610)   3.500

  * Del producto «A»

—————————————————————————— X ——————————————————————————

   28.500 Productos terminados (350)   a   Variación existen-
                                   cias productos ter-
                                   minados (712)   28.500

4.1.3.   Inventario existencias. Métodos asignación valor

4.1.3.1.   Intercambio de gas entre empresas comercializadoras

BOICAC 96, diciembre 2013. Consulta 3.

Sobre el tratamiento contable de un contrato de intercambio de gas entre comercializadoras del sector.

Respuesta

La consulta plantea el tratamiento contable, en una entidad comercializadora de gas, de las transacciones realizadas al amparo de un contrato de «intercambio de gas» firmado con otras empresas comercializadoras del sector. Dicho contrato tiene por objeto garantizar las existencias mínimas de seguridad establecidas por la normativa reguladora del sector y por lo tanto el suministro.

A través del citado acuerdo, que según indica el consultante se instrumenta mediante «un contrato de compraventa tipo», la entidad situada por debajo del mínimo permitido acude al «depósito común» para obtener las existencias necesarias de alguna de las comercializadoras que en ese momento tenga superávit. Con posterioridad, la entidad que acudió al depósito común cancelará su compromiso de devolución de gas cuando adquiera las correspondientes existencias de sus proveedores habituales.

La cuestión a dilucidar es si la consultante debe reconocer las existencias adquiridas bajo el citado acuerdo y la posterior venta cuando se produce la devolución, o si por el contrario los hechos descritos no deberían originar un incremento en el importe neto de la cifra de negocios de la entidad.

El fondo económico y jurídico de las operaciones, o prevalencia del fondo sobre la forma siempre debe guiar cualquier interpretación de las norma de registro y valoración del Plan General de Contabilidad (PGC), aprobado por el Real Decreto 1514/2007, de 16 de noviembre, de manera que la contabilización de las operaciones responda y muestre la sustancia económica y no sólo la forma jurídica utilizada para instrumentarlas.

A la vista de la descripción que realiza el consultante, el contrato de intercambio de gas parece constituir un instrumento que permite cumplir a la entidad con la obligación de mantener, en todo momento, un volumen de existencias mínimas o inventario de seguridad, y al mismo tiempo poder atender los compromisos de entrega a sus clientes, asumiendo la obligación de reponer el volumen de existencias recibido.

Pues bien, desde un punto de vista económico, este acuerdo en el que una parte recibe un activo no monetario asumiendo la obligación de entregar, en el futuro, otro activo de la misma naturaleza y función no encierra un verdadero intercambio económico entre una empresa y sus clientes, sino un simple mecanismo de colaboración entre las empresas comercializadoras para optimizar la gestión de sus inventarios.

En este sentido, para otorgar un adecuado tratamiento contable a la operación cabría traer a colación por analogía la norma de registro y valoración 14.ª «Ingresos por ventas y prestación de servicios» del PGC, en cuya virtud «no se reconocerá ningún ingreso por la permuta de bienes o servicios, por operaciones de tráfico, de similar naturaleza y valor», de lo que cabe concluir que la devolución de gas no debería reconocerse como un ingreso ni por lo tanto lucir como importe neto de la cifra de negocios de la consultante, sin perjuicio de la obligación de reconocer la correspondiente variación de existencias, y el compromiso de devolución formando parte de los acreedores comerciales, que se dará de baja aplicando este mismo criterio cuando se proceda a la devolución del gas con abono a una cuenta de variación de existencias.

Hasta ese momento, el compromiso que asume la empresa se valorará por su valor razonable contabilizando las variaciones de valor en la cuenta de pérdidas y ganancias de acuerdo con su naturaleza.

Comentario

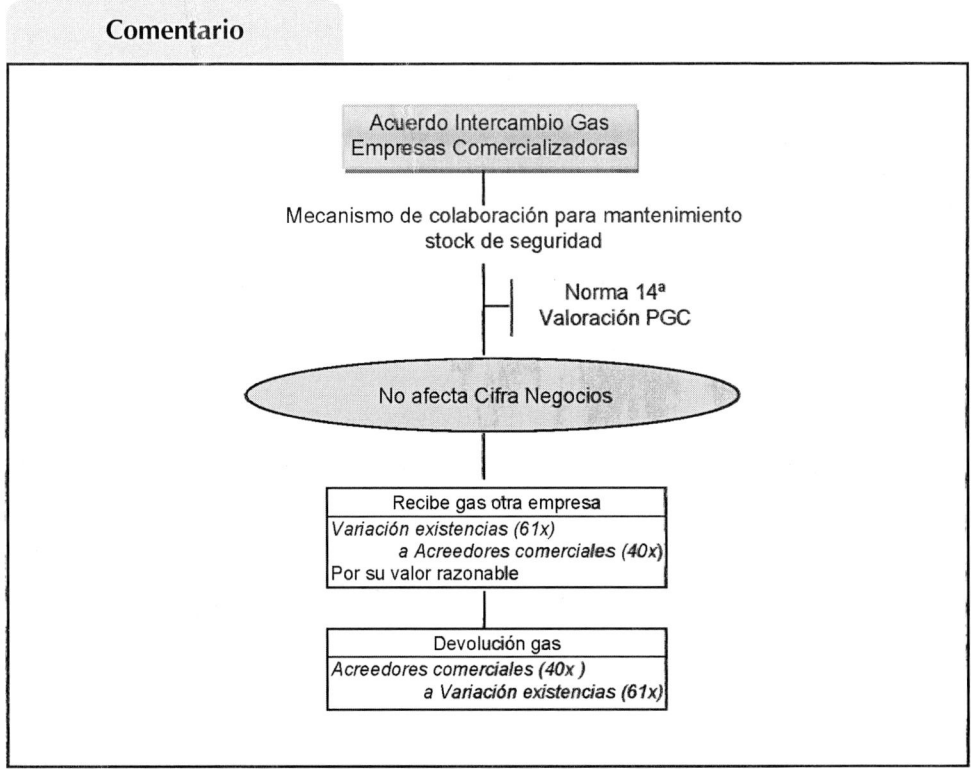

Ejemplo

La entidad comercializadora de gas natural FINOSA GAS NATURAL S.A., presenta en el balance de saldos, elaborado antes del cierre del ejercicio (30/12/X13), entre otros, los siguientes elementos en €:

Cuenta	Saldos deudores	Saldos acreedores
Devoluciones de ventas	50.000	—
Ventas de mercaderías	—	3.500.000
Compras de mercaderías	2.310.000	—
Mercaderías	4.000	—

Se sabe que el consumo de mercaderías ha ascendido a 2.300.000€, no habiéndose producido devoluciones de compras.

La entidad comercializadora de gas, firmó en su día un contrato de «intercambio de gas» formalizado con otras empresas comercializadoras del sector. Dicho contrato tiene por objeto garantizar las existencias mínimas de seguridad establecidas por la normativa reguladora del sector y, por lo tanto, el suministro.

A través del citado acuerdo la entidad, situada por debajo del mínimo permitido, acude al «depósito común» para obtener las existencias necesarias de alguna de las comercializadoras que en ese momento tenga superávit. Con posterioridad, la acudirá al depósito común cancelando su compromiso de devolución de gas, cuando adquiera las correspondientes existencias de sus proveedores habituales.

Al amparo de dicho contrato, y por haber descendido las existencias mínimas de seguridad de gas natural, por debajo del equivalente a 10 días de sus ventas firmes en el año natural anterior, adquiere a 31/12/X13 las existencias necesarias a la comercializadora RENOSA, S.A: la cual posee superávit, con el compromiso de devolución posterior cuando las adquiera a sus proveedores habituales.

Las ventas en firme del ejercicio X12, ascendieron a 1.825.000€.

El margen con el que trabaja la empresa, y que se supone constante, es del 50% del precio de coste.

A dicha fecha (finales del X13) adquiere gas a la comercializadora RENOSA S.A. por importe de 29.500€ para asegurar las existencias mínimas.

SE PIDE:

a) Cálculo de las existencias finales.

b) Registro de la operación de adquisición de gas natural para mantener las existencias mínimas a la sociedad RENOSA S.A.

c) Calcular el resultado de explotación, confeccionando la cuenta de pérdidas y ganancias correspondiente a dicho apartado.

d) A principios del ejercicio X14 y una vez realizadas compras a sus proveedores habituales, devuelve a la sociedad RENOSA las existencias adquiridas, cancelando la deuda. El valor de las mercancías entregadas ascendió a 29.800€.

SOLUCIÓN:

a) Cálculo de las existencias finales

Sabemos que:

Consumo de mercaderías = Existencias iniciales + Compras netas – Existencias finales

Conociéndose que:

Existencias iniciales: 4.000

Compras de mercaderías: 2.310.000.

Consumo de mercaderías: 2.300.000

Por lo que despejando, obtenemos:

Existencias finales = Existencias Iniciales + Compras Netas – Consumo Mercaderías

$$= 4.000 + 2.310.000 - 2.300.000 = \textbf{14.000€}$$

b) Registro de la operación de adquisición de gas natural para mantener las existencias mínimas a la sociedad RENOSA S.A.

Las existencias mínimas de seguridad de gas natural, serán las equivalentes a 10 días de sus ventas firmes en el año natural anterior. (Art. 17 del Real Decreto 1716/2004 de 23 de julio por el que se regula la obligación de mantenimiento de existencias mínimas de seguridad.). Por tanto, y en nuestro caso, sabemos que las ventas en firme del ejercicio anterior, ascendieron a 1.825.000€. Correspondiéndole por 10 días:

$$\frac{1.825.000}{365 \text{ días}} \times 10 \text{ días} = 50.000€ \text{ (a precios de venta)}$$

Su coste ascenderá a (margen del 50%):

$$\frac{50.000}{1,5} = 33.333€$$

Como tenemos 4.000€ (según el balance de sumas y saldos a 30/12/X13), compraremos:

$$33.333 - 4.000 = 29.333€$$

La compra, se efectúa por un importe de 29.500€, anotándose:

	X		
29.500 Variación de mercaderías (610)			
	a	Acreedores comerciales corrientes (410.1)	29.500

Según la Consulta estudiada (3, BOICAC 96), el contrato de intercambio de gas parece constituir un instrumento que permite cumplir a la entidad con la obligación de mantener, en todo momento, un volumen de existencias mínimas o inventario de seguridad, y al mismo tiempo poder atender los compromisos de entrega a sus clientes, asumiendo la obligación de reponer el volumen de existencias recibido.

Por lo que, desde un punto de vista económico, este acuerdo en el que una parte recibe un activo no monetario asumiendo la obligación de entregar, en el futuro, otro activo de la misma naturaleza y función no encierra un verdadero intercambio económico entre una empresa y sus clientes, sino un simple mecanismo de colaboración entre las empresas comercializadoras para optimizar la gestión de sus inventarios.

Igualmente, tendremos en cuenta lo establecido en la Norma 14 de Valoración del PGC, en la cual nos dice, que no se reconocerá ingreso por la permuta de bienes o servicios, por operaciones de tráfico, de similar naturaleza y valor

c) Calcular el resultado de explotación, confeccionando la cuenta de pérdidas y ganancias correspondiente a dicho apartado

Cuenta de pérdidas y ganancias correspondiente al ejercicio terminado el 31 de diciembre del X13

Núm. Cuentas		Nota	Debe	Haber
			X13	X12
700 (708)	1. Importe neto de la cifra de negocios		3.450.000	*1.825.000*
(1)(600),(610)	4. Aprovisionamientos		(2.329.500)	*(1.216.667)*
	A) RESULTADO DE EXPLOTACIÓN (1 + 2 + 3 + 4 + 5 + 6 + 7 + 8 + 9 + 10 + 11)		1.120.500	608.333

[1] Determinación apartado aprovisionamientos:

Compras de mercaderías .... (2.310.000)

Variación de existencias .... (9.500)

$$\underset{\substack{\text{Procedente} \\ \text{Existencias} \\ \text{Iniciales}}}{-4.000} - \underset{\substack{\text{Adquisición} \\ \text{RENOSA}}}{29.500} + \underset{\substack{\text{Procedente} \\ \text{Existencias} \\ \text{Finales}}}{14.000}$$

Total .... (2.329.500)

d) Entrega a la sociedad RENOSA de las mercancías necesarias para la cancelación de la deuda

Previamente reconoceremos la variación de valor de las existencias, ya que según la Consulta 3 BOICAC 96: el compromiso asumido por la empresa, se valorará por su valor razonable; contabilizando las variaciones de valor en pérdidas y ganancias de acuerdo con su naturaleza. Por tanto:

```
———————————————— 3/1/X14 ————————————————

300    Variación de mercaderías
       (610)

                                 a       Acreedores comerciales
                                         corrientes (410.1)

                                         [29.500 - 29.800]
                                                                    300

———————————————————        ———————————————————
```

Y por la entrega de las mercancías para cancelar la deuda con la sociedad RENOSA:

```
———————————————— 3/1/X14 ————————————————

29.800  Acreedores comerciales
        corrientes (410.1)

                                 a       Variación de mercade-
                                         rías (610)              29.800

———————————————————        ———————————————————
```

La devolución de gas no debería reconocerse como un ingreso ni por lo tanto lucir como importe neto de la cifra de negocios de la sociedad FINOSA, sin perjuicio de la obligación de reconocer la correspondiente variación de existencias, y el compromiso de devolución, formando parte de los acreedores comerciales, que se dará de baja aplicando este mismo criterio cuando se proceda a la devolución del gas con abono a una cuenta de variación de existencias. (Consulta 3, BOICAC 96)

4.2. VENTAS. PRESTACIONES DE SERVICIOS

4.2.1. Ventas

4.2.1.1. Devolución ventas: registro contable

BOICAC 96, diciembre 2013. Consulta 6.

Sobre la contabilización de las devoluciones de ventas.

Respuesta

El consultante pregunta acerca del tratamiento contable de las devoluciones de ventas y, en concreto, sobre la posibilidad de efectuar asientos con un importe negativo.

El Plan General de Contabilidad (PGC) aprobado por el Real Decreto 1514/2007, de 16 de noviembre, se estructura en cinco partes, de las cuales son de aplicación obligatoria la primera, segunda y tercera.

La cuarta y quinta parte del PGC, cuadro de cuentas y definiciones y relaciones contables, respectivamente, son de aplicación facultativa excepto en aquellos aspectos que contengan criterios de registro o valoración. Sin perjuicio de que sea aconsejable que, en el caso de hacer uso de esa facultad, se utilicen denominaciones similares con el fin de facilitar la elaboración de las cuentas anuales.

En la quinta parte se incluyen los principales motivos de cargo y abono de las cuentas propuestas, sin que en ninguna de ellas se contemple la posibilidad de efectuar un asiento por un importe negativo. Cuestión distinta es que en el modelo de cuenta de pérdidas y ganancias figure la partida 1.a) Ventas, en la cual se integra el subgrupo 70, dentro del cual forma parte la cuenta 708. Devoluciones de ventas y operaciones similares, con signo negativo. Esta situación viene determinada precisamente al amparo de la relación contable descrita para esta cuenta, que surge cargándose cuando se produce la devolución de una venta, con abono a una cuenta de clientes.

Por tanto, el reflejo contable de las devoluciones de ventas se realizará cargando la cuenta 708. «Devolución de ventas y operaciones similares» con abono a la cuenta del subgrupo 43 que corresponda o a la correspondiente cuenta del subgrupo 57.

Si el consultante aplicase el Plan General de Contabilidad de Pequeñas y Medianas Empresas, aprobado por el Real Decreto 1515/2007, de 16 de noviembre, la conclusión recogida en la presente respuesta no varía.

Comentario

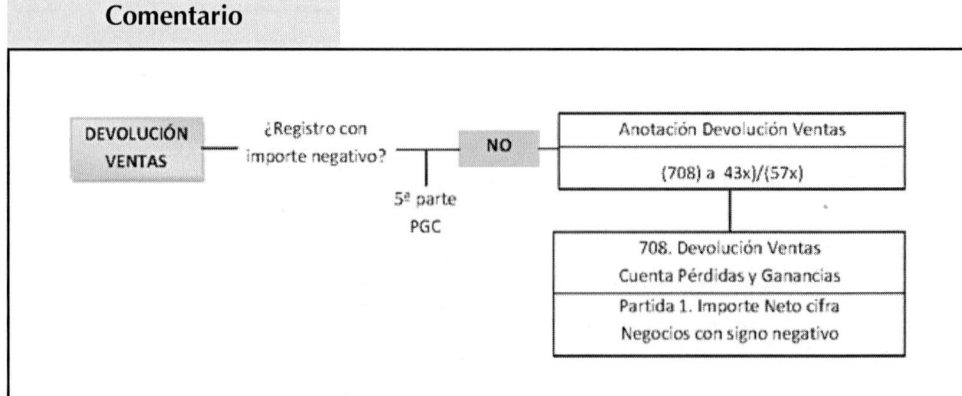

Ejemplo

La sociedad LA ESPERANZA ha registrado en el libro Diario una devolución de ventas por importe de 10.000€ y, por un importe negativo. Por otra parte los gastos e ingresos del ejercicio 2013 son los siguientes:

CUENTAS		SALDOS	
Núm.	Concepto	Deudor	Acreedor.
752	Ingresos por arrendamientos	——	12.000
700	Ventas de Mercaderías		900.000
606	Descuentos s/compras p.p.p	-32.000	——
600	Compras de Mercaderías	400.000	——
708	Devoluciones s/ventas y operaciones similar	——	-10.000
624	Transportes	15.000	——
625	Primas de Seguros	6.000	——
621	Arrendamientos y Cánones	13.000	——
759	Ingresos por servicios diversos	——	16.000
622	Reparaciones y Conservación	75.000	——
769	Otros Ingresos Financieros	——	14.000
754	Ingresos por comisiones	——	4.000
755	Ingresos por servicios al personal	——	200.000
762	Ingresos de créditos	——	8.000
628	Suministros	13.000	——
6300	Impuesto corriente	196.200	——
	TOTALES	686.200	1.144.000

SE PIDE:

¿Es correcto el tratamiento contable de la operación? En caso contrario, proponga el asiento correcto.

Confeccionar la cuenta de P y G, modelo abreviado.

SOLUCIÓN:

En la quinta parte del PGC, se incluyen los principales motivos de cargo y abono de las cuentas propuestas, sin que en ninguna de ellas se contemple la posibilidad de efectuar un asiento por un importe negativo.

Por tanto, el reflejo contable de las devoluciones de ventas se realizará cargando la cuenta 708, así nos lo indica la 5.ª parte del PGC, y para la definición de la cuenta:

> «(...) a) Se cargará por el importe de las ventas devueltas por clientes, y en su caso por los descuentos y similares concedidos, con abono a las cuentas 43 o 57 que correspondan (...)».

Por consiguiente, el registro contable correcto sería:

---------------------------------- X ----------------------------------

10.000	Devoluciones de vetas y operaciones similares (708)		
2.100	HP IVA repercutido (477)		
		a Bancos (572) o Clientes (430)	12.100

Cuenta de pérdidas y ganancias abreviada correspondiente al ejercicio terminado el 31 de diciembre del 2013

Núm. Cuentas		Nota	Deber	Haber
			2013	2012
700 (708)	**1. Importe neto de la cifra de negocios.** . . .			
	a) Ventas[1]		890.000	
(600), 606	**4. Aprovisionamientos.**		(368.000)	
75	**5. Otros ingresos de explotación.**		232.000	
(62)	**7. Otros gastos de explotación.**		(122.000)	
	A) RESULTADO DE EXPLOTACIÓN (1 + 2 + 3 + 4 + 5 + 6 + 7 + 8 + 9 + 10 + 11). . . .		632.000	
762,769	**12. Ingresos financieros.**		22.000	
	B) RESULTADO FINANCIERO (12 + 13 + 14 + 15 + 16).		22.00	
	C) RESULTADO ANTES DE IMPUESTOS (A + B).		654.000	

Núm. Cuentas		Nota	Deber	Haber
			2013	2012
	17. Impuestos sobre beneficios.			
	D) RESULTADO DEL EJERCICIO (C + 17). .		654.000	

(1) En el modelo de cuenta de pérdidas y ganancias figura la partida 1.a) Ventas, en la cual se integra el subgrupo 70, dentro del cual forma parte la cuenta 708. Devoluciones de ventas y operaciones similares, con signo negativo. Esta situación viene determinada precisamente al amparo de la relación contable descrita para esta cuenta, que surge cargándose cuando se produce la devolución de una venta, con abono a una cuenta de clientes.

4.2.1.2. Programa fidelización de clientes

BOICAC 98, junio 2014. Consulta 5.

Sobre el adecuado tratamiento contable de un programa de fidelización de clientes mediante la entrega de vales regalo y puntos canjeables por descuentos en ventas futuras.

Respuesta

El Plan General de Contabilidad (PGC), aprobado por Real Decreto 1514/2007, de 16 de noviembre, regula el tratamiento contable de los ingresos por ventas y prestaciones de servicios en la norma de registro y valoración (NRV) 14.ª, que en su apartado 1 establece:

«14.ª Ingresos por ventas y prestación de servicios

1. Aspectos comunes.

Los ingresos procedentes de la venta de bienes y de la prestación de servicios se valorarán por el valor razonable de la contrapartida, recibida o por recibir, derivada de los mismos, que, salvo evidencia en contrario, será el precio acordado para dichos bienes o servicios, deducido: el importe de cualquier descuento, rebaja en el precio u otras partidas similares que la empresa pueda conceder, así como los intereses incorporados al nominal de los créditos. No obstante, podrán incluirse los intereses incorporados a los créditos comerciales con vencimiento no superior a un año que no tengan un tipo de interés contractual, cuando el efecto de no actualizar los flujos de efectivo no sea significativo.

Los impuestos que gravan las operaciones de venta de bienes y prestación de servicios que la empresa debe repercutir a terceros como el impuesto sobre el valor añadido y los impuestos especiales, así como las cantidades recibidas por cuenta de terceros, no formarán parte de los ingresos. (...)»

Adicionalmente, cuando en un mismo acuerdo se recogen un conjunto de prestaciones, como puede suceder en el caso que nos ocupa, como paso previo al registro contable, es necesario analizar las obligaciones que asume la empresa con sus clientes. Por ejemplo, cabría considerar que existen dos o más «objetos contractuales» (obligaciones de cumplimiento), la entrega/prestación presente y la futura, en cuyo caso habría que asignar el importe de la contraprestación recibida en proporción al valor razonable relativo de los elementos entregados, o servicios prestados, y reconocer los correspondientes ingresos de acuerdo con las normas de registro y valoración aplicables a la entrega de bienes y a la prestación de servicios, según proceda.

En este sentido se pronuncia la NRV 14.ª «Ingresos por ventas y prestación de servicio» del PGC, cuando expresa que:

> «(...) Con el fin de contabilizar los ingresos atendiendo al fondo económico de las operaciones, puede ocurrir que los componentes identificables de una misma transacción deban reconocerse aplicando criterios diversos, como una venta de bienes y los servicios anexos; a la inversa, transacciones diferentes pero ligadas entre sí se tratarán contablemente de forma conjunta».

Pues bien, los vales regalo que se entregan por la empresa en el momento de realizar la venta del producto, y los puntos canjeables por descuentos en ventas o prestaciones de servicios futuras, constituyen para el cliente el medio de pago que en el futuro aceptará la empresa a cambio de la correspondiente entrega de bienes o prestación de servicios, circunstancia que pone de manifiesto el nacimiento de un pasivo en el momento inicial que se dará de baja cuando el cliente, en ejercicio del derecho recibido, exija a la empresa el cumplimiento de la citada obligación.

En consecuencia, y en respuesta a la duda planteada, si dichos contratos contienen, de manera implícita, varios acuerdos u obligaciones de cumplimiento a ejecutar en diferentes momentos, la empresa deberá asignar el importe de la contraprestación recibida en proporción al valor razonable relativo de las citadas obligaciones, y reconocer el correspondiente pasivo en la medida que de acuerdo con las normas de registro y valoración aplicables a la entrega de bienes y a la prestación de servicios no se hubieran cumplido los requisitos para contabilizar el correspondiente ingreso.

Para ello, si el vencimiento de la obligación de cumplimiento diferido es igual o inferior al año y el efecto financiero no fuese significativo, en la valoración del pasivo no será necesario llevar a cabo ningún tipo de descuento.

Comentario

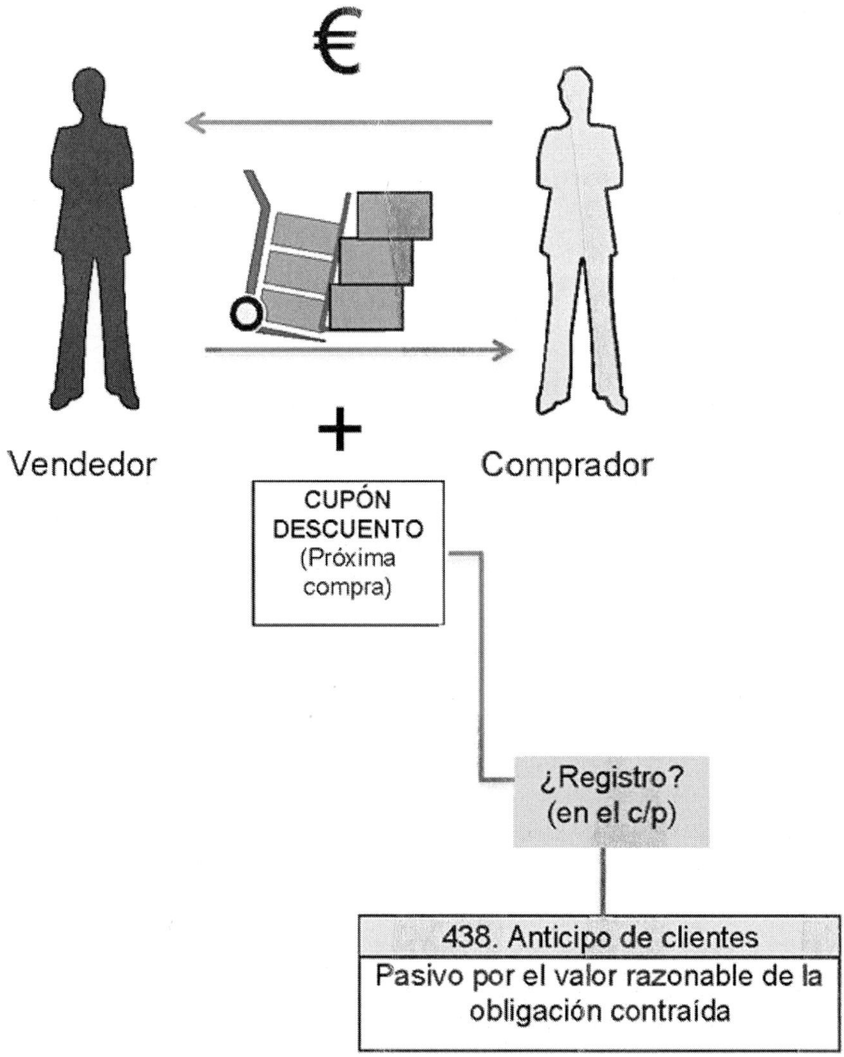

€

Vendedor   Comprador

+

CUPÓN
DESCUENTO
(Próxima
compra)

¿Registro?
(en el c/p)

438. Anticipo de clientes
Pasivo por el valor razonable de la
obligación contraída

Ejemplo

La sociedad MARISCO RÍA DE VIGO S.A., dedicada a la comercialización al por mayor de marisco fresco de la ría de Vigo, tiene establecido un innovador método de captación de clientes para promocionar las ventas por internet. Dicho sistema consiste en que del importe acordado de cada venta realizada, se entregaran puntos canjeables para futuras ventas por un importe del 8% de la misma.

En el mes de mayo ha acordado la venta a la gran superficie EL CORTE GALEGO S.A. de una partida de marisco por un importe de 100.000€, procediendo a entregar al cliente los vales canjeables que le correspondan.

En el mes siguiente ha vuelto a realizar al mismo cliente otra venta por importe de 20.000€ en las mismas condiciones; recibiendo de éste los puntos canjeables de la operación anterior, como parte del precio.

SE PIDE:

Registro de la operación efectuada en las dos sociedades.

SOLUCIÓN:

Sociedad MARISCO RÍA DE VIGO S.A.

– Por la primera venta:

―――――――――――――――― X ――――――――――――――――

121.000 Clientes (430)	
	a Venta de Mercaderías (700)
	[100.000 x 92%] [1]
	92.000
	Anticipo de clientes (438)
	[100.000 x 8%] [1]
	8.000
	HP IVA repercutido (477)
	[100.000 x 21%]
	21.000

――――――――――――――――――――――――――――――――

Los ingresos procedentes de la venta de bienes y de la prestación de servicios se valorarán por el valor razonable de la contrapartida, recibida o por recibir, derivada de los mismos, que, salvo evidencia en contrario, será el precio acordado para dichos bienes o servicios, deducido: el importe de cualquier descuento, rebaja en el precio u otras partidas similares que la empresa pueda conceder. [NRV 14.ª PGC].

[1] Si los contratos contienen, de manera implícita, varios acuerdos u obligaciones de cumplimiento a ejecutar en diferentes momentos, la empresa deberá asignar el importe de la contraprestación recibida en proporción al valor razonable relativo de las citadas obligaciones, y reconocer el correspondiente pasivo [Consulta n.º 5. BOICAC 98]. Así:

Valor razonable de la venta presente: 100.000 x 92% = ...   92.000€

Valor razonable de la obligación futura: 100.000 x 8% = ...   8.000€

– Por la segunda venta, y aplicación de los puntos obtenidos en la primera:

		X		
16.200	Clientes (430)			
	[20.000 x 1,21 – 8000]			
8.000	Anticipo de clientes (438)			
	[por los puntos aplicados][1]			
		a	Venta de Mercaderías (700)	
			[20.000 x 92%]	18.400
			Anticipo de clientes (438)	
			[20.000 x 8%]	1.600
			HP IVA repercutido (477)	
			[100.000 x 21%]	4.200

[1] Importe de los puntos aplicados en la venta.

Sociedad EL CORTE GALEGO S.A.

– Por la primera compra:

		X		
92.000	Compres de mercaderías (600)			
	[100.000 x 92%]			
8.000	Anticipo a proveedores (407)			
	[100.000 x 8%]			
21.000	HP IVA soportado (472)			
	[100.000 x 21%]			
		a	Proveedores (400)	121.000

– Por la segunda compra y entrega de los puntos obtenidos en la primera:

18.400	Compres de mercaderías (600) [20.000 x 92%]	X			
1.600	Anticipo a proveedores (407) [20.000 x 8%][1]				
4.200	HP IVA soportado (472) [200.000 x 21%]				
			a	Proveedores (400)	16.200
				Anticipo a proveedores (407) [100.000 x 8%]	8.000

[1] Importe aplicado de los puntos obtenidos en la compra anterior.

4.2.1.3. Cesión de bienes a cambio compromiso de compra

BOICAC 100, diciembre 2014. Consulta 2.

Sobre el adecuado tratamiento contable de la cesión gratuita de instrumentos de análisis clínico a cambio de la compra de reactivos.

Respuesta

Una empresa dedicada a la venta de reactivos cede gratuitamente instrumentos de análisis clínico a centros sanitarios por un período de tiempo determinado a cambio del compromiso contractual por parte de los citados centros de adquirir los reactivos con los que se realizan los análisis, de acuerdo con unos mínimos establecidos. Según manifiesta el consultante, se entiende que con la venta de los reactivos se compensa el coste de la cesión de los instrumentos y, adicionalmente, si no se llega a un consumo mínimo, los aparatos pueden ser retirados antes del período convenido de cesión.

Al finalizar el contrato, que suele tener una duración de tres años, la empresa recupera la posesión de los instrumentos, ofreciéndole al centro sanitario su adquisición. El valor de mercado de los aparatos al término del contrato de cesión es significativo.

Por último, en el escrito de consulta se indica que la empresa contabiliza estos instrumentos como existencias porque pueden ser objeto de cesión o venta.

La consulta versa sobre cómo contabilizar la cesión de los aparatos y las posteriores operaciones de venta de los reactivos. Además, se pregunta si durante la cesión los instrumentos pueden seguir figurando en existencias, como si de un depósito se tratara, aplicándoles una depreciación equivalente a la amortización, o bien deben permanecer en el inmovilizado.

Respecto a la cesión de los equipos y la venta de reactivos, el registro contable de cualquier operación requiere un previo análisis del fondo económico y jurídico de la misma, tal y como exige el art. 34.2 del Código de Comercio y, en su desarrollo, el Marco Conceptual de la Contabilidad recogido en la primera parte del Plan General de Contabilidad (PGC) aprobado por Real Decreto 1514/2007, de 16 de noviembre, de manera que la contabilización de las operaciones responda y muestre la sustancia económica y no sólo la forma jurídica utilizada para instrumentarlas.

Según lo descrito en la consulta, la empresa cede bienes del inmovilizado material a sus clientes, a cambio del consumo de los productos cuya entrega constituye la actividad ordinaria de la empresa, por un período de tiempo determinado que puede reducirse en función del cumplimiento de determinados niveles de consumo.

Por lo tanto, al analizar las obligaciones que asume la empresa con sus clientes, cabría considerar que existen dos entregables (obligaciones de cumplimiento), los activos cedidos y los bienes a vender en un futuro, en cuyo caso habría que asignar el importe de la contraprestación recibida en proporción al valor razonable relativo de los elementos entregados y reconocer los correspondientes ingresos de acuerdo con las normas de registro y valoración aplicables al arrendamiento de activos (NRV 8.ª «Arrendamientos y otras operaciones de naturaleza similar») y al suministro de bienes (NRV 14.ª «Ingresos por ventas y prestación de servicios»).

Es decir, cabría concluir que en el contrato que se ha firmado además de la venta de bienes existe un arrendamiento operativo implícito, y que la contraprestación recibida retribuye ambos componentes del acuerdo, la venta de reactivos y dicho arrendamiento. De acuerdo con esta calificación, se procedería al reconocimiento de los dos tipos de ingresos en proporción a su valor relativo, siempre y cuando la consultante pudiera asignar de forma razonable un valor separado a la cesión de los equipos.

Respecto a la clasificación de los activos cedidos como existencias, durante el período de su cesión, se informa que los mismos deben incluirse en el inmovilizado, ya que las existencias son activos poseídos para ser vendidos en el curso normal de la explotación, en proceso de producción o en forma de materiales o suministros para ser consumidos en el proceso de producción o en la prestación de servicios.

Si posteriormente los aparatos se venden al cliente, la consultante deberá aplicar el criterio recogido en el apartado 2.4 de la Norma Cuarta. Baja en cuentas, de la Resolución de 1 de marzo de 2013, del ICAC por la que se dictan normas de registro y valoración del inmovilizado material y de las inversiones inmobiliarias, sobre el tratamiento contable de los elementos del inmovilizado material, distintos de los inmuebles, adquiridos para su arrendamiento temporal y posterior venta en el curso ordinario de las operaciones.

Comentario

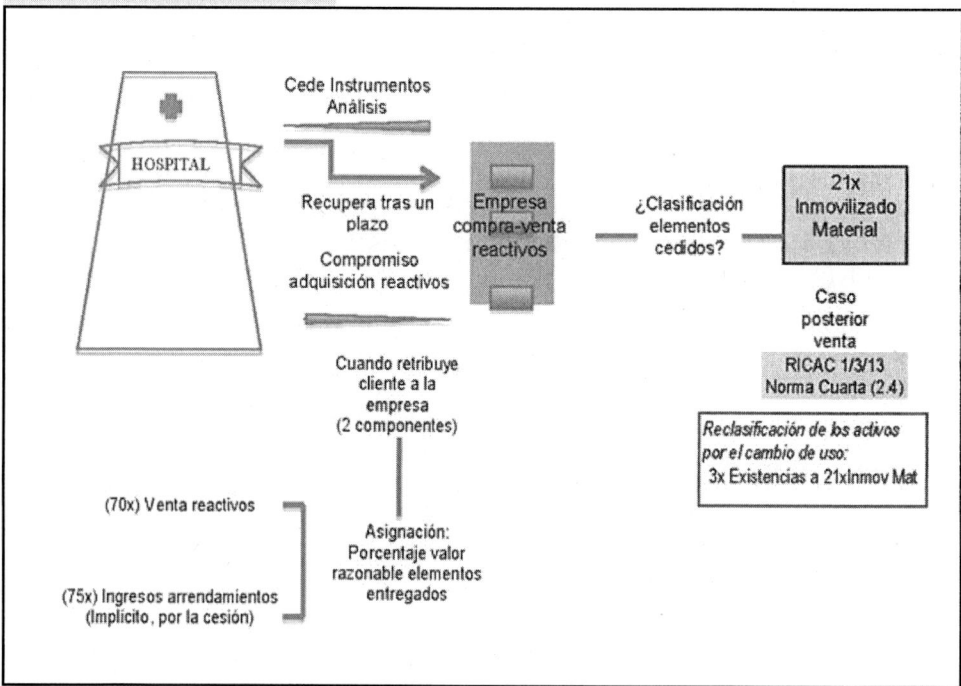

Ejemplo

La sociedad FARMAVIGO S.A., tiene como objeto social la venta de reactivos e instrumentos para realizar análisis clínicos.

A principios de enero del año X0 ha formalizado con la sociedad VIGO S.A. un contrato por el cual se compromete a la venta de 1.400 cajas de reactivos de 5 unidades por caja a un precio de venta de 46€/caja. A cambio del compromiso contractual de adquirir los citados reactivos con los que se realizan los análisis, cederá por un período de tres años un microscopio trinocular cuyo precio de venta al público es de 5.650€.

La venta de reactivos se realizará en el período de tres años y por un importe mínimo anual de 467 cajas.

Finalizado el período de venta, la sociedad VIGO podrá adquirir el citado microscopio en propiedad por un precio de 4.000€. La sociedad lo tiene registrado como existencias al estar disponible para su venta al público y su precio de adquisición fue de 5.000€.

Supóngase un IVA del 21%.

SE PIDE:

Registro de operaciones en las siguientes fechas en la sociedad FARMAVIGO:

a) A la firma de contrato. En dicho momento, se venden 500 cajas de reactivos al precio acordado de 46€/caja, que se pagan de contando: haciendo entrega en este momento del citado microscopio.

b) La sociedad decide calificar el activo cedido como inmovilizado, estableciendo una vida útil de 5 años y procediendo a amortizarlo linealmente.

c) Amortización del microscopio cedido.

d) Opción 1: Transcurrido el período de cesión y habiéndose cumplido por ambas partes las condiciones acordadas en el contrato, la sociedad VIGO devuelve el microscopio cedido.

e) Opción 2: Transcurrido el período de cesión VIGO se queda con el microscopio.

SOLUCIÓN:

a) Operaciones a la firma del contrato

El registro contable de cualquier operación requiere un previo análisis del fondo económico y jurídico de la misma, tal y como exige el art. 34.2 del Código de Comercio y, en su desarrollo, el Marco Conceptual de la Contabilidad recogido en la primera parte del Plan General de Contabilidad (PGC) aprobado por Real Decreto 1514/2007, de 16 de noviembre, de manera que la contabilización de las operaciones responda y muestre la sustancia económica y no sólo la forma jurídica utilizada para instrumentarlas. De esta forma:

– Por la venta de las 500 cajas de reactivos al precio acordado de 46€/caja:

————————————————————— 1/1/X0 —————————————————————

27.830   Bancos(572)[1]

[500 cajas x 46€ x 1,21]

		a	Ventas de mercaderías (700)	
			[500 cajas x 46 € x 95%]	21.850
			Ingresos por arrenda-mientos (752)	
			(500 cajas x46€x5%)	1.150
			HP IVA repercutido (477)	
			[500 cajas x 46 x 21%]	4.830

[1] Asignación del importe de la contraprestación recibida:

Contraprestación (*)	Importe	Porcentaje	Normativa aplicable
Bienes a vender en el futuro (reactivos)	=1400 reactivos x46€= 64.400	95%	NRV 14ª
Valor razonable del activo cedido (microscopio) (**) $\frac{5.650}{5\ años} \times 3\ años = 3.390$	= 3.390	5%	NRV 8ª
TOTALES	...........................67.790	100%	

[1] Al analizar las obligaciones que asume la empresa con sus clientes, cabría considerar que existen dos entregables (obligaciones de cumplimiento), los activos cedidos y los bienes a vender en un futuro, en cuyo caso habría que asignar el importe de la contraprestación recibida en proporción al valor razonable relativo de los elementos entregados y reconocer los correspondientes ingresos de acuerdo con las normas de registro y valoración aplicables al arrendamiento de activos (NRV 8.ª «Arrendamientos y otras operaciones de naturaleza similar») y al suministro de bienes (NRV 14.ª «Ingresos por ventas y prestación de servicios»).

[2] El contrato que se ha firmado además de la venta de bienes existe un arrendamiento operativo implícito, y que la contraprestación recibida retribuye ambos componentes del acuerdo, la venta de reactivos y dicho arrendamiento. De acuerdo con esta calificación, se procedería al reconocimiento de los dos tipos de ingresos en proporción a su valor relativo, siempre y cuando la empresa pudiera asignar de forma razonable un valor separado a la cesión de los equipos. [Consulta n.º 2. BOICAC 100]

Comprobaremos, si dicho contrato por la parte correspondiente al activo cedido, reúne los requisitos establecidos para que pueda ser registrado tal y como se establece en la Norma Valoración 8.ª.1. del P.G.C como arrendamiento financiero.

De tal manera que si de las condiciones económicas de un acuerdo de arrendamiento: «(...) se deduzca que se transfieren sustancialmente todos los riesgos y beneficios inherentes a la propiedad del activo objeto del contrato (...)».

Cuando existe opción de compra, se presumirá tal transferencia cuando «(...) no existan dudas razonables de que se va a ejercitar dicha opción (...)». Esto ocurre cuando: «(...) en el momento de firmar el contrato el precio de la opción de compra sea menor que el valor residual que se estima tendrá el bien en la fecha en que se ejercite la opción de compra (...)». Por tanto, compararemos:

Precio de la opción de compra (A). . . . .   4.000€

Es mayor que:

Valor residual estimado del bien, fecha en que se
ejercita la opción (B). . . . .   2.000€

(Valor inicial microscopio - Amortización acumulada fin 3.º año)

$$(5.000 - \frac{5.000}{5 \text{ años}}) \times 3 \text{ años}$$

Como A > B, existen dudas que se va a ejercitar la opción y por tanto se trata de un arrendamiento operativo. Así:

«Los ingresos y gastos, correspondientes al arrendador y al arrendatario, derivados de los acuerdos de arrendamiento operativo serán considerados, respectivamente, como ingreso y gasto del ejercicio en el que los mismos se devenguen, imputándose a la cuenta de pérdidas y ganancias (...)». [Apartado 2, Norma Valoración 8.ª PGC].

b) Clasificación del activo cedido

	1/1/X0	
5.000	Otro inmovilizado material (219)[1]	
	a Existencias transformadas en inmovilizado (73x)	5.000

[1] Según dispone la consulta n.º 3.BOICAC 52.Cuenta creada por los Autores.

Respecto a la clasificación de los activos cedidos como existencias, durante el período de su cesión, los mismos deben incluirse en el inmovilizado, ya que las existencias son activos poseídos para ser vendidos en el curso normal de la explotación, en proceso de producción o en forma de materiales o suministros para ser consumidos en el proceso de producción o en la prestación de servicios. [Consulta n.º 2. BOICAC 100]

c) Amortización del microscopio

```
————————————————————— 31/12/X0 —————————————————————
  1.000  Amortización del inmovi-
         lizado material (681)

         [5.000 / 5 años = 1.000]


                                a   Amortización acumulada del
                                    inmovilizado material (281)    1.000
————————————————————————————————                    ————————————————————
```

d) Devolución del microscopio cedido

No procede registro contable ya está registrado en la empresa.

e) Por la venta del microscopio a la sociedad VIGO por un importe de 4.000 €

Previamente a la venta y en sintonía con lo dispuesto en la Norma Cuarta. Apartado 2.4 RICAC del inmovilizado material e inversiones inmobiliarias, que nos comenta:

> *«Cuando una entidad, en el curso ordinario de sus actividades, ceda en uso elementos del inmovilizado material, distintos de los inmuebles, en régimen de arrendamiento operativo, para su posterior enajenación, reclasificará estos elementos patrimoniales a las existencias en la fecha en que se acuerde el cambio de destino, y, en consecuencia, el ingreso derivado de la baja se presentará formando parte del importe neto de la cifra anual de negocios»*

Por tanto, primero reclasificaremos el inmovilizado a existencias:

```
————————————————————— 1/1/X3 —————————————————————
  2.000  Inmovilizado transformado en
         existencias (30x)

  3.000  Amortización acumulada del
         inmovilizado material (281)

         [1.000 x 3 años]


                                a   Otro inmovilizado mate-
                                    rial (219)                     5.000
————————————————————————————————                    ————————————————————
```

Para luego, proceder al registro de la venta:

―――――――――――――――――――――― 1/1/X3 ――――――――――――――――――――――

4.840	Bancos (572)		
	[4.000 x 1,21]		
		a	Ventas de mercaderías (700) 4.000
			HP IVA repercutido (477) 480

El resultado de la venta del activo, formará pate de la cifra anual de negocios, en base a la RICAC especificada y la presente Consulta (100, diciembre 2014)

4.2.1.4. Reconocimiento de ventas, en operación pactada

BOICAC 101, marzo 2015. Consulta 1.

Sobre el tratamiento contable de una operación de venta de mercancía a un cliente extranjero, y la firma de un contrato con una financiera extranjera de venta con pacto de recompra de dicha mercancía.

Respuesta

La empresa A fabrica un producto y su cliente, para financiar la operación, le propone emplear el siguiente procedimiento. Según afirma el consultante, cuando la mercancía está terminada se la vende con pacto de recompra a una entidad financiera extranjera que pasa a obtener la titularidad del activo junto con «todos los riesgos y derechos que deriven de tal condición» y, además, es la beneficiaria de la póliza del seguro. Como contrapartida, la financiera extranjera paga a la empresa A el importe pactado en el contrato con el cliente, que también está radicado en el extranjero. No obstante la mercancía físicamente sigue en el almacén de la empresa vendedora A.

Posteriormente, cuando el cliente extranjero reclama la mercancía para su consumo, la empresa A envía la solicitud de recompra a la financiera, por el importe inicial más los intereses devengados. Simultáneamente, la empresa A vende la mercancía al cliente extranjero y en la factura incluye el precio de venta más el coste por transporte.

La consultante indica que en la factura se incluirán los datos de la financiera extranjera para que el cliente le abone el importe correspondiente. La financiera recibe el importe del cliente extranjero facturado por la empresa A. La liquidación que finalmente realiza la financiera a la empresa consultante será la diferencia entre los intereses acordados y el gasto de transporte.

La consulta versa sobre el adecuado tratamiento contable de esta operación, en especial, el momento en que debe considerarse que se ha producido la venta.

El registro contable de cualquier operación requiere un previo análisis del fondo económico y jurídico de la misma, tal y como exige el art. 34.2 del Código de Comercio y, en su desarrollo, el Marco Conceptual de la Contabilidad (MCC) recogido en la primera parte del Plan General de Contabilidad (PGC) aprobado por Real Decreto 1514/2007, de 16 de noviembre, de manera que la contabilización de las operaciones responda y muestre la sustancia económica y no sólo la forma jurídica utilizada para instrumentarlas.

La norma de registro y valoración (NRV) 14.ª «Ingresos por ventas y prestación de servicios» contenida en la segunda parte del PGC, establece lo siguiente:

> «Sólo se contabilizarán los ingresos procedentes de la venta de bienes cuando se cumplan todas y cada una de las siguientes condiciones:
>
> a) La empresa ha transferido al comprador los riesgos y beneficios significativos inherentes a la propiedad de los bienes, con independencia de su transmisión jurídica. Se presumirá que no se ha producido la citada transferencia, cuando el comprador posea el derecho de vender los bienes a la empresa, y ésta la obligación de recomprarlos por el precio de venta inicial más la rentabilidad normal que obtendría un prestamista.
>
> b) La empresa no mantiene la gestión corriente de los bienes vendidos en un grado asociado normalmente con su propiedad, ni retiene el control efectivo de los mismos.
>
> c) El importe de los ingresos puede valorarse con fiabilidad.
>
> d) Es probable que la empresa reciba los beneficios o rendimientos económicos derivados de la transacción, y
>
> e) Los costes incurridos o a incurrir en la transacción pueden ser valorados con fiabilidad».

Esto es, desde una perspectiva general, antes de reconocer un ingreso por ventas, la empresa deberá llevar a cabo un análisis sobre el cumplimiento de los citados requisitos, circunstancia que originaría un estudio individualizado de las condiciones contractuales de la operación.

No obstante, si la venta a la empresa financiera se acompaña de un compromiso de recompra por el precio de venta inicial más un interés, cabe concluir que la operación no debe contabilizarse como una venta y posterior compra sino como una operación financiera.

Una vez aclarado este primer punto, la cuestión a dilucidar es si la venta al cliente extranjero se produce en el momento en que se firma acuerdo de venta con pacto de recompra con la entidad financiera, produciéndose simultáneamente una operación de financiación de dicha venta, o bien, si la venta se produce en un momento posterior, esto es, con la puesta a disposición de los bienes al cliente extranjero, habiéndose producido la operación financiera previamente.

Pues bien, la empresa tendrá que analizar si a la vista de los acuerdos suscritos ha transferido al cliente los riesgos y beneficios significativos inherentes a la propiedad de los bienes, con independencia de su transmisión jurídica, y no retiene el control efectivo de los mismos. A tal efecto, la circunstancia de que las mercancías sigan en el almacén de la empresa no impediría calificar la operación como una venta y reconocer el correspondiente ingreso en la medida que las mercancías estén identificadas de forma adecuada.

En consecuencia, si después del citado análisis se concluye que procede el reconocimiento de la venta, en principio, la empresa consultante mantendrá en su balance un derecho de cobro frente al cliente y un pasivo frente a la entidad financiera, salvo que la empresa haya cedido el derecho de cobro frente al cliente a la entidad financiera y en aplicación de los criterios sobre baja de activos financieros regulados en la NRV 9.ª.2.9 del PGC pueda llegarse a la conclusión de que procede la baja del activo financiero por tratarse de una cesión plena o completa.

En todo caso, en el momento en que se reciba la liquidación de la entidad financiera por diferencia entre los intereses devengados y el coste del transporte repercutido al cliente extranjero, ambos conceptos se deberán mostrar de acuerdo con su naturaleza en la cuenta de pérdidas y ganancias sin que por lo tanto proceda contabilizar el importe neto resultante.

Comentario

```
                    ┌─────┐                    ┌─────┐
════════════════════│  1  │════════════════════│  2  │════════════════►
                    └─────┘                    └─────┘
```

BCO

Recompra
producto =
Importe +
intereses

BCO

Entrega
cuantía
factura

Vende producto
con pacto
recompra, sin
salida almacén

Importe
pactado
cliente

Entrega
productos.
Factura=
Importe+
Transporte

Fábrica

Fábrica

Pactan operación
(importe)

Liquidación:
Gasto intereses –
Ingreso transporte

¿Momento
Venta?

Norma 14ª
Valoración
(cumpliendo
requisitos)

Cuando transfiere a cliente
riesgos y beneficios
inherentes propiedad bienes

Reconocimiento
derecho cobro cliente

Salvo cesión al banco,
se dará de baja

Caso
afirmativo

Reconocimiento pasivo
con banco

Liquidación

Distinguirá
naturalezas

Intereses
662

Ingreso transportes
759

Ejemplo

La sociedad CENSA, se dedica a la fabricación de molinos de viento para la producción de energía eléctrica.

A finales del mes de noviembre del año X0, ha suscrito un contrato con un cliente americano para la venta de 10 molinos por un importe total de 6.000.000€; el transporte será realizado por la sociedad CENSA pero con cargo al cliente americano facturándole su importe junto a la venta de los molinos. Además, se estipula que durante el plazo que estén los molinos en los almacenes de la empresa CENSA, ésta quedará obligada a asegurar los mismos, así como los riesgos de transporte y custodia hasta la entrega. Para financiar la operación, se ha acordado el siguiente procedimiento:

En el momento que la mercancía esté terminada, será vendida con pacto de recompra a la entidad financiera «Banco Americano», la cual pasará a obtener la titularidad de los activos junto con todos los riesgos y derechos que deriven de tal condición. Como contrapartida, la citada entidad pagará a CENSA el importe pactado en el contrato por los molinos. La entidad financiera cuando se efectúe la recompra percibirá, además del importe del contrato, un de interés del 10% anual de dicho importe.

A principios del mes de diciembre del X0, la sociedad CENSA y una vez que los molinos están totalmente terminados, recibe por transferencia bancaria los 6.000.000 de€ acordados por la venta de los molinos.

Los molinos se transportan a un almacén próximo al puerto de Vigo para su almacenamiento hasta que sean enviados al cliente. Se pacta un precio de 50.000€ por el arrendamiento, y un seguro de 20.000€.

A cierre de ejercicio se conocen los siguientes datos sobre el coste de producción de los molinos:

Productos terminados (10 molinos a 450.000€) . . . .   4.500.000€

A principios del año X1 (2/1/X1), el cliente extranjero reclama la mercancía para su consumo, la empresa CENSA envía la solicitud de recompra a la financiera, por el importe inicial más los intereses devengados. Simultáneamente, la empresa CENSA vende la mercancía al cliente extranjero y en la factura incluye el precio de venta más el coste por transporte el cual asciende a 80.000€. De igual manera la financiera manifiesta que el cliente ha hecho efectivo la factura mencionada.

Días más tarde (8/1/X1), la entidad financiera procede a la liquidación por diferencia entre los intereses devengados (50.000€) y el coste del transporte repercutido al cliente extranjero (80.000€), enviando el importe por transferencia bancaria.

SE PIDE:

a) Registro de las operaciones relatadas

b) Lo mismo que en el apartado anterior pero en el supuesto que la empresa CENSA, transfiere al cliente los riesgos y beneficios inherentes a la operación: plasmándose en el contrato que el cliente se encargará del almacenamiento de los molinos, así como del seguro y de los riesgos que conlleva el transporte de la mercancía.

NOTA: No se tendrá en consideración, efectos fiscales.

SOLUCIÓN:

CASO «A»

– Por el importe recibido de la entidad financiera, en diciembre del X0:

---------------------------------- 1/12/X0 ----------------------------------

6.000.000 Bancos (572)		
	a Deudas a corto plazo con entidades de crédito (520)	6.000.000

La norma de registro y valoración 14.ª «Ingresos por ventas y prestación de servicios», establece una serie de condiciones para registrar las ventas. Así, entre ellas, nos comenta que:

«(...) La empresa ha transferido al comprador los riesgos y beneficios significativos inherentes a la propiedad de los bienes, con independencia de su transmisión jurídica. Se presumirá que no se ha producido la citada transferencia, cuando el comprador posea el derecho de vender los bienes a la empresa, y ésta la obligación de recomprarlos por el precio de venta inicial más la rentabilidad normal que obtendría un prestamista (...)».

Igualmente, la presente Consulta (1, BOICAC 101), nos indica que la operación con el Banco Americano, debe considerarse como una operación financiera: con independencia de la venta.

– Por el pago del transporte de los molinos hasta el almacén, así como el seguro:

---------------------------------- 1/12/X0 ----------------------------------

50.000 Arrendamientos y cánones (621)		
20.000 Primas de seguro (625)		
	a Bancos (572)	70.000

– Operación en el cierre del ejercicio:

* Registro de los intereses devengados (1 mes, diciembre):

$$\frac{10\% \; 6.000.000}{12 \; meses} \times 1 \; mes = 50.000$$

—————————————— 31/12/X0 ——————————————

50.000	Intereses de deudas (662)	
	a	Deudas a corto plazo con entidades de crédito (520) 50.000

* Regularización de existencias: daremos de alta el valor de los molinos ya finalizados:

—————————————— 31/12/X0 ——————————————

4.500.000	Productos terminados (350)	
	a	Variación de existencias de productos terminados (711) 4.500.000

* Comprobación del posible deterioro de valor:

Consideramos que los bienes han sido objeto de un contrato de venta en firme, cuyo cumplimiento tendrá lugar con posterioridad. Por lo que, a efectos de realizar una posible corrección valorativa, nos guiaremos por la Norma 10.ª. 2 de valoración PGC, que nos dice que comparemos:

Precio venta estipulado.	. . . .	6.000.000
+ Coste de producción:.	4.500.000	
+ Costes pendientes de realizar que sean necesarios para la ejecución del contrato.	100.000	
Arrendamientos	80.000	
Seguro	20.000	
TOTAL.	4.600.000	

No efectuaremos corrección valorativa, ya que según la citada Normativa: «(...) el precio de venta estipulado en dicho contrato cubra como mínimo, el precio de adquisición (...) de tales bienes (...), más todos los costes pendientes de realizar que sean necesarios para la ejecución del contrato».

– A comienzos del X1, por la venta efectuada al cliente:

	8/1/X1		
6.080.000 Clientes (430)			
	a	Venta de productos terminados (701)	6.000.000
		Ingresos por servicios diversos (759)	80.000

Distinguimos en la factura, además del importe correspondiente a la venta de los molinos, el del transporte: anotándose en una cuenta de distinta naturaleza.

Así, analizadas las condiciones contractuales de la operación, se desprende que la venta al cliente extranjero se produce con la puesta a disposición de los bienes al cliente extranjero (por lo que hemos reconocido los ingresos por ventas), habiéndose producido la operación financiera previamente.

– Por la liquidación efectuada por la entidad financiera días más tarde:

——————————————————————————— 8/1/X1 ———————————————————————————

6.050.000   Deudas a corto plazo con enti-
            dades de crédito (520)

       [6.000.000 + 50.000]

   30.000   Bancos (572)[1]

                         a   Clientes (430)   6.080.000

---

[1] Diferencia entre los intereses devengados (50.000€) y el coste del transporte repercutido al cliente extranjero (80.000), ambos conceptos se deberán mostrar de acuerdo con su naturaleza en la cuenta de pérdidas y ganancias, sin que por lo tanto proceda contabilizar el importe neto resultante.

CASO «B»

En este caso, la venta al cliente extranjero se produce en el momento en que se firma el acuerdo de venta con pacto de recompra con la entidad financiera: produciéndose simultáneamente una operación de financiación de dicha venta, ya que a la vista de los acuerdos suscritos, ha transferido al cliente los riesgos y beneficios significativos inherentes a la propiedad de los bienes; con independencia de su transmisión jurídica, y no retiene el control efectivo de los mismos.

En consecuencia registrará:

– Por la venta:

——————————————————————————— 1/12/X0 ———————————————————————————

6.000.000   Clientes (430)

                       a   Venta de productos termi-
                                 nados (701)   6.000.000

– Por la financiación recibida de la entidad financiera:

——————————————————————————— 1/12/X0 ———————————————————————————

6.000.000   Bancos (572)

                       a   Deudas a largo plazo con
                                 entidades de crédito (520)   6.000.000

– Al cierre del ejercicio por los intereses devengados:

$$\text{Intereses mes diciembre} = \frac{10\% \ 6.000.000}{12 \text{ meses}} \times 1 \text{ mes} = 50.000$$

————————————————— 31/12/X0 —————————————————

50.000	Intereses de deudas (662)			
		a	Deudas a corto plazo con entidades de crédito (520)	50.000

– A principios de enero por el transporte de los molinos:

————————————————— 2/1/X —————————————————

80.000	Clientes (430)			
		a	Ingresos por servicios diversos (759)	80.000

– Más tarde, por la liquidación efectuada con la entidad financiera:

————————————————— 8/1/X1 —————————————————

6.050.000	Deudas a corto plazo con entidades de crédito (520) [6.000.000 + 50.000]			
30.000	Bancos (572)[1]			
		a	Clientes (430)	6.080.000

[1] Diferencia entre los intereses devengados (50.000€) y el coste del transporte repercutido al cliente extranjero (80.000), ambos conceptos se deberán mostrar de acuerdo con su naturaleza en la cuenta de pérdidas y ganancias sin que por lo tanto proceda contabilizar el importe neto resultante.

4.2.1.5. Reserva aprovechamiento

BOICAC 101, marzo 2015. Consulta 2.

Sobre el adecuado tratamiento contable de la cesión de un terreno a cambio de la «reserva de su aprovechamiento».

Respuesta

La consultante, que tiene por actividad principal la promoción inmobiliaria de edificaciones, va a proceder a la transmisión a un Ayuntamiento mediante cesión o convenio público, de un suelo dotacional con aprovechamiento urbanístico a cambio de la denominada «reserva de aprovechamiento», que será aplicable a los excedentes de futuras promociones o enajenable a terceros mediante compraventa.

La consulta versa sobre el adecuado tratamiento contable de la cesión, así como de la posterior enajenación del citado aprovechamiento urbanístico, bien en virtud de su futura aplicación o bien por su enajenación a terceros.

La transferencia de aprovechamiento es una técnica de gestión urbanística que tiene lugar por el acuerdo suscrito entre la Administración y los propietarios de un suelo. De este modo la Administración adquiere el suelo (generalmente urbano y de dotación pública), sin tener que acudir a la expropiación forzosa o acudiendo a ella pero sin abonar el justiprecio. A cambio el propietario puede materializar el aprovechamiento urbanístico del terreno cedido en otra parcela distinta en la que podrá agregarlo al aprovechamiento propio de esta segunda parcela.

Las correspondientes leyes autonómicas requieren en todo caso que la transferencia se produzca en condiciones de identidad de valor entre el aprovechamiento transferido y el excedente compensado. Además, formalmente será necesaria la elevación a escritura pública, la aprobación administrativa de la transferencia y la inscripción en el Registro de la Propiedad.

En definitiva, la Administración puede, atendiendo a las específicas condiciones estructurales de localización, altura y usos de solares o áreas, autorizar una mayor edificabilidad que la concedida con carácter general: un aprovechamiento excepcional o por exceso. La condición previa para poder aprovechar esta edificabilidad será obtener la superficie o volumen edificable que falta, haciéndola proceder de aquellos otros solares que el Plan correspondiente haya calificado como zonas de equipamiento, espacio libre, etc.

Ahora bien, en la práctica es frecuente que la transferencia de aprovechamiento no pueda aplicarse a otro solar inmediatamente, bien por no existir ningún excedente susceptible de ser compensado, porque no haya acuerdo o porque no coincida exactamente el excedente disponible con el aprovechamiento a transferir. En estos casos aparece la figura de la «reserva de aprovechamiento». Dicha figura permite a la Administración obtener la cesión de forma anticipada del suelo dotacional, del que se desagrega su aprovechamiento, que retiene el propietario cedente a efectos de transferirlo cuando se den las condiciones que lo permitan.

El aprovechamiento reservado es susceptible de posteriores negocios jurídicos de transferencia o de gravamen, estableciendo las leyes autonómicas el principio de que el Ayuntamiento que aceptó la reserva, no podrá luego oponerse a la transferencia de la misma. Tal y como el consultante afirma, los derechos adquiridos se pueden enajenar o aplicar a futuras construcciones de la propia inmobiliaria.

Desde una perspectiva estrictamente contable la cuestión a dilucidar es el adecuado tratamiento contable de esta figura que surge de la cesión del solar. Esto es, la empresa consultante, promotora inmobiliaria, cede un inmueble que estará reconocido en su contabilidad como existencias, recibiendo como contraprestación derechos de aprovechamiento excepcional.

A partir de estos antecedentes, para otorgar un adecuado tratamiento contable a estos hechos cabría traer a colación por analogía lo dispuesto en la norma cuarta apartado 2.2 de la Resolución de 1 de marzo de 2013, del Instituto de Contabilidad y Auditoría de Cuentas, por la que se dictan normas de registro y valoración del inmovilizado material y de las inversiones inmobiliarias:

> «Los elementos del inmovilizado material que sean objeto de un procedimiento de expropiación forzosa se darán de baja cuando se produzca su puesta a disposición mediante la firma del acta de consignación del precio y ocupación, reconociéndose el correspondiente resultado en la cuenta de pérdidas y ganancias, por la diferencia, si la hubiere, entre el valor contable del bien expropiado y la contraprestación recibida».

Igualmente, se debería considerar el criterio publicado por este Instituto en la consulta 8 del BOICAC n.º 15, de diciembre de 1993, sobre la cesión de solares y edificaciones realizadas en aplicación de la normativa urbanística.

La mencionada consulta da una respuesta contable a la cesión de un solar o parte de este como consecuencia de la normativa urbanística, sin contraprestación por parte de la Administración Pública, o bien a cambio de poder incrementar el volumen construido de determinados solares. En la respuesta se concluye que si se pacta con dicho Ente la cesión de construcciones futuras, con objeto de poder incrementar el volumen construido en determinados solares de acuerdo con las normas vigentes, provocará igualmente que el coste de las mismas se integre como un mayor valor del resto de las construcciones.

El caso que ahora se plantea es similar a la situación analizada en la consulta 8 del BOICAC n.º 15: se entrega un terreno a cambio de la posibilidad de incrementar el volumen construido en determinados solares. Ahora bien, dicha posibilidad se instrumenta jurídicamente mediante la figura de la reserva de derechos de aprovechamiento que introduce nuevos elementos a considerar en su reflejo contable.

Tal y como se ha comentado, los derechos de aprovechamiento son susceptibles de ser enajenados y gravados. Por lo tanto, a la vista de su régimen jurídico los derechos de aprovechamiento se configuran como un activo susceptible de un uso propio o diferenciado del solar del que traen causa. En ellos se aprecia que concurren los elementos que caracterizan la definición de activo contemplado en el apartado 4.º de la primera parte del PGC como los criterios de identificabilidad definidos en la norma de registro y valoración 5.ª sobre el inmovilizado intangible: son separables y surgen de derechos legales o contractuales. A pesar de su naturaleza intangible, la clasificación en el balance, como la de cualquier otro activo, estará condicionada por el destino o función que vaya a cumplir en el proceso productivo de la empresa; de acuerdo con la descripción de la operación que ha realizado el consultante, los citados derechos se mostrarán formando parte de la existencias.

Por lo tanto, la cesión del terreno a cambio de la reserva de aprovechamiento deberá contabilizarse como una permuta de existencias por su valor razonable, pero sin que proceda el reconocimiento de un ingreso en aplicación de la regla contenida en la NRV 14.ª, apartado 1, del PGC en cuya virtud no se reconocerá ningún ingreso por la permuta de bienes o servicios, por operaciones de tráfico, de similar naturaleza y valor.

Adicionalmente, considerando la naturaleza abstracta del derecho recibido, la «reserva de aprovechamiento» se deberá valorar por el valor contable del bien entregado.

Comentario

PROMOTOR INMOBILIARIO

RESERVA APROVECHAMIENTO

ADMINISTRACIÓN

TERRENO

Norma 14º.1
Valoración

PERMUTA EXISTENCIAS

Valorándose por valor bien entregado,
sin reconocer resultado alguno

Ejemplo

La sociedad inmobiliaria PROMOCIONES YOLI, ha suscrito con el Ayuntamiento de Vigo un contrato cuyos datos más relevantes son los siguientes:

- La sociedad inmobiliaria acuerda la cesión, de un suelo dotacional con aprovechamiento urbanístico, a cambio de la denominada «reserva de aprovechamiento»: que será aplicable a los excedentes de futuras promociones o enajenable a terceros mediante compraventa. El acuerdo se eleva a escritura pública, la aprobación administrativa de la transferencia y se procede a la inscripción en el Registro de la Propiedad.

- El Ayuntamiento que aceptó la reserva, no podrá luego oponerse a la transferencia de la misma. Los derechos adquiridos, se pueden enajenar o aplicar a futuras construcciones de la propia inmobiliaria.

El terreno cedido a la Administración figura en contabilidad por el siguiente importe:

(312) Terrenos con calificación urbanística . . . .   300.000€

Posteriormente los derechos de aprovechamiento son enajenados a la inmobiliaria JUANITO por un importe de 450.000€, cobrados por bancos.

SE PIDE:

Registro de las operaciones relatadas.

SOLUCIÓN:

– Los derechos de aprovechamiento son susceptibles de ser enajenados y gravados. Por lo tanto, a la vista de su régimen jurídico éstos se configuran como un activo susceptible de un uso propio o diferenciado del solar del que traen causa.

En ellos se aprecia que concurren los elementos que caracterizan la definición de activo contemplado en el apartado 4.º de la primera parte del PGC: como los criterios de identificabilidad definidos en la norma de registro y valoración 5.ª sobre el inmovilizado intangible. Así: son separables y surgen de derechos legales o contractuales. A pesar de su naturaleza intangible, la clasificación en el balance, como la de cualquier otro activo, estará condicionada por el destino o función que vaya a cumplir en el proceso productivo de la empresa; de acuerdo con la descripción de la operación que se realiza, los citados derechos se mostrarán formando parte de la existencias. En consecuencia, registraremos:

——————————————— X ———————————————

300.000	Derechos de reserva de aprove-chamiento (31x)[1]	
	a Terrenos con calificación urbanística (312)	300.000

[1] La cesión del terreno a cambio de la reserva de aprovechamiento deberá contabilizarse como una permuta de existencias por su valor razonable, pero sin que proceda el reconocimiento de un ingreso en aplicación de la regla contenida en la NRV 14.ª, apartado 1, del PGC en cuya virtud no se reconocerá ningún ingreso por la permuta de bienes o servicios, por operaciones de tráfico, de similar naturaleza y valor.

Adicionalmente, considerando la naturaleza abstracta del derecho recibido, la «reserva de aprovechamiento» se deberá valorar por el valor contable del bien entregado. [Consulta n.º 2. BOICAC 101]

– Por la venta de los derechos de aprovechamiento:

——————————————— X ———————————————

450.000	Bancos (572)	
	a Venta de derechos de apro-vechamiento (70x)	450.000

– Y al cierre de ejercicio, por la baja de los citados derechos de aprove-chamiento:

——————————————— X ———————————————

300.000	Variación de existencias de derechos de aprovechamiento (31x)	
	a Derechos de reserva de apro-vechamiento (31x)	300.000

4.2.1.6. Descuento sector distribución: tratamiento contable

BOICAC 108, diciembre 2016. Consulta 1.

Sobre el tratamiento contable de un acuerdo comercial entre un proveedor y un cliente en el ámbito del sector de la distribución.

Respuesta

El consultante señala que en el sector de la distribución se están concediendo dos tipos de descuentos en apoyo a la cadena de ventas. Por un lado, el concepto *«sell in»* que parece corresponder con un descuento concedido por el proveedor a su cliente (intermediario en la cadena de distribución) por unidad vendida durante un periodo de tiempo, y por otro lado el concepto *«sell out»* que parece identificarse con un descuento concedido por el proveedor a su cliente (intermediario en la cadena de distribución) por unidad vendida al cliente o consumidor final durante un periodo de tiempo. La consulta versa sobre el tratamiento contable de estos conceptos en el proveedor y en el cliente (intermediario) y, en particular, si deben calificarse como una comisión por intermediación o como un rappel.

Desde el punto de vista del proveedor que concede el descuento es preciso señalar que el Plan General de Contabilidad (PGC), aprobado por Real Decreto 1514/2007, de 16 de noviembre, regula el tratamiento contable de los ingresos por ventas y prestaciones de servicios en la norma de registro y valoración (NRV) 14ª, que en su apartado 1 establece:

> *«14ª Ingresos por ventas y prestación de servicios*
>
> *1. Aspectos comunes*
>
> *Los ingresos procedentes de la venta de bienes y de la prestación de servicios se valorarán por el valor razonable de la contrapartida, recibida o por recibir, derivada de los mismos, que, salvo evidencia en contrario, será el precio acordado para dichos bienes o servicios, <u>deducido: el importe de cualquier descuento, rebaja en el precio u otras partidas similares que la empresa pueda conceder,</u> así como los intereses incorporados al nominal de los créditos. No obstante, podrán incluirse los intereses incorporados a los créditos comerciales con vencimiento no superior a un año que no tengan un tipo de interés contractual, cuando el efecto de no actualizar los flujos de efectivo no sea significativo (...)»*

En consecuencia, ambos conceptos se tratarán en el proveedor como un rappel por ventas, en la medida que la causa del descuento o del importe abonado al cliente no es otra que incentivar el consumo de los productos que vende la empresa, al margen de que la cuantía de la rebaja en el precio de la transacción se fije en función del volumen de compras del cliente o del volumen de ventas de este último a los consumidores finales. De forma coherente con el tratamiento contable en el proveedor, el cliente que recibe el incentivo contabilizará ambos conceptos como un rappel sobre compras.

Comentario

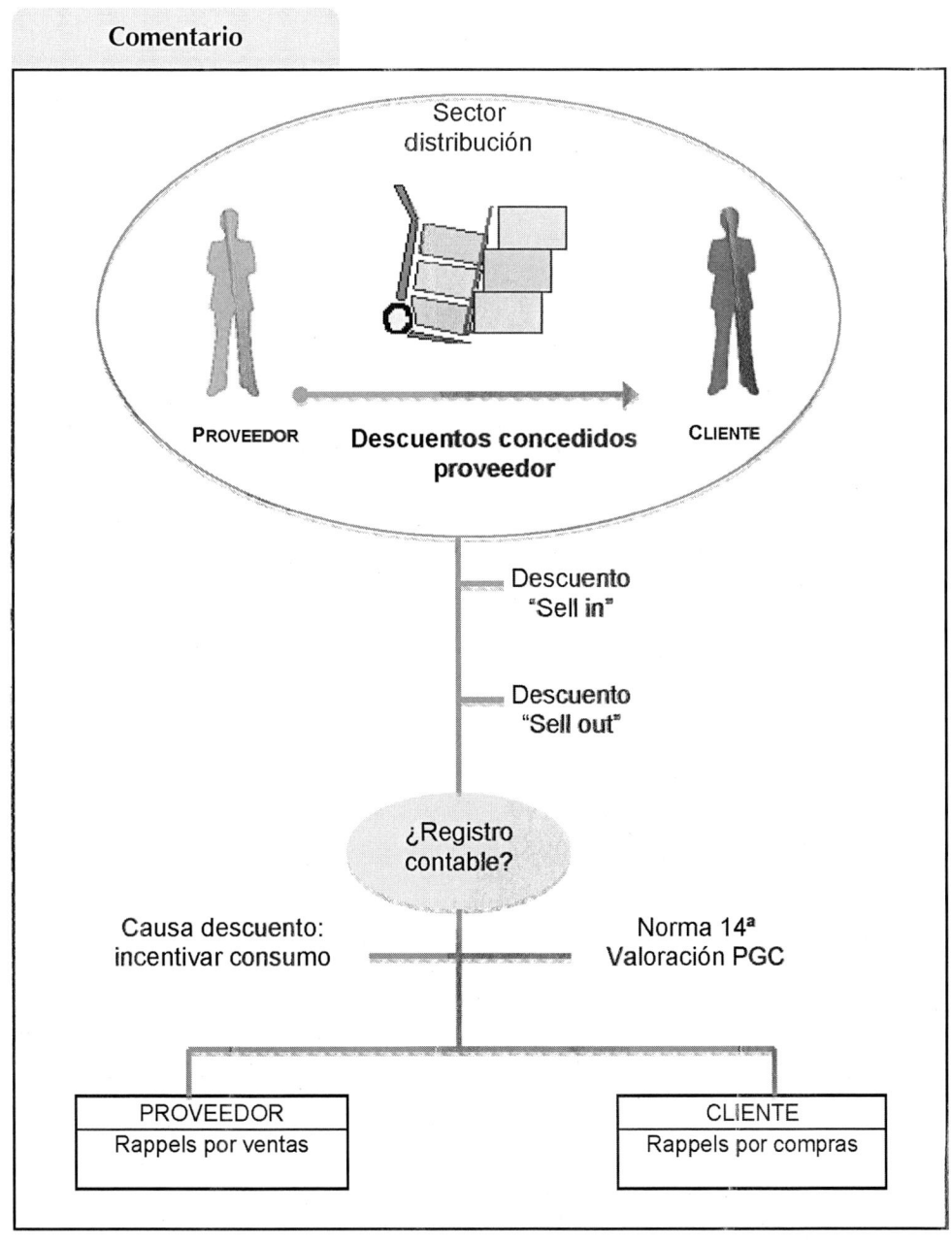

Ejemplo

La distribuidora de productos de alimentación «DISGASA» ha realizado en el ejercicio X17 dos operaciones comerciales con la gran superficie «MANOLIÑO S.L» y que se detallan a continuación:

– A principios de ejercicio realiza una venta en la modalidad «**Sell in**» de una partida de latas de conserva consistente en 10.000 latas a un precio de 1€/lata, que deberán ser adquiridas en el plazo de tres meses. A finales de marzo se ha alcanzado la citada cifra de ventas por lo que se le concede un descuento de 0,2€/lata, este descuento es independiente de los que tenga para el consumidor final.

– Venta de otra partida de latas de conserva en la modalidad «**Sell out**», consiste en 20.000 latas de conservas de pescado a un precio unitario de 1,40€/lata, concediéndose un descuento de 0,25€/lata sobre el consumidor final (clientes de MANOLIÑO). En este caso, el descuento se aplica directamente sobre el usuario final, es decir, el distribuidor recibirá la promoción por cada unidad que venda en las condiciones determinadas por la promoción y deberá posteriormente acreditar mediante listado de venta y stocks las unidades vendidas para solicitar el importe de la promoción que previamente ha adelantado a sus clientes.

A finales del ejercicio X17, MANOLIÑO comunica a la distribuidora el listado de las ventas realizadas, así como el stocks de las unidades vendidas que ascendieron a 18.000 latas, concediéndole el oportuno descuento.

SE PIDE: Registro de las operaciones relatadas en ambas sociedades. IVA 10%.

SOLUCIÓN:

DISGASA

– Por la primera venta de mercancías, a inicio de ejercicio X17:

———————————————————— X ————————————————————

11.000 Clientes (430)	a	Ventas de mercaderías (700)
		[10.000 latas x1€/lata] 10.000
		H.P. I.V.A. repercutido (477)
		[10% 10.000] 1.000

———

– Por la obtención del descuento (tipo «sell in») al alcanzar el volumen, en el periodo establecido:

————————————————— 31/3/X7 —————————————————

2.000	Rappels sobre ventas(709)		
	[0,2 €/lata x10.000 latas]		
200	H.P. I.V.A. repercutido (477)	a Clientes (430)	
	[10% 2.000]		2.200

El concepto «sell in» se corresponde con un descuento concedido por el proveedor a su cliente (intermediario en la cadena de distribución) por unidad vendida durante un periodo de tiempo.

– Por la segunda venta, pactándose un descuento, que en esta ocasión, ocurrirá a través de una certificación de que se ha realizado la entrega al consumidor final:

————————————————— X —————————————————

30.800	Clientes (430)	a Ventas de mercaderías (700)	
		[20.000 latas x1,40€/lata]	28.000
		H.P. I.V.A. repercutido (477)	
		[10% 28.000]	2.800

– Al cierre de ejercicio, y en relación con esta segunda partida, cuando la gran superficie MANOLIÑO justifique las ventas realizadas, anotará el correspondiente descuento (tipo «sell out»):

————————————————— 31/12/X7 —————————————————

4.500	Rappels sobre ventas(709)		
	[0,25 €/lata x18.000 latas]		
450	H.P. I.V.A. repercutido (477)	a Clientes (430)	
	[10% 4.500]		4.950

El concepto «sell out» parece identificarse con un descuento concedido por el proveedor a su cliente (intermediario en la cadena de distribución) por unidad vendida al cliente o consumidor final durante un periodo de tiempo.

En consecuencia, ambos conceptos [«sell in» y «sello out»] se tratarán por el proveedor como un rappel por ventas, en la medida que la causa del descuento o del importe abonado al cliente no es otra que incentivar el consumo de los productos que vende la empresa, al margen de que la cuantía de la rebaja en el precio de la transacción se fije en función del volumen de compras del cliente o del volumen de ventas de este último a los consumidores finales [Consulta 1, Boicac 108]

MANOLIÑO S.L.

– Por la primera compra, realizada a comienzos de año:

—————————————————————— 31/12/X1 ——————————————————————

10.000	Compras de mercaderías (600)			
	(10.000 latas x1 €/lata)			
1.000	H.P. I.V.A. soportado	a	Proveedores (400)	
	(472) [10.000x10%]			11.000

—————————————————————— ——————————————————————

– Posteriormente, y al haber alcanzado el volumen en el periodo estipulado, se registrará el correspondiente descuento (tipo «sell in»):

—————————————————————— X ——————————————————————

2.200	Proveedores (400)	a	Rappels sobre compras(609)	
			[0,2 €/lata x10.000 latas]	2.000
			H.P. I.V.A. soportado (472)	
			[10% 2.000]	200

—————————————————————— ——————————————————————

– Por la segunda compra, en la que se pacta otro tipo de descuento (siempre que se adquiera por el consumidor final), anotará:

————————————————————— X —————————————————————

28.000	Compras de mercaderías (600)		
	(20.000 latas x1,40 €/lata)		
2.800	H.P. I.V.A. soportado	a	Proveedores (400)
	(472) [28.000x10%]		30.800

— Cuando **nuestra empresa**, al cierre de ejercicio, justifica ante su proveedor las ventas realizadas al consumidor final, registrará el descuento pactado (tipo «sell out»):

——————————————————— 31/12/X17 ———————————————————

4.950	Proveedores (400)	a	Rappels sobre compras(609)	
			[0,25 €/lata x18.000 latas]	4.500
			H.P. I.V.A. soportado (472)	
			[10% 4.500]	450

De forma **coherente con el tratamiento contable** en el proveedor, el cliente que recibe el incentivo contabilizará ambos conceptos [«sell in» y «sell out»] como un rappel sobre compras [Consulta 1, Boicac 108]

Los «rappels» por compras, es decir, descuentos y similares que se basen en haber alcanzado un determinado volumen de pedidos, se imputarán directamente como menor valor de las existencias que los causaron; si una parte de esas existencias no se pudiera identificar, los «rappels» y otros descuentos y similares se imputarán como menor valor de las existencias identificadas en proporción al descuento que les sea imputable; el resto de los «rappels» por compras y otros descuentos y similares se contabilizarán como un menor consumo minorando las compras del ejercicio. [Norma undécima, apartado 7. RICAC 14/4/15, sobre coste producción]

4.2.1.7. Registro canon digital

Boicac 113 – Marzo 2018. Consulta 5.

Sobre el tratamiento contable del canon digital.

Respuesta

El artículo 25 del texto refundido de la Ley de Propiedad Intelectual, aprobado por Real Decreto Legislativo 1/1996, de 12 de abril, según la modificación introducida por el Real Decreto-ley 12/2017, de 3 de julio, en cuanto al sistema de compensación equitativa por copia privada, establece lo siguiente:

«Artículo 25 Compensación equitativa por copia privada

(…)

3. Serán sujetos deudores del pago de la citada compensación los fabricantes en España, en tanto actúen como distribuidores comerciales, así como los adquirentes fuera del territorio español, para su distribución comercial o utilización dentro de este, de equipos, aparatos y soportes materiales previstos en el apartado 1.

Asimismo, serán responsables solidarios del pago de la compensación los distribuidores, mayoristas y minoristas, que sean sucesivos adquirentes de los mencionados equipos, aparatos y soportes materiales, con respecto de los deudores que se los hubieran suministrado, salvo que acrediten haber satisfecho efectivamente a estos la compensación.

(…)

6. La obligación de pago de la compensación prevista en el apartado 1 de este artículo nacerá en los siguientes supuestos:

a) Para los fabricantes en tanto actúen como distribuidores y para los adquirentes de equipos, aparatos y soportes materiales fuera del territorio español con destino a su distribución comercial en este, en el momento en que se produzca por parte del deudor la transmisión de la propiedad o, en su caso, la cesión del uso o disfrute de cualquiera de aquellos.

b) Para los adquirentes de equipos, aparatos y soportes materiales fuera del territorio español con destino a su utilización dentro de dicho territorio, desde el momento de su adquisición.

9. La compensación equitativa se hará efectiva a través de las entidades de gestión de derechos de propiedad intelectual conforme al procedimiento que se determine a tal efecto por real decreto, debiendo las mismas garantizar a los deudores y a los responsables solidarios una comunicación unificada de la facturación que a estos les corresponda abonar.»

Asimismo la Disposición transitoria segunda. Regulación transitoria de la compensación equitativa por copia privada del Real Decreto-ley 12/2017, de 3 de julio, expresa que:

«6. *Los deudores y los responsables solidarios contemplados en el artículo 25.3 del texto refundido de la Ley de Propiedad Intelectual deberán repercutir el importe de la compensación de forma separada en la factura que entreguen a su cliente e indicar, en el caso de que el cliente sea consumidor final, el derecho de este a obtener el reembolso de dicho importe si cumple los requisitos previstos en el artículo 25.8 del citado texto refundido.*

Cuando el importe de la compensación no aparezca de forma separada en factura, se presumirá, salvo prueba en contrario, que la compensación devengada por los equipos, aparatos y soportes materiales que comprenda no ha sido satisfecha.»

De esta regulación parece inferirse que la única obligación de los sujetos deudores consiste en identificar la repercusión del canon de forma separada en la factura que entreguen a su cliente. Por eso, en lo que atañe a su tratamiento contable, se aplicarán los criterios generales sobre la contabilización de las ventas contenidos en la norma de registro y valoración (NRV) 14ª. *Ingresos por ventas y prestación de servicios* del Plan General de Contabilidad (PGC), aprobado por Real Decreto 1514/2007 de 16 de noviembre. Y a estos efectos se informa que el importe recibido por tal concepto se calificará como un mayor valor de la contraprestación y, por lo tanto, se contabilizará como mayor valor de la venta.

La compensación a pagar por los deudores se registrará en sintonía con el criterio recogido en la consulta nº 9 publicada en el BOICAC nº 38, de diciembre 1999, que se considera en vigor en el marco del nuevo PGC; en aplicación de esa consulta, cuando nazca la obligación la empresa contabilizará un gasto de explotación y el correspondiente pasivo. El gasto se presentará en la partida 7. Otros gastos de explotación de la cuenta de pérdidas y ganancias.

Por su parte, todos los intermediarios, distribuidores y minoristas lo registrarán como mayor valor de las compras debiendo constar su importe en las facturas. La repercusión a los clientes se calificará como un mayor valor de la contraprestación y, por lo tanto, se contabilizará formando parte de las ventas en los términos que se han indicado más arriba.

Comentario

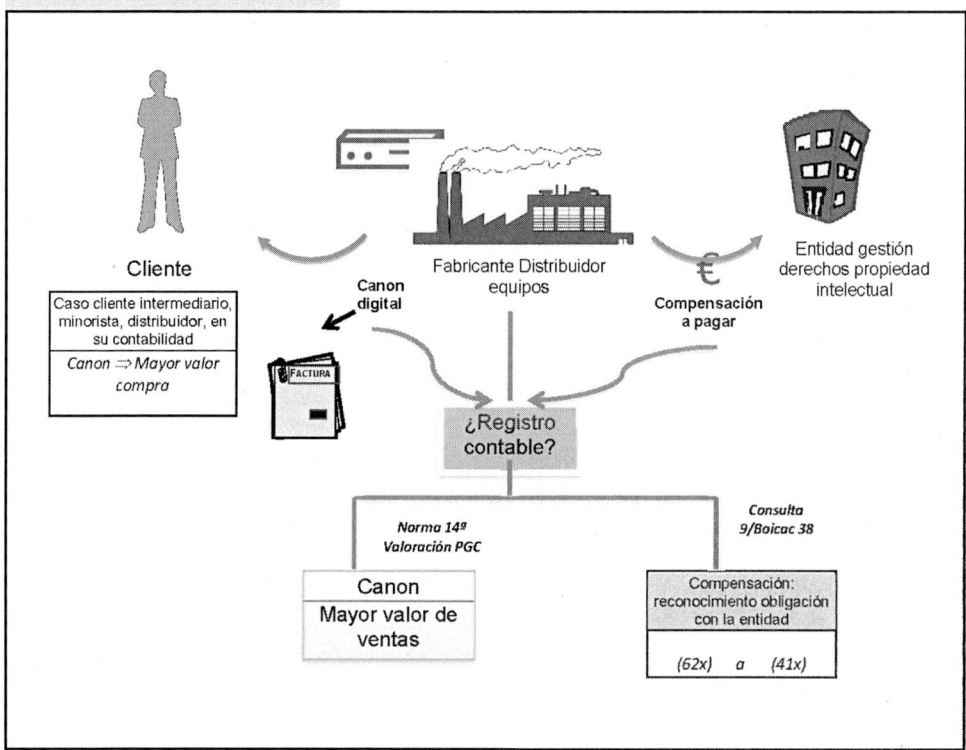

Ejemplo

COPISTERÍA VIGO, S.L., posee la pertinente autorización del Centro Español de Derechos reprográficos (CEDRO), para la reproducción de libros, revistas y artículos.

La asesoría MARIN S.L., le encargó fotocopiar el capítulo III «Coste de producción», del manual «Resoluciones del ICAC, comentarios y casos prácticos».

La copistería emite la siguiente factura:

COPISTERÍA VIGO

C/Venezuela, 27-Bajo

ASESORÍA MARÍN

C/Venezuela, 42-1º

Documento	Número	Página	Fecha
Factura	12.137	1	1/5/2018

Descripción	Cantidad	Precio unitario	Subtotal	Importes
Fotocopias	500	0,040	20	20
Compensación equitativa por copia privada. (Canon digital)				4

Tipo IVA (%)	Importes	Portes	Base imponible	I.V.A
21	20	-----	20	4,20

	TOTAL	28,20

SE PIDE: Registro de la operación en ambas sociedades.

SOLUCIÓN:

Sociedad COPISTERIA VIGO:

• Efectuará el registro correspondiente al servicio de las fotocopias:

-- X --

28,20 Bancos c/c (572)	a	Prestación de servicios (705)[*]	24
		H.P. IVA repercutido (477) (**)	4,20

---

[*] Observamos que se incluye como mayor valor de los ingresos el canon por la realización de las copias, y que posteriormente deberá entregar a la entidad gestora de los derechos de propiedad intelectual. Así, y en base a la presente Consulta (5/Boicac 113), la única obligación de los sujetos deudores consiste en identificar la repercusión del canon de forma separada en la factura que entreguen a su cliente, y para su tratamiento contable, se aplicarán los criterios generales establecidos en la Norma 14ª de Valoración del PGC, sobre los ingresos por ventas y prestaciones de servicios: de tal manera, que el importe percibido por

tal concepto se calificará como un mayor valor de la contraprestación, y por tanto, un mayor valor de la venta registrada.

(**) En lo que respecta al IVA, estaremos a lo establecido en la consulta vinculante V3269-17, de 21 de diciembre de 2017, la Dirección General de Tributos cambia de criterio en base a la sentencia de 18 de enero de 2017 del Tribunal de Justicia de la Unión Europea (TJUE), Asunto C-37/16, SWAP, por la que nos indica: «(...)*Esta no sujeción al IVA* es de aplicación con independencia que el pago de dicha compensación se efectúe a las entidades de gestión de derechos de propiedad intelectual por los fabricantes o importadores, deudores principales de la misma, o lo realice cualquiera de los responsables solidarios»

• Igualmente, reconocerá la deuda que desde ese momento tendrá con la entidad gestora de la propiedad intelectual, CEDRO, anotando:

	X	
4 Otros servicios (629)	a	Acreedores comerciales CEDRO (410.1) 4

De esta forma, y basándonos en la consulta 7, Boicac 38 (diciembre, 1999), la compensación a pagar por la copistería se registrará cuando nazca la obligación, anotando un gasto de explotación y el correspondiente pasivo. Este gasto, se presentará en la partida 7. Otros gastos de explotación de la cuenta de pérdidas y ganancias.

Sociedad ASESORÍA MARIN

• En contra al registro efectuado por la copistería, nuestra asesoría, anotará la compensación desembolsada por las fotocopias, como mayor valor de éstas, incrementándose las compras, tal y como establece la consulta estudiada (5/Boicac 113), anotándose:

	X	
24 Compras de otros aprovisionamientos (602)		
4,20 H.P.IVA soportado (472) (20x21%)	a	Bancos (572) 28,20

4.2.2. Prestaciones de servicios

4.2.2.1. Contrato servicios energéticos

BOICAC 96, diciembre 2013. Consulta 4.

Sobre el tratamiento contable de los contratos de «servicios energéticos».

Respuesta

Las Empresas de Servicios Energéticos (ESE) se definen en el art. 19 del Real Decreto-ley 6/2010, de 9 de abril, de medidas para el impulso de la recuperación económica y el empleo, según el cual:

«*1. Se entiende por empresa de servicios energéticos a los efectos de este real decreto-ley aquella persona física o jurídica que pueda proporcionar servicios energéticos, en la forma definida en el párrafo siguiente, en las instalaciones o locales de un usuario y afronte cierto grado de riesgo económico al hacerlo. Todo ello, siempre que el pago de los servicios prestados se base, ya sea en parte o totalmente, en la obtención de ahorros de energía por introducción de mejoras de la eficiencia energética y en el cumplimiento de los demás requisitos de rendimiento convenidos.*

2. El servicio energético prestado por la empresa de servicios energéticos consistirá en un conjunto de prestaciones incluyendo la realización de inversiones inmateriales, de obras o de suministros necesarios para optimizar la calidad y la reducción de los costes energéticos. Esta actuación podrá comprender además de la construcción, instalación o transformación de obras, equipos y sistemas, su mantenimiento, actualización o renovación, su explotación o su gestión derivados de la incorporación de tecnologías eficientes. El servicio energético así definido deberá prestarse basándose en un contrato que deberá llevar asociado un ahorro de energía verificable, medible o estimable (...)»

A la vista de esta descripción se pregunta sobre el adecuado tratamiento contable de la operación en la ESE y sus clientes y, en particular, si cabe concluir que:

i) Los «servicios energéticos» constituyen en sentido estricto un acuerdo de prestación de servicios, o

ii) De conformidad con el fondo económico de estas operaciones, los citados contratos contienen, además de una prestación de servicios, varios acuerdos de arrendamiento de elementos del inmovilizado, en los que la ESE actúa como arrendador y el cliente como arrendatario, cuya adecuada calificación (financieros u operativos), debería analizarse a la luz de los términos regulados en la norma de registro y valoración (NRV) 8.ª «Arrendamientos y otras operaciones de naturaleza similar» del Plan General de Contabilidad (PGC), aprobado por el Real Decreto 1514/2007, de 16 de noviembre.

El fondo económico y jurídico de las operaciones, o prevalencia del fondo sobre la forma siempre debe guiar la interpretación de las normas de registro y valoración del PGC, de manera que la contabilización de las operaciones responda y muestre la sustancia económica y no sólo la forma jurídica utilizada para instrumentarlas. A tal efecto, es necesario un análisis de todos los antecedentes y circunstancias de cada caso concreto, sin que en la presente contestación se pueda dar respuesta al régimen contable que corresponde aplicar a «todos» los contratos de «servicios energéticos».

Sin perjuicio de lo anterior, sí que es posible formular una serie de observaciones, desde una perspectiva general, sobre el adecuado tratamiento contable de estos contratos.

Cuando en un mismo acuerdo se recogen un conjunto de prestaciones, como sucede en el caso que nos ocupa, como paso previo, es necesario analizar las obligaciones que asume la ESE con sus clientes. Por ejemplo, cabría considerar que existen dos o más «objetos contractuales» (obligaciones de cumplimiento), los activos cedidos y un servicio de explotación en sentido estricto, en cuyo caso habría que asignar el importe de la contraprestación recibida en proporción al valor razonable relativo de los elementos entregados, o servicios prestados, y reconocer los correspondientes ingresos de acuerdo con las normas de registro y valoración aplicables al arrendamiento de activos y a la prestación de servicios, respectivamente.

En este sentido se pronuncia la NRV 14.ª «Ingresos por ventas y prestación de servicio» del PGC, cuando expresa que:

> «(...) Con el fin de contabilizar los ingresos atendiendo al fondo económico de las operaciones, puede ocurrir que los componentes identificables de una misma transacción deban reconocerse aplicando criterios diversos, como una venta de bienes y los servicios anexos; a la inversa, transacciones diferentes pero ligadas entre sí se tratarán contablemente de forma conjunta».

En este contexto, y en respuesta a la duda planteada, la cuestión debería reconducirse a determinar si dichos contratos contienen, o no, uno o varios acuerdos de arrendamiento implícito para posteriormente, en caso de que la respuesta fuese afirmativa, proceder a calificarlos en sintonía con la NRV 8.ª.

La NRV 8.ª del PGC define las operaciones de arrendamiento como sigue:

> «Se entiende por arrendamiento, a efectos de esta norma, cualquier acuerdo, con independencia de su instrumentación jurídica, por el que el arrendador cede al arrendatario, a cambio de percibir una suma única de dinero o una serie de pagos o cuotas, el derecho a utilizar un activo durante un período de tiempo determinado, con independencia de que el arrendador quede obligado a prestar servicios en relación con la explotación o mantenimiento de dicho activo (...)
>
> 1. Arrendamiento financiero.

Cuando de las condiciones económicas de un acuerdo de arrendamiento, se deduzca que se transfieren sustancialmente todos los riesgos y beneficios inherentes a la propiedad del activo objeto del contrato, dicho acuerdo deberá calificarse como arrendamiento financiero (...)

> 2. *Arrendamiento operativo.*

Se trata de un acuerdo mediante el cual el arrendador conviene con el arrendatario el derecho a usar un activo durante un período de tiempo determinado (...)».

Conforme a lo anterior, el PGC establece dos elementos esenciales a la hora de identificar un arrendamiento.

En primer lugar, el contrato de arrendamiento tiene que tener por objeto «un activo» determinado o identificable, por lo que no podrá hablarse de contrato de arrendamiento de cualquier activo, sino de un activo explícitamente identificado en el contrato. En consecuencia, desde una perspectiva contable, no existe acuerdo de arrendamiento si el cumplimiento del mismo es independiente del uso de ese activo.

Por ejemplo, si el proveedor estuviese obligado a entregar una cantidad determinada de bienes o servicios, y tiene el derecho y la posibilidad de suministrar estos bienes o servicios utilizando otros activos no especificados en el acuerdo, entonces el cumplimiento del contrato sería independiente del activo especificado y por lo tanto no contendría un arrendamiento.

Sin embargo, un activo habrá sido especificado implícitamente si, por ejemplo, el proveedor tiene o arrienda un único activo, con el cual cumple la obligación y, para este proveedor, no resulta factible o posible, desde un punto de vista económico, cumplir su obligación utilizando activos alternativos. Del mismo modo, una obligación de garantía o renovación que requiera la sustitución por un activo igual o similar, cuando el activo específico no funcione adecuadamente, o a partir de una determinada fecha, no impide el tratamiento del acuerdo como un arrendamiento.

En segundo lugar, se establece que para que haya un arrendamiento el acuerdo implica la «cesión del derecho de uso del activo durante un período de tiempo determinado», lo que solo sucede si efectivamente se transfiere al cliente el derecho a controlar el uso del activo porque se cumpla alguna de las siguientes condiciones:

1. El cliente tiene la capacidad o el derecho de explotar el activo, o dirigir a otros para que lo exploten en la forma que determine, con el fin de obtener o controlar un importe, que no sea insignificante, de la producción u otros servicios provenientes del activo.

2. El cliente tiene la capacidad o el derecho de controlar el acceso físico al activo, mientras, simultáneamente obtiene o controla una cantidad, que no sea insignificante, de la producción u otros servicios provenientes del activo.

3. Los hechos y circunstancias indican que es remota la posibilidad de que un tercero obtengan más que un importe insignificante de la producción u otros servicios que el activo genere durante el período del acuerdo, y que el precio que el cliente pagará por la producción no está fijado contractualmente por

unidad de producto ni es equivalente al precio de mercado corriente, por unidad de producto, en la fecha de entrega de dicho producto.

A la vista de estos antecedentes, en función de las estipulaciones acordadas en cada supuesto, los contratos de «servicios energéticos» se contabilizarán como contratos de servicios en sentido estricto, o por el contrario, además de un contrato de servicios podrán incluir uno o varios acuerdos de arrendamiento implícitos que será preciso calificar para otorgarles el adecuado tratamiento contable.

Comentario

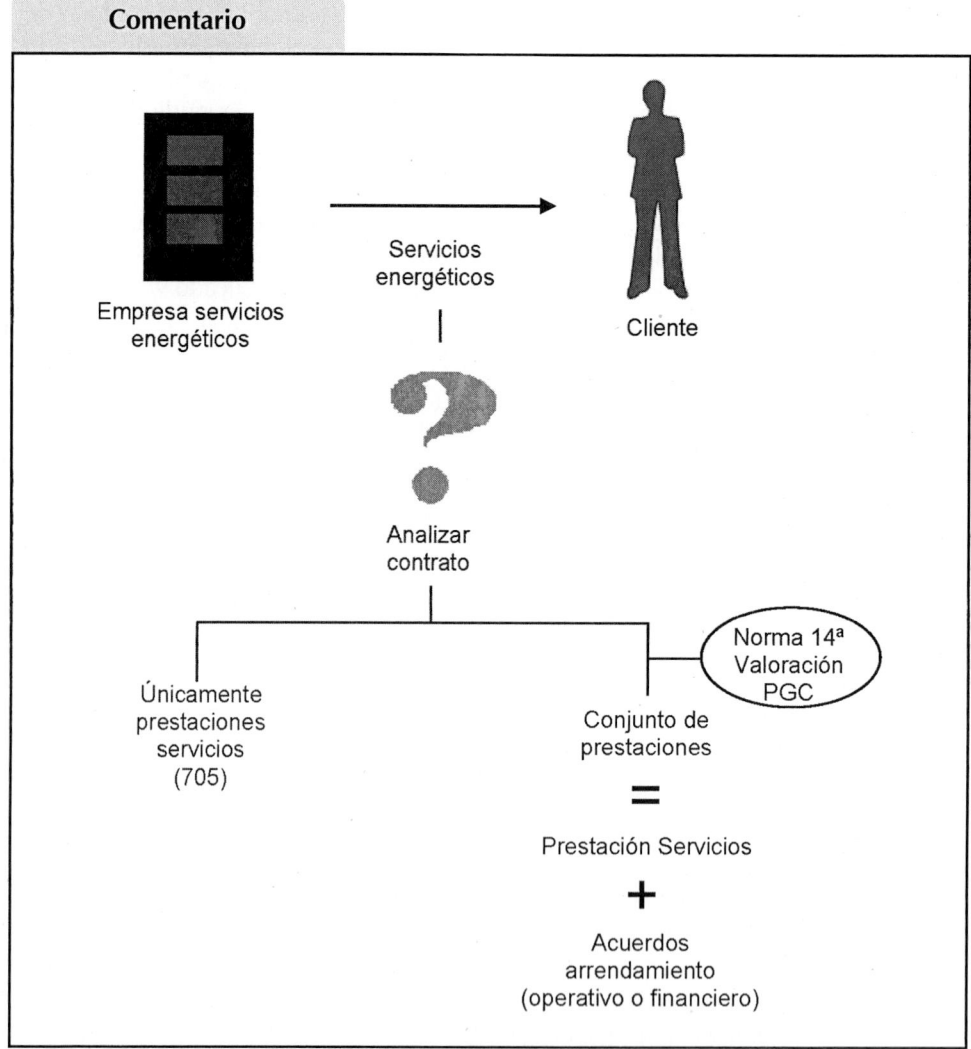

Ejemplo

La empresa de servicios energéticos SOL Y MAR S.A. ha firmado un contrato para la prestación de servicios energéticos con la empresa DEPORTIVOS DE VIGO S.L los servicios prestados, consistirán:

1.- Instalación para suministro de agua caliente sanitaria en duchas de un polideportivo con capacidad para 400 personas, con una ocupación media mensual del 80%, en la que ya existía una caldera a gasóleo-C, que queda como sistema de apoyo.

Superficie instalada = 80 m^2; Inversión = 34.400€; Ahorro económico = 3.230€/año

2.- Sustitución de lámparas incandescentes por lámparas de bajo consumo y control de encendido de la iluminación mediante detectores de presencia en varias oficinas y aulas.

– Sustitución de 500 lámparas incandescentes por lámparas de bajo consumo en dependencias del polideportivo.

Inversión = 2.100€; Ahorro económico = 3.652€/año.

– Instalación de control de encendido de iluminación por detectores de presencia en oficinas del polideportivo.

Inversión = 16.000€; Ahorro económico = 4.500€/año

3.- Incorporación de una instalación Fotovoltaica conectada a la Red.

Instalación fotovoltaica conectada a red de 5 kWp de potencia.

Inversión = 75.000€; Ingresos por venta electricidad = 4.500€/año.

La prestación de referencia, se corresponde con la incorporación de instalaciones de biomasa, energía solar térmica y fotovoltaica así como reforma de los sistemas de iluminación, que permitirán reducir el consumo de energía e incorporar energías renovables. Las inversiones realizadas en los puntos 1 y 2 se prevé recuperarlas a través del ahorro que generan en un plazo máximo de 5 años.

Se sabe además que con respecto al punto 1 que los materiales y su instalación, según contrato formalizado serán aportados por la sociedad SOL Y MAR concediendo un descuento del 15% por pronto-pago del precio estipulado.

Con respecto al punto 2 y en relación con los materiales y mano obra son aportados por la sociedad SOL Y MAR con descuento del 10% y a pagar en tres meses.

Con relación al punto 3 referente a la instalación fotovoltaica, se formaliza un contrato de arrendamiento: consistente en el pago de 120 cuotas mensuales (10 años) de 400€, pagaderas a principios de cada mes. La vida útil es 15 años existiendo una opción de compra de 30.000€. Siendo SOL Y MAR el arrendador y DEPORTIVOS DE VIGO el arrendatario.

Por último ambas sociedades firman un contrato por el cual la sociedad SOL Y MAR asume el mantenimiento del polideportivo por un período de 15 años que permitirá cumplir con los fines propuestos, garantizando para la sociedad POLI-DEPORTIVOS DE VIGO el retorno de las inversiones realizadas por ahorro. El precio pactado son de 1.100€ mensuales, pagaderos a primeros de cada mes.

SE PIDE:

a) Registro de operaciones efectuadas en la sociedad SOL Y MAR.

b) Con respecto al punto 3 contabilizar el contrato de arrendamiento en la sociedad SOL Y MAR, suponiendo que en el mismo constara lo siguiente:

* Valor razonable del bien, que coincide con su valor contable: 75.000€

* Vida útil de bien: 15 años

* Duración del contrato: 10 años

* Tipo de interés nominal del 4% anual, pagadero por trimestres.

* Cuotas trimestrales pagaderas al final de cada período.

* Opción de compra al final de contrato: 5.000€.

* Fecha de formalización del contrato 1/1/X0

La sociedad que arrienda el bien SOL Y MAR, no es el fabricante del bien.

SOLUCIÓN:

a) Registro de operaciones efectuadas en la sociedad SOL Y MAR

– Instalación para suministro de agua caliente sanitaria en duchas:

—————————————— X ——————————————

35.380,40 Bancos (572)		
	a Ventas de mercaderías (700) [34.400 x 85%]	29.240
	HP IVA repercutido (477)	6.140,40

—————————————

– Sustitución de lámparas incandescentes por lámparas de bajo consumo:

———————————————— X ————————————————

2.541	Clientes (430)		
	a	Ventas de mercaderías (700)	2.100
		H.P. IVA repercutido (477)	441

– Instalación de control de encendido de iluminación por detectores de presencia en oficinas:

———————————————— X ————————————————

19.360	Clientes (430)		
	a	Ventas de mercaderías (700)	16.000
		HP IVA repercutido (477)	3.360

Así, y en base a la Norma 14.ª de Valoración del PGC «Ingresos por ventas y prestación de servicio» del PGC, nos comenta:

> «(...) Con el fin de contabilizar los ingresos atendiendo al fondo económico de las operaciones, puede ocurrir que (...) transacciones diferentes pero ligadas entre sí se tratarán contablemente de forma conjunta».

– Por el cobro del mantenimiento del polideportivo mensual:

———————————————— X ————————————————

1.331	Clientes (430)		
	a	Prestación de servicios (705)	1.100
		HP IVA repercutido (477)	231

Cuadro resumen de las inversiones realizadas y ahorro que producen:

Concepto	Cuantía	Ahorro anual[1]
Inversión en agua caliente duchas	34.400	3.230
Sustitución lámparas bajo consumo	2.100	3.652
Instalación control de encendido	16.000	4.500
TOTAL	52.500	11.388

[1] El ahorro de energía es verificable, medible y estimable.

– Incorporación de una instalación Fotovoltaica conectada a la Red.

Primero deberemos determinar qué tipo de arrendamiento es el que tiene que estar contabilizando SOL Y MAR. El arrendamiento de forma genérica es:

«(...) cualquier acuerdo (...) por el que el arrendador cede al arrendatario, a cambio de percibir una suma única de dinero o una serie de pagos o cuotas, el derecho a utilizar un activo durante un período determinado». [Norma 8.ª Valoración PGC]

El de carácter operativo en su definición, incluye que:

«(...) sin que se trate de un arrendamiento de carácter financiero».

¿Cuándo lo consideraremos, pues, financiero? En la misma Norma, en su apartado 1.1., nos comenta:

«Cuando de las condiciones económicas de un acuerdo de arrendamiento, se deduzca que se transfieren sustancialmente todos los riesgos y beneficios inherentes a la propiedad del activo objeto del contrato, dicho acuerdo deberá calificarse como arrendamiento financiero (...)».

Esta transferencia, se presume por diversas circunstancias, clasificándolas según que en el acuerdo exista o no opción de compra. En nuestro caso, ésta existe, por lo que la Norma 8.ª en su redacción establece como «financiero» cuando no existan dudas razonables de que se va a ejercitar dicha opción.

¿Cuándo ocurre esto? Cuando en el momento de firmar el contrato el precio de dicha opción, sea menor que el valor residual que se estima tendrá el bien en la fecha en que se ejercite la opción de compra [RICAC 21/1/1992, Norma octava]. Por tanto, compararemos:

Precio de la opción de compra (A)......................   30.000€

Es mayor que:

Valor de la máquina finalizado el contrato (B)...............   25.000€

(Valor inicial - Amortización acumulada fin décimo año)

$$(75.000 - \underbrace{\frac{75.000}{15\ años} \times 10)}_{50.000}$$

En este caso, al existir dudas del ejercicio de la opción de compra, registraremos el acuerdo como un arrendamiento operativo. De tal manera que según la Norma 8.ª.2:

> «(...) Los (...) ingresos correspondientes al (...) arrendador, derivados de los acuerdos de arrendamiento operativo serán considerados (...) como (...) ingreso del ejercicio en el que los mismos se devenguen, imputándose a la cuenta de pérdidas y ganancias».

Por tanto, por el cobro de la primera mensualidad derivada del servicio de alquiler:

	X	
442 Bancos c/c (572)		
	a Ingresos por arrendamientos (752)	400
	HP IVA repercutido (477)	42

En función de las estipulaciones acordadas en cada supuesto, los contratos de «servicios energéticos» se contabilizarán como contratos de servicios en sentido estricto, o por el contrario, además de un contrato de servicios podrán incluir uno o varios acuerdos de arrendamiento implícitos que será preciso calificar para otorgarles el adecuado tratamiento contable. [Consulta 4, BOICAC 96]

b) Operaciones a realizar, sobre el punto 3, en base a unas condiciones distintas del contrato de arrendamiento

Comprobaremos previamente, si dicho contrato reúne los requisitos establecidos para que pueda ser registrado tal y como se establece en la Norma Valoración 8.ª.1. del PGC.

De tal manera que si de las condiciones económicas de un acuerdo de arrendamiento: «(...) *se deduzca que se transfieren sustancialmente todos los riesgos y beneficios inherentes a la propiedad del activo objeto del contrato (...)*».

Cuando existe opción de compra, se presumirá tal transferencia cuando «(...) *no existan dudas razonables de que se va a ejercitar dicha opción (...)*». El PGC no establece cuándo ocurrirá esto. Sin embargo en la RICAC 21/1/1992 en el apartado 4) de su Norma octava nos comentaba que esto ocurre cuando: «(...) *en el momento de firmar el contrato el precio de la opción de compra sea menor que el valor residual que se estima tendrá el bien en la fecha en que se ejercite la opción de compra (...)*». Por tanto, compararemos:

Precio de la opción de compra (A). . . . .   5.000€

Es menor que:

Valor residual estimado del bien, fecha en que se ejercita la opción (B). . . . .   25.000€

(Valor inicial máquina - Amortización acumulada fin 5.º año)

$$(75.000 - \frac{75.000}{15 \text{ años}} \times 10 \text{ años})$$

Como A < B, no existen dudas que se va a ejercitar la opción y por tanto se trata de un arrendamiento financiero.

El arrendador, en el momento inicial, reconocerá un crédito por el valor actual de los pagos mínimos a recibir por el arrendamiento más el valor residual del activo aunque no esté garantizado, descontados al tipo de interés implícito del contrato. [Norma 8.ª de Valoración, apartado 1.3 del PGC]

Determinaremos la cuota trimestral, planteando la siguiente equivalencia financiera en el origen:

$$75.000 = a \cdot a_{40]0,01} + 5.000 \cdot (1+0,01)^{-40}$$

Con $J_4 = 4\%$, tanto nominal pagadero por trimestres $\Rightarrow i_4$ (tipo interés efectivo trimestral) =

$$\frac{0,04}{4} = 0,01$$

a = pago trimestral = **2.181,30 €**

Elaborándose el siguiente cuadro de la operación financiera:

Periodo	Fecha	Pago	Carga financiera	Recuperación coste	Deuda pendiente
0	1/1/X0	----	----	----	75.000,00
1	31/3/X0	2.181,30	750,00	1413,30	73.568,70

Periodo	Fecha	Pago	Carga financiera	Recuperación coste	Deuda pen- diente
2	31/6/X0	2.181,30	735,69	1445,61	72.141,09
3	31/9/X0	2.181,30	721,41	1459,89	70.681,20
4	31/12/X0	2.181,30	706,81	1474,49	69.206,71
----	----	----	----	----	----
40		2.181,30			
Opción Compra		5.000,00			
TOTALES		92.252	17.252	70.000	

Anotándose por el contrato:

_____ 1/1/X0 _____

5.793,29   Créditos a corto plazo (542)

69.206,71   Créditos a largo plazo (252)

a   Maquinaria (213)   75.000

El arrendador reconocerá el resultado derivado de la operación de arrendamiento según lo dispuesto en el apartado 3 de la norma sobre inmovilizado material.

Y por el cobro de la primera cuota:

_____ 1/1/X0 _____

2.639,37   Bancos (572)

a   Créditos a corto plazo (542)   1.413,20

Ingresos de créditos (762)   750

HP IVA repercutido (477)   458,08

4.2.2.2. Cantidades restituidas a un patrocinador deportivo extranjero, al haber conseguido un beneficio fiscal

Boicac 115, septiembre 2018. Consulta 7

Sobre la naturaleza contable del importe restituido por una entidad deportiva, en el contexto de un contrato de patrocinio, por el efecto de una deducción para evitar la doble imposición de una renta.

Respuesta

La consultante suscribió un contrato con un patrocinador con residencia fiscal en el extranjero. En dicho contrato se establece como contraprestación a percibir por la entidad deportiva, por las distintas prestaciones de servicios y operaciones realizadas en el marco del acuerdo de patrocinio, una retribución «neta de cualquier retención» que, en su caso, resultase aplicable de conformidad con el correspondiente Convenio de Doble Imposición y con la normativa interna del país en el que tiene su residencia fiscal el patrocinador.

Las partes establecieron que en caso de que la consultante pudiera aplicar un crédito fiscal en España como consecuencia de las referidas retenciones soportadas en el extranjero de conformidad con el Convenio para evitar la Doble Imposición vigente entre España y ese país, la consultante quedaría obligada a restituir al Patrocinador el importe de la minoración de la cuota íntegra del impuesto efectivamente obtenida por la entidad deportiva española.

La consultante pregunta, entre otras cuestiones, si el importe restituido al patrocinador debe contabilizarse como un gasto o como un menor ingreso.

El Plan General de Contabilidad (PGC), aprobado por Real Decreto 1514/2007, de 16 de noviembre, regula el tratamiento contable de los ingresos por ventas y prestaciones de servicios en la norma de registro y valoración (NRV) 14ª, que en su apartado 1 establece:

«14ª Ingresos por ventas y prestación de servicios

1. Aspectos comunes

*Los ingresos procedentes de la venta de bienes y de la prestación de servicios se valorarán por el valor razonable de la contrapartida, recibida o por recibir, derivada de los mismos, que, salvo evidencia en contrario, será el precio acordado para dichos bienes o servicios, **deducido: el importe de cualquier descuento, rebaja en el precio u otras partidas similares que la empresa pueda conceder**, así como los intereses incorporados al nominal de los créditos. No obstante, podrán incluirse los intereses incorporados a los créditos comerciales con vencimiento no superior a un año que no tengan un tipo de interés contractual, cuando el efecto de no actualizar los flujos de efectivo no sea significativo.*

Los impuestos que gravan las operaciones de venta de bienes y presta-
ción de servicios que la empresa debe repercutir a terceros como el
impuesto sobre el valor añadido y los impuestos especiales, así como las
cantidades recibidas por cuenta de terceros, no formarán parte de los ingre-
sos (...)»

Además, en el apartado 3 de esta NRV 14ª se dispone lo siguiente:

«La empresa revisará y, si es necesario, modificará las estimaciones del
ingreso por recibir, a medida que el servicio se va prestando. La necesidad
de tales revisiones no indica, necesariamente, que el desenlace o resultado
de la operación de prestación de servicios no pueda ser estimado con fia-
bilidad (...)»

Por otro lado, la norma de elaboración de las cuentas anuales 11ª. Cifra anual
de negocios incluida en la tercera parte del Plan General de Contabilidad (PGC),
establece que:

*«El importe neto de la cifra anual de negocios se determinará **dedu-***
***ciendo** del importe de las ventas de los productos y de las prestaciones de*
servicios u otros ingresos correspondientes a las actividades ordinarias de
*la empresa, **el importe de cualquier descuento** (bonificaciones y demás*
reducciones sobre las ventas) y el del impuesto sobre el valor añadido y
otros impuestos directamente relacionados con las mismas, que deban ser
objeto de repercusión.»

A la vista de estos antecedentes, y en la medida que en el contrato se ha fijado
un ajuste en la contraprestación, que depende de la liquidación del impuesto
sobre beneficios de la entidad española, el adecuado tratamiento contable sería
el siguiente:

a. En principio, el importe a reconocer como ingreso será la cantidad, antes
de impuestos, que se haya comprometido a pagar el patrocinador.

b. La cantidad retenida en el extranjero de conformidad con el Convenio
de Doble Imposición y con la normativa interna de ese país se reconocerá
como un gasto de acuerdo con el criterio establecido en el Artículo 12.
Impuestos extranjeros de naturaleza similar al impuesto sobre sociedades, de
la Resolución de 9 de febrero de 2016 del Instituto de Contabilidad y Auditoría
de Cuentas, por la que se desarrollan las normas de registro, valoración y elaboración de las cuentas anuales para la contabilización del impuesto sobre
beneficios.

c. La deducción que pudiera generarse en España por el pago del impuesto
en el extranjero formará parte del gasto/ingreso por impuesto corriente.

d. Si la entidad española debe restituir parte de la cantidad recibida, ese
importe se deberá contabilizar como un menor ingreso por la prestación del
servicio de patrocinio.

Comentario

CONTRATO
PATROCINIO

Patrocinador
país extranjero

Entidad deportiva
española

Restituirá cantidades recibidas,
caso poder aplicar crédito fiscal
¿Registro?

Norma 14.1 y 3
PGC

NECA 11ª
PGC

Diferenciamos

Cantidad recibida antes impuestos	Cantidad retenida en el extranjero	Deducción generada España por pago impuesto extranjero
Ingreso a reconocer por patrocinio	*Gasto* (art. 12 RICAC 9/2/16)	*Formará parte ingreso/gasto impuesto corriente*

Parte restituida al
patrocinador
Menor ingreso patrocinio

Ejemplo

La federación deportiva «CANICAS Y BOLOS CELTA», con residencia en la localidad de O PORRIÑO, acogida a la Ley 49/2002, suscribió un contrato con un patrocinador extranjero (y residencia fiscal fuera de España). En el mismo, establece que «CANICAS Y BOLOS CELTA» recibirá como contraprestación por las distintas prestaciones de servicios y operaciones realizadas en el marco del acuerdo de patrocinio, una retribución «neta de cualquier retención» que, en su caso, resultase aplicable de conformidad con el correspondiente Convenio de Doble Imposición y con la normativa interna del país en el que tiene su residencia fiscal el patrocinador. El importe acordado asciende a 100.000€ anuales y la duración del patrocinio será de 3 años.

Las partes establecieron que, en caso de que la entidad deportiva pudiera aplicar un crédito fiscal en España como consecuencia de las referidas retenciones soportadas en el extranjero (de conformidad con el Convenio para evitar la Doble Imposición vigente entre España y ese país), la entidad deportiva quedaría obligada a restituir al Patrocinador el importe de la minoración de la cuota íntegra del impuesto efectivamente obtenida por la entidad deportiva española.

Se conoce que la retención practicada en el país del patrocinador es del 20%.

La citada federación tributa en el régimen especial del impuesto de sociedades a un tipo del 10%.

Las rentas obtenidas de actividades no exentas han ascendido a 520.000€, sin incluir la cantidad recibida del patrocinio extranjero.

SE PIDE: Registro del ingreso por patrocinio y la liquidación del impuesto de sociedades.

SOLUCIÓN:

- «CANICAS Y BOLOS CELTA», anotará por el ingreso del patrocinio:

-- X --

80.000 Bancos c/c (572)	a Ingresos por servicio diversos. Patrocinio (759.1) 80.000

Desde el punto de vista contable, el ingreso del patrocinio, ha de ser contabilizado por el importe neto, ya que el impuesto soportado del 20% (20% 100.000 = 20.000) no se considera retención a cuenta del impuesto sobre la renta de la empresa o sociedad española. Con lo cual, y en nuestro caso, se contabilizaría el ingreso por el importe de 80.000 euros (= 100.000-20.000).

La norma 14ª.1 de Valoración del PGC, nos recuerda que: «*Los ingresos procedentes de la venta de bienes y de la prestación de servicios se valorarán por el valor razonable de la contrapartida, recibida o por recibir, derivada de los mismos, que, salvo evidencia en contrario, será el precio acordado para dichos bienes o servicios, deducido: el importe de cualquier descuento, rebaja en el precio u otras partidas similares que la empresa pueda conceder (...)*»

De esta forma, la Consulta 7 BOICAC 115 nos indica que, en principio, el importe a reconocer como ingreso <u>será la cantidad antes de impuestos</u>, que se hubiese comprometido a pagar el patrocinador.

• Liquidación del impuesto de sociedades.

Cuando en la base imponible del contribuyente se integren rentas obtenidas y gravadas en el extranjero se deducirá de la cuota íntegra la menor de las dos cantidades siguientes (art. 31.1. LIS):

a) El importe efectivo de lo satisfecho en el extranjero por razón de gravamen de naturaleza idéntica o análoga a este Impuesto.

b) El importe de la cuota íntegra que en España correspondería pagar por las mencionadas rentas si se hubieran obtenido en territorio español.

La Federación deportiva, residente en España, tributa según el tipo 10%. En el ejercicio ha percibido rentas procedentes del extranjero, siendo la cuantía neta o líquida, expresada en la moneda nacional del país de la sociedad perceptora, 80.000 euros; habiendo soportado el 20% sobre el importe bruto o antes de deducir la carga fiscal, que deducida dicha carga según el porcentaje anterior, se llegue al importe del efectivo cobrado.

Se llega a que el importe bruto, es el que resulte de la expresión:

Ingreso bruto – 20% Ingreso Bruto = 80.000 euros

Ingreso bruto = 100.000 euros.

Por lo que, el impuesto soportado en el país extranjero,

100.000x20% = 20.000 euros.

Si tuviera que tributar en España por los ingresos anteriores , la cuota íntegra que se derivaría, sería:

100.000 x 10% = 10.000 euros.

Con lo que se deduciría, por la incorporación a la base imponible de la sociedad española de rentas procedentes del extranjero, el menor entre 20.000 euros y 10.000 euros, o sea, 10.000 euros.

A efectos del cálculo del impuesto sobre beneficios de la empresa perceptora, el importe satisfecho en el extranjero, sobre los ingresos derivados del patrocinio, que se ha de incluir en la base imponible del impuesto sobre sociedades, tiene la consideración de una diferencia permanente positiva, que se agrega al beneficio antes de impuestos de la sociedad española, para obtener el resultado contable ajustado antes de impuestos. Éste servirá de base para el cálculo del impuesto, aplicando el tipo correspondiente, que deduciendo las bonificaciones y deducciones, entre ellas, la derivada del impuesto satisfecho o soportado en el extranjero o la cuota íntegra que correspondería satisfacer en España si los ingresos que estamos tratando se hubieran obtenido en territorio español, si dicha cuota íntegra fuese menor que aquél.

De esta forma, por la liquidación del impuesto corriente y su registro:

Resultado Contable [520.000 + 80.000].	600.000
± Ajustes : Diferencia permanente positiva, impuesto satisfecho[1]	+ 20.0000
= *Resultado Fiscal.*	620.000
- Compensación Bases Imponibles Negativas.	0
= *Base Imponible.*	620.000
x tipo impositivo: x10%	
= *Cuota íntegra:.*	62.000
- Deducciones y Bonificaciones [Deducción doble imposición][2]	(10.000)
= ***Cuota líquida = Impuesto Corriente (6300).***	**52.000**
- Retenciones y pagos a cuenta (473).	0
A PAGAR(4752):.	52.000

[1] El importe del impuesto satisfecho en el extranjero se incluirá en la renta a los efectos previstos en apartado 1 (deducción cuota, menor dos cantidades) e, igualmente, formará parte de la base imponible, aun cuando no fuese plenamente deducible. [Apartado 2, art. 31 L.I.S.]

[2] La deducción que pudiera generarse en España por el pago del impuesto en el extranjero formará parte del gasto/ingreso por impuesto corriente. [Consulta nº 7. BOICAC 115]

X

32.000	Impuesto corriente (6300)		
20.000	Impuesto extranjero (635)	a H.P. acreedor I.S.(4752)	52.000

La cantidad retenida en el extranjero de conformidad con el Convenio de Doble Imposición y con la normativa interna de ese país se reconocerá como un gasto de acuerdo con el criterio establecido en el Artículo 12. Impuestos extranjeros de naturaleza similar al impuesto sobre sociedades, de la Resolución de 9 de febrero de 2016 del Instituto de Contabilidad y Auditoría de Cuentas, por la que se desarrollan las normas de registro, valoración y elaboración de las cuentas anuales para la contabilización del impuesto sobre beneficios.

• Por la restitución al patrocinador de la deducción efectuada:

———————————————————————— X ————————————————————

| 10.000 | Ingresos por servicio diversos. Patrocinio (759.1) | a | Bancos (572) | 10.000 |

Si la entidad española debe restituir parte de la cantidad recibida, ese importe se deberá contabilizar como un menor ingreso por la prestación del servicio de patrocinio. [Consulta nº 7. BOICAC 115]

5.

GASTOS E INGRESOS IMPUTADOS A PATRIMONIO NETO. PROVISIONES

5. GASTOS E INGRESOS IMPUTADOS A PATRIMONIO NETO. PROVISIONES

Sumario

5.1. GASTOS E INGRESOS IMPUTADOS A PATRIMONIO NETO

5.1.1. Subvenciones

5.1.1.1. Reintegro subvención: litigio contra administración

BOICAC 105, marzo 2016. Consulta 1.

Sobre el tratamiento contable del reintegro de una cantidad percibida de la Administración Pública.

Respuesta

La sociedad consultante recibió en el año 2013 una ayuda de la Administración Pública en concepto de «Pago Único Agricultura». Como consecuencia de un control administrativo la sociedad ha tenido que devolver, en diciembre de 2015, a la Administración concedente la cantidad que recibió en el año 2013. La sociedad consultante ha presentado un recurso contencioso administrativo contra la resolución de devolución de la ayuda recibida. La consulta versa sobre cómo contabilizar el ingreso por la devolución de la subvención a la Administración concedente.

Para otorgar un adecuado tratamiento contable a los hechos descritos se deberá analizar la probabilidad de que los argumentos que sostiene la empresa sean aceptados y, por lo tanto, de que el desembolso que ahora se realiza pueda ser recuperado por la entidad. Si después del citado análisis se concluye que resulta probable que el litigio se resuelva a favor de la empresa, el reintegro se contabilizará como un activo. En caso contrario, como un gasto.

En la memoria de las cuentas anuales se hará constar toda la información significativa en relación con el tema planteado en la consulta, en concreto y en relación con el litigio en curso con la Administración Pública, deberá suministrarse la información requerida en la nota 14 del modelo normal de memoria, con la finalidad de que las cuentas anuales, en su conjunto, reflejen la imagen fiel del patrimonio, de la situación financiera y de los resultados de la empresa.

Comentario

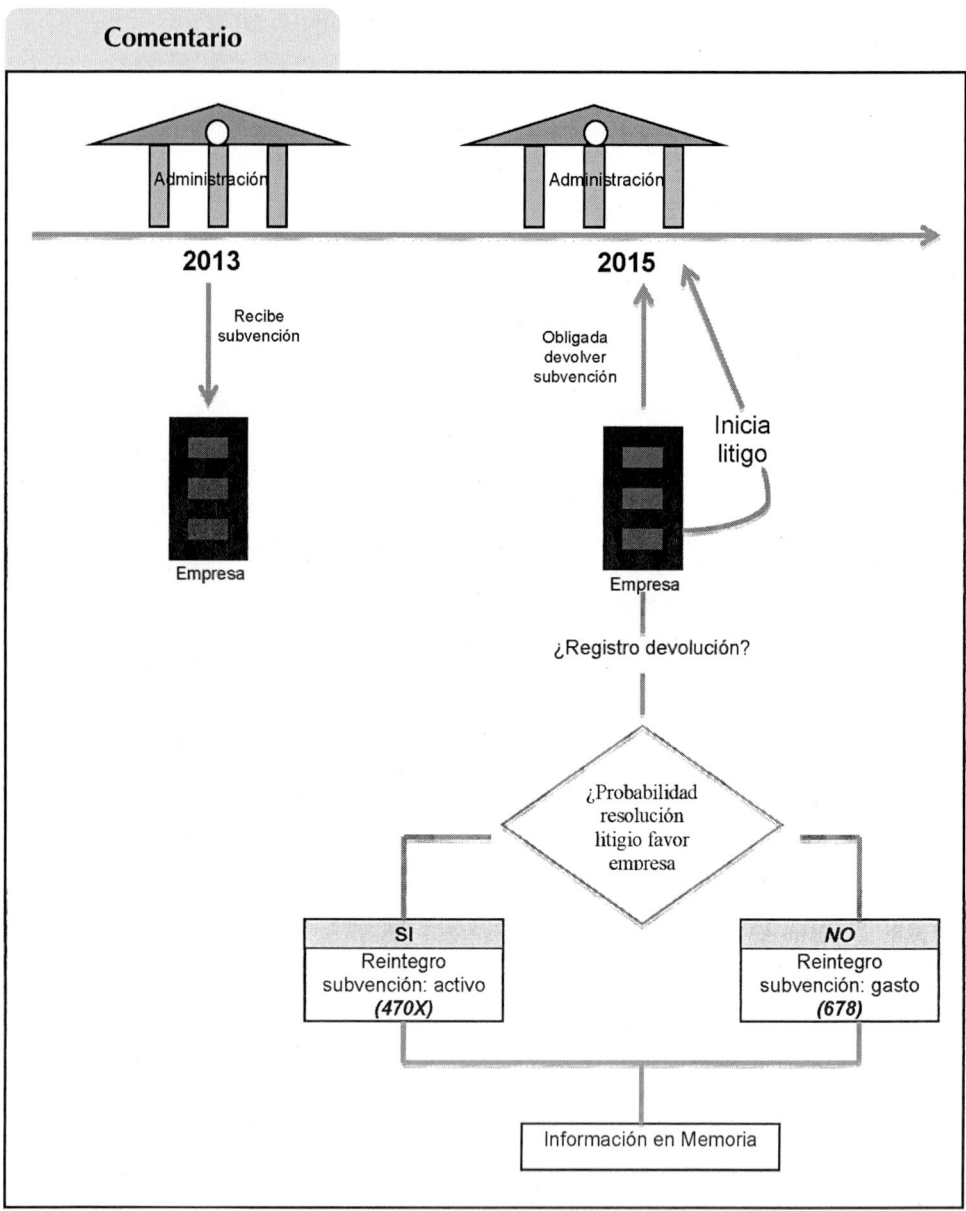

Ejemplo

Explotaciones vitivinícolas IGLESIAS S.A., recibió en el año 2013, al cumplir los requisitos de agricultor activo, una ayuda de la Administración Pública en concepto de «Pago Único Agricultura». La cantidad ascendió a 11.700€: que fue cobrada 10/10/2013. Esta ayuda fue concedida como consecuencia del programa de apoyo por arranque de viñedos, y la misma correspondía con una de sus fincas.

Como consecuencia de un control administrativo la sociedad ha tenido que devolver, en diciembre de 2015, la cantidad recibida en el año 2013.

Se conoce que la finca objeto del pago único recibido fue arrendada a D. Juan Iglesias Fidalgo, agricultor activo a comienzos del año 2015. Dicho arrendamiento fue notificado a la Administración competente (Xunta de Galicia) en el plazo fijado en la normativa vigente (14/05/2015). El contrato de arrendamiento que fue firmado por las partes intervinientes, consistió en pagos mensuales por anticipado a realizar a primeros de mes por un cuantía de 800€, recibiéndose una fianza de 2 mensualidades: que será devuelta a la finalización del contrato (10 años), sin posibilidad de prórroga alguna.

La sociedad IGLESIAS ha presentado un recurso contencioso administrativo contra la resolución de devolución de la ayuda recibida al estimar que ha cumplido con todos los requisitos legales establecidos en la normativa.

SE PIDE:

1.- Registro efectuado por la sociedad IGLESIAS en el año 2013 al recibir la Ayuda de Pago Único.

2.- Registro de la devolución de la Ayuda recibida en el año 2015.

3.- Registro del contrato de arrendamiento formalizado, cobro de la primera mensualidad y los dos meses de fianza. Operaciones a 31 de diciembre, en relación con la citada operación.

4.- Reunidos los abogados de la empresa y analizada la probabilidad de que los argumentos que sostiene la empresa sean aceptados y, por lo tanto, de que el desembolso que ahora se realiza pueda ser recuperado por la entidad ya que se entiende cumplidos la totalidad de los requisitos exigidos, contabilícese lo que proceda.

En el supuesto de que del citado análisis se llegará a la conclusión del incumplimiento de los requisitos exigidos, en especial la no comunicación a la Administración del contrato de arrendamiento en la fecha exigida. ¿Cómo se contabilizaría dicha operación?

NOTA: El tipo de interés, en caso de actualización, será del 3% efectivo anual.

SOLUCIÓN:

1.- Registro efectuado por la sociedad IGLESIAS, en el año 2013, al recibir la ayuda de Pago Único

Según lo establecido en el apartado 1.3 a) de la Norma 18ª de Valoración, y a los efectos de la imputación a la cuenta de pérdidas y ganancias de las subvenciones concedidas para asegurar una rentabilidad mínima o compensar déficit de explotación: «(...) *se imputarán como ingresos del ejercicio en el que se concedan (...)*». Por tanto, IGLESIAS, anotaría:

	10/10/2013	
11.700 Bancos (572)		
	a	Subvenciones, donaciones y legados a la explotación (740) 11.700

2.- Registro de la devolución de la Ayuda recibida, en el año 2015

El desembolso realizado a la administración, por lo que ésta considera un «incumplimiento», lo anotaremos en la cuenta 678, anotándose:

	12/2015	
11.700 Gastos excepcionales (678)		
	a	Bancos (572) 11.700

3.- Registro del contrato de arrendamiento formalizado, cobro de la primera mensualidad y los dos meses de fianza. Operaciones a 31/12 en relación con la citada operación

– Cobro de la primera mensualidad:

	1/1/2015	
800 Bancos c/c (572)		
	a	Ingresos por arrendamientos (752) 800

– Por el cobro de la fianza recibida (en una cuantía de dos mensualidades):

──────────────── 1/1/2015 ────────────────

1.600 Bancos c/c (572)

[800 x 2]

a	Fianzas recibidas a largo plazo (180)	1.190,55
	Cobro anticipado a largo plazo (18x)	409,45

En su registro, estaremos a lo establecido en la 5ª parte del Plan, así como en la Norma 9ª de Valoración PGC. De esta manera, abonaremos la cuenta 180 por su valor razonable.

Igualmente, en el apartado 5.6 de la citada Norma de Valoración, nos comenta:

«En las fianzas (...) recibidas por arrendamientos operativos (...) la diferencia entre su valor razonable y el importado desembolsado (debida por ejemplo, a que la fianza es a largo plazo y no está remunerada) se considerará como un (...) cobro anticipado por el arrendamiento (...) que se imputará a la cuenta de pérdidas y ganancias durante el periodo de arrendamiento, conforme a lo señalado en el apartado 2 de la norma de arrendamientos (...).

Al estimar el valor razonable de las fianzas, se tomará como periodo remanente el plazo contractual mínimo comprometido durante el cual no se pueda devolver su importe, sin tomar en consideración el comportamiento estadístico de devolución (...)».

A mayor abundamiento, termina comentando que si la fianza fuera a corto plazo, no sería necesario realizar el descuento de flujos de efectivo si su efecto no es significativo.

En nuestro caso, la operación es a largo plazo, el tiempo comprometido es de 10 años y el tipo de interés para el descuento, nos indican que es el 3% anual efectivo. Por tanto:

Valor razonable = 1.600 x (1 + 0,03)-10 = 1.190,55

Y la diferencia entre el valor razonable, y el importe desembolsado:

1.600 – 1.190,55 = 409,45

Será considerado como un cobro anticipado por el arrendamiento.

– Operaciones a 31 de diciembre en relación con la fianza recibida:

——————————————————— 31/12/2015 ———————————————————

35,72 Intereses de deudas (662)

		Fianzas recibidas a largo plazo (180)	
	a		
		[1.190,55 x 3%]	35,72

Así, y para el movimiento de la cuenta 180, en al 5ª parte del Plan, nos comenta que ésta se abonará:

«(…) a2) Por el gasto financiero devengado hasta alcanzar el valor de reembolso de la fianza con cargo a la cuenta 662».

– Y, al mismo tiempo, por la imputación del cobro anticipado por arrendamiento:

——————————————————— 31/12/2015 ———————————————————

35,72 Cobro anticipado a largo plazo (18x)

		Ingresos por arrendamientos (752)	
	a		
		[1.190,55 x 3%]	35,72

4.- Registro de la posibilidad de recuperar el desembolso realizado

CASO 1) Analizada la situación, se cree probable la recuperación del importe desembolsado, anotaremos:

——————————————————— X ———————————————————

11.700 Administración Pública, deudor por subvenciones a reintegrar (470x)

		Ingresos excepcionales (778)	11.700
	a		

Así, y en base a la consulta 1, BOICAC 105 (marzo, 2016), si la entidad concluye que resulta probable que el litigio se resuelva a favor de la empresa, el reintegro se contabilizará como un activo.

CASO 2) Analizada la situación, se cree probable la no recuperación del importe, anotaremos:

X

11.700	Gastos excepcionales (678)		
	a	Ingresos excepcionales (778)	11.700

En base a lo establecido en la mencionada consulta, anotaremos un gasto.

Tanto en un caso como en otro, en memoria de las cuentas anuales se hará constar toda la información significativa en relación con el tema planteado, en concreto y en relación con el litigio en curso con la Administración Pública, deberá suministrarse la información requerida en la nota 14 del modelo normal.

5.1.1.2. *Ayuda concedida a una empresa por el ayuntamiento, que es su único socio*

Consulta 7 Boicac 113 – Marzo 2018.

Sobre el tratamiento contable de una subvención recibida para financiar la adquisición de suelo y el criterio a seguir para amortizar las inversiones inmobiliarias.

Respuesta

La consultante es una sociedad de responsabilidad limitada unipersonal cuyo único socio es un Ayuntamiento. Su objeto social es la promoción de viviendas protegidas en régimen de mercado, para atender la demanda de los sectores de la población con menor poder adquisitivo o mayores necesidades, al amparo de la competencia en la promoción y gestión de viviendas del Ayuntamiento según la correspondiente legislación autonómica y la Ley 7/1985, de 2 de abril, Reguladora de las Bases del Régimen Local.

La sociedad compró dos parcelas de terreno urbano para llevar a cabo sendas promociones inmobiliarias, concretamente, una parcela para llevar a cabo la construcción de viviendas en régimen general destinadas a menores de 35 años y otra parcela para la construcción de viviendas protegidas para jóvenes, estando prevista su comercialización mediante contratos de alquiler con opción a compra.

Para financiar la adquisición de las parcelas, el Ayuntamiento concedió una subvención a la sociedad por su importe total, IVA incluido. Contablemente, se registró la subvención en el patrimonio neto de la sociedad a la espera de su imputación a resultados.

Los aspectos contables sobre los que versa la consulta se refieren al adecuado tratamiento contable de la ayuda recibida del Ayuntamiento, como aportación a los fondos propios o como ingreso imputado directamente al patrimonio neto, y, en este segundo caso, el criterio a seguir para su posterior transferencia a la cuenta de pérdidas y ganancias.

a) Sobre la calificación contable de la Ayuda (Subvención del Ayuntamiento)

Como norma general, en aplicación del apartado 2 de la norma de registro y valoración (NRV) 18ª. *Subvenciones, donaciones y legados recibidos*, incluida en la Segunda parte del Plan General de Contabilidad (PGC), aprobado por Real Decreto 1514/2007, de 16 de noviembre, las subvenciones no reintegrables recibidas de socios o propietarios, no constituyen ingresos, debiéndose registrar directamente en los fondos propios.

No obstante, en el segundo párrafo de la NRV 18ª.2, se aclara que: «(...) *en el caso de empresas pertenecientes al sector público que reciban subvenciones, donaciones o legados de la entidad pública dominante para financiar la realización de actividades de interés público o general, la contabilización de dichas ayudas públicas se efectuará de acuerdo con los criterios contenidos en el apartado anterior de esta norma.*»

De acuerdo con lo anterior, si la subvención se registrase directamente en los fondos propios, la operación se calificaría a efectos económicos como un aumento del patrimonio neto por causa de una aportación de los socios (a contabilizar en la cuenta 118. Aportaciones de socios o propietarios). Sin embargo, si la subvención se recibiese para financiar la realización de actividades de interés público o general, el tratamiento contable de la ayuda sería el establecido con carácter general para estas operaciones; reconocimiento directo en el patrimonio neto como un ingreso para su posterior reclasificación a la cuenta de pérdidas y ganancias, en función de la finalidad de la ayuda.

La interpretación de este Instituto acerca de la calificación de una actividad como de «*interés público o general*» a los efectos previstos en la NRV 18ª.2, está publicada en la consulta 8 del BOICAC nº 77, de marzo de 2009. Posteriormente, este criterio se incorporó a la Norma sexta. *Criterios aplicables para calificar una actividad subvencionada como de interés público o general* de las Normas sobre determinados aspectos contables de las empresas públicas, aprobadas por la Orden EHA/733/2010, de 25 de marzo. Esta norma establece los siguientes casos en los que se deberá aplicar la NRV 18ª.1:

> «*a) Subvenciones concedidas a las empresas públicas por entidades públicas dominantes que cumplan los requisitos establecidos en la Ley 38/2003, de 17 de noviembre, General de Subvenciones (...)*»

En la medida en que este parece ser el caso que se describe en el escrito de consulta, cabría concluir que la correcta calificación contable de la ayuda sería la de una subvención, en sentido estricto, cuyo adecuado tratamiento contable está regulado en la NRV 18ª.1 del PGC; reconocimiento directo en el patrimonio neto como un ingreso para su posterior reclasificación a la cuenta de pérdidas y ganancias, en función de la finalidad de la ayuda, aspecto que se analiza en el siguiente apartado de este Informe.

b) Criterio a seguir para su posterior transferencia a la cuenta de pérdidas y ganancias

En aplicación de la NRV 18ª.1, la subvención no reintegrable se contabilizará inicialmente en el patrimonio neto para su posterior reclasificación a la cuenta de pérdidas y ganancias como un ingreso sobre una base sistemática y racional de forma correlacionada con los gastos derivados de la subvención, donación o legado, de acuerdo con los criterios que se detallan en el apartado 1.3 de esta norma.

El mencionado apartado 1.3 dispone que, cuando se conceda la subvención para la adquisición de activos del inmovilizado intangible, material e inversiones inmobiliarias, se imputará como ingresos del ejercicio en proporción a la dotación a la amortización efectuada en ese periodo para los citados elementos o, en su caso, cuando se produzca su enajenación, corrección valorativa por deterioro o baja en balance. Por otro lado, si la subvención tiene como finalidad la adquisición de existencias, se imputará como ingresos del ejercicio en que se produzca su enajenación, corrección valorativa por deterioro o baja en balance.

Pues bien, la parcela destinada a la promoción de viviendas para la venta se califica como existencias, porque está destina a su enajenación en el curso ordinario de las operaciones de la empresa. De esta forma, la subvención se imputará como ingresos en los ejercicios en los que se enajenen los inmuebles, en función del coste del terreno atribuido a cada vivienda que se da de baja, o bien por corrección valorativa por deterioro.

Y la parcela dedicada a la promoción de viviendas para el arrendamiento con opción de compra, se tratará como existencias, o como un inmovilizado, en particular, una inversión inmobiliaria, en función del criterio publicado por este Instituto en la consulta 5 del BOICAC nº 78, de junio de 2009.

En aplicación de esta consulta, cuando de las condiciones económicas de un acuerdo de arrendamiento se deduzca que se transfieren sustancialmente todos los riesgos y beneficios inherentes a la propiedad del activo objeto del contrato, dicho acuerdo deberá calificarse como arrendamiento financiero. En particular, en un acuerdo de arrendamiento con opción de compra, se presumirá que se transfieren sustancialmente todos los riesgos y beneficios inherentes a la propiedad, cuando no existan dudas razonables de que se va a ejercitar dicha opción. A estos efectos, considérese la interpretación publicada por este Instituto en la consulta 6 del BOICAC nº 99, de septiembre de 2014.

Si la cesión se califica como un arrendamiento financiero, en el momento inicial, el arrendador contabilizará un crédito por el valor actual de los pagos mínimos a recibir por el arrendamiento más el valor residual del activo, aunque no esté garantizado, descontados al tipo de interés implícito del contrato. Asimismo, reconocerá el resultado de la operación en sintonía con lo dispuesto en el apartado 3 de la norma sobre inmovilizado material, salvo cuando sea el fabricante o distribuidor del bien, supuesto en el que se considerarán operaciones de tráfico comercial y deberá registrarse la correspondiente venta de existencias. Por tanto, en tal caso, la subvención seguirá el tratamiento contable que se ha expuesto en relación con la parcela destinada a viviendas para la venta.

En caso contrario, esto es, si de los términos del contrato no se desprende que se ha producido la transferencia sustancial de todos los riesgos y beneficios inherentes a la propiedad, la entidad consultante deberá contabilizar las viviendas como una inversión inmobiliaria.

En este supuesto, a pesar de que la subvención se concedió inicialmente para la adquisición del terreno, desde un punto de vista económico parece razonable considerar que la subvención se debería vincular al inmueble en su conjunto, e imputar a la cuenta de pérdidas y ganancias la parte asociada a la construcción, en proporción a la dotación a la amortización efectuada en cada periodo o, en su caso, cuando se produzca su enajenación, corrección valorativa por deterioro o baja de balance.

Además, en lo que atañe a la amortización de las inversiones inmobiliarias es preciso recordar que de acuerdo con los criterios incluidos en el apartado 3. Amortización de la Norma Segunda. Valoración posterior de la Resolución de 1 de marzo de 2013, del Instituto de Contabilidad y Auditoría de Cuentas por la que se dictan normas de registro y valoración del inmovilizado material y de las inversiones inmobiliarias, la base de la amortización de un bien se calcula minorando el precio de adquisición o coste de producción de los activos depreciables en el valor residual.

Y que el valor residual de un activo es el importe que la empresa estima que podría obtener en el momento actual por su venta u otra forma de disposición, una vez deducidos los costes de venta, tomando en consideración que el activo hubiese alcanzado la antigüedad y demás condiciones que se espera que tenga al final de su vida útil.

Pues bien, en el caso que nos ocupa, en la medida que pudiera estimarse que el valor residual de la inversión inmobiliaria fuese significativo y muy próximo a su precio de adquisición también cabría concluir que la base de amortización es muy pequeña y la cuota de amortización insignificante.

Comentario

100%

AYUNTAMIENTO

S.L.U

(Objeto promoción

Recibe ayuda compra parcelas

| ¿Calificación | **Subvención**
(Aplicación Ap.1 Norma 18ª Valoración PGC) |

| Forma imputación a resultados | Según destino ayuda | Parcelas para venta viviendas | Parcelas arrendamiento opción compra |

| Imputación como existencias | Imputación como inversiones inmobiliaria | Comprobar si se trata arrendamiento financiero |

Vincular subvención inmueble conjunto, imputando la parte asociada construcción

Caso que se estime valor residual significativo, la cuota amortización sería insignificante

Ejemplo

La S.R.L « Promociones Vigo», es una sociedad unipersonal cuyo único socio es el Ayuntamiento de Vigo. Su objeto social es la promoción de viviendas protegidas, para atender la demanda de los sectores de la población con menor poder adquisitivo y mayores necesidades.

La sociedad compró a principios del ejercicio X6, dos parcelas de terreno urbano para llevar a cabo sendas promociones inmobiliarias. Concretamente, una parcela para llevar a cabo la construcción de viviendas en régimen general, destinadas a menores de 35 años (parcela 1) y otra parcela (parcela 2) para la construcción de viviendas protegidas para jóvenes, estando prevista su comercialización mediante contratos de alquiler con opción a compra.

El precio de las parcelas 1 y 2 fue respectivamente 300.000€ y 100.000€, I.V.A 10%. Tipo impositivo del impuesto de sociedades, 25%

Para financiar la adquisición de las parcelas, el Ayuntamiento concedió una subvención a la sociedad por su importe total, IVA incluido. Dicha ayuda, se concedió a principios del citado ejercicio.

A principios del X6, se formalizó un contrato de venta de una vivienda (parcela 1) bajo la modalidad de «llave en mano», no produciéndose la transferencia de los riesgos y beneficios inherentes a la propiedad de la vivienda hasta la entrega material de la misma;

En enero (3/1/X6) se formaliza, indicándose en el contrato:

Precio de Venta. . . .   60.000 €

Condiciones de pago:

- A la firma del contrato, una entrega de 16.000 €
- 24 efectos mensuales de 1.000 €, pagaderos a 31 de cada mes.
- A la entrega de las llaves: 20.000 €

A finales del ejercicio X7 se han finalizado las dos promociones, ascendiendo el coste de la edificación en 1.200.000€ y 400.000€ de las parcelas 1 y 2.

La vida útil de las construcción de la parcela 2 es de 40 años. Su valor residual, en términos actuales, es de 320.000€. En la parcela 1 se han construido 30 unidades (viviendas y locales) y, en la 2, ocho unidades (viviendas y locales) todas ellas de los mismos metros cuadrados.

A principios del ejercicio X8 se entregan las llaves de la vivienda de la parcela 1, recibiendo el importe pendiente de 20.000€, cobrados al contado.

También en la misma fecha se firma un contrato de arrendamiento sobre una vivienda de la parcela 2, por un periodo de 30 años. Tipo de interés 6%.

Días más tarde se firma otro contrato de arrendamiento de otra vivienda en la parcela 2, por un periodo de 30 años al mismo tipo de interés.

SE PIDE: Registro de operaciones en la sociedad Promociones Vigo y exclusivamente en las siguientes fechas:

1.- Compra de las parcelas a principios del ejercicio X6.

2.- Registro de la subvención a principios de dicho ejercicio y formalización del contrato de la venta de la vivienda en parcela 1.

3.- Registro de operaciones a 31/12/X7, y cobro de la letra 24 .

4.- Registro de la venta de la vivienda de la parcela 1 .

5.- Arrendamiento el 1/1/X8 de una vivienda en la parcela 2, con cuotas anuales pagaderas a finales de diciembre de 8.000€: la última cuota, será la opción de compra.

6.- Arrendamiento de otra vivienda en la parcela 2, en la misma fecha, con cuotas anuales pagaderas a principios de cada año de 8.000€, existiendo además una opción de compra de 70.000€: pagadera al final del año 30.

7.- Registro de operaciones a 31/12/X8.

SOLUCIÓN:

1. Compra de las parcelas a principios del ejercicio X6.

• Por la adquisición de la número 1:

--------------------------------- 1/1/X6 ---------------------------------

300.000	Terrenos con calificación urbanística (312)			
30.000	H.P.IVA soportado (472)	a	Bancos (572)	330.000

La parcela 1, destinada a la promoción de viviendas para la venta, se califica como existencias, porque está destina a su enajenación en el curso ordinario de las operaciones de la empresa. [Consulta Nº 7. BOICAC 113.]

• Por la adquisición de la parcela n°2:

--------------------------------- 1/1/X6 ---------------------------------

100.000	Inversión en terrenos (220)			
10.000	H.P.IVA soportado (472)	a	Bancos (572)	110.000

La parcela dedicada a la promoción de viviendas para el arrendamiento con opción de compra, se tratará como existencias, o como un inmovilizado, en particular, una inversión inmobiliaria, según lo establecido en la consulta 5 del BOI-CAC nº 78 (junio de 2009).

<u>2.- Registro de la subvención a principios de dicho ejercicio y formalización del contrato de la venta de la vivienda en parcela 1.</u>

• Registro de la subvención parcelas 1 y 2:

1/1/X6

440.000 Bancos c/c (572)	a	Ingresos de subvenciones oficiales de capital (940) 440.000

Como norma general, en aplicación del apartado 2, de la Norma 18ª de Valoración del PGC, las subvenciones no reintegrables recibidas de socios o propietarios, no constituyen ingresos, debiéndose registrar directamente en los fondos propios. No obstante, en el segundo párrafo de la mencionada normativa, se aclara que: «(...) *en el caso de empresas pertenecientes al sector público que reciban subvenciones, donaciones o legados de la entidad pública dominante para financiar la realización de actividades de interés público o general, la contabilización de dichas ayudas públicas se efectuará de acuerdo con los criterios contenidos en el apartado anterior de esta norma.*»

Como la subvención se recibe para financiar actividades de interés público o general, la correcta calificación contable de la ayuda sería la de una subvención, en sentido estricto, cuyo adecuado tratamiento contable está regulado en el apartado 1, de la mencionada Norma 18ª del PGC: reconociéndose directamente en el patrimonio neto, como un ingreso para su posterior reclasificación a la cuenta de pérdidas y ganancias, en función de la finalidad de la ayuda.

Y por su efecto impositivo, anotaremos:

1/1/X6

110.000 Impuesto diferido (8301)	a	Pasivo por diferencia temporaria imponible (479)
		(440.000 x25%) 110.000

- Registro del contrato de venta de la vivienda parcela 1.

En cuanto a la firma del contrato, observamos que de las condiciones de éste, se desprende que no se produce la transferencia de los riesgos y beneficios inherentes a la propiedad de la vivienda, hasta la entrega de la misma. Por tanto:

3/1/X6

17.600	Bancos c/c (572)			Anticipo de clientes (438)	
	(16.000 + 10% 16.000)			(16.000 + 1.100 x 12 letras$^{(*)}$)	29.200
13.200	Clientes, efectos comerciales a cobrar a l/p (451)	a		Anticipo de clientes a largo plazo (457)	
	(1.000 + 10% 1.000) x 12 letras			(1.100 x 12 letras)	13.200
13.200	Clientes, efectos comerciales a cobrar (431)			HP IVA repercutido (477)	
	(1.000 + 10% 1.000) x 12 letras			(10% 16.000)	1.600

(*) El IVA incorporado en el importe de los efectos comerciales a cobrar, recibidos en el momento de formalizar el contrato de venta del inmueble, se contabilizará como «IVA repercutido» en el momento del devengo fiscal, considerándose hasta entonces como un mayor valor del anticipo. (Norma 15ª de Valoración P.G.C. empresas inmobiliarias)

3.-Registro de operaciones a 31/12/X7, y cobro de la letra 24 .

- Por la construcción de 30 viviendas, en la parcela nº 1:

31/12/X7

1.500.000	Edificios terminados en venta (300)	a	Terrenos con calificación urbanística (312)	300.000
			Trabajos realizados con existencias (73X)	1.200.000

El coste de cada unidad de la parcela 1 asciende a (1.500.000/30) = 50.000€, representando el suelo el 20% (300.000/1.500.000).

• Por la construcción de 8 viviendas y locales destinadas al alquiler en la parcela 2:

		31/12/X7			
400.000	Inversión en construcciones (221)		a	Trabajos realizados en inversiones inmobiliarias (732)	400.000

Coste unitario de cada unidad: [(100.000 + 400.000)]/ 8 = 62.500€

• Por el cobro de la última letra vivienda parcela 1:

		31/12/X7			
1.100	Bancos c/c (572)		a	Clientes , efectos comerciales a cobrar (431)	1.100

• Por el devengo del IVA correspondiente:

		31/12/X7			
100	Anticipo de clientes (438)		a	H.P. IVA repercutido (477)	100

4.- Registro de la venta de la vivienda de la parcela 1 .

• Entrega de llaves y cobro del último importe:

——————————————————— 1/1/X8 ———————————————————

22.000	Bancos (572)	a Anticipo de clientes (437)
	(20.000 + 2.000)	20.000
		H.P. I.V.A. repercutido (477)
		10% 20.000
		2.000

• Por el registro de la venta:

——————————————————— 1/1/X8 ———————————————————

60.000 Anticipo de clientes (438)   a   Venta de edifica-
                                                  ciones (700)

$$\left(\underbrace{16.000}_{\substack{\text{entrega}\\\text{inicial}}} + \underbrace{24.000}_{\substack{24\\\text{mensualidades}}} + \underbrace{20.000}_{\substack{\text{entrega}\\\text{llaves}}}\right)$$

                                                                    60.000

Según lo establecido en la Norma 14ª .2. Valoración : «(...) *sólo se contabilizarán los ingresos procedentes de la venta de bienes cuando se cumplan todas y cada una de las siguientes condiciones:*

a) *La empresa ha transferido al comprador los riesgos y beneficios significativos inherentes a la propiedad de los bienes, con independencia de su transmisión jurídica. (...)»*

• Por la imputación de la subvención asociada a la vivienda:

——————————————————— 1/1/X8 ———————————————————

2.200	Transferencia de subvenciones oficiales de capital (842)	a Subvenciones, donaciones y legados transferidos al resultado del ejercicio (746) 2.200

• Por la reversión del efecto impositivo:

1/1/X8

550	Pasivo por diferencia temporaria imponible (479)	a	Impuesto diferido (8301)	
	2.200x25%			550

• Subvención recibida para las unidades parcela 1:. 330.000

• Importe asociada a cada unidad (330.000/30) :. 11.000

• Importe asociado al terreno 20%: 11.000x20% =. 2.200

La parcela destinada a la promoción de viviendas para la venta se califica como existencias, porque está destina a su enajenación en el curso ordinario de las operaciones de la empresa. De esta forma, la subvención se imputará como ingresos en los ejercicios en los que se enajenen los inmuebles, en función del coste del terreno atribuido a cada vivienda que se da de baja, o bien por corrección valorativa por deterioro. [Consulta nº 7. Boicac 113]

5.-Arrendamiento el 1/1/X8 de una vivienda en la parcela 2, con cuotas anuales pagaderas a finales de diciembre de 8.000€: la última cuota, será la opción de compra.

Se considerarán inversiones inmobiliarias los inmuebles que se tienen para obtener rentas, plusvalías o ambas en lugar de para su uso en la producción o suministro de bienes o servicios o bien para fines administrativos; o su venta en el curso ordinario de las operaciones [Quinta parte del PGC, definición del subgrupo 22]

En consecuencia, el tratamiento a dar a un inmueble destinado al arrendamiento es el de inversión inmobiliaria, ya que:

– Es un activo no corriente de naturaleza inmobiliaria.

– Está destinado al alquiler y que por tanto, genera rentas por arrendamiento y no mediante el uso en la producción o suministro de bienes y servicios distintos del alquiler.

En cuanto al arrendamiento, sabemos que los arrendamientos conjuntos de terrenos y edificios se clasificarán como operativos o financieros, con los mismos criterios que los arrendamientos de otro tipo de activo [Apartado 4, Norma 8ª Valoración PGC].

Al existir opción de compra, comprobaremos si estamos en presencia de un arrendamiento financiero, según lo establecido en la norma 8ª, será financiero si de las condiciones económicas de un acuerdo de arrendamiento, se deduzca que se transfieren sustancialmente todos los riesgos y beneficios inherentes a la propiedad del activo objeto del contrato.

Cuando existe opción de compra, se presumirá tal transferencia cuando «(...) *no existan dudas razonables de que se va a ejercitar dicha opción (...)*». El PGC no establece cuando ocurrirá esto. Sin embargo en la RICAC 21/1/92 en el apartado 4) de su Norma octava nos decía que esto ocurre cuando: «*(...) en el momento de firmar el contrato el precio de la opción de compra sea menor que el valor residual que se estima tendrá el bien en la fecha en que se ejercite la opción de compra (...)*». Por tanto, compararemos: (1 vivienda):

A) Valor contable del activo (al final del contrato)	55.000
Inversiones en terrenos y bienes naturales : (100.000/8)	12.500
Inversiones en construcciones: (400.000/8)	50.000
Amortización acumulada de inversiones inmobiliarias $(50.000-40.000/ 40) \times 30^{(*)}$	(7.500)
B) Precio de la opción de compra	8.000

$^{(*)}$ Valor residual individualizado (320.000/8) = 40.000

Como B (precio de la opción) es menor del valor contable del activo al finalizar el contrato (A) no existen dudas razonables del ejercicio de la opción de compra por lo que el arrendamiento en este caso será financiero.

En cuanto al registro de la operación, estaremos a lo dispuesto en la Norma de valoración 8ª 1.3; en la que se dice: «*El arrendador, en el momento inicial, reconocerá un crédito por el valor actual de los pagos mínimos a recibir por el arrendamiento más el valor residual del activo aunque no esté garantizado, descontados al tipo de interés implícito del contrato (...)*».

Veamos esto último, a continuación

Sabemos que PROMOCIONES VIGO, tiene que cobrar 30 cuotas de 8.000 € anuales, siendo el tipo de interés de la operación el 6%. Por tanto: Valor actual de los pagos mínimos, más el valor residual será:

$$8.000 \ (a_{30} \rceil \ _{0,06} = \textbf{110.118,65}$$

El cuadro de financiación que seguiremos para registrar la operación, será el siguiente:

Fecha	Periodo	Pago	Intereses	Amortización	Pdte Amort
1/1/X8	0	....	....	...	110.118,65
31/12/X8	1	8.000,00	6.607,12	1.392,88	108.725,77
31/12/X9	2	8.000,00	6.523,55	1.476,45	107.249,31
31/12/X10	3	8.000,00	6.434,96	1.565,04	105.684,27
31/12/X11	4	8.000,00	6.341,06	1.658,94	104.025,33
31/12/X12	5	8.000,00	6.241,52	1.758,48	102.266,85
31/12/X13	6	8.000,00	6.136,01	1.863,99	100.402,86
31/12/X14	7	8.000,00	6.024,17	1.975,83	98.427,03
31/12/X15	8	8.000,00	5.905,62	2.094,38	96.332,65
31/12/X16	9	8.000,00	5.779,96	2.220,04	94.112,61
31/12/X17	10	8.000,00	5.646,76	2.353,24	91.759,37
31/12/X18	11	8.000,00	5.505,56	2.494,44	89.264,93
31/12/X19	12	8.000,00	5.355,90	2.644,10	86.620.83
31/12/X20	13	8.000,00	5.197,25	2.802,75	83.818,08
31/12/X21	14	8.000,00	5.029,09	2.970,91	80.847,16
31/12/X22	15	8.000,00	4.850,83	3.149,17	77.697,99
31/12/X23	16	8.000,00	4.661,88	3.338,12	74.359,87
31/12/X24	17	8.000,00	4.461,59	3.538,41	70.821,46
31/12/X25	18	8.000,00	4.249,29	3.750,71	67.070,75
31/12/X26	19	8.000,00	4.024,25	3.975,75	63.095,00
31/12/X27	20	8.000,00	3.785,70	4.214,30	58.880,70
31/12/X28	21	8.000,00	3.532,84	4.467,16	54.413,54
31/12/X29	22	8.000,00	3.264,81	4.735,19	49.678,35
31/12/X30	23	8.000,00	2.980,70	5.019,30	4.465,91
31/12/X31	24	8.000,00	2.679,54	5.320,46	39.338,59
31/12/X32	25	8.000,00	2.360,32	5.639,68	33.698,91
31/12/X33	26	8.000,00	2.021,94	5.978,06	27.720,84
31/12/X34	27	8.000,00	1.663,25	6.336,75	21.384,10
31/12/X35	28	8.000,00	1.283,05	6.716,95	14.667,14
31/12/X36	29	8.000,00	880,03	7.119,97	7.547,17
31/12/X37	30	8.000,00	452,83	7.547,17	0,00

Así, y para la fecha del contrato, el arrendador, en el momento inicial, reconocerá un crédito por el valor actual de los pagos mínimos a recibir por el arrendamiento más el valor residual del activo aunque no esté garantizado, descontados al tipo de interés implícito del contrato.

Cuando sea el fabricante o distribuidor del bien arrendado, en cuyo caso se considerarán operaciones de tráfico comercial, y se aplicarán los criterios contenidos en la norma relativa a ingresos por ventas y prestación de servicios. [Este es nuestro caso]

Según el cuadro anterior, y fijándonos en el primer año, en el corto plazo anotaremos 1.392,88 € - cuota amortización- y en el largo plazo 108.725,77 € (pendiente de amortizar).

Por todo ello, anotaremos:

– Previamente reclasificaremos el inmovilizado a existencias:

	X	
62.500 Inmovilizado transformado en existencias (609)	Inversión en terrenos (220)	
	(100.000/8) = 12.500	12.500
	a Inversión en construcciones (221)	
	(400.000/8) = 50.000	50.000

– Registro del contrato de arrendamiento:

	X	
1.392,88 Clientes (430)		
108.725,77 Clientes largo plazo (450)	a Ventas de mercaderías (700)	110.118,65

– Por la imputación de la subvención asociada a la vivienda:

—————————————————— 1/1/X8 ——————————————————

| 2.750 | Transferencia de subvencio-
nes oficiales de capital (842) | a | Subvenciones, donacio-
nes y legados transferi-
dos al resultado del ejer-
cicio (746) | 2.750 |

– Por la reversión del efecto impositivo:

—————————————————— 1/1/X8 ——————————————————

| 687,50 | Pasivo por diferencia tempo-
raria imponible (479)

2.750x25% | a | Impuesto diferido (8301) | 687,50 |

- Subvención recibida para las unidades de la parcela 2:. 110.000
- Importe asociada a cada unidad (110.000/8) =. 13.750
- Importe asociado al terreno 20% : 13.750x20% =. 2.750

Si la cesión se califica como un arrendamiento financiero, en el momento inicial, el arrendador contabilizará un crédito por el valor actual de los pagos mínimos a recibir por el arrendamiento más el valor residual del activo, aunque no esté garantizado, descontados al tipo de interés implícito del contrato. Asimismo, reconocerá el resultado de la operación en sintonía con lo dispuesto en el apartado 3 de la norma sobre inmovilizado material, salvo cuando sea el fabricante o distribuidor del bien, supuesto en el que se considerarán operaciones de tráfico comercial y deberá registrarse la correspondiente venta de existencias. *Por tanto, en tal caso, la subvención seguirá el tratamiento contable que se ha expuesto en relación con la parcela destinada a viviendas para la venta.*

6.-Arrendamiento de otra vivienda en la parcela 2

Por este arrendamiento, al igual que en el punto anterior nos preguntaremos si estamos en presencia de un arrendamiento financiero, por lo que compararemos:

A)Valor contable del activo (al final del contrato)	**55.000**
Inversiones en terrenos y bienes naturales	12.500
Inversiones en construcciones	50.000

Amortización acumulada de inversiones inmobiliarias (50.000-40.000/40) x 30	-7.500
B) Precio de la opción de compra	**70.000**

Como B (precio de la opción) es mayor del valor contable del activo al finalizar el contrato (A), existen dudas razonables del ejercicio de la opción de compra. Luego el arrendamiento, en este caso, **no será financiero**, tratándose en consecuencia de un **arrendamiento operativo** (acuerdo mediante el cual el arrendador conviene con el arrendatario el derecho a usar un activo a cambio de percibir un importe durante un tiempo determinado)

Así, en la firma del contrato, no anotaremos ningún registro y de forma anual apuntaremos por el cobro de la cuota:

———————————————— 1/1/X8 ————————————————

8.800	Bancos (572)	a	Ingresos por arrenda- mientos (752)	8.000
			H.P. IVA repercutido (477)	800

De esta manera, en la Norma de valoración 8ª.2. nos comenta que: *«(…)Los ingresos (…), correspondientes al arrendador (…), derivados de los acuerdos de arrendamiento operativo serán considerados, respectivamente, como ingreso (…) del ejercicio en el que los mismos se devenguen, imputándose a la cuenta de pérdidas y ganancias (…)»*

7.- Registro de operaciones a 31/12/X8.

• A finales de año PROMOCIONES VIGO, registra el cobro de la primera cuota del contrato de arrendamiento financiero:

———————————————— 31/12/X8 ————————————————

8.800	Bancos (572)	a	Clientes (430)	8.000
			Ingresos de créditos (762)	6.607,12
			H.P. IVA repercutido (477) (8.000x10%)	800

La diferencia entre el crédito contabilizado en el activo del balance y la cantidad a cobrar, correspondiente a intereses no devengados, se imputará a la cuenta de pérdidas y ganancias del ejercicio en que dichos intereses se devenguen, de acuerdo con el método del tipo de interés efectivo.

• Por la reclasificación en el corto plazo del crédito que cobrará en el ejercicio siguiente (ver cuadro):

———————————————— 31/12/X8 ————————————————

1.476,45	Clientes (430)	a	Clientes a largo plazo (450) 1.476,45

• Por las existencias de la parcela 1:
– Baja de las existencias iniciales:

———————————————— 31/12/X8 ————————————————

1.500	Variación de existencias de viviendas (610)	a	Edificios terminados en venta (300) 1.500.000

– Por las existencias finales, quedan: 29 unidades x50.000 = 1.450.000

———————————————— 31/12/X8 ————————————————

1.450.000	Edificios terminados en venta (300)	a	Variación de existencias de viviendas (610) 1.450.000

• Inversiones inmobiliarias, parcela 2: quedan siete unidades. De esta manera, sabemos:

Concepto	Valoración
Inversión en terrenos	12.500x7 = 87.500€
Inversión en construcciones	50.000x7 = 350.000€
Base de amortización	(350.000-40.000x7) = 70.000€
Cuota anual	70.000/40 = 1.750 anuales

– Registro de la amortización:

———————————————— 31/12/X8 ————————————————

1.750 Amortización de inversiones inmobiliarias (682)	a	Amortización acumulada de inversiones inmobilia- rias (282) 1.750

En lo que atañe a la amortización de las inversiones inmobiliarias es preciso recordar que de acuerdo con los criterios incluidos en el apartado 3., Norma Segunda de la RICAC 1/3/13, sobre inmovilizado material e inversiones inmobiliarias, la base de la amortización de un bien se calcula minorando el precio de adquisición o coste de producción de los activos depreciables en el valor residual.

– Por la imputación de la subvención:

Imputación correspondiente a la construcción: 1.750x80% = 1.400. En la medida que pudiera estimarse que el valor residual de la inversión inmobiliaria fuese significativo y muy próximo a su precio de adquisición también cabría concluir que la base de amortización es muy pequeña y la cuota de amortización insignificante [Consulta 7, Boicac 113]

———————————————— 31/12/X8 ————————————————

1.400 Transferencia de subvencio- nes oficiales de capital (840)	a	Subvenciones donaciones y legados transferidos al resultado del ejercicio (746) 1.400

A pesar de que la subvención se concedió inicialmente para la adquisición del terreno, desde un punto de vista económico parece razonable considerar que la subvención se debería vincular al inmueble en su conjunto, e imputar a la cuenta de pérdidas y ganancias la parte asociada a la construcción, en proporción a la dotación a la amortización efectuada en cada periodo o, en su caso, cuando se produzca su enajenación, corrección valorativa por deterioro o baja de balance. [Consulta 7, Boicac 113].

– Reversión del efecto impositivo:

—————————————————————— 31/12/X8 ——————————————————————

350	Pasivo por diferencia temporaria imponible (479) [1.400 x25%]	a	Impuesto diferido (8301) 350

– Regularización de los grupos 8 y 9:

—————————————————————— 31/12/X8 ——————————————————————

1.587,50	Impuesto diferido (8301) (550+687,50+350)		
4.762,50	Subvenciones oficiales de capital (130)	a	Transferencia de subvenciones oficiales de capital (842) (2.750+2.200+1.400) 6.350

5.1.1.3. Subvención financia gastos específicos

Consulta 2 Boicac 117 – Marzo 2019.

Sobre el tratamiento contable aplicable a las subvenciones recibidas de la Administración Pública, cuando el gasto subvencionado no se ha realizado y el cobro de la subvención se condiciona a la justificación de los gastos incurridos.

Respuesta

La consulta plantea dos supuestos en que la Administración Pública concede subvenciones a determinadas empresas.

En el primer supuesto una sociedad mercantil solicita en enero del año X una subvención para financiar un estudio de mercado. En septiembre del mismo año la Administración Pública emite una Resolución individual de concesión de subvención a la empresa por el 100% del gasto previsto y pone como requisito para su cobro que una vez ejecutada la totalidad del gasto se facilite un informe del resultado obtenido y se solicite el cobro aportando la documentación justificativa de los gastos. A 31 de diciembre del año X, la sociedad ha realizado el 60% del gasto y ha reconocido un derecho de cobro frente a la Administración y un ingreso por el mismo importe.

La cuestión planteada se refiere al tratamiento contable que la sociedad debe dar al importe de la subvención concedida y destinada a financiar el 40% de los gastos del proyecto que está previsto realizar el año X + 1 y, en particular, si esta parte de la subvención debe ser considerada reintegrable y originar el reconocimiento de un crédito frente a la Administración empleando como contrapartida la cuenta 522. Deudas a corto plazo transformables en subvenciones, donaciones y legados.

En el segundo supuesto, una sociedad cooperativa solicita en el ejercicio X una subvención para realizar cursos de formación de sus socios cooperativistas en los ejercicios X + 1 y X + 2. En diciembre del año X la Administración Pública emite la Resolución individual de concesión de la subvención para los dos cursos, por el 100% de los gastos previstos, poniendo como requisito para su cobro la ejecución y justificación individual de cada curso en su año correspondiente. El consultante pregunta si a 31 de diciembre del año X se debe contabilizar la subvención concedida en la sociedad cooperativa, en los términos indicados en la primera pregunta, considerando que en esta fecha no se ha recibido cobro alguno ni tampoco se han realizado gastos para los cursos subvencionados.

El apartado 3° del Marco Conceptual de la Contabilidad, contenido en la primera parte del Plan General de Contabilidad (PGC), aprobado por Real Decreto 1514/2007, de 16 de noviembre, recoge el principio de devengo en los siguientes términos:

> «Los efectos de las transacciones o hechos económicos se registrarán cuando ocurran, imputándose al ejercicio al que las cuentas anuales se refieran, los gastos y los ingresos que afecten al mismo, con independencia de la fecha de su pago o de su cobro.»

Por su parte, la norma de registro y valoración (NRV) 18ª. Subvenciones, donaciones y legados recibidos del PGC, en su apartado 1.1, establece:

> «Las subvenciones, donaciones y legados no reintegrables se contabilizarán inicialmente, con carácter general, como ingresos directamente imputados al patrimonio neto y se reconocerán en la cuenta de pérdidas y ganancias como ingresos sobre una base sistemática y racional de forma correlacionada con los gastos derivados de la subvención, donación o legado, de acuerdo con los criterios que se detallan en el apartado 1.3 de esta norma.
>
> Las subvenciones, donaciones y legados que tengan carácter de reintegrables se registrarán como pasivos de la empresa hasta que adquieran la condición de no reintegrables. A estos efectos, se considerará no reintegrable cuando exista un acuerdo individualizado de concesión de la subvención, donación o legado a favor de la empresa, se hayan cumplido las condiciones establecidas para su concesión y no existan dudas razonables sobre la recepción de la subvención, donación o legado.»

De acuerdo con lo indicado, en la medida que la subvención cumpla los requisitos para ser considerada no reintegrable deberá registrarse en el patrimonio neto de la empresa, neta del efecto impositivo. En caso contrario, tal y como establece la norma mencionada, deberá registrarse como un pasivo hasta que adquiera la condición de no reintegrable. En ambos supuestos el registro contable deberá realizarse en el momento en que se produzca el acuerdo de concesión de la subvención, con independencia de que el cobro se materialice en ejercicios posteriores, siempre y cuando el derecho de la empresa frente a la Entidad concedente cumpla los criterios para reconocer un activo regulados en el Marco Conceptual de la Contabilidad.

A su vez, en desarrollo de la NRV 18ª.1, la disposición adicional única de la Orden EHA/733/2010, de 25 de marzo, por la que se aprueban aspectos contables de empresas públicas que operan en determinadas circunstancias, ha regulado con un alcance general, es decir, aplicable a todo tipo de empresa, los criterios para calificar una subvención como no reintegrable:

> «2. A los exclusivos efectos de su registro contable, para entender cumplidas las condiciones establecidas para su concesión se aplicarán los siguientes criterios.
>
> (...)
>
> c) Subvenciones concedidas para financiar gastos específicos de ejecución plurianual: si las condiciones del otorgamiento exigen la finalización del plan de actuación y la justificación de que se han realizado las actividades subvencionadas, por ejemplo, la realización de cursos de formación, se considerará no reintegrable cuando en la fecha de formulación de las cuentas anuales se haya ejecutado la actuación, total o parcialmente.
>
> En el supuesto de ejecución parcial, la subvención se calificará como no reintegrable en proporción al gasto ejecutado, siempre que no existan dudas razonables de que se concluirá en los términos fijados en las condiciones del otorgamiento.»

Así pues, atendiendo a las condiciones establecidas en los acuerdos de concesión de las subvenciones, cada empresa deberá valorar si puede considerar no reintegrable la subvención en su totalidad o si, atendiendo a la identidad de razón que pueda existir entre las subvenciones concedidas para un estudio de mercado (supuesto 1) y las otorgadas para la realización de cursos de formación (supuesto 2), calificarlas como no reintegrables sólo en proporción al gasto ejecutado de acuerdo con lo dispuesto en la letra c) del apartado 2 de la mencionada disposición.

La imputación de las subvenciones no reintegrables a la cuenta de pérdidas y ganancias se realizará en función de la finalidad para la que fueron concedidas. En los supuestos planteados en la consulta, si el objeto de la concesión de las subvenciones es la financiación de gastos específicos, ésta será la finalidad que deberá considerarse a la hora de aplicar los criterios incluidos en la NRV 18ª.1 del PGC.

En este sentido, en el caso del estudio de mercado la subvención se puede calificar como no reintegrable e imputarse como ingreso en proporción al gasto ejecutado (60%) en la fecha de formulación de las cuentas anuales, siempre que no existan dudas razonables de que se concluirá en los términos fijados en las condiciones del otorgamiento. Para el resto del gasto (40%) a realizar en el próximo ejercicio, las subvenciones concedidas se entenderán reintegrables debiendo figurar en el pasivo del balance de este ejercicio.

En el caso de los cursos de formación subvencionados considerando que no se ha efectuado gasto alguno y que los cursos se realizarán en los dos próximos ejercicios, en las cuentas del presente ejercicio las subvenciones concedidas se entenderán reintegrables debiendo figurar en el pasivo del balance como deudas.

Comentario

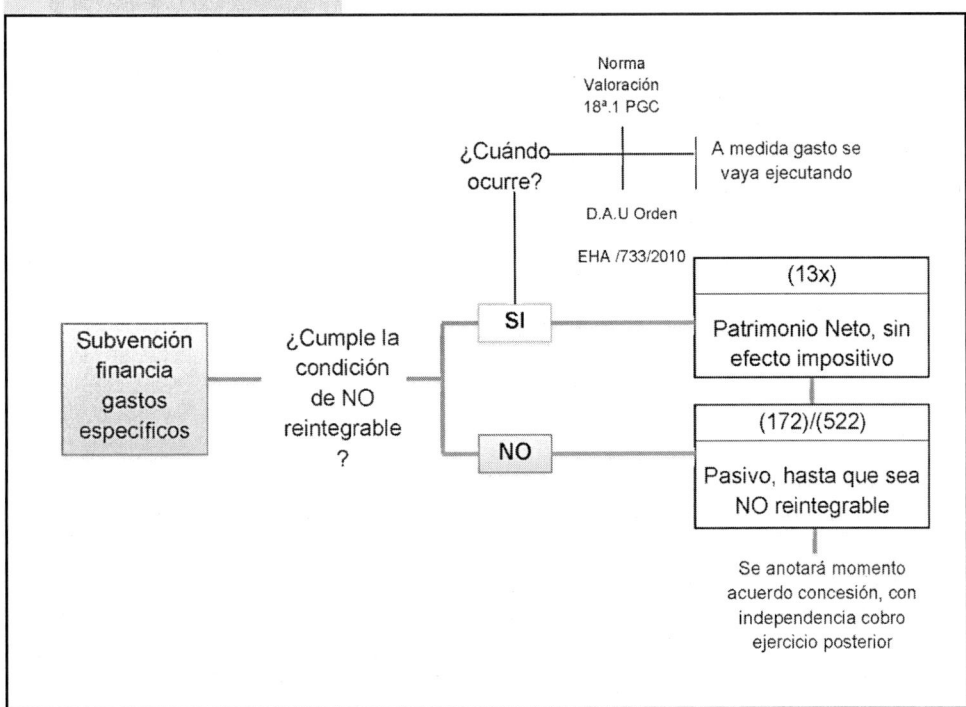

Ejemplo 1

La sociedad «TRISTEZA S.A.» se encuentra en fase de expansión. Entre sus objetivos se encuentra la realización de estudios de mercado.

A comienzos del mes de enero del ejercicio X, ha solicitado de la Xunta de Galicia una cantidad de 30.000 € para financiar un estudio de mercado relacionado con el consumo del pulpo gallego en cautividad.

A comienzos de septiembre del mismo año la Administración Pública emite una Resolución individual de concesión de subvención a la empresa por el 100% del gasto previsto y pone como requisito para su cobro que una vez ejecutada la totalidad del gasto, se facilite un informe del resultado obtenido y se solicite el cobro aportando la documentación justificativa de los gastos.

A 31 de diciembre del año X, la sociedad ha realizado el 60% del gasto.

SE PIDE: Realizar los apuntes oportunos del ejercicio X. Tipo impositivo 25%

SOLUCIÓN:

- Por la solicitud de la subvención, no procede registro contable.

- A comienzos de septiembre, TRISTEZA recibe comunicación de la Administración de haberle concedido una subvención, de tal manera que registrará:

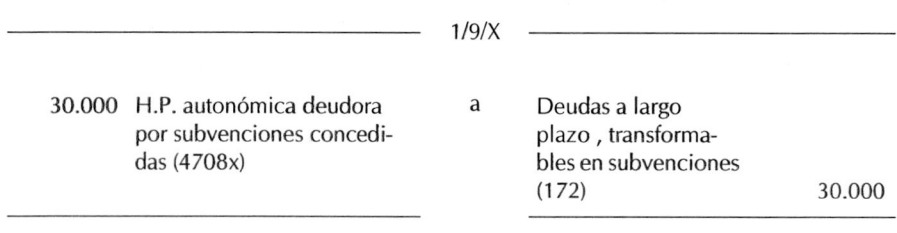

	1/9/X		
30.000	H.P. autonómica deudora por subvenciones concedidas (4708x)	a	Deudas a largo plazo , transformables en subvenciones (172) 30.000

En principio, registraremos la subvención como «reintegrable», y por tanto como un pasivo con la administración autonómica. Para que se considere «no reintegrable», la Norma 18ª de Valoración del PGC nos indica que se deberán haber «*(...) cumplido las condiciones establecidas para su concesión y no existan dudas razonables sobre la recepción de la subvención, donación o legado*»

- La Orden EHA/733/2010, de 25 de marzo en su D.A única, por la que se aprueban aspectos contables de empresas públicas que operan en determinadas circunstancias, ha regulado con un alcance general, es decir, **aplicable a todo tipo de empresa,** los criterios para calificar una subvención como no reintegrable: que en resumen, para entender cumplidas esas condiciones en subvenciones que financian gastos específicos de ejecución plurianual:«*(...) En el supuesto de ejecución parcial, la subvención se calificará como no reintegrable en proporción al gasto ejecutado, siempre que no existan dudas razo-*

nables de que se concluirá en los términos fijados en las condiciones del otorgamiento». Por tanto, y a medida que se vayan cumpliendo con los requisitos, la empresa debería considerar no reintegrable la subvención, y en consecuencia en patrimonio neto, Y al mismo tiempo, reclasificarla de forma simultánea en pérdidas y ganancias. Veámoslo:

A fin de ejercicio, ha incurrido en un gasto del 60% por lo que consideraremos «no reintegrable» parte de la subvención correspondiente a dichos gastos. De esta forma, dicha cuantía la anotaremos en cuentas de patrimonio neto. (Norma 18ª.1 Valoración PGC):

————————————————————— 31/12/X —————————————————————

18.000	Deudas a largo plazo, transformables en subvenciones (172) 60% 30.000	a
	Ingresos de otras subvenciones, donaciones y legados (942)	18.000

En base al movimiento de la cuenta 172 de la 5ª parte del PGC, que nos comenta que ésta se cargará *«b₂) Si pierde su carácter de reintegrable, con abono de su saldo a las cuentas 940, 941 o 942, o a cuentas del subgrupo 74»*

Al mismo tiempo, y por el efecto impositivo:

————————————————————— 31/12/X —————————————————————

4.500	Impuesto diferido(8301) (18.000x25%)	a
	Pasivo por diferencia temporaria imponible (479)	4.500

Así, en la mencionada parte del Plan y para la cuenta 8301 ésta nos comenta que se cargará: *«a₁) Por el impuesto diferido asociado a los ingresos reconocidos directamente en el patrimonio neto, con abono a la cuenta 479»*

Según la Consulta estudiada [2/Boicac 117, maro 2019] la subvención se puede calificar como no reintegrable e imputarse como ingreso en proporción al gasto ejecutado (60%) en la fecha de formulación de las cuentas anuales, siempre que no existan dudas razonables de que se concluirá en los términos fijados en las condiciones del otorgamiento. Para el resto del gasto (40%) a realizar en el próximo ejercicio, las subvenciones concedidas se entenderán reintegrables debiendo figurar en el pasivo del balance de este ejercicio. Por tanto:

——————————————————— 31/12/X ———————————————————

18.000	Transferencia de otras subvenciones, donaciones y legados (842)	a	Otras subvenciones, donaciones y legados transferidos al resultado del ejercicio (747)	18.000

Y al mismo tiempo, por la reversión del efecto impositivo y en base al movimiento ya comentado de la cuenta 8301:

——————————————————— 31/12/X ———————————————————

4.500	Pasivo por diferencia temporaria imponible (479)	a	Impuesto diferido (8301)	4.500

Ya sólo nos quedara, a finales del ejercicio, la **regularización** de las cuentas de los grupos **8 y 9.**

——————————————————— 31/12/X10 ———————————————————

18.000	Ingresos de otras subvenciones, donaciones y legados (942)	a	Transferencia de otras subvenciones, donaciones y legados (842)	18.000

Ejemplo 2

La sociedad cooperativa COOPERANDO S.L. solicita a la XUNTA en el ejercicio X una subvención para realizar dos cursos de formación de sus socios cooperativistas en los ejercicios X + 1 y X + 2, por un importe de 3.000€ por curso.

En diciembre del año X, la Administración Pública emite la Resolución individual de concesión de la subvención para los dos cursos, por el 100% de los gastos previstos; poniendo como requisito para su cobro: la ejecución y justificación individual, de cada curso, en su año correspondiente.

A fecha de cierre del ejercicio X, no se ha recibido cobro alguno ni tampoco se han realizado gastos para los cursos subvencionados.

SE PIDE: Registro de operaciones en el ejercicio X.

SOLUCIÓN:

• Por la solicitud de la subvención, no procede registro contable.

• En diciembre año X, recibe comunicación de la Administración de haberle concedido una subvención, de tal manera, que anotará:

		31/12/X		
6.000	H.P. autonómica deudora por subvenciones concedidas (4708x) (3.000x2)	a	Deudas a largo plazo, transformables en subvenciones (172)	6.000

Según dispone la presente consulta (2/Boicac 117, marzo 2019), en el caso de los cursos de formación subvencionados, si no se ha efectuado gasto alguno y realizándose éstos en los dos próximos ejercicios: en las cuentas del presente año las subvenciones concedidas se entenderán reintegrables, por lo que deberán figurar en el pasivo del balance como deudas.

5.1.2. Donaciones y Legados

5.1.2.1. *Sobre valoración cartera de acciones cotizadas en una fundación*

BOICAC 100, diciembre 2014. Consulta 4.

Sobre diversas cuestiones relacionadas con las correcciones valorativas a efectuar en la cartera de acciones cotizadas que posee una Fundación.

Respuesta

La Fundación tiene en su activo acciones cotizadas de una entidad financiera y elabora sus cuentas anuales de acuerdo con la Resolución de 26 de marzo de 2013 del Instituto de Contabilidad y Auditoría de Cuentas, por la que se aprueba el Plan de Contabilidad de pequeñas y medianas entidades sin fines lucrativos. Las acciones están incluidas en la cartera de activos financieros a coste y son homogéneas entre sí. Parte de dicho grupo de acciones se ha adquirido por compra y el resto se han recibido por donación, figurando el importe de estas últimas como ingreso en el patrimonio neto dentro del subgrupo 13.

Las cuestiones que se plantean son las siguientes:

1.ª- Si cuando haya que asignar un valor a dichos activos con el fin de calcular el deterioro se aplicará el método del coste medio ponderado por grupos homogéneos, sin tener en cuenta la forma de adquisición de los valores, o bien si debe distinguirse dentro de éstos los valores donados de los valores adquiridos por compra.

2.ª- Si en el caso de aplicar el método del coste medio ponderado, sin distinción entre los valores comprados y los recibidos por donación, la imputación a la cuenta de pérdidas y ganancias del importe registrado en el patrimonio neto derivado de las acciones donadas se debe realizar teniendo en cuenta dicho coste medio ponderado, o bien el valor razonable de lo donado en el momento de la donación.

La norma de registro y valoración (NRV) 9.ª. «Activos financieros», contenida en la segunda parte Plan de Contabilidad de pequeñas y medianas entidades sin fines lucrativos, regula en el apartado 2.3.2 la valoración posterior de los activos financieros a coste indicando lo siguiente:

«(...) *Cuando deba asignarse valor a estos activos por baja del balance u otro motivo, se aplicará el método del coste medio ponderado por grupos homogéneos, entendiéndose por éstos los valores que tienen iguales derechos (...)».*

Como se puede apreciar la norma no distingue a la hora de aplicar el método del coste medio ponderado la forma de adquisición de los valores, onerosa o lucrativa, sino que se trate de grupos homogéneos, que son aquéllos que tienen iguales derechos.

En cuanto a la segunda cuestión planteada, la NRV 20.ª. «Subvenciones, donaciones y legados recibidos», en el apartado 3. Criterios de imputación al excedente del ejercicio, establece que la imputación de las subvenciones, donaciones y legados que tengan carácter de no reintegrables se efectuará atendiendo a su finalidad, y en el caso concreto de adquisición de activos financieros, cuando se produzca su enajenación, corrección valorativa por deterioro, o baja en balance.

A tal efecto, y de forma coherente a la respuesta que se ha dado a la primera pregunta, en el caso que nos ocupa la donación se deberá vincular al conjunto de la cartera considerando el coste medio ponderado por grupos homogéneos.

Comentario

Ejemplo

La Fundación CELTA DE VIGO, la cual elabora sus cuentas anuales de acuerdo con la Resolución de 26 de marzo de 2013 del Instituto de Contabilidad y Auditoría de Cuentas, por la que se aprueba el Plan de Contabilidad de pequeñas y medianas entidades sin fines lucrativos, posee a 1/1/X16, entre otros, los siguientes elementos patrimoniales:

(250) Inversiones financieras a largo plazo en instrumentos de patrimonio. . . . . . .   10.000€

La cartera de acciones está formada por 2.000 acciones cotizadas del Banco Pastor: las cuales fueron adquiridas hace años a un coste unitario de 5€. Las citadas acciones se encuentran calificadas en la cartera de «Activos financieros a coste».

El 10/1/X16 la fundación recibe una donación de 3.000 acciones del Banco Pastor, donadas por el exjugador Alexander Mostovoi. La cotización, en dicha fecha, fue de 4,50€/acción.

A principios del mes de junio del X16 se vende a través de un intermediario financiero 4.000 acciones cuando su cotización estaba a 5€/título con gastos de intermediación de 2% .

A cierre del ejercicio la cotización de las acciones es de 4,20€/título.

La fundación tributa en el impuesto de sociedades a un tipo de gravamen del 25%.

SE PIDE:

1.- Registro de operaciones durante el ejercicio X16, realizadas por la Fundación.

2.- Liquidación del impuesto de sociedades conociendo los siguientes datos:

– Resultado antes de impuestos: 105.587€

– Retenciones y pagos a cuenta: 10.000€

– No existen diferencias entre criterios contables y fiscales, salvo lo referente a la donación recibida.

SOLUCIÓN:

1.-Registro de operaciones del ejercicio X16

–Por la donación recibida de las acciones:

----------------------------- 10/1/X16 -----------------------------

13.500	Inversiones financieras a largo plazo de instrumentos de patrimonio (250)		
		a	Donaciones y legados de capital (131) [3.000 acciones x 4,50€]
			13.500

Las subvenciones, donaciones y legados de carácter no monetario o en especie, se valorarán por el valor razonable del bien o servicio recibido, siempre que el valor razonable del citado bien o servicio pueda determinarse de manera fiable. [Resolución de 26 de marzo de 2013 del Instituto de Contabilidad y Auditoría de Cuentas, por la que se aprueba el Plan de Contabilidad de pequeñas y medianas entidades sin fines lucrativos. [Apartado 2, Norma 20.ª]

–Por la venta de las acciones:

—————————————— 1/6/X16 ——————————————

19.600   Bancos (572)

          [4.000x5€ - 2%4.000x5€]

                                    a   Inversiones financieras a largo
                                             plazo en instrumentos de
                                             patrimonio (250)

                                             [4.000 acciones x 4,70€]
                                                                                  18.800

                                             Beneficios en participaciones
                                             y valores representativos de
                                             deudas (766)   800

La norma de registro y valoración (NRV) 9.ª. «Activos financieros», contenida en la segunda parte Plan de Contabilidad de pequeñas y medianas entidades sin fines lucrativos indica lo siguiente:

> «(...) Cuando deba asignarse valor a estos activos por baja del balance u otro motivo, se aplicará el método del coste medio ponderado por grupos homogéneos, entendiéndose por éstos los valores que tienen iguales derechos (...)».

Como se puede apreciar la norma no distingue a la hora de aplicar el método del coste medio ponderado la forma de adquisición de los valores, onerosa o lucrativa, sino que se trate de grupos homogéneos, que son aquéllos que tienen iguales derechos.

Cálculo del coste medio ponderado:

$$C.M.P = \frac{2.000 \text{ acciones } \times 5€ + 3.000 \text{ acciones } \times 4,50 €}{5.000 \text{ acciones}} = 4,70 €$$

–Por la imputación de la donación:

Sabemos que el importe recibido por la donación de los 3.000 títulos, asciende a:

3.000 acciones x 4,50€ = 13.500€ (valor razonable)

La NRV 20.ª. «Subvenciones, donaciones y legados recibidos», en el apartado 3. Criterios de imputación al excedente del ejercicio, establece que la imputación de las subvenciones, donaciones y legados que tengan carácter de no reintegrables se efectuará atendiendo a su finalidad, y en el caso concreto de adquisición de activos financieros, cuando se produzca su enajenación, corrección valorativa por deterioro, o baja en balance.

A tal efecto, y de forma coherente, en el caso que nos **ocupa la donación se deberá vincular al conjunto de la cartera** considerando el coste medio ponderado por grupos homogéneos. [Consulta n.º 4. BOICAC 100]. En consecuencia:

A cada acción lo corresponde un importe de subvención de:

$$\frac{13.500 \ €}{5.000 \ \text{acciones}} = 2,70€/\text{acción}$$

Por tanto, por la venta de los 4.000 títulos, estableceremos una valoración de:

$$4.000 \ \text{acciones} \times 2,70€ = 10.800€$$

Anotando:

			1/6/X16		
10.800	Donaciones y legados de capital (131)				
		a	Subvenciones, donaciones y legados de capital, transferidos al resultado del ejercicio (746)		10.800

–Operaciones a fin de ejercicio

Al menos al cierre del ejercicio, deberán efectuarse las correcciones valorativas necesarias siempre que exista evidencia objetiva de que el valor en libros de una inversión no será recuperable.

El importe de la corrección valorativa será la diferencia entre su valor en libros y el importe recuperable, entendido éste como el mayor importe entre su valor razonable menos los costes de venta y el valor actual de los flujos de efectivo futuros derivados de la inversión, calculados, bien mediante la estimación de los que se espera recibir como consecuencia del reparto de dividendos realizado por la entidad participada y de la enajenación o baja en cuentas de la inversión en la misma, bien mediante la estimación de su participación en los flujos de efectivo que se espera sean generados por la entidad participada, procedentes tanto de sus actividades ordinarias como de su enajenación o baja en cuentas.

En las <u>inversiones en el patrimonio</u> de entidades que no sean del grupo, multigrupo o asociadas <u>admitidas a cotización</u>, como sustituto del valor actual de los flujos de efectivo futuros se utilizará <u>el valor de cotización del activo</u>, siempre que éste sea lo suficientemente fiable como para considerarlo representativo del valor que pudiera recuperar la entidad. [Resolución de 26 de marzo de 2013 del Instituto de Contabilidad y Auditoría de Cuentas, por la que se aprueba el Plan de Contabilidad de pequeñas y medianas entidades sin fines lucrativos. NRV 9.ª.2.3.3.]

De esta forma, comparamos:

Valor en libros: 1.000 acciones x 4,70€	4.700€
	Es superior
Importe Recuperable: 1.000 acciones x 4,20	4.200€
[utilizaremos el valor de cotización]	
Existe deterioro	500€ (0,50€/título)

Anotándose:

31/12/X16

500	Pérdidas por deterioro de participaciones y valores representativos de deudas a largo plazo (696)		
		a	Inversiones financieras a largo plazo en instrumentos de patrimonio (250)
			500

Se considerarán en todo caso <u>de naturaleza irreversible</u> las correcciones valorativas por deterioro de los elementos en la parte en que éstos hayan sido financiados gratuitamente. [NRV 20.ª. «Subvenciones, donaciones y legados recibidos», en el apartado 3.b). 5 de la Resolución de 26 de marzo de 2013 del Instituto de Contabilidad y Auditoría de Cuentas, por la que se aprueba el Plan de Contabilidad de pequeñas y medianas entidades sin fines lucrativos]

Por la imputación de la subvención seguiremos lo dispuesto anteriormente para el supuesto de baja en la Consulta n.º 4. BOICAC 100, de tal forma que:

Si por cada acción, cuyo CMP es de 4,70 le corresponde una subvención de 2,70€

A un deterioro de 0,50€/acción. . . . .   le corresponde un importe de subvención de «X» €

Donde, operando:

$$X = \frac{0,50 \times 2,70}{4,70} = 0,287€/acción$$

Registrándose:

──────────────────────── 31/12/X16 ────────────────────────

287 Donaciones y legados de capital (131) [0,287 x 1.000 acciones]	
a	Subvenciones, donaciones y legados de capital, transferidos al resultado del ejercicio (746) 287

2.- *Liquidación del impuesto de sociedades:* Ley 27/2014, de 27 de noviembre, del Impuesto sobre Sociedades

Veamos el tratamiento de la donación recibida. Fiscalmente, nos remitiremos al art. 17 (Art. 17.4.a y 17.5 del LIS):

Art. 17.4.a LIS

La LIS, obliga a valorar las adquisiciones a título lucrativo, por su valor de mercado.

Entendido éste como: «*el que hubiera sido acordado entre partes independientes (...)*» admitiéndose una serie de métodos (art. 18.4).

Art. 17.5 LIS

En la adquisición a título lucrativo, la entidad adquirente integrará en su base imponible el valor de mercado del elemento patrimonial adquirido.

De tal manera, que en cuanto a la valoración, no existirá diferencia al entender que el valor razonable es un «valor de mercado». Sí que existirán divergencias a la hora de la imputación a resultados, de tal manera que:

Contablemente	Iremos imputando en función de la enajenación, deterioro o baja
Fiscalmente	El importe del bien, se integrará en la base imponible en el momento de recibirlo

Por lo que dará lugar a ajustes en el impuesto corriente. En nuestro caso:

Ejercicio	Ingreso contable	Ingreso fiscal	Diferencia No temporaria[*]
X16	10.800 + 287 = 11.087	3.000 x 4,50 = 13.500	+2.413

[*] En la Norma 16.ª.2 de Valoración del Plan de Contabilidad de pequeñas y medianas entidades sin fines lucrativos. Nos comenta, que las diferencias temporarias se producen:
«(...) b) En otros casos, tales como los derivados de los ingresos y gastos registrados directamente en el patrimonio neto, que no se computan en la base imponible (...)».

En nuestro caso, este ingreso registrado directamente en el patrimonio neto, SI se computa en la base imponible (art. 17.5 LIS), por lo que no nos encontramos ante «diferencias temporarias», provocando una mayor deuda por impuesto corriente.

Resultado Contable = ...	107.587
± Ajustes:	
(+)Diferencia por Donación.....................................	+2.413
= Resultado Fiscal..	110.000
- Compensación Bases Imponibles Negativas........................	0
= Base Imponible	110.000
x tipo impositivo...	x0,25
= Cuota íntegra..	27.500
- Deducciones y Bonificaciones....................................	0
= Cuota líquida = Impuesto Corriente (6300).....................	27.500
- Retenciones y pagos a cuenta (473).............................	(10.000)
A PAGAR:...	17.500

Anotándose:

31/12/X16

26.896,75 Impuesto corriente (6300)

[107.587 x 25%]

603,25 Donaciones y legados de
capital (131)

[2.413 x 25%]

     a   HP retenciones y pagos a
cuenta (473)   10.000

HP acreedora por impuesto
sociedades (4752)   17.500

5.1.2.2.   Legados recibidos por una entidad sin fines lucrativos: asignación

BOICAC 100, diciembre 2014. Consulta 6.

Sobre el adecuado reconocimiento e imputación al excedente del ejercicio de unos legados de carácter no reintegrables recibidos por una entidad sin ánimo de lucro, conforme a lo dispuesto en la norma de registro y valoración (NRV) 20.ª del Plan de Contabilidad de las entidades sin fines lucrativos (PCESFL), aprobado por la Resolución del Instituto de Contabilidad y Auditoría de Cuentas de 26 de marzo de 2013.

Respuesta

El consultante describe una serie de casos en los que una entidad sin fines lucrativos acepta varios tipos de legados de carácter no reintegrable: o bien el testador lega un inmueble especificando el destino o uso del mismo, o dejando a la voluntad de la entidad la determinación del mismo; o bien lega efectivo, para adquirir un inmueble (especificando o no el destino o uso del mismo), o para destinarlo al uso que determine la entidad. En este último caso, la entidad decide adquirir un inmueble para el uso que estime más conveniente.

La consulta versa sobre si todos los casos descritos deben ser tratados de la misma forma y, en concreto, llegar a la conclusión que la finalidad del legado es adquirir un inmueble y por lo tanto el tratamiento contable de la transferencia del ingreso a la cuenta de pérdidas y ganancias, en todos los casos, también debe realizarse de acuerdo con dicha finalidad.

La NRV 20.ª del PCESFL en su apartado 1 establece que:

«*Las subvenciones, donaciones y legados no reintegrables se contabilizarán, con carácter general, directamente en el patrimonio neto de la entidad para su posterior reclasificación al excedente del ejercicio como ingresos, sobre una base sistemática y racional de forma correlacionada con los gastos derivados de la subvención, donación o legado (...). Las subvenciones, donaciones y legados no reintegrables que se obtengan sin asignación a una finalidad específica se contabilizarán directamente en el excedente del ejercicio que se reconozcan».*

En el apartado 3 de la misma norma se expresa que los activos del inmovilizado intangible, material e inversiones inmobiliarias:

«se imputarán como ingresos en el ejercicio en proporción a la dotación a la amortización efectuada en ese período para los citados elementos, o en su caso, cuando se produzca su enajenación, corrección valorativa por deterioro o baja en balance».

Esto es, el fin último es conseguir una correlación entre los ingresos y los gastos, de tal forma que se respete el principio de devengo; solo cuando no sea posible aplicar este criterio es cuando procede el reconocimiento de la subvención, donación o legado directamente en la cuenta de pérdidas y ganancias.

Por lo tanto, cuando la norma alude a la ausencia de «una finalidad específica» parece referirse a una situación en la que no pueden identificarse de manera indubitada una inversión o gasto por naturaleza que son financiados con los recursos obtenidos mediante la donación o legado, circunstancia que se producirá, con carácter general, en el caso de las donaciones y legados monetarios concedidos sin una finalidad específica, independientemente de que con posterioridad la fundación asigne dichos recursos monetarios a una finalidad concreta, como pudiera ser la adquisición de un inmueble.

Comentario

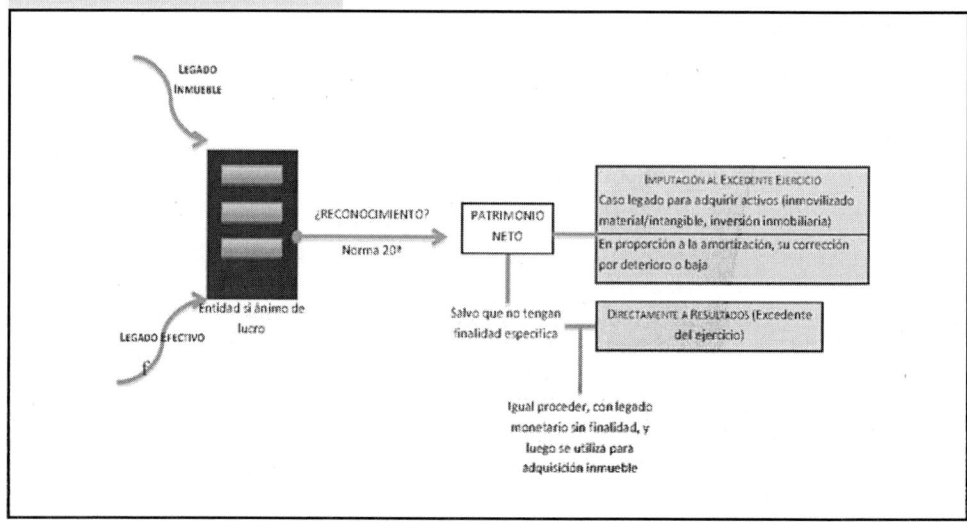

Ejemplo

La fundación CIP, ha recibido el 1/7/X8, los siguientes legados no reintegrables:

Legado 1: Un legado de un local comercial, que se tendrá que destinar a la sede social de la fundación y cuyo valor razonable es de 240.000€. El terreno representa el 20% del total. Vida útil de la construcción 25 años.

Legado 2: Recibe un legado de un inmueble cuyo uso será determinado por la fundación. Vida útil 25 años, el terreno representa el 20%.Valor razonable 150.000€. Posteriormente la fundación decide destinarlo al arrendamiento.

Legado 3: Recibe 50.000€ en efectivo, que se destinarán a la adquisición de un inmueble, el cual deberá destinarse a usos administrativos. Días más tarde, se compra el citado inmueble por 50.000€; el terreno representa el 20%. Vida útil 25 años.

Legado 4: Recibe 60.000€ en efectivo, para la adquisición de un inmueble cuyo uso determinará la fundación. Posteriormente y una vez adquirido, decide utilizarlo para actos sociales y en las reuniones de la fundación. Vida útil 25 años. El terreno representa el 20% del total.

Legado 5: Recibe 20.000€ en efectivo sin ningún tipo de asignación específica.

SE PIDE:

Realizar las anotaciones correspondientes para el ejercicio X8, sabiendo que la fundación está acogida al PGC PYMES.

Tipo impositivo 25%

SOLUCIÓN:

Las subvenciones, donaciones y legados no reintegrables se contabilizarán, con carácter general, <u>directamente en el patrimonio neto</u> de la entidad, para su posterior reclasificación al excedente del ejercicio como ingresos: sobre una base sistemática y racional, de forma correlacionada con los gastos derivados de la subvención, donación o legado, de acuerdo con los criterios que se detallan en el apartado 3, Norma 20.ª. [Plan de Contabilidad de pequeñas y medianas entidades sin fines lucrativos. NRV 20.ª. Apartado 1]

Legado 1: Local comercial destinado a la sede social.

Registro del inmueble recibido destinado a la sede social:

—————————————————— 1/7/X8 ——————————————————

192.000	Construcciones (211)		
	[80% 240.000]		
48.000	Terrenos (210)		
	[20% 240.000]		
	a	Donaciones y legados de capi-tal (131)	240.000

Los legados de carácter no monetario, o en especie, se valorarán por el valor razonable del bien o servicio recibido, siempre que el valor razonable del citado bien o servicio pueda determinarse de manera fiable. Plan de Contabilidad de pequeñas y medianas entidades sin fines lucrativos. [NRV 20.ª. Apartado2]

Legado 2: Inmueble cuyo uso lo determinara la fundación.

—————————————————— 1/7/X8 ——————————————————

120.000	Inversión en construcciones (221)		
	[80% 150.000]		
30.000	Inversión en terrenos (220)		
	[20% 150.000]		
	a	Donaciones y legados de capital (131)	150.000

Los terrenos y edificios cuyos usos futuros no estén determinados en el momento de su incorporación al patrimonio de la empresa se calificarán como inversión inmobiliaria. [Resolución de 1 de marzo de 2013, del Instituto de Contabilidad y Auditoría de Cuentas, por la que se dictan normas de registro y valoración del inmovilizado material y de las inversiones inmobiliarias. Norma quinta. Apartado 2.]

Legado 3: **Dinero en efectivo para la adquisición de un inmueble que se destinará a usos administrativos.**

	1/7/X8	
50.000 Bancos (572)		
	a Donaciones y legados de capital (131)	50.000

Las subvenciones, donaciones y legados de carácter monetario se valorarán por el valor razonable del importe concedido. Plan de Contabilidad de pequeñas y medianas entidades sin fines lucrativos. [NRV 20.ª. Apartado 2]

Adquisición en la misma fecha del inmueble: el terreno representa un 20% del total del precio.

	1/7/X8	
40.000 Construcciones (211) [80% 50.000]		
10.000 Terrenos (210) [20% 50.000]		
	a Bancos c/c (572)	50.000

Legado 4: **Dinero en efectivo para la adquisición de un inmueble cuyo destino lo decidirá la fundación.**

	1/7/X8	
60.000 Bancos (572)		
	a Donaciones y legados de capital (131)	60.000

Adquisición en la misma fecha del inmueble: el terreno representa un 20% del total del precio.

―――――――――――――――――――――― 1/7/X8 ――――――――――――――――――――――

48.000	Construcciones (211)		
	[80% 60.000]		
12.000	Terrenos (210)		
	[20% 50.000]		
		a Bancos c/c (572)	60.000

Legado 5: Dinero en efectivo sin asignación específica.

―――――――――――――――――――――― 1/7/X8 ――――――――――――――――――――――

20.000	Bancos (572)		
		a Excedente del ejercicio (129)	20.000

Las subvenciones, donaciones y legados no reintegrables que se obtengan sin asignación a una finalidad específica se contabilizarán directamente en el excedente del ejercicio en que se reconozcan. [Resolución de 26 de marzo de 2013, del Instituto de Contabilidad y Auditoría de Cuentas, por la que se aprueba el Plan de Contabilidad de pequeñas y medianas entidades sin fines lucrativos. Norma 20. Apartado 1.]

Cuando la norma alude a la ausencia de «una finalidad específica» parece referirse a una situación en la que no pueden identificarse de manera indubitada una inversión o gasto por naturaleza que son financiados con los recursos obtenidos mediante la donación o legado, circunstancia que se producirá, con carácter general, en el caso de las donaciones y legados monetarios concedidos sin una finalidad específica, independientemente de que con posterioridad la fundación asigne dichos recursos monetarios a una finalidad concreta, como pudiera ser la adquisición de un inmueble. [Consulta n.º 6. BOICAC 100]

A 31 de diciembre, amortizaremos los distintos inmovilizados legados a los que se les ha estimado una vida útil de 25 años.

Tipo de legado	Importe recibido	Porcentaje desti-nado a la cons-trucción	Inmovilizado material (amortizable)	Inversiones inmo-biliarias (amortizable)
1	240.000	80%	192.000	
2	150.000	80%		120.000
3	50.000	80%	40.000	
4	60.000	80%	48.000	
TOTALES	**500.000**	**80%**	**280.000**	**120.000**

Inmovilizado Material

$$\text{Amortización Cuota Anual} = \frac{280.000}{25 \text{ años}} = 11.200$$

$$\text{Amortización correspondiente ejercicio X8} = \frac{11.200}{12 \text{ meses}} \times 6 \text{ meses} = 5.600$$

Inversiones Inmobiliarias:

$$\text{Amortización Cuota Anual} = \frac{120.000}{25 \text{ años}} = 4.800$$

$$\text{Amortización correspondiente ejercicio X8} = \frac{4.800}{12 \text{ meses}} \times 6 \text{ meses} = 2.400$$

———————————————— 31/12/X8 ————————————————

5.600	Amortización del Inmovilizado Material (681)			
2.400	Amortización de inversiones inmobiliarias (682)			
		a	Amortización acumulada del Inmovilizado Material (281)	5.600
			Amortización acumulada de inversiones inmobiliarias (282)	2.400

Conjuntamente al apunte anterior, realizaremos otro, en relación a la imputación de los legados, así:

> «(...)Activos del inmovilizado intangible, material e inversiones inmobiliarias: se imputarán como ingresos del ejercicio en proporción a la dotación a la amortización efectuada en ese período para los citados elementos o, en su caso, cuando se produzca su enajenación, corrección valorativa por deterioro o baja en balance. (...)». [Resolución de 26 de marzo de 2013, del Instituto de Contabilidad y Auditoría de Cuentas, por la que se aprueba el Plan de Contabilidad de pequeñas y medianas entidades sin fines lucrativos. Norma 20.ª. Apartado 3. b1).]

Con lo cual, imputaremos a resultado del ejercicio, en la misma proporción que amortizamos el bien que financia. Así, al estar totalmente donados los inmuebles, la cuantía a imputar será la misma de la amortización.

El fin último es conseguir una correlación entre los ingresos y los gastos, de tal forma que se respete el principio de devengo; solo cuando no sea posible aplicar este criterio es cuando procede el reconocimiento de la subvención, donación o legado directamente en la cuenta de pérdidas y ganancias. [Consulta n.º 6. BOI-CAC 100]

———————————————— 31/12/X8 ————————————————

8.000	Donaciones y legados y legados de capital (131)			
		a	Donaciones y legados de capital transferidos al excedente del ejercicio (746)	8.000

Por el efecto impositivo asociado a los legados:

——————————————————— 31/12/X8 ———————————————————

123.000	Donaciones y legados y legados de capital(131)		
	(500.000 - 8.000)x25%		
	a	HP acreedor impuesto sociedades (4752)	123.000

Veamos el tratamiento de los legados recibidos:

– Por el efecto impositivo. Fiscalmente el tratamiento de esta operación (Art. 17.4.a y 17.5 del LIS):

Art. 17.4.a LIS

La LIS, obliga a valorar las adquisiciones a título lucrativo, por su valor de mercado.

Entendido éste como: «*el* que *hubiera sido acordado entre partes independientes (...)*» admitiéndose una serie de métodos (art. 18.4).

Art. 17.5 LIS

En la adquisición a título lucrativo, la entidad adquirente integrará en su base imponible el valor de mercado del elemento patrimonial adquirido.

De tal manera, que en cuanto a la valoración, no existirá diferencia al entender que el valor razonable es un «valor de mercado». Sí que existirán divergencias a la hora de la imputación a resultados, de tal manera que:

Contablemente	Iremos imputando en función de la amortización, deterioro o baja
Fiscalmente	El importe del bien, se integrará en la base imponible en el momento de recibirlo

Por lo que dará lugar a ajustes en el impuesto corriente. En nuestro caso:

Ejercicio	Ingreso contable	Ingreso fiscal	Diferencia No temporaria[*]
X8	8.000	500.000	+492.000

[*] En la Norma 16.ª.2 de Valoración del Plan de Contabilidad de pequeñas y medianas entidades sin fines lucrativos. Nos comenta, que las diferencias temporarias se producen:

«(...) b) En otros casos, tales como los derivados de los ingresos y gastos registrados directamente en el patrimonio neto, que no se computan en la base imponible (...)».

En nuestro caso, este ingreso registrado directamente en el patrimonio neto, SI se computa en la base imponible (art. 17.5 LIS), por lo que no nos encontramos ante «diferencias temporarias».

En la parte 5.ª Plan de Contabilidad de pequeñas y medianas entidades sin fines lucrativos y para el movimientos de la cuenta 131 nos dice que son iguales a los de la cuenta 130, en esta se establece:

> «(...) b2) Por la cuota a ingresar por impuesto sobre beneficios vinculado a la subvención registrada directamente en el patrimonio neto, con abono a la cuenta 4752».

5.2. PROVISIONES

5.2.1. Prestaciones sociales

5.2.1.1. Supresión paga extra diciembre 2012, en una empresa pública

BOICAC 92, diciembre 2012. Consulta 2.

Sobre la posibilidad de registrar un gasto de personal en el ejercicio 2012, en el caso de empresas públicas, por el importe de la paga extraordinaria del mes de diciembre suprimida en virtud del art. 2.1 del Real Decreto-ley 20/2012, de 13 de julio, *para el personal del sector público.*

Respuesta

El Real Decreto-ley 20/2012, de 13 de julio, de medidas para garantizar la estabilidad presupuestaria y de fomento de la competitividad en su art. 2, apartado 1, establece para el año 2012 la supresión de la paga extraordinaria para el personal del sector público definido en el art. 22. Uno de la Ley 2/2012, de 29 de junio, de Presupuestos Generales, que en su apartado f) incluye las sociedades mercantiles públicas.

Asimismo, el citado Real Decreto-ley, en su art. 2, apartado 4, indica textualmente:

> «(...) 4. Las cantidades derivadas de la supresión de la paga extraordinaria y de las pagas adicionales de complemento específico o pagas adicionales equivalentes de acuerdo con lo dispuesto en este artículo se destinarán en ejercicios futuros a realizar aportaciones a planes de pensiones o contratos de seguro colectivo que incluyan la cobertura de la contingencia de jubilación, con sujeción a lo establecido en la Ley Orgánica 2/2012, de Estabilidad Presupuestaria y Sostenibilidad Financiera y en los términos y

con el alcance que se determine en las correspondientes leyes de presu-puestos».

Por otra parte, según se establece en el art. 22 de la Ley 2/2012, de 29 de junio, durante el ejercicio 2012, las Administraciones y entidades del sector público no podrán realizar aportaciones a planes de pensiones de empleo o contratos de seguros colectivos que incluyan la cobertura de la contingencia de jubilación.

A la vista de estos antecedentes, se pregunta:

a) Si considerando la previsión establecida en el art. 2.4 del Real Decreto-ley 20/2012, de 13 de julio, las empresas públicas deben registrar un gasto de personal en el ejercicio 2012 por un importe equivalente a la paga extraordinaria suprimida, y el correspondiente pasivo.

b) Si considerando lo indicado en el art. 22 de la Ley 2/2012, de 29 de junio, en los casos en los que la entidad tenga un compromiso de aportación definida, si resulta procedente o no el registro de una provisión por la aportación que se deje de pagar en el año 2012.

c) Si considerando lo indicado en el art. 22 de la Ley 2/2012, de 29 de junio, para los casos en los que la entidad tenga asumidos compromisos de prestación definida, ello supone un recorte de prestaciones y por tanto si se ha de reconocer una reducción del plan con efecto en pérdidas y ganancias.

El Plan General de Contabilidad, aprobado por el Real Decreto 1514/2007, de 16 de noviembre, regula en su norma de registro y valoración (NRV) 16.ª. «Retribuciones a largo plazo al personal», las retribuciones post-empleo, así como cualquier otra retribución que suponga una compensación económica a satisfacer con carácter diferido al trabajador, respecto al momento en el que se presta el servicio.

En particular, se regulan dos tipos de retribuciones a largo plazo, las de aportación definida y las de prestación definida. Las primeras consisten en contribuciones de carácter predeterminado a una entidad separada –como puede ser una entidad aseguradora o un plan de pensiones–, siempre que la empresa no tenga la obligación legal, contractual o implícita de realizar contribuciones adicionales si la entidad separada no pudiera atender los compromisos asumidos.

No obstante, dado que no se conoce la fecha en que se realizarán las aportaciones, o, incluso, si éstas llegarán a realizarse, el tratamiento contable del pasivo que podrían haber asumido las empresas públicas debe realizarse en sede de la NRV 15.ª. «Provisiones y contingencias» que, en su apartado 1, establece:

«1. Reconocimiento

La empresa reconocerá como provisiones los pasivos que, cumpliendo la definición y los criterios de registro o reconocimiento contable contenidos en el Marco Conceptual de la Contabilidad, resulten indeterminados respecto a su importe o a la fecha en que se cancelarán. Las provisiones pueden venir determinadas por una disposición legal, contractual o por una obligación implícita o tácita. En este último caso, su nacimiento se sitúa en la expectativa válida creada por la empresa frente a terceros, de asunción de una obligación por parte de aquélla.

En la memoria de las cuentas anuales se deberá informar sobre las contingencias que tenga la empresa relacionadas con obligaciones distintas a las mencionadas en el párrafo anterior».

Esto es, para que proceda reconocer una provisión es preciso que el pasivo cumpla la definición y los criterios de registro regulados en el Marco Conceptual de la Contabilidad (MCC). Así, de acuerdo con su apartado 4.º. Definiciones, son pasivos las *«obligaciones actuales surgidas como consecuencia de sucesos pasados, para cuya extinción la empresa espera desprenderse de recursos que puedan producir beneficios o rendimientos económicos en el futuro. A estos efectos, se entienden incluidas las provisiones».* Y, de conformidad con el apartado 5.º del MCC *«(...) el registro de los elementos procederá cuando, cumpliéndose la definición de los mismos incluida en el apartado anterior, se cumplan los criterios de probabilidad en la obtención o cesión de recursos que incorporen beneficios o rendimientos económicos y su valor pueda determinarse con un adecuado grado de fiabilidad (...)».*

Los pasivos deben reconocerse en el balance cuando sea probable que, a su vencimiento y para liquidar la obligación, deban entregarse o cederse recursos que incorporen beneficios o rendimientos económicos futuros, y siempre que se puedan valorar con fiabilidad.

Pues bien, de acuerdo con la normativa que se ha reproducido, este Instituto informa lo siguiente:

Primera cuestión

1.- Considerando el literal del art. 2.4 del Real Decreto-ley 20/2012, en principio, cabe concluir que junto a la supresión de la paga extraordinaria del mes de diciembre, en los términos acordados en el art. 2.1, surge una obligación legal sujeta a condición que deberán cumplir las empresas públicas consistente en destinar su importe «a realizar aportaciones a planes de pensiones o contratos de seguro colectivo que incluyan la cobertura de la contingencia de jubilación, con sujeción a lo establecido en la Ley Orgánica 2/2012, de Estabilidad Presupuestaria y Sostenibilidad Financiera y en los términos y con el alcance que se determine en las correspondientes leyes de presupuestos».

2.- Si a la vista de la sujeción/condición a la que se ha ligado el cumplimiento efectivo de la citada obligación, hubiera que concluir que solo existe una obligación posible o, que de existir una obligación presente no es probable la cesión de recursos que incorporen beneficios o rendimientos económicos futuros, la obligación en la que han incurrido las empresas se calificará de contingencia y no procederá contabilizar pasivo alguno sin perjuicio de informar en la memoria de las cuentas anuales en los términos previstos en la nota 14.2 del modelo normal.

3.- En este sentido, a continuación se transcribe la opinión de la Intervención General de la Administración del Estado sobre la calificación de estos hechos:

«*A efectos de determinar si se debería dotar una provisión en relación con las posibles aportaciones a realizar por las sociedades mercantiles públicas de acuerdo con el art. 2.4 del Real Decreto-Ley 20/2012, es preciso determinar si existe o no una obligación en el momento presente derivada de dichas aportaciones. En este sentido, dicho art. 2.4 condiciona la obligación de realizar estas aportaciones a que se verifiquen dos requisitos:*

– Que lo permita el cumplimiento de los objetivos previstos en la Ley Orgánica 2/2012, de Estabilidad Presupuestaria y Sostenibilidad Financiera, y

– Que así se prevea en la correspondiente Ley de Presupuestos Generales del Estado.

Por tanto, de acuerdo con lo anterior, para que las sociedades mercantiles públicas tengan la obligación de efectuar las aportaciones del citado art. 2.4, previamente se deben cumplir las citadas condiciones que se refieren a que se alcancen los objetivos de estabilidad presupuestaria y sostenibilidad financiera de las Administraciones Públicas según lo establecido en la Ley Orgánica 2/2012 y a que se establezca en una futura Ley de Presupuestos Generales del Estado la obligación de efectuar las citadas aportaciones.

Teniendo en cuenta el contexto económico actual de dificultades financieras que exige aplicar una política económica de consolidación fiscal mediante la reducción del déficit público y obliga a las Administraciones Públicas a adoptar medidas dirigidas a racionalizar y reducir el gasto público y a incrementar la eficiencia de su gestión, a efectos de poder cumplir en un futuro los objetivos de estabilidad presupuestaria y sostenibilidad financiera, y considerando que no se ha incluido en el Proyecto de Ley de Presupuestos Generales del Estado actualmente en tramitación ninguna disposición que obligue a efectuar las aportaciones a las que se refiere la consulta, es preciso concluir que en el momento actual no se puede considerar probable que exista una obligación presente, por lo que no procede la dotación de una provisión por las sociedades mercantiles públicas en relación con dichas aportaciones.

En todo caso, de acuerdo con lo dispuesto en la citada Norma de registro y valoración n.º 15.ª del PGC, la sociedad mercantil pública deberá informar en la memoria de sus cuentas anuales de la contingencia derivada de las posibles aportaciones a realizar de acuerdo con el art. 2.4 del Real Decreto-Ley 20/2012».

4.- Por tanto, en aplicación del criterio que se ha reproducido, en el supuesto de que la empresa ya hubiera contabilizado como gasto la parte proporcional de la remuneración suprimida deberá dar de baja el correspondiente pasivo y minorar el citado gasto.

Segunda y tercera cuestión

El art. 22.Tres de la Ley 2/2012, de 29 de junio, de Presupuestos Generales del Estado para el año 2012, sobre planificación general de la actividad económica en materia de gastos de personal al servicio del sector público, señala:

> «Durante el ejercicio 2012, las Administraciones, entidades y sociedades a que se refiere el apartado Uno de este artículo no podrán realizar aportaciones a planes de pensiones de empleo o contratos de seguro colectivos que incluyan la cobertura de la contingencia de jubilación».

A la vista de esta regulación se pregunta si en los casos en los que la entidad tenga un compromiso de aportación definida, resulta procedente o no el registro de una provisión por la aportación que se deje de pagar en el año 2012, y, para los casos en los que la entidad tenga asumidos compromisos de prestación definida, si ello supone un recorte de prestaciones y por tanto procede reconocer una reducción del plan con efecto en la cuenta de pérdidas y ganancias.

La contestación que se incluye a continuación se limita a resolver los efectos contables derivados del citado art. 22.Tres, por carecer este Instituto de competencias para interpretar los restantes efectos jurídicos del citado precepto; en particular, su incidencia en la formalización de los compromisos relativos a planes de pensiones a que se refieren estas cuestiones.

Teniendo en cuenta lo anterior, si los efectos jurídicos de la regulación que se ha reproducido suponen, a su vez, una reducción en las aportaciones o prestaciones de jubilación, en el caso de compromisos de aportación definida las empresas no deberán contabilizar un pasivo por la aportación no efectuada en 2012, y en el caso de compromisos de prestación definida las empresas deberán registrar la reducción de las prestaciones del plan con imputación a pérdidas y ganancias.

En caso contrario, esto es, en el supuesto de que dicha regulación solo implique un diferimiento de las cantidades que debían haberse aportado manteniéndose el compromiso de aportación a futuro, las empresas deberán contabilizar los planes de remuneración en los mismos términos que lo venían haciendo, considerando exclusivamente el efecto financiero del citado diferimiento en la aportación a los respectivos planes.

Comentario

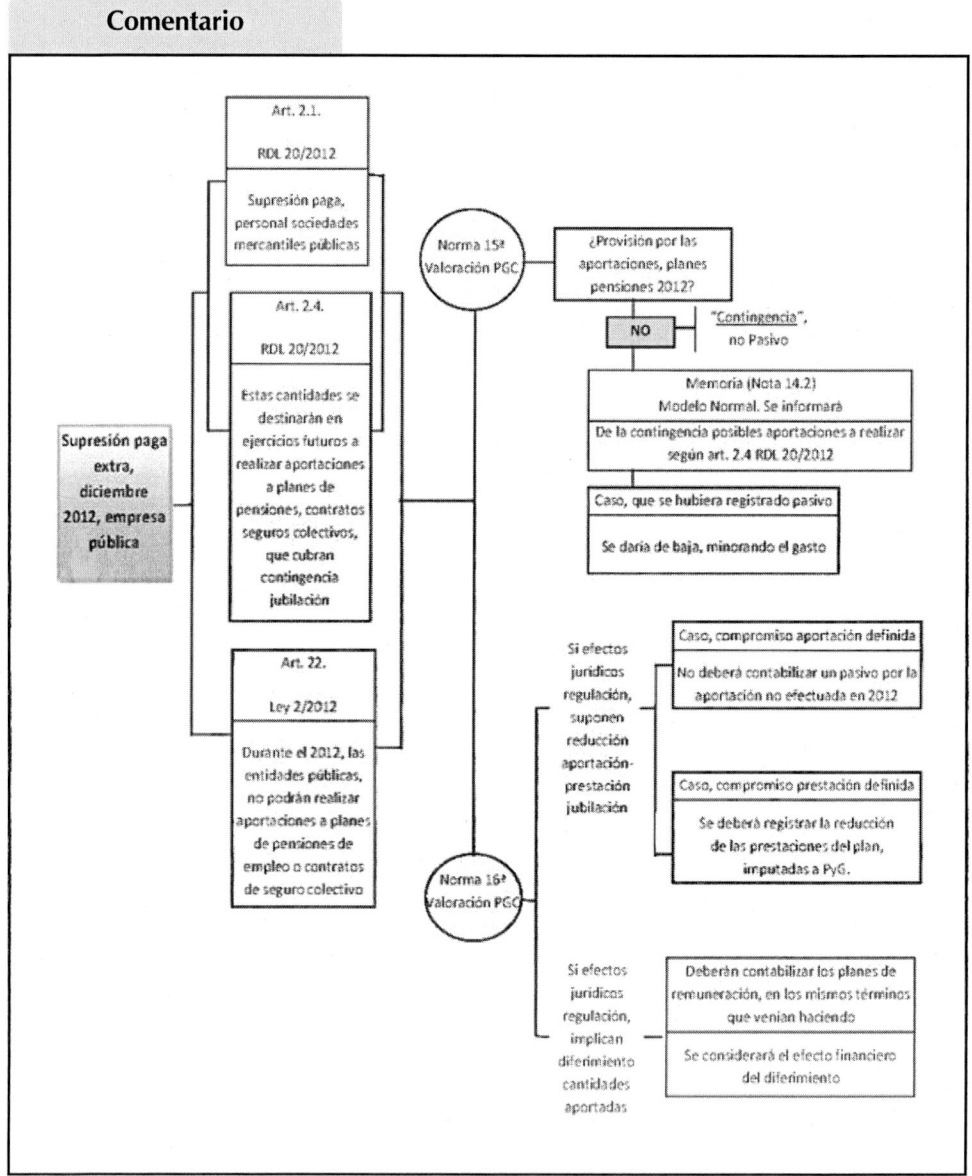

Ejemplo

La empresa pública ADIF tiene contratado un plan de aportaciones definidas para sus empleados con la entidad separada SEGUROS VITALICIO.

Al amparo de lo previsto en el Real Decreto-ley 20/2012, que en su art. 2, apartado 4, indica textualmente:

> *«(...) 4. Las cantidades derivadas de la supresión de la paga extraordinaria y de las pagas adicionales de complemento específico o pagas adicionales equivalentes de acuerdo con lo dispuesto en este artículo se destinarán en ejercicios futuros a realizar aportaciones a planes de pensiones o contratos de seguro colectivo que incluyan la cobertura de la contingencia de jubilación, con sujeción a lo establecido en la Ley Orgánica 2/2012, de Estabilidad Presupuestaria y Sostenibilidad Financiera y en los términos y con el alcance que se determine en las correspondientes leyes de presupuestos».*

La sociedad decidió registrar el gasto correspondiente a la citada paga extraordinaria de diciembre suprimida (240.000€), periodificando su importe durante los meses de julio a diciembre (40.000€/mes).

Además de lo indicado realiza una aportación anual (1.000.000€). Durante los meses de julio a noviembre incluidos y en relación con la paga extra, ha registrado el siguiente asiento cada mes:

-- X --

40.000	Retribuciones a largo plazo mediante sistemas de aportación definida (643)	
	a Remuneraciones mediante sistemas de aportación definida a largo plazo (466)	
	[240.000/6]	40.000

SE PIDE:

1.- ¿Es procedente el registro realizado por la sociedad ADIF?

2.- Supongamos que la sociedad tiene un compromiso de aportación definida, y únicamente registró el gasto por la aportación anual correspondiente, sin registrar gasto alguno por el importe de la paga extra suprimida. Ante tal evento la empresa pública ADIF se pregunta si procede el registro de una provisión por el importe de la paga extraordinaria suprimida.

3.- Si suponemos que la empresa pública ADIF tiene con sus trabajadores, como sistema de retribuciones a largo plazo, un sistema de prestaciones definidas. La empresa ha garantizado a sus trabajadores sus prestaciones por fallecimiento, jubilación, incapacidad o gran invalidez, a partir de la formalización de un plan de prestación definida con una compañía de seguros.

La empresa es la encargada de realizar las aportaciones todos los años y la compañía de seguros de invertir este dinero para obtener una rentabilidad, así como de pagar las prestaciones correspondientes al final de cada año. En el año 2012 se realiza una aportación de 600.000€ y se pagaron 900.000€ en concepto de prestaciones.

La compañía de seguros ofreció la siguiente información sobre el plan de pensiones a 31 de diciembre del 2011:

- Valor actual de las prestaciones devengadas a 31 de diciembre de 2011: 10.300.000€ (tipo de descuento utilizado del 5%)

- Valor razonable de los activos afectos al plan a 31 de diciembre del 2011: 9.800.000€ (rendimiento esperado de los activos 6%).

- Coste de los servicios prestados en el año 2012: 900.000€.

- Durante el año 2012 ha sido objeto de revisión la hipótesis de inflación, esto ha originado un incremento del valor actual de las pensiones devengadas de 60.000€

- Rendimiento de los activos del año 2012: 7%

- En relación con la supresión de la paga extraordinaria, supone un recorte de prestaciones cuyo importe se estima es 120.000€.

SOLUCIÓN:

1.-¿Es procedente el registro realizado por la sociedad ADIF?

– La cuestión planteada es si considerando la previsión establecida en el art. 2.4 del Real Decreto-ley 20/2012, de 13 de julio, las empresas públicas deben registrar un gasto de personal en el ejercicio 2012 por un importe equivalente a la paga extraordinaria suprimida, y el correspondiente pasivo.

Según lo dispuesto en la presente consulta:

> «(...) para que las sociedades mercantiles públicas tengan la obligación de efectuar las aportaciones del citado art. 2.4, previamente se deben cumplir las citadas condiciones que se refieren a que se alcancen los objetivos de estabilidad presupuestaria y sostenibilidad financiera de las Administraciones Públicas según lo establecido en la Ley Orgánica 2/2012 y a que se establezca en una futura Ley de Presupuestos Generales del Estado la obligación de efectuar las citadas aportaciones.
>
> Teniendo en cuenta el contexto económico actual de dificultades financieras que exige aplicar una política económica de consolidación fiscal mediante la reducción del déficit público y obliga a las Administraciones Públicas a adoptar medidas dirigidas a racionalizar y reducir el gasto público y a incrementar la eficiencia de su gestión, a efectos de poder cumplir en un futuro los objetivos de estabilidad presupuestaria y sostenibilidad financiera, y considerando que no se ha incluido en el Proyecto de Ley de Presupuestos Generales del Estado actualmente en tramitación ninguna

disposición que obligue a efectuar las aportaciones a las que se refiere la consulta, es preciso concluir que en el momento actual no se puede considerar probable que exista una obligación presente, por lo que no procede la dotación de una provisión por las sociedades mercantiles públicas en relación con dichas aportaciones».

Por ello, en el caso de que la empresa hubiese registrado el correspondiente pasivo, éste deberá darse de baja, minorando el gasto. De esta forma:

200.000	Remuneraciones mediante sistemas de aportación definida a largo plazo (466) [40.000 x 5]			
		a	Retribuciones a largo plazo mediante sistemas de aportación definida (643)	200.000

– Por el registro de la aportación anual al plan de aportaciones definidas:

1.000.000	Retribuciones a largo plazo mediante sistemas de aportación definida (643)			
		a	Remuneraciones mediante sistemas de aportación definida a largo plazo (466)	1.000.000

2.- Existiendo un compromiso de aportación definida, ¿procede registro provisión por paga extra suprimida?

Según los contenidos de la presente consulta [2/BOICAC 92] si los efectos jurídicos de la regulación suponen, una reducción en las aportaciones o prestaciones de jubilación, en el caso de compromisos de aportación definida las empresas no deberán contabilizar un pasivo por la aportación no efectuada en 2012.

En caso contrario, esto es, en el supuesto de que dicha regulación solo implique un diferimiento de las cantidades que debían haberse aportado manteniéndose el compromiso de aportación a futuro, las empresas deberán contabilizar los planes de remuneración en los mismos términos que lo venían haciendo, considerando exclusivamente el efecto financiero del citado diferimiento en la aportación a los respectivos planes.

Por lo que, y base a lo descrito, no procederá a realizarse registro contable alguno

3.- Supuesto que la sociedad, tiene un compromiso de prestación definida.

– De la información facilitada se desprende que se trata de un sistema de retribuciones a largo plazo de prestaciones definidas. Así, y en base a lo establecido en la Norma de valoración 16.ª.1 el importe a reconocer como provisión por retribuciones al personal a largo plazo será la diferencia entre: «(...) el valor actual de las retribuciones comprometidas y el valor razonable de los eventuales activos afectos a los compromisos con los que se liquidarán las obligaciones (...)».

Cálculo del pasivo a registrar en concepto de provisión:

(A) Valor actual de las prestaciones devengadas a 31-12-2011:.........	10.300.000
Coste de los servicios prestados en el 2012:........................	900.000
Coste de intereses del año 2012 (5% de 10.300.000):..................	515.000
Prestaciones satisfechas en el 2012:...............................	(900.000)
Pérdidas actuariales en el 2012:..................................	60.000
(B) Obligación por Pensiones a 31/12/2012.......................	10.875.000
(C) Valor razonable de los activos afectos a 31-12-2011:.............	9.800.000
Rendimiento de los activos en el año 2012 (6% 9.800.000):.............	588.000
Aportaciones del año 2012..	600.000
Prestaciones satisfechas en el 2012:...............................	(900.000)
Ganancias actuariales (7% - 6%) x 9.800.000........................	98.000
(D) Valor razonable de los activos afectos........................	10.186.000
*Provisiónque tieneque tener constituida a 31-12-2012 (B-D)............	689.000
*Tenemos hasta 31-12-2011 (A-C)................................	500.000
DOTAREMOS.................................	**189.000**

El importe a reconocer como provisión por retribuciones al personal a largo plazo, será la diferencia entre el valor actual de las retribuciones comprometidas y el valor razonable de los eventuales activos afectos a los compromisos con los que se liquidarán las obligaciones. [Norma 16.ª.2 Valoración PGC]

Por lo que anotaremos:

-- X --

900.000   Retribuciones l/p mediante
           sistemas de prestación definida
           (644)[**]

  60.000   Pérdidas actuariales (850)[*]

515.000   Gastos financieros por actuali-
           zación de provisiones (660)
           (***)

                                a   Ganancias actuariales (950)[*]   98.000

                                    Ingresos de activos afectos y de
                                    derechos de reembolso relati-
                                    vos a retribuciones a l/p (767)
                                    588.000   588.000

                                    Bancos (572)   600.000

                                    Provisión por retribuciones a l/
                                    p al personal (140)   189.000

[**] Todas las variaciones en los importes anteriores que se produzcan en el ejercicio se reconocerán en la cuenta de pérdidas y ganancias, salvo (...).

[*] La variación en el cálculo del valor actual de las retribuciones post-empleo comprometidas (...) debida a pérdidas y ganancias actuariales se imputará en el ejercicio en el que surja, directamente en el patrimonio neto, reconociéndose como reservas. [Norma 16.ª.2]

[***] Actualización financiera de las provisiones.

Igualmente, tendremos en cuenta lo establecido en la 5.ª parte del PGC. y para la cuenta 140:

a) Se abonará:

a1) Por las estimaciones de los devengos anuales, con cargo a cuentas del subgrupo 64.

a2) Por el reconocimiento de pérdidas actuariales, con cargo a la cuenta 850, en caso de tratarse de retribuciones post-empleo, debiendo cargarse a una cuenta del subgrupo 64 en las restantes retribuciones a largo plazo al personal.

a3) Por el importe de los ajustes que surjan por la actualización de valores, con cargo a la cuenta 660.

a4) Por el importe imputado a la cuenta de pérdidas y ganancias de los costes por servicios pasados, con cargo a la cuenta 6442.

b) Se cargará:

b1) Por la disposición que se realice de la provisión, con abono, generalmente, a cuentas del subgrupo 57.

b2) Por el reconocimiento de ganancias actuariales, con abono a la cuenta 950, en caso de tratarse de retribuciones post-empleo, debiendo abonarse a una cuenta del subgrupo 64 en las restantes retribuciones a largo plazo al personal.

b3) Por el rendimiento esperado de los activos afectos, con abono a la cuenta 767.

– A cierre de ejercicio por la regularización de las cuentas de los grupos 8 y 9

—————————————— X ——————————————

98.000 Ganancias actuariales (950)

	a Pérdidas actuariales (850)	60.000
	Reservas por pérdidas y ganancias actuariales y otros ajustes (115)	38.000

– Y por la reducción de las prestaciones, como consecuencia de la supresión paga extraordinaria.

—————————————— X ——————————————

120.000 Provisión por retribuciones a l/p al personal (140)

	a Exceso de provisión por retribuciones al personal (7950)	120.000

5.2.2. Dotaciones

5.2.2.1. ERE Entidad Pública: provisión indemnización

BOICAC 96, diciembre 2013. Consulta 9.

Sobre el tratamiento contable de un procedimiento de despido colectivo en una Entidad de Derecho Público que aplica el Plan General de Contabilidad.

Respuesta

Los hechos relativos al procedimiento, así como las fechas en que se producen, según se indica en la consulta, son los siguientes:

1. Con fecha 28 de noviembre de 2012, una entidad de derecho público inicia un procedimiento de despido colectivo mediante comunicación dirigida a los representantes de los trabajadores, a la autoridad laboral competente, y al resto de órganos de la Administración Pública.

2. Se llega a un preacuerdo con los representantes de los trabajadores el 28 de diciembre de 2012.

3. Con fecha 4 de enero de 2013, se comunica a la empresa el resultado del referéndum del acuerdo definitivo celebrado por los trabajadores.

4. El informe vinculante de la autoridad competente se realiza el 15 de febrero de 2013.

5. El día 20 de este mismo mes se formaliza el acuerdo.

6. La comunicación a la autoridad laboral competente se produce el 1 de marzo de 2013.

7. Finalmente, los primeros pagos por indemnizaciones se producen en los meses de marzo y abril de 2013.

A la vista de todos estos antecedentes, el consultante pregunta cuándo debe reconocerse la provisión por indemnizaciones a los trabajadores que van a salir de la entidad como consecuencia del procedimiento de despido colectivo.

La normativa aplicable al procedimiento descrito en los antecedentes es el Reglamento de los procedimientos de despido colectivo y de suspensión de contratos y reducción de jornada, aprobado por Real Decreto 1483/2012, de 29 de octubre, y en concreto el título III del mismo: Normas específicas de los procedimientos de despido colectivo del personal laboral al servicio de los entes, organismos y entidades que forman parte del sector público. En particular, en sus arts. 37 a 47 se regula la iniciación y finalización del procedimiento, que indica:

«*Art. 37. Comunicación de inicio.*

El procedimiento de despido colectivo se iniciará por escrito mediante la comunicación de la apertura del período de consultas dirigida por el Departamento, Consejería, Entidad Local, organismo o entidad de que se trate, a los representantes de los trabajadores en el correspondiente ámbito, así como a la autoridad laboral y al órgano competente en materia de función pública en los términos recogidos en los arts. 42 y 43 respectivamente (…)».

Por su parte, el art. 47 establece:

«Art. 47. Comunicación de la decisión de despido colectivo en el ámbito de la Administración General del Estado y de la Administración de las Comunidades Autónomas.

1. A la finalización del período de consultas, el Departamento, Consejería, organismo o entidad de que se trate comunicará al órgano competente de su respectiva Administración, el resultado del mismo, acompañando, en su caso, el acuerdo que proponga suscribir o la decisión que proponga adoptar como resultado de dichas consultas, para que éste emita informe al respecto.

Este informe será vinculante en el caso de la Administración del Estado y en el de otras Administraciones Públicas en las que la normativa aplicable contemple, en el ámbito de sus respectivas competencias, la obligación de emitir un informe previo y favorable a la adopción de acuerdos, convenios, pactos o instrumentos similares de los que puedan derivarse costes u obligaciones en materia de personal a su servicio. Serán nulas de pleno derecho, las decisiones o acuerdos que se alcancen sin la concurrencia de dicho requisito (…)»

En virtud de lo anterior parece desprenderse que la entidad se encuentra «jurídicamente» obligada a pagar las indemnizaciones que resulten del procedimiento de despido colectivo una vez que el informe vinculante a que se refiere el art. 47 se ha emitido, esto es, el 15 de febrero de 2013, suponiendo que es en ese momento cuando surge la obligación legal o contractual.

Ahora bien, el Plan General de Contabilidad (PGC) aprobado por Real Decreto 1514/2007 de 16 de noviembre, en su primera parte «Marco conceptual de la Contabilidad» (MCC) enuncia el principio de prudencia, que en lo referente a la contabilización de los riesgos de empresa, señala que:

«(…) se deberán tener en cuenta todos los riesgos con origen en el ejercicio o en otro anterior, tan pronto sean conocidos, incluso si sólo se conocieran entre la fecha de cierre de las cuentas anuales y la fecha en que éstas se formulen. En tales casos se dará cumplida información en la memoria, sin perjuicio de su reflejo, cuando se haya generado un pasivo y un gasto, en otros documentos integrantes de las cuentas anuales (…)».

Al amparo de este principio, y de los criterios de reconocimiento de los elementos en las cuentas anuales, los gastos deben registrarse en la cuenta de pérdidas y ganancias en el momento que se incurren reconociendo como contrapartida la disminución de un activo o el correspondiente pasivo.

En particular, la norma de registro y valoración (NRV) 15.ª «Provisiones y contingencias», contenida en la segunda parte del PGC, dispone:

«La empresa reconocerá como provisiones los pasivos que, cumpliendo la definición y los criterios de registro o reconocimiento contable contenidos en el MCC, resulten indeterminados respecto a su importe o a la fecha en la que se cancelarán. Las provisiones pueden venir determinadas por una disposición legal, contractual o por una obligación implícita o tácita. En este último caso, su nacimiento se sitúa en la expectativa válida creada por la empresa frente a terceros, de asunción de una obligación por parte de aquélla».

En el caso de la presente consulta, con el inicio del procedimiento de despido colectivo y el acuerdo alcanzado con los representantes de los trabajadores, puede considerarse que nace una obligación implícita o tácita, ya que el origen de la misma se encuentra en el hecho de la expectativa válida generada por la empresa al haber dado publicidad al plan de reestructuración, hechos que se producen en el ejercicio 2012, aunque la finalización del presente procedimiento no se produzca hasta el ejercicio 2013.

En definitiva, el registro de una provisión por causa de un expediente de regulación de empleo se debe producir tan pronto se cumplan los requisitos apuntados, siempre y cuando, a su vez, se considere probable que los acuerdos alcanzados entre la empresa y los trabajadores cumplen con los requisitos que la autoridad laboral competente exige para emitir el correspondiente informe favorable, que será el que otorgue eficacia jurídica al compromiso implícitamente asumido.

En cuanto a su valoración, y de acuerdo con lo establecido en el apartado 2 de la NRV 15.ª, se realizará, de acuerdo con la información disponible en cada momento, en la fecha de cierre del ejercicio, por el valor actual de la mejor estimación posible del importe necesario para cancelar o transferir a un tercero la obligación, registrándose los ajustes que surjan por la actualización del pasivo como un gasto financiero conforme se vayan devengando, excepto si se trata de provisiones con vencimiento igual o inferior a un año y el efecto financiero no sea significativo, en cuyo caso no será necesario realizar ningún tipo de descuento.

Por su parte, la norma de registro y valoración 23.ª. «Hechos posteriores al cierre del ejercicio», establece lo siguiente:

«Los hechos posteriores que pongan de manifiesto condiciones que ya existían al cierre del ejercicio, deberán tenerse en cuenta para la formulación de las cuentas anuales. Estos hechos posteriores motivarán en las cuentas anuales, en función de su naturaleza, un ajuste, información en la memoria o ambos.

Los hechos posteriores al cierre del ejercicio que pongan de manifiesto condiciones que no existían al cierre del mismo, no supondrán un ajuste en las cuentas anuales.

No obstante, cuando los hechos sean de tal importancia que si no se facilitara información al respecto podría distorsionarse la capacidad de evaluación de los usuarios de las cuentas anuales, se deberá incluir en la memoria información respecto a la naturaleza del hecho posterior conjun-

tamente con una estimación de su efecto o, en su caso, una manifestación acerca de la imposibilidad de realizar dicha estimación».

De acuerdo con lo anterior, una vez aprobado el expediente de regulación de empleo por la autoridad administrativa competente, la empresa informará de esta circunstancia en la memoria pero, en todo caso, a la vista de la información facilitada en la consulta el pasivo debería lucir en el balance al cierre del ejercicio 2012.

Comentario

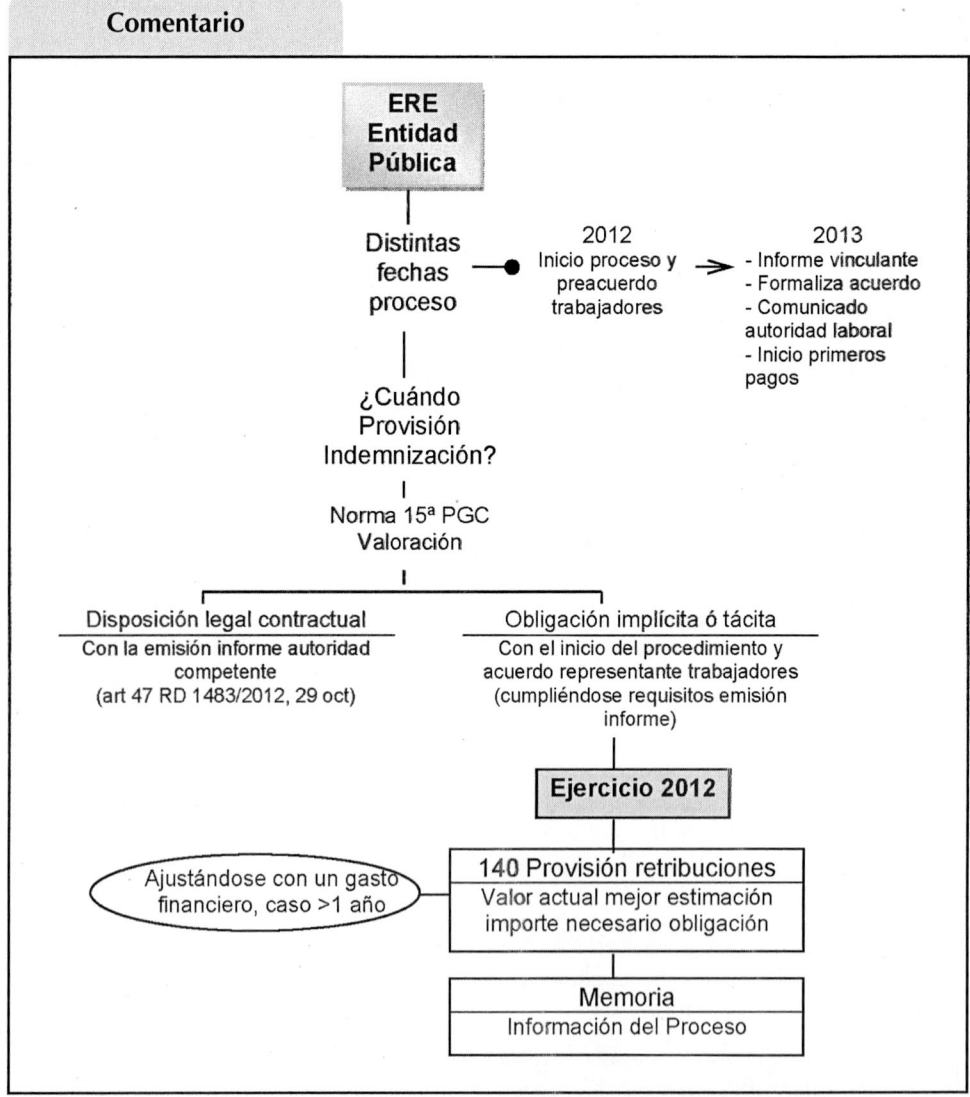

Ejemplo

La Entidad de Derecho Público ADIF, que aplica el Plan General de Contabilidad, inicia el 15 de noviembre del X12 un procedimiento de despido colectivo mediante comunicación dirigida a los representantes de los trabajadores, a la autoridad laboral competente, y al resto de órganos de la Administración Pública.

Dicho procedimiento consiste en un conjunto de iniciativas destinadas a un programa de reducción de costes de producción con objeto de incrementar la productividad y el rendimiento económico, lo cual conllevará la supresión de determinados puestos de trabajo

El valor actual de la estimación de los gastos de la supresión de los puestos de trabajo asciende a 3.000.000€, de los cuales, se estima que 200.000€ serán minutas de abogados, y el resto indemnizaciones a los trabajadores afectados. Se estima que las citadas indemnizaciones, sean satisfechas a primeros de abril del X13.

A finales de noviembre del X12, se llega a un preacuerdo con los representantes de los trabajadores: días más tarde se comunica a la empresa el resultado del referéndum del acuerdo definitivo celebrado por los trabajadores.

El informe vinculante de la autoridad competente, se realiza el 15 de enero del X13. Formalizándose el acuerdo, y comunicándolo a la autoridad laboral.

Los pagos por indemnizaciones se producen en el mes abril de X13, ascendiendo su importe a 3.050.000€, de los cuales 210.000 corresponden a la minuta de los abogados.

SE PIDE:

Registro de las operaciones relatadas.

NOTA: Sabemos que el tipo de interés incremental de las deudas de la empresa, es del 6%.

SOLUCIÓN:

–¿Cuándo debe reconocerse la provisión por indemnizaciones a los trabajadores que van a salir de la entidad como consecuencia del procedimiento de despido colectivo?

La entidad se encuentra «jurídicamente» obligada a pagar las indemnizaciones que resulten del procedimiento de despido colectivo una vez que el informe vinculante a que se refiere el art. 47 del Real decreto 1483/2012 de 29 de octubre se ha emitido, esto es, el 15 de enero de 2013, suponiendo que es en ese momento cuando surge la obligación legal o contractual.

Ahora bien, el Plan General de Contabilidad (PGC) aprobado por Real Decreto 1514/2007 de 16 de noviembre, en su primera parte «Marco conceptual de la Contabilidad» (MCC) enuncia el principio de prudencia, que en lo referente a la contabilización de los riesgos de empresa, señala que:

> *«(...) se deberán tener en cuenta todos los riesgos con origen en el ejercicio o en otro anterior, tan pronto sean conocidos, incluso si sólo se conocieran entre la fecha de cierre de las cuentas anuales y la fecha en que éstas se formulen. En tales casos se dará cumplida información en la memoria, sin perjuicio de su reflejo, cuando se haya generado un pasivo y un gasto, en otros documentos integrantes de las cuentas anuales (...)».*

En particular, la Norma 15.ª de Valoración del PGC «Provisiones y contingencias», nos indica que:

> *«(...) Las provisiones pueden venir determinadas por una disposición legal, contractual o por una obligación implícita o tácita. En este último caso, su nacimiento se sitúa en la expectativa válida creada por la empresa frente a terceros, de asunción de una obligación por parte de aquélla».*

En nuestro caso, con el inicio del procedimiento de despido colectivo y el acuerdo alcanzado con los representantes de los trabajadores, puede considerarse que nace una obligación implícita o tácita, ya que el origen de la misma se encuentra en el hecho de la expectativa válida generada por la empresa al haber dado publicidad al plan de reestructuración, hechos que se producen en el ejercicio X12, aunque la finalización del presente procedimiento no se produzca hasta el ejercicio X13.

Con lo cual, el registro de una provisión por causa de un expediente de regulación de empleo se debe producir tan pronto se cumplan los requisitos apuntados, siempre y cuando, a su vez, se considere probable que los acuerdos alcanzados entre la empresa y los trabajadores cumplen con los requisitos que la autoridad laboral competente exige para emitir el correspondiente informe favorable, que será el que otorgue eficacia jurídica al compromiso implícitamente asumido [Consulta 9, BOICAC 96]

En consecuencia con todo lo anterior, registraremos la provisión a finales de noviembre:

———————————————— 30/11/X12 ————————————————

2.800.000	Indemnizaciones (641)		
200.000	Servicios de profesionales independientes (623)		
		a	Provisión a corto plazo para otras responsabilidades (5292) 3.000.000

– Operaciones al cierre de ejercicio X12:

Las provisiones se valorarán en la fecha de cierre del ejercicio, por el valor actual de la mejor estimación posible del importe necesario para cancelar o transferir a un tercero la obligación. Cuando se trate de provisiones con vencimiento inferior o igual a un año, y el efecto financiero no sea significativo, no será necesario llevar a cabo ningún tipo de descuento.

Veamos, si el efecto financiero es significativo:

Efecto financiero = 3.000.000 x 6% = 180.000 (anual)

Tiempo estimado para acometer la obligación: 4 meses (diciembre-marzo), por lo que para 4 meses:

$$\frac{180.000}{12 \text{ meses}} \times 4 \text{ meses} = 60.000€$$

Que consideramos significativo: en consecuencia actualizaremos la provisión (1 mes, para el X12):

———————————————————— 31/12/X12 ————————————————————

15.000	Gastos financieros por actualización de provisiones (660)		
	[(60.000/4) = 15.000]		
		a	Provisión a corto plazo para otras responsabilidades (5292)
			15.000

– A comienzos del mes de abril (ejercicio X13), volveremos a actualizar la provisión (3 meses desde enero):

$$\frac{60.000}{4 \text{ meses}} \times 3 \text{ meses} = 45.000$$

──────────────────────── 1/4/X13 ────────────────────────

45.000   Gastos financieros por
actualización de provisiones (660)

          a   Provisión a corto plazo para
otras responsabilidades (5292)   45.000

Para, de inmediato, anotar el pago acordado:

──────────────────────── 1/4/X13 ────────────────────────

3.060.000   Provisión a corto plazo
para otras responsabilidades (5292)

[3.000.000 + 15.000 +
45.000]

          a   Bancos c/c (572)   3.050.000

                Exceso de provisión para otras
responsabilidades (7952)   10.000

5.2.2.2.   Deuda solidaria, entre empresas del grupo

BOICAC 99, septiembre 2014. Consulta 2.

Sobre la contabilización de una sentencia desfavorable a dos empresas pertenecientes al mismo grupo.

Respuesta

Dos sociedades pertenecientes al mismo grupo han sido condenadas a pagar un importe elevado de forma solidaria, fruto de una sentencia desfavorable que afecta a ambas empresas. La consulta versa sobre cómo habría que reflejar contablemente la obligación de pago en cada una de las sociedades.

El registro contable de cualquier operación requiere un previo análisis del fondo económico y jurídico de la misma, tal y como exige el art. 34.2 del Código de Comercio y, en su desarrollo, el Marco Conceptual de la Contabilidad (MCC) recogido en la primera parte del Plan General de Contabilidad (PGC) aprobado por Real Decreto 1514/2007, de 16 de noviembre, en cuya virtud, en la contabilización de las operaciones se atenderá a su realidad económica y no sólo a su forma jurídica.

En consecuencia, para poder otorgar un adecuado tratamiento contable a los hechos descritos será condición indispensable conocer los acuerdos, si los hubiera, circunstancias que no son manifestadas en la consulta.

Una vez realizada la anterior precisión, la definición de pasivo recogida en el MCC establece:

> «Pasivo. Obligaciones actuales surgidas como consecuencia de sucesos pasados, para cuya extinción la empresa espera desprenderse de recursos que puedan producir beneficios o rendimientos económicos en el futuro».

Respecto a los criterios de registro o reconocimiento de los pasivos, el citado MCC señala en el punto quinto:

> «Los pasivos deben reconocerse en el balance cuando sea probable que, a su vencimiento y para liquidar la obligación, deban entregarse o cederse recursos que incorporen beneficios o rendimientos económicos futuros y siempre que se puedan valorar con fiabilidad. El reconocimiento contable de un pasivo implica el reconocimiento simultáneo de un activo, la disminución de otro pasivo o el reconocimiento de un gasto u otros decrementos en el patrimonio neto».

En el caso de concurrencia de más de un deudor en una obligación, en principio, cada sociedad deudora deberá registrar en su balance la parte de deuda que le corresponda, que según el art. 1.138 del Código Civil se presumirá dividida en tantos deudores haya, si del texto de la obligación no resulta otra cosa. A este respecto, el pasivo debe registrarse de acuerdo con lo dispuesto en la norma de registro y valoración 9.ª. «Instrumentos financieros» del PGC.

Adicionalmente a lo anterior, en la medida que un deudor, como claramente es el caso del deudor solidario, pueda venir obligado a satisfacer frente al acreedor la parte correspondiente a su codeudor, deberá valorar adecuadamente el riesgo derivado de esta situación de forma que, en la medida que a la fecha de cierre del ejercicio sea probable o cierto un incremento en su deuda aunque indeterminado en cuanto a su importe exacto o en cuanto a la fecha en que se producirá, deberá reconocer la oportuna provisión.

Comentario

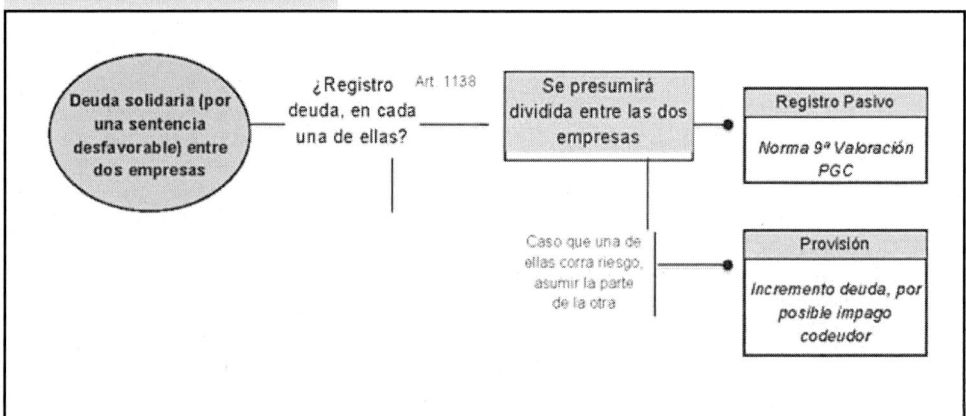

Ejemplo

Sea el grupo de sociedades «AB», en el que la sociedad dominante «A» posee una participación del 100% en la sociedad dependiente «B», el grupo de sociedades se dedica a la fabricación de componentes del automóvil.

Como consecuencia de un posible fallo en la fabricación de un componente, han sido condenadas el 1/7/X0 a pagar un importe de 1.000.000 de forma solidaria, fruto de una sentencia desfavorable que afecta a ambas empresas.

Reunido el equipo de abogados del grupo, considera que es muy probable que tengan que pagar la sanción, pero podrán interponerse recursos que aplazarían el pago de la misma unos dos años así como que se obtendría una reducción de la cuantía que el equipo estima en unos 200.000€.

Tipo de interés incremental de las deudas de la empresa 8%

El grupo de sociedades tiene la certeza de que cada sociedad del mismo puede afrontar las obligaciones contraídas como consecuencia de la sentencia.

SE PIDE:

Registro de la operación en las dos sociedades en el año X0, sabiendo que al cierre de ejercicio se conoce que han sido admitidos a trámite los recursos presentados, estimándose que la cuantía que las sociedades tendrán que afrontar ascenderá a 700.000€ y habrá que hacerla efectiva a finales del ejercicio X1.

SOLUCIÓN:

SOCIEDAD «A»

Los pasivos deben reconocerse en el balance cuando sea probable que, a su vencimiento y para liquidar la obligación, deban entregarse o cederse recursos que incorporen beneficios o rendimientos económicos futuros y siempre que se puedan valorar con fiabilidad.

Nuestra empresa «(...) *reconocerá como provisiones los pasivos (...) resulten inde-terminados respecto a su importe o a la fecha en que se cancelarán Las provisiones pueden venir determinadas por una disposición legal, contractual o por una o obli-gación implícita o tacita(...)*» [Norma 15.ª de Valoración, sobre Provisiones].

──────────────────────── 1/7/X0 ────────────────────────

342.935,53	Gastos excepcionales (678)			
		a	Provisión para otras respon-sabilidades (142)$^{(*)}$	342.935,53

$^{(*)}$ Debido a que el equipo de abogados estima que la cantidad a desembolsar se situaría en (1.000.000 - 200.000 =) 800.000€, y en el caso de concurrencia de más de un deudor en una obligación, en principio, cada sociedad deudora deberá registrar en su balance la parte de deuda que le corresponda, que según el art. 1.138 del Código Civil se presumirá dividida en tantos deudores haya, si del texto de la obligación no resulta otra cosa. La Norma 15.ª de Valoración, implícitamente, indica que para vencimientos superiores al año, se hace necesario realizar la actualización de los importes. Así:
Cuantía provisión: (800.00/2) $(1+0,08)$-2 = 342.935,53

OPERACIONES A CIERRE DE EJERCICIO X2:

– Por la actualización de la provisión:

──────────────────────── 31/12/X0 ────────────────────────

13.453,53	Gastos financieros por actualización de provi-siones (660)			
		a	Provisión para otras respon-sabilidades (142)$^{(*)}$	13.453,53

$^{(*)}$ 342.935,53 $(1 + 0,08)$1/2 - 342.935,53 = 13.453,53€

– Actualización de la provisión en función de las nuevas condiciones:

——————————— 31/12/X0 ———————————

32.314,99	Provisión para otras res- ponsabilidades (142)[*]			
		a	Exceso de provisión para otras responsabilidades (7952)	32.314,99

---

[*] La provisión, la contabilizaremos en la fecha de cierre del ejercicio, «(...) por el valor actual de la mejor estimación posible del importe necesario para cancelar o transferir a un tercero la obligación actual que representan».

Valor Contable de la provisión (342.935,53 + 13.453,53)	356.389,06
Valor de la provisión a 31/12/X0	324.074,07
$(700.000/2)\,(1+0,08)^{-1} = 324.074,07$	

DIFERENCIA	32.314,99

– Por la reclasificación de la provisión al ser su posible vencimiento el 31/12/X1

——————————— 31/12/X0 ———————————

324.074,07	Provisión para otras responsabilidades (142)[*]			
		a	Provisión a corto plazo para otras responsabilidades (5292)	324.074,07

---

[*] En la definición del subgrupo 14, nos indica que:

«(...) La parte de las provisiones cuya cancelación se prevea en el corto plazo, deberá figurar en el pasivo corriente del balance, en el epígrafe: "Provisiones a corto plazo"; a estos efectos, se traspasará el importe que representen las provisiones con vencimiento a corto a la cuentas de cuatro cifras correspondientes de la cuenta 529».

SOCIEDAD «B»

Los registros en la sociedad «B» serían exactamente los mismos que en la sociedad «A» como consecuencia de lo que dispone el art. 1.138 del Código Civil se presumirá dividida en tantos deudores haya, si del texto de la obligación no resulta otra cosa.

Adicionalmente a lo anterior, en la medida que un deudor, como claramente es el caso del deudor solidario, pueda venir obligado a satisfacer frente al acreedor la parte correspondiente a su codeudor, deberá valorar adecuadamente el riesgo derivado de esta situación de forma que, en la medida que a la fecha de cierre del ejercicio sea probable o cierto un incremento en su deuda aunque indeterminado en cuanto a su importe exacto o en cuanto a la fecha en que se producirá, deberá reconocer la oportuna provisión. En nuestro caso no existe esta contingencia ya que ambas sociedades pueden afrontar las obligaciones que se deriven de la sentencia.

5.2.2.3. Indemnización a recibir tras un juicio, sin sentencia firme

BOICAC 108, diciembre 2016. Consulta 3.

Sobre el tratamiento contable de la indemnización recibida en un proceso judicial a raíz de una sentencia dictada en primera instancia y que ha sido recurrida por la parte demandada.

Respuesta

Una entidad espera recibir una indemnización tras dictarse sentencia favorable a sus intereses y haber solicitado la ejecución provisional del fallo. Sin embargo, la sentencia ha sido recurrida por la parte demandada y, en consecuencia, al no haber recaído sentencia firme todavía existe una incertidumbre sobre el desenlace del mencionado litigio. La consulta versa sobre el adecuado tratamiento contable de estos hechos.

La interposición de una demanda en un procedimiento judicial y la correspondiente expectativa de que el litigio concluya con el reconocimiento de una indemnización a favor de la parte demandante origina en esta última el nacimiento de un activo contingente en el caso de que sea probable la entrada de beneficios o rendimientos económicos a raíz de la ejecución de la sentencia.

Los activos contingentes no se reconocen en el balance. En estos casos, la Nota 14. Provisiones y contingencias, apartado 3, del modelo normal de memoria incluido en la tercera parte del Plan General de Contabilidad (PGC), aprobado por Real Decreto 1514/2007, de 16 de noviembre, estipula que la empresa deberá incluir la siguiente información sobre el activo contingente: a) Una breve descripción de su naturaleza; b) Evolución previsible, así como los factores de los que depende, y; c) Información sobre los criterios utilizados para su estimación, así como los posibles efectos en los estados financieros y, en caso de no poder realizarse, información sobre dicha imposibilidad e incertidumbres que la motivan.

Cuando se conoce la sentencia dictada en primera instancia pero se interpone un recurso y, por lo tanto, el fallo no es firme, la incertidumbre sobre la resolución final se atenúa pero no desaparece. Y para otorgar un adecuado tratamiento contable a estos hechos sería preciso traer a colación por analogía la interpretación publicada en la consulta 3 del BOICAC nº 78, de junio de 2009, en la que se concluye que: «...*para considerar que existe un beneficio procedente del bien expropiado es necesario que estemos ante importes "acordados o liquidados", es decir, de valores consolidados que generen beneficios o rendimientos económicos en la empresa, circunstancia que con carácter general se alcanzará en el caso de un derecho de crédito por fijación de precio cuando éste quede otorgado por sentencia que haya adquirido firmeza.*»

De acuerdo con lo indicado, en la medida que el fallo judicial no sea firme la empresa seguirá calificando el activo como contingente y seguirá informando en la memoria en los términos indicados más arriba.

En este punto, si la demandante solicita la ejecución de la sentencia dictada en primera instancia será preciso analizar la naturaleza del activo recibido a que se refiere el escrito de consulta. En este sentido, en el supuesto de que la ejecución consistiera en la obligación a cargo de la parte demandada de efectuar un depósito en una cuenta restringida del órgano judicial, el tratamiento contable de los hechos descritos sería el expuesto, sin que esta circunstancia origine el reconocimiento de activo alguno.

Por el contrario, si la empresa recibiese el importe acordado en el fallo judicial y gozara de libertad de disposición sobre el efectivo incorporado a su patrimonio, se cumplirían los requisitos para reconocer el activo y el correspondiente ingreso por naturaleza. No obstante, la interposición de un recurso contra la sentencia dictada en primera instancia originaría una nueva situación de incertidumbre acerca de la obligación de reintegrar las cantidades ahora obtenidas, que será preciso analizar en aplicación de la norma de registro y valoración (NRV) 15ª. Provisiones y contingencias del PGC. Esto es, en el supuesto analizado, la incertidumbre afectará no solo al momento de la devolución de la cantidad obtenida, sino a la propia existencia de la obligación de devolver ese importe, total o parcialmente, es decir, a si existe o no una obligación en el momento presente.

En tal caso, la cuestión a dilucidar sería la probabilidad de que en la segunda instancia pudiera recaer un fallo desfavorable para la consultante. Si después del citado análisis se concluye que existe una obligación presente cuya cancelación traerá consigo el reintegro de la cantidad recibida, porque es probable que el fallo en segunda instancia sea desfavorable para la empresa consultante, se cumpliría el principal requisito regulado en la NRV 15ª del PGC para reconocer una provisión. En caso contrario, se deberá informar en la memoria sobre la contingencia que se resolverá en el futuro.

En definitiva, la existencia de un procedimiento judicial en curso no es razón suficiente para que la incertidumbre inherente a esta situación origine el reconocimiento de un pasivo. En el caso de procedimientos judiciales, la existencia de una obligación presente se determina por el juicio experto, objetivo e imparcial, sobre la posibilidad de existencia de la obligación, debiendo concluir que se cumple el principal requisito para el reconocimiento de una provisión cuando sea más posible que exista una obligación que lo contrario.

Por último, en la memoria de las cuentas anuales se deberá incluir toda la información significativa sobre estos hechos, de acuerdo con lo dispuesto en la nota sobre provisiones y contingencias del modelo de memoria del PGC, para que los usuarios puedan analizar la razonabilidad de los juicios realizados por la empresa, con el objetivo de que aquellas, en su conjunto, expresen la imagen fiel del patrimonio, de la situación financiera y de los resultados de la empresa.

Comentario

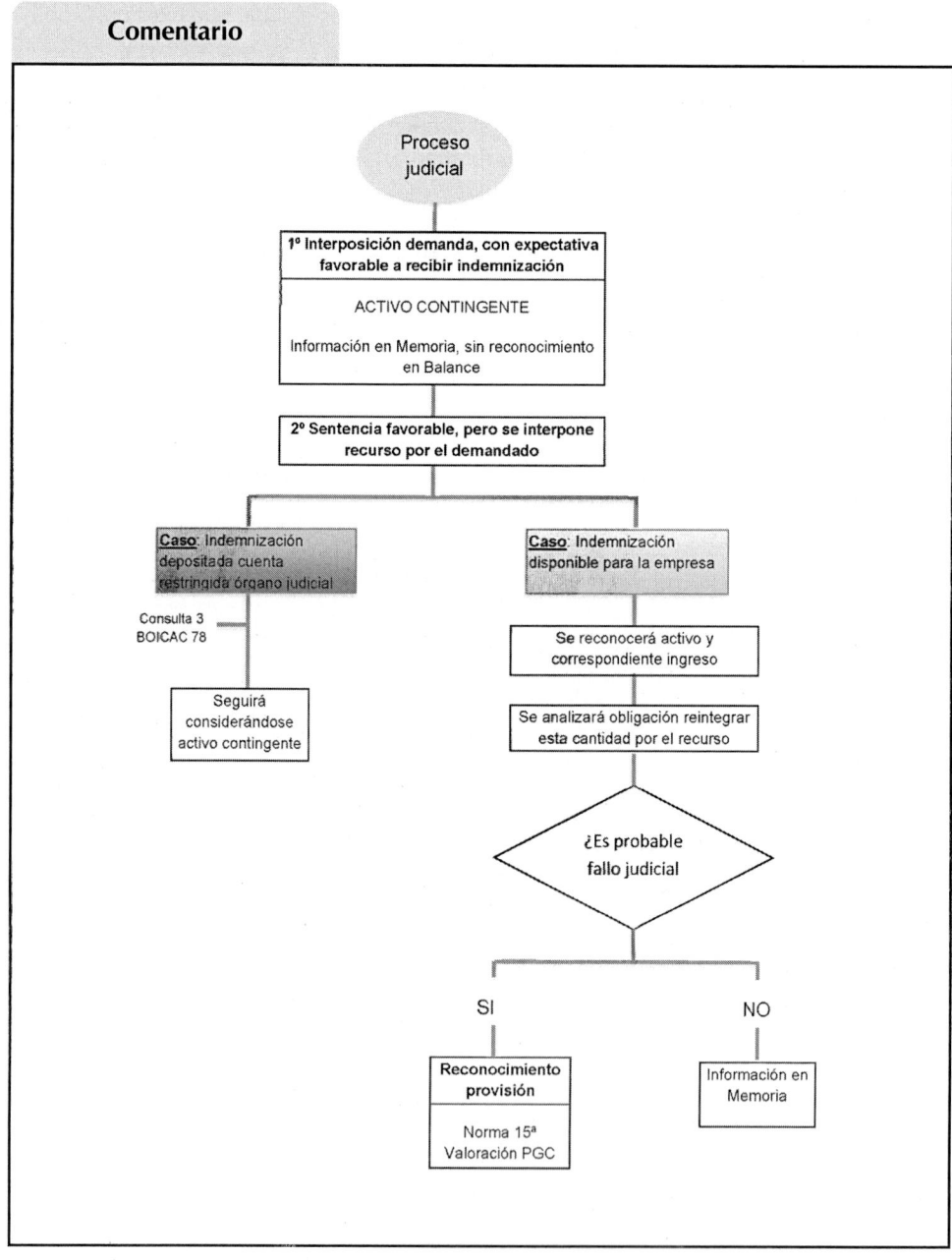

Ejemplo

A principios del ejercicio X8, la sociedad «EL PROTESTON S.L.» como consecuencia de un litigio mantenido con uno de sus proveedores, espera recibir una indemnización por un importe de 200.000€: tras dictarse sentencia favorable a sus intereses y haber solicitado la ejecución provisional del fallo. Sin embargo, la sentencia ha sido recurrida por la parte demandada y, en consecuencia, al no haber recaído sentencia firme todavía existe una incertidumbre sobre el desenlace del mencionado litigio.

La ejecución consistirá en la obligación a cargo de la parte demandada, de efectuar un depósito en una cuenta restringida del órgano judicial.

SE PIDE:

Contabilizar lo que proceda en los siguientes casos:

A) Según lo propuesto por el enunciado y para el ejercicio X8

B) Lo mismo que el apartado A), pero en este caso la empresa ha recibido el importe acordado en el fallo judicial y goza de libertad de disposición sobre el efectivo incorporándolo a su patrimonio. La cuantía ingresada en la cuenta corriente de la empresa de la empresa ascendió a 200.000€. Para analizar la situación en que se encuentra la empresa como consecuencia del recurso presentado por la parte demandada, se ha reunido con el equipo de abogados de la empresa y ha estimado que existe una probabilidad superior a que la sentencia en firme sea desfavorable a la empresa, de que ésta le sea favorable. Igualmente se estima que el fallo adquirirá firmeza en un periodo de 2 años.

Las cuantías y porcentajes se expresan en el cuadro siguiente:

Importe	Probabilidad
200.000	10%
20.000	40%
30.000	45%
70.000	5%

Comentar lo que proceda, en el caso de prever un fallo favorable, en un porcentaje del 70%

Nota: se sabe que el tipo de interés incremental de las deudas de la empresa, es del 6% anual.

SOLUCIÓN:

CASO A: PROPUESTO POR EL ENUNCIADO

No procede registro contable alguno.

En la medida que el fallo judicial no sea firme, la empresa seguirá calificando el activo como contingente y seguirá informando en la memoria .

En este punto, si la demandante solicita la ejecución de la sentencia dictada en primera instancia será preciso analizar la naturaleza del activo recibido. En este sentido, en el supuesto de que la ejecución consistiera en la obligación a cargo de la parte demandada de efectuar un depósito en una cuenta restringida del órgano judicial, el tratamiento contable de los hechos descritos sería el expuesto, sin que esta circunstancia origine el reconocimiento de activo alguno [Consulta 3, BOICAC 108]

CASO B: INDEMNIZACIÓN DISPONIBLE PARA LA EMPRESA

b.1. Supuesto, en que se prevea fallo definitivo desfavorable

– En este supuesto, registraríamos el activo correspondiente a inicios del X8:

	X	
200.000 Bancos c/c (572)	a	Ingresos excepcionales (778) 200.000

Así, y según la presente consulta, si la empresa recibiese el importe acordado en el fallo judicial y gozara de libertad de disposición sobre el efectivo incorporado a su patrimonio, se cumplirían los requisitos para reconocer el activo y el correspondiente ingreso por naturaleza.

– En cuanto a la probabilidad de que la sentencia firme sea desfavorable para la empresa, «EL PROTESTON» deberá reconocer: «(...) *como provisiones los pasivos que (...) resulten indeterminados respecto a su importe o a la fecha en que se cancelarán. Las provisiones pueden venir determinadas por una disposición legal, contractual (...)*» [Norma 15ª Valoración PGC]. ¿Por qué importe?. Al ser la resolución del conflicto dentro de dos años, la mencionada Norma, nos indica que será por el valor actual de la mejor estimación posible del importe necesario para cancelar o transferir a un tercero la obligación que representa. En nuestro caso, podremos calcular una media del importe que la empresa deberá estar pagando en el supuesto que pierda en el juicio. Y lo haremos utilizando probabilidades, así:

$$200.000 \times 10\% + 20.000 \times 40\% + 30.000 \times 45\% + 70.000 \times 5\% = 45.000€$$

Y su valor actual, sería:

$$V.A = 45.000(1+0,06)^{-2} = 40.050€$$

Anotando en la misma fecha:

———————————————— X ————————————————

40.500	Gastos excepcionales (678)	a	Provisión para otras respon-sabilidades (142) 40.500

La probabilidad de que en la segunda instancia pudiera recaer un fallo desfavorable para la empresa, ya que existe una obligación presente cuya cancelación traerá consigo el reintegro de la cantidad recibida, porque es probable que el fallo en segunda instancia sea desfavorable, se cumpliría el principal requisito regulado en la Norma de Valoración15ª del PGC para reconocer una provisión.

El principal requisito para el reconocimiento de una provisión: cuando sea más posible que exista una obligación que lo contrario. [Consulta 3, BOICAC 108]

–Según lo dispuesto en la Norma 15ª Valoración PGC, Apartado 2: «*De acuerdo con la información disponible en cada momento, las provisiones se valorarán en la fecha de cierre del ejercicio, por el valor actual de la mejor estimación posible del importe necesario para cancelar o transferir a un tercero la obligación, registrándose los ajustes que surjan por la actualización de la provisión como un gasto financiero conforme se vayan devengando (…)*». Por lo que, al cierre del X8 y por la actualización de la provisión, registraremos:

———————————————— 31/12/X8 ————————————————

40.500	Gastos financieros por actualización de provisiones (660) [40.050x6%]	a	Provisión para otras responsabilidades (142) 2.403

b.2. Supuesto, en que se prevea fallo definitivo favorable

¿Qué ocurriría, cuando estimásemos, en un porcentaje del 70%, que la sentencia, al final, fuse favorable a nosotros?

Registraríamos, igualmente, el activo procedente del efectivo disponible:

———————————————— X ————————————————

200.000	Bancos c/c (572)	a	Ingresos excepcionales (778) 200.000

Al gozar de total disposición sobre éste, y poder incorporarlo al patrimonio: reconociéndose el correspondiente ingreso.

Pero, sin embargo, no procederíamos a registrar provisión alguna: debiéndose informar en memoria, sobre la contingencia que se resolverá en el futuro [Consulta 3, BOICAC 108]

6.

IMPUESTO SOBRE SOCIEDADES, IMPUESTO SOBRE EL VALOR AÑADIDO Y OTROS IMPUESTOS

6. IMPUESTO SOBRE SOCIEDADES, IMPUESTO SOBRE EL VALOR AÑADIDO Y OTROS IMPUESTOS

Sumario

6.1. IMPUESTO SOBRE SOCIEDADES

6.1.1. Impuesto corriente

6.1.1.1. Regularización operaciones en base RDL 12/2012: tratamiento contable

BOICAC 94, junio 2013. Consulta 8.

Sobre el tratamiento contable de la regularización tributaria especial aprobada por el Real Decreto-ley 12/2012, de 30 de marzo, por el que se introducen diversas medidas tributarias y administrativas dirigidas a la reducción del déficit público, se aprueban cuantas medidas resultan necesarias para su cumplimiento, así como el modelo 750, de declaración tributaria especial, y se regulan las condiciones generales y el procedimiento para su presentación.

Respuesta

Al amparo de la Disposición adicional primera del citado Real Decreto-ley, una sociedad mercantil ha regularizado dos operaciones:

a) Un importe que se califica por el consultante como mayor precio de adquisición de un inmueble que la empresa tenía registrado en su balance desde el 31/12/2008.

b) Un ingreso del ejercicio 2008, que se corresponde con la concesión de un préstamo a una empresa vinculada.

Según se desprende de la consulta ninguna de estas dos operaciones de contabilizaron en su día.

La Orden HAP/1182/2012, de 31 de mayo, por la que se desarrolla la Disposición adicional primera del Real Decreto-ley 12/2012, de 30 de marzo, establece:

«Art. 1. Naturaleza jurídica de la declaración tributaria especial.

A efectos de lo dispuesto en el art. 119 de la Ley 58/2003, de 17 de diciembre, General Tributaria, la declaración tributaria especial establecida en la disposición adicional primera del Real Decreto-ley 12/2012, de 30 de marzo, por el que se introducen diversas medidas tributarias y administrativas dirigidas a la reducción del déficit público, constituye declaración tributaria, sin que su presentación tenga por finalidad la práctica de una liquidación tributaria de las reguladas en los arts. 101 y 128 y siguientes de la Ley 58/2003, de 17 de diciembre, General Tributaria.

Dicha declaración participa de la naturaleza de las autoliquidaciones tributarias a las que se refiere el art. 120 de la Ley General Tributaria sin que la misma pueda entenderse conducente a la autoliquidación de una obligación tributaria devengada con anterioridad».

A la vista de estos antecedentes, que encuadran la regularización fiscal de rentas no declaradas, cabe deducir que van a producirse dos efectos inmediatos: de una parte

815

podrán surgir bienes, derechos, rentas o cantidades depositadas en cuentas corrientes que no habían sido declarado fiscalmente con anterioridad, y de otra parte surgirá la obligación de ingreso en el Tesoro Público el importe resultante de la autoliquidación practicada para obtener la regularización de la situación tributaria sin que se considere una obligación fiscal devengada en ejercicios anteriores, sino que el devengo de la obligación fiscal nace en el propio ejercicio en que se regulariza la situación tributaria.

Con el objeto de dar respuesta a la presente consulta se analizarán de forma separada ambos efectos.

De las operaciones descritas por la consultante se infiere que las cuentas anuales de la mercantil contienen omisiones o inexactitudes. Para subsanarlas, el Plan General de Contabilidad, aprobado por el Real Decreto 1514/2007, de 16 de noviembre, en su norma de registro y valoración 22.ª «Cambios de criterios contables, errores y estimaciones contables», establece que:

> *«(...) Cuando se produzca un cambio de criterio contable, que sólo procederá de acuerdo con lo establecido en el principio de uniformidad, se aplicará de forma retroactiva y su efecto se calculará desde el ejercicio más antiguo para el que se disponga de información.*
>
> *El ingreso o gasto correspondiente a ejercicios anteriores que se derive de dicha aplicación motivará, en el ejercicio en que se produce el cambio de criterio, el correspondiente ajuste por el efecto acumulado de las variaciones de los activos y pasivos, el cual se imputará directamente a patrimonio neto, en concreto en una partida de reservas salvo que afectara a un gasto o un ingreso que se imputó en los ejercicios previos directamente en otra partida del patrimonio neto. Asimismo, se modificarán las cifras afectadas en la información comparativa de los ejercicios a los que le afecte el cambio de criterio contable.*
>
> *En la subsanación de errores relativos a ejercicios anteriores serán de aplicación las mismas reglas que para los cambios de criterios contables».*

Por lo tanto, la sociedad deberá subsanar los errores cometidos de tal forma que en el ejercicio en el que se efectúa la corrección, el importe por el que aparezcan registrados los activos, pasivos y cuentas de patrimonio neto fuese el mismo que resultaría de haber realizado el registro contable de la operación correctamente. El ajuste por el efecto acumulado de las variaciones de los activos y pasivos, se contabilizará en una partida de reservas.

Por otro lado, las operaciones de regularización se hacen efectivas con el pago en el Tesoro Público de la cantidad resultante de la autoliquidación practicada. A este respecto, la cantidad pagada tiene su fundamento económico en la regularización de la situación tributaria del obligado al pago sin que implique la extinción de una deuda tributaria devengada en ejercicios anteriores, tal y como se desprende de la citada Orden HAP/1182/2012, de 31 de mayo. Por ello, dicho importe se contabilizará en la cuenta de pérdidas y ganancias del ejercicio como un gasto por impuesto corriente.

Comentario

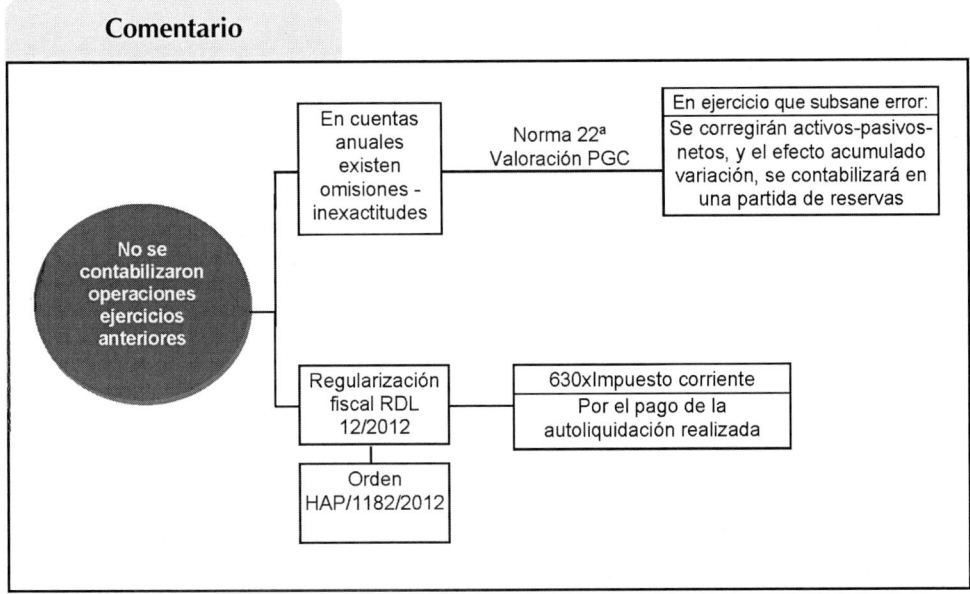

Ejemplo

La sociedad «A», incorporó a su patrimonio el 31/12/2008 un inmueble construido con sus propios medios y por un coste de producción de 600.000€ (valor del suelo 20%): su destino fue la sede social de la empresa. La vida útil, se estableció en 50 años, amortizándose de forma lineal. Las tasas inherentes a la construcción así como los honorarios de los facultativos del proyecto y dirección de obra, ascendieron a 60.000€; éstos fueron desembolsados a comienzos del 2009, pero no se realizó anotación contable alguna con respecto a esta operación.

Sabemos igualmente que «A», concedió el 1/1/2011 un préstamo a «B», de la que posee el 100%, por importe de 50.000€ a un tipo de interés cero y a devolver con reembolso único el 31/12/2012.

En cuentas, «A» no registró ningún ingreso en relación con este crédito, habiéndose reconocido éste en el momento de la concesión, por el importe entregado.

A inicio del 2012, «A» se percata de los errores contables, en relación con las dos operaciones descritas antes, regularizando su situación contable.

A principios del mes de mayo, procede a presentar la declaración para la regularización tributaria especial aprobada por el RDL 12/2012, en relación a los hechos detallados: haciendo efectivo el importe correspondiente, materializado a través de bancos.

SE PIDE:

Registro de las operaciones descritas, sabiendo que la Administración tributaria no ha iniciado procedimiento de comprobación o investigación, tendentes a la determinación de deudas tributarias con la sociedad. El tipo de interés de mercado, para operaciones de préstamo similares: 5% anual.

SOLUCIÓN:

1.- Ajustes operaciones registradas erróneamente.

La Norma 22.ª de Valoración del PGC, nos indica que en la subsanación de errores relativos a ejercicios anteriores, serán de aplicación las mismas reglas que para los cambio de criterios contables.

Para éstos, la mencionada Norma nos comenta:

> *«Cuando se produzca [un error] (...) se aplicará de forma retroactiva y su efecto se calculará desde el ejercicio más antiguo para el que se disponga de información(...) el ingreso o gasto correspondiente a ejercicios anteriores (...) en el ejercicio en que [se percate del error] (...)el correspondiente ajuste por el efecto acumulado de las variaciones de los activos y pasivos, el cual se imputará directamente en el patrimonio neto, en concreto, en una partida de reservas (...)».*

Por tanto, veremos para las dos operaciones estudiadas, las diferencias entre lo registrado por la sociedad y lo que debería haber hecho, viendo las distintas variaciones de los elementos.

INMUEBLE

A 1/1/2012, la sociedad «A», tendría la siguiente situación en relación con su sede social:

210. Terrenos y bienes naturales: 20% 600.000 =.	120.000
211. Construcciones: 80%600.000 =.	480.000
281.1. Amortización Acumulada Construcciones[*].	(28.800)

[*] Nota: Cálculo amortización

$$\text{Cuota amortización anual } \frac{480.000}{50 \text{ años}} = 9.600$$

Amortización hasta la fecha (desde 31/12/2008 - 1/1/2012): 3 años x 9.600 = 28.800

Sin embargo, nos damos cuenta de que la empresa efectúo mal el registro ya que de acuerdo con el apartado b) de la Norma 3.ª de Valoración del PGC el coste de producción de las construcciones estará formado, además por: *«(...) las tasas inherentes a la construcción y los honorarios facultativos de proyecto y dirección de obra».* Con lo cual, la valoración de la cuenta 211, se deberá incrementar en

60.000€: motivando este hecho una modificación en el importe de la cuota de amortización.

Por tanto:

Se hizo	Se debió hacer	Ajuste
(211): 480.000	(211) = 480.000 + 60.000 = 540.000	↑(211): 60.000
(281): 3 x 9.600 = 28.800	(281) = 3 x 10.800 (*) = 32.400	↑(281):3.600

(*) Nota: Cálculo amortización correcta

$$\text{Cuota amortización anual} = \frac{540.000}{50 \text{ años}} = 10.800$$

Anotándose.

------------------ 1/1/2012 ------------------

60.000   Construcciones (211)

                a   AAIM (281)   3.600

                    Reservas voluntarias (113)   56.400

CRÉDITO CONCEDIDO

En cuentas, y a inicio del ejercicio «A» presenta la siguiente situación, en relación al préstamo concedido a «B»:

5323. Créditos a c/p a empresas del grupo 500.000

Pudiéndose representar gráficamente la situación, de la siguiente forma:

Gráficamente:

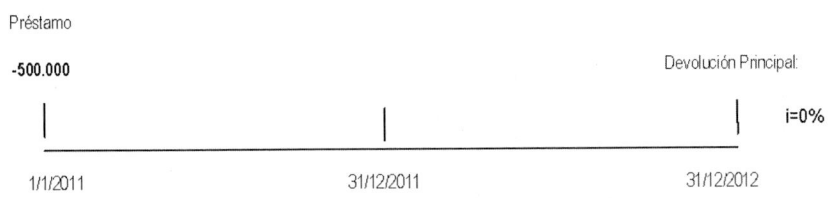

La sociedad no apuntó importe alguno de intereses, aunque el tipo de mercado para operaciones similares es del 5% anual.

No han sido correctas las anotaciones efectuadas por «A», ya que según la Norma 9.ª de Instrumentos Financieros, los activos financieros catalogados en «préstamos y partidas a cobrar» (como sería nuestro caso), se valorarán inicialmente: «*(...) por su valor razonable, que salvo evidencia en contrario, será el precio de la transacción, que equivaldrá al valor razonable de la contraprestación (...)*». Igualmente, y posteriormente estos activos se valorarán por su coste amortizado, «*(...) los intereses devengados se contabilizarán en la cuenta de pérdidas y ganancias, aplicando el método del tipo de interés efectivo (...)*».

Por tanto, observamos que:

1.°) Inicialmente, se registró el crédito por el importe entregado, no por su valor razonable. Éste, teniendo en cuenta el tipo de interés para operaciones similares del 5% anual, se cuantificaría:

$$500.000 \bullet (1 + 0,05)\text{-}2 = 453.514,74$$

2.°) No se imputó durante el tiempo estudiado, los ingresos por intereses procedentes de este activo financiero. Por tanto, y para su cálculo, elaboraremos un cuadro que nos servirá para imputar los importes correspondientes a cada ejercicio, teniendo en cuenta la valoración para el crédito del «coste amortizado» y para la determinación de los intereses el método del «tipo de interés efectivo».

Periodo	Fecha	Cobros (2)	Intereses (1)	Amortización (3)	Pendiente (Coste Amortizado) (4)
0	1/1/11	—	—	—	453.514,74
1	31/12/11	—	22.675,74	-22.675,74	476.190,48
2	31/12/12	—	23.809,52	-23.809,52	500.000

Siendo, con i = 5%

(1) = (4)$_{-1}$ x i

(3) = (2) - (1)

(4) = (4)$_{-1}$ - (3)

Con toda esta información, veremos las variaciones que se suceden al comparar lo registrado por la sociedad con lo que debería haber hecho:

– Sobre el importe del préstamo concedido:

Se hizo (1/1/2011)	Ajuste (1/1/2012)
500.000 (2423) Créditos l/p empr. Grupo a Bancos c/c (572) 500.000	↓ (5323)[3] = 500.000 - 453.514,74 = 1),(611), (612),6096.485,26 ↑ (2403) = 46.485,26
Se debió hacer (1/1/2011)	

453.514,74 (2423) Créditos l/p empr. Grupo[1] 46.485,26 (2403) Participaciones l/p empr.grupo[2] a Bancos c/c (572) 500.000	

[3] En el 2012, la cuenta a l/p, se habría reclasificado para su correspondiente a /p: en nuestro caso 5323. «Créditos c/p en empresas del grupo».

[1] Tal y como ya hemos comentado, registraremos el activo financiero por su valor razonable.

[2] La diferencia entre el valor razonable del crédito concedido y el importe concedido (en nuestro caso, 46.485,26 = 453.514,74 - 500.000), se registrará conforme a lo dispuesto en la consulta n.º 6, BOICAC 79 (septiembre, 2009), [en sintonía con otra, n.º 7 BOICAC 75] en la cual y para el caso que sitúa a «A» como donante (y propietaria del 100% de «B») concede un préstamo a interés cero, se contabilizará, con carácter general, un mayor valor de su participación.

Anotándose.

——————————————————— 1/1/2012 ———————————————————

46.485,26	Participaciones l/p empresas del grupo (2403)			
		a	Créditos c/p en empresas del grupo (5323)	46.485,26

– Sobre el importe de los intereses devengados hasta el momento:

Se hizo (31/12/2011)	Ajuste (1/1/2012)
---	$\uparrow$ (5323) = 22.675,74
Se debió hacer (31/12/2011)	$\uparrow$ (113) = 22.675,74
22.675,74 Créditos c/p en empresas del grupo (5323)[4] a Ingresos de crédito a l/p en empresas del grupo (76200) 22.675,74	

[4] Según lo expuesto en el cuadro, reflejando el coste amortizado del activo financiero, y el cálculo de los intereses en base al «tipo de interés efectivo».

Registrándose:

```
──────────────────────── 1/1/2012 ────────────────────────

22.675,74   Créditos c/p en empresas
            del grupo (5323)

                              a     Reservas voluntarias
                                    (113)                    22.675,74
──────────────────────────────    ──────────────────────────────
```

2.- Efecto impositivo de las operaciones no registradas.

Ante la regularización fiscal de rentas no declarada, establecida en la declaración tributaria especial en la disposición adicional primera del Real Decreto-Ley 12/2012, de 30 de marzo, se producirá efectos de forma inmediata: surgiendo bienes, derechos, rentas,...no declaradas y de otro lado, aparecerá la obligación de ingreso en el Tesoro Público, por el importe resultante de la autoliquidación practicada para conseguir esta «actualización» en la situación tributaria de la empresa. Esto no implica que se considere la obligación fiscal devengada en ejercicios anteriores, sino que el devengo de la obligación nace en el ejercicio en que se regulariza la situación tributaria. [Consulta 8, BOICAC 94]

El importe a ingresar en el Tesoro, será la resultante de aplicar al importe o valor de adquisición de los bienes o derechos surgidos, el importe del 10%. En nuestro caso:

– Respecto al inmueble, al existir un mayor importe de su precio de adquisición:

= 10% 56.400 = 5.640

Anotándose:

```
────────────────────────── X ──────────────────────────

5.640   Impuesto corriente (6300)

                              a     Bancos c/c (572)             5.640
──────────────────────────────    ──────────────────────────────
```

La cuantía, se contabilizará en la cuenta de pérdidas y ganancias del ejercicio como un gasto por impuesto corriente [Consulta 8, BOICAC 94]

– Respecto al crédito concedido y del que no se han registrado los intereses:

= 10% 22.675,74 = 2.267,57

Registrando:

―――――――――――――― X ――――――――――――――

2.267,57 Impuesto corriente (6300)

a Bancos c/c (572) 2.267,57

Las operaciones de regularización se hacen efectivas con el pago en el Tesoro Público de la cantidad resultante de la autoliquidación practicada. A este respecto, la cantidad pagada tiene su fundamento económico en la regularización de la situación tributaria del obligado al pago sin que implique la extinción de una deuda tributaria devengada en ejercicios anteriores, tal y como se desprende la Orden HAP/1182/2012, de 31 de mayo.

3.- Registro operaciones a 31 de diciembre del 2012.

― Por la amortización del inmueble:

―――――――――――――― 31/12/2012 ――――――――――――――

10.800 Amortización del Inmovilizado Material (681)

a AAIM (281) 10.800

― Por los intereses devengados, del préstamo concedido a «B» [ver cuadro amortización]:

―――――――――――――― 31/12/2012 ――――――――――――――

23.809,52 Créditos c/p en empresas del grupo (5323)

a Ingresos de créditos a c/p en empresas del grupo (76210) 23.809,52

― Por el cobro del préstamo a «B», al finalizar el plazo:

823

———————————————————— 31/12/2012 ————————————————————

500.000   Bancos c/c (572)

a   Créditos c/p en empresas
           del grupo (5323)   500.000

6.1.1.2. Pérdidas por deterioro instrumentos patrimonio: implicación contable reforma fiscal

Consulta 1 Boicac 109 – Febrero 2017.

Sobre el tratamiento contable de las modificaciones en el régimen fiscal de las pérdidas por deterioro de los valores representativos de la participación en el capital o en los fondos propios de entidades, aprobadas por el Real Decreto-Ley 3/2016, de 2 diciembre, en las cuentas anuales correspondientes al ejercicio 2016.

Respuesta

1. Antecedentes

Con la aprobación del Real Decreto-ley 3/2016, de 2 de diciembre, se han introducido modificaciones relevantes en la regulación fiscal de las pérdidas por deterioro de los valores representativos de la participación en el capital o en los fondos propios de entidades.

a) De acuerdo con el artículo 3, apartado Primero, Dos, se modifica la disposición transitoria decimosexta (DT 16ª) de la Ley 27/2014, de 27 de noviembre, del Impuesto sobre Sociedades (LIS), y se revisa el régimen transitorio aplicable a las pérdidas por deterioro generadas en periodos impositivos iniciados con anterioridad a 1 de enero de 2013

En particular, la consulta versa acerca del adecuado tratamiento contable del apartado 3, en cuya virtud, con efectos para los periodos impositivos que se inicien a partir de 1 de enero de 2016:

> *"En todo caso, la reversión de las pérdidas por deterioro de los valores representativos de la participación en el capital o en los fondos propios de entidades que hayan resultado fiscalmente deducibles en la base imponible del Impuesto sobre Sociedades en períodos impositivos iniciados con anterioridad a 1 de enero de 2013, se integrará, como mínimo, por partes iguales en la base imponible correspondiente a cada uno de los cinco primeros períodos impositivos que se inicien a partir de 1 de enero de 2016.*

En el supuesto de haberse producido la reversión de un importe superior por aplicación de lo dispuesto en los apartados 1 o 2 de esta disposición, el saldo que reste se integrará por partes iguales entre los restantes períodos impositivos.

No obstante, en caso de transmisión de los valores representativos de la participación en el capital o en los fondos propios de entidades durante los referidos períodos impositivos, se integrarán en la base imponible del período impositivo en que aquella se produzca las cantidades pendientes de revertir, con el límite de la renta positiva derivada de esa transmisión

Y en concreto, se pregunta si la modificación fiscal originará al cierre del ejercicio 2016 el reconocimiento de un pasivo por la reversión automática del deterioro a integrar en la base imponible en los próximos cuatro ejercicios, o si por el contrario no procede reconocer pasivo alguno por tal concepto.

b) De acuerdo con el artículo 3, apartado Segundo, Tres, se añade una letra k) en el artículo 15 de la Ley del Impuesto sobre Sociedades, en cuya virtud, con efectos para los periodos impositivos que se inicien a partir de 1 de enero de 2017, se califican como gastos no deducibles:

"k) Las pérdidas por deterioro de los valores representativos de la participación en el capital o en los fondos propios de entidades respecto de la que se de alguna de las siguientes circunstancias:

1.º que, en el período impositivo en que se registre el deterioro, se cumplan los requisitos establecidos en el artículo 21 de esta Ley, o

2.º que, en caso de participación en el capital o en los fondos propios de entidades no residentes en territorio español, en dicho período impositivo no se cumpla el requisito establecido en la letra b) del apartado 1 del artículo 21 de esta Ley."

En este caso se pregunta si la modificación fiscal origina la baja de los activos por impuestos diferidos que las empresas hubieran reconocido hasta la fecha, en la medida que la norma fiscal ha suprimido la expectativa de recuperación fiscal de la pérdida

2. Tratamiento contable de la operación

a) Reversión de pérdidas por deterioro (DT 16ª)

A raíz de la no deducibilidad de los deterioros de valor de participaciones en entidades desde el ejercicio 2013, la DT 16ª de la LIS regulaba en sus apartados 1 y 2 la reversión fiscal de los deteriores deducibles en periodos impositivos previos a 2013.

La reforma sobre el particular incluida en el apartado 3 de la DT 16ª, con el objetivo de lograr un ensanchamiento de las bases imponibles de las entidades españolas, ha consistido en la incorporación automática de los referidos deterioros de forma lineal durante cinco años, como un importe mínimo, sin perjuicio de que resulten reversiones superiores por las reglas de general aplicación (apartados 1 y 2), y salvo que antes de que transcurra el referido plazo se produzca la transmisión de los valores, en cuyo caso, se integrarán en la base imponible del período impositivo en que aquella se produzca las cantidades pendientes de revertir, con el límite de la renta positiva derivada de esa transmisión

Este cambio, en conexión con la nueva calificación de no deducibles de las pérdidas por deterioro regulada en el artículo 15, letra k) de la LIS, no parecen haber modificado la base fiscal del activo (en la medida que la pérdida fiscal que surgiría de enajenar la inversión por su valor en libros no es deducible), y por lo tanto en aquellos casos en que el valor en libros y la base fiscal coincidan, los hechos que se han descrito no implican el nacimiento de una diferencia temporaria. Desde esta perspectiva, el ajuste a practicar en la base imponible en los próximos cuatro años debe calificarse a efectos contables como una diferencia permanente.

Las diferencias permanentes suponen una mayor o menor imposición corriente, y afectan a la tributación efectiva en el año en que se reconoce el correspondiente gasto (que no es deducible) o ingreso (que no tributa). Lo singular del caso que nos ocupa, es que el ajuste (por el gasto no deducible) se produce de forma sobrevenida en un ejercicio posterior y, adicionalmente, que la integración en la base imponible se difiere a lo largo de cuatro ejercicios, salvo que se produzca la transmisión de los valores representativos de la participación en el capital o en los fondos propios de entidades durante los referidos períodos impositivos.

Sin embargo, la normativa contable en materia de impuestos sobre beneficios no estipula de forma expresa que la imposición corriente pendiente de integrar en la base imponible deba originar el reconocimiento de un pasivo y del correspondiente gasto.

Además, en ausencia de una diferencia temporaria, de acuerdo con lo dispuesto en la norma de registro y valoración (NRV) 13ª. "Impuestos sobre beneficios" del Plan General de Contabilidad (PGC), aprobado por el Real Decreto 1514/2007, de 16 de noviembre, al cierre del ejercicio 2016 la reversión automática del deterioro a integrar en la base imponible en los próximos cuatro ejercicios no desencadena el registro de un pasivo por impuesto diferido.

En definitiva y como conclusión, en lo que respecta al impacto en el balance y en la cuenta de pérdidas y ganancias de las cuentas anuales correspondientes al cierre del ejercicio 2016, el adecuado tratamiento contable de la reforma fiscal será considerar la quinta parte del deterioro fiscal a revertir como un ajuste positivo en la base imponible del citado periodo impositivo, circunstancia que tendrá su correspondiente efecto en la imposición corriente.

No obstante, en la memoria de las cuentas anuales se debería incluir toda la información significativa sobre los hechos que se han descrito para que aquellas, en su conjunto, expresen la imagen fiel del patrimonio, de la situación financiera y de los resultados de la empresa. En particular, si la empresa no espera transmitir su inversión antes de que transcurra el plazo de reversión automática de las pérdidas por deterioro, deberá informar de esta circunstancia y del efecto de esta situación en la carga fiscal futura a raíz de la modificación introducida en la DT 16ª de la LIS.

Por último, deberían tenerse en cuenta dos circunstancias adicionales que podrían concurrir: de un lado, que la empresa hubiera deducido el deterioro fiscal sin inscripción contable (de acuerdo con la normativa contable sobre el particular), en cuyo caso, en el balance debería figurar reconocido un pasivo por impuesto diferido antes de aprobarse la reforma tributaria, que se reducirá en los ejercicios siguientes a medida que se produzca la reversión automática y lineal del deterioro fiscal.

Por otro lado, que la empresa espere recuperar el valor en libros de la inversión por medio de la extinción de la sociedad participada, en cuyo caso es preciso tener en cuenta que de acuerdo con lo previsto en el artículo 21.8 de la LIS, la pérdida fiscal (en los términos regulados en el citado artículo) sería deducible y la base fiscal de la inversión iría aumentando a medida que se produzca la reversión del deterioro fiscal, lo que desde la perspectiva de la imposición diferida justificaría el reconocimiento de un activo por impuesto diferido si se cumplen los requisitos establecidos en la NRV 13ª del PGC y, en su desarrollo, en la Resolución de 9 de febrero de 2016 del Instituto de Contabilidad y Auditoría de Cuentas, por la que se desarrollan las normas de registro, valoración y elaboración de las cuentas anuales para la contabilización del impuesto sobre beneficios.

b) Pérdidas por deterioro no deducibles (art. 15.k)

Hasta la entrada en vigor de la reforma introducida por el real decreto-ley, las pérdidas por deterioro sobre las que versa este apartado (reconocidas con posterioridad al 1-1-2013) eran deducibles en el período impositivo en que los valores se transmitiesen o se dieran de baja. Hasta ese momento, tanto el gasto como la reversión de la corrección valorativa no se integraba en la base imponible, pero en la medida que la norma fiscal sí que las consideraba en un futuro (cuando se produjese la transmisión o baja del activo del balance), cabía concluir que la diferencia descrita entre valor en libros y la base fiscal era temporaria.

Sin embargo, la modificación operada en este punto por el real decreto-ley, que califica dichas pérdidas como gastos no deducibles, elimina esta expectativa de derecho e impone recalificar la diferencia como permanente.

En consecuencia, el efecto contable al cierre del ejercicio 2016 será la baja de los activos por impuestos diferidos que se hubieran contabilizado previo cumplimiento de los requisitos establecidos en la Resolución de 9 de febrero de 2016, salvo que la empresa espere que la diferencia revierta por causa de la extinción de la sociedad participada, en cuyo caso, de acuerdo con lo previsto en el artículo 21.8 de la LIS, la pérdida fiscal sería deducible.

Comentario

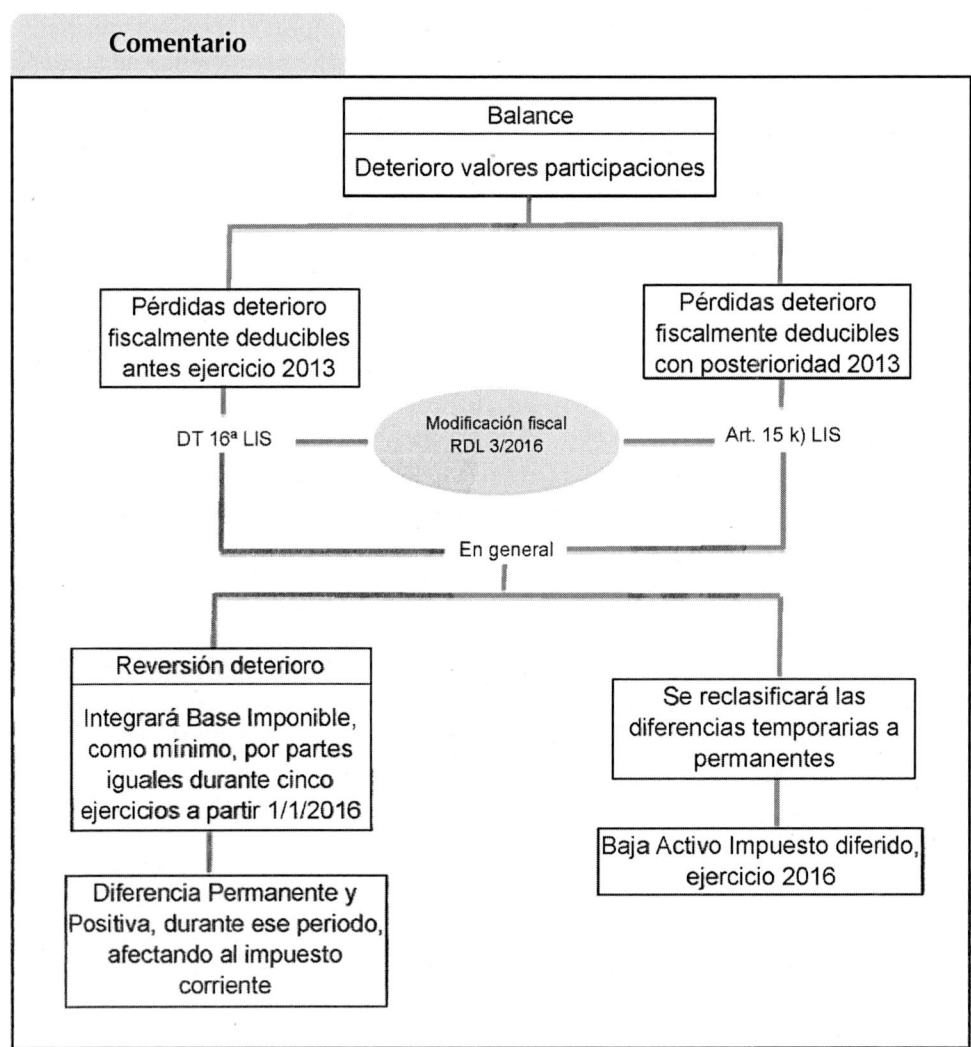

Ejemplo 1

La sociedad "MAR S.A.", adquirió en enero el 2012 el 80% del capital de la sociedad RIO, por importe de 12.000 euros. La evolución de los fondos propios, durante el periodo 2011-2016, ha sido:

	31/12/2011	31/12/2012	31/12/2015	31/12/2016
Capital	8.000	8.000	8.000	8.000
Reservas	5.000	7.000	7.000	8.000

	31/12/2011	31/12/2012	31/12/2015	31/12/2016
Resultado del ejercicio	2.000	-1.000	5.600	5.000
TOTALES	15.000	14.000	20.600	21.000

A efectos del cálculo del deterioro, MAR considera que en la fecha de la compra de las acciones, el valor contable de los elementos patrimoniales de RIO coincidía con su valor razonable. Según la normativa fiscal existente en el año 2012, la deducción en concepto de pérdidas por deterioro de este tipo de acciones no puede exceder de la diferencia entre el valor de los fondos propios al inicio y al final del ejercicio, debiéndose tener en cuenta las aportaciones y devolución de aportaciones. A cierre del ejercicio 2012 el importe recuperable de la participación fue de 11.600 €, registrando la sociedad el deterioro correspondiente.

SE PIDE: Anotaciones contables con respecto a la operación descrita hasta el 2017, sabiendo que el deterioro de valor registrado en el año 2012 se ha mantenido por el importe inicialmente reconocido. A principios del ejercicio 2017 se vende la participación por un importe de 11.800 €. Consideraremos un tipo impositivo del 25%. ¿Qué hubiera ocurrido, si el precio de venta de la participación ascendiera a 11.620€?

SOLUCIÓN:

AÑO 2012

Nuestra empresa adquiere el 80% del capital de la sociedad RIO, por lo que entendemos que formará parte del "grupo". Dicha participación, aparecerá cuantificada en el balance como:

(2403) Participaciones l/p en empresas del grupo 12.000

Nota: A estos efectos y en cuanto a la relación de dominio, en la norma 13ª de elaboración de las cuentas anuales, nos aclara: "*(...) se entenderá que otra empresa forma parte del grupo cuando ambas estén vinculadas por una relación de dominio, directa o indirecta, análoga a la prevista en el artículo 42 del Código de Comercio para los grupos de sociedades o cuando las empresas estén dominadas, directa o indirectamente, por una misma entidad o persona física*"

A 31 de diciembre, "MAR S.A." comprobó el posible deterioro de su participación. Así compararemos (Norma 9ª.2.5.3 Valoración PGC):

Valor en libros.	12.000
Importe recuperable (dato facilitado).	11.600
Diferencia: deterioro valor.	400

Este deterioro de 400 € ¿fue fiscalmente deducible?

El artículo 12.3 del TRLIS nos comentaba, que el gasto no podrá exceder de la diferencia entre el valor de los fondos propios al inicio y al cierre de ejercicio. De esta manera:

Valor fondos propios al inicio: 80%15.000 = ...   12.000

Valor fondos propios al cierre ejercicio: 40%14.000 = ...   11.200

Deterioro fiscal (máximo).   800

Por tanto, el deterioro registrado contablemente, fue fiscalmente deducible:

Ejercicio	Valor Contable (Activo)	Base Fiscal (Activo)	Diferencia
2012	12.000-400 = 11.600	12.000-400 = 11.600	No existe

AÑO 2016

De acuerdo con el artículo 3, apartado Primero, Dos del Real Decreto 3/2016, se modifica la disposición transitoria decimosexta (DT 16ª) de la Ley 27/2014, de 27 de noviembre, del Impuesto sobre Sociedades (LIS), y se revisa el régimen transitorio aplicable a las pérdidas por deterioro generadas en periodos impositivos iniciados con anterioridad a 1 de enero de 2013.

De esta forma, nos comenta:*"(...) En todo caso, la reversión de las pérdidas por deterioro de los valores representativos de la participación en el capital o en los fondos propios de entidades que hayan resultado fiscalmente deducibles en la base imponible del Impuesto sobre Sociedades en períodos impositivos iniciados con anterioridad a 1 de enero de 2013, se integrará, como mínimo, por partes iguales en la base imponible correspondiente a cada uno de los cinco primeros períodos impositivos que se inicien a partir de 1 de enero de 2016.*

En el supuesto de haberse producido la reversión de un importe superior por aplicación de lo dispuesto en los apartados 1 o 2 de esta disposición, el saldo que reste se integrará por partes iguales entre los restantes períodos impositivos (...)"

¿Qué nos dice los mencionados apartados?. En el apartado 1, nos empieza relatando: "*La reversión de las pérdidas por deterioro de los valores representativos de la participación en el capital o en los fondos propios de entidades que hayan resultado fiscalmente deducibles de la base imponible del Impuesto sobre Sociedades de acuerdo con lo establecido en el apartado 3 del artículo 12 del Texto Refundido de la Ley del Impuesto sobre Sociedades, aprobado por el Real Decreto Legislativo 4/2004, de 5 de marzo, en períodos impositivos iniciados con anterioridad a 1 de enero de 2013, con independencia de su imputación contable en la cuenta de pérdidas y ganancias, se integrará en la base imponible del período en el que el valor de los fondos propios al cierre del ejercicio exceda al del inicio, en proporción a su participación, debiendo tenerse en cuenta las aportaciones o devoluciones de aportaciones realizadas (...)"*

En nuestro caso

Fondos propios a 31/12/2016 . . . .   21.000

Fondos propios a 31/12/2015 . . . .   20.600

Incremento de fondos propios   400

Nuestra participación: 80%400 = ...   320

Esta cantidad (320 €), es mayor al importe mínimo a revertir (quinta parte de la reversión total, 80 = 400/5). En consecuencia, integraremos en la base imponible 320 € como una diferencia permanente y positiva para el ejercicio 2016, afectando al impuesto corriente. Todo ello, en base a lo establecido en la presente consulta, que considera los ajustes surgidos por la modificación fiscal, como una diferencia permanente.

AÑO 2017

En este ejercicio, se produce la enajenación de la participación en la empresa "RIO", por 11.800 €. Para averiguar el importe obtenido por esta operación, compararemos:

Precio de venta 11.800

Valor contable: Precio adquisición-Deterioro valor = 12.000-400 = ...   11.600

Diferencia: Beneficio   200

Anotándose

	1/1/2017		
11.800	Bancos c/c (572)	Participaciones l/p en empresas del grupo (2403)	12.000
400	Deterioro de valor de participaciones a largo plazo en empresas del grupo (2933)	a	Beneficios en participaciones a largo plazo en empresas del grupo (7733)	200

Al cierre del ejercicio y en relación con la reversión del deterioro fiscal pendiente de imputar estaremos a lo dispuesto en la DT 16ª LIS, modificada por el Real Decreto-Ley 3/2016, que nos comenta: *"(...)En caso de transmisión de los valores representa-*

tivos de la participación en el capital o en los fondos propios de entidades durante los referidos períodos impositivos, se integrarán en la base imponible del período impositivo en que aquella se produzca las cantidades pendientes de revertir, con el límite de la renta positiva derivada de esa transmisión (...)"

Tenemos una cantidad pendiente de revertir (80 €) que es inferior a la renta obtenida (200 €), En consecuencia en el ejercicio 2017 existirá una **diferencia permanente y positiva de 80.**

¿Qué hubiera ocurrido, si el precio de venta fuese 11.620€?. Compararíamos:

Precio de venta	11.620
Valor contable: Precio adquisición-Deterioro valor = 12.000-400 = ...	11.600
Diferencia: Beneficio	20

Registrando:

1/1/2017

11.620	Bancos c/c (572)		Participaciones l/p en empresas del grupo (2403)	12.000
400	Deterioro de valor de participaciones a largo plazo en empresas del grupo (2933)	a	Beneficios en participaciones a largo plazo en empresas del grupo (7733)	20

En este caso, al ser la renta obtenida menor (20 € < 80 €, lo que queda pendiente), existirá una diferencia permanente y positiva de 20 €, y el resto pendiente (80 €-20 € = 60 €), revertirá por partes iguales en los tres años siguientes.

Ejemplo 2

"SOL S.A.", adquirió en enero del 2013, el 80% del capital de "LUNA S.A.", por importe de 32.000 €. La evolución de los fondos propios de LUNA, durante el 2012-2016, ha sido:

	31/12/2012	31/12/2013	31/12/2015	31/12/2016
Capital	8.000	8.000	8.000	8.000

	31/12/2012	31/12/2013	31/12/2015	31/12/2016
Reservas	5.000	7.000	7.000	8.000
Resultado del ejercicio	2.000	-1.000	5.000	5.000
TOTALES	15.000	14.000	20.000	21.000

A efectos del cálculo del deterioro, SOL considera que en la fecha de la compra de las acciones, el valor contable de los elementos patrimoniales de LUNA coincidía con su valor razonable, y que en el caso de que exista un fondo de comercio financiero, éste se deprecia linealmente en 10 años. Según la normativa fiscal existente en el año 2013, las pérdidas por deterioro (reconocidas con posterioridad al 1/1/2013) eran deducibles en el período impositivo en que los valores se transmitiesen o se dieran de baja.

La sociedad en su día reconoció el activo por impuesto diferido en dicha operación por estimar que en un plazo corto de tiempo enajenaría la participación además de que la sociedad generaría ganancias fiscales que permitirían su compensación.

SE PIDE: Registro de operaciones relacionadas con dicha operación hasta el 31/12/2016, sabiendo que el deterioro de valor registrado en el año 2013, se ha mantenido por el importe inicialmente reconocido.

SOLUCIÓN

AÑO 2013

SOL adquiere el 80% del capital de la sociedad RIO, por lo que entendemos (en base a la Norma 13ª elaboración Cuentas Anuales) que formará parte del "grupo". Dicha participación, aparecerá cuantificada en el balance como:

(2403) Participaciones l/p en empresas del grupo 32.000

A 31 de diciembre, nuestra empresa comprobó el posible deterioro de su participación. Así compararemos (Norma 9ª.2.5.3 Valoración PGC):

Valor en libros 32.000

Importe recuperable 29.200

[Salvo mejor evidencia, se considerará el patrimonio neto de la entidad participada, corregido con las plusvalías tácitas existentes en la fecha de valoración[(*)]]

Diferencia: deterioro valor **2.800**

(*)

Con: *Patrimonio neto a 31/12/2013*
80% (Fondos Propios LUNA a 31/12/2013)
80% (8.00+7.000-1.000) 11.200
Plusvalías tácitas existentes (**) 18.000
Patrimonio neto 29.200

(**) Si comparamos la adquisición
de los títulos 32.000
Con el valor de del patrimonio
neto de éstos que se desprende
del balance en ese momento 12.000
80% (Fondos Propios LUNA a 31/12/2012)

$$80\% \quad \frac{8.000 + 5.000 + 2.000}{15.000} = 12.000$$

Observamos una plusvalía tácita en
el momento de adquisición 20.000
La cual se deprecia linealmente en
10 años, es decir 2.000 € cada año.
Hasta esta fecha ha pasado un año
(desde 1/1/2013), con lo que
disminuiremos la plusvalía en .... (2.000)
Plusvalía tácita que subsiste a
31/12/2013 .... 18.000

Este deterioro de 2.800 € ¿fue fiscalmente deducible?

Las pérdidas por deterioro (reconocidas con posterioridad al 1/1/2013) eran deducibles en el período impositivo en que los valores se transmitiesen o se dieran de baja. Hasta ese momento, tanto el gasto como la reversión de la corrección valorativa no se integraba en la base imponible, pero en la medida que la norma fiscal sí que las consideraba en un futuro (cuando se produjese la transmisión o baja del activo del balance), cabía concluir que la diferencia descrita entre valor en libros y la base fiscal era temporaria.

Por tanto, el gasto imputado por la empresa en este ejercicio es superior al permitido fiscalmente, surgiendo una diferencia temporaria deducible:

Ejercicio	Valor Contable (Activo)	Base Fiscal (Activo)	Diferencia temporaria deducible[*]
2013	32.000-2.800 = 29.200	32.000-0 = 32.000	2.800

[*] El apartado 2.3 de la Norma 13ª de Valoración del PGC, nos comenta que de acuerdo con el principio de prudencia, sólo se reconocerán activos por impuesto diferido en la medida que resulte probable que la empresa disponga de ganancias fiscales futuras que permitan la aplicación de estos activos.

Al considerar su cumplimiento, reconoceremos el correspondiente derecho:

```
————————————————— 31/12/2013 —————————————————

700   Activo por diferencia tempora-        a       Impuesto diferido (6301)
      ria deducible (4740)
      [2800x25%]                                                        700
```

Según las directrices del enunciado este deterioro de la participación se ha mantenido hasta la actualidad.

AÑO 2016

De acuerdo con el artículo 3, apartado Primero, Dos del RDL 3/2016, se modifica la disposición transitoria decimosexta (DT 16ª) de la LIS, y se revisa el régimen transitorio aplicable a las pérdidas por deterioro generadas en periodos impositivos iniciados con anterioridad a 1 de enero de 2013.

Comprobaremos la reversión del deterioro fiscal de la participación:

Fondos propios a 31/12/2016.	21.000
Fondos propios a 31/12/2015.	20.000
Incremento de fondos propios.	1.000
Nuestra participación: 80%1.000 =.	800

En consecuencia revertiremos 800 €, del deterioro fiscal del total 2.800 €

En consecuencia con lo anterior realizaremos los siguientes ajustes en el ejercicio 2016.

- Baja del activo por impuesto diferido registrado:

```
————————————————— 31/12/2016 —————————————————

700   Impuesto diferido           a       Activo por diferencia temporaria
      (6301)                              deducible (4740) [2800x25%]      700
```

Así, en la presente consulta, nos comenta: "(...) *El efecto contable al cierre del ejercicio 2016 será la baja de los activos por impuestos diferidos que se hubieran contabilizado previo cumplimiento de los requisitos establecidos en la Resolución de 9 de febrero de 2016, salvo que la empresa espere que la diferencia revierta por causa de la extinción de la sociedad participada, en cuyo caso, de acuerdo con lo previsto en el artículo 21.8 de la LIS, la pérdida fiscal sería deducible (...)*".

En este caso la modificación fiscal origina la baja de los activos por impuestos diferidos que las empresas hubieran reconocido hasta la fecha, en la medida que la norma fiscal ha suprimido la expectativa de recuperación fiscal de la pérdida. Originando en la liquidación del impuesto un **Diferencia temporaria deducible que revierte (Ajuste negativo de 2.800).**

- Además **por la reversión del deterioro fiscal** tendríamos una diferencia permanente y positiva de 800 €, afectando al impuesto corriente. La reversión del deterioro pendiente de integrar (2.800-800 = 2.000 €), en consonancia con lo establecido en el RDL 3/2016 se integrará en los cuatro años restantes en un importe mínimo de (2.000/4) = 500.

Ejemplo 3

"MONDARIZ S.A." adquiere el 1/12/2017 el 70% de las acciones de "FRANCELOS S.A." por 300.000 €. Los gastos de la operación ascienden a 3.000 €. Días antes (15/11/2017), la Junta General de accionistas acordó un dividendo de 0,2€/acción que se hará efectivo el 15/12/2017. En el momento de adquisición, el Patrimonio Neto de "FRANCELOS" asciende a 390.000 €. Las plusvalías tácitas se atribuyen a un terreno.

A 31/12/2017, las plusvalías tácitas iniciales se han reducido un 10% y el Patrimonio Neto de FRANCELOS es de 400.000 €.Tipo impositivo 25%

SE PIDE: Realizar los asientos de las operaciones anteriormente, sabiendo que el capital de FRANCELOS está formado por 30.000 títulos de 1€ cada uno.

SOLUCIÓN:

•Dado el porcentaje de participación y basándonos en la definición establecida en la Norma 13ª de elaboración de Cuentas Anuales, calificaremos la inversión en la empresa FRANCELOS como "del grupo". El apartado 2.5.1. de la Norma 9ª de Valoración del PGC nos indica que su valoración será el coste más todos aquellos costes que directamente se relacionen con la transacción. En cuanto a los dividendos anunciados, el apartado 2.8 de la mencionada Norma, dice que aquellos que fueron acordados por el órgano competente en el momento de la adquisición se registrarán de forma independiente, atendiendo a su vencimiento. Por tanto:

Valoración inicial:

Coste participación:	300.000
Costes transacción	3.000
Dividendo anunciado: (70%30.000tit)x0,2€/tit.	(4.200)
Total.	298.800

Anotando:

——————————————— 1/12/2017 ———————————————

298.800	Participaciones a largo plazo en empresas del grupo (2403)			
4.200	Dividendo a cobrar (545)	a	Bancos (572)	303.000

• Cuando cobre el dividendo, daremos de baja el derecho reconocido:

——————————————— 15/12/2017 ———————————————

4.200	Bancos c/c (572)	a	Dividendo a cobrar (545)	4.200

• A 31 de diciembre comprobaremos si nuestra participación en FRANCELOS, ha sufrido deterioro. Por tanto, comparemos (Apartado 2.5.3 Norma 9ª):

— Valor en Libros . . . . 298.800 €

—Importe recuperable . . . . 297.415 €

[Salvo mejor evidencia del importe recuperable de las inversiones, se considerará el patrimonio neto de la entidad participada corregido en el importe de las plusvalías tácitas existentes en la fecha de la valoración.]

Es decir:

% sobre Patrimonio Neto: 70% 400.000	280.000€
(*) Plusvalías tácitas existentes fecha valoración: (90%25.800x75%) .	17.415€

*1/12, existían plusvalías:

Valoración inicial	298.800
%Participación: 70%390.000	273.000
Plusvalías	25.800
Diferencia	1.385 €

NOTA. Las plusvalías a considerar, en la medida en que el objetivo es estimar el importe recuperable de la inversión, y cualquier otra plusvalía tácita existente en el momento en que se realiza la valoración, netas del efecto impositivo. [RICAC del deterioro de valor de los activos. Norma cuarta.3.4]

	31/12/2017	
1.385 Pérdidas por deterioro de participaciones en instrumentos de patrimonio neto a largo plazo, empresas del grupo (6960)	a	Deterioro de valor de participaciones a l/p en empresas del grupo (2933)
		1.385

En la liquidación del impuesto de sociedades del año 2017 tendremos una diferencia permanente y positiva de 1.385/5 = 277 €.

Así, y en base al artículo 3, apartado Segundo, Tres, del RDL 3/2016, añade una letra k) en el artículo 15 de la Ley del Impuesto sobre Sociedades, de tal manera que, con efectos para los periodos impositivos que se inicien a partir de 1 de enero de 2017, se califican como gastos no deducibles: "k) *Las pérdidas por deterioro de los valores representativos de la participación en el capital o en los fondos propios de entidades respecto de la que se de alguna de las siguientes circunstancias:*

1.º que, en el período impositivo en que se registre el deterioro, se cumplan los requisitos establecidos en el artículo 21 de esta Ley (...)"

En definitiva, en lo que respecta al impacto en el balance y en la cuenta de pérdidas y ganancias de las cuentas anuales correspondientes al cierre del ejercicio 2016, el adecuado tratamiento contable de la reforma fiscal será considerar la quinta parte del deterioro fiscal a revertir como un ajuste positivo en la base imponible del citado periodo impositivo, circunstancia que tendrá su correspondiente efecto en el impuesto corriente.

6.1.2.   Impuesto diferido

6.1.2.1.   Limitación deducibilidad gastos financieros

BOICAC 92, diciembre 2012. Consulta 1.

Sobre el tratamiento contable de los gastos financieros que superen la cantidad fiscalmente deducible.

Respuesta

La cuestión planteada se refiere al reflejo contable de la limitación en la deducibilidad de los gastos financieros aprobada por el art. 1. Segundo. Dos del Real Decreto-ley 12/2012, de 30 de marzo, por el que se introducen diversas medidas tributarias y administrativas dirigidas a la reducción del déficit público.

A raíz de la citada reforma, el art. 20 del Texto Refundido de la Ley del Impuesto sobre Sociedades (TRLIS), establece que los gastos financieros netos serán deducibles con el límite del 30 por ciento del beneficio operativo del ejercicio; y los que no hayan sido objeto de deducción, por superar el citado límite, podrán deducirse en los períodos impositivos que concluyan en los 18 años inmediatos y sucesivos, conjuntamente con los del período impositivo correspondiente, en los términos y con los límites que se regulan en el propio artículo.

Desde un punto de vista estrictamente contable, el principio del devengo incluido en el Marco Conceptual del Plan General de Contabilidad (PGC), aprobado por el Real Decreto 1514/2007, de 16 de noviembre, establece que:

> «Los efectos de las transacciones o hechos económicos se registrarán cuando ocurran, imputándose al ejercicio al que las cuentas anuales se refieran, los gastos y los ingresos que afecten al mismo, con independencia de la fecha de su pago o de su cobro.»

Por tanto, el registro de los gastos financieros debe hacerse, en todo caso, por el importe devengado en el ejercicio con independencia de que una parte no sea deducible. Esta circunstancia, a su vez, originará una diferencia entre el importe contabilizado en la cuenta de pérdidas y ganancias y el deducible fiscalmente, que sin embargo se podrá compensar en los siguientes periodos impositivos, circunstancia que a su vez pone de manifiesto la existencia de una diferencia temporaria deducible, que la empresa tendrá que contabilizar de acuerdo con lo establecido en la norma de registro y valoración 13.ª. «Impuestos sobre beneficios» del PGC.

En todo caso, en la nota de «Situación fiscal» de la memoria de las cuentas anuales se hará constar la información significativa sobre la operación objeto de consulta, con la finalidad de que aquellas, en su conjunto, reflejen la imagen fiel del patrimonio, de la situación financiera y de los resultados de la empresa.

Comentario

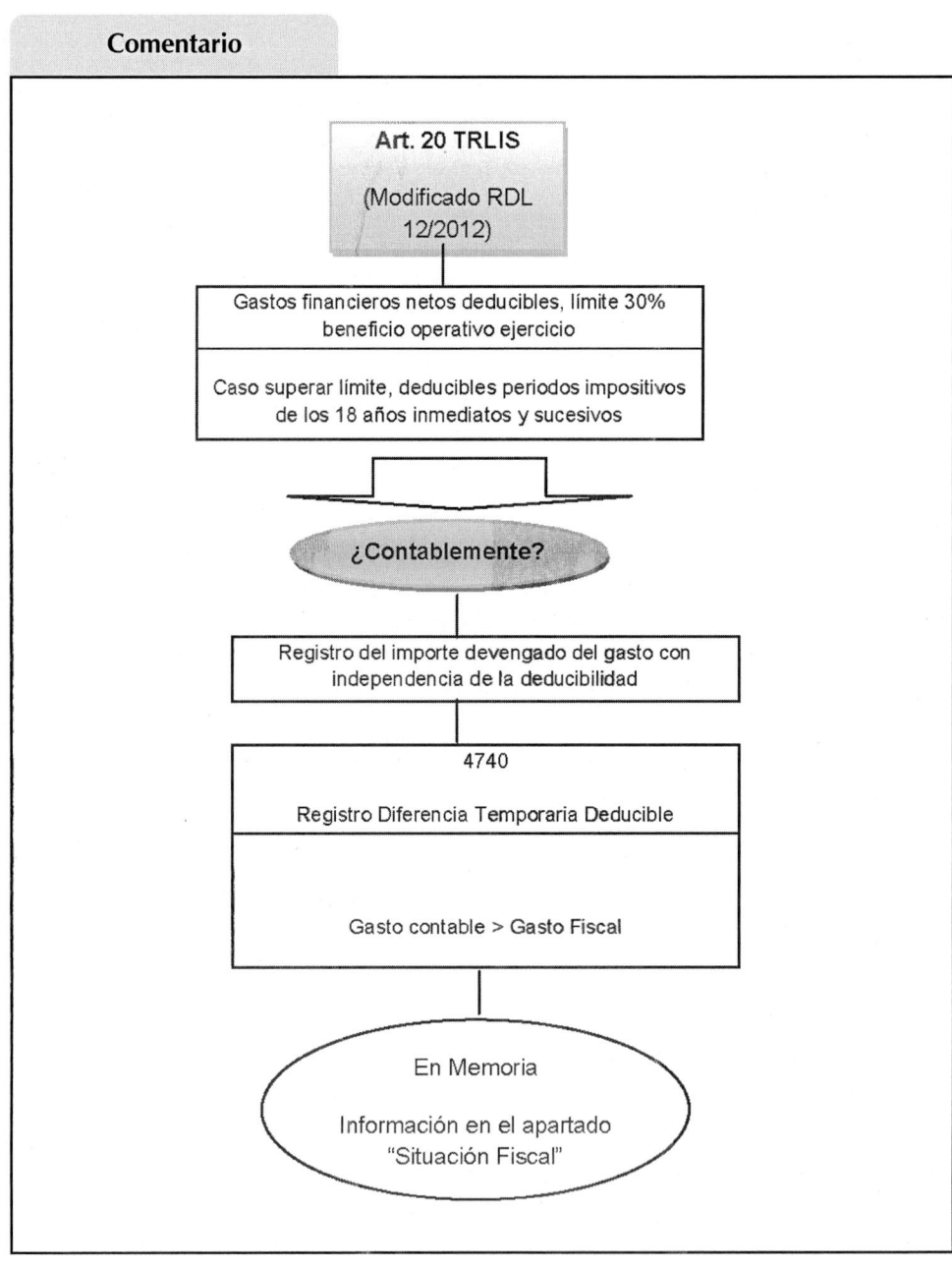

Art. 20 TRLIS

(Modificado RDL 12/2012)

Gastos financieros netos deducibles, límite 30% beneficio operativo ejercicio

Caso superar límite, deducibles periodos impositivos de los 18 años inmediatos y sucesivos

¿Contablemente?

Registro del importe devengado del gasto con independencia de la deducibilidad

4740

Registro Diferencia Temporaria Deducible

Gasto contable > Gasto Fiscal

En Memoria

Información en el apartado "Situación Fiscal"

> ## Ejemplo
>
> La sociedad MELISSA S.A., pretende determinar el importe del efecto impositivo en el impuesto de sociedades para proceder al registro y liquidación del mismo para lo cual se dispone de la siguiente información:
>
> – No existen más diferencias entre los criterios contables y fiscales que las que se desprenden del análisis de la cuenta de pérdidas y ganancias que figura como Anexo, salvo la amortización de los elementos del inmovilizado cuyo importe fiscalmente deducible es de 16.687,50 miles de euros.
>
> – El tipo impositivo del impuesto de sociedades es del 30%.
>
> – Las deducciones y bonificaciones del ejercicio ascienden a 80 y las retenciones y pagos a cuenta 300 miles de euros.
>
> ## SE PIDE:
>
> a) Cálculo del beneficio operativo, a efectos de determinar la cuantía deducible de los gastos financieros, establecido en el art. 20 del Texto refundido de la Ley del impuesto de sociedades.
>
> b) Calcular el importe de los gastos financieros deducibles.
>
> c) Liquidación y registro del impuesto corriente y diferido.
>
> d) Determinar el resultado del ejercicio 2012.
>
> e) Cuadro de conciliación entre el resultado contable y la base imponible del impuesto.
>
> ## ANEXO
>
> Cuenta de pérdidas y ganancias correspondiente al ejercicio terminado el 31 de diciembre del 2012 en miles de euros
>
> | Número de Cuentas | | (Debe) Haber | |
> |---|---|---|---|
> | | | Nota | 2012 |
> | | **A) OPERACIONES CONTINUADAS** | | |
> | 701, (709), | **1. Importe neto de la cifra de negocios** | | 180.000 |
> | | a) Ventas | | |
> | (712),(713) | **2. Variación de existencias de productos terminados y en curso de fabricación** | | (5.120) |
> | | **4. Aprovisionamientos** | | (106.795) |

Número de Cuentas		(Debe) Haber	
		Nota	2012
(601),(611),(612),609	a) Consumo de Mercaderías		
	5. Otros ingresos de explotación		**8.500**
75	a) Ingresos accesorios y otros de gestión corriente		
	6. Gastos de Personal		**(39.000)**
(640)	a)Sueldos, salarios y asimilados		(30.000)
(642)	b)Cargas sociales		(9.000)
	7. Otros gastos de explotación		**(18.060)**
(62)	a) Servicios exteriores		(12.620)
(631)	b) Tributos		(5.200)
(694), (650),794	c) Pérdidas, deterioro y variación provisiones operaciones comerciales		240
(68)	**8. Amortización del Inmovilizado**		**(19.960)**
746	**9. Imputación de subvenciones de inmovilizado no financiero y otras**		**4.000**
	11. Deterioro del resultado por enajenaciones del inmovilizado		**200**
771	b) Resultados por enajenaciones y otras		
	A.1) RESULTADO DE EXPLOTACIÓN (1+2+3+4+5+6+7+8+9+10+11)		**3.765**
	12. Ingresos financieros		**700**
760,762	b)De valores negociables y otros instrumentos financieros[*]		700

Número de Cuentas		Nota	(Debe) Haber
			2012
(662), (664)	**13. Gastos financieros** b) Por deudas con terceros		**(7.657,50)** (7.657,50)
	A.2) RESULTADO FINANCIERO (12 + 13 + 14 + 15 + 16) 0		**(6.957,50)**
	A.3.) RESULTADO ANTES DE IMPUESTOS (A.1 + A.2)		**(3.192,50)**
(6300),6301	**17. Impuestos sobre beneficios**		**A DETERMINAR**
	A.4.) RESULTADO DEL EJERCICIO PROCEDENTE DE OPERACIONES CONTINUADAS (A.3 + 17).		**A DETERMINAR**
	B) OPERACIONES INTERRUMPIDAS **18. Resultado del ejercicio procedente de operaciones interrumpidas neto de impuestos**		
	A.5.) RESULTADO DEL EJERCICIO (A.4 + 18)		**A DETERMINAR**

(*) De dicho importe, se corresponde (600 Mill) con dividendos o participaciones en beneficios cuyo porcentaje de participación es superior al 5%. Y el resto (100 Mill), proceden de ingresos derivados de cesión a terceros de capitales propios.

SOLUCIÓN:

a) Cálculo del beneficio operativo.

Para calcular su importe seguiremos lo establecido en el Real Decreto-ley 12/2012, de 30 de marzo, por el que se introducen diversas medidas tributarias y administrativas dirigidas a la reducción del déficit público.

En su art. 1. Segundo. Dos, modifica el art. 20 del TRLIS, donde nos comenta que el beneficio operativo:

«(...) se determinará a partir del resultado de explotación de la cuenta de pérdidas y ganancias del ejercicio determinado de acuerdo con el Código de Comercio y demás normativa contable de desarrollo, eliminando la amortización del inmovilizado, la imputación de subvenciones de inmovilizado no financiero y otras, el deterioro y resultado por enaje-

naciones de inmovilizado, y adicionando los ingresos financieros de participaciones en instrumentos de patrimonio, siempre que se correspondan con dividendos o participaciones en beneficios de entidades en las que, o bien el porcentaje de participación, directo o indirecto, sea al menos el 5 %, o bien el valor de adquisición de la participación sea superior a 6 millones de euros, excepto que dichas participaciones hayan sido adquiridas con deudas cuyos gastos financieros no resulten deducibles por aplicación de la letra h) del apartado 1 del art. 14 de esta Ley (...)».

Veámoslo:

RESULTADO DE EXPLOTACIÓN		3.765
ELIMINACIONES		+15.760
*Amortizaciones del inmovilizado	+19.960	
*Imputación subvenciones inmovilizado no financiero	(4.000)	
*Deterioro y resultado por		
Enajenaciones de inmovilizado	(200)	
+ INGRESOS FINANCIEROS (Dividendos o participación en B.º)		600
RESULTADO OPERATIVO		**20.125**

b) Calcular el importe de los gastos financieros deducibles

En el mencionado art. 20 del TRLIS, en su apartado 1, nos comenta que:

> *«Los gastos financieros netos serán deducibles con el límite del 30 % del beneficio operativo del ejercicio (...)».*

Igualmente, nos aclara que estos «gastos financieros netos»:

> *«(...) el exceso de gastos financieros respecto de los ingresos derivados de la cesión a terceros de capitales propios devengados en el período impositivo, excluidos aquellos gastos a que se refiere la letra h) del apartado 1 del art. 14 de esta Ley [deudas con entidades de grupo para adquisición de participaciones en el capital]».*

En todo caso, nos comenta igualmente que serán deducibles por período impositivo, en un importe de 1 millón de euros.

Por tanto, y en nuestro caso (información obtenida de la cuenta de Pérdidas y Ganancias):

Gastos financiero netos.	7.557,5
*Gastos financieros.	7.657,5
*Ingresos derivados de cesión a terceros de capitales propios.	(100)

Cuantía, que compararemos con el límite establecido en el art. 20. 1 del TRLIS:

Límite deducibiliad:

30% beneficio operativo = 30% 20.125 . . . .   6.037,5

Esta deducibilidad, no implicará que los gastos financieros devengado se reduzcan hasta el importe establecido por la fiscalidad, sino que estos se registrarán por su importe con independencia de la vertiente fiscal. (Consulta 1, BOICAC 92).

Igualmente, la mencionada Consulta nos comenta que, sin embargo, esta divergencia, provocará en base a lo establecido en la Norma 13.ª de Valoración, que se origine una diferencia temporaria y deducible ya que este menor gasto fiscal, podrá deducirse en los siguientes periodos impositivos (durante 18 ejercicios, inmediatos y consecutivos). Con lo cual, anotaremos en libros un crédito fiscal en la correspondiente 4740.

Gasto contable	Gasto fiscal	Diferencia Temporaria (Deducible)
7.557,5	6.037,5	+1.520

Revertirá siguientes ejercicios

c) *Liquidación impuesto sobre beneficios. Registro impuesto corriente y diferido.*

–Plantearemos el siguiente esquema, para liquidar fiscalmente el impuesto de sociedades:

Resultado Contable = ...	(3.192,50)
± Ajustes:	
De este ejercicio:	
(+) Diferencia temporaria deducible. Gastos financieros[1]	1.520
(+) Diferencia temporaria deducible. Amortización[2]	3.272,50
= *Resultado Fiscal*	1.600
- Compensación Bases Imponibles Negativas	(0)
= *Base Imponible*	1.600
x tipo impositivo: x 0,30	
= *Cuota íntegra*	480
- Deducciones y Bonificaciones	(80)

= Cuota líquida = Impuesto Corriente (6300)	**400**
- Retenciones y pagos a cuenta (473)	(300)
A PAGAR.	100

[1] Derivada de la limitación en la deducibilidad de gastos financieros.

[2] Por la diferencia en la amortización. Según nos indica el enunciado, fiscalmente es deducible un importe de 16.687,50.

Gasto contable (importe obtenido PyG)	Gasto fiscal	Diferencia Temporaria (Deducible)
19.960	16.687,50	+3.272,5

Anotándose, por el impuesto corriente:

──────────────── 31/12/2012 ────────────────

400	**Impuesto corriente** (6300)		
	a	HP acreedora por impuesto sobre sociedades (4752)	100
		HP retenciones y pagos a cuenta (473)	300

– Observando la liquidación y los distintos ajustes efectuados en ella, registraremos los siguientes apuntes, referidos a las diferencias temporarias, en origen:

──────────────── 31/12/2012 ────────────────

456	Activo por diferencia temporaria deducible. Gastos financieros (4740.0) [1.520 x 30%]		
	a	Impuesto diferido (6301)	1.437,75
981,75	Activo por diferencia temporaria deducible.		

Amortizaciones
(4740.1)

[3.272,50 x 30%]

– En tanto, que por el impuesto diferido imputado a patrimonio neto (ver Cuenta de Pérdidas y Ganancias P y G, Transferencia de Subvenciones)

———————————— 31/12/2012 ————————————

1.200	Pasivo por diferencia temporaria imponible (479)			
	[4.000 x 30%]			
		a	Impuesto diferido (8301)	1.200

Y, al mismo tiempo, por la regularización grupos 8 y9:

———————————— 31/12/2012 ————————————

1.200	Impuesto diferido (8301)			
2.800	Subvenciones oficiales de capital (130)			
		a	Transferencia de subvenciones oficiales de capital (842)	4.000

---

d) Determinar el resultado del ejercicio 2012

Por la regularización de las cuentas del grupo 6 del efecto impositivo:

──────────────── 31/12/2012 ────────────────

1.437,75   Impuesto diferido (6301)

| | a | Impuesto corriente (6300) | 400 |
| | | Resultado del ejercicio (129) | 1.037,75 |

Por lo que la cuantificación del resultado del ejercicio, será:

Resultado antes de Impuestos. . . . .   (3.192,50)

Impuesto sobre beneficios. . . . .   + 1.037,75

Resultado del ejercicio. . . . .   (2.154,75)

e) Cuadro de conciliación entre resultado contable y la base imponible del impuesto

Conciliación del Importe Neto de Ingresos y Gastos del Ejercicio con la Base Imponible del Impuesto sobre Beneficios

	Cuenta de pérdidas y ganancias			Ingresos y gastos directamente imputados al patrimonio neto		
Saldo de ingresos y gastos del ejercicio	(2.154,75)			(2.800)		
Impuesto sobre sociedades	Aumentos	Disminuciones		Aumentos	Disminuciones	
	400	1.437,75	(1.037,75)	1.200		1.200
Diferencias Temporarias:					(10.000)	(10.000)
-Con origen en el ejercicio	4.792,4		4.792,4			
-Con origen en ejercicios anteriores					4.000	(4.000)
Compensación BI (-) ej. anteriores						

	Cuenta de pérdidas y ganancias			Ingresos y gastos directamente imputados al patrimonio neto		
Base Imponible (Resultado Fiscal)			1.600			0

En la nota de «Situación fiscal» de la Memoria de las cuentas anuales se hará constar la información significativa sobre la operación objeto de consulta, con la finalidad de que aquellas, en su conjunto, reflejen la imagen fiel del patrimonio, de la situación financiera y de los resultados de la empresa.

6.1.2.2. Modificación tipos impositivos créditos fiscales

BOICAC 101, marzo 2015. Consulta 4.

Sobre la valoración de los créditos fiscales reconocidos en el balance a raíz de la modificación de los tipos impositivos introducida por la Ley 27/2014, de 27 de noviembre, del Impuesto sobre Sociedades.

Respuesta

Con fecha 28 de noviembre de 2014 se ha publicado en el Boletín Oficial del Estado la Ley 27/2014, de 27 de noviembre, del Impuesto sobre Sociedades, en la que se establece una reducción del tipo de gravamen general que pasa del 30 al 25 por ciento, si bien para los períodos impositivos que se inicien dentro del año 2015, el tipo de gravamen se fija en el 28 por ciento (Disposición transitoria trigésima cuarta).

La nueva normativa afecta directamente a la valoración de los activos y pasivos por impuesto diferido ya que de acuerdo con lo establecido en la norma de registro y valoración (NRV) 13.ª. Impuestos sobre beneficios, contenida en la segunda parte del Plan General de Contabilidad (PGC), aprobado por el Real Decreto 1514/2007, de 16 de noviembre, en concreto, en el apartado 3. *Valoración de los activos y pasivos por impuesto corriente y diferido*, se señala:

«(...) *Los activos y pasivos por impuesto diferido se valorarán según los tipos de gravamen esperados en el momento de su reversión, según la normativa que esté vigente o aprobada y pendiente de publicación en la fecha de cierre del ejercicio, y de acuerdo con la forma que racionalmente se prevea recuperar o pagar el activo o el pasivo.*

En su caso, la modificación de la legislación tributaria –en especial la modificación de los tipos de gravamen– y la evolución de la situación económica de la empresa dará lugar a la correspondiente variación en el importe de los pasivos y activos por impuesto diferido»

De acuerdo con lo anterior, para el caso concreto de los créditos fiscales la reducción en el tipo de gravamen se registrará mediante un abono en la cuenta

4745. Crédito por pérdidas a compensar del ejercicio con cargo a la cuenta 633. Ajustes negativos en la imposición sobre beneficios.

En todo caso, en la memoria de las cuentas anuales se incluirá cualquier información significativa en relación con los aspectos derivados de la operación anterior, en particular lo indicado en el apartado 12 del modelo normal de memoria o en el apartado 9 del modelo abreviado, con el fin de que las cuentas anuales reflejen la imagen fiel del patrimonio, de la situación financiera y de los resultados de la empresa

Comentario

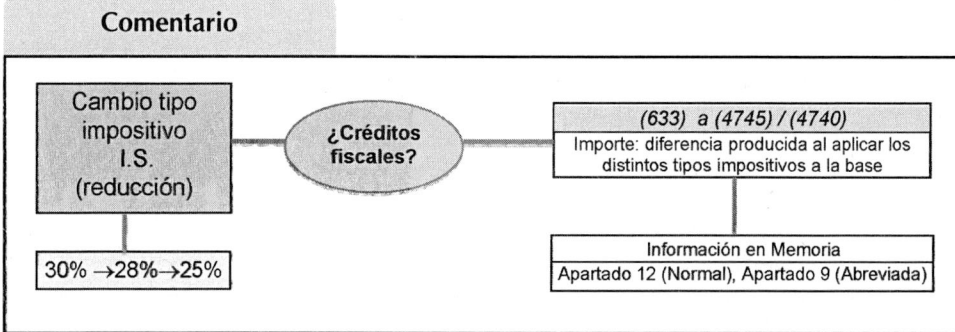

Ejemplo 1

MARIA S.A., dispone de la siguiente información en balance relativa a activos/pasivos por impuesto diferido (tipo 30%):

(4745) Crédito por pérdidas a compensar	450
(4740) Activo por diferencias temporarias deducibles	300
(479) Pasivo por diferencias temporarias imponibles	600

Sin que ninguno de ellos haya sido originado como consecuencia de una transacción que se reconociese directamente en el patrimonio neto.

Sabiendo que, se produce una modificación del tipo impositivo pasando del 30% al 28%,

SE PIDE: Anótese los apuntes correspondientes.

SOLUCIÓN:

Compararemos a través del siguiente cuadro los importes que corresponden aplicando los distintos tipos impositivos:

Cuenta	Importe 30%	Base		Importe 28%	Ajuste
4745	450	$\dfrac{450}{0,30}$	= 1.500	420	↓ 30
4740	300	$\dfrac{300}{0,30}$	= 1.000	280	↓ 20
479	600	$\dfrac{600}{0,30}$	= 2.000	560	↓ 40

Resultando una disminución tanto en los activos como en el pasivo por impuesto diferido, registrando por ello:

—————————————————— X ——————————————————

30	Ajustes negativos en la imposición sobre beneficios (633)		
	a	Crédito por pérdidas a compensar(4745)	30

—————————————————— X ——————————————————

20	Ajustes negativos en la imposición sobre beneficios (633)		
	a	Activos por diferencias temporarias deducibles (4740)	20

—————————————————— X ——————————————————

40	Pasivos por diferencias temporarias imponibles (479)		
	a	Ajustes positivos en la imposición sobre beneficios (638)	40

La norma de registro y valoración (NRV) 13.ª. Impuestos sobre beneficios, contenida en la segunda parte del Plan General de Contabilidad (PGC), aprobado por el Real Decreto 1514/2007, de 16 de noviembre, en concreto, en el apartado 3. Valoración de los activos y pasivos por impuesto corriente y diferido, nos indica:

«(...) Los activos y pasivos por impuesto diferido se valorarán según los tipos de gravamen esperados en el momento de su reversión, según la normativa que esté vigente o aprobada y pendiente de publicación en la fecha de cierre del ejercicio, y de acuerdo con la forma que racionalmente se prevea recuperar o pagar el activo o el pasivo (...)».

Ejemplo 2

PACO S.A., dispone de la siguiente información en balance relativa a una subvención que le han concedido:

(130) Subvenciones oficiales de capital.	350
(479) Pasivo por diferencias temporarias imponibles.	150

La cantidad del impuesto diferido está calculada en base a un tipo del 30%. Si éste se modifica al 28%.

SE PIDE:

Registrar las anotaciones correspondientes.

SOLUCIÓN:

Compararemos a través del siguiente cuadro los importes que corresponden aplicando los distintos tipos impositivos:

Cuenta	Importe 30%	Base	Importe 28%	Ajuste
479	150	$\dfrac{150}{0,30} = 500$	140	↓10

Anotándose:

———————————————————— X ————————————————————

10	Pasivos por diferencias temporarias imponibles (479)		
	a	Ajustes positivos en la imposición sobre beneficios (838)	10

Y por la regularización:

	X	
10 Ajustes positivos en la imposición sobre beneficios (838)		
	a Subvenciones oficiales de capital (130)	10

Así en la Norma 13.ª PGC, apartado 4 nos comenta que los ajustes constituirán un ingreso o gasto según corresponda por impuesto diferido en la cuenta de pérdidas y ganancias. Excepto en la medida que se relacionen con partidas que por aplicación del PGC, debieron ser previamente cargadas o abonadas directamente a patrimonio neto, en cuyo caso se imputarán directamente a éste.

En la 5.ª parte del PGC, encontramos el movimiento y definición de las distintas cuentas que intervienen en el registro del gasto/ingreso por impuesto diferido, así:

«(…) b) Se cargará:

(…) b2) Por las reducciones de los pasivos por diferencias temporarias imponibles originados en una transacción o suceso que se hubiese reconocido directamente en una partida del patrimonio neto, con abono a la cuenta 838».

6.1.2.3. Efecto impositivo subvenciones

BOICAC 105, marzo 2016. Consulta 3.

Sobre la forma de contabilizar el efecto impositivo asociado a las subvenciones de capital recibidas por entidades con pérdidas acumuladas de ejercicios anteriores que se encuentran pendientes de compensar fiscalmente.

Respuesta

La norma de registro y valoración (NRV) 13ª. Impuestos sobre beneficios del Plan General de Contabilidad, en su apartado 2.1, al definir las diferencias temporarias señala que éstas se producen:

«(…)

b) En otros casos, tales como:

– En los ingresos y gastos registrados directamente en el patrimonio neto que no se computan en la base imponible (…)».

Las subvenciones de capital reconocidas directamente en el patrimonio neto constituyen un ingreso cuya imputación a la base imponible se producirá en los periodos impositivos siguientes, circunstancia que pone de manifiesto la citada diferencia temporaria, que desde la lógica del denominado enfoque de balance cabría atribuir a un pasivo sin valor en libros pero con una base fiscal equivalente a la tributación diferida.

Por otro lado, el apartado 4. Gasto (ingreso) por impuesto sobre beneficios, tercer párrafo, de la citada NRV 13ª estipula que:

> «El gasto o el ingreso por impuesto diferido se corresponderá con (...) el reconocimiento e imputación a la cuenta de pérdidas y ganancias del ingreso directamente imputado al patrimonio neto que pueda resultar de la contabilización de aquellas deducciones y otras ventajas fiscales que tengan la naturaleza económica de subvención».

Por lo tanto, en el momento del reconocimiento de la subvención en el patrimonio deberá registrarse el correspondiente pasivo por impuesto diferido, cuya reversión se irá produciendo a medida que se vaya imputando la subvención a la cuenta de resultados.

A mayor abundamiento se informa que la interpretación de este Instituto sobre el tratamiento contable del reconocimiento de activos por impuestos diferidos derivados del derecho a compensar bases imponibles negativas está publicada en la consulta 10 del BOICAC nº 80, cuyo contenido se ha reproducido, en líneas generales, en la Resolución de 9 de febrero de 2016 del Instituto de Contabilidad y Auditoría de Cuentas, por la que se desarrollan las normas de registro, valoración y elaboración de las cuentas anuales para la contabilización del impuesto sobre beneficios.

Comentario

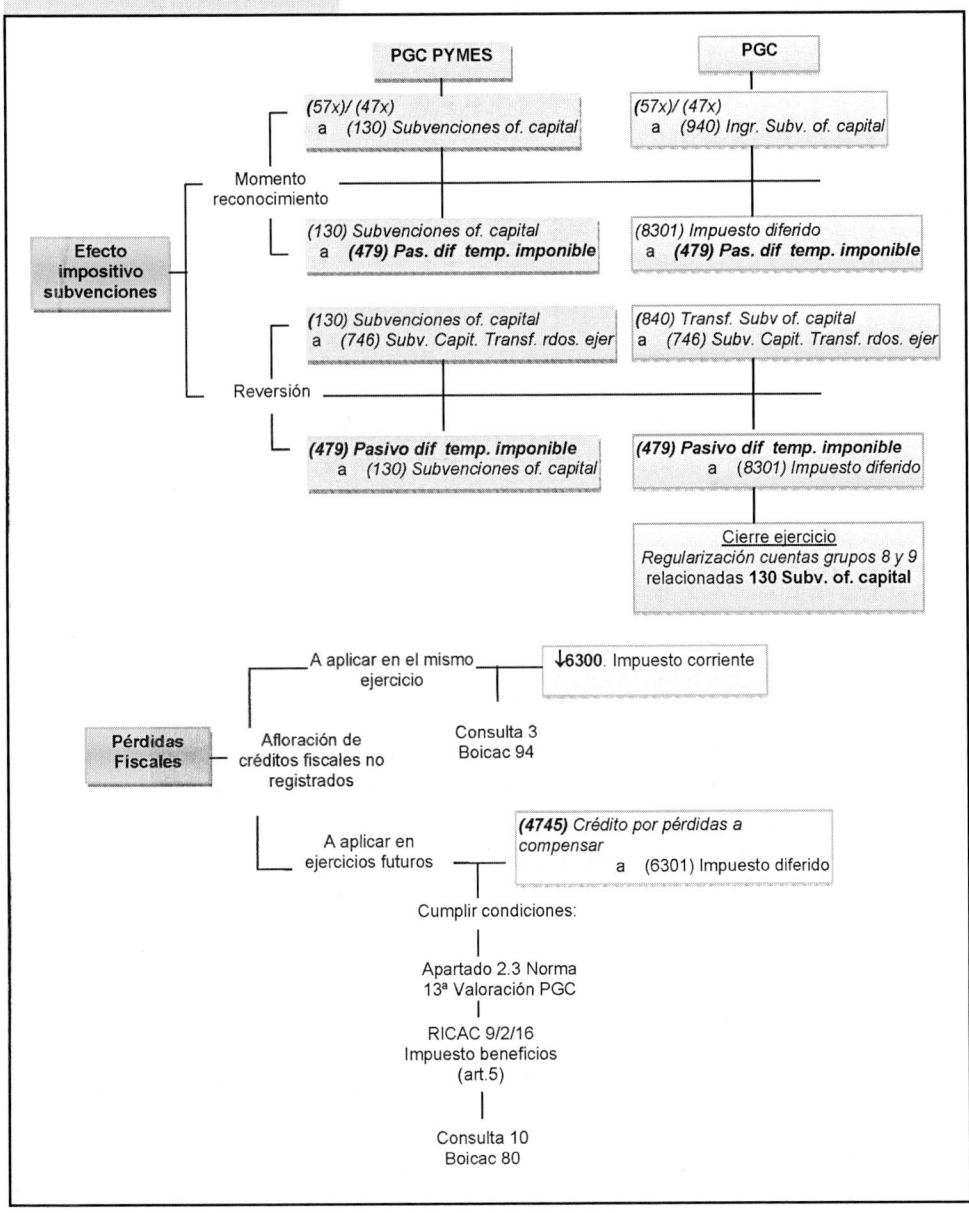

Ejemplo

La sociedad ROSALÍAPIZZA, ha recibido el 1/7/X8 una subvención de 120.000€ de la XUNTA DE GALICIA, para la adquisición de un local, donde desarrollará sus actividades, cuyo precio ascendió a 240.000€. El terreno representa el 20% del total. La vida útil de la construcción, es 25 años.

De la Memoria correspondiente al ejercicio X8, presentada por la sociedad, se obtiene la siguiente información fiscal en euros:

RESULTADO CONTABLE ANTES DE IMPUESTOS.	180.000
DIFERENCIA PERMANENTE NEGATIVA.	75.000
DIFERENCIAS TEMPORARIAS:.	
Generadas en el ejercicio actual:.	
Deducibles.	30.000
Con origen en ejercicios anteriores (revierten):.	
Deducibles.	20.000
Imponibles.	60.000
COMPENSACIÓN Bases Imponibles (-) Ejercicios Anteriores.	20.000

Las retenciones y pagos a cuentas, ascendieron a 32.062,50€. La empresa tiene derecho a deducciones por importe de 15.687,50 aplicándose en este ejercicio deducciones que ascienden a 9.687,50 por límite en la cuota.

SE PIDE:

Realizar las anotaciones correspondientes para el ejercicio X8 en relación con la subvención recibida. Igualmente, contabilícese el impuesto sobre beneficios del ejercicio, sabiendo que:

- El tipo de gravamen es el 25%.

- En ejercicios anteriores no reconoció contablemente el efecto impositivo de las diferencias entre los criterios fiscales y contables que originaron los activos por diferencias temporarias deducibles ni el derecho a compensar las bases imponibles negativas.

- En el ejercicio X8, reconoce el efecto de las diferencias temporarias, así como el crédito por las deducciones pendientes de aplicación (al cumplir con lo establecido en el PGC y en la RICAC del impuesto de beneficios).

SOLUCIÓN:

SUBVENCIÓN RECIBIDA

– En base a lo establecido en el apartado 1.1 de la Norma 18ª de Valoración, las subvenciones no reintegrables se contabilizarán inicialmente, con carácter general, como ingresos directamente imputados al patrimonio neto. Por lo que anotaremos:

	1/7/X8	
120.000 Bancos c/c (572)		
	a	Ingresos de subvenciones de capital (940) 120.000

– Al mismo tiempo, y por el efecto impositivo:

	1/7/X8	
30.000 Impuesto diferido (8301)		
	a	Pasivo por diferencia temporaria imponible (479) [120.000 x0,25] 30.000

Registro PGC PYMES:

– Por la concesión de la Subvención:

	1/7/X8	
120.000 Bancos c/c (572)		
	a	Subvenciones oficiales de capital (130) 120.000

– Por el efecto impositivo

—————————————————— 1/7/X8 ——————————————————

30.000	Subvenciones oficiales de capital (130)	
	a	Pasivo por diferencia temporaria imponible (479)
		[120.000 x 25%] 30.000

Así, encontramos que la Norma 13ª de Valoración del PGC, apartado 2.1., indica que las diferencias temporarias se producen:

«(...)b) En otros casos, como: En los ingresos y gastos registrados directamente en el patrimonio neto que no se computen en la base imponible (...)».

Igual redacción, la tenemos en la Norma 15ª del PGC PYMES.

De esta manera, la **Consulta** 3 del BOICAC 105 (marzo, 2016), nos indica que:

«(...) Las subvenciones de capital reconocidas directamente en el patrimonio neto constituyen un ingreso cuya imputación a la base imponible se producirá en los periodos impositivos siguientes, circunstancia que pone de manifiesto la citada diferencia temporaria, que desde la lógica del denominado enfoque de balance cabría atribuir a un pasivo sin valor en libros pero con una base fiscal equivalente a la tributación diferida».

Por lo tanto, en el momento del reconocimiento de la subvención en el patrimonio deberá registrarse el correspondiente pasivo por impuesto diferido.

Igualmente, y para el movimiento de la cuenta 479 en la 5ª parte del PGC, nos indica que ésta se abonará:

«(...) a2) Por el importe de los pasivos por diferencias temporarias imponibles que surjan en una transacción o suceso reconocido directamente en una partida de patrimonio neto, con cargo a la cuenta 8301».

Similar párrafo, nos encontramos en el PGC PYMES para éste código pero con cargo a las cuentas 130. 131 o 132.

– Adquisición en la misma fecha de la nave: el terreno representa un 20% del total del precio.

———————————————————— 1/7/X8 ————————————————————

192.000   Construcciones (211)

        [80% 240.000]

48.000   Terrenos y bienes naturales (210)

                a   Bancos (572)   240.000

– A 31 de diciembre, amortizaremos la construcción a la que se le ha estimado una vida útil de 25 años.

$$\text{Cuota Anual} = \frac{192.000}{25 \text{ años}} = 7.680$$

$$\text{Amortización correspondiente ejercicio X8} = \frac{7.680}{12 \text{ meses}} \times 6 \text{ meses} = 3.840$$

Anotándose:

———————————————————— 31/12/X8 ————————————————————

3.840   Amortización del inmovilizado material (681)

                a   Amortización acumulada del inmovilizado material (281)   3.840

– Conjuntamente al apunte anterior, realizaremos otro, en relación a la imputación de la subvención, que se realizará:

      «(...) en proporción a la dotación a la amortización efectuada en ese periodo para los citados elementos (...)».

De la nave únicamente amortizamos la construcción, que representa el 80% del total de su precio. Es decir, si hemos recibido una subvención de 120.000€, de este importe el que le corresponde a la construcción asciende a:

Subvención	Construcciones (80%): 80% 120.000 = **96.000**
120.000	Terrenos (20%) : 20% 120.000 = 24.000

El cual, imputaremos a resultado del ejercicio, en la misma proporción que amortizamos el bien que financia. Por tanto:

$$\text{Imputación Anual} = \frac{96.000}{25 \text{ años}} = 3.840$$

$$\text{Imputación correspondiente ejercicio X8} = \frac{3.840}{12 \text{ meses}} \times 6 \text{ meses} = 1.920$$

---------------------------- 31/12/X8 ----------------------------

1.920	Transferencia de subvenciones oficiales de capital (840)	
	a Subvenciones, donaciones y legados de capital transferidos al resultado del ejercicio (746)	1.920

Se cargará la cuenta 840, en el momento de la imputación a la cuenta de pérdidas y ganancias de la subvención recibida, con abono a la cuenta 746 (5ª parte del PGC).

– Y por la reversión del impuesto diferido relacionado con esta imputación:

————————————————— 31/12/X8 —————————————————

480	Pasivos por diferencias temporarias imponibles (479) [1920 x 25%]		
		a Impuesto diferido (8301)	480

Así, y para el movimiento de la cuenta 479 en la 5ª parte del PGC, nos indica que ésta se cargará:

> *«(…) b4) Cuando se cancelen los pasivos por diferencias temporarias imponibles originados en una transacción o suceso que se hubiese reconocido directamente en una partida del patrimonio neto, con abono a la cuenta 8301».*

Registro PGC PYMES:

– Por la parte de la subvención, imputada a la cuenta de pérdidas y ganancias:

————————————————— 31/12/X8 —————————————————

1.920	Subvenciones oficiales de capital (130)		
		a Subvenciones, donaciones y legados de capital transferi-	1.920

	dos al resultado del ejercicio (746)

La cuenta 130, se cargará, al cierre del ejercicio, por la parte de la subvención imputada a la cuenta de pérdidas y ganancias, con abono a la cuenta 476 (5ª parte del PGC PYMES).

– Por el efecto impositivo

31/12/X8

480	Pasivos por diferencias temporarias imponibles (479)		
	[1920 x 25%]		
	a	Subvenciones oficiales de capital (130)	480

Así, en el mismo movimiento de la cuenta 130 de la 5ª parte del PGC PYMES, nos indica que, ésta se abonará:

«(...) a3) Por el gasto por impuesto diferido vinculado a la subvención imputada a la cuenta de pérdidas y ganancias, con cargo a la cuenta 479».

Siguiendo lo establecido en la mencionada consulta del BOICAC 105, nos comenta que la reversión del pasivo diferido:

«(...) se irá produciendo a medida que se vaya imputando la subvención a la cuenta de resultados».

– Al final del ejercicio, regularizaremos las cuentas del grupo 8 y 9, asociadas con la subvención:

————————————————— 31/12/X8 —————————————————

120.000	Ingresos de subvenciones oficiales de capital (940)	
	a Transferencia de subvenciones oficiales de capital (840)	1.920
	Impuesto diferido (8301)	29.520
	Subvenciones oficiales de capital (130)	88.560

¿Qué ocurrirá con el importe correspondiente al terreno? Lo imputaremos, cuando se produzca:

«(...) su enajenación corrección valorativa por deterioro o baja en balance». [Apartado 1.3.c), Norma 18ª de Valoración]

REGISTRO IMPUESTO CORRIENTE. LIQUIDACIÓN

Resultado Contable = ...	180.000
±Ajustes:	
(-) Diferencias permanentes y negativa	(75.000)
(+)Diferencia Temporaria Deducible, origen	+30.000
(-) Diferencia Temporaria deducible, reversión	(20.000)
(+) Diferencia Temporaria imponible, reversión	+60.000
= *Resultado Fiscal*	175.000
- Compensación Bases Imponibles Negativas.	(20.000)

= Base Imponible	155.000
	x tipo impositivo x 0,30
= Cuota íntegra	38.750
- Deducciones y Bonificaciones[1]	(9.687,50)
= Cuota líquida = Impuesto Corriente (6300)	**29.062,50**
- Retenciones y pagos a cuenta (473)	(32.062,50)
A DEVOLVER.	3.000

[1] . Solo podemos aplicar 9.687,50€, de los 15.687,50€ correspondientes a este ejercicio, quedando pendiente: 15.687,50€ - 9.687,50€ = 6.000€

Anotándose:

───────────────────────── 31/12/X8 ─────────────────────────

29.062,50 Impuesto corriente (6300)

3.000 HP deudor devolución de
         impuestos (4709)

                              a   HP retenciones y pagos
                                       a cuenta (473)   32.062,50

REGISTRO IMPUESTO DIFERIDO

– Reconocimiento de la diferencia temporaria deducible generada en el ejercicio:

───────────────────────── 31/12/X8 ─────────────────────────

7.500
         Activo por diferencia tem-
         poraria deducible (4740)

         [30.000 x 0,25]

                              a   Impuesto diferido (6301)   7.500

De acuerdo con el principio de prudencia sólo se reconocerán activos por impuesto diferido, en la medida en que resulte probable que la empresa disponga de ganancias fiscales futuras que permitan la aplicación de estos activos. [Apartado 2.3 Norma 13ª Valoración PGC y art.5, apartado 1. RICAC Impuesto sociedades]

– Y por la reversión de las diferencias temporarias, con origen en otros ejercicios:

*De la diferencia temporaria imponible:

--------------------------------- 31/12/X8 ---------------------------------

15.000   Pasivos por diferencias temporarias imponibles (479)

[60.000 x 0,25]

a   Impuesto diferido (6301)   15.000

* Con respecto a la diferencia temporaria deducible, sabemos que ROSA-LÍAPIZZA no reconoció en su momento el crédito. Ahora, reconsideraremos la situación.

Así en el apartado 8, art. 5 de la RICAC, nos comenta:
«En la fecha de cierre de cada ejercicio, la empresa reconsiderará la contabilización de todos los activos por impuesto diferido. Por lo tanto, en ese momento, la empresa dará (...) registrará cualquier activo de esta naturaleza no reconocido previamente, siempre que resulte probable que la empresa disponga de ganancias fiscales futuras en cuantía suficiente que permitan su aplicación y se cumplen las demás reglas (...)».

En el mismo sentido, se explica el PGC en el apartado 2.3 de la Norma 13ª Valoración.

Al aflorarlo en el mismo ejercicio que se aplica, no será necesario su registro: rebajando su importe en el impuesto corriente, en base a la Consulta 3 del BOICAC 94.

* Por la compensación de las pérdidas de otros ejercicios, estaremos a lo indicado en el punto anterior: la empresa no registró en su momento el crédito pudiéndolo aflorarlo en este ejercicio, pero aplicándolo al mismo tiempo. Con lo cual, no será necesario su registro, rebajándose el impuesto corriente.

– Reconocimiento del activo por las deducciones pendientes de aplicar:

———————————————— 31/12/X8 ————————————————

6.000 Derechos por deduccio- nes y bonificaciones pendientes de aplicar (4742)	
a	Impuesto diferido (6301) 6.000

6.1.3.   Regímenes especiales

6.1.3.1.   Tributación régimen consolidación fiscal: implicaciones contables

BOICAC 89, mazo 2012. Consulta 5.

Sobre el tratamiento contable del impuesto diferido surgido por una operación de compraventa de un inmovilizado entre empresas del grupo, que tributan en régimen de consolidación fiscal.

Respuesta

Una sociedad dependiente ha vendido en el ejercicio un elemento del inmovilizado a la sociedad dominante, generando un beneficio que ha reconocido en la cuenta de pérdidas y ganancias. El resultado que se ha producido en la operación interna va a ser objeto de eliminación a la hora de calcular la base imponible del grupo fiscal que integran ambas sociedades, de conformidad con lo previsto en el art. 71.1 del Texto Refundido de la Ley del Impuesto sobre Sociedades aprobado por el Real Decreto Legislativo 4/2004, de 5 de marzo. La consulta versa sobre el criterio que debe seguirse para contabilizar el gasto por impuesto sobre beneficios y, en particular, si el pasivo por impuesto diferido que se pone de manifiesto en la operación debe reconocerse en la sociedad dominante o en la dependiente.

La contabilización del Impuesto sobre Beneficios en el Plan de 1990 seguía el sistema basado en las diferencias, temporales/permanentes, entre el resultado contable y la base imponible, a partir de la cuenta de pérdidas y ganancias. En desarrollo de la norma de valoración 16.ª contenida en la quinta parte del citado texto, en el anterior marco contable, el criterio a seguir para otorgar un adecuado tratamiento contable a la operación descrita por el consultante estaba regulado en la norma sexta. Sociedades que tributan en régimen de consolidación fiscal, de la Resolución de 9 de octubre de 1997, que dispone:

> *«1. El gasto devengado por Impuesto sobre Sociedades que debe aparecer en la cuenta de pérdidas y ganancias de una sociedad, individual-*

mente considerada, que tribute en régimen de consolidación fiscal, se determinará teniendo en cuenta, además de los parámetros a considerar en caso de tributación individual, los siguientes:

a) *Las diferencias temporales y permanentes producidas como consecuencia de la eliminación de resultados derivada del proceso de determinación de la base imponible consolidada.*

b) *Las deducciones y bonificaciones que corresponden a cada sociedad del grupo fiscal en el régimen de consolidación fiscal; a estos efectos, las deducciones y bonificaciones se imputarán a la sociedad que realizó la actividad u obtuvo el rendimiento necesario para obtener el derecho a la deducción o bonificación fiscal.*

Todo lo anterior se realizará de acuerdo con lo establecido en el número siguiente de esta norma».

Adicionalmente, el apartado 2.1. Diferencias temporales, de la citada norma, expresa que si como consecuencia de la eliminación de resultados para la determinación de la base imponible consolidada, se produce un diferimiento en el reconocimiento por el grupo de resultados en tanto no estén realizados frente a terceros, surgirá para la sociedad que tuviera contabilizado dicho resultado una diferencia de carácter temporal, cuyo registro contable se realizará de acuerdo con las normas generales.

En consecuencia, entrando en el fondo de la cuestión planteada, a la vista de este criterio, no cabe duda que en el anterior marco contable, el pasivo por impuesto diferido debía ser reconocido por la sociedad dependiente.

A raíz de la entrada en vigor del nuevo Plan General de Contabilidad (PGC) aprobado por el Real Decreto 1514/2007, de 16 de noviembre, el tratamiento contable del efecto impositivo parte de un enfoque distinto. En el cálculo de las diferencias que darán lugar a activos y pasivos por impuestos diferidos se toma como referente el balance de la empresa (lo que se ha denominado «enfoque de balance»), y, en particular, el concepto de diferencia temporaria regulado en el apartado 2.1 de la norma de registro y valoración (NRV) 13.ª. «Impuesto sobre beneficios» incluida en la segunda parte del PGC, en los siguientes términos:

«2.1. Diferencias temporarias

Las diferencias temporarias son aquéllas derivadas de la diferente valoración, contable y fiscal, atribuida a los activos, pasivos y determinados instrumentos de patrimonio propio de la empresa, en la medida en que tengan incidencia en la carga fiscal futura.

La valoración fiscal de un activo, pasivo o instrumento de patrimonio propio, denominada base fiscal, es el importe atribuido a dicho elemento de acuerdo con la legislación fiscal aplicable. Puede existir algún elemento que tenga base fiscal aunque carezca de valor contable y, por tanto, no figure reconocido en el balance.

867

Las diferencias temporarias se producen:

a) Normalmente, por la existencia de diferencias temporales entre la base imponible y el resultado contable antes de impuestos, cuyo origen se encuentra en los diferentes criterios temporales de imputación empleados para determinar ambas magnitudes y que, por tanto, revierten en periodos subsiguientes.

b) En otros casos, tales como:

– En los ingresos y gastos registrados directamente en el patrimonio neto que no se computan en la base imponible, incluidas las variaciones de valor de los activos y pasivos, siempre que dichas variaciones difieran de las atribuidas a efectos fiscales;

– En una combinación de negocios, cuando los elementos patrimoniales se registran por un valor contable que difiere del valor atribuido a efectos fiscales; y

– En el reconocimiento inicial de un elemento, que no proceda de una combinación de negocios, si su valor contable difiere del atribuido a efectos fiscales.

Las diferencias temporarias se clasifican en:

a) Diferencias temporarias imponibles, que son aquellas que darán lugar a mayores cantidades a pagar o menores cantidades a devolver por impuestos en ejercicios futuros, normalmente a medida que se recuperen los activos o se liquiden los pasivos de los que se derivan.

b) Diferencias temporarias deducibles, que son aquellas que darán lugar a menores cantidades a pagar o mayores cantidades a devolver por impuestos en ejercicios futuros, normalmente a medida que se recuperen los activos o se liquiden los pasivos de los que se derivan.»

En aplicación del nuevo enfoque, la sociedad dominante y la dependiente deben identificar las diferencias temporarias de los activos y pasivos que tengan, o no, reconocidos en el balance, circunstancia que a su vez exige cuantificar la base fiscal de estos elementos considerando el régimen de tributación que resulte aplicable.

De acuerdo con lo anterior, para otorgar un adecuado tratamiento contable a la cuestión que se plantea, como paso previo, será necesario determinar cuál es la base fiscal del inmovilizado adquirido por la sociedad dominante y si la sociedad dependiente retiene, una vez reconocida la baja del elemento, algún tipo de obligación tributaria.

Pues bien, la sociedad dominante habrá reconocido un inmovilizado por un valor en libros, en principio, aparentemente superior a su base fiscal, en la medida que el beneficio que se ha eliminado en la transacción deberá incorporarse a la base imponible del grupo de acuerdo con los criterios regulados en el art. 46 del Código de Comercio y demás normas de desarrollo (en particular, las Normas para la formulación de las cuentas anuales consolidadas aprobadas por el Real Decreto 1159/2010, de 17 de septiembre). Sin embargo, a la hora de calcular la base fiscal de la adquirente, no puede desconocerse el hecho de que a medida que se produzca dicha incorporación, desde una perspectiva económica racional, será la sociedad dependiente la que deberá asumir el coste fiscal de la misma.

De acuerdo con este razonamiento, debería concluirse que en la sociedad dominante el valor en libros y la base fiscal de la operación coincide, sin que por tanto exista diferencia temporaria alguna ni proceda, en consecuencia, reconocer en el balance de esta sociedad un pasivo por impuesto diferido

Por el contrario, en la sociedad dependiente que carece de un valor en libros asociado a la operación, habrá surgido una base fiscal negativa que irá disminuyendo a medida que se incorpore la renta a la base imponible del grupo de conformidad con los criterios ya indicados, circunstancia que pondrá de manifiesto la correspondiente diferencia temporaria imponible y, por ello, el correspondiente pasivo por impuesto diferido.

En definitiva y como conclusión, será la sociedad que contabilizó el beneficio la que deberá reconocer en sus cuentas anuales individuales el gasto por impuesto sobre beneficios y el correspondiente pasivo por impuesto diferido.

En cualquier caso, en la memoria de las cuentas anuales, cada sociedad del grupo deberá incluir en el apartado correspondiente a la situación fiscal, además de las indicaciones que sean procedentes de acuerdo con lo previsto en la legislación mercantil, en el Plan General de Contabilidad y en sus disposiciones de desarrollo, cualquier circunstancia relativa a este régimen especial de tributación, indicando en particular las diferencias permanentes y temporarias surgidas como consecuencia de su aplicación, señalando para las temporarias el ejercicio en que se originaron y el momento en que se produce su reversión.

Comentario

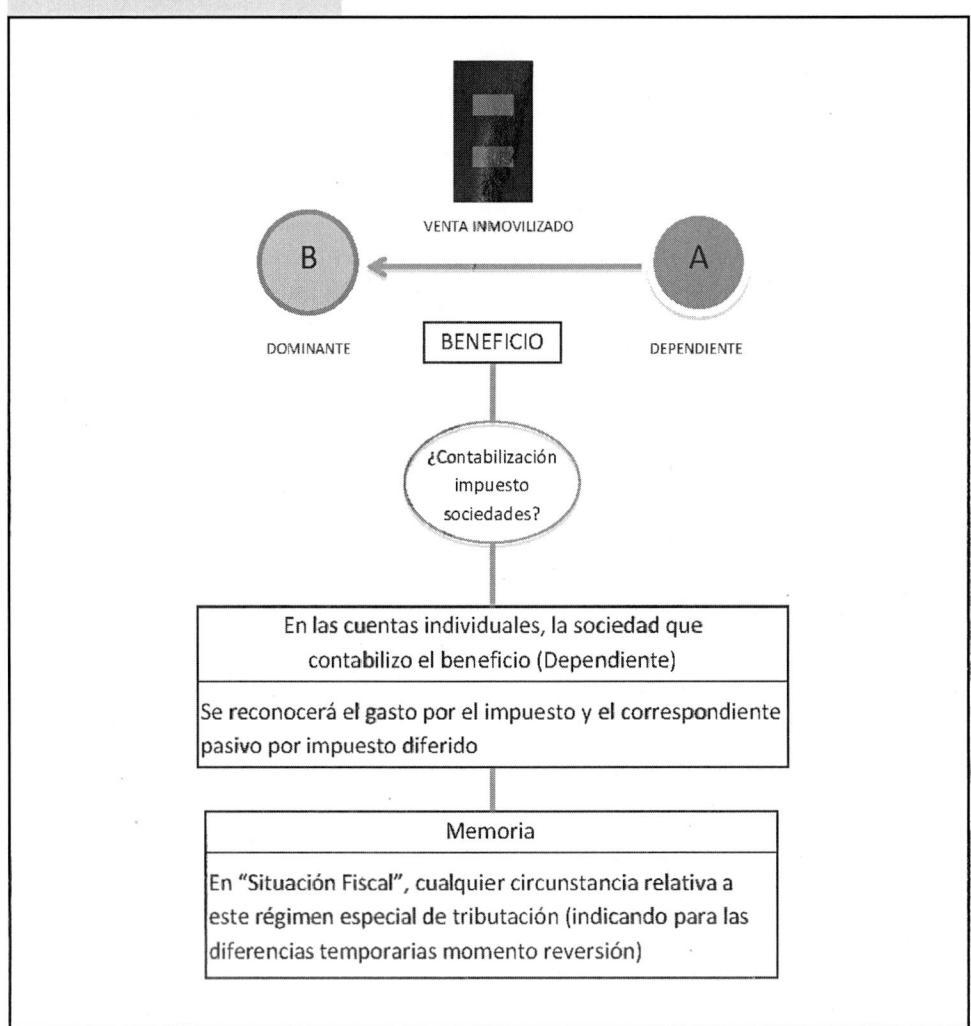

Ejemplo

La sociedad «B» domina a «A» en el 80%. El grupo de sociedades «BA», tributa en el régimen de consolidación fiscal.

Ninguna de las dos sociedades realiza actividades inmobiliarias.

Se conoce la siguiente operación realizada entre ambas sociedades en el año 2012:

«A» vendió al contado a «B» el 1/1/2012 un terreno por importe de 20.000€, obteniendo un beneficio contable de 4.000€. El importe de la corrección monetaria establecida en el art. 15.9 del TRLIS, ascendió a 1.300€. Se considera que habrá ganancias fiscales que permitan la aplicación de activos por impuestos diferidos.

El tipo impositivo en ambas sociedades es del 30%.

SE PIDE:

1.- Registro de la operación reseñada en la sociedad filial y vendedora «A».

2.- Eliminaciones y ajustes en forma de asientos de diario, con expresa referencia al efecto impositivo.

SOLUCIÓN:

1.- Registro de la venta en la sociedad filial «A».

– Por la venta:

	X		
20.000	Bancos (572)		
	a	Terrenos y bines naturales (210)	16.000
		Beneficios procedentes del inmovilizado material (771)	4.000

– Por el registro del efecto impositivo:

	X		
1.200	Impuesto diferido (6301)		
	a	Pasivo por diferencia temporaria imponible (479)[*]	
		[4.000 x 30%]	1.200

[*] Según los contenidos de la presente Consulta:

«(…) .en la sociedad dependiente que carece de un valor en libros asociado a la operación, habrá surgido una base fiscal negativa que irá disminuyendo a medida que se incorpore la renta a la base imponible del grupo de conformidad con los criterios ya indicados, circunstancia que pondrá de manifiesto la correspondiente diferencia temporaria imponible y, por ello, el correspondiente pasivo por impuesto diferido

En definitiva y como conclusión, será la sociedad que contabilizó el beneficio la que deberá reconocer en sus cuentas anuales individuales el gasto por impuesto sobre beneficios y el correspondiente pasivo por impuesto diferido».

2.- Ajustes para formular el balance y cuenta de pérdidas y ganancias consolidada.

Eliminaciones de resultados por operaciones internas en forma de asientos en el Libro Diario para Formular Balance Consolidado:

– Por la venta del terreno

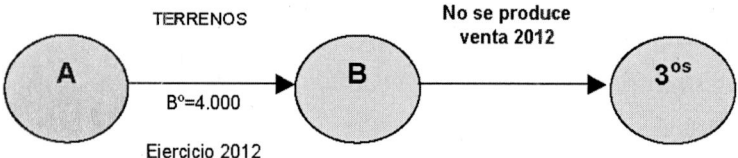

Según lo dispuesto en las NOFCAC:

«(...) para la determinación de la base imponible consolidada, se practicaran la totalidad de las eliminaciones de resultados por operaciones internas efectuadas en el período impositivo (...)».

Se entiende por operaciones internas las realizadas entre sociedades del grupo fiscal en los periodos impositivos en que ambas sociedades formen parte de él y se aplique el régimen de consolidación fiscal. Anotándose:

———————————— X ————————————

1.200	Pasivo por diferencia temporaria imponible (479) [4.000 x 30%][(**)]		
390	Activo por diferencia temporaria deducible (4740) [1.300 x 30%][(*)]		
3.710	Resultado del ejercicio (129)		
		a Terrenos y bienes naturales (210)	5.300

[(**)] Las NOFCAC prevén que los ajustes puedan requerir la anulación total o parcial de un activo o pasivo por impuesto diferido reconocido en cuentas individuales, si el ajuste reduce o anula una diferencia entre el valor contable y la base fiscal de un elemento patrimonial, lo que ocurrirá entre otras situaciones cuando las sociedades tributen en régimen de consolidación.

(*)	Valor contable en el consolidado: (20.000 - 4.000 - 1.300):	14.700
	Base fiscal (20.000 - 4.000)	16.000
	DIFERENCIA TEMPORARIA DEDUCIBLE.	1.300

Se ha producido una diferencia temporaria deducible como consecuencia de que el valor contable en el consolidado es de 14.700 (dicho valor es el de la sociedad transmitente A, que en cuentas consolidadas no se ve modificado).

La base fiscal es de 16.000 ya que ha sido aumentada como consecuencia de la transmisión interna; al calcular la base imponible individual de la transmitente se ha realizado un ajuste por la corrección monetaria de 1.300€ que incrementa el valor fiscal.

En consecuencia la diferencia temporaria dará lugar a un ajuste por impuesto diferido de (1.300 x 30% = 390).

En las cuentas individuales de la sociedad filial y vendedora A como vimos anteriormente se ha identificado una diferencia temporaria imponible de 4.000€ (se contabiliza ese beneficio pero no se grava), lo cual dará origen a un pasivo por impuesto diferido el cual ha sido eliminado al preparar el consolidado.

Eliminaciones de resultados por operaciones internas en forma de asientos en el Libro Diario para Formular P y G Consolidado:

—————————————————— X ——————————————————

5.300	Beneficios procedentes del inmovilizado material (771)			
		a	Saldo de Pérdidas y ganancias	3.710
			Impuesto sobre beneficios (630) (*)	1.590

(*) Este ajuste, transforma un gasto de 1.200 contabilizado en cuentas individuales, en un ingreso de 390 (1590 - 1200), el cual corresponde al reconocimiento en cuentas consolidadas del activo por impuesto diferido.

6.1.3.2. Efecto impositivo reserva capitalización y reserva nivelación

BOICAC 106, junio 2016. Consulta 1.

Sobre el efecto impositivo de la "reserva de capitalización" y la "reserva de nivelación" reguladas en la Ley 27/2014, de 27 de noviembre, del Impuesto sobre Sociedades.

Respuesta

El efecto impositivo de ambas reservas ha sido aclarado en la exposición de motivos de la Resolución de 9 de febrero de 2016, del Instituto de Contabilidad y Auditoría de Cuentas, por la que se desarrollan las normas de registro, valoración y elaboración de las cuentas anuales para la contabilización del Impuesto sobre Beneficios.

A modo de síntesis, la reserva de capitalización se concreta en la posibilidad de reducir la base imponible del impuesto en el 10 por ciento de los beneficios retenidos voluntariamente por la empresa, previo cumplimiento de una serie de condiciones y límites. Entre otros, que se dote una reserva por el importe de la reducción, que deberá figurar en el balance con absoluta separación y título apropiado y será indisponible durante un plazo de 5 años desde el cierre del período impositivo al que corresponda esta reducción, salvo por la existencia de pérdidas contables en la entidad.

Desde la perspectiva del reconocimiento del gasto por impuesto sobre beneficios, la reserva de capitalización se tratará como un menor impuesto corriente. Además, en los casos de insuficiencia de base imponible, las cantidades pendientes de aplicar originarían el nacimiento de una diferencia temporaria deducible con un régimen contable similar al de las deducciones pendientes de aplicar por insuficiencia de cuota. Por último, en el supuesto de que se produjese el incumplimiento de los requisitos establecidos por la norma fiscal la empresa debería contabilizar el correspondiente pasivo por impuesto corriente.

Otra de las novedades de la Ley 27/2014, de 27 de noviembre, es la reserva de nivelación de bases imponibles. La reserva de nivelación se configura como un incentivo fiscal del régimen especial de empresas de reducida dimensión para las entidades que apliquen el tipo de gravamen del 25 por ciento que podrán minorar su base imponible positiva hasta el 10 por ciento de su importe lo que permite a la empresa diferir la tributación a la espera de que surja una base imponible negativa o a que transcurra el plazo de cinco años sin que se hayan generado pérdidas fiscales. Además, la empresa deberá dotar una reserva por el importe de la minoración practicada, que será indisponible hasta el periodo impositivo en que se produzca la adición de las citadas cantidades a la base imponible de la entidad.

En este supuesto, desde un punto de vista estrictamente contable, al minorarse la base imponible se pone de manifiesto una diferencia temporaria imponible asociada a un pasivo sin valor en libros pero con base fiscal que traerá consigo el reconocimiento de un pasivo por impuesto diferido cuya reversión se producirá en cualquiera de los dos escenarios regulados por la ley fiscal (generación de bases imponibles negativas o transcurso del plazo de cinco años sin incurrir en pérdidas fiscales).

En ambos casos, las reservas que la entidad vaya a reconocer con ocasión de lo dispuesto en la Ley del Impuesto sobre Sociedades se contabilizarán en el momento que establezca la norma tributaria, siguiendo el tratamiento general estipulado en el Plan General de Contabilidad (PGC) o en el Plan General de Contabilidad de Pequeñas y Medianas Empresas (PGC-Pymes) para dotar una reserva.

A tal efecto podrán emplearse sendas subcuentas con adecuada denominación de la cuenta 114. Reservas especiales propuesta en la Cuarta y Quinta parte del PGC y del PGC-Pymes, si bien se recuerda el carácter no vinculante de los aspectos relativos a numeración y denominación de cuentas.

Comentario

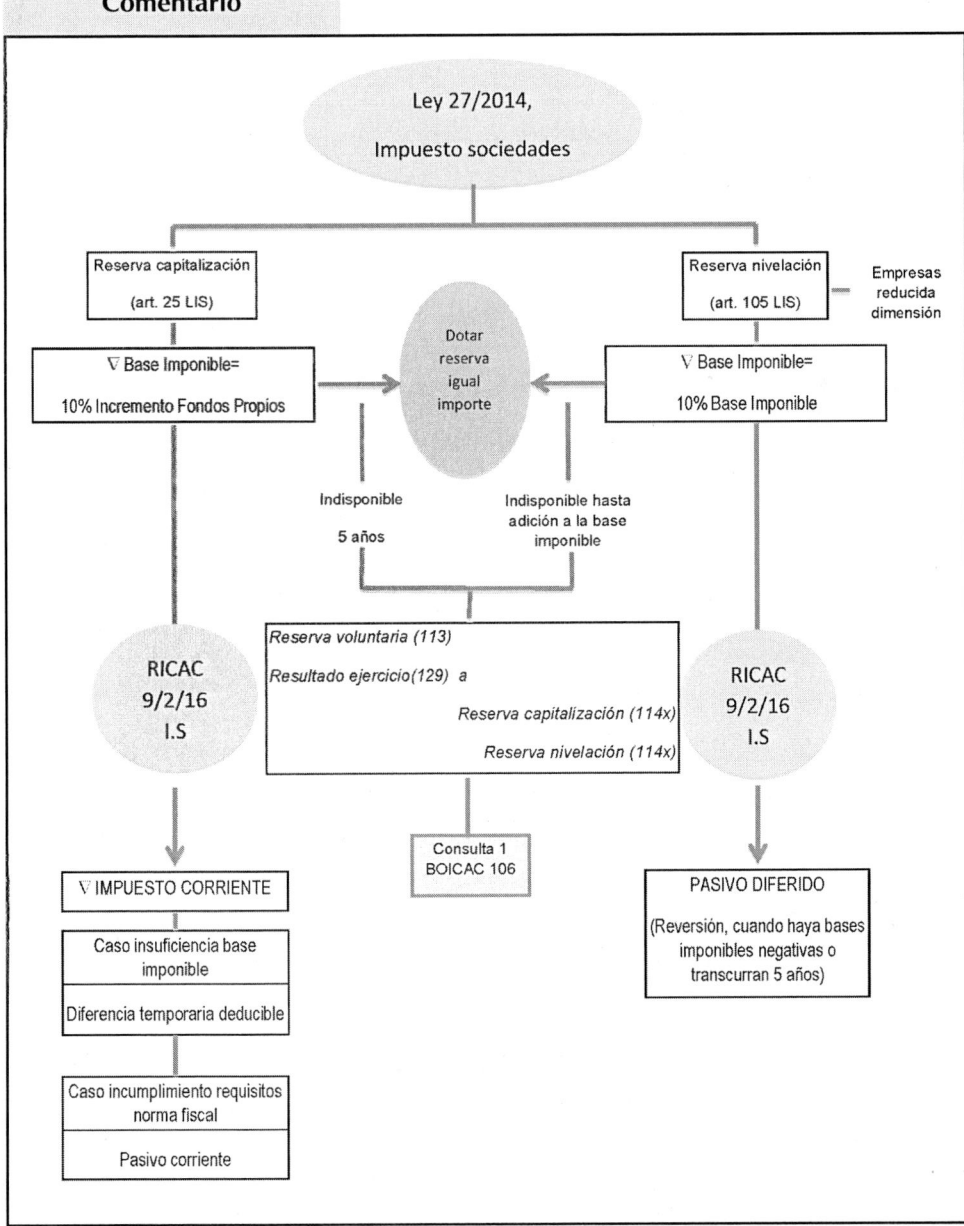

Ejemplo 1

VIGO S.A. presenta los siguientes datos en relación con sus fondos propios:

Ejercicio	2014	2015	2016
Capital	100.000	100.000	100.000
Reserva Legal	20.000	20.000	20.000
Reservas Voluntarias	10.000	31.000	175.000
Resultado del ejercicio antes de impuestos	30.000	200.000	100.000
Tipo impositivo	30%	28%	25%

La sociedad destina a reservas voluntarias todo el beneficio del ejercicio, al tener cumplidas las atenciones previstas en la ley y en los estatutos. No tiene bases imponibles negativas a compensar, ni realiza ajustes entre el resultado contable y la base imponible.

SE PIDE:

1.- ¿ Como aplicará la reserva de capitalización en los años 2015 y 2016?

2.- Liquidación del impuesto de sociedades para el ejercicio 2016 conociéndose, además, los siguientes datos:

Deducciones y bonificaciones: 6.750

Retenciones y pagos a cuenta: 8.750

SOLUCIÓN:

1.- Aplicación de la reserva de capitalización

En base al art. 25 LIS, sabemos que, cumpliendo unos requisitos, tendremos derecho a una reducción de la base imponible cuya cuantía será:

Reducción base imponible (Reserva Capitalización) = 10% Incremento Fondos Propios

En este incremento no incluiremos ni los resultados de los ejercicios ni las reservas de carácter legal o estatutario, según lo indicado en el apartado 2 del art. 25 LIS

Siendo:

Incremento Fondos Propios (ΔF.P.) =

Fondos propios fin ejercicio, sin incluir determinadas partidas ($FP_{FIN\ EJER}$)

– Fondos propios inicio ejercicio, sin incluir determinadas partidas ($FP_{INICIO\ EJER}$)

No pudiendo superar el 10% de la base imponible, previa a la reducción

En nuestro caso, y para los ejercicios 2015 y 2016:

Año 2015

ΔF.P$_{2015}$ = $FP_{FIN\ EJER\ 2015}$ - $FP_{INICIO\ EJER\ 2015}$ = 131.000 – 110.000 = 21.000

No teniendo en cuenta los resultados de los ejercicios 2014 y 2015, además de las reservas legales.

Por lo que la reducción, se elevaría:

Reducción base imponible (Reserva Capitalización) = 10% 21.000 = 2.100

Que no supera el límite establecido del:

Límite: 10% Base Imponible previa 2015 = 10% 200.000 = 20.000

Año 2016

ΔF.P$_{2016}$ = $FP_{FIN\ EJER\ 2016}$ - $FP_{INICIO\ EJER\ 2016}$ = 275.000 – 131.000 = 144.000

No teniendo en cuenta los resultados de los ejercicios 2015 y 2016, además de las reservas legales

Por lo que la reducción, se elevaría:

Reducción base imponible (Reserva Capitalización) = 10% 144.000 = 14.400

Pero, en este caso, supera el límite establecido del:

Límite: 10% Base Imponible previa 2016 = 10% 100.000 = 10.000

Por lo que para este ejercicio (2016), aplicaremos esta cantidad:

Reducción base imponible (Reserva Capitalización) de 2016, aplicación límite = 10.000 €

El resto del importe de la reducción (4.400 €), podrán ser objeto de aplicación en periodos impositivos que finalicen en los dos años inmediatos y sucesivos al cierre de este ejercicio (apartado 1, art. 25 LIS)

2.- Liquidación del impuesto de sociedades para el ejercicio 2016.

Por la liquidación fiscal:

Resultado Contable = ...100.000
±Ajustes : 0
= Resultado Fiscal 100.000
- Compensación Bases Imponibles Negativas 0
= Base Imponible previa 100.000
(-)Minoración Base Imponible (reserva capitalización): 10% 100.000 ....(10.000)
=*Base Imponible* 90.000
x tipo impositivo: 25%
= Cuota íntegra 22.500
- Deducciones y Bonificaciones..(6.750)
= Cuota líquida = Impuesto Corriente (6300) **15.750**
- Retenciones y pagos a cuenta (473)...(8.750)
A PAGAR (4752) 7.000

Anotándose

————————————————— 31/12/16 —————————————————

15.750	Impuesto corriente (6300)	a	H.P. retenciones y pagos a cuenta (473)	8.750
			H.P. acreedora impuesto sociedades (4752)	7.000

Tendremos, igualmente, que registrar la reserva indisponible, tal y como menciona el art. 25 en su apartado 1b), como uno de los requisitos para que la empresa reduzca la base imponible. De tal forma:

————————————————— 31/12/16 —————————————————

10.000	Reservas voluntarias (113)	a	Reserva capitalización (114x)	10.000

Dotándose una reserva por el importe de la reducción, figurando en el balance de forma separada y será indisponible durante 5 años. Este plazo, será también el tiempo que impone la normativa para que se mantenga el incremento de los fondos propios

La reserva de capitalización según la consulta de la DGT V41217-15 debe dotarse en el mismo ejercicio en el que se aplica, esto es en la distribución del resultado.

Las reservas que la entidad vaya a reconocer con ocasión de lo dispuesto en la Ley del Impuesto sobre Sociedades se contabilizarán en el momento que establezca la norma tributaria, siguiendo el tratamiento general estipulado en el Plan General de Contabilidad (PGC) o en el Plan General de Contabilidad de Pequeñas y Medianas Empresas (PGC-Pymes) para dotar una reserva.

A tal efecto podrán emplearse sendas subcuentas con adecuada denominación de la cuenta 114. Reservas especiales propuesta en la Cuarta y Quinta parte del PGC y del PGC-Pymes, si bien se recuerda el carácter no vinculante de los aspectos relativos a numeración y denominación de cuentas [Consulta 1 BOICAC 106]

Y por el registro del activo por impuesto diferido, relacionado con el exceso:

———————————————— 31/12/X16 ————————————————

4.400	Activo por diferencias temporaria deducible. Exceso reserva capitalización (4740x)	a	Impuesto diferido (6301)
			4.400

Así, en la introducción de la RICAC del impuesto beneficios, aparte de indicar que la reducción de la base imponible por la reserva de capitalización, se tratase como un menor impuesto corriente, añade que: "(...) *en los casos de insuficiencia de base imponible, las cantidades pendientes originarían el nacimiento de una diferencia temporaria deducible con un régimen contable similar a las que traen causa de las deducciones pendientes de aplicar por insuficiente de cuota (...)*". En iguales términos, se manifiesta la presente consulta.

Ejemplo 2

"ISABEL S.L.", es una sociedad calificada a efectos fiscales como de "reducida dimensión", conocemos los siguientes datos referidos al ejercicio 2016:

Resultado Contable:	750.000 €
Diferencias Permanentes y Positivas	15.000 €
Diferencias Temporarias deducibles (en origen) y revierte en el 2017	4.500 €
Diferencias Temporarias imponibles (en origen) y revierte en el 2017	7.500 €
Deducciones y Bonificaciones:	3.000 €
Retenciones y Pagos a cuenta:	20.000 €

La entidad, decide acogerse para este ejercicio (2016), al incentivo regulado en el art. 105 de minoración de bases imponibles

En el siguiente ejercicio 2017, nuestra empresa y por causas no imputables a la gestión de la misma, sino a un incendio producido en sus instalaciones, ha obtenido unas pérdidas de 75.000 €

Sabemos que las retenciones y pagos a cuenta, ascendieron a 5.000 € y que revierten todas las diferencias del 2016. No existen deducciones ni bonificaciones.

En base a la legislación fiscal, añade la cuantía de la nivelación del ejercicio pasado, a la base imponible del 2017.

SE PIDE: Liquidaciones y anotaciones correspondientes al impuesto de sociedades, correspondientes a los ejercicios 2016 y 2017.

SOLUCIÓN:

EJERCICIO 2016:

I.- Liquidación del Impuesto Sociedades

Resultado Contable = ...750.000	
Ajustes :	
Diferencia Permanente (+) ....+15.000	
Diferencia Temporaria Deducible (origen) ....+4.500	
Diferencia Temporaria Imponible (origen)................(7.500)	
= *Resultado Fiscal* 762.000	
- Compensación Bases Imponibles Negativas 0	
= *Base Imponible previa* 762.000	
(-)Minoración base imponible: 10% 762.000........ (*)(76.200)	
=*Base Imponible*...685.800	
x tipo impositivo x25%	
= *Cuota íntegra*: 171.450	
- Deducciones y Bonificaciones.................................(3.000)	
= ***Cuota líquida = Impuesto Corriente (6300)*** **168.450**	
- Retenciones y pagos a cuenta (473)......................(20.000)	
A PAGAR (4752): 148.450	

(*) No supera el límite del millón de euros.

La reserva de nivelación se configura como un incentivo fiscal del régimen especial de empresas de reducida dimensión para las entidades que apliquen el tipo de gravamen del 25 por ciento que podrán minorar su base imponible positiva hasta el 10 por ciento de su importe lo que permite a la empresa diferir la tributación a la espera de que surja una base imponible negativa o a que transcurra el plazo de cinco años sin que se hayan generado pérdidas fiscales.

II.- Registro Impuesto corriente derivado de la liquidación:

———————————————————— 31/12/16 ————————————————————

168.450	Impuesto Corriente (6300)	a	H.P. retenciones y pagos a cuenta (473)	20.000
			H.P. acreedora I.S. (4752)	148.450

III.- Registro reserva nivelación

———————————————————— X ————————————————————

76.200	Resultado del ejercicio (129)	a	Reserva de nivelación (114x)	76.200

En base a lo establecido en el art. 105.2 LIS: "(...) *La reserva deberá dotarse con cargo a los resultados positivos del ejercicio en que se realice la minoración de la base imponible (...)*"

Esta reserva será indisponible, hasta el periodo impositivo en que se produzca la adición a la base imponible (bien cuando haya pérdidas, bien cuando pase el plazo establecido-cinco años-sin producirse tales pérdidas).

IV.- Registro del impuesto diferido, originado por diferencias temporarias:

- Por el registro de la diferencia temporaria imponible de la reserva de nivelación.

———————————————————— 31/12/16 ————————————————————

19.050	Impuesto diferido (6301)	a	Pasivo por diferencia temporaria imponible (479)	
			[76.200 x25%]	19.050

Desde un punto de vista estrictamente contable, al minorarse la base imponible podría identificarse una diferencia temporaria imponible asociada a un pasivo sin valor en libros pero con base fiscal, que traería consigo el reconocimiento de un pasivo por impuesto diferido cuya reversión se produciría en cualquiera de los dos escenarios regulados por la ley fiscal (generación de bases imponibles negativas o transcurso del plazo de cinco años sin incurrir en pérdidas fiscales). RICAC impuesto de sociedades. Introducción.

- Por la diferencia temporaria deducible (origen), dará lugar a un activo diferido:

──────────────────── 31/12/16 ────────────────────

1.125	Activo por diferencias temporarias deducible (4740) [4.500 x 25%]	a	Impuesto diferido (6301)	1.125

- Por la diferencia temporaria imponible (origen), anotaremos un pasivo diferido:

──────────────────── 31/12/16 ────────────────────

1.875	Impuesto diferido (6301)	a	Pasivo por diferencias temporarias imponibles (479) [7.500 x 25%]	1.875

EJERCICIO 2017:

I.- Liquidación del Impuesto Sociedades, y registro de cuantías a pagar o a devolver por la hacienda:

Resultado Contable =	(75.000)
Ajustes :	
Diferencia Temporaria Deducible (revierte)	(4.500)
Diferencia Temporaria Imponible (revierte)	+7.500
= Resultado Fiscal	(72.000)
- Compensación Bases Imponibles Negativas	0
= Base Imponible previa	(72.000)
(+)Adición base imponible (*):	+72.000
=Base Imponible	0
x tipo impositivo	x25%
= Cuota íntegra:	0
- Deducciones y Bonificaciones	0
= Cuota líquida = Impuesto Corriente (6300)	0
- Retenciones y pagos a cuenta (473)	(5.000)
A DEVOLVER (4709):	5.000

(*) Según el art. 105.2 LIS, las cantidades que hubimos minorado en el ejercicio pasado en la base imponible, "(...) se adicionarán a la base imponible de los periodos impositivos que concluyan en los 5 años inmediatos y sucesivos a la finalización del periodo impositivo en que se realice dicha minoración, siempre que el contribuyente tenga una base imponible negativa, y hasta el importe de la misma (...)"

En nuestro caso, teníamos una cuantía procedente del 2016 de 76.200 €, que no aplicaremos en su totalidad, ya que la normativa nos dice hasta "el importe de la misma": por lo que sólo disminuiremos 72.000 €.

Esto nos llevará a realizar un apunte, revertiendo la reserva dotada en el ejercicio pasado:

—————————————————— 31/12/17 ——————————————————

72.000	Reserva de nivelación (114x)	a	Reservas voluntarias(113) 72.000

La parte restante de la base imponible que no hemos aplicado (=76.200-72.000 = 4.200), lo hará en el siguiente ejercicio que tenga pérdidas dentro del plazo estipulado de los 5 años, o sino, como parece ser el caso: cuando acaben esos cinco ejercicios, al tener beneficios.

Por la petición de los pagos realizados a la hacienda, para su devolución:

—————————————————— 31/12/17 ——————————————————

5.000	H.P. deudora por devolución de impuestos (4709)	a	H.P. retenciones y pagos a cuenta (473) 5.000

II.- Registro del impuesto diferido, originado por diferencias que revierten:

- Por la diferencia temporaria deducible (revierte):

—————————————————— 31/12/17 ——————————————————

1.125	Impuesto diferido (6301)	a	Activo por diferencias temporarias deducible (4740) [4.500 x 25%] 1.125

- Por la diferencia temporaria imponible (revierte):

—————————————————— 31/12/17 ——————————————————

1.872	Pasivo por diferencias temporarias imponibles (479) [7.500 x 25%]	a	Impuesto diferido (6301) 1.875

- Por la reversión de la reserva de nivelación:

		31/12/17		
18.000	Pasivo por diferencias temporarias imponibles (479) [7.500 x 25%]	a	Impuesto diferido (6301)	18.000

6.1.3.3. Reserva capitalización: efecto impositivo cuentas individuales régimen consolidación fiscal

Consulta 3 BOICAC 117 – Marzo 2019.

Tratamiento contable del efecto impositivo derivado de la reserva de capitalización en las cuentas anuales individuales de las sociedades que tributan en el Régimen de consolidación fiscal.

Respuesta

En el escrito de consulta se pregunta si el efecto fiscal en el cálculo y en el correspondiente asiento del gasto por impuesto sobre beneficios del mencionado incentivo fiscal debe contabilizarse:

a) Exclusivamente en la sociedad dominante,

b) En aquella o aquellas sociedades del grupo que doten la reserva indisponible, o,

c) En todas las sociedades del grupo que con sus fondos propios han contribuido a incrementar los fondos propios del balance consolidado.

La Ley 27/2014, de 27 de noviembre, del Impuesto sobre Sociedades (LIS), regula la reserva de capitalización en el artículo 25 en los siguientes términos:

"Artículo 25. Reserva de capitalización.

1. Los contribuyentes que tributen al tipo de gravamen previsto en los apartados 1 o 6 del artículo 29 de esta Ley tendrán derecho a una reducción en la base imponible del 10 por ciento del importe del incremento de sus fondos propios, siempre que se cumplan los siguientes requisitos:

a) Que el importe del incremento de los fondos propios de la entidad se mantenga durante un plazo de 5 años desde el cierre del período impositivo al que corresponda esta reducción, salvo por la existencia de pérdidas contables en la entidad.

b) *Que se dote una reserva por el importe de la reducción, que deberá figurar en el balance con absoluta separación y título apropiado y será indisponible durante el plazo previsto en la letra anterior."*

Por su parte, en caso de tributación en el Régimen de consolidación fiscal, el artículo 62 de la LIS estipula lo siguiente:

"Artículo 62. Determinación de la base imponible del grupo fiscal.

1. La base imponible del grupo fiscal se determinará sumando:

a) *Las bases imponibles individuales correspondientes a todas y cada una de las entidades integrantes del grupo fiscal, teniendo en cuenta las especialidades contenidas en el artículo 63 de esta Ley. No obstante, los requisitos o calificaciones establecidos tanto en la normativa contable para la determinación del resultado contable, como en esta Ley para la aplicación de cualquier tipo de ajustes a aquel, en los términos establecidos en el apartado 3 del artículo 10 de esta Ley, se referirán al grupo fiscal.*

b) *Las eliminaciones.*

c) *Las incorporaciones de las eliminaciones practicadas en períodos impositivos anteriores, cuando corresponda de acuerdo con el artículo 65 de esta Ley.*

d) *Las cantidades correspondientes a la reserva de capitalización prevista en el artículo 25 de esta Ley, que se referirá al grupo fiscal. No obstante, la dotación de la reserva se realizará por cualquiera de las entidades del grupo (...)"*

El reconocimiento del gasto por impuesto sobre beneficios de las sociedades que tributan en el régimen de consolidación fiscal se regula en el artículo 11 de la Resolución de 9 de febrero de 2016, del Instituto de Contabilidad y Auditoría de Cuentas, por la que se desarrollan las normas de registro, valoración y elaboración de las cuentas anuales para la contabilización del Impuesto sobre Beneficios, especificando lo siguiente:

"Artículo 11. Régimen de consolidación fiscal.

1. El gasto devengado por impuesto sobre beneficios que debe aparecer en la cuenta de pérdidas y ganancias de una sociedad, individualmente considerada, que tribute en régimen de consolidación fiscal, se determinará teniendo en cuenta, además de los parámetros a considerar en caso de tributación individual, los siguientes:

a) *Las diferencias permanentes y temporarias producidas como consecuencia de la eliminación de resultados derivada del proceso de determinación de la base imponible consolidada.*

b) *Las deducciones y bonificaciones que corresponden a cada sociedad del grupo fiscal en el régimen de los grupos de sociedades; a estos efectos, las deducciones y bonificaciones se imputarán a la sociedad que realizó la*

> *actividad u obtuvo el rendimiento necesario para obtener el derecho a la deducción o bonificación fiscal.*"

Pues bien, la aplicación de este incentivo por referencia al grupo fiscal y la posibilidad de que la reserva pueda dotarse por cualquier sociedad que lo integra hace que se plantee la duda sobre cómo imputar la reducción en la imposición corriente cuando la reserva no se dota por cada sociedad en proporción al incremento de sus fondos propios.

En este punto es preciso recordar que el incentivo fiscal introducido por la Ley 27/2014 a través de la reserva de capitalización, que se trata como una reducción de la base imponible, de *lege ferenda*, también podría haberse incorporado atribuyendo una deducción en la cuota condicionada a los requisitos que se han establecido en el artículo 25.1.

En este sentido, en la exposición de motivos de la Resolución de 9 de febrero de 2016, se aclara que la reserva de capitalización (que se ha configurado como una reducción en la base imponible) se tratará como un menor impuesto corriente, pero que a la hora de cuantificar el efecto fiscal de una operación resulta equivalente declarar la renta exenta, aplicar un tipo de gravamen del cero por ciento u otorgar una deducción por un importe equivalente a la cuota íntegra.

En consecuencia, para resolver la cuestión planteada cabría traer a colación por analogía la regulación en materia de deducciones y bonificaciones de la citada Resolución, y sobre la base de esta normativa concluir que la reducción en el impuesto corriente corresponderá a la sociedad que haya incrementado los fondos propios, porque esta circunstancia parece ser el presupuesto básico o desencadenante del incentivo, a pesar de que la reserva se haya dotado por otra sociedad, salvo que desde un punto de vista fiscal la dotación de la reserva por otra sociedad libere a la sociedad que ha incremento los fondos propios de la obligación de mantener dicho incremento, en cuyo caso la reducción en el gasto por impuesto corriente debería aplicarlo la sociedad que dote la reserva.

Comentario

Efecto impositivo, reserva capitalización cuentas individuales sociedades consolidación fiscal	¿Quién lo registra?		
		La sociedad que hubiese incrementado fondos propios (C)	Sería caso (B)
	(A) Dominante		Si fiscalmente no tuviese obligación (C) de mantener incremento al dotar reserva (B)
	(B) Sociedad que dota reserva	A pesar de que dotación reserva, la realícese otra empresa (B)	
	(C) Sociedades incrementan fondos propios		

Ejemplo

Sea el grupo "ABC" que tributa en el régimen de consolidación fiscal regulado en los artículos 55 y siguientes de la LIS. Todas las sociedades son anónimas y residentes en España. Gráficamente, su grado de representación podemos describirlo como sigue:

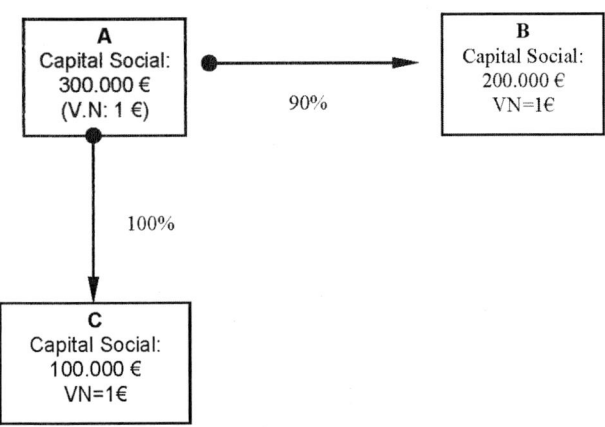

Las acciones de "C" en poder de "A" están registradas a un coste medio de 1,5€.

A principios del X5 "A" vende a "B" el 20% de las acciones representativas del capital de "C", a un precio unitario de 2€. La sociedad "A" registra en sus cuentas anuales individuales el resultado producido en la operación, atendiendo al fondo económico de ésta y con independencia de las denominaciones jurídicas utilizadas al entender que se produjo una transmisión real de activos entre personas jurídicas diferentes.

A la hora de liquidar el impuesto sobre sociedades, correspondiente al ejercicio X5, "A", tiene en cuenta la reducción de la base imponible en un 10% como consecuencia del incremento de fondos propios.

- Resultado Contable del grupo antes de impuestos: 200.000 €
- La sociedad registrará el impuesto diferido derivado del beneficio obtenido por la venta de las participaciones de "C" a "B".
- La sociedad "A" ha incrementado los fondos propios en cuantía de 100.000€. Dicha sociedad dota en el ejercicio X6 la reserva de capitalización.
- No existen otras diferencias entre criterios contables y fiscales salvo las reseñadas anteriormente.
- Las retenciones y pagos a cuenta fueron de 11.000 €.
- Deducciones y bonificaciones 4.000€

SE PIDE:

a) Registro contable de la compra-venta participaciones de "C"

b) Ajustes para formular el balance y cuenta de pérdidas y ganancias consolidada.

c) Cálculo del impuesto de sociedades devengado y a pagar por el grupo "ABC" referido al ejercicio X5, utilizando la información facilitada. Registro Contable.

NOTA: Todas las sociedades tributan al 25%.

SOLUCIÓN:

A) Registro Compra-venta **PARTICIPACIONES "C"**
SOCIEDAD "A"

La sociedad dará de baja los títulos por su precio de adquisición, e ingresará el precio de venta que es superior al anterior por lo que anotará un beneficio:

X

40.000	Bancos c/c (572) [20.000 tit x 2€/tit]	a	Participaciones en "C" (24x) [20.000 títulos x 1,5 €/título]	30.000
		a	Beneficios procedentes de participaciones en capital a largo plazo en empresas del grupo (7733)	10.000

Y por el registro del efecto impositivo:

————————————————————————— X —————————————————————————

| 2.500 | Impuesto diferido (6301) | a | Pasivos por diferencias tempora-rias imponibles por operaciones «intra-grupo» y otras. (4798) [10.000x25%] | 2.500 |

Así, y en base al apartado 2.a) del art. 11 de la RICAC del impuesto de beneficios: "*Si como consecuencia de la eliminación de resultados para la determinación de la base imponible consolidada, se produce un diferimiento en el reconocimiento por el grupo de resultados en tanto no estén realizados frente a terceros (...) surgirá para la sociedad que tuviera contabilizado dicho resultado, una diferencia de carácter temporal, cuyo registro contable se realizará de acuerdo con las normas generales, pudiendo utilizar para ello las cuentas siguientes:*

4748. Activo por impuesto diferido por operaciones «intra-grupo» y otras.

4798. Pasivos por diferencias temporarias imponibles por operaciones «intra-grupo» y otras."

En definitiva, será la sociedad que contabilizó el beneficio la que deberá reconocer en sus cuentas anuales individuales el gasto por impuesto sobre beneficios y el correspondiente pasivo por impuesto diferido.

SOCIEDAD "B"

Registrará las acciones por su precio de adquisición:

————————————————————————— X —————————————————————————

| 40.000 | Participaciones en "C" (24x) [20.000 títulos x 2€/título] | a | Bancos (572) | 40.000 |

B) Ajustes Para Formular el Balance y Cuenta de Pérdidas y Ganancias Consolidada

Eliminaciones de resultados por operaciones internas en forma de asientos en el Libro Diario para Formular Balance Consolidado:

• Por la venta de las acciones de "C" en poder de "A":

- Valor en cuentas consolidadas de la participación vendida en "C"......   40.000

- Base fiscal (20.000 acciones x1,50).............................   30.000

- DIFERENCIA TEMPORARIA IMPONIBLE........................   10.000

El artículo 13 de la RICAC del impuesto sobre beneficios nos comenta, en su punto 1: "*El reflejo contable del impuesto sobre sociedades consolidado se realizará considerando como diferencias temporarias las existentes entre el valor en cuentas consolidadas de un elemento y su base fiscal.*"

En el siguiente apartado, nos indica que: "*Por lo tanto, si en la consolidación se modifican o incorporan valores, el importe de tales diferencias temporarias puede verse afectado. Esto podría ocurrir principalmente como consecuencia de las homogeneizaciones y eliminaciones de resultados, de las plusvalías y minusvalías por aplicación del método de adquisición (...)*".

Según lo dispuesto en las NOFCAC para la determinación de la base imponible consolidada, se practicarán la totalidad de las eliminaciones de resultados por operaciones internas, efectuadas en el periodo impositivo.

Se entiende por operaciones internas las realizadas entre sociedades del grupo fiscal en los periodos impositivos en que ambas sociedades formen parte de él y se aplique el régimen de consolidación fiscal.

Por tanto, anotaremos:

X

7.500	Resultado del ejercicio (129)		
2.500	Pasivos por diferencias temporarias imponibles por operaciones «intra-grupo» y otras. (4798) [10.000x25%]	a	Participaciones en "C" (24x)
			10.000

Eliminaciones de resultados por operaciones internas en forma de asientos en el Libro Diario para Formular P y G Consolidado:

X

10.000	Beneficios procedentes de participaciones en capital a	a	Impuesto diferido (6301)
			2.500

largo plazo en empresas del grupo (7733)

Bancos (572)	7.500

C) LIQUIDACIÓN IMPUESTO POR "ABC". REGISTRO DEL IMPUESTO CORRIENTE Y DIFERIDO.

Resultado Contable 200.000	
±Ajustes :	
Diferencia temporaria imponible [Venta participaciones] ....(10.000)	
= Resultado Fiscal 190.000	
- Minoración por reserva de capitalización (*) ....(10.000)	
= Base Imponible 180.000	
x tipo impositivo: x25%	
= Cuota íntegra: 45.000	
- Deducciones y Bonificaciones ....(4.000)	
= Cuota líquida = Impuesto Corriente (6300) **41.000**	
- Retenciones y pagos a cuenta (473)..(11.000)	
A PAGAR(4752): 30.000	

Por tanto, a 31 de diciembre, "ABC", por el Impuesto corriente, contabilizará:

————————————————— X —————————————————

41.000	Impuesto corriente(6300)	a	H.P. acreedora Impuesto socie-dades (4752)
			30.000
			H.P. retenciones y pagos a cuenta (473)
			11.000

Y por el registro del impuesto diferido:

————————————————— X —————————————————

2.500	Impuesto diferido (6301)	a	Pasivos por diferencias tempora-rias imponibles por operaciones «intra-grupo» y otras. (4798) [10.000x25%]
			2.500

Hemos diferido la plusvalía obtenida en la enajenación del 20% de las acciones de "C", originando un pasivo fiscal derivado de tener que incorporar en la base imponible de futuros ejercicios el resultado obtenido.

El art. 55 de la LIS nos comenta que los grupos fiscales podrán optar por este régimen tributario (consolidación fiscal). En tal caso, las entidades que en ellas se integran no tributarán en régimen individual. Éste será el que corresponda a cada entidad, caso de no aplicar consolidación fiscal.

(*)"*Artículo 25 LIS. Reserva de capitalización.*

1. Los contribuyentes que tributen al tipo de gravamen previsto en los apartados 1 o 6 del artículo 29 de esta Ley tendrán derecho a una reducción en la base imponible del 10 por ciento del importe del incremento de sus fondos propios siempre que se cumplan los siguientes requisitos:

a) Que el importe del incremento de los fondos propios de la entidad se mantenga durante un plazo de 5 años desde el cierre del período impositivo al que corresponda esta reducción, salvo por la existencia de pérdidas contables en la entidad.

b) Que se dote una reserva por el importe de la reducción, que deberá figurar en el balance con absoluta separación y título apropiado y será indisponible durante el plazo previsto en la letra anterior (...)"

Artículo 62 LIS. Determinación de la base imponible del grupo fiscal.

1. La base imponible del grupo fiscal se determinará sumando:

a) Las bases imponibles individuales correspondientes a todas y cada una de las entidades integrantes del grupo fiscal (...)

d) Las cantidades correspondientes a la reserva de capitalización prevista en el artículo 25 de esta Ley, que se referirá al grupo fiscal. No obstante, la dotación de la reserva se realizará por cualquiera de las entidades del grupo (...)".

La reducción en el impuesto corriente corresponderá a la sociedad que haya incrementado los fondos propios, porque esta circunstancia parece ser el presupuesto básico o desencadenante del incentivo, a pesar de que la reserva se haya dotado por otra sociedad, salvo que desde un punto de vista fiscal la dotación de la reserva por otra sociedad libere a la sociedad que ha incremento los fondos propios de la obligación de mantener dicho incremento, en cuyo caso la reducción en el gasto por impuesto corriente debería aplicarlo la sociedad que dote la reserva [Consulta 3/Boicac 117, Marzo 2019]

Por todo ello, y en cuanto a la dotación de la reserva indisponible año X6, la registraremos, tal y como menciona el art. 25 en su apartado 1b), como uno de los requisitos para que la empresa reduzca la base imponible. De tal forma:

X6

| 10.000 | Resultado del ejercicio (129) | a | Reserva capitalización (114x) | 10.000 |

Dotándose una reserva por el importe de la reducción, figurando en el balance de forma separada y será indisponible durante 5 años. Este plazo, será también el tiempo que impone la normativa para que se mantenga el incremento de los fondos propios.

Según una consulta a la DGT V4127/2015, de 22 diciembre 2015, relativa a la fecha en que debe dotarse las reservas de capitalización y nivelación (y refiriéndose al ejercicio 2015, para dar su respuesta), nos comenta: *"(...) disponiéndose del plazo previsto en la norma mercantil para la aprobación de las cuentas anuales del ejercicio 2015 para reclasificar la reserva correspondiente a la reserva de capitalización, con objeto de que la misma figure en el balance con absoluta separación y título apropiado, aunque dicho cumplimiento formal se realice en el balance de las cuentas anuales del ejercicio 2016 y no en el de 2015".*

6.2. IMPUESTO SOBRE EL VALOR AÑADIDO

6.2.1. Régimen general

6.2.1.1. *Modificación base imponible IVA, crédito fallidos*

BOICAC 98, junio 2014. Consulta 4.

Sobre el registro contable de la modificación de la base imponible del Impuesto sobre el Valor Añadido (IVA), en virtud de la emisión de una factura rectificativa.

Respuesta

La interpretación de este Instituto sobre el tratamiento contable de las facturas rectificativas y la reducción de la base imponible del IVA, está publicada en la consulta 1 del BOICAC n.º 59, de septiembre de 2004, y en la consulta 3 del BOICAC n.º 62, de junio de 2005.

En la consulta 1/BOICAC 59 se aclara que la regulación sobre facturas rectificativas en ningún caso origina un cambio en el tratamiento contable de estas operaciones. Es decir, la emisión de una factura rectificativa, contablemente solo dará lugar a los ajustes derivados de las operaciones que hayan dado motivo a su expedición.

La segunda cuestión que se plantea versa sobre el adecuado tratamiento contable de la reducción de la base imponible del IVA. En particular, se pregunta acerca de las situaciones recogidas en el art. 80, apartado cuatro, de la Ley 37/1992, de 28 de diciembre, del Impuesto sobre el Valor Añadido (en su nueva redacción dada por Ley 4/2008, de 23 de diciembre y por el art. 7 del RDL 6/2010 de 9 de abril), en cuya aplicación se podrá reducir la base imponible de este impuesto en ciertos casos como los créditos incobrables, si no se ha hecho efectivo por parte de los clientes el pago de las cuotas repercutidas y concurren una serie de circunstancias.

Con respecto a los riesgos por insolvencia de los clientes, el Plan General de Contabilidad (PGC), aprobado por Real Decreto 1514/2007, de 16 de noviembre, en su segunda parte, normas de registro y valoración, en concreto, en la 9.ª. «Instrumentos financieros», apartado 2.1.3 Deterioro de valor, dispone lo siguiente:

> *«Al menos al cierre del ejercicio, deberán efectuarse las correcciones valorativas necesarias siempre que exista evidencia objetiva de que el valor de un crédito, o de un grupo de créditos con similares características de riesgo valorados colectivamente, se ha deteriorado como resultado de uno o más eventos que hayan ocurrido después de su reconocimiento inicial y que ocasionen una reducción o retraso en los flujo s de efectivo estimados futuros, que pueden venir motivados por la insolvencia del deudor.»*

De igual manera el principio de prudencia recogido en el Marco Conceptual de la Contabilidad del PGC, establece que deberán tenerse en cuenta todos los riesgos tan pronto sean conocidos.

Adicionalmente al reflejo contable de esta situación de riesgo de crédito, en la medida que se produzcan las circunstancias que de acuerdo con la legislación fiscal hagan efectiva la reducción de la base imponible de este impuesto no existiendo duda alguna sobre este aspecto, la empresa deberá registrar la disminución de la partida de deudas con la Hacienda Pública por el IVA devengado con motivo de la entrega de bienes o de la prestación de servicios, para lo que podrá emplear la cuenta 477. «Hacienda Pública, IVA repercutido», recogida en la quinta parte del PGC, que en cualquier caso supondrá una menor deuda con la Administración Pública. La contrapartida será un ingreso que figurará en la cuenta de pérdidas y ganancias, como un ajuste a la imposición indirecta.

Si en cualquier momento posterior se produce el cobro total o parcial del crédito, se procederá, en todo caso, a revertir el deterioro de valor de los créditos correspondientes contra la cuenta 794. «Reversión del deterioro de créditos por operaciones comerciales». En relación con el IVA y siempre que de acuerdo con la legislación fiscal, el cobro total o parcial del crédito suponga una modificación al alza de la base imponible se procederá a registrar el correspondiente ajuste negativo en la imposición indirecta.

Todo lo anterior se entiende sin perjuicio de lo establecido por el «Régimen especial del criterio de caja» en el IVA, introducido por la Ley 14/2013, de 27 de septiembre, de apoyo a los emprendedores y su internacionalización, en su art. 23 como un nuevo Capítulo X en el Título IX de la Ley 37/1992, de 28 de diciembre, del Impuesto sobre el Valor Añadido, y que ha entrado en vigor el 1 de enero de 2014. Sobre el tratamiento contable de este nuevo régimen este Instituto ha manifestado su criterio en la consulta 5 publicada en el BOICAC 96.

Comentario

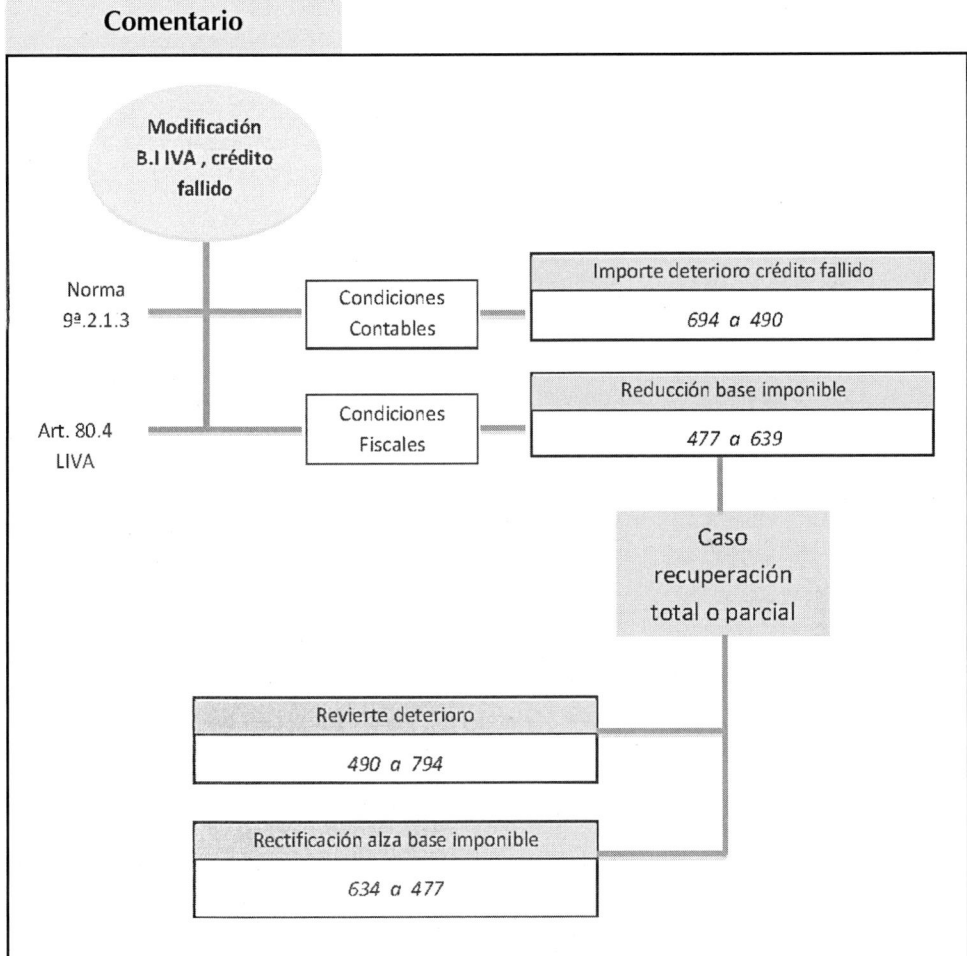

Ejemplo 1

La sociedad LA LIBRERÍA ha adquirido la mercancía que se detalla en la factura adjunta; con posterioridad ha procedido a la devolución de parte de las mercancías por defecto de calidad habiendo recibido la factura rectificativa correspondiente que también se adjunta; finalmente y antes del vencimiento pactado de pago se ha acordado con el vendedor FABRICA DE PAPEL pagarle antes del mismo por lo cual concedió un descuento por pronto pago del 5% adjuntando la correspondiente factura rectificativa.

FÁBRICA DE PAPEL S.A.
VICENTE ALEXANDRE,1
28.230 MADRID
C.I.F: 28.226.157 - A

FACTURA
Número: 5.040
Fecha: 03/08/X14

Facturar a:

Forma de Envío:

HALCOURIER

LA LIBRERÍA.
C/IRMANDIÑOS,2 - BAJO
36.201 VIGO
C.I.F 36.482.383 -J

Unidades	Descripción	Pecio	Importes
3.000	Cuadernos	2	6.000

Suma Importes	Envases	Dto. Especial	Dto. p.p.p	Base Imponible	IVA		Total Factura
6.000	–	5%	300		5.700	21%	1.197	6.897

FORMA PAGO, Y VENCIMIENTO: 3/10/X14. BANCO POPULAR O.P

FÁBRICA DE PAPEL S.A.
VICENTE ALEXANDRE,1
MADRID 28.230
C.I.F: 28.226.157 - A

FACTURA RECTIFICATIVA
Nº 25
Fecha: 10/08/X14

Rectificar a:

LA LIBRERÍA.
C/IRMANDIÑOS,2 - BAJO
36.201 VIGO
C.I.F 36.482.383 -J

Unidades	Descripción	Importes
1.500	Devolución por defectos de calidad n/fra nº5.040	2.850
	IVA (21%)	598,50
	TOTAL RECTIFICACIÓN	3.448,50

FÁBRICA DE PAPEL S.A.
VICENTE ALEXANDRE,1
MADRID 28.230
C.I.F: 28.226.157 - A

FACTURA RECTIFICATIVA
Nº 26
Fecha: 03/09/X14

Rectificar a:	Unidades	Descripción	Importes
LA LIBRERÍA. C/IRMANDIÑOS,2 - BAJO 36.201 VIGO C.I.F 36.482.383 -J		Descuento por anticipar pago (5%) sobre n/fra nº 5.040	142,50
		IVA (21%)	29,93
		TOTAL RECTIFICACIÓN	172,43

SE PIDE:

Registro de las operaciones correspondientes

SOLUCIÓN:

– Registro de la compra efectuada s/ factura n.º 5.040 de 03/08/X14

----------------------------------- 3/8/X14 -----------------------------------

5.700	Compras de mercaderías (600)		
1.197	HP IVA soportado (472) [5.700 x 21%]		
	a	Proveedores (400)	6.897

El precio de adquisición incluye el importe facturado por el vendedor después de deducir cualquier descuento, rebaja en el precio u otras partidas similares [NRV 10.ª.1.1.]

– Registro de la devolución de mercaderías por defecto de calidad s/ factura rectificativa n.º 25 de 10/08/X14.

----------------------------------- 10/8/X14 -----------------------------------

3.448,50	Proveedores (400)		
	a	Devoluciones s/ compras y operaciones similares (608)	2.850
		HP IVA soportado (472) [2.850 x 21%]	598,50

La emisión de una factura rectificativa, contablemente solo dará lugar a los ajustes derivados de las operaciones que hayan dado motivo a su expedición. [Consulta n.º 4. BOICAC 88]

– Registro del descuento por pronto pago s/ factura rectificativa n.º 26 de 03/09/X14.

—————————————————— 3/9/X14 ——————————————————

172,43 Proveedores (400)

                 a   Descuentos s/ compras por
                      pronto pago (606)   142,50

                      HP IVA soportado (472)
                      [142,50 x 21%]   29,93

– Por el pago efectuado al proveedor.

—————————————————— 3/9/X14 ——————————————————

3.276,07 Proveedores (400)
        [2.850 x 95% x 1,21]

                 a   Bancos c/c (572)   3.276,07

Ejemplo 2

ECHE O QUE HAI S.L. vende el 8 de mayo del X14 mercancías por 10.000€ e IVA 21% y con un vencimiento a tres meses (8/8/X14) a MIUDIÑO S.A.

Llegada la fecha, se entera que el cliente está en dificultades económicas por lo que registra el deterioro correspondiente del crédito, calificándolo como de «dudoso cobro».

El 8 de diciembre, conocemos el auto judicial de declaración del concurso para el cliente. Nuestra empresa, emite la correspondiente factura rectificativa.

En el ejercicio siguiente ECHE O QUE HAI, y dado el convenio firmado con MIUDIÑO S.A., cobra parte del crédito (existe una quita del 60%).

SE PIDE:

Realizar los asientos correspondientes a los hechos relatados.

SOLUCIÓN:

– Por la venta de las mercancías:

———————————————— 8/5/X14 ————————————————

12.100	Clientes (430)		
	a	Venta de Mercaderías (700)	10.000
		HP IVA repercutido (477)	2.100

– Llegado el vencimiento de la operación, ésta no se hace efectiva: registrándose el correspondiente deterioro

———————————————— 8/8/X14 ————————————————

12.100	Clientes dudoso cobro (436)		
	a	Clientes (430)	12.100

———————————————— 8/8/X14 ————————————————

12.100	Pérdidas por deterioro de créditos por operaciones comerciales (694)		
	a	Deterioro de valor de créditos por operaciones comerciales (490)	12.100

– En diciembre, se dicta auto judicial de declaración del concurso: reduciendo nuestra empresa la base imponible

———————————————— 8/12/X14 ————————————————

2.100	HP IVA repercutido (477)		
	a	Clientes dudoso cobro (436)	2.100

En la medida que se produzcan las circunstancias que de acuerdo con la legislación fiscal hagan efectiva la reducción de la base imponible de este impuesto no existiendo duda alguna sobre este aspecto, la empresa deberá registrar la disminución de la partida de deudas con la Hacienda Pública por el IVA devengado con motivo de la entrega de bienes o de la prestación de servicios, para lo que podrá emplear la cuenta 477. «Hacienda Pública, IVA repercutido». [Consulta n.º 4. BOICAC 98]

– Y simultáneamente, se reduce el importe del deterioro por la cuota:

──────────── 8/12/X14 ────────────

2.100	Deterioro de valor de créditos por operaciones comerciales (490)	
	a Reversión del deterioro de créditos por operaciones comerciales (794)	2.100

En base al art. 80 Tres de la LIVA:

«La base imponible podrá reducirse cuando el destinatario de las operaciones sujetas al impuesto no haya hecho efectivo el pago de las cuotas repercutidas y siempre que, con posterioridad al devengo de la operación, se dicte auto de declaración del concurso (...)».

– En el ejercicio siguiente, y dado la firma del convenio nuestra empresa cobra el 40% del crédito: dándose el resto por perdido.

──────────── X ────────────

4.000	Bancos c/c (572)	
	[40% 10.000]	
6.000	Pérdidas de créditos comerciales incobrables (650)	
	a Clientes dudoso cobro (436)	10.000

Sobre el IVA repercutido, únicamente cuando se produzca el «sobreseimiento» del expediente del concurso de acreedores, se modificaría nuevamente la base imponible (en esta ocasión al alza), mediante la emisión de la factura rectificativa (art. 80. Tres. LIVA).

Al mismo tiempo que damos de baja la cuenta 436, haremos lo propio con el deterioro:

X

10.000	Deterioro de valor de créditos por operaciones comerciales (490)

	a	Reversión del deterioro de créditos por operaciones comerciales (794)	10.000

Ejemplo 3

A GAROTA S.L., con un volumen de operaciones según el art. 121 LIVA inferior 6.010.121,04€, vende mercancías a DEZA S.A. por 20.000€ . IVA 21%. En este momento (marzo X1) cobra al contado, a través de bancos, el 50% del importe; aplazando el resto a 60 días (mayo del X1).

En mayo, DEZA no atiende al pago por lo que lo califica de «dudoso cobro» y registra el correspondiente deterioro. Al mismo tiempo, inicial la reclamación judicial correspondiente.

En septiembre, conocemos que DEZA ha cerrado y considera que no tiene posibilidades de llegar a cobrar el crédito, considerando éste insolvente firme a pesar de no «desistir» en la reclamación judicial al deudor.

En noviembre, y transcurrido el plazo establecido al efecto, A GAROTA rectifica la base imponible correspondiente.

SE PIDE:

Realizar los asientos correspondientes a los hechos relatados.

SOLUCIÓN:

– Por la venta de las mercancías:

———————————————————— mar-X1 ————————————————————

12.100	Clientes (430)		
12.100	Bancos c/c (572)		
		a	Venta de Mercaderías (700) 20.000
			HP IVA repercutido (477) 4.200

– En mayo, al no atender el vencimiento, calificamos a nuestro cliente como de «dudoso cobro».

———————————————————— may-X1 ————————————————————

12.100	Clientes dudoso cobro (436)		
		a	Clientes (430) 12.100

———————————————————— may-X1 ————————————————————

12.100	Pérdidas por deterioro de créditos por operaciones comerciales (694)		
		a	Deterioro de valor de créditos por operaciones comerciales (490) 12.100

– Y en septiembre, lo damos definitivamente por perdido, dándolo de baja:

-- X --

12.100   Pérdidas de créditos comerciales
         incobrables (650)

                                    a   Clientes dudoso cobro (436)   12.100

Y al mismo tiempo, disminuiremos en la misma cuantía el deterioro:

-- X --

12.100   Deterioro de valor de créditos por
         operaciones comerciales (490)

                                    a   Reversión del deterioro de
                                        créditos por operaciones
                                        comerciales (794)   12.100

– En noviembre, y en base al art. 80 Cuatro LIVA que nos indica una serie de condiciones para reducir proporcionalmente la base imponible, de las cuales destacamos la primera: la que haya transcurrido un año desde el devengo del impuesto repercutido, sin que se haya obtenido el cobro de todo o parte del crédito. En caso de precios aplazados, este tiempo transcurrirá desde el vencimiento del plazo. Y en el caso concreto de nuestro empresario (con un volumen de operaciones inferior a 6.010.121,04€) el plazo de un año se convertirá en 6 meses.

Por tanto, transcurrido el mencionado plazo, y cumpliéndose el resto de condiciones del art. 80 Cuatro, rectificaremos la base imponible. Sin embargo, al no existir el crédito que da origen a la rectificación: usaremos como contrapartida del IVA repercutido la cuenta «639. Ajustes positivos en la imposición indirecta» (en base a lo establecido en la Consultas 3. BOICAC 62 y 4 BOICAC 98) *(...) la empresa deberá registrar la disminución de la partida de deudas con la Hacienda Pública por el IVA devengado con motivo de la entrega de bienes o de la prestación de servicios, para lo que podrá emplear la cuenta 477. «Hacienda Pública, IVA repercutido», recogida en la quinta parte del PGC, que en cualquier caso supondrá una menor deuda con la Administración Pública. La contrapartida será un ingreso que figurará en la cuenta de pérdidas y ganancias, como un ajuste a la imposición indirecta.*

```
―――――――――――――――――――  X  ―――――――――――――――――――

2.100   HP IVA repercutido (477)

                              a   Ajustes (+) en la imposición
                                  indirecta (639)              2.100
```

En el caso de que consiguiéramos cobrar parte del crédito, no se modificaría de nuevo la base imponible, así lo relata el mencionado art.80 en su apartado Cuatro:

> «(...) *una vez practicada la reducción de la base imponible, ésta no se volverá a modificar al alza aunque el sujeto pasivo obtuviese el cobro total o parcial de la contraprestación (...)».*

Esto último no se cumpliría, si:

– El destinatario no actúe en la condición de empresario o profesional, ó

– Cuando el sujeto pasivo desista de la reclamación judicial al deudor o llegue a un acuerdo de cobro con el mismo con posterioridad al requerimiento notarial efectuado, como consecuencia de ésta o por cualquier otra causa y en relación con el IVA siempre que de acuerdo con la legislación fiscal, el cobro total o parcial del crédito suponga una modificación al alza de la base imponible se procederá a registrar el correspondiente ajuste negativo en la imposición indirecta.

Ejemplo 4

La sociedad MILLONES, vende el 2/1/X0 a SUSPENSA una máquina por importe de 50.000€ a cobrar a los 3 meses. IVA de la operación 21%.

En la fecha de vencimiento (2/4/X0), se logra el cobro de 12.100€. Meses más tarde, el 1/7/X0, se dicta un auto de declaración de concurso, procediendo la sociedad MILLONES a la modificación de la base imponible del IVA emitiendo la correspondiente factura rectificativa que es enviada a la sociedad SUSPENSA. Con posterioridad, se llega al siguiente convenio a 1/1/X1:

– Se acuerda una quita de 20.000€.

– El nuevo vencimiento se retrasa al 31/12/X2 (2 años después).

– La nueva deuda, generará unos intereses del 5% sobre la cuantía pactada en el convenio (20.000€), los cuales serán abonados cada 31 de diciembre.

– El tipo de interés de mercado sin riesgo es del 4% anual

SE PIDE:

Contabilizar las operaciones descritas en sociedad SUSPENSA.

SOLUCIÓN:

– Por la compra con pago aplazado de la máquina, la empresa anota:

―――――――――――――――― 2/1/X0 ――――――――――――――――

50.000	Maquinaria (213)			
10.500	HP IVA soportado (472)			
		a	Proveedores de inmovili- zado corto plazo (523)	60.500

– Llegado el vencimiento de la deuda, SUSPENSA solo cancela parte de ésta:

―――――――――――――――― 2/4/X0 ――――――――――――――――

12.100	Proveedores de inmovili- zado corto plazo (523)			
		a	Bancos (572)	12.100

– En julio se dicta auto de declaración de concurso por lo que MILLONES, y en base a lo establecido en el art. 80. Tres de la Ley del IVA, modifica la base imponible, reduciéndola, por el importe que corresponda al que SUSPENSA no ha hecho efectiva. Así:

Importe pendiente = Total adeudado - Pago efectuado en abril = 60.500 - 12.100 = 48.400

De éste, hemos de diferenciar la parte correspondiente a la cuota del IVA. Según el art. 80.Cinco, apartado 3.º): «(...) se entenderá que el impuesto sobre el valor añadido está incluido en las cantidades percibidas y en la misma proporción que la parte de contraprestación satisfecha». Es decir:

$$\text{Importe pendiente: } 48.400 \begin{cases} \text{Principal: } (48.400 : 1,21) = 40.000 \\ \text{IVA } (48.400 - 40.000) = 8.400 \end{cases}$$

– Ante la declaración del concurso, y por la rectificación realizada por MILLONES, SUSPENSA disminuirá la cuota del IVA deducible en el período:

——————————————————— 1/7/X0 ———————————————————

8.400   Proveedores de inmovilizado
        corto plazo (523)

                         a   HP IVA soportado (472)   8.400

– ¿Qué consecuencias contables tendrá en SUSPENSA, el convenio alcanzado con su acreedor? Seguiremos lo establecido en Norma 9.ª. 3.5, que nos dice:

> «(...) Si se produjese un intercambio de instrumentos de deuda entre un prestamista y un prestatario, siempre que éstos tengan condiciones sustancialmente diferentes, se registrará la baja del pasivo financiero original y se reconocerá el nuevo pasivo financiero que surja (...)».

Comprobemos si los préstamos tienen condiciones sustancialmente diferentes:

Siguiendo o establecido en la citada Norma de valoración:

> «(...) las condiciones de los contratos se considerarán sustancialmente diferentes cuando el valor actual de los flujos de efectivo del nuevo pasivo financiero, incluyendo las comisiones netas cobradas o pagadas, sea diferente, al menos en un diez por ciento del valor actual de los flujos de efectivo remanentes del pasivo financiero original, actualizados ambos al tipo de interés efectivo de éste».

Valor actual del Pasivo original: (60.500 - 12.100 - 8.400) = ...	40.000
Valor actual del nuevo pasivo financiero[*]	22.000
DIFERENCIA:	18.000 > 10% 40.000

[*] Valor actual del nuevo pasivo financiero valorado al tipo de interés del antiguo (Gráfico):

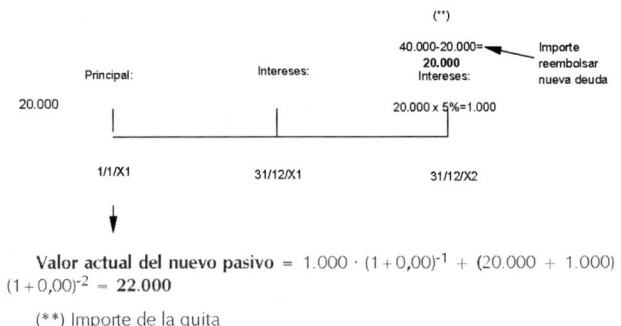

Valor actual del nuevo pasivo $= 1.000 \cdot (1+0,00)^{-1} + (20.000 + 1.000) \cdot (1+0,00)^{-2} = 22.000$

(**) Importe de la quita

NOTA: Siguiendo con las directrices de la NRV 9.ª.3.5., la deuda nueva ha sido actualizada al tipo de interés del pasivo financiero original (tipo de interés 0%).

Registro del acuerdo

	1/1/X1		

40.000	Proveedores de inmovilizado a corto plazo (deuda antigua)		
	a	Proveedores de inmovilizado a largo plazo (deuda nueva)[*]	20.377,22
		Ingresos financieros derivados del concurso de acreedores (76X)[**]	19.622,78

[*] Valoración razonable del nuevo pasivo financiero al 4%
Valor razonable $= 1.000 \cdot (1+0,04)-1 + (20.000 + 1.000) \cdot (1+0,04)-2 = 20.377,22$

[**] Si las condiciones son sustancialmente diferentes: se dará de baja el pasivo financiero original y se reconocerá el nuevo pasivo por su valor razonable. La diferencia se contabilizará como un ingreso en la cuenta de pérdidas y ganancias del ejercicio, minorado, en su caso, en el importe de los costes de transacción atribuibles. Dicho resultado se mostrará en el margen financiero debiendo crear la empresa una partida específica con adecuada denominación si su importe es significativo. A tal efecto, se propone la siguiente denominación: «Ingresos financieros derivados de convenios de acreedores». Consulta n.º 1 del BOICAC 76.

6.2.1.2. Donación inmovilizado: IVA operación

Consulta 1 BOICAC 115 – Septiembre 2018.

Sobre el tratamiento contable del Impuesto sobre el Valor Añadido (IVA) en las donaciones de inmovilizado, tanto para la sociedad donante como para la sociedad donataria.

Respuesta

De conformidad con lo dispuesto en los artículos 84 y 88 de la Ley 37/1992, de 28 de diciembre, del Impuesto sobre el Valor Añadido, los empresarios y profesionales que realicen las entregas de bienes y prestaciones de servicios gravadas por el Impuesto sobre el Valor Añadido están obligados a repercutir íntegramente el importe del mismo sobre el destinatario de la operación, mediante la expedición de la correspondiente factura, quedando este último obligado a soportar tal repercusión siempre que la misma se ajuste a lo dispuesto en la normativa reguladora del Impuesto, cualesquiera que fuesen las estipulaciones existentes entre ellos.

En cuanto al registro contable del IVA, tanto en la sociedad donante como en la donataria, la norma de registro y valoración (NRV) 12ª. *Impuesto sobre el Valor Añadido (IVA), Impuesto General Indirecto Canario (IGIC) y otros Impuestos indirectos* del Plan General de Contabilidad, aprobado por Real Decreto 1514/2007, de 16 de noviembre, establece:

> "*El IVA soportado no deducible formará parte del precio de adquisición de los activos corrientes y no corrientes, así como de los servicios, que sean objeto de las operaciones gravadas por el impuesto. En el caso de autoconsumo interno, esto es, producción propia con destino al inmovilizado de la empresa, el IVA no deducible se adicionará al coste de los respectivos activos no corrientes.*
>
> *No alterarán las valoraciones iniciales las rectificaciones en el importe del IVA soportado no deducible, consecuencia de la regularización derivada de la prorrata definitiva, incluida la regularización por bienes de inversión.*
>
> *El IVA repercutido no formará parte del ingreso derivado de las operaciones gravadas por dicho impuesto o del importe neto obtenido en la enajenación o disposición por otra vía en el caso de baja en cuentas de activos no corrientes.*
>
> *Las reglas sobre el IVA soportado no deducible serán aplicables, en su caso, al IGIC y a cualquier otro impuesto indirecto soportado en la adquisición de activos o servicios, que no sea recuperable directamente de la Hacienda Pública.*
>
> *Las reglas sobre el IVA repercutido serán aplicables, en su caso, al IGIC y a cualquier otro impuesto indirecto que grave las operaciones realizadas por la empresa y que sea recibido por cuenta de la Hacienda Pública. Sin embargo, se contabilizarán como gastos y por tanto no reducirán la cifra de negocios, aquellos tributos que para determinar la cuota a ingresar tomen como referencia la cifra de negocios u otra magnitud relacionada, pero cuyo hecho imponible no sea la operación por la que se transmiten los activos o se prestan los servicios*".

De acuerdo con lo anterior, si la empresa realiza una donación por la que esté obligada a repercutir el IVA, en caso de que se acuerde que el donatario no abone dicho importe, el donante contabilizará un mayor gasto por donación y viceversa; esto es, el donatario reconocerá dicho importe como una donación (un ingreso).

Comentario

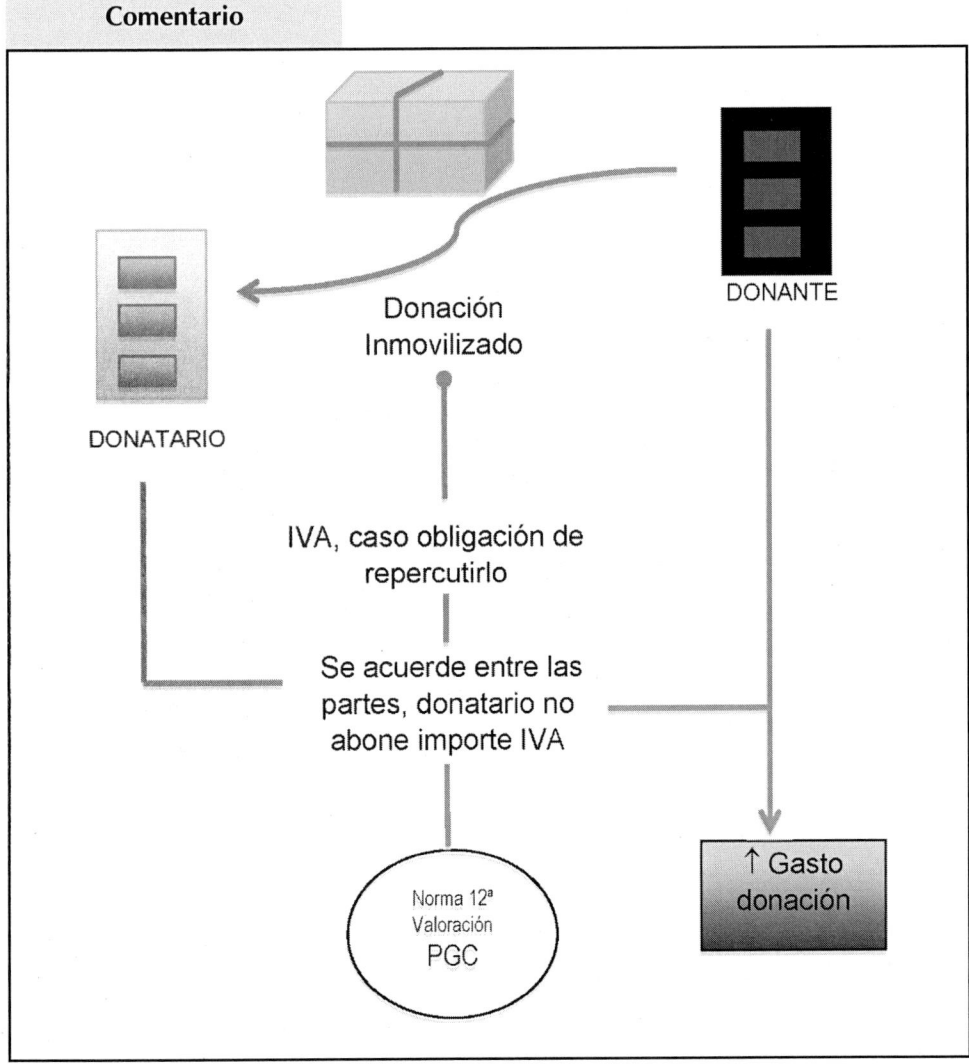

Ejemplo

La sociedad "SAUR S.A" posee un elemento de transporte, afecto a la actividad profesional, que a 31/12/X1 presenta la siguiente situación, una vez amortizado y registrado el correspondiente deterioro de valor (el valor razonable, a esta fecha, se situaba en 38.000 €):

218. Elementos de transporte.		50.000 €
281. Amortización acumulada del inmovilizado material.		(10.000 €)
291. Deterioro de valor del inmovilizado material.		(2.000 €)

En estos momentos, la sociedad acuerda donar, sin ningún tipo de contraprestación, el citado elemento a la entidad sin ánimo de lucro "BANCO DE ALIMENTOS".

Sabemos que el citado elemento patrimonial fue adquirido hace dos años, soportando el IVA correspondiente: el cual fue deducido en su integridad.

SE PIDE: Realizar las anotaciones contables correspondientes, en las dos sociedades.

SOLUCIÓN:

SOCIEDAD SAUR

Por la donación que efectúa la sociedad:

———————————————————————— 31/12/X1 ————————————————————————

10.000	A.A. inmovilizado material (281)			
2.000	Deterioro de valor del inmovilizado material (291)	a	Elemento de transporte (218)	50.000
45.980	Donaciones del inmovilizado material (676)		H.P. I.V.A. repercutido (477)	7.980
	(38.000 + 38.000x21%)		[21%38.000]	

De acuerdo con lo dispuesto en la ley del impuesto sobre el valor añadido la transmisión gratuita a terceros (en este caso a una entidad sin ánimo de lucro) de bienes afectos a la actividad empresarial o profesional del donante, efectuadas sin contraprestación (donación), constituye un autoconsumo externo (art. 9 LIVA), debiendo por tanto el empresario o profesional que efectúa la donación autorepercutirse el impuesto.

Indicar que es requisito necesario para que nazca la obligación de autorepercutirse el IVA, que por la adquisición previa de los bienes que van a ser donados se haya soportado el impuesto y se haya podido deducir el mismo.

En cuanto a la contabilidad de las donaciones, seguiremos lo establecido en el apartado 2.1 de la Norma Cuarta de la RICAC del Inmovilizado Material: *"(...) cuando una empresa entregue un elemento de inmovilizado material a título gratuito, deberá darlo de baja en libros y reconocer el correspondiente gasto en la cuenta de pérdidas y ganancias"*. Es decir, daremos de baja las cuentas relacionadas con los elementos (aparte de la cuenta 218, la amortización acumulada y el deterioro). Por ello reconocerá un gasto que registramos en la cuenta 678. Este gasto, se verá incrementado (en base a la presente Consulta, 1 Boicac 115) por el IVA de la entrega (que repercute, al estar sujeta y no exenta), y que el donante asume el abonarlo.

SOCIEDAD BANCO DE ALIMENTOS

-Cuando recibe el bien procedente de "SAUR", anotará:

	31/12/X1		
38.000	Elementos de transporte (218)		
	a	Ingresos de otras donaciones y legados de capital (9421)	38.000

Así, y en base a lo establecido en la Norma 9ª.1 de Valoración del PGC entidades sin fines lucrativos (RD 1491/2011, 24 octubre): *"Las subvenciones, donaciones y legados no reintegrables se contabilizarán, con carácter general directamente en el patrimonio neto de la entidad para su posterior reclasificación al excedente del ejercicio como ingresos, sobre una base sistemática y racional de forma correlacionada con los gastos derivados de la subvención, donación o legado (...)"*. Para su valoración, en el apartado 2 de la misma norma, nos comenta: *"(...) Las de carácter no monetario o en especie se valorarán por el valor razonable del bien o servicio recibido, siempre que el valor razonable del citado bien o servicio pueda determinarse de manera fiable (...)"*

-Y entre las operaciones de fin de ejercicio, y por la regularización de los grupos 8 y 9, anotará:

```
─────────────────────────────── 31/12/X1 ───────────────────────────────

38.000   Ingresos de otras donaciones
         y legados de capital (9421)

                                      a      Otras donaciones y legados
                                             de capital (1321)              38.000
```

6.2.2. Régimen especial

6.2.2.1. Régimen especial criterio de caja en el IVA

BOICAC 96, diciembre 2013. Consulta 5.

Sobre el tratamiento contable del «Régimen especial del criterio de caja» en el Impuesto sobre el Valor Añadido.

Respuesta

Ley 14/2013, de 27 de septiembre, de apoyo a los emprendedores y su internacionalización, en su art. 23 introduce un nuevo Capítulo X en el Título IX de la Ley 37/1992, de 28 de diciembre, del Impuesto sobre el Valor Añadido, desarrollando con ello un nuevo régimen especial del criterio de caja que entrará en vigor el 1 de enero de 2014. En particular, a los efectos de analizar el adecuado tratamiento contable de la modificación, las principales características de este régimen son las siguientes:

«(...) Art. 163 terdecies. Contenido del régimen especial del criterio de caja.

Uno. En las operaciones a las que sea de aplicación este régimen especial, el Impuesto se devengará en el momento del cobro total o parcial del precio por los importes efectivamente percibidos o si este no se ha producido, el devengo se producirá el 31 de diciembre del año inmediato posterior a aquel en que se haya realizado la operación.

A estos efectos, deberá acreditarse el momento del cobro, total o parcial, del precio de la operación.

Dos. La repercusión del Impuesto en las operaciones a las que sea de aplicación este régimen especial deberá efectuarse al tiempo de expedir y entregar la factura correspondiente, pero se entenderá producida en el momento del devengo de la operación determinado conforme a lo dispuesto en el apartado anterior.

Tres. Los sujetos pasivos a los que sea de aplicación este régimen espe-
cial podrán practicar sus deducciones en los términos establecidos en el
Título VIII de esta Ley, con las siguientes particularidades:

a) El derecho a la deducción de las cuotas soportadas por los sujetos
pasivos acogidos a este régimen especial nace en el momento del pago total
o parcial del precio por los importes efectivamente satisfechos, o si este no
se ha producido, el 31 de diciembre del año inmediato posterior a aquel
en que se haya realizado la operación.

Lo anterior será de aplicación con independencia del momento en que
se entienda realizado el hecho imponible.

A estos efectos, deberá acreditarse el momento del pago, total o parcial,
del precio de la operación.

b) El derecho a la deducción solo podrá ejercitarse en la declaración-
-liquidación relativa al período de liquidación en que haya nacido el dere-
cho a la deducción de las cuotas soportadas o en las de los sucesivos,
siempre que no hubiera transcurrido el plazo de cuatro años, contados a
partir del nacimiento del mencionado derecho.

c) El derecho a la deducción de las cuotas soportadas caduca cuando el
titular no lo hubiera ejercitado en el plazo establecido en la letra anterior.

Cuatro. Reglamentariamente se determinarán las obligaciones formales
que deban cumplir los sujetos pasivos que apliquen este régimen especial».

En base a lo anterior, y teniendo en cuenta que al amparo de este nuevo régimen especial, de aplicación voluntaria para determinados sujetos pasivos, se
difiere el devengo del impuesto, haciéndolo coincidir con la fecha de cobro de la
factura o el 31 de diciembre del año inmediato posterior a aquel en que se haya
realizado la operación, lo que antes suceda, la consulta versa sobre las implicaciones contables de esta nueva modalidad de tributación.

De la lectura conjunta de las normas de registro y valoración 12.ª «Impuesto
sobre el Valor Añadido (IVA), Impuesto General Indirecto Canario (IGIC) y otros
Impuestos indirectos» y 14.ª «Ingresos por ventas y prestación de servicio» del Plan
General de Contabilidad (PGC), aprobado por el Real Decreto 1514/2007, de 16
de noviembre, así como de las definiciones y relaciones contables recogidas en
su quinta parte, se pueden extraer las siguientes conclusiones sobre la contabilización del IVA:

a) Los impuestos que gravan las operaciones de venta de bienes y prestación
de servicios que la empresa debe repercutir a terceros como el impuesto sobre
el valor añadido y los impuestos especiales, así como las cantidades recibidas
por cuenta de terceros, no formarán parte de los ingresos.

b) Para contabilizar el IVA devengado se propone la cuenta 477 «IVA repercutido». A estos efectos, el IVA se entenderá devengado de acuerdo con lo que
disponga la ley del IVA.

c) El IVA soportado no deducible formará parte del precio de adquisición de los activos corrientes y no corrientes, así como de los servicios, que sean objeto de las operaciones gravadas por el impuesto. En el caso de autoconsumo interno, esto es, producción propia con destino al inmovilizado de la empresa, el IVA no deducible se adicionará al coste de los respectivos activos no corrientes.

d) No alterarán las valoraciones iniciales las rectificaciones en el importe del IVA soportado no deducible, consecuencia de la regularización derivada de la prorrata definitiva, incluida la regularización por bienes de inversión.

e) Para contabilizar el IVA devengado deducible se propone la cuenta 472 «IVA soportado». A estos efectos, el IVA devengado se calificará como no deducible de acuerdo con lo que disponga la ley del IVA.

Pues bien, de conformidad con estos antecedentes, la corriente real de los bienes o servicios, esto es, el devengo contable de la operación, sigue configurándose como presupuesto del devengo jurídico del IVA en la medida que el devengo del impuesto y, por lo tanto, la fecha a partir de la cual se desencadenan las obligaciones fiscales reguladas en la ley, se produce en la fecha de cobro o cuando transcurra un determinado plazo desde la operación (31 de diciembre del ejercicio inmediato posterior), lo que antes suceda.

Del mismo modo, la repercusión del impuesto deberá efectuarse al tiempo de expedir y entregar la factura correspondiente, a cuyo efecto, también resultará relevante la corriente real de los bienes y servicios, sin perjuicio de que dicha repercusión, a los efectos regulados en la ley, se entienda producida en el momento del devengo del impuesto.

Adicionalmente, no cabe duda que la empresa que recibe el bien o el servicio incurre en la fecha de devengo contable de la operación en una obligación de pago, y que la entidad que lo entrega o presta, de forma recíproca, recibe el oportuno derecho de cobro. Por lo tanto, en ambos casos, deudor y acreedor seguirán contabilizando los hechos descritos en los mismos términos que lo venían haciendo, sin que la entrada en vigor del nuevo régimen suponga un cambio en su tratamiento contable.

No obstante, en aras de que la contabilidad pueda reflejar la realidad jurídica del nuevo régimen fiscal, hasta que no se produzca el devengo del IVA, las empresas podrán emplear el adecuado desglose en las cuentas propuestas en el PGC para contabilizar los créditos y débitos frente a la Hacienda Pública por tal concepto, diferenciando el IVA «facturado» del IVA «facturado y devengado».

En todo caso, se recuerda que según el art. 2 del Real Decreto 1514/2007, por el que se aprueba el PGC, «no tendrán carácter vinculante los movimientos contables incluidos en la quinta parte del PGC y los aspectos relativos a numeración y denominación de cuentas incluidos en la cuarta parte, excepto en aquellos aspectos que contengan criterios de registro o valoración».

Comentario

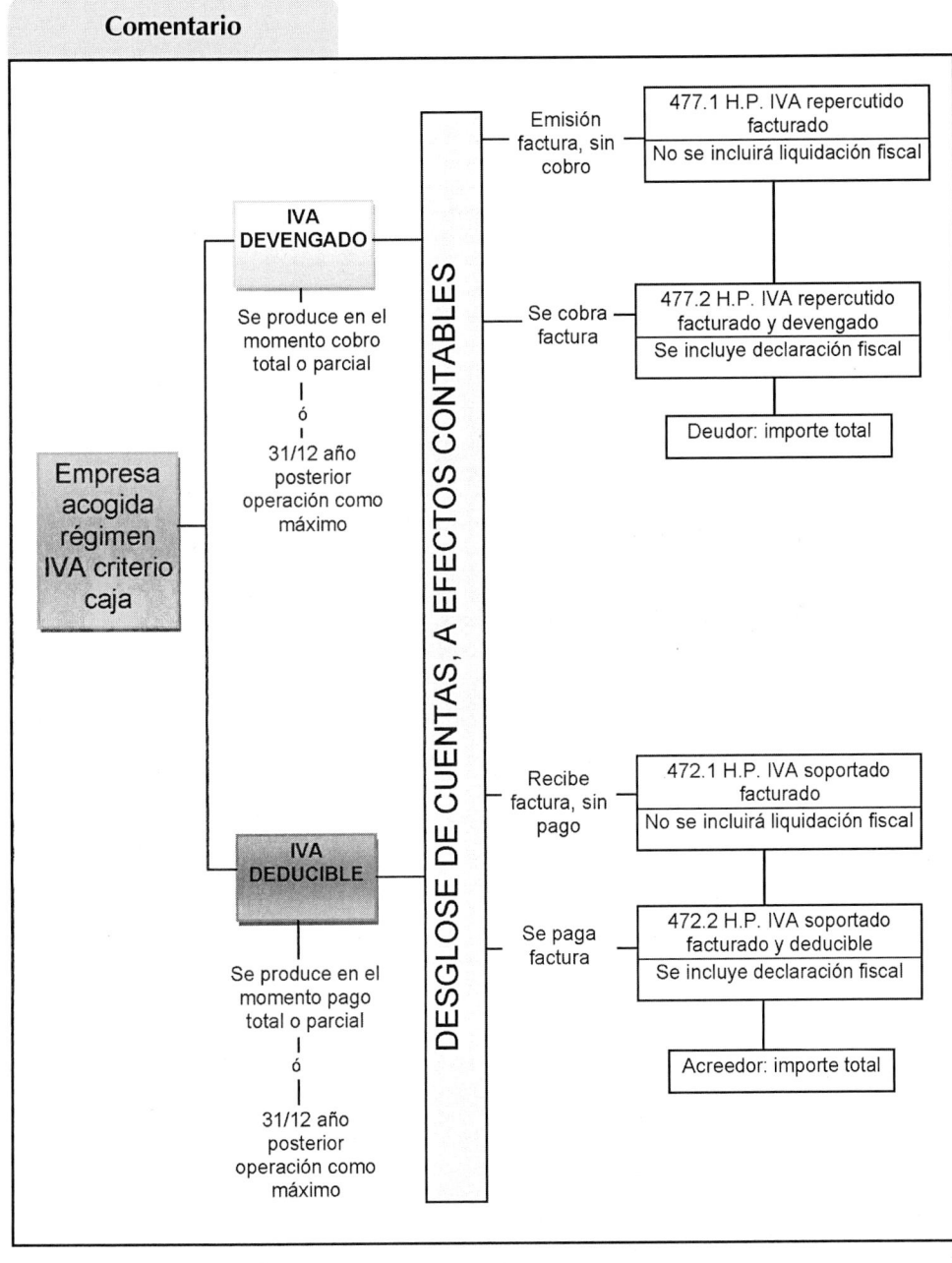

Ejemplo 1

La empresa TENEMOS QUE SALIR ADELANTE, acogida al «Régimen especial del criterio de caja» en el Impuesto sobre el Valor Añadido, realiza las siguientes operaciones con mercaderías en el primer trimestre del X14:

1.- Compra mercaderías a crédito por 20.000€ obteniendo del proveedor un descuento comercial en factura del 5% y soportando un 21% de IVA.

2.- Compra a crédito mercaderías por 30.000€ más el 21% de IVA. Paga en efectivo portes por 2.000€ (IVA 21%), correspondiendo 500€ de dicho importe al proveedor.

3.- Devuelve la mitad de las mercaderías anteriores y el proveedor concede un descuento en el resto de unidades del 20% debido a defectos de calidad de la mercancía recibida.

4.- Paga por banco a los proveedores de los puntos 2 y 3, obteniendo un descuento por pronto pago de 500€.

5.- Compra mercaderías a crédito por 60.000€. Asimismo, el proveedor carga en la factura 3.000€ correspondientes a los envases con facultad de devolución que van conteniendo los productos adquiridos. Se soporta un 21% de IVA.

6.- La empresa devuelve envases por valor de 2.000€ y comunica que se queda con el resto. Procediendo a continuación al pago de la deuda.

7.- Vende mercaderías a crédito por 120.000€ concediendo al cliente un descuento en factura por el volumen del pedido 6.000€. Se pagan por talón bancario los portes correspondientes al envío, 3.000€, de los cuales 2.000€ corresponden al cliente (IVA 21%).

8.- Vende mercaderías al contado (por bancos) por 70.000€ más el 21% de IVA. Se concede al cliente un descuento por pronto pago del 5.000€.

9.- El cliente anterior devuelve mercaderías adquiridas por 13.000€, debido al incumplimiento en las condiciones del pedido. Se le abona el importe correspondiente mediante la entrega de un cheque bancario.

10.- Vende mercaderías a crédito por 20.000€ con un descuento comercial en factura del 2%. Se entregan a los clientes envases con facultad de devolución por un importe de 2.000€ y se le venden en firme envases por valor de 3.000€. El IVA aplicable es del 21%.

11.- El cliente anterior devuelve envases valorados en 500€. Asimismo comunica a la empresa que se queda con los restantes.

12.- Liquida el IVA del primer trimestre.

SE PIDE:

Realizar las anotaciones correspondientes

SOLUCIÓN:

1.- Compra de mercancías a crédito con descuento comercial incluido en factura.

		X		
19.000	Compra de mercaderías (600) $(20.000 - 5\%\,20.000)^{(*)}$			
3.990	HP IVA soportado facturado (472.1) $(**)$			
		a	Proveedores (400)	22.990

$^{(*)}$ Tal y como se establece en la Norma 10.ª.1.1 de Valoración PGC.

$^{(**)}$ El derecho a la deducción de las cuotas soportadas por los sujetos pasivos acogidos a este régimen especial nace en el momento del pago total o parcial del precio por los importes efectivamente satisfechos. Por tanto, mientras no ocurre esto, utilizaremos una cuenta transitoria que recoja el importe: que no se incluirá en la liquidación fiscal correspondiente hasta que ocurra el mencionado pago.

La Consulta estudiada nos indica que, para facilitar la labor de la empresa se utilicen un desglose de cuentas, dentro de las propuestas por el PGC, para el seguimiento de la operación: diferenciando entre el IVA facturado y el IVA facturado y devengado (o deducible).

La cuenta 472.1 es una propuesta de los autores, y siempre teniendo en cuenta lo establecido en el art. 2 del Real Decreto 1514/2007, por el que se aprueba el PGC, la cual nos dice:

> «no tendrán carácter vinculante los movimientos contables incluidos en la quinta parte del PGC y los aspectos relativos a numeración y denominación de cuentas incluidos en la cuarta parte, excepto en aquellos aspectos que contengan criterios de registro o valoración».

2.- Compra de mercancías a crédito. Transportes de las compras.

————————————————————— X —————————————————————

30.000   Compra de mercaderías (600)

6.300   HP IVA soportado facturado
(472.1)[*]

                                    a   Proveedores (400)   36.300

[*] No se indicará el derecho a deducir los importes de IVA en las facturas de compras o servicios recibidos, hasta que éstas sean efectivamente pagadas.

Parte de los portes correspondientes a estas compras, corresponden al proveedor. Por tanto:

————————————————————— X —————————————————————

1.500   Compra de mercaderías (600)

315   HP IVA soportado facturado y
deducible(472.2) (*)

[21% 1.5000]

605   Proveedores (400)

[500 x 1,21]

                                    a   Bancos (572)   2.420

                                        [2.000 x 1,21]

Añadiremos todos los gastos adiciones en el precio de adquisición de los bienes comprendidos en las existencias, hasta que éstos se hallen ubicados para su venta (tales como transportes). [Norma 10.ª.1.1. Valoración PGC]

(*) En este caso, el desglose de la cuenta de IVA soportado será para indicar que el importe es deducible: y por lo tanto se incluirá en la liquidación fiscal correspondiente al haberse efectuado el pago correspondiente.

3.- Devolución mitad de las mercancías compradas y descuento adicional sobre el resto mercancías:

———————————————— X ————————————————

21.780   Proveedores (400)

a   Devoluciones de compras y
operaciones similares (608)

[15.000 + 20% 15.000]   18.000

HP IVA soportado facturado
(472.1)   3.780

Siguiendo lo indicado en la definición de la (608) Devoluciones de compras y operaciones similares: «*Remesas devueltas a proveedores, normalmente por incumplimiento de las condiciones del pedido. En esta cuenta se contabilizarán también los descuentos y similares originados por la misma causa, que sean posteriores a la recepción de la factura*».

4.- Pago deuda al proveedor. Existe un descuento por pronto pago.

¿Cuánto le debemos a nuestro proveedor?

Proveedores
———————————————
(2) 605 | 36.300 (2)
(3) 21.780 |
$$Sh = 13.915 \ (30.000-18.000-500)x1{,}21$$

En el momento del pago nos concede un descuento por pronto pago, anotando:

———————————————— X ————————————————

13.915   Proveedores (400)

a   Descuento sobre compras por
pronto pago (606)   500

HP IVA soportado facturado
(472.1)   105

Bancos (572)

[(11.500 - 500) x 1,21]   13.310

En base a la definición y relación contable establecida en la quinta parte del PGC sobre la cuenta (606):«*Descuentos y asimilados que le concedan a la empresa sus proveedores, por pronto pago, no incluidos en factura. Su movimiento es el siguiente: a) Se abonará por los descuentos y asimilados concedidos, con cargo, generalmente, a cuentas del subgrupo 40 (...)*».

En este momento al haber efectuado el pago el IVA, se convierte en deducible: por lo que realizaremos una «reclasificación» indicando tal circunstancia en nuestra contabilidad

El derecho a la deducción de las cuotas soportadas por los sujetos pasivos acogidos a este régimen especial nace en el momento del pago total o parcial del precio por los importes efectivamente satisfechos, o si este no se ha producido, el 31 de diciembre del año inmediato posterior a aquel en que se haya realizado la operación. En consecuencia, determinándose el saldo de la cuenta 472.1.

472.1H.P. iva soportado facturado

6.300	3.780
	105

Saldo deudor = 2.415

Anotaremos:

-- X --

2.415	HP IVA soportado facturado y deducible (472.2)		
	a	HP IVA soportado facturado (472.1)	2.415

5.- Compra de mercancías a crédito, se incluyen envases con facultad de devolución.

			X		
60.000	Compra de mercaderías (600)				
3.000	Envases y embalajes a devolver a proveedores (406)				
13.230	HP IVA soportado facturado (472.1) (*)				
	[21% 63.000]				
		a	Proveedores (400)		76.230

En la definición de la (406) [5.ª parte PGC], nos dice que en ella se consignará el «*importe de los envases y embalajes cargados en factura por los proveedores, con facultad de devolución a éstos*».

Igualmente, señala en su movimiento que: «*Se cargará por el importe de los envases y embalajes, a la recepción de las mercaderías contenidas en ellos, con abono a la cuenta 400 (...)*».

(*) Al no producirse el pago de la factura, el importe del IVA quedará pendiente de deducir hasta que se produzca el desembolso: utilizándose para seguir la operación unas cuentas, con el adecuado desglose, para evitar la confusión a la hora de incluir los importes en la liquidación.

6.- Devolución y compra de envases a los proveedores.

Por la devolución de los envases:

			X		
2.420	Proveedores (400)				
		a	Envases y embalajes a devolver a proveedores (406)		2.000
			HP IVA soportado facturado (472.1)		420

Por los envases que nos quedamos y los deteriorados:

―――――――――――――――――――― X ――――――――――――――――――――

1.000	Compras de otros aprovisionamientos (602)		
		a Envases y embalajes a devolver a proveedores (406)	1.000

En el movimiento de la cuenta (406), nos comenta que se abonará:

«b1) Por el importe de los envases y embalajes devueltos, con cargo a la cuenta 400.

b2) Por el importe de los envases y embalajes que la empresa decida reservarse para su uso así como los extraviados y deteriorados, con cargo a la cuenta 602».

Pago de la deuda con el proveedor, le debemos:

$$(60.000 + 1.000 \text{ (envases)}) \times 1,21 = 73.810$$

―――――――――――――――――――― X ――――――――――――――――――――

73.810	Proveedores (400)		
		a Bancos (572)	73.810

En el momento del pago el IVA se convierte en deducible, por lo que efectuaremos una reclasificación oportuna, en términos de cuentas, para que el importe correspondiente se incluya en la liquidación fiscal:

―――――――――――――――――――― X ――――――――――――――――――――

12.810	HP IVA soportado facturado y deducible (472.2)		
	[61.000 x 21%]		
		a HP IVA soportado facturado (472.1)	12.810

7.- Ventas con descuento por volumen en factura. Portes de ventas (parte de ellos son a cuenta del cliente).

```
───────────────── X ─────────────────
```

137.940   Clientes (430)

              a   Ventas de Mercaderías (700)

                   [120.000 - 6.000]   114.000

                   HP IVA repercutido facturado (477.1)[*]   23.940

[*] El IVA en este régimen, se devengará únicamente en el momento que se produzca el cobro por parte del cliente. En tanto, el importe correspondiente lo incluiremos en una cuenta de IVA repercutido con el desglose adecuado, evitando con ello tenerlo en cuenta para la liquidación fiscal.

Y por los portes

```
───────────────── X ─────────────────
```

1.000   Transportes (624)

2.420   Clientes (430)

       [2.000 x 1,21]

  210   HP IVA soportado facturado y deducible (472.2)

              a   Bancos c/c (572)

                   [3.000 x 1,21]   3.630

Según lo indicado en La Norma 14.ª.1 valoración para el registro de los ingresos por ventas y la quinta parte del PGC, para la definición de la cuenta (624).

8.- Ventas incluyendo un descuento por pronto pago.

——————————————————— X ———————————————————

78.650   Bancos (572)

                   a   Ventas de Mercaderías (700)

                       [70.000 - 5.000]   65.000

                       HP IVA repercutido facturado y
devengado (477.2) (*)   13.650

En la Norma 14.ª.1 valoración PGC, nos indica que a los ingresos procedentes de la venta de bienes deduciremos el importe de cualquier descuento, que la empresa pueda conceder.

(*) Al producirse el cobro de la operación se indicará, a través del desglose adecuado en la cuenta IVA Repercutido, que se produce el devengo: con lo que se incluiría el importe en la correspondiente liquidación fiscal.

9.- Devolución mercancías por parte del cliente de la venta anterior:

——————————————————— X ———————————————————

13.000   Devoluciones de ventas y operaciones similares (708)

2.730   HP IVA repercutido facturado
y devengado (477.2)

                   a   Bancos (572)   15.730

Siguiendo lo indicado en la definición de la (708) Devoluciones de ventas y operaciones similares incluida en la quinta parte del PGC.

10.- Venta de mercancías a crédito, con descuento comercial. Se incluyen envases con facultad de devolución así como otros que el cliente se quedará de forma definitiva:

----------------------------------- X -----------------------------------

29.766 Clientes (430)		
	a Ventas de Mercaderías (700)	
	[20.000 - 2% 20.000]	19.600
	Envases y embalajes a devolver por clientes (437)	2.000
	Venta de envases y embalajes (704)	3.000
	HP IVA repercutido facturado (477.1) (*)	5.166

En la definición de la (437) [5.ª parte PGC], nos dice que en ella se consignará el «*Importe de los envases y embalajes cargados en factura a los clientes, con facultad de devolución por éstos*».

Igualmente, señala en su movimiento que: «*Se abonará por el importe de los envases y embalajes al envío de las mercaderías contenidas en ellos, con cargo a la cuenta 430 (...)*».

En tanto que, por la venta en firme de los envases utilizaremos una cuenta del subgrupo 70, especificada en la (704).

(*) El IVA repercutido, no se devengará hasta que se produzca efectivamente el cobro de la operación.

11.- Devolución y venta de envases a los clientes.

– Por la devolución de los envases:

―――――――――――――――――― X ――――――――――――――――――

500	Envases y embalajes a devolver por clientes (437)		
105	HP IVA repercutido facturado (477.1)		
		a Clientes (430)	605

– Por los envases que el cliente se queda:

―――――――――――――――――― X ――――――――――――――――――

1.500	Envases y embalajes a devolver por clientes (437)		
		a Venta de envases y embalajes (704)	1.500

En el movimiento de la cuenta (437), nos comenta que se cargará:

«b1) A la recepción de los envases y embalajes devueltos, con abono a la cuenta 430.

b2) Cuando transcurrido el plazo de devolución, ésta no se hubiera efectuado, con abono a la cuenta 704».

12) Liquidación IVA primer trimestre:

HP IVA soportado facturado y deducible (472.2)		HP IVA repercutido facturado y devengado (477.2)	
(2)315		(9)2.730	13.650 (8)
(4)2.415			
(6)12.810			
(7)210			
Saldo deudor = 15.750		Saldo acreedor = 10.920	

———————————————————————— X ————————————————————————

10.920	HP IVA repercutido facturado y devengado (477.2)		
4.830	HP deudor por IVA (4700)		
		a HP IVA soportado facturado deducible (472.2)	15.750

Ejemplo 2

La Sociedad HAY VIDA EN OTRO LUGAR, acogida al «Régimen especial del criterio de caja» en el Impuesto sobre el Valor Añadido, realiza las siguientes operaciones con mercaderías en el primer trimestre del X14:

1.- Se recibe un cheque por 12.100€, en concepto de anticipo de un pedido que se debe suministrar dentro de 2 meses. IVA de la operación del 21% (incluido).

2.- Se venden, a plazo, al cliente anterior, por 30.000€, se aplica el anticipo recibido. Se pagan por portes 2.000€ (a través de bancos), IVA del 21%. Dicha cantidad se reparte a partes iguales entre comprador y vendedor.

3.- Compra de mercaderías por 40.000€ a crédito. En la factura se incluyen además 10.000€ de envases con facultad de devolución, IVA de 21%.

4.- Con los anteriores envases se realizan las siguientes operaciones:

- Devolución de la mitad.
- Se han estropeado la quinta parte.
- Se queda para su uso el resto.

5.- Llegado el vencimiento de la operación relatada en los puntos 1 y2, el cliente comunica a la empresa que no puede atender el pago, acordando con la misma que realizará dos pagos el primero el 1 de marzo y el segundo el 5 de abril. No existen dudas razonables para considerar el crédito moroso.

6.- Llegado el vencimiento del primer aplazamiento (1/3), el cliente hace efectivo el pago.

7.- Liquidación del IVA del primer trimestre.

8.- Nos encontramos a 31/12/X15 y todavía seguimos sin hacer efectivo el pago de la deuda contraída con el proveedor de las operaciones 4 y 5.

SE PIDE:

Realizar las anotaciones correspondientes.

SOLUCIÓN:

1.- Anticipo recibido de los clientes.

——————————————— X ———————————————

12.100	Bancos c/c (572)		
	a	Anticipos de clientes (438)	10.000
		HP IVA repercutido facturado y devengado (477.2) (*)	2.100

Tal y como se especifica en el movimiento de la cuenta (438) incluida en la 5.ª parte del PGC: *«Se abonará por las recepciones en efectivo, con cargo a la cuenta que corresponda del subgrupo 57. (...)».*

(*) El Impuesto se devengará en el momento del cobro total o parcial del precio por los importes efectivamente percibidos.

2.- Ventas a crédito, se aplica el anterior anticipo. Portes de ventas (parte de ellos son a cuenta del cliente):

——————————————— X ———————————————

10.000	Anticipos de clientes (438)		
24.200	Clientes (430)		
	a	Ventas de Mercaderías (700)	30.000
		HP IVA repercutido facturado (477.1) (*)	
		(30.000 - 10.000) x 21%	4.200

Siguiendo con ello lo indicado en la 5.ª parte del PGC, para la cuenta de anticipos:

«(...) b) Se cargará por las remesas de mercaderías u otros bienes a los clientes, con abono, generalmente, a cuentas del subgrupo 70».

(*) El IVA en este régimen, no se devengará hasta que se produzca el cobro. En consecuencia, y para facilitar la labor para el seguimiento de estas operaciones se propone el desglose de las cuentas del Plan, diferenciando el IVA «facturado» del IVA «facturado y devengado».

La cuenta 477.1 es una propuesta de los autores, y siempre teniendo en cuenta lo establecido en el art. 2 del Real Decreto 1514/2007, por el que se aprueba el PGC, la cual nos dice:

> «No tendrán carácter vinculante los movimientos contables incluidos en la quinta parte del PGC y los aspectos relativos a numeración y denominación de cuentas incluidos en la cuarta parte, excepto en aquellos aspectos que contengan criterios de registro o valoración».

Y por los portes:

---------------------------------- X ----------------------------------

1.000	Transportes (624)		
210	HP IVA soportado facturado y deducible (472.2)[(*)]		
1.210	Clientes (430)		
	[1.000 x 1.21]		
	a	Bancos(572)	2.420

[(*)] Se incluirá este importe en la correspondiente liquidación fiscal, ya que la operación se ha pagado. A través del desglose de la 472, podremos diferenciar entre el importe simplemente facturado y el que además es deducible, al producirse las condiciones de este régimen especial.

3.- Compra de mercancías a crédito, se incluyen envases con facultad de devolución.

---------------------------------- X ----------------------------------

40.000	Compra de mercaderías (600)		
10.000	Envases y embalajes a devolver a proveedores (406)		
10.500	HP IVA soportado facturado (472.1) (*)		
	[21% 50.000]		
	a	Proveedores (400)	60.500

Según la definición y movimiento de la (406) [5.ª parte PGC]

(*) A diferencia del caso anterior, la cuantía no será deducible al no haberse pagado. Se efectuará un desglose de la cuenta 472, para evitar su inclusión en la liquidación fiscal hasta que no se produzca el desembolso.

4.- Devolución y compra de envases a los proveedores.

Por la devolución de los envases:

―――――――――――――――――― X ――――――――――――――――――

6.050	Proveedores (400)		
	a	Envases y embalajes a devolver a proveedores (406)	5.000
		HP IVA soportado facturado (472.1)	1.050

Por los envases que nos quedamos y los deteriorados:

―――――――――――――――――― X ――――――――――――――――――

5.000	Compras de otros aprovisionamientos (602)		
	a	Envases y embalajes a devolver a proveedores (406)	5.000

En el movimiento de la cuenta (406), nos comenta que se abonará:

«b1) Por el importe de los envases y embalajes devueltos, con cargo a la cuenta 400.

b2) Por el importe de los envases y embalajes que la empresa decida reservarse para su uso así como los extraviados y deteriorados, con cargo a la cuenta 602».

5.- Derechos de cobro sobre el cliente de la operación 1 y 2:

Concepto	IMPORTE	IVA	TOTAL
Venta de mercaderías	20.000	4.200	24.200
Transporte	1.210	―――	1.210

Concepto	IMPORTE	IVA	TOTAL
Número de pagos a realizar (2)			(25.410/2) = 12.705

6.- Cobro del primer plazo (1 de marzo)

——————————————————— X ———————————————————

12.705 Bancos (572)

a   Clientes (430)   12.705

———————————————————

El IVA, a incluir en la declaración del primer trimestre, será el correspondiente a la parte proporcional cobrada (la mitad del importe), así reclasificaremos:

——————————————————— X ———————————————————

2.100 HP IVA repercutido facturado
       (477.1) [4.200/2]

a   HP IVA repercutido facturado
      y devengado (477.2)   2.100

———————————————————

7.-Liquidación del IVA del primer trimestre:

HP IVA soportado facturado y deducible (472.2)	HP IVA repercutido facturado y devengado (477.2)
(2)210	2.100 (1)
	2.100 (2)
Saldo deudor = 210	Saldo acreedor = 4.200

Registrándose:

———————————————————— X ————————————————————

4.200   HP IVA repercutido facturado y
          devengado (477.2)

                        a   HP IVA soportado facturado y
                             deducible(472.2)   210

                             HP acreedor por IVA (4750)   3.990

8.-Deuda contraída con el proveedor de las operaciones 4 y 5.

Concepto	IMPORTE	IVA	TOTAL
Compra de mercaderías	40.000	8.400	48.400
Compra de envases	5.000	1.050	6.050
TOTAL		9.450	

Llegada la fecha de 31 de diciembre del X15, todavía no se hizo efectiva la deuda. Sin embargo, y en base a la legislación fiscal nos indica que, los sujetos pasivos que sea de aplicación el régimen especial del criterio de caja que el «*(...) derecho a la deducción de las cuotas soportadas por los sujetos pasivos acogidos a este régimen especial nace en el momento del pago total o parcial del precio por los importes efectivamente satisfechos, o si este <u>no se ha producido, el 31 de diciembre del año inmediato posterior a aquel en que se haya realizado la operación</u> (...)*».

Este último caso, es el que nos ocupa. Con lo cual, llegado el momento: tendremos que reclasificar la 472, indicando que es deducible. Por tanto:

———————————————————— 31/12/X15 ————————————————————

9.450   HP IVA soportado factu-
          rado y deducible (472.2)

                        a   HP IVA soportado factu-
                            rado (472.1)   9.450

Ejemplo 3

ECHE O QUE HAI S.L. es una empresa está acogida al «Régimen especial del criterio de caja» en el Impuesto sobre el Valor Añadido.

Vende el 8 de enero del X14 mercancías por 10.000€, IVA 21% y con un vencimiento a tres meses (8/4/X14) a MIUDIÑO S.A.

Llegada la fecha, se entera que el cliente está en dificultades económicas por lo que registra el deterioro correspondiente del crédito, calificándolo como de «dudoso cobro».

El 8 de diciembre, conocemos el auto judicial de declaración del concurso para el cliente. Nuestra empresa, emite la correspondiente factura rectificativa.

En el ejercicio siguiente ECHE O QUE HAI, y dado el convenio firmado con MIUDIÑO S.A., cobra parte del crédito (existe una quita del 60%).

SE PIDE:

Realizar los asientos correspondientes a los hechos relatados.

SOLUCIÓN:

– Por la venta de las mercancías:

――――――――――――――――― 8-enero-X14 ―――――――――――――――――

12.100	Clientes (430)		
	a	Venta de Mercaderías (700)	10.000
		HP IVA repercutido facturado (477.1)[*]	2.100

[*] En las operaciones a las que sea de aplicación este régimen especial, el Impuesto se devengará en el momento del cobro total o parcial del precio por los importes efectivamente percibidos.

– Llegado el vencimiento de la operación, ésta no se hace efectiva: registrándose el correspondiente deterioro

――――――――――――――――― 8-abril-X14 ―――――――――――――――――

12.100	Clientes dudoso cobro (436)		
	a	Clientes (430)	12.100

———————————————————— 8-abril-X14 ————————————————————

12.100	Pérdidas por deterioro de créditos por operaciones comerciales (694)	
	a	Deterioro de valor de créditos por operaciones comerciales (490) — 12.100

– En diciembre, se dicta auto judicial de declaración del concurso: reduciendo nuestra empresa la base imponible.

———————————————————— 8-dic-X14 ————————————————————

2.100	HP IVA repercutido, facturado (477.1)	
	a	Clientes dudoso cobro (436) — 2.100

Y simultáneamente, se reduce el importe del deterioro por la cuota:

———————————————————— 8-dic-X14 ————————————————————

2.100	Deterioro de valor de créditos por operaciones comerciales (490)	
	a	Reversión del deterioro de créditos por operaciones comerciales (794) — 2.100

En base al art. 80 Tres de la LIVA:
«La base imponible podrá reducirse cuando el destinatario de las operaciones sujetas al impuesto no haya hecho efectivo el pago de las cuotas repercutidas y siempre que, con posterioridad al devengo de la operación, se dicte auto de declaración del concurso (…)».

– En el ejercicio siguiente, y dado la firma del convenio nuestra empresa cobra el 40% del crédito: dándose el resto por perdido.

———————————————— X ————————————————

4.000	Bancos c/c (572) [40% 10.000]		
6.000	Pérdidas de créditos comerciales incobrables (650)		
	a	Clientes dudoso cobro (436)	10.000

Sobre el IVA repercutido, únicamente cuando se produzca el «sobreseimiento» del expediente del concurso de acreedores, se modificaría nuevamente la base imponible (en esta ocasión al alza), mediante la emisión de la factura rectificativa (art. 80. Tres. LIVA).

Al mismo tiempo que damos de baja la cuenta 436, haremos lo propio con el deterioro:

———————————————— X ————————————————

10.000	Deterioro de valor de créditos por operaciones comerciales (490)		
	a	Reversión del deterioro de créditos por operaciones comerciales (794)	10.000

Ejemplo 4

A GAROTA S.L., es una empresa acogida al «Régimen especial del criterio de caja» en el Impuesto sobre el Valor Añadido y su volumen de operaciones según el art. 121 LIVA inferior 6.010.121,04€.

Vende mercancías a DEZA S.A. por 20.000€ e IVA 21%. En este momento (marzo X14), cobra al contado, a través de bancos, el 50% del importe; aplazando el resto a 60 días (mayo del X14).

En mayo, DEZA no atiende al pago por lo que lo califica de «dudoso cobro» y registra el correspondiente deterioro. Al mismo tiempo, inicia la reclamación judicial correspondiente.

En septiembre, conocemos que DEZA ha cerrado y considera que no tiene posibilidades de llegar a cobrar el crédito, considerando éste insolvente firme a pesar de no «desistir» en la reclamación judicial al deudor.

En noviembre, y transcurrido el plazo establecido al efecto, A GAROTA rectifica la base imponible correspondiente.

SE PIDE:

Realizar los asientos correspondientes a los hechos relatados.

SOLUCIÓN:

– Por la venta de las mercancías:

---
mar-X14

12.100	Clientes (430)		
12.100	Bancos c/c (572)		
		a	Venta de Mercaderías (700)	20.000
			HP IVA repercutido facturado y devengado (477.2) (*)	2.100
			HP IVA repercutido facturado (477.1) (**)	2.100

En las operaciones a las que sea de aplicación este régimen especial, el Impuesto se devengará en el momento del cobro total o parcial del precio por los importes efectivamente percibidos.

(*) Por el IVA cobrado.

(**) Por el IVA no cobrado.

– En mayo, al no atender el vencimiento, calificamos a nuestro cliente como de «dudoso cobro».

————————————————— may-X14 —————————————————

12.100	Clientes dudoso cobro (436)			
		a	Clientes (430)	12.100

————————————————— 8-mayo-X14 —————————————————

12.100	Pérdidas por deterioro de créditos por operaciones comerciales (694)			
		a	Deterioro de valor de créditos por operaciones comerciales (490)	12.100

— Y en septiembre, lo damos definitivamente por perdido, dándolo de baja:

————————————————— X —————————————————

12.100	Pérdidas de créditos comerciales incobrables (650)			
		a	Clientes dudoso cobro (436)	12.100

Y al mismo tiempo, disminuiremos en la misma cuantía el deterioro:

————————————————— X —————————————————

12.100	Deterioro de valor de créditos por operaciones comerciales (490)			
		a	Reversión del deterioro de créditos por operaciones comerciales (794)	12.100

— En noviembre, y en base al art. 80 Cuatro LIVA que nos indica una serie de condiciones para reducir proporcionalmente la base imponible, de las cua-

937

les destacamos la primera: la que haya transcurrido un año desde el devengo del impuesto repercutido, sin que se haya obtenido el cobro de todo o parte del crédito. En caso de precios aplazados, este tiempo transcurrirá desde el vencimiento del plazo. Y en el caso concreto de nuestro empresario (con un volumen de operaciones inferior a 6.010.121,04€) el plazo de un año se convertirá en 6 meses.

Por tanto, transcurrido el mencionado plazo, y cumpliéndose el resto de condiciones del art. 80 Cuatro, rectificaremos la base imponible. Sin embargo, al no existir el crédito que da origen a la rectificación: usaremos como contrapartida del IVA repercutido la cuenta «639. Ajustes positivos en la imposición indirecta» (en base a lo establecido en la Consulta 3. BOICAC 62, junio 2005).

X

2.100	HP IVA repercutido facturado (477.1)	
	a Ajustes (+) en la imposición indirecta (639)	2.100

En el caso de que consiguiéramos cobrar parte del crédito, no se modificaría de nuevo la base imponible, así lo relata el mencionado art. 80 en su apartado Cuatro:

> «(…) *una vez practicada la reducción de la base imponible, ésta no se volverá a modificar al alza aunque el sujeto pasivo obtuviese el cobro total o parcial de la contraprestación (…)».*

Esto último no se cumpliría, si:

- El destinatario no actúe en la condición de empresario o profesional, ó

- Cuando el sujeto pasivo desista de la reclamación judicial al deudor o llegue a un acuerdo de cobro con el mismo con posterioridad al requerimiento notarial efectuado, como consecuencia de ésta o por cualquier otra causa. Entonces deberá modificar nuevamente al alza la base imponible mediante expedición en el plazo de un mes a contar del desistimiento o acuerdo de cobro, de una factura rectificativa en la que se repercuta la cuota correspondiente.

6.3. OTROS IMPUESTOS

6.3.1. Impuesto sobre el valor producción energía eléctrica

6.3.1.1. Impuesto sobre el valor de la producción de la energía eléctrica: registro contable

BOICAC 94, junio 2013. Consulta 1.

Sobre el tratamiento contable del impuesto sobre el valor de la producción de la energía eléctrica regulado en la Ley 15/2012, de 27 de diciembre, de medidas fiscales para la sostenibilidad energética y, en particular, si la empresa debe contabilizar este impuesto como «otros gastos de explotación-otros tributos» o como menor «importe neto de la cifra de negocios».

Respuesta

La norma de elaboración de las cuentas anuales 11.ª *Cifra anual de negocios* de la Tercera Parte del Plan General de Contabilidad (PGC) aprobado por el Real Decreto 1514/2007, de 16 de noviembre, establece que:

> *«El importe neto de la cifra anual de negocios se determinará deduciendo del importe de las ventas de los productos y de las prestaciones de servicios u otros ingresos correspondientes a las actividades ordinarias de la empresa, el importe de cualquier descuento (bonificaciones y demás reducciones sobre las ventas) y el del impuesto sobre el valor añadido y otros impuestos directamente relacionados con las mismas, que deban ser objeto de repercusión».*

El impuesto sobre el valor de producción de la energía eléctrica es un tributo de carácter directo y naturaleza real que grava la realización de actividades de producción e incorporación al sistema eléctrico de energía eléctrica y cuyos contribuyentes son las personas que realizan la producción e incorporación al sistema eléctrico de la citada energía (arts. 1 y 5 de la Ley 15/2012).

De acuerdo con la información facilitada, la entidad consultante es el contribuyente del impuesto sin que exista la posibilidad de repercutirlo a terceros, ni de que tampoco el desembolso que se efectúa en tal concepto pueda calificarse como una transacción de naturaleza similar, pero de signo contrario, a aquéllas que representen la corriente de ingresos de la actividad ordinaria de la empresa, circunstancia que justificaría tratarlo como un menor importe de la cifra de negocios.

En consecuencia, el impuesto sobre el valor de la producción de energía eléctrica no reducirá la cifra de negocios, debiendo registrarse como un gasto en la cuenta de pérdidas y ganancias; a tal efecto podrá emplearse la cuenta 631 *Otros tributos.*

En este sentido, la norma de registro y valoración 12.ª *Impuesto sobre el valor añadido (IVA), Impuesto General Indirecto Canario (IGIC) y otros Impuestos indirectos* de la Segunda Parte del PGC, en su último párrafo, dispone:

> *«(...) se contabilizarán como gastos y por tanto no reducirán la cifra de negocios, aquellos tributos que para determinar la cuota a ingresar tomen como referencia la cifra de negocios u otra magnitud relacionada, pero cuyo hecho imponible no sea la operación por la que se transmiten los activos o se prestan los servicios».*

Comentario

Ejemplo

La sociedad SAMIL ELÉCTRICA S.L. inició su actividad el 1/4/2012, y su objeto social consiste en la realización de actividades de producción e incorporación al sistema eléctrico de energía eléctrica. Para la realización de esta actividad, posee una única instalación sita en Illas Cíes: la cual, se encuentra inscrita en el régimen ordinario de producción eléctrica. La potencia instalada es de 12.000 Kw.

El valor de la producción neta (medida en barras de central) incorporada al sistema eléctrico ascendió en el año 2012, a 10.240,20 megawatios/hora; los cuales fueron vendidos a 43,50€ megawatio/hora: ascendiendo la facturación neta de dicho ejercicio a 445.448,70€.

Para el ejercicio 2013, se conocen los siguientes datos (producción):

Trimestre	Megawatios/hora producidos e incorporados al sistema eléctrico	Precio venta megawatio/hora (euros)	Producción neta en euros	Producción acumulada
Primer	3.000,10	18,17	54.511,82	54.511,82
Segundo	4.200,30	43,50	182.713,05	237.224,87
Tercer	4.300,40	47,80	205.559,12	442.783,99

La empresa quiere determinar el impuesto que deberá pagar sobre el valor de la producción de la energía eléctrica regulado en la Ley 15/2012, de 27 de diciembre.

El calendario de pagos fraccionados, a tener en cuenta, es el que se indica a continuación:

Código Periodo	Plazo presentación	Mes presentación	Periodo
1T	1 a 20	Mayo	Enero-Marzo
2T	1 a 20	Septiembre	Enero-Junio
3T	1 a 20	Noviembre	Enero-Septiembre
4T	1 a 20	Febrero	Enero-Diciembre

Y sabiendo que el tipo impositivo es del 7%.

SE PIDE:

1.- Registro de operaciones a realizar en el año 2013 hasta noviembre. Indicar el tratamiento contable del impuesto.

2.- En el supuesto de que la producción neta del año 2012, fuese 300.200€, registros a efectuar hasta el mes de noviembre del 2013.

SOLUCIÓN:

CASO 1

La ley 15/2012, de 27 de diciembre, nos comenta que constituye hecho imponible: la producción e incorporación al sistema eléctrico de energía eléctrica; y su base imponible será el importe total a percibir por el contribuyente.

De cara al seguimiento contable de este impuesto en las cuentas de la empresa, nos iremos guiando por la referida normativa. En principio determinaremos el número de pagos fraccionados a realizar en el ejercicio 2013.

Así y de acuerdo con la mencionada legislación, en aquellos supuestos que el contribuyente hubiera desarrollado su actividad por un período inferior al año natural durante el ejercicio anterior, para poder determinar si se deben efectuar cuatro pagos fraccionados o bien únicamente sólo uno: se deberá elevar el valor de la producción al año. En nuestro caso:

Producción año 2012 (9 meses) = 445.448,70€.

Lo elevaremos al año:

Cuantía que corresponde a un mes: $\dfrac{445.448,70}{}$ 49.494,3

La que correspondería a un año (12 meses = 49.494,3 x 12 meses = 593.931,6

En el caso de que esta cuantía (593.931,6), supere los 500.000€ (como ocurre en nuestro caso), realizaremos los cuatro pagos fraccionados. De esta forma (y según el calendario expuesto en el enunciado) realizaremos entre los días 1 y 20 de los meses mayo, septiembre, noviembre y febrero del año siguiente, los pagos fraccionados correspondientes a los periodos de los tres, seis, nueve o doce meses de cada año natural.

• Primer trimestre del 2013

El objeto del impuesto, comentábamos, es gravar la realización de actividades de producción e incorporación al sistema eléctrico de energía eléctrica, a través de cada una de las instalaciones inscritas en el régimen ordinario y en el régimen especial de producción eléctrica.

La base imponible es el importe a percibir por el contribuyente, y el tipo impositivo el 7% (art. 8 Ley). La cuantía a pagar será la cuota que salga de aplicar el tipo a la base, deducidos los pagos fraccionados de los periodos anteriores.

Por tanto, y para el período referido (enero-marzo 2013):

Cuantía a pagar 1T = tipo impositivo x base (producción enero-marzo) = 7% x 54.511,82 = 3.815,83

Anotándose, en el diario:

	31/3/13		
3.815,83	Otros tributos (631)		
	a	HP acreedora por concep- tos fiscales (475)	3.815,83

En base a la Consulta 1, BOICAC 94 (junio, 2013):

> «(...) el impuesto sobre el valor de la producción de energía eléctrica no reducirá la cifra de negocios, debiendo registrarse como un gasto en la cuenta de pérdidas y ganancias; a tal efecto podrá emplearse la cuenta 631 Otros tributos».

Por otro lado, en la Norma 12.ª de Valoración del PGC nos comenta en su último párrafo:

> «(...) se contabilizarán como gastos y, por tanto, no reducirán la cifra de negocios, aquellos tributos que para determinar la cuota a ingresar tomen como referencia la cifra de negocios u otra magnitud relacionada, pero cuyo hecho imponible no sea la operación por la que se trasmiten los activos o se prestan los servicios».

Cuando la empresa efectúe el pago ante la administración, registrará (plazo presentación entre el 1-20 mes de mayo):

—————————————————— 1-20/5/13 ——————————————————

3.815,83	HP acreedora por conceptos fiscales (475)	
	a Bancos c/c (572)	3.815,83

• Segundo trimestre del 2013

Para el período referido (enero-junio 2013):

Cuantía a pagar 2T = tipo impositivo x base (producción enero-junio) – Pagos fraccionados 1.º T

= 7% x 237.224,87 – 3.815,83 = 12.789,91

Anotándose, en el diario por el gasto devengado correspondiente a este trimestre:

—————————————————— 30/6/13 ——————————————————

12.789,91	Otros tributos (631)	
	a HP acreedora por conceptos fiscales (475)	12.789,91

Y por su pago, entre el 1-20 de septiembre:

———————————————— 1-20/9/13 ————————————————

12.789,91	HP acreedora por conceptos fiscales (475)		
	a	Bancos c/c (572)	12.789,91

- Tercer trimestre del 2013

Para el período referido (enero-septiembre 2013):

Cuantía a pagar 3T = tipo impositivo x base (producción enero-septiembre) – Pagos fraccionados 1T y 2T

= 7% x 442.783,99 – 3.815,83 – 12.789,91 = 14.389,14

Anotándose, en el diario por el gasto devengado correspondiente a este trimestre:

———————————————— 30/9/13 ————————————————

14.389,14	Otros tributos (631)		
	a	HP acreedora por conceptos fiscales (475)	14.389,14

Y por su pago, entre el 1-20 de noviembre:

———————————————— 1-20/11/13 ————————————————

14.389,14	HP acreedora por conceptos fiscales (475)		
	a	Bancos c/c (572)	14.389,14

CASO 2

Al igual que el anterior caso, elevaremos el valor de la producción al año, para averiguar el número de pagos fraccionados a efectuar. Así:

Producción año 2012 (9 meses) = 300.200€

Cuantía que corresponde a un mes:

$$\frac{300.200}{9 \text{ meses}} \quad 33.355,56$$

La que correspondería a un año (12 meses):

33.355,56 x 12 meses = 400.266,67

Como esta cuantía (400.266,67), no supere los 500.000€, la empresa estará obligada a efectuar un único pago fraccionado: que será el correspondiente a aquél cuyo plazo de liquidación esté comprendido entre el día 1 y 20 del mes de noviembre. Así, el período impositivo será de enero a septiembre del mismo año.

Y para poder liquidar el trimestre que queda pendiente, se deberá realizar la reliquidación entre el día 1 y el 20 del mes de noviembre del siguiente año que englobara la base imponible de enero a diciembre del año anterior. Además de volver hacer el avance de enero a septiembre del año en curso.

Por tanto, la cuantía a pagar:

Tipo impositivo x base imponible (producción enero-septiembre) = 7% x 442.783,99 = 30.994,88

Registrándose por el gasto devengado:

———————————————————— 30/9/13 ————————————————————

30.994,88	Otros tributos (631)		
	a	HP acreedora por conceptos fiscales (475)	30.994,88

Y por su pago, entre el 1-20 de noviembre:

———————————————————— 1-20/11/13 ————————————————————

30.994,88	HP acreedora por conceptos fiscales (475)		
	a	Bancos c/c (572)	30.994,88

6.3.1.2. Devengo impuesto sobre valor producción energía eléctrica

BOICAC 108, diciembre 2016. Consulta 4.

Sobre el devengo contable del impuesto sobre el valor de la producción de la energía eléctrica.

Respuesta

En el artículo 7. "Período impositivo y devengo" de la Ley 15/2012, de 27 de diciembre, de medidas fiscales para la sostenibilidad energética, y en relación con el impuesto sobre el valor de la producción de la energía eléctrica, se dispone que:

"1. El período impositivo coincidirá con el año natural, salvo en el supuesto de cese del contribuyente en el ejercicio de la actividad en la instalación, en cuyo caso finalizará el día en que se entienda producido dicho cese.

2. El impuesto se devengará el último día del período impositivo."

Por su parte, el principio de devengo, contenido en el apartado 3º del Marco Conceptual de la Contabilidad, recogido en la primera parte del Plan General de Contabilidad, aprobado por Real Decreto 1514/2007, de 16 de noviembre, se enuncia como sigue:

"Los efectos de las transacciones o hechos económicos se registrarán cuando ocurran, imputándose al ejercicio al que las cuentas anuales se refieran, los gastos y los ingresos que afecten al mismo, con independencia de la fecha de su pago o de su cobro."

Además, según el artículo 21.1 de la Ley 58/2003, de 17 de diciembre, General Tributaria (LGT), el devengo de un impuesto es el momento en el que se entiende realizado el hecho imponible definido por la ley y en el que, precisamente por ello, se produce el nacimiento de la obligación tributaria principal. Por su parte, el hecho imponible se define en el artículo 20.1 como el presupuesto fijado por la ley para configurar cada tributo y cuya realización origina el nacimiento de la obligación tributaria principal.

Por otro lado, el artículo 21.2 de la LGT estipula que la ley propia de cada tributo podrá establecer la exigibilidad de la cuota o cantidad a ingresar, o de parte de la misma, en un momento distinto al del devengo del tributo.

Pues bien, desde un punto de vista contable, en el caso objeto de consulta, el suceso que da origen a la obligación es la actividad que da lugar al pago del impuesto con arreglo a lo establecido en la legislación correspondiente, es decir, la realización de actividades de producción e incorporación al sistema de energía eléctrica, circunstancia que determinaría el reconocimiento del correspondiente gasto al cierre de cada ejercicio o periodo de información contable de forma similar al criterio que se sigue para contabilizar el gasto por impuesto sobre beneficios, cuyo devengo e inscripción contable del gasto se produce al cierre del ejercicio (periodo impositivo), al margen de que la declaración del impuesto se realice en el plazo de los 25 días naturales siguientes a los 6 meses posteriores a la conclusión del periodo impositivo.

De acuerdo con lo anterior, en el caso que nos ocupa el gasto y el correspondiente pasivo se reconocerá al final del período contable (cierre del ejercicio) si existe una obligación presente derivada de un suceso pasado que sea probable que origine una salida de recursos, sin perjuicio de que para cuantificar el importe la empresa deba realizar la oportuna estimación.

Comentario

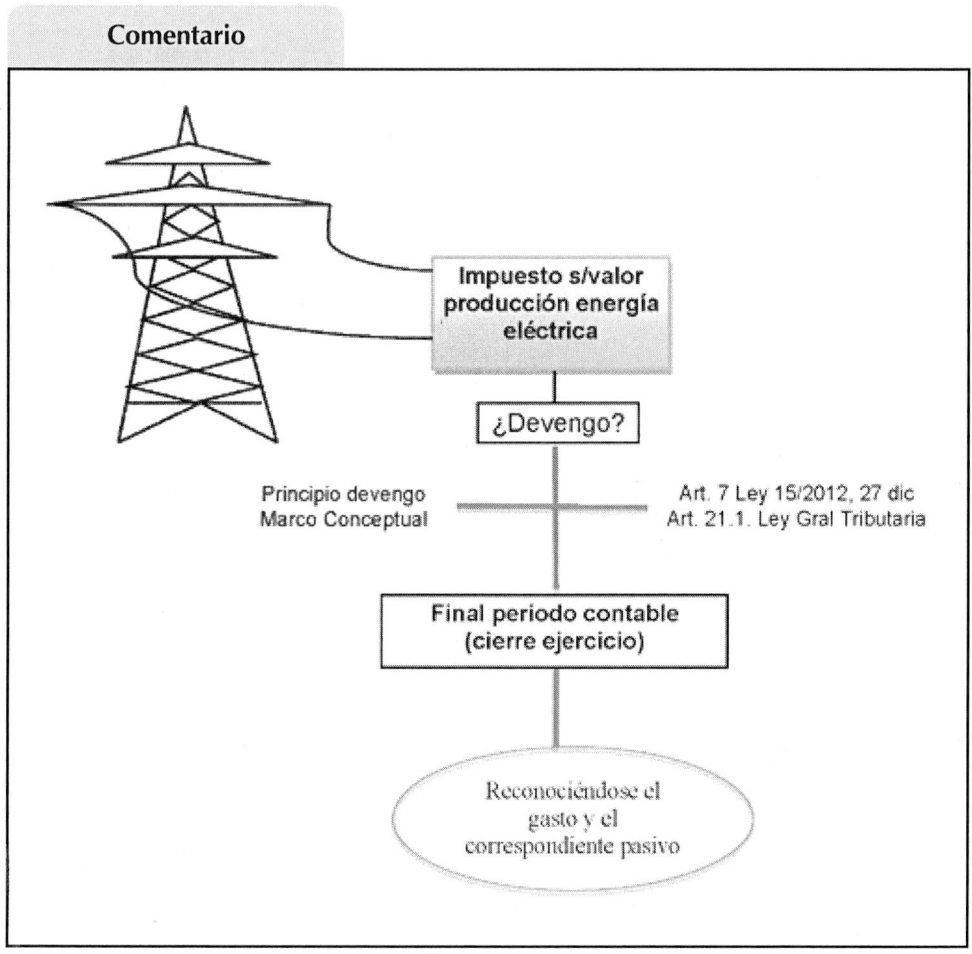

Ejemplo

La sociedad "ONS ELÉCTRICA S.L." inició su actividad el 1/4/X12, y su objeto social consiste en la realización de actividades de producción e incorporación al sistema eléctrico de energía eléctrica. Para la realización de esta actividad, posee una única instalación sita en Illas ONS: la cual, se encuentra inscrita en el régimen ordinario de producción eléctrica. La potencia instalada es de 12.000 Kw.

El valor de la producción neta (medida en barras de central) incorporada al sistema eléctrico ascendió en el año X12, a 10.240,20 megawatios-hora; los cuales fueron vendidos a 43,50 € megawatio-hora: ascendiendo la facturación neta de dicho ejercicio a 445.448,70 €

Para el ejercicio X13, se conocen los siguientes datos (producción):

Trimestre	Megawatios-hora producidos e incorporados al sistema eléctrico	Precio venta megawatio-hora (euros)	Producción neta en euros	Producción acumulada
Primero	3.000,10	18,17	54.511,82	54.511,82
Segundo	4.200,30	43,50	182.713,05	237.224,87
Tercero	4.300,40	47,80	205.559,12	442.783,99
Cuarto	5.200,20	48,10	250.129,62	692.913,61

La empresa quiere determinar el impuesto que deberá pagar sobre el valor de la producción de la energía eléctrica regulado en la Ley 15/2012, de 27 de diciembre

El calendario de pagos fraccionados, a tener en cuenta, es el que se indica a continuación:

Código Periodo	Plazo presentación	Mes presentación	Periodo
1T	1 a 20	Mayo	Enero-Marzo
2T	1 a 20	Septiembre	Enero-Junio
3T	1 a 20	Noviembre	Enero-Septiembre
4T	1 a 20	Febrero	Enero-Diciembre

Y sabiendo que el tipo impositivo es del 7%.

SE PIDE:

1.- Registro de operaciones a realizar en el año X13 hasta el cierre del ejercicio (31/12/X13). Indicar el tratamiento contable del impuesto.

2.- En el supuesto de que la producción neta del año X12, fuese 300.200 €, registros a efectuar hasta el cierre del ejercicio X13.

SOLUCIÓN:

CASO 1

La ley 15/2012, de 27 de diciembre, nos comenta que constituye hecho imponible: la producción e incorporación al sistema eléctrico de energía eléctrica; y su base imponible será el importe total a percibir por el contribuyente.

De cara al seguimiento contable de este impuesto en las cuentas de la empresa, nos iremos guiando por la referida normativa. En principio determinaremos el número de pagos fraccionados a realizar en el ejercicio X13.

Así y de acuerdo con la mencionada legislación, en aquellos supuestos que el contribuyente hubiera desarrollado su actividad por un periodo inferior al año natural durante el ejercicio anterior, para poder determinar si se deben efectuar cuatro pagos fraccionados o bien únicamente sólo uno: se deberá elevar el valor de la producción al año. En nuestro caso:

Producción año X12 (9 meses) = 445.448,70 €

Lo elevaremos al año:

$$\text{Cuantía que corresponde a un mes:} \quad \frac{445.448,70}{9 \text{ meses}} = 49.494,3$$

La que correspondería a un año (12 meses = 49.494,3 x 12 meses = 593.931,6

En el caso de que esta cuantía (593.931,6), supere los 500.000 € (como ocurre en nuestro caso), realizaremos los cuatro pagos fraccionados. De esta forma (y según el calendario expuesto en el enunciado) realizaremos entre los días 1 y 20 de los meses mayo, septiembre, noviembre y febrero del año siguiente, los pagos fraccionados correspondientes a los periodos de los tres, seis, nueve o doce meses de cada año natural.

• Primer trimestre del X13

El objeto del impuesto, comentábamos, es gravar la realización de actividades de producción e incorporación al sistema eléctrico de energía eléctrica, a través de cada una de las instalaciones inscritas en el régimen ordinario y en el régimen especial de producción eléctrica.

La base imponible es el importe a percibir por el contribuyente, y el tipo impositivo el 7% (art. 8 Ley). La cuantía a pagar será la cuota que salga de aplicar el tipo a la base, deducidos los pagos fraccionados de los periodos anteriores.

Por tanto, y para el periodo referido (enero-marzo X13):

Cuantía a pagar 1T = tipo impositivo x base (producción enero-marzo) = 7% x 54.511,82 = 3.815,83

Anotándose, en el diario:

―――――――――――――――――― 31/3/X13 ――――――――――――――――――

3.815,83	Otros tributos (631)	a	H.P. acreedora por conceptos fiscales (475)	3.815,83

En base a la Consulta 1, Boicac 94 (junio, 2013): *"(...) el impuesto sobre el valor de la producción de energía eléctrica no reducirá la cifra de negocios, debiendo registrarse como un gasto en la cuenta de pérdidas y ganancias; a tal efecto podrá emplearse la cuenta 631 Otros tributos"*

Por otro lado, en la Norma 12ª de Valoración del PGC nos comenta en su último párrafo: *"(...) se contabilizarán como gastos y, por tanto, no reducirán la cifra de negocios, aquellos tributos que para determinar la cuota a ingresar tomen como referencia la cifra de negocios u otra magnitud relacionada, pero cuyo hecho imponible no sea la operación por la que se trasmiten los activos o se prestan los servicios"*.

Cuando la empresa efectúe el pago ante la administración, registrará (plazo presentación entre el 1-20 mes de mayo):

―――――――――――――――――― 1-20/5/X13 ――――――――――――――――――

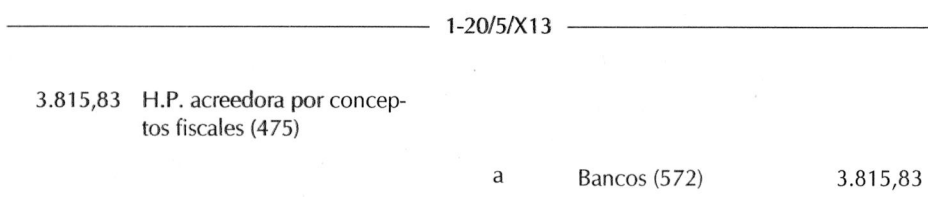

3.815,83	H.P. acreedora por conceptos fiscales (475)			
		a	Bancos (572)	3.815,83

• Segundo trimestre del X13

Para el periodo referido (enero-junio X13):

Cuantía a pagar 2T = tipo impositivo x base (producción enero-junio) – Pagos fraccionados 1º T

= 7% x 237.224,87 – 3.815,83 = 12.789,91

Anotándose, en el diario por el gasto devengado correspondiente a este trimestre:

——————————————————— 30/6/X13 ———————————————————

12.789,19   Otros tributos (631)

a   H.P. acreedora por con-
           ceptos fiscales (475)   12.798,19

Y por su pago, entre el 1-20 de septiembre:

——————————————————— 1/20/9/X13 ———————————————————

12.789,91   H.P. acreedora por con-
            ceptos fiscales (475)

a   Bancos c/c (572)   12.789,91

• Tercer trimestre del X13

Para el periodo referido (enero-septiembre X13):

Cuantía a pagar 3T = tipo impositivo x base (producción enero-septiembre) –
Pagos fraccionados 1T y 2T

= 7% x 442.783,99 – 3.815,83 – 12.789,91 = 14.389,14

Anotándose, en el diario por el gasto devengado correspondiente a este trimestre:

——————————————————— 30/9/X13 ———————————————————

14.389,14   Otros tributos (631)

a   H.P. acreedora por concep-
           tos fiscales (475)   14.389,14

Y por su pago, entre el 1-20 de noviembre:

———————————————————— 1-20/11/X13 ————————————————————

14.389,14	H.P. acreedora por conceptos fiscales (475)	
	a Bancos c/c (572)	14.389,14

• Cierre del ejercicio X13.

Por el impuesto devengado:

Cuantía a pagar 4T = tipo impositivo x base (producción enero-diciembre) – Pagos fraccionados 1T , 2T, y 3T

   = 7% x 692.913,61 – 3.815,83 – 12.789,91-14.389,14 = 17.509,07

———————————————————— 31/12/X13 ————————————————————

17.509,07	Otros tributos (631)	
	a H.P. acreedora por conceptos fiscales (475)	17.509,07

En el artículo 7. "Período impositivo y devengo" de la Ley 15/2012, de 27 de diciembre, de medidas fiscales para la sostenibilidad energética, y en relación con el impuesto sobre el valor de la producción de la energía eléctrica, se dispone que:

> *"1. El período impositivo coincidirá con el año natural, salvo en el supuesto de cese del contribuyente en el ejercicio de la actividad en la instalación, en cuyo caso finalizará el día en que se entienda producido dicho cese.*

> *2. El impuesto se devengará el último día del período impositivo."*

Desde un punto de vista contable, el suceso que da origen a la obligación es la actividad que da lugar al pago del impuesto con arreglo a lo establecido en la legislación correspondiente, es decir, la realización de actividades de producción e incorporación al sistema de energía eléctrica, circunstancia que determinaría el reconocimiento del correspondiente gasto al cierre de cada ejercicio o periodo de información contable. [Consulta nº4. BOICAC 108]

CASO 2

Al igual que el anterior caso, elevaremos el valor de la producción al año, para averiguar el número de pagos fraccionados a efectuar. Así:

Producción año X12 (9 meses) = 300.200 €

Cuantía que corresponde a un mes:

$$\frac{300.200}{9 \text{ meses}} = 33.355,56$$

La que correspondería a un año (12 meses):

33.355,56 x 12 meses = 400.266,67

Como esta cuantía (400.266,67), no supere los 500.000 €, la empresa estará obligada a efectuar un único pago fraccionado: que será el correspondiente a aquél cuyo plazo de liquidación esté comprendido entre el día 1 y 20 del mes de noviembre. Así, el periodo impositivo será de enero a septiembre del mismo año.

Y para poder liquidar el trimestre que queda pendiente, se deberá realizar la reliquidación entre el día 1 y el 20 del mes de noviembre del siguiente año que englobara la base imponible de enero a diciembre del año anterior. Además de volver hacer el avance de enero a septiembre del año en curso.

Por tanto, la cuantía a pagar:

Tipo impositivo x base imponible (producción enero-septiembre) = 7% x 442.783,99 = 30.994,88

Registrándose por el gasto devengado:

―――――――――――――――――――― 30/9/X13 ――――――――――――――――――――

30.994,88	Otros tributos (631)	
	a H.P. acreedora por conceptos fiscales (475)	30.994,88

Y por su pago, entre el 1-20 de noviembre:

——————————————————— 1-20/11X13 ———————————————————

30.994,88 H.P. acreedora por conceptos fiscales (475)

                        a   Bancos c/c (572)   30.994,88

Por el registro del gasto del último trimestre:

692.913,61x7%-30.994,88 = 17.509,017

——————————————————— 31/12/X13 ———————————————————

17.509,07 Otros tributos (631)

                        a   H.P. acreedora por concep-
                              tos fiscales (475)   17.509,07

El gasto y el correspondiente pasivo, se reconocerá al final del período contable (cierre del ejercicio) si existe una obligación presente derivada de un suceso pasado que sea probable que origine una salida de recursos, sin perjuicio de que para cuantificar el importe la empresa deba realizar la oportuna estimación. [Consulta nº4. BOICAC 108]

6.3.2.   Impuesto sobre gases fluorados de efecto invernadero

6.3.2.1.   *Impuesto sobre gases fluorados de efecto invernadero*

BOICAC 98, junio 2014. Consulta 2.

Sobre la contabilización del Impuesto sobre Gases Fluorados de Efecto Invernadero regulado en la Ley 16/2013, de 29 de octubre, por la que se establecen determinadas medidas en materia de fiscalidad medioambiental y se adoptan otras medidas tributarias y financieras.

Respuesta

La consulta versa sobre cómo se debe contabilizar dicho impuesto, en particular, si se debe registrar un pasivo empleando una cuenta del subgrupo 47. «Administraciones Públicas», o por el contrario se debe registrar un mayor ingreso con una cuenta del subgrupo 70 para evitar discrepancias entre las cifras de ventas y las bases imponibles del Impuesto sobre el Valor Añadido (IVA), ya que sobre el impuesto consultado se debe repercutir este último impuesto.

La Ley 16/2013, en su art. 5.Uno, establece que el Impuesto sobre los Gases Fluorados de Efecto Invernadero es un tributo de naturaleza indirecta que recae sobre el consumo de aquellos productos comprendidos en su ámbito objetivo y que grava, en fase única, el mencionado consumo atendiendo al potencial de calentamiento atmosférico.

En el art. 5.Nueve.1, la Ley 16/2013 dispone que son contribuyentes del Impuesto los fabricantes, importadores, o adquirentes intracomunitarios de gases fluorados de efecto invernadero y los empresarios revendedores que realicen las ventas o entregas o las operaciones de autoconsumo sujetas al Impuesto.

Además, según el art. 5.Trece de la Ley 16/2013, los contribuyentes deberán repercutir el importe de las cuotas devengadas sobre los adquirentes de los productos objeto del Impuesto, quedando estos obligados a soportarlas, debiendo efectuarse la repercusión de las cuotas devengadas en la factura separadamente del resto de conceptos comprendidos en ella.

Desde un punto de vista estrictamente contable, de acuerdo con la norma de registro y valoración 12.ª. «Impuesto sobre el Valor Añadido (IVA), Impuesto General Indirecto Canario (IGIC) y otros Impuestos indirectos», del Plan General de Contabilidad (PGC), aprobado por el Real Decreto 1514/2007, de 16 de noviembre:

a) El IVA repercutido no formará parte del ingreso derivado de las operaciones gravadas por dicho impuesto o del importe neto obtenido en la enajenación o disposición por otra vía en el caso de baja en cuentas de activos no corrientes, y

b) Las reglas sobre el IVA repercutido serán aplicables, en su caso, a cualquier otro impuesto indirecto que grave las operaciones realizadas por la empresa y que sea recibido por cuenta de la Hacienda Pública. Sin embargo, se contabilizarán como gastos y por tanto no reducirán la cifra de negocios, aquellos tributos que para determinar la cuota a ingresar tomen como referencia la cifra de negocios u otra magnitud relacionada, pero cuyo hecho imponible no sea la operación por la que se transmiten los activos o se prestan los servicios.

Por lo tanto, a la vista de esta regulación, al ser el Impuesto sobre los Gases Fluorados de Efecto Invernadero un tributo que grava el consumo del citado producto y que debe repercutirse por el sujeto pasivo, dicho impuesto no formará parte de los ingresos de la empresa.

Para reflejar el pasivo que origine al contribuyente el impuesto sobre el que se consulta se podrá utilizar una subdivisión de la cuenta 475. «Hacienda Pública, acreedora por conceptos fiscales», no siendo apropiado utilizar la subcuenta 4750. «Hacienda Pública, acreedora por IVA», ya que el pasivo con la Hacienda Pública no se origina por causa del IVA, siendo irrelevante a estos efectos que el Impuesto sobre los Gases Fluorados de Efecto Invernadero pueda formar parte de la base imponible del IVA.

Sin perjuicio de lo indicado, se recuerda que en el art. 2 del Real Decreto 1514/2007 se establece que el PGC no tendrá carácter vinculante para los aspectos relativos a la numeración y denominación de cuentas incluidos en su Cuarta Parte y para los movimientos contables incluidos en la Quinta Parte de dicho PGC, excepto aquellos aspectos que contengan criterios de registro o valoración.

Comentario

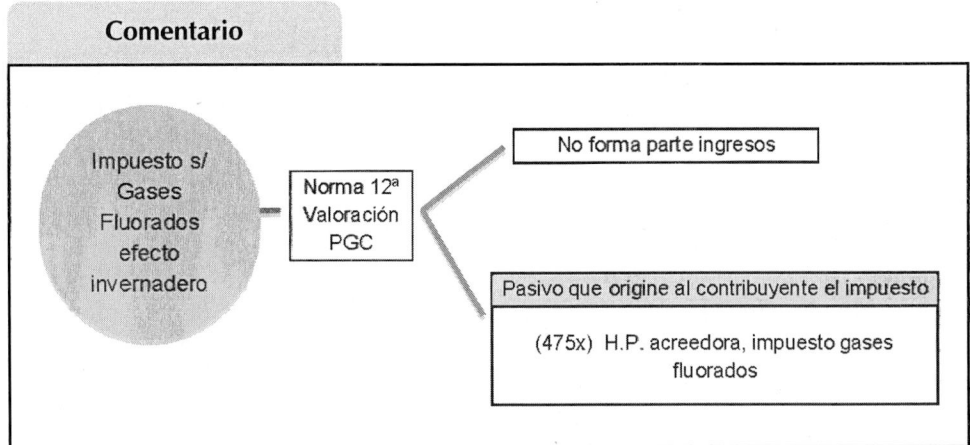

Ejemplo

La sociedad **FRIO INDUSTRIAL VIGUES S.L.**, cuyo objeto social consiste en la instalación y mantenimiento de aire acondicionado para lo cual se encuentra inscrita en el Registro territorial correspondiente estando en posesión de la tarjeta acreditativa (CAF).

Durante el segundo cuatrimestre del años X14 ha realizado una adquisición de 50Kg de gases fluorados a un precio de 9,80€/kg, soportando el pago del impuesto sobre gases fluorados de efecto invernadero a razón de 26€/kg.

Posteriormente ha procedido a realizar el mantenimiento anual de las instalaciones de frio en la gran superficie AROUSA, realizando el pertinente mantenimiento por lo cual factura los 1.000€ anuales. La operación citada ha supuesto la recarga de los equipos de aire acondicionado y extintores con gas 134A, facturando por este concepto 2.000€ además de las tarifas vigentes del impuesto de gases fluorados por un importe de 26€ por /kg la recarga total de los equipos han supuesto 100 kg de recarga.

También se sabe que en el período considerado y como consecuencia de la entrega realizada a la firma habilitada SOGUIMA de gases fluorados para su destrucción, reciclado o regeneración ha obtenido una deducción de 620€.

SE PIDE:

1.- Registro de las operaciones relatadas en la sociedad FRIO INDUSTRIAL VIGUES, así como la autoliquidación del impuesto sobre gases fluorados de efecto invernadero realizada y pago efectuado por domiciliación el 15 de septiembre del X14.

2.- Registro de la operación de mantenimiento y recarga en la sociedad AROUSA.

SOLUCIÓN:

1.-Operaciones en la sociedad FRIO INDUSTRIAL VIGUES

– Por la adquisición de gases fluorados:

—————————————————— X ——————————————————

490	Compras de mercaderías (600)		
	[50Kg x 9,80€]		
1.300	H.P gases fluorados soportado (472.1)[*]		
	[50kg x 26€]		
375,90	HP IVA soportado (472)		
	[(1300 + 490) x 21%]		
		a Bancos c/c (572)	2.165,90

[*] En el art. 5.Nueve.1, la Ley 16/2013 dispone que son contribuyentes del Impuesto los fabricantes, importadores, o adquirentes intracomunitarios de gases fluorados de efecto invernadero y los empresarios revendedores que realicen las ventas o entregas o las operaciones de autoconsumo sujetas al Impuesto.

¿Quién está sujeto al pago?

Recae sobre aquellos que compran estos gases en fase única, es decir, serán los fabricantes, importadores, o adquirentes intracomunitarios de gases fluorados de efecto invernadero y los empresarios revendedores que realicen las ventas o entregas o las operaciones de autoconsumo sujetas al impuesto.

En nuestro caso, la sociedad soportará el impuesto cuando compre el gas destinado a la carga y después lo repercutirá al cliente en la factura.

– Por el mantenimiento y las recargas de gases fluorados realizada:

——————————————————— X ———————————————————

6.776   Bancos (572)

	a Prestación de servicios (705)	
	[por el mantenimiento de los equipos]	1.000
	Ventas de mercaderías (700)	
	[por la recarga de gases efectuada]	2.000
	HP gases fluorados repercutido (477.1)	
	[26€ x 100kg](*)	2.600
	HP IVA repercutido (477)	
	[(1.000 + 2.000 + 2.600) x 21%]	1.176

Cálculo de la base imponible a efectos del IVA:

Concepto	Importe
Prestación de servicio (mantenimiento)	1.000
Venta de mercaderías (por la recarga de gases efectuada)	2.000
Por el impuesto repercutido de gases fluorados de efecto invernadero (100kg x 26€)	2.600
BASE IMPONIBLE	5.600
IVA repercutido al 21%	1.176

(*) Según el art. 5.Trece de la Ley 16/2013, los contribuyentes deberán repercutir el importe de las cuotas devengadas sobre los adquirentes de los productos objeto del Impuesto, quedando estos obligados a soportarlas, debiendo efectuarse la repercusión de las cuotas devengadas en la factura separadamente del resto de conceptos comprendidos en ella.

Al ser el Impuesto sobre los Gases Fluorados de Efecto Invernadero un tributo que grava el consumo del citado producto y que debe repercutirse por el sujeto pasivo, dicho impuesto no formará parte de los ingresos de la empresa.

El importe del impuesto tendrá que reflejarse en la factura de forma separada del resto de los conceptos formando parte de la base imponible del IVA. [Consulta n.º 2. BOICAC 98]

– Por el registro de la deducción concedida:

620	HP deudor por gases fluorados (475.1)	
	a Ingresos por servicio diversos (759)	620

La entrega posterior del gas para su destrucción, reciclado o regeneración, permitirá deducciones del impuesto pagado.

– Por la liquidación cuatrimestral del impuesto sobre gases fluorados:

2.600	HP gases fluorados repercutido (477.1)	
	a HP deudor por gases fluorados (475.1)	620
	HP gases fluorados soportado (472.1)	1.300
	HP acreedor por gases fluorados (475.1)	680

Autoliquidaciones correspondientes al segundo cuatrimestre: entre los días 1 y 20 del mes de septiembre inmediatamente posterior. Del 1 al 15, cuando se domicilie el pago.

– Por el pago del impuesto:

——————————————————— X ———————————————————

680	HP acreedor por gases fluorados (475.1)	
	a Bancos (572)	680

2.- Registro de la operación de mantenimiento y recarga en la sociedad AROUSA

——————————————————— X ———————————————————

5.600	Reparaciones y conservación (622)[*] [1.000 + 2.000 + 2.600]	
1.176	HP IVA soportado (472) [5.600 x 21%]	
	a Bancos c/c (572)	6.776

[*]. Al ser la sociedad AUROSA el consumidor final de los gases fluorados de efecto invernadero, el impuesto soportado sobre los mismos al no ser deducible formará parte del precio de adquisición de los activos corrientes y no corrientes, así como de los servicios, que sean objeto de las operaciones gravadas por el impuesto. [NRV 12.ª PGC 2007]

6.3.3. Impuesto sobre las ventas minoristas de Hidrocarburos (I.V.M.H.)

6.3.3.1. Devolución cantidades IVMDH, por sentencia Tribunal Justicia UE 27/2/14

BOICAC 98, junio 2014. Consulta 7.

Sobre el tratamiento contable de los créditos fiscales que pueden surgir con ocasión de la sentencia del Tribunal de Justicia de la Unión Europea de 27 de febrero de 2014, por la que se declara la ilegalidad del impuesto sobre ventas Minoristas de Determinados Hidrocarburos.

Respuesta

El impuesto sobre las Ventas Minoristas de Determinados Hidrocarburos (IVMDH) fue un impuesto vigente en nuestro ordenamiento jurídico entre el 1 de enero de 2002 y el 31 de diciembre de 2012, que grava, en fase única, las ventas minoristas de determinados hidrocarburos, regulado por la Ley 24/2001, de 27 de diciembre, de medidas fiscales administrativas y de orden social (art. 9).

La sentencia del Tribunal de Justicia de la Unión Europea, de 27 de febrero de 2014, ha venido a declarar contraria al Derecho europeo la normativa reguladora del IVMDH procediendo, en consecuencia, la solicitud de devolución de las cantidades satisfechas por dicho impuesto.

La consulta versa sobre este derecho de devolución y, en particular, acerca del momento en que procede registrar los posibles créditos fiscales y la contrapartida que debe emplearse.

De acuerdo con el apartado 5.º del Marco Conceptual de la Contabilidad incluido en la primera parte del Plan General de Contabilidad, aprobado por el Real Decreto 1514/2007, de 16 de noviembre: «El registro de los elementos procederá cuando, cumpliéndose la definición de los mismos incluida en el apartado anterior, se cumplan los criterios de probabilidad en la obtención o cesión de recursos que incorporen beneficios o rendimientos económicos y su valor pueda determinarse con fiabilidad». Por otro lado el PGC define los activos como «bienes, derechos y otros recursos controlados económicamente por la empresa, resultantes de sucesos pasados, de los que se espera que la empresa obtenga beneficios o rendimiento s económicos en el futuro».

Con la sentencia del Tribunal de Justicia de la Unión Europea nace una expectativa de derecho en la medida que se reconoce la posibilidad de recuperar las cantidades satisfechas por dicho impuesto, realizadas en un momento anterior conforme a la ley y que a raíz de la citada sentencia se han calificado como indebidas. Para hacer efectivo el mencionado derecho de cobro es necesario iniciar un proceso destinado al reconocimiento por parte de la Administración de la cantidad efectivamente adeudada.

Sin ánimo de profundizar en los mencionados procesos, parece que las vías que se han abierto para el reconocimiento de las cantidades a devolver son un procedimiento de devolución de ingresos indebidos frente a la Administración tributaria, a través de la oficina gestora correspondiente, y un procedimiento de exigencia de responsabilidad patrimonial del Estado.

Pues bien, en ambos casos el procedimiento tiene una serie de requerimientos en cuanto a plazos de interposición, documentación justificativa, órganos competentes para la resolución y plazos de prescripción. Teniendo todo esto en cuenta, la declaración de norma contraria al Derecho comunitario de la normativa reguladora del impuesto da lugar a un activo contingente cuyo reconocimiento en el balance está condicionado por la resolución de un evento futuro, esto es, el correspondiente acto administrativo de la Administración tributaria en el que se recoja el pronunciamiento sobre la citada devolución o, en su caso, de los recursos posteriores. Por ello, se considera que el reconocimiento del activo por la devolución de impuestos solo se producirá cuando la Administración tributaria reconozca la citada deuda una vez que la empresa haya hecho valer, en tiempo y forma, su expectativa de derecho.

De acuerdo con lo anterior, a los efectos de su adecuado tratamiento contable, conviene traer a colación por analogía el criterio publicado por este Instituto en la consulta 4 del BOICAC n.º 64. De conformidad con esta consulta, el activo por devolución de impuestos se realizará con abono a una cuenta de ingresos del ejercicio, en concreto en la cuenta 778. «Ingresos excepcionales» ya que, si bien, el ingreso referido tiene naturaleza tributaria, se trata de un ingreso de cuantía significativa y carácter excepcional que no debe considerarse periódico al evaluar los resultados de la empresa.

Esto es, en el caso que nos ocupa no se puede hablar de error contable o cambio de criterio en la medida que los pagos fueron realizados en cumplimiento de nuestro ordenamiento jurídico interno, pagos que ahora, en virtud del pronunciamiento del Alto Tribunal comunitario, resultan indebidos.

Comentario

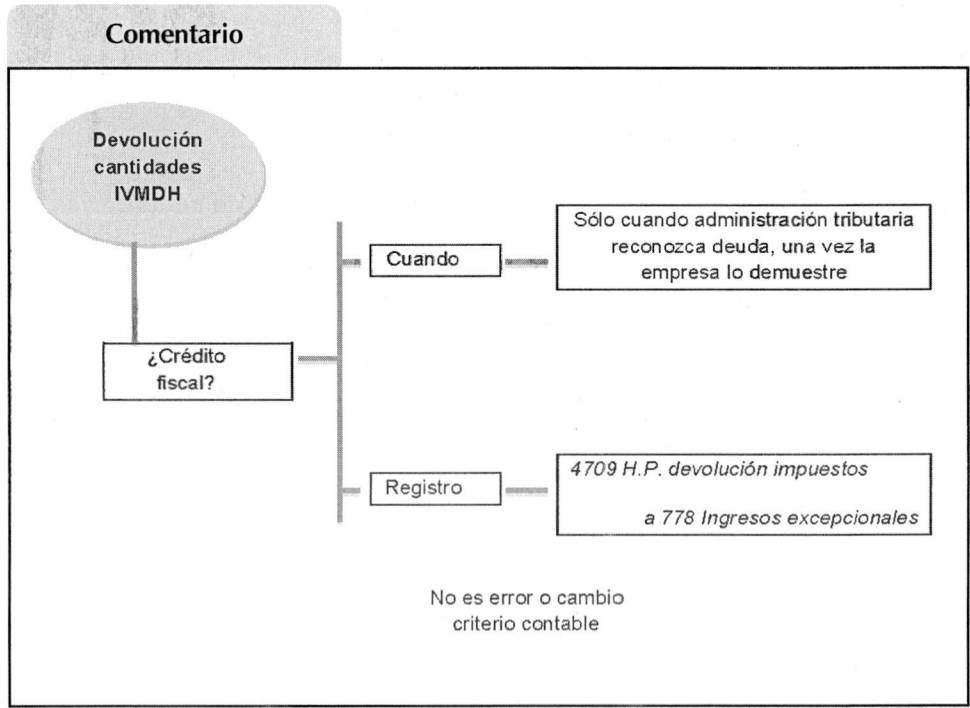

962

Ejemplo

La empresa de transportes de viajeros por carretera VIUDA DE DOMINGUEZ S.L. es conocedora de sentencia del Tribunal de Justicia de la Unión Europea de 27 de febrero de 2014, por la que se declara la ilegalidad del impuesto sobre ventas Minoristas de Determinados Hidrocarburos.

Considerando que le afecta el tema en cuestión, inicia los trámites oportunos para solicitar la devolución de las cantidades satisfechas por dicho impuesto. Al ser la sociedad cliente profesional de CEPSA, solicita a la misma el certificado a presentar en la Agencia Tributaria. Una vez recibido, y reunidas las pertinentes facturas de suministros realizados en años 2010, 2011 y 2012 (periodos no prescritos); en las cuales está desglosado el importe concreto del impuesto, ascendiendo el importe pagado a 15.360€. resultado de aplicar a la cantidad de 640.000 litros repostados a un importe de 0,024€/litro.

Con la documentación pertinente y una vez suscrito el modelo normalizado de solicitud, procede a la presentación de la declaración de ingresos indebidos en su Oficina Gestora correspondiente.

A finales del año 2014, la Administración tributaria, no ha comunicado el correspondiente acto administrativo en el que se recoja el pronunciamiento sobre la citada devolución o, en su caso, de los recursos posteriores.

A mediados del años 2.015, la Administración tributaria, comunica el correspondiente acto administrativo en el que se recoge el derecho a la devolución del impuesto pagado por el importe presentado por la empresa, satisfaciendo además intereses de demora por importe de 520€.

SE PIDE:

Registro de las operaciones relatadas hasta la conclusión del recurso.

SOLUCIÓN:

AÑO 2014

En el año 2014 no procede registro alguno, únicamente en la Memoria de las cuentas anuales, proporcionaremos información del activo contingente en relación con el impuesto indebido pagado, todo ello como consecuencia de la expectativa de derecho en la que se reconoce la posibilidad de recuperar las cantidades satisfechas por dicho impuesto, realizadas en un momento anterior conforme a la ley y que a raíz de la citada sentencia se han calificado como indebidas.

Para hacer efectivo el mencionado derecho de cobro es necesario iniciar un proceso destinado al reconocimiento por parte de la Administración de la cantidad efectivamente pagada. El procedimiento tiene una serie de requerimientos en cuanto a plazos de interposición, documentación justificativa, órganos competentes para la resolución y plazos de prescripción.

Teniendo todo esto en cuenta, la declaración de norma contraria al Derecho comunitario de la normativa reguladora del impuesto da lugar a un activo contingente cuyo reconocimiento en el balance está condicionado por la resolución de un evento futuro, esto es, el correspondiente acto administrativo de la Administración tributaria en el que se recoja el pronunciamiento sobre la citada devolución o, en su caso, de los recursos posteriores. Por ello, se considera que el reconocimiento del activo por la devolución de impuestos solo se producirá cuando la Administración tributaria reconozca la citada deuda una vez que la empresa haya hecho valer, en tiempo y forma, su expectativa de derecho. [Consulta n.º 7. BOICAC 98]

En consecuencia con lo anterior no procede el reconocimiento del crédito fiscal.

AÑO 2015

La administración dicta el auto correspondiente, por lo que anotaremos:

15.880	HP deudor por devolución de impuestos (4709)		
	a	Ingresos excepcionales (778)	15.360
		Otros ingresos financieros (769)	520

En este momento, procede el reconocimiento del activo por devolución de impuestos al haber sido comunicado el correspondiente acto administrativo.

El reconocimiento se realizará con abono a una cuenta de ingresos del ejercicio, en concreto en la cuenta 778. «Ingresos excepcionales» ya que, si bien, el ingreso referido tiene naturaleza tributaria, se trata de un ingreso de cuantía significativa y carácter excepcional que no debe considerarse periódico al evaluar los resultados de la empresa. [Consulta n.º 7. BOICAC 98]

7. DEUDORES Y ACREEDORES VARIOS

7. DEUDORES Y ACREEDORES VARIOS

Sumario

7.1. PERSONAL DE LA EMPRESA

7.1.1.   Retribución trabajadores

7.1.1.1.   Retenciones mal practicadas trabajadores

BOICAC 98, junio 2014. Consulta 6.

Sobre el tratamiento contable de ciertas cantidades reclamadas a la empresa por la Hacienda Pública, en concepto de retenciones mal practicadas en las nóminas de ejercicios anteriores.

Respuesta

De acuerdo con la norma de registro y valoración (NRV) 22.ª «Cambios en criterios contables, errores y estimaciones contables», del Plan General de Contabilidad, aprobado por el Real Decreto 1514/2007, de 16 de noviembre, se entiende por errores las omisiones o inexactitudes en las cuentas anuales de ejercicios anteriores por no haber utilizado, o no haberlo hecho adecuadamente, información fiable que estaba disponible cuando se formularon y que la empresa podría haber obtenido y tenido en cuenta en la formulación de dichas cuentas.

En la NRV 22.ª se aclara que en la subsanación de errores relativos a ejercicios anteriores se aplicarán las mismas reglas que para los cambios de criterios contables.

A tal efecto, la NRV 22.ª establece que:

> *«Cuando se produzca un cambio de criterio contable, que sólo procederá de acuerdo con lo establecido en el principio de uniformidad, se aplicará de forma retroactiva y su efecto se calculará desde el ejercicio más antiguo para el que se disponga de información.*

> *El ingreso o gasto correspondiente a ejercicios anteriores que se derive de dicha aplicación motivará, en el ejercicio en que se produce el cambio de criterio, el correspondiente ajuste por el efecto acumulado de las variaciones de los activos y pasivos, el cual se imputará directamente en el patrimonio neto, en concreto, en una partida de reservas salvo que afectara a un gasto o un ingreso que se imputó en los ejercicios previos directamente en otra partida del patrimonio neto. Asimismo se modificarán las cifras afectadas en la información comparativa de los ejercicios a los que le afecte el cambio de criterio contable.*

> *(...) Siempre que se produzcan cambios de criterio contable o subsanación de errores relativos a ejercicios anteriores se deberá incorporar la correspondiente información en la memoria de las cuentas anuales».*

De acuerdo con lo indicado, en la medida que la deuda frente a la Hacienda Pública origine el nacimiento de un derecho de cobro frente a los trabajadores, la empresa contabilizará un activo y un pasivo sin que los hechos descritos, por lo tanto, afecten al patrimonio de la entidad sin perjuicio del resultado que posteriormente pueda derivarse de la obligación de estimar el posible deterioro del derecho de cobro frente a los trabajadores.

Comentario

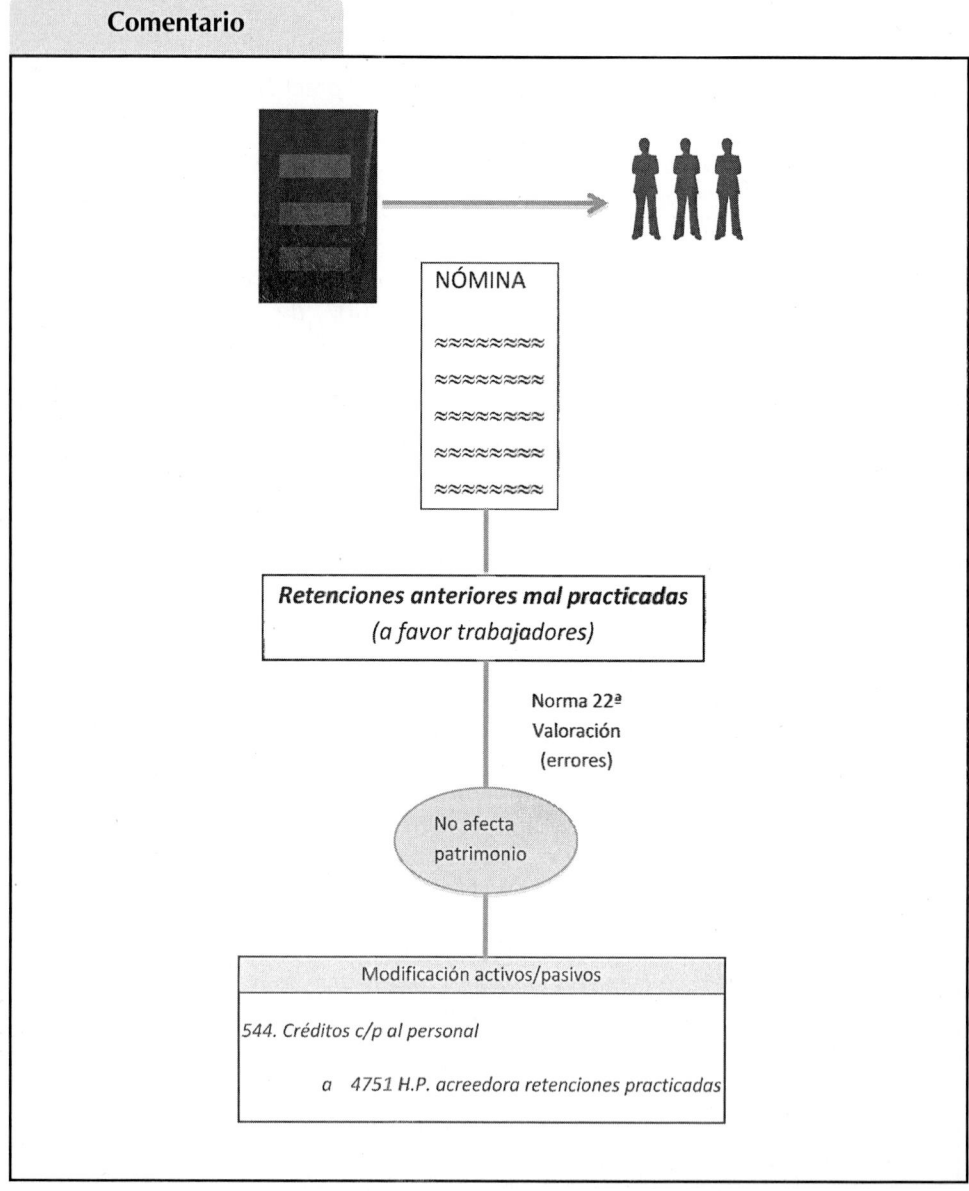

NÓMINA

Retenciones anteriores mal practicadas
(a favor trabajadores)

Norma 22ª
Valoración
(errores)

No afecta
patrimonio

Modificación activos/pasivos

544. Créditos c/p al personal

　　　a   4751 H.P. acreedora retenciones practicadas

Ejemplo

La sociedad TRASLADOS VARIOS S.L., presenta la siguiente información en relación con las retribuciones de sus trabajadores:

I.- DEVENGOS

1. Percepciones salariales (sujetas a cotización)

Salario Base:...	60.000€
Complementos Salariales:...................................	30.000€

2. Percepciones no salariales (excluidas de cotización)

Indemnizaciones o suplidos (Indemnización por traslado):...............	50.000€
Prestaciones a cargo de la SS (Baja por enfermedad)...................	20.000€
A. TOTAL DEVENGADO.......................................	**160.000€**

II.- DEDUCCIONES

1. Aportación del trabajador a las cotizaciones de la Seguridad Social y conceptos de recaudación conjunta..	7.000€
2. Impuesto sobre la renta de las personas físicas......................	17.700€
3. Anticipos...	12.000€
4. Valor de los productos recibidos en especie........................	3.000€
5. Retención voluntaria sindicato.................................	300€
B. TOTAL A DEDUCIR...	**40.000€**
LÍQUIDO TOTAL A PERCIBIR (A – B)...............................	**120.000€**

La cuota patronal a la Seguridad Social correspondiente, asciende a 30.000€

La liquidación con los Organismos de la Seguridad Social, se realizará al final del mes siguiente.

En el ejercicio siguiente la Hacienda Pública, le reclama en concepto de retenciones mal practicadas en la nómina del ejercicio anterior la cantidad de 2.100€ ya que el importe de las mismas es de 19.800€. Dicha cuantía es aceptada por la empresa al comprobarse que se incurrió en un error en el cálculo de las retenciones de los trabajadores.

SE PIDE:

Registro de la contabilización realizada por la empresa y los ajustes que procedan en el ejercicio siguiente por la notificación recibida de la Hacienda Pública.

SOLUCIÓN:

– La empresa realizará la siguiente anotación en su libro diario, en relación con las nóminas:

X

90.000	Sueldos y Salarios (640)[1]			
50.000	Indemnizaciones (641)[2]			
20.000	Organismos de la Seguridad Social, deudores (471)[3]			
30.000	Seguridad Social a cargo de la empresa (642)[4]			
		a	Organismos de la Seguridad Social Acreedores (476)[5]	37.000
			HP acreedor por retenciones practicadas (4751)	17.700
			Anticipos de remuneraciones (460)	12.000
			Ingresos por servicios al personal (755)	3.000
			Acreedores cuotas sindicales (41x)	300
			Bancos c/c (572)[6]	120.000

[1] Cuantificaremos los Sueldos y Salarios, por aquellas remuneraciones fijas y eventuales entregadas al personal de la empresa (Definición Cuenta 640. «Sueldos y Salarios», 5.ª Parte PGC). En nuestro caso, integraremos el sueldo base y los complementos salariales.

[2] Se incluyen aquellas cantidades que se entregan al personal de la empresa para resarcirle de un daño o perjuicio (Definición Cuenta 641. «Indemnizaciones», 5.ª Parte PGC).

[3] Resultado de aplicar Consulta n.º 1. BOICAC 54, en la cual se establece que:
«(...) siempre que las cantidades abonadas al trabajador por empresa, se realicen a cargo de la entidad gestora, éstas no deberán considerarse como un gasto de la empresa, sino como una gestión financiera que

producirá el registro de los correspondientes pagos como una salida de tesorería con cargo a una cuenta de organismo de la Seguridad Social, deudores (...)».

[4] Integraremos las cuotas de la empresa a favor de los Organismos de la Seguridad Social por las diversas prestaciones que éstos realizan (Definición Cuenta 642. «Seguridad Social a cargo de la empresa», 5.ª parte PGC.)

[5] Deuda contraída con la Seguridad Social por la cuota patronal (30.000) y la cuota obrera (7.000). En total: 30.000 + 7.000 = 37.000.

[6] Pago efectuado por la empresa, en base a los conceptos incluidos en la nómina resumen presentada.

– Por la liquidación de la cuenta con la Seguridad Social, al final del mes siguiente:

-- X --

37.000	Organismos de la SS, acreedores (476)	
	a Organismos de la SS, deudores (471)	20.000
	Bancos c/c (572)	17.000

– Por la comunicación de la Hacienda Pública:

-- X --

2.100	Créditos a corto plazo al personal (544)	
	a HP acreedor por retenciones practicadas (4751)	2.100

En la medida que la deuda frente a la Hacienda Pública origine el nacimiento de un derecho de cobro frente a los trabajadores, la empresa contabilizará un activo y un pasivo sin que los hechos descritos, por lo tanto, afecten al patrimonio de la entidad sin perjuicio del resultado que posteriormente pueda derivarse de la obligación de estimar el posible deterioro del derecho de cobro frente a los trabajadores. [Consulta n.º 6. BOICAC 98]

7.1.1.2. «Bonus empleados»

BOICAC 98, junio 2014. Consulta 9.

Sobre el registro contable de los «bonus» o salarios variables en función de objetivos abonados por una empresa a sus empleados.

Respuesta

Una empresa va a abonar a sus empleados un «bonus» (salario variable en función de objetivos alcanzados) que se devenga a lo largo del ejercicio 2014, pero la determinación del importe a abonar y el pago no se producirán hasta el ejercicio siguiente. En concreto, se cuestiona el tratamiento contable de este «bonus» y de las cuotas de la seguridad social a cargo de la empresa asociadas al mismo.

El Marco Conceptual de la Contabilidad (MCC), recogido en la primera parte del Plan General de Contabilidad (PGC), aprobado por el Real Decreto 1514/2007, de 16 de noviembre, en el apartado 5.º Criterios de registro o reconocimiento contable de los elementos de las cuentas anuales, expresa que:

> *«El registro de los elementos procederá cuando, cumpliéndose la definición de los mismos incluida en el apartado anterior, se cumplan los criterios de probabilidad en la obtención o cesión de recursos que incorporen beneficios o rendimientos económicos y su valor pueda determinarse con un adecuado grado de fiabilidad. Cuando el valor debe estimarse, el uso de estimaciones razonables no menoscaba su fiabilidad. En particular:*
>
> *(...) 2. Los pasivos deben reconocerse en el balance cuando sea probable que, a su vencimiento y para liquidar la obligación, deban entregarse o cederse recursos que incorporen beneficios o rendimientos económicos futuros, y siempre que se puedan valorar con fiabilidad. El reconocimiento contable de un pasivo implica el reconocimiento simultáneo de un activo, la disminución de otro pasivo o el reconocimiento de un gasto u otros decrementos en el patrimonio neto».*

Por su parte, el principio de devengo, contenido en el apartado 3.º del MCC establece que:

> *«Los efectos de las transacciones o hechos económicos se registrarán cuando ocurran, imputándose al ejercicio al que las cuentas anuales se refieran, los gastos y los ingresos que afecten al mismo, con independencia de la fecha de su pago o de su cobro».*

De acuerdo con lo anterior, con independencia del momento efectivo del pago, el gasto por las remuneraciones a los empleados deberán registrarse en el ejercicio en que se devenga, es decir, en el año 2014, por la mejor estimación del importe a pagar a los empleados, pudiendo utilizar para ello la cuenta 640. «Sueldos y salarios», definida en la quinta parte del PGC, como remuneraciones, fijas y eventuales, al personal de la empresa; con abono a la cuenta 465. «Remuneraciones pendientes de pago».

En todo caso se recuerda lo dispuesto en el artículo segundo del Real Decreto 1514/2007, de 16 de noviembre, en relación con el carácter no vinculante de los movimientos contables incluidos en la quinta parte del PGC y los aspectos relativos a numeración y denominación de cuentas incluidos en la cuarta parte, excepto en aquellos aspectos *que* contengan criterios de registro o valoración.

Del mismo modo, el gasto ocasionado por la cotización a la seguridad social a cargo del empleador deberá registrarse cuando se devengue la obligación frente a la Hacienda Pública. La seguridad social a cargo de la empresa es un gasto de personal, que por imperativo legal (art. 15. Obligatoriedad, de la Sección 2. Cotización, del Texto Refundido de la Ley General de la Seguridad Social, aprobado por el Real Decreto Legislativo 1/1994, de 20 de junio), es una consecuencia directa del gasto por sueldos y salarios, y por lo tanto, se devenga simultáneamente al devengo de las remuneraciones.

En consecuencia, la seguridad social a cargo del empleador se devengará y registrará en el mismo momento del devengo y registro de las remuneraciones a los empleados.

Por último señalar que si con posterioridad al registro de la deuda con los empleados, se produce un cambio de estimación, será de aplicación la norma de registro y valoración 22.ª. «Cambios en criterios contables, errores y estimaciones contables» del PGC. La norma señala que la corrección derivada del cambio de estimación se efectuará de forma prospectiva y su efecto se imputará como ingreso o gasto en la cuenta de pérdidas y ganancias del ejercicio, o cuando proceda, directamente en el patrimonio neto, imputando el eventual efecto sobre ejercicios futuros en el transcurso de los mismos. Adicionalmente se deberá incorporar la correspondiente información en la memoria cuando los cambios en las estimaciones contables hayan producido efectos significativos en el ejercicio actual o en ejercicios posteriores.

Comentario

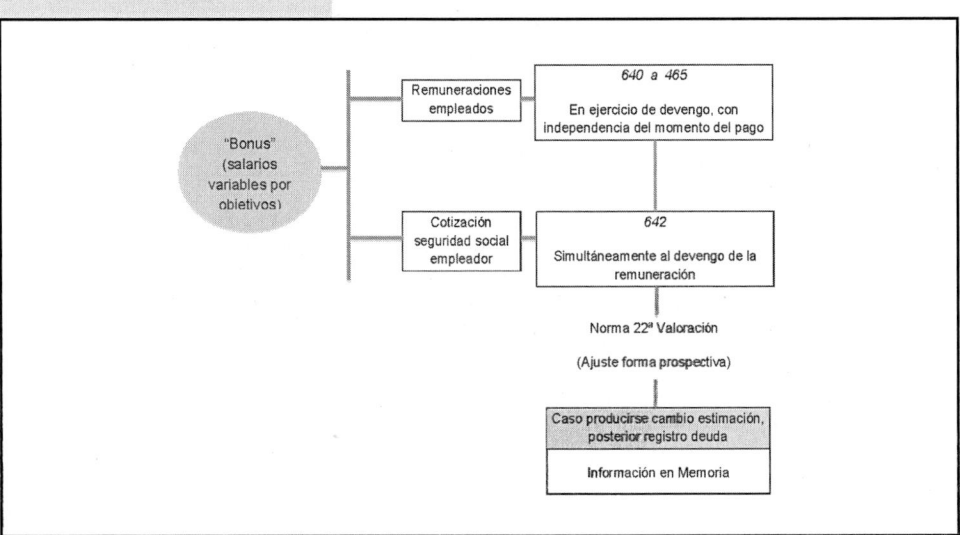

Ejemplo

La sociedad TELEFÓNICA DE O MORRAZO durante el ejercicio 2014 soporta los gastos del Consejo de Administración y la alta dirección por los siguientes conceptos:

- Remuneraciones fijas: 2.000.000€

- Remuneraciones variables en función de los objetivos alcanzados (bonus): 1.000.000€

- Seguridad social a cargo de la empresa: 300.000€

- Dietas de asistencia a las reuniones del Consejo de Administración y de sus Comisiones: 1.000.000€

- Seguridad social cuota obrera: 600.000€.

- Retenciones practicadas: 800.000€

- Jubilaciones anticipadas: 200.000€

- Indemnizaciones por cese de alta dirección: 4.000.000€

- Póliza de seguro de vida y de responsabilidad civil: 100.000€

- Planes de pensiones de aportación definida: 800.000€

- Premio de permanencia en el cargo del Presidente del Consejo y del Consejero Delegado: 200.000€

Todas las partidas se abonan por bancos, a excepción del 50 por 100 del plan de pensiones que será abonado más adelante y los bonus (salarios variables) que serán abonados en febrero del 2015.

TRABAJO A REALIZAR

De acuerdo con la información disponible, realice las operaciones de registro de la nómina. Al cierre de ejercicio el importe del salario variable se estima en 1.100.000€.

SOLUCIÓN:

– Por los gastos del Consejo de Administración y alta dirección:

―――――――――――――――――――――――― X ――――――――――――――――――――――――

4.200.000	Sueldos y salarios (640) [2.000.000€ + 1.000.000€ (bonus) + 1.000.000€ (dietas) + 200.000€ (premio)][1]			
300.000	Seguridad Social a cargo de la empresa (642)[2]			
4.200.000	Indemnizaciones (641) [200.000€ jubilación anticipada + 4.000.000€ cese][3]			
100.000	Otros gastos sociales (649)[4]			
800.000	Retribuciones a largo plazo mediante sistemas de aportación definida (643)[5]			
		a	Organismos de la seguridad social acreedores (476)[6]	900.000
			HP acreedor por retenciones practicadas (4751)[7]	800.000
			Bancos c/c (572)[9]	6.500.000
			Remuneraciones mediante sistemas de aportación definida pendientes de pago (466) [50% 800.000]	400.000
			Remuneraciones pendientes de pago (465)[8]	1.000.000

[1] Cuantificaremos los Sueldos y Salarios, por aquellas remuneraciones fijas y eventuales entregadas al personal de la empresa (Definición Cuenta 640. «Sueldos y Salarios», 5.ª Parte PGC). En nuestro caso, integraremos el sueldo fijo el variable las dietas y el premio.

En relación con las retribuciones variables con independencia del momento efectivo del pago, el gasto por las remuneraciones a los empleados deberán registrarse en el ejercicio en que se devenga, es decir, en el año 2014, por la mejor estimación del importe a pagar a los empleados, pudiendo utilizar para ello la cuenta 640. «Sueldos y salarios», definida en la quinta parte del PGC, como remuneraciones, fijas y eventuales, al personal de la empresa; con abono a la cuenta 465. «Remuneraciones pendientes de pago». Consulta n.º 9. BOICAC 98.

[2] La seguridad social a cargo del empleador se devengará y registrará en el mismo momento del devengo y registro de las remuneraciones a los empleados. Consulta n.º 9. BOICAC 98.

[3] Se incluyen aquellas cantidades que se entregan al personal de la empresa para resarcirle de un daño o perjuicio (Definición Cuenta 641. «Indemnizaciones», 5.ª Parte PGC).

[4] Se incluyen entre otras aquellas cantidades por primas de contratos de seguro sobre vida (Definición Cuenta 649. «Otros gastos sociales», 5.ª Parte PGC).

[5] Se incluyen entre otras pensiones u otras prestaciones por jubilación o retiro que se articulen a través de un sistemas de aportación definida (Definición Cuenta 643. «Retribuciones a largo plazo mediante sistemas de aportación definida (643) », 5.ª Parte PGC).

[6] Deuda contraída con la Seguridad Social por la cuota patronal (300.000) y la cuota obrera (600.000). En total: 900.000€.

[7] Deuda contraída con la Hacienda Pública por las retenciones practicadas.

[9] Pago efectuado por la empresa, en base a los conceptos incluidos en la nómina presentada.

[8] Deuda estimada con los trabajadores por las retribuciones variables. Cuando el valor debe estimarse, el uso de estimaciones razonables no menoscaba su fiabilidad. Marco Conceptual de la Contabilidad (MCC), recogido en la primera parte del Plan General de Contabilidad (PGC), aprobado por el Real Decreto 1514/2007, de 16 de noviembre, en el apartado 5.º Criterios de registro o reconocimiento contable de los elementos de las cuentas anuales.

– Por la nueva estimación de la retribución variable (bonus)

——————————————— 31/12/2014 ———————————————

100.000	Sueldos y salarios (640)			
		a	Remuneraciones pendientes de pago (465)	100.000

Si con posterioridad al registro de la deuda con los empleados, se produce un cambio de estimación, será de aplicación la norma de registro y valoración 22.ª. «Cambios en criterios contables, errores y estimaciones contables» del PGC, así, la norma señala que:

«(...) la corrección derivada del cambio de estimación se efectuará de forma prospectiva y su efecto se imputará como ingreso o gasto en la cuenta de pérdidas y ganancias del ejercicio».

– Por el pago:

		1/2/2015		
1.100.000	Remuneraciones pendientes de pago (465)			
		a	Bancos c/c (572)	1.100.000

7.1.1.3.   Pago con acciones propias al personal filial, retención IRPF

BOICAC 106, junio 2016. Consulta 3.

Sobre el tratamiento contable de la adquisición de acciones propias para cancelar un plan de remuneración con instrumentos de patrimonio neto, y acerca del registro del correspondiente pago a cuenta del IRPF.

Respuesta

La consultante (que es la sociedad dominante de un grupo) afirma que para contabilizar el acuerdo alcanzado ha seguido la interpretación publicada por este Instituto en la consulta 7 del BOICAC nº 75, de septiembre de 2008, sobre cómo deben registrarse las operaciones de pagos a empleados de una sociedad en instrumentos de patrimonio concedidos por su dominante, tanto desde el punto de vista de la sociedad dominante como de la dependiente.

El tratamiento contable de las «Transacciones con pagos basados en instrumentos de patrimonio» se encuentra regulado en la norma de registro y valoración (NRV) 17ª del Plan General de Contabilidad (PGC), aprobado por el Real Decreto 1514/2007, de 16 de noviembre. En particular, la opinión de este Instituto sobre cómo deben registrarse las operaciones de pagos a empleados de una sociedad filial con instrumentos de patrimonio de la sociedad dominante, tanto desde el punto de vista de la sociedad dominante como de la dependiente, está publicada en la consulta 2 del BOICAC nº 97, de marzo de 2014.

En este contexto, la primera cuestión a dilucidar en el caso que nos ocupa es si la adquisición de las acciones propias por la sociedad dominante y su posterior entrega a los trabajadores de la filial afecta a la cuantificación del plan de retribución o, por el contrario, debe ser contabilizada como una operación de autocartera de manera independiente o autónoma.

Pues bien, con carácter previo es preciso recordar que todo negocio sobre las propias acciones debe cumplir los requisitos regulados en nuestro Derecho Mercantil. Una vez hecha esta precisión, a efectos prácticos no cabe duda que una operación de autocartera puede tener como finalidad cancelar un plan de remuneración a los empleados en el que se haya acordado la entrega de un número de instrumentos de patrimonio.

No obstante, la operación en ningún caso afectará al reconocimiento del gasto de personal (o de la inversión en la filial) y al aumento en el patrimonio neto (en la matriz y en la filial) porque el registro del negocio de «aportación» durante la fecha de irrevocabilidad pone de manifiesto la singularidad de este hecho económico, en el que lo único que pende es la entrega de los instrumentos, pero no la cuantificación de la operación que, en todo caso, se fija en la fecha del acuerdo de concesión.

Por ello, en el momento en el que se produzca la entrega de las acciones la diferencia contable entre la partida del patrimonio neto que se cancela y las acciones propias entregadas se reconocerá como un cargo en las reservas de la sociedad dominante siguiendo el criterio regulado en la NRV 9ª.4 del PGC.

Una vez aclarado este punto, a continuación se dará respuesta a la segunda cuestión planteada. Según afirma la consultante el ingreso a cuenta forma parte de la valoración de la operación, lo que origina que la liquidación se realice entregando un menor número de acciones. Se pregunta sobre el tratamiento contable del ingreso a cuenta.

En aplicación de lo expuesto en el planteamiento general de estas operaciones cabe indicar que si las partes acuerdan la liquidación del plan por un importe neto (esto es, por un número de acciones inferior al inicialmente previsto con el objetivo de poder atender el ingreso a cuenta en la Administración tributaria), este acuerdo no alterará la calificación inicial del plan ni su tratamiento contable, que seguirá rigiéndose por los criterios establecidos para los planes liquidados mediante la entrega de instrumentos de patrimonio si esta hubiera sido su clasificación en ausencia de la citada cláusula.

No obstante, en la fecha en que se produzca el devengo de la obligación fiscal la sociedad dominante reconocerá la correspondiente deuda o entrega de efectivo con cargo al patrimonio neto de esta última, lo que implicará una reducción en el número de acciones propias a entregar.

Por lo tanto, la inversión en la filial, el gasto de personal en la dependiente, y el incremento en el patrimonio neto en esta última sociedad se contabilizará por el valor del plan de remuneración en la fecha del acuerdo de concesión, sin descontar la estimación del futuro ingreso a cuenta.

Comentario

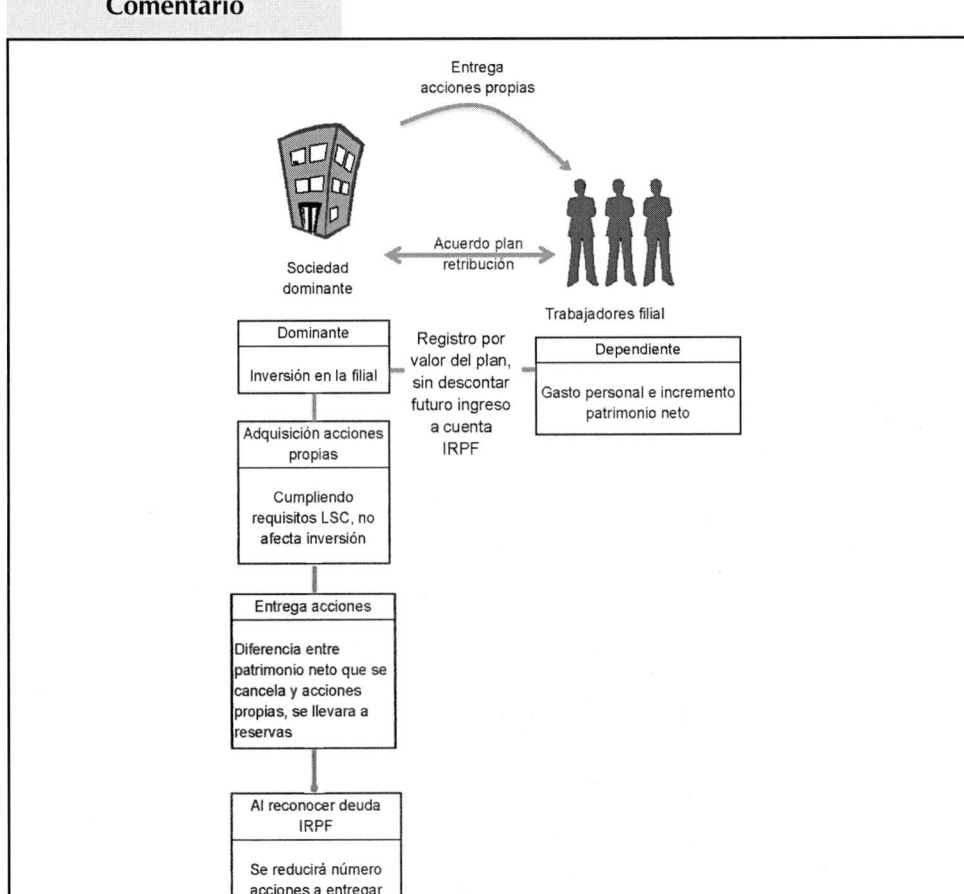

Ejemplo

La sociedad «TELEFONIN S.A.», sociedad filial de «TELEFONON S.A» ,la cual posee el 100%, y dedicada a la telefonía móvil, llega a un acuerdo con los representantes de los trabajadores, para que si estos permanecen en la empresa un mínimo de 2 años, serán retribuidos cada uno con 500 acciones de la sociedad dominante.

A dicha fecha el valor razonable de las acciones es de 5€/títulos; siendo el número de trabajadores acogidos a dicho plan de 100.

El acuerdo se formaliza el 1/1/X1 y las acciones serán entregadas a los trabajadores, que cumplan con el compromiso de permanencia el 31/12/X2. Las partes acuerdan la liquidación del plan, por un importe neto (esto es, por un número de acciones inferior al inicialmente previsto con el objetivo de poder atender el ingreso a cuenta en la Administración tributaria). Sabemos que esta retención, es del 20%.

SE PIDE:

SUPUESTO 1. Contabilizar lo que proceda en las dos sociedades, sabiendo que la cotización de las acciones de la sociedad dominante en la fecha del acuerdo de la concesión es de 5€/ acción.

A 31/12/X2 la totalidad de los trabajadores acogidos a dicho plan, han permanecido en la filial.

A 1/1/X3 se entregan las acciones a los todos los trabajadores, que se acogieron al plan. Para su cumplimiento se adquieren las acciones propias necesarias cumpliendo todos los requisitos establecidos en la LSC, siendo la cotización de las mismas en dicha fecha es de 8€, los gastos originados en la operación ascendieron a 2.000€.

SUPUESTO 2. En este supuesto la sociedad dominante adquiere días después del acuerdo 50.000 acciones, siendo su cotización a 5€, los gastos de la operación ascendieron a 1.800€. En este supuesto solo se pide el registro de la adquisición y entrega de las acciones a los trabajadores en la sociedad dominante TELEFONÓN.

SOLUCIÓN:

SUPUESTO 1

SOCIEDAD FILIAL

– Por el servicio prestado, a medida que se devenga:

―――――――――――――――――― 31/12/X1 ――――――――――――――――――

125.000	Retribuciones al personal liquidadas con instrumentos de patrimonio de la sociedad dominante (6451)	a	Aportaciones de socios o propietarios (118)	
				125.000

Según lo dispuesto en la consulta 7 del BOICAC nº 75, los hechos relatados deben calificarse como una operación de «aportación», cuyo registro contable sería el siguiente:

En la filial, efectuando una aplicación analógica de la NRV 17ª, se reconocerá un gasto de personal de acuerdo con el principio de devengo, con abono directo a los fondos propios (en el epígrafe «Otras aportaciones de socios»). Ambos importes habrán de valorarse por el valor razonable de los instrumentos de patrimonio.

La norma de registro y valoración 17ª del Plan General de Contabilidad, en relación con las transacciones de los empleados que se liquiden con instrumentos de patrimonio propio, se considera que éstas resultan aplicables por analogía cuando la liquidación se realiza por la sociedad dominante con instrumentos de patrimonio propio. Consecuentemente, el servicio recibido y la aportación del socio habrán de valorarse por el valor razonable de los instrumentos de patrimonio cedidos, referido a la fecha del acuerdo de concesión .

El valor razonable de las acciones en la fecha del acuerdo de la concesión:

$$\frac{500 \text{ acciones x 5 € (cotización) x 100 trabajadores}}{2 \text{ años}} = 125.00$$

Asimismo, y de acuerdo con lo dispuesto en la norma de registro y valoración 17ª del PGC, en las transacciones en las que sea necesario completar un determinado periodo de servicios, el reconocimiento se efectuará a medida que tales servicios sean prestados a lo largo del citado periodo.

– Operaciones a 31/12/X2,

* Por el reconocimiento del gasto de personal, una vez reconocidos los servicios recibidos, así como el correspondiente incremento en el patrimonio neto, no se realizarán ajustes adicionales al patrimonio neto tras la fecha de irrevocabilidad

———————————————— 31/12/X2 ————————————————

125.000	Retribuciones al personal liquidadas con instrumentos de patrimonio de la sociedad dominante (6451)	a	Aportaciones de socios o propietarios (118)
	(500 acc x100 trab x5-125.000)		125.000

* Por la entrega de las acciones de la sociedad dominante a los trabajadores de la filial:

La entrega de las acciones de la sociedad dominante a los trabajadores de la filial (en enero del X3), no produce registro contable alguno. El gasto de personal se ha ido registrando en la sociedad filial en la medida que se fue devengando contra la partida de fondos propios aportaciones de socios o propietarios.

SOCIEDAD DOMINANTE

– Por el reconocimiento del servicio realizado a los trabajadores de la dependiente:

31/12/X1

| 125.000 | Participaciones en empresas del grupo (2403) | a | Resto de instrumentos de patrimonio (1111)[*] | 125.000 |

---

[*] Esta cuenta recoge el resto de instrumentos de patrimonio neto que no tienen cabida en otras, tales como las opciones sobre acciones propias.

Para la sociedad dominante la operación supone una aportación a la dependiente consistente en satisfacer el servicio que ésta recibe y que se liquida con la entrega de instrumentos de patrimonio propio.

Desde un punto de vista económico la operación incrementa el valor de la filial que recibe un servicio cuyo coste es asumido por la sociedad dominante. Por ello, la contrapartida del patrimonio entregado constituirá, con carácter general, un mayor valor de la inversión que tiene la sociedad dominante en el patrimonio de la citada empresa filial.

– Por el reconocimiento del servicio realizado a los trabajadores de la dependiente (año 2):

31/12/X2

| 125.000 | Participaciones en empresas del grupo (2403) | a | Resto de instrumentos de patrimonio (1111) | 125.000 |

– Adquisición de acciones propias, cumpliendo requisitos ley sociedades capital (3/1/X3):

Determinaremos, si la adquisición de las acciones propias por la sociedad dominante y su posterior entrega a los trabajadores de la filial afecta a la cuantificación del plan de retribución o, por el contrario, debe ser contabilizada como una operación de autocartera de manera independiente o autónoma.

Pues bien, con carácter previo es preciso recordar que todo negocio sobre las propias acciones debe cumplir los requisitos regulados en nuestro Derecho Mercantil. Una vez hecha esta precisión, a efectos prácticos no cabe duda que una operación de autocartera puede tener como finalidad cancelar un plan de remuneración a los empleados en el que se haya acordado la entrega de un número de instrumentos de patrimonio.

No obstante, la operación en ningún caso afectará al reconocimiento del gasto de personal (o de la inversión en la filial) y al aumento en el patrimonio neto (en la matriz y en la filial) porque el registro del negocio de «aportación» durante la fecha de irrevocabilidad pone de manifiesto la singularidad de este hecho económico, en el que lo único que pende es la entrega de los instrumentos, pero no la cuantificación de la operación que, en todo caso, se fija en la fecha del acuerdo de concesión. [Consulta nº 3. BOICAC 106]. En consecuencia:

3/1/X3

250.000	Acciones o participaciones propias en situaciones especiales (108)[25.000 acciones x8€]			
2.000	Reservas voluntarias (113)	a	Bancos (572)	252.000

El enunciado establece que las acciones se adquieren por el neto:

Deuda con los trabajadores: 500accx100trabx5€/acc =............... 250.000€

(-) Retención a cuenta del I.RP.F: 20%x250.000=................... (50.000 €)

Deuda neta.. **200.000€**

Cotización de las acciones a adquirir........................... 8€/acción

Número de acciones propias a adquirir:

$$\frac{200.000}{8} = 25.000 \text{ acciones}$$

Según lo establecido en la norma 9ª.4 del PGC, en el caso de que la empresa realice cualquier tipo de transacción con sus propios instrumentos de patrimonio, el importe de estos instrumentos se registrará en el patrimonio neto, como una variación de los fondos propios

Igualmente, nos comenta que: «(…) *Los gastos derivados de estas transacciones (…) se registrarán directamente contra el patrimonio neto como menores reservas*»

– Por la entrega de las acciones a los trabajadores de la filial y cobro del precio de ejercicio:

──────────────── 3/1/X3 ────────────────

250.000	Resto de instrumentos de patrimonio (1111)	a	Acciones o participaciones propias en situaciones especiales (108)
			[25.000 acc x8] 200.000
			H.P. acreedor por retenciones practicadas (4752)
			[250.000 x20%] 50.000

Así, en base al movimiento de la cuenta 1111 de la 5ª parte del PGC, nos indica que ésta: «(…)*b) Se cargará cuando se entreguen otros instrumentos de patrimonio, con abono a la cuenta de patrimonio neto que corresponda*»

Si las partes acuerdan la liquidación del plan por un importe neto (esto es, por un número de acciones inferior al inicialmente previsto con el objetivo de poder atender el ingreso a cuenta en la Administración tributaria), este acuerdo no alterará la calificación inicial del plan ni su tratamiento contable, que seguirá rigiéndose por los criterios establecidos para los planes liquidados mediante la entrega de instrumentos de patrimonio si esta hubiera sido su clasificación en ausencia de la citada cláusula.

No obstante, en la fecha en que se produzca el devengo de la obligación fiscal la sociedad dominante reconocerá la correspondiente deuda o entrega de efectivo con cargo al patrimonio neto de esta última, lo que implicará una reducción en el número de acciones propias a entregar. [Consulta nº 3. BOICAC 106]

SUPUESTO 2

En este caso, la sociedad dominante adquiere días después del acuerdo, 50.000 acciones siendo su cotización a 5€, los gastos de la operación ascendieron a 1.800€. En este supuesto solo se pide el registro de la adquisición y entrega de las acciones a los trabajadores en la sociedad dominante TELEFONÓN.

– Adquisición de 50.000 acciones propias, cumpliendo requisitos L.S.C.

———————————————————— 3/1/X1 ————————————————————

250.000	Acciones o participaciones propias en situaciones especiales (108)(50.000 acciones x5€)			
1.800	Reservas voluntarias (113)	a	Bancos c/c (572)	251.800

– Por la entrega de las acciones a los trabajadores de la filial:

Averiguaremos, primero, cuántos títulos entregaremos, al comparar:

Deuda con los trabajadores, minorada con la retención. . . . .   200.000€

Cotización de las acciones a adquirir. . . . .   8€/acción

Número de acciones propias a entregar:

$$\frac{200.000}{8} = 25.000 \text{ acciones}$$

Para su registro, y al igual que ocurrió en el supuesto 1, tendremos en cuenta la Norma 9ª.4 de Valoración del PGC:

———————————————————— 3/1/X3 ————————————————————

250.000	Resto de instrumentos de patrimonio (1111)	a	Acciones o participaciones propias en situaciones especiales (108) (25.000 x5)	125.000
			H.P. acreedor por retenciones practicadas (4752)	50.000
			H.P. acreedor por retenciones practicadas (4752)	75.000

El ingreso a cuenta forma parte de la valoración de la operación, lo que origina que la liquidación se realice entregando un menor número de acciones. [Consulta nº 3. BOICAC 106]

7.1.1.4. Cesión vehículos en «renting» al personal, como retribución en especie

BOICAC 106, junio 2016. Consulta 5.

Sobre el tratamiento contable que debe darse a una retribución en especie derivada de la cesión a los trabajadores de vehículos en régimen de renting.

Respuesta

Para contabilizar los hechos descritos deberá tomarse como referencia la interpretación de este Instituto sobre el tratamiento contable de la adquisición de un vehículo destinado a ser cedido en uso al personal de una empresa para fines privados, publicada en la consulta 7 del BOICAC nº 48, y que en aplicación del actual Plan General de Contabilidad, aprobado por el Real Decreto 1514/2007, de 16 de noviembre, se considera en vigor.

En concreto, las retribuciones al personal de la empresa tendrán naturaleza contable de gasto figurando en la partida de gastos de personal de la cuenta de pérdidas y ganancias formando parte integrante de los resultados de explotación, pudiendo emplear la cuenta 649. Otros gastos sociales, para su reconocimiento contable. Como contrapartida de este gasto la empresa deberá registrar el ingreso correspondiente al servicio de renting, que en la medida que forme parte de las actividades ordinarias de la empresa deberá mostrarse en la cifra anual de negocios; en caso contrario, para contabilizar el ingreso se podrá emplear la cuenta 755. Ingresos por servicios al personal.

Por último, en su caso, el IVA repercutido en la operación se reconocerá mediante abono en la cuenta «Hacienda Pública IVA repercutido» con cargo a la cuenta de tesorería o crédito correspondiente. Si el trabajador no abonase dicho importe, se contabilizará como un mayor valor del gasto de personal. Del mismo modo, si la operación pudiera determinar la realización de un ingreso a cuenta del Impuesto sobre la Renta de las Personas Físicas, deberá incrementarse por dicho importe el gasto de personal indicado, generándose como contrapartida una cuenta relativa a la Hacienda Pública acreedora.

Comentario

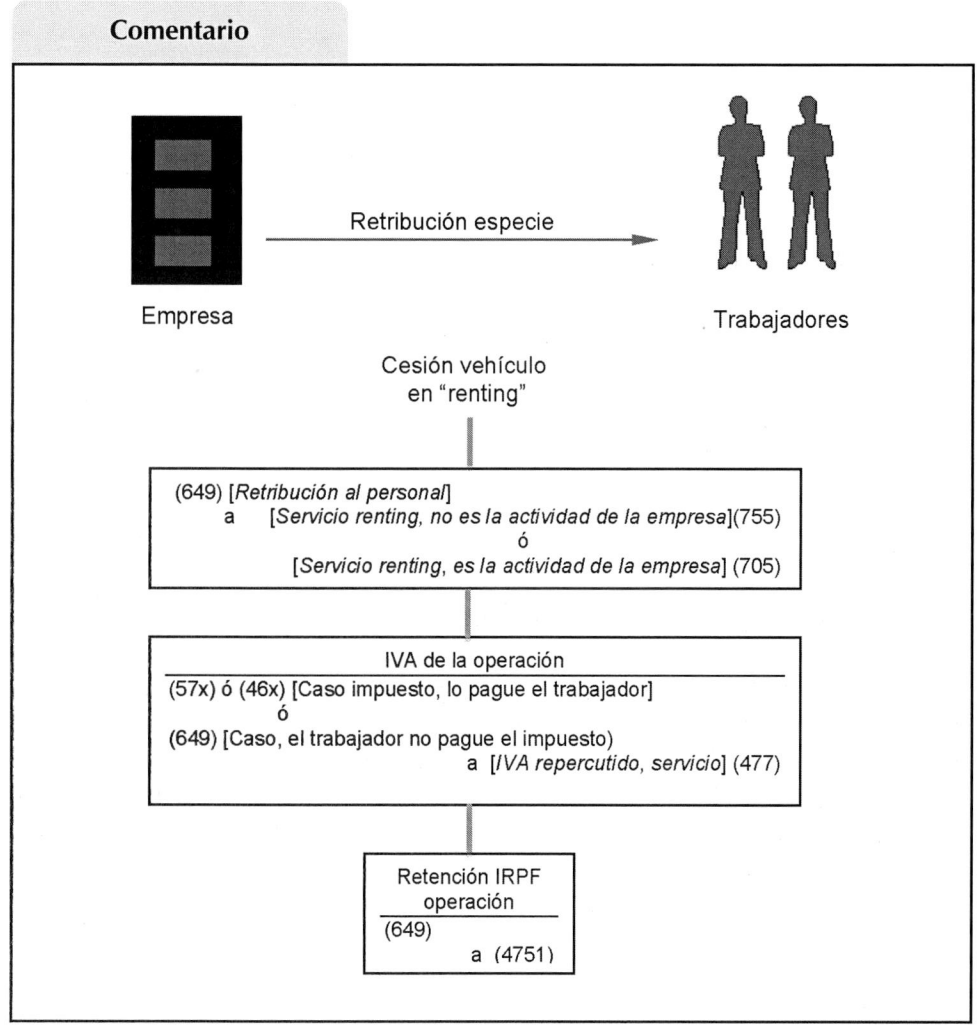

Empresa → Retribución especie → Trabajadores

Cesión vehículo
en "renting"

(649) [*Retribución al personal*]
  a   [*Servicio renting, no es la actividad de la empresa*](755)
                          ó
       [*Servicio renting, es la actividad de la empresa*] (705)

IVA de la operación
(57x) ó (46x) [Caso impuesto, lo pague el trabajador]
                          ó
(649) [Caso, el trabajador no pague el impuesto)
                          a [*IVA repercutido, servicio*] (477)

Retención IRPF
operación
(649)
          a (4751)

Ejemplo

«MILLONES VIGO S.A.» formaliza el 1/1/X1, un contrato de «renting» sobre un automóvil, marca Mercedes 230 SLX, cuyo valor razonable es de 59.200 €.

Durante 3 años, se compromete a pagar un alquiler mensual de 2.160 €, que incluye una serie de servicios complementarios, tales como: mantenimiento, averías, seguros, etc. Todas las cuotas tienen la misma composición, siendo el desglose del alquiler:

$$2.160\ \text{€} \begin{cases} \text{- Recuperación: } 1.000\ \text{€} \\ \text{- Intereses: } 600\ \text{€} \\ \text{- Servicios: } 400\ \text{€} \\ \text{- Seguros: } 160\ \text{€} \end{cases}$$

La vida útil del bien es de 5 años, y el valor razonable del automóvil al finalizar el periodo de utilización es de 30.000 €.

Dicho automóvil es cedido en uso exclusivo para fines privados al nuevo gerente D. Anselmo Quisquilla

SE PIDE:

Contabilizar lo que proceda, sabiendo que no existe opción de compra y en las siguientes fechas:

1.- 1/1/X1 fecha de formalización del contrato y cesión del mismo al gerente de la sociedad, así como el pago de la primera mensualidad.

2.- Cálculo de la retribución en especie y registro contable IVA 21%. Retención a practicar a D. Anselmo 15%.

SOLUCIÓN:

1.- Operaciones a realizar a 1/1/X1

Analizando las circunstancias económicas de la operación, no podemos concluir que se trate de un arrendamiento financiero. El motivo, la Norma 8ª.1. nos comenta que aquellos acuerdos de arrendamiento que no tienen opción de compra podremos calificarlos como «financieros» si cumplen circunstancias que relata en diversos apartados.

Con ellos, podemos estar comprobando que no se transfieren «sustancialmente todos los riesgos y beneficios inherentes a la propiedad». Así en el apartado b), vemos que el periodo de arrendamiento

(3 años) no coincide ni cubre la mayor parte de la vida económica del activo (5 años). Igualmente en el apartado c) nos comenta que al comienzo del arrendamiento, el valor actual de los pagos mínimos acordados por el arrendamiento suponga la práctica totalidad del valor razonable del activo arrendado.

Esto último tampoco se cumple, ya que:

Valor actual de las cantidades a pagar al comienzo arrendamiento:

$$\underset{\substack{\text{recuperación por} \\ \text{pago realizado}}}{\underline{1.000}} \times \underset{\substack{\text{Total pagos} \\ \text{en 3 años}}}{\underline{36}} = 36.000$$

Dicho valor, comprobamos que es muy inferior y no igual a«(...) *la práctica totalidad del valor razonable del activo arrendado* [59.200 €] *(...)*», según la redacción de la mencionada normativa.

En estos mismos puntos, también nos encontramos la siguiente redacción, para reafirmar lo que ya hemos constatado, así el apartado a), nos relata: «*Contratos de arrendamiento en los que la propiedad del activo se transfiere, o de sus condiciones se deduzca que se va a transferir, al arrendatario al finalizar el plazo del arrendamiento*». Lo comprobaremos, al comparar:

Valor del automóvil para la empresa al final del contrato: $\dfrac{[(59.200}{5} \times 3] = 23.680$
59.200 - [

<u>Es menor que</u>

Valor razonable del bien al finalizar el contrato. 30.000

Con lo cual se presupone que el bien no será adquirido al finalizar el contrato. De esta manera, y basándonos en lo anterior, contabilizaremos la presente operación, como un arrendamiento **operativo**.

Por tanto, y por el pago de la primera cuota:

―――――――――――――――――――― 1/1/X1 ――――――――――――――――――――

2.613,60	Arrendamientos operativos (6211) [2.160 + 2.160x21%]	a	Bancos (572)
			2.613,60

En cuando al IVA, hemos decidido incorporarlo al precio de adquisición, de acuerdo con lo establecido en la Norma 12ª de Valoración, al considerar que la totalidad del mismo no es deducible de acuerdo con lo establecido en el art. 95 de la Ley del IVA, que en su punto dos, apartado quinto nos dice que las cuotas soportadas o satisfechas por las adquisiciones de bienes destinados a ser utilizados en la satisfacción de necesidades personales o particulares de los trabajadores, no podrán ser deducibles.

2.- Cálculo de la retribución en especie y registro contable:

• CÁLCULO DEL INGRESO A CUENTA:

La cuantía del ingreso a cuenta, será la que resulta de aplicar el porcentaje de retención que corresponda sobre la valoración de la retribución en especie:

1º) En el caso de que el vehículo no sea propiedad del pagador, será el valor de mercado   59.200€

(el art. 441.1.1º.b) de la L.I.R.P.F) . . . .

2º) Calcularemos el valor de la retribución en especie . . . .   11.840 €

* Total anual: 20% x 59.200 = 11.840

* Disponibilidad para fines particulares: 100% x 11.840 = 11.840

3º) Calcularemos el Ingreso a Cuenta = ...   **1.776 €**

    Retención x Valoración de la retribución en especie = 15% x 11.840

NOTA:

Por la utilización o entrega de vehículos automóviles, el art. 44.1. 1º.b) de la L.I.R.P.F, nos comenta que en el caso de que el vehículo no sea propiedad del pagador, será el valor de mercado, y no el coste de adquisición, incluidos los gastos y tributos inherentes a la adquisición que correspondería al vehículo nuevo.

En el mencionado artículo, nos señala que para valorar las rentas en especie para el caso de uso de vehículos automóviles, aplicaremos el 20% anual sobre su coste de adquisición ó el valor de mercado cuando no sea propiedad del pagador.

• REGISTRO CONTABLE DE LA OPERACIÓN:

– En base a lo comentado por la consulta estudiada [5, Boicac 106]: «(...) *Las retribuciones al personal de la empresa tendrán naturaleza contable de gasto figurando en la partida de gastos de personal de la cuenta de pérdidas y ganancias formando parte integrante de los resultados de explotación, pudiendo emplear la cuenta 649. Otros gastos sociales, para su reconocimiento contable. Como contrapartida de este gasto la empresa deberá registrar el ingreso correspondiente al servicio de renting, que en la medida que forme parte de las actividades ordinarias de la empresa deberá mostrarse en la cifra anual de negocios; en caso contrario, para contabilizar el ingreso se podrá emplear la cuenta 755. Ingresos por servicios al personal (...)*». Este último caso, es el nuestro, ya que la empresa se dedica a esta actividad. Por tanto:

31/12/X1

11.840 Otros gastos sociales (649)	a	Ingresos por servicios al personal (755)	
		(59.200x20%)	11.840

– Por el IVA de la operación

——————————————— 31/12/X1 ———————————————

5.040 Otros gastos sociales (649)	a	H.P I.V.A. repercutido (477) (*)
		(2.000 x12x21%) 5.040

(*) Nota: del importe de las cuotas, el seguro está exento de IVA.

El IVA repercutido en la operación se reconocerá mediante abono en la cuenta «Hacienda Pública IVA repercutido» con cargo a la cuenta de tesorería o crédito correspondiente. Si el trabajador no abonase dicho importe, se contabilizará como un mayor valor del gasto de personal. [Consulta nº 5. BOICAC 106]

Se ha supuesto en nuestro caso que el IVA es abonado por la empresa.

– Por último, al tratarse de una retribución en especie, y siguiendo las directrices marcadas por la Ley 40/1998 del IRPF en su art. 44 y la Consulta N°5 del BOICAC 106, si la operación pudiera determinar la realización de un ingreso a cuenta del Impuesto sobre la Renta de las Personas Físicas, deberá incrementarse por dicho importe el gasto de personal indicado, generándose como contrapartida una cuenta relativa a la Hacienda Pública acreedora.

Así MILLONES VIGO anotará:

——————————————— 31/12/X1 ———————————————

1.776 Otros gastos sociales (649)	a	H.P acreedor por retenciones practicadas (4751) 1.776

NOTAS AL SUPUESTO:

Coche de empresa como retribución en especie: Fundamentos de derecho.

En primer lugar hemos de remitirnos al artículo 42.1 de la LIRPF, el cual dispone que «constituyen rentas en especie la utilización, consumo u obtención, para fines particulares, de bienes, derechos o servicios de forma gratuita o por precio inferior al normal de mercado, aun cuando no supongan un gasto real para quien las conceda», y del cual se desprende por tanto, que la utilización para fines particulares del coche que la empresa pone a nuestra disposición debe tributar como retribuciones en especie.

Por otra parte, atendiendo a la consulta vinculante V2005-09 (en el mismo sentido se expresa la consulta V1469-07), la DGT establece que: «*(...)En primer lugar y con un carácter genérico, procede señalar que en los supuestos de utilización simultánea en los ámbitos laboral y particular de vehículos de empresa resulta necesario establecer un criterio de reparto (entre esa utilización laboral y la particular) en el que, de acuerdo con la naturaleza y características de las funciones desarrolladas por los trabajadores de la empresa, se valore sólo la disponibilidad para fines particulares. Al ser esta una cuestión de hecho y cuya valoración procederá realizar, por tanto, a los órganos de gestión e inspección tributaria, no puede señalarse un criterio general de determinación*».

Seguidamente, la DGT señala que «No obstante, sí procede matizar que no son aceptables aquellos que se cuantifiquen en función de las horas de utilización efectiva o kilometraje, pues el parámetro determinante debe ser la disponibilidad para fines particulares», y al final de su argumentario estipula que «si esa utilización particular no tiene carácter gratuito, sino que la entidad cobra al sujeto pasivo el coste del arrendamiento financiero correspondiente a esa utilización particular (precio no inferior —por tanto— al de mercado), no existirá retribución en especie para aquel».

Finalmente, a la hora de valorar el uso del vehículo como retribución en especie, nos remitiremos al artículo 43.1.b de la LIRPF, el cual dispone, para el caso de la utilización o entrega de vehículos automóviles, que el valor será «en el supuesto de uso, el 20 % anual del coste de adquisición para el pagador. En caso de que el vehículo no sea propiedad del pagador, dicho porcentaje se aplicará sobre el valor de mercado que correspondería al vehículo si fuese nuevo».

7.1.2. Gastos relacionados con los trabajadores

7.1.2.1. Cursos formación y bonificación cuotas SS

BOICAC 94, junio 2013. Consulta 5.

Sobre el reflejo contable de los desembolsos incurridos por cursos de formación de los trabajadores de una empresa que disfrutan de una bonificación en las cotizaciones de la seguridad social.

Respuesta

Lo gastos incurridos en la formación del personal de la empresa tienen la naturaleza contable de gastos de personal y figurarán en la cuenta de pérdidas y ganancias formando parte integrante de los resultados de explotación. A tal efecto, podrá utilizarse la cuenta 649. Otros gastos sociales.

Por otro lado, las bonificaciones en las cotizaciones a la seguridad social se registrarán de acuerdo a lo indicado en la norma de registro y valoración en materia de subvenciones, donaciones y legados recibidos del Plan General de Contabilidad, aprobado por el Real Decreto 1514/2007, de 16 noviembre, o en su caso del Plan General de Contabilidad de Pequeñas y Medianas Empresas, aprobado por el Real Decreto 1515/2007, de 16 noviembre.

No obstante, en la medida que dichas bonificaciones se hacen efectivas a través de una reducción en las cuotas a la seguridad social a cargo de la empresa, puede admitirse que dicho importe minore el gasto ocasionado por el este concepto, siempre y cuando de acuerdo con el principio de importancia relativa la variación que ocasione este registro contable sea poco significativa.

Comentario

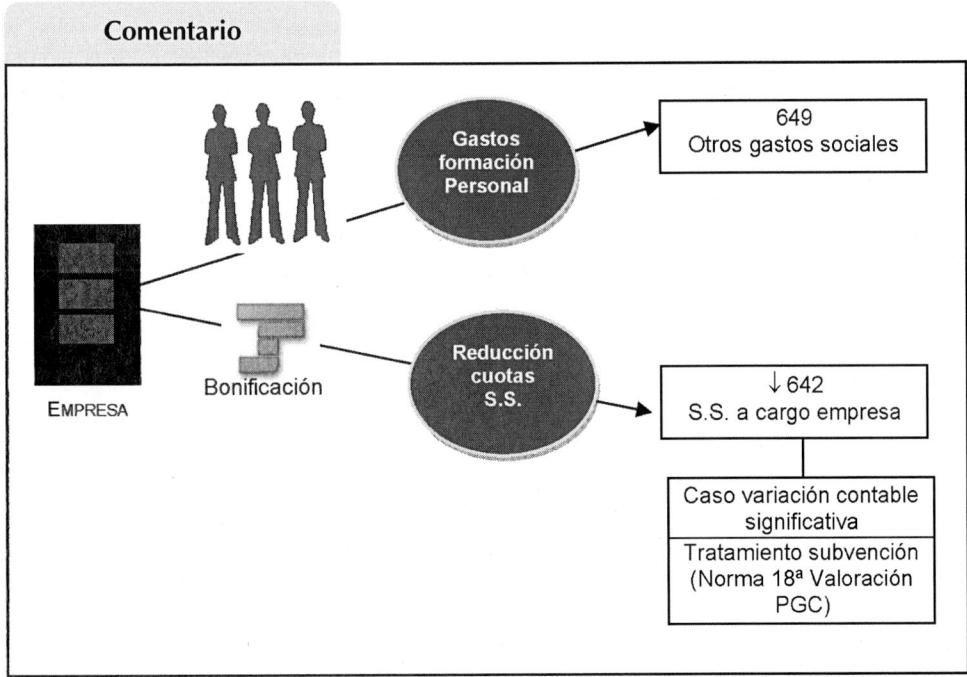

Ejemplo

Conocemos la siguiente información (que de forma resumida) contiene las nóminas de la sociedad LA CARACOLA S.L., del mes de octubre del X13, y cuyo líquido fue abonado a través de bancos:

I.- DEVENGOS

1. Percepciones salariales (sujetos a cotización)

Salario Base:.	60.000€
Complementos Salariales:.	30.000€

2. Percepciones no salariales (excluidas cotización)

Indemnizaciones o suplidos (Indemnización por despido).	50.000€
Prestaciones a cargo Seguridad Social (Baja enfermedad).	20.000€
A. TOTAL DEVENGADO.	**160.000€**

II.- DEDUCCIONES

1. Aportación del trabajador a las cotizaciones a la Seguridad Social y conceptos de recaudación conjunta.	7.000€
2. Impuesto sobre la renta de las personas físicas.	17.700€
3. Anticipos.	12.000€
4. Valor de los productos recibidos en especie.	3.000€
5. Retención voluntaria sindicato.	300€
B. TOTAL A DEDUCIR.	**40.000€**
LÍQUIDO TOTAL A PERCIBIR (A – B).	**120.000€**

La cuota patronal a la Seguridad Social correspondiente, asciende a 30.000€. Por otra parte, la sociedad ha obtenido una bonificación en las cotizaciones a la seguridad social, por importe de 3.500€, como consecuencia de la asistencia a un curso de formación bonificado a los trabajadores de la empresa sobre prevención en riesgos laborales.

La liquidación con los Organismos de la Seguridad Social, se realizará al final del mes siguiente.

Conocemos, igualmente, que la empresa ha desembolsado al centro de estudios CIP S.L., 4.500€ por la impartición de un curso sobre «Contabilidad práctica», dirigido a sus trabajadores.

SE PIDE:

Contabilizar las operaciones relacionadas con los hechos expuestos, en los dos siguientes supuestos:

SUPUESTO 1: Caso de que la bonificación a la cotización a la seguridad social, no sea significativa.

SUPUESTO 2: Caso de que la bonificación a la cotización a la seguridad social, si sea significativa.

SOLUCIÓN:

Supuesto 1

– La empresa efectuará la siguiente anotación en su libro diario, en relación con el resumen del conjunto de nóminas de sus trabajadores:

─────────────────── X ───────────────────

90.000	Sueldos y salarios (640)[1]	
50.000	Indemnizaciones (641)[2]	
20.000	Organismos de la S.S, deudores (471)[3]	
	a Organismos S.S. acreedores (476)[4]	7.000
	HP acreedor por retenciones practicadas (4751)	17.700
	Anticipos de remuneraciones (460)	12.000
	Ingresos por servicios al personal (755)	3.000
	Acreedores por cuotas sindicales (41x)	300
	Bancos c/c (572)[5]	120.000

[1] Cuantificaremos los «Sueldos y Salarios», por aquellas remuneraciones fijas y eventuales, al personal de la empresa (Definición cuenta 640, 5.ª parte del PGC). En nuestro caso, integraremos el salario base y los complementos salariales = 60.000 + 30.000 = 90.000.

[2] Se incluyen cantidades que se entregan al personal de la empresa para resarcirle un daño o perjuicio. Aquí están las indemnizaciones por despido (como en nuestro caso) y jubilaciones anticipadas (Definición cuenta 641, 5.ª parte del PGC).

[3] Resultado de aplicar la Consulta 1/BOICAC 54 (junio, 2003), en la cual se establece que:

«(...) siempre que las cantidades abonadas al trabajador por la empresa, se realicen a cargo de la entidad gestora, éstas no deberán considerarse como un gasto de la empresa, sino como una gestión financiera que producirá el registro de los correspondientes pagos como una salida de tesorería con cargo a una cuenta de organismo de la seguridad social deudores (...)».

[4] Integraremos las cuotas de los trabajadores a favor de la Seguridad Social.

[5] Pago efectuado por la empresa, en base a los conceptos incluidos en la nómina-resumen.

– Por su parte, la empresa realizará la anotación correspondiente a su deuda con el Organismo Público. ¿A cuánto ascenderá ésta? Tendremos en cuenta el supuesto del cual partimos. Nuestra empresa ha obtenido una bonificación de 3.500€, no considerándose ésta significativa. Según la presente Consulta, puede admitirse en esta circunstancia, una minoración en el gasto por la cuota patronal. Con lo cual, obtenemos:

$$30.000 - 3.500 = 26.500$$

Anotándose:

--------------------------------- X ---------------------------------

26.500   Seguridad social a cargo de la
         empresa (642)

                              a   Organismos de la seguridad
                                  social acreedores (476)   26.500

Así, y para la cuenta 642, anotaremos las: «*Cuotas de la empresa a favor de los organismos de la seguridad social por las diversas prestaciones que éstos realizan (...)*» [Definición de la cuenta, 5.ª parte del PGC]

– Al final del mes siguiente (noviembre del X13), liquidaremos el importe que tiene nuestra sociedad con la Seguridad Social. Por tanto:

--------------------------------- X ---------------------------------

33.500   Organismos de la seguridad social
         acreedores (476)

         [7.000 + 26.500]

                              a   Organismos de la S.S, deudo-
                                  res (471)   20.000

                                  Bancos c/c (572)

                                  [33.500 – 20.000]
                                                                   13.500

– En cuanto al desembolso realizado por LA CARACOLA a la empresa de formación CIP, por un curso organizado a sus trabajadores, anotaremos:

———————————————— X ————————————————

4.500   Otros gastos sociales (649)

                              a   Bancos c/c (572)   4.500

El registro, se ha efectuado en base a lo establecido en la Consulta 5, BOICAC 94 en la cual nos comenta que:

> «Los gastos incurridos en la formación del personal de la empresa tienen la naturaleza contable de gastos de personal y figurarán en la cuenta de pérdidas y ganancias formando parte integrante de los resultados de explotación. A tal efecto, podrá utilizarse la cuenta 649. Otros gastos sociales (…)».

Supuesto 2

En este supuesto, las anotaciones serán similares al caso anterior y solamente difiere en la bonificación a la cuota de la seguridad social, considerándose en este caso como significativo.

Por tal motivo, la Consulta estudiada nos comenta:

> «(….) las bonificaciones en las cotizaciones a la seguridad social se registrarán de acuerdo a lo indicado en la norma de registro y valoración en materia de subvenciones, donaciones y legados recibidos del Plan General de Contabilidad (…)».

De esta manera, por el registro de la cuota patronal:

———————————————— X ————————————————

30.000   Seguridad social a cargo de la
         empresa (642)

                              a   Organismos de la seguridad
                                   social acreedores (476)   30.000

No habiéndose disminuido el en este caso el gasto, al considerarse la bonificación como «significativa».

Sin embargo, la cuantía de esa disminución será considera como una subvención:

	X	

3.500	Organismos de la SS, deudores (471)	
	a Subvenciones, donaciones y legados a la explotación (740)	3.500

Y cuando ocurra la liquidación con el organismo público, la anotación que efectuará será:

	X	

37.000	Organismos de la SS, acreedores (476) [7.000 + 30.000]	
	a Organismos de la SS, deudores (471) [20.000 + 3.500]	23.500
	Bancos c/c (572) [37.000 − 13.500]	13.500

7.1.2.2. Importes percibidos de la dominante, para indemnización trabajadores dependiente

BOICAC 96, diciembre 2013. Consulta 10.

Sobre el reflejo contable del importe recibido de la sociedad dominante para el pago de las indemnizaciones al personal en la sociedad dependiente.

Respuesta

Una sociedad dominante acuerda con sus trabajadores el traslado a una sociedad del grupo, reconociéndoles la antigüedad que tenían en la matriz. En caso de despido del trabajador, es la filial la que abona la indemnización, pero posteriormente recibe de la dominante el importe que corresponde a los años de pertenencia del trabajador a la matriz. La consulta versa sobre el tratamiento contable, en la sociedad dependiente, del importe recibido de la dominante.

El registro contable de las operaciones debe realizarse atendiendo al fondo económico y jurídico que subyace en las mismas, con independencia de la forma empleada para instrumentarlas, una vez analizados en su conjunto todos los antecedentes y circunstancias de aquellas, cuya valoración es responsabilidad de los administradores y, en su caso, de los auditores de la sociedad. En este sentido, el art. 34.2 del Código de Comercio establece que en la contabilización de las operaciones se atenderá a su realidad económica y no sólo a su forma jurídica.

En relación con el caso objeto de consulta cabe indicar que la norma de registro y valoración 15.ª, apartado 2, incluida en la segunda parte del Plan General de Contabilidad, aprobado por Real Decreto 1514/2007, de 16 de noviembre, señala:

> «La compensación a recibir de un tercero en el momento de liquidar la obligación, no supondrá una minoración en el importe de la deuda, sin perjuicio del reconocimiento en el activo de la empresa del correspondiente derecho de cobro, siempre que no existan dudas de que dicho reembolso será percibido».

De acuerdo con la información facilitada en la consulta, en la medida que la filial parece realizar una operación por cuenta de la matriz, esto es, la obligación es de la matriz porque los términos del acuerdo de la filial con sus trabajadores en todo caso deben formalizarse en términos de valor razonable, y un tercero no asumiría contra su propio patrimonio el citado pasivo, la deuda por la indemnización que, en su caso, deba satisfacer en el futuro la filial se reconocerá con cargo al gasto que asumiría un tercero en tal concepto y un activo por el importe de la obligación devengada en la sociedad dominante hasta la fecha en que se produjo la reestructuración del personal.

Comentario

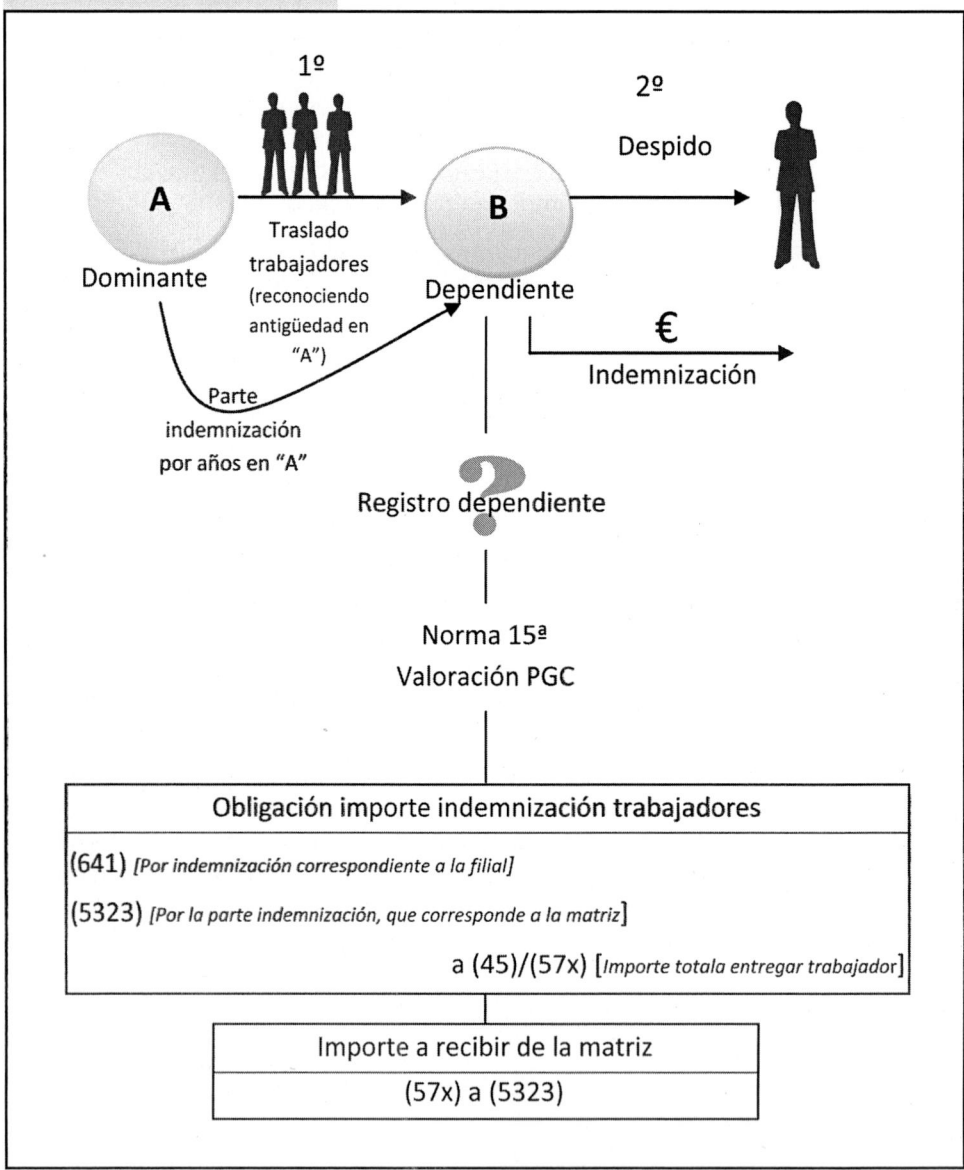

Ejemplo

Sea el grupo de sociedades «XAB» cuyo gráfico de participaciones es el siguiente:

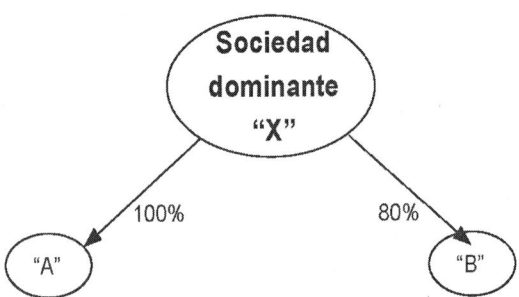

El día 13 de febrero del 2013 la sociedad dominante «X», acuerda con dos de sus trabajadores su traslado a la sociedad dependiente «A»: reconociéndoles la antigüedad que tenían en la matriz.

Ambos trabajadores comenzaron su relación laboral el 13 de febrero del año 2000, y en caso de despido, será la filial la que abonará la indemnización; pero posteriormente recibirá de la dominante el importe que corresponde a los años de pertenencia del trabajador en la matriz.

Así, el 13 de febrero del 2014, la filial despide a los dos trabajadores, acordando la indemnización correspondiente de acuerdo con la legislación laboral; se sabe además, que el despido de uno de los trabajadores ha sido declarado improcedente, y el otro procedente: debido éste a faltas de asistencia del aunque las mismas han sido justificadas; pero que han alcanzado más del 20% de las jornadas hábiles en dos meses consecutivos.

El sueldo bruto anual de ambos trabajadores es de 25.200€ anuales con 14 pagas (2 extraordinarias)

SE PIDE:

Registro de las indemnizaciones correspondientes, en la filial (sociedad «A»). Se sabe que una vez puesta en contacto con la matriz, ésta asume la parte de la indemnización que le corresponda.

SOLUCIÓN:

Cálculo de la indemnización por despido improcedente

En el Real Decreto-Ley 3/2012, de 10 de febrero, de medidas urgentes para la reforma del mercado laboral., se establece lo siguiente: «*La* indemnización por despido improcedente *de los contratos formalizados con anterioridad a la entrada en vigor del presente Real Decreto-Ley se calculará a razón de 45 días de salario por año de servicio por el tiempo de prestación de servicios anterior a dicha fecha de entrada en vigor y a razón de 33 días de salario por año de servicio por el tiempo de prestación de servicios posterior (...)».*

Así, realizaremos distintos cálculo para determinar el salario diario:

Siendo el salario anual de 25.200€,

El salario mensual (teniendo en cuenta dos meses de pagas extras) $= \dfrac{25.200}{14 \text{ meses}} = 1.800€$

El salario mensual (prorrateadas las pagas extras) $= \dfrac{25.200}{12 \text{ meses}} = 2.100€$

Salario diario $= \underline{\quad 25.200 \quad} \quad 69,04€^{(*)}$

(*) Si todos los meses cobra lo mismo, y no cobra prorrateadas las pagas extras. Multiplicaremos el salario mensual por 14 meses (si existen 2 pagas extras, si fueran tres se multiplicaría por 15 = 12 + 3), y dividiéndolo entre 365 días, saldrá el salario diario.

CÁLCULO DE LA ANTIGÜEDAD:

- Desde 13/02/2000 a 13/02/2012: 12 años x 45 días año =   540 días generados de salario

- Desde 13/02/2012 a 13/02/2014: 2 años x 33 días año =.   66 días generados de salario

Total de días generados de salario:. . . . .   606 días

Si a 12/2/2012, se hubiese generado derecho al tope de 24 mensualidades, no se generaría más indemnización aunque si podrá cobrar todo lo generado, con el máximo de 42 mensualidades. En nuestro caso, hasta dicha fecha se han generado:

$$\dfrac{540}{30} \quad 18 \text{ mensualidades} < 24 \text{ mensualidades}$$

Así, el importe de la indemnización será:

606 días x 69,04€/día = **41.838,24**

El importe indemnizatorio resultante no podrá ser superior a 720 días de salario, salvo que del cálculo de la indemnización por el período anterior a la entrada en vigor de este Real Decreto-Ley resultase un número de días superior, en cuyo caso se aplicará éste como importe indemnizatorio máximo, sin que dicho importe pueda ser superior a 42 mensualidades, en ningún caso.

En nuestro caso el período anterior a la entrada en vigor del Real Decreto (es decir hasta 13/02/2012) han sido 540 días, importe éste inferior a 720 días en consecuencia:

Límite, será: 720 días de salario x 69,04€/día = 49.708,80 que no superamos.

Registro de la operación:

                                      13/02/2014

39.559,92	Créditos a corto plazo en empresas del grupo (5323)			
2.278,32	Indemnizaciones (641) (*)			
	[(33 días x 69,04]			
		a	Remuneraciones pendientes de pago (465)	41.838,24

(*) Importe que corresponde a la filial desde (13/02/2013 a 13/02/2014); 1 año que corresponde a 33 días de salario.

Según dispone la consulta n.º 10 del BOICAC 96:

> «(...) la deuda por la indemnización que, en su caso, deba satisfacer en el futuro la filial se reconocerá con cargo al gasto que asumiría un tercero en tal concepto y un activo por el importe de la obligación en la sociedad dominante hasta la fecha en que se produjo la reestructuración del personal».

Y por el pago al trabajador:

                                      13/02/2014

| 41.838,24 | Remuneraciones pendientes de pago (465) | | | |
| | | a | Bancos (572) | 41.838,24 |

Por el cobro del importe que corresponde a la sociedad dominante:

——————————————————— 13/02/2014 ———————————————————

39.559,92   Bancos (572)

              a   Créditos a corto plazo en
                       empresas del grupo (5323)   39.559,92

Cálculo de la indemnización por despido procedente

En el Real Decreto-Ley 3/2012, de 10 de febrero, de medidas urgentes para la reforma del mercado laboral, se establece que la indemnización será de 20 días por año trabajado por un máximo de 12 mensualidades para todos los trabajadores.

Así, por los 14 años trabajados:

14 años x 20 días = 280 días

El importe de la indemnización:

280 días x 69,04 = 19.331,20

Siendo el límite:

12 mensualidades x 2.100 = 25.200€; [no lo superamos]

En cuanto a los registros contables, la sociedad realizaría los mismos que en el caso anterior.

7.2. NEGOCIOS CONJUNTOS

7.2.0.1. Contabilidad partícipe en una UTE

BOICAC 87, septiembre 2011. Consulta 6.

Sobre la integración de las operaciones realizadas por una Unión Temporal de Empresas, en la contabilidad de los partícipes.

Respuesta

Las Uniones Temporales de Empresas (en adelante UTES), a efectos mercantiles, no vienen obligadas a formular cuentas anuales, sino que son sus partícipes quienes deben recoger en su contabilidad las operaciones de la UTE, sin perjuicio que si tuvieran que atender otro tipo de obligaciones, por ejemplo, las impuestas por la norma fiscal, deban llevar un reflejo documental de su actividad, en cuyo caso habrá que estar a lo previsto por la normativa correspondiente.

Desde una perspectiva estrictamente contable, la norma de registro y valoración 20.ª «Negocios conjuntos» del Plan General de Contabilidad (PGC), aprobado por el Real Decreto 1514/2007, de 16 de noviembre, establece:

«Los negocios conjuntos pueden ser:

a) Negocios conjuntos que no se manifiestan a través de la constitución de una empresa ni el establecimiento de una estructura financiera independiente de los partícipes, como son las uniones temporales de empresas y las comunidades de bienes, y entre las que se distinguen

(...) 2.1. Explotaciones y activos controlados de forma conjunta.

El partícipe en una explotación o en activos controlados de forma conjunta registrará en su balance la parte proporcional que le corresponda, en función de su porcentaje de participación, de los activos controlados conjuntamente y de los pasivos incurridos conjuntamente, así como los activos afectos a la explotación conjunta que estén bajo su control y los pasivos incurridos como consecuencia del negocio conjunto.

Asimismo reconocerá en su cuenta de pérdidas y ganancias la parte que le corresponda de los ingresos generados y de los gastos incurridos por el negocio conjunto, así como los gastos incurridos en relación con su participación en el negocio conjunto, y que de acuerdo con lo dispuesto en este Plan General de Contabilidad deban ser imputados a la cuenta de pérdidas y ganancias.

En el estado de cambios en el patrimonio neto y estado de flujos de efectivo del partícipe estará integrada igualmente la parte proporcional de los importes de las partidas del negocio conjunto que le corresponda en función del porcentaje de participación establecido en los acuerdos alcanzados.

Se deberán eliminar los resultados no realizados que pudieran existir por transacciones entre el partícipe y el negocio conjunto, en proporción a la participación que corresponda a aquél. También serán objeto de eliminación los importes de activos, pasivos, ingresos, gastos y flujos de efectivo recíprocos.

Si el negocio conjunto elabora estados financieros a efectos del control de su gestión, se podrá operar integrando los mismos en las cuentas anuales individuales de los partícipes en función del porcentaje de participación y sin perjuicio de que debe registrarse conforme a lo previsto en el art. 28 del Código de Comercio. Dicha integración se realizará una vez efectuada la necesaria homogeneización temporal, atendiendo a la fecha de cierre y al ejercicio económico del partícipe, la homogeneización valorativa en el

> caso de que el negocio conjunto haya utilizado criterios valorativos distintos de los empleados por el partícipe, y las conciliaciones y reclasificaciones de partidas necesarias».

Es decir, teniendo en cuenta que las UTES no son sujetos contables, para poder llevar un adecuado control interno, éstas normalmente llevarán unos registros auxiliares cuya confección podrá realizarse de forma similar a los libros obligatorios de contabilidad de las empresas. Adicionalmente, se podrían formular unos estados financieros similares a los contenidos en el PGC.

Respecto a la forma y contenido de los registros contables que realice la UTE, en sintonía con lo indicado anteriormente, deberían permitir obtener toda la información necesaria para que las empresas que participen en ella puedan posteriormente atender sus obligaciones contables.

Por último, en cuanto a la integración de la UTE en la contabilidad del partícipe, deberá efectuarse de tal forma que al cierre del ejercicio figuren debidamente registrados y presentados en sus cuentas anuales todos los activos, pasivos, ingresos y gastos en la proporción que le corresponda en los términos indicados en la NRV 20.ª.

Comentario

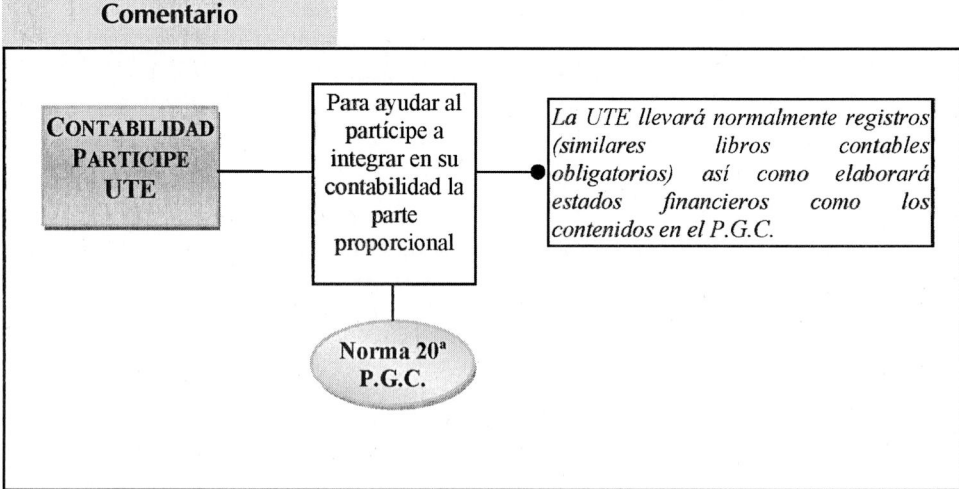

Ejemplo

La sociedad CANIDO REMO S.A., presenta las siguientes cuentas anuales a 31/12/X10:

Balance de situación

	ACTIVO	PATRIMONIO NETO Y PASIVO	
5.000	Terrenos y Bienes Naturales	Capital Social	10.000
8.000	Construcciones	Reservas	5.000
12.000	Maquinaria	Resultados del ejercicio	2.000
(15.000)	AAIM	Deudas a l/p	6.000
5.000	c/c con UTE y comunidades de bienes	Proveedores	5.000
6.000	Mercaderías	Acreedores varios	2.000
7.000	Clientes		
2.000	Tesorería		
30.000	**TOTALES**	**TOTALES**	**30.000**

Cuenta de pérdidas y ganancias

	(DEBE) HABER
Importe neto cifra negocios	20.000
Aprovisionamientos	(8.000)
Otros ingresos de explotación	300
Gastos de personal	(6.000)
Otros gastos de explotación	(1.800)
Amortización del inmovilizado	(2.000)
Gastos financieros	(500)
RESULTADO DEL EJERCICIO	**2.000**

La empresa CANIDO REMO S.A., participa en una U.T.E, con cuatro partícipes más y a un 20% de participación cada uno. La UTE (*) presenta las siguientes cuentas a 31/12/X10:

Balance de situación

	ACTIVO	PATRIMONIO NETO Y PASIVO	
10.000	Maquinaria	Fondo Operativo	25.000
8.000	Elementos de Transporte	Resultados del ejercicio	5.000
(3.000)	A.A Inmovilizado Material	Proveedores	2.000
9.000	Mercaderías		
6.000	Clientes		
2.000	Tesorería		
32.000	**TOTALES**	**TOTALES**	**32.000**

(*) Las UTES no son sujetos contables. Para poder llevar un adecuado control interno, éstas normalmente llevarán unos registros auxiliares cuya confección podrá realizarse de forma similar a los libros obligatorios de contabilidad de las empresas. Adicionalmente, se podrían formular unos estados financieros similares a los contenidos en el PGC.

Cuenta de pérdidas y ganancias

	(DEBE) HABER
Importe neto cifra negocios	35.000
Aprovisionamientos	(20.000)
Gastos de personal	(4.000)
Otros gastos de explotación	(5.000)
Amortización del inmovilizado	(1.000)
RESULTADO DEL EJERCICIO	**5.000**

SE PIDE:

Elaboración del Balance y cuenta de pérdidas y ganancias por parte de CANIDO REMO teniendo en cuenta la participación de ésta en la UTE.

SOLUCIÓN:

Cuenta de pérdidas y ganancias integrada

	CANIDO REMO	UTE (20%)	Total
Importe neto cifra negocios	20.000	7.000	27.000
Aprovisionamientos	(8.000)	(4.000)	(12.000)
Otros ingresos de explotación	300	—	300
Gastos de personal	(6.000)	(800)	(6.800)
Otros gastos de explotación	(1.800)	(1.000)	(2.800)
Amortización del inmovilizado	(2.000)	(200)	(2.200)
Gastos financieros	(500)	—	(500)
RESULTADO DEL EJERCICIO	2.000	1.000	3.000

En la Norma 20.ª.2.1. del PGC, establece que se reconocerá en la cuenta de pérdidas y ganancias, la parte que corresponda de los ingresos generados y de los gastos incurridos por el negocio conjunto.

Adicionalmente, y en la presente consulta, nos comenta que se reconocerá en su cuenta de pérdidas y ganancias la parte que le corresponda de los ingresos generados y de los gastos incurridos por el negocio conjunto, así como los gastos incurridos en relación con su participación en el negocio conjunto, y que de acuerdo con lo dispuesto en este Plan General de Contabilidad deban ser imputados a la cuenta de pérdidas y ganancias.

Balance situación integrado

	CANIDO REMO	UTE (20%)	TOTAL
ACTIVO			
Terrenos y B. Naturales	5.000	—	5.000
Construcciones	8.000	—	8.000
Maquinaria	12.000	2.000	14.000
Elementos Transporte	—	1.600	1.600
AAIM	(15.000)	(600)	(15.600)
Mercaderías	6.000	1.800	7.800

	CANIDO REMO	UTE (20%)	TOTAL
Clientes	7.000	1.200	8.200
Tesorería	2.000	400	2.400
Sumas	**25.000**	**6.400**	**31.400**
Patrimonio neto y pasivo			
Capital Social	10.000	—	10.000
Reservas	5.000	—	5.000
Resultados del ejercicio	2.000	1.000	3.000
Proveedores	5.000	400	5.400
Deudas l/p	6.000	—	6.000
Acreedores varios	2.000	—	2.000
Sumas	**30.000**	**1.400**	**31.400**

En la Norma 20.ª.2.1. del PGC y en la presente consulta, se establece que el partícipe en una explotación o en activos controlados de forma conjunta, registrará en su Balance la parte proporcional que le corresponda en función de su porcentaje de participación, de los activos controlados conjuntamente y de los pasivos incurridos conjuntamente, así como los activos afectos a la explotación conjunta que estén bajo su control y los pasivos incurridos como consecuencia del negocio conjunto.

El asiento de integración de los activos, pasivos, gastos e ingresos de la comunidad de bienes en las cuentas anuales de la sociedad CANIDO REMO sería el siguiente [todo ello en base a los movimientos de la cuenta 554 del PGC «c/c con uniones temporales de empresas y comunidades de bienes»].

– Integración de activos y pasivos:

————————————— X —————————————

2.000   Maquinaria (213)

[10.000 x 20%]

1.600   Elementos de transporte (218)

[8.000 x 20%]

1.800   Mercaderías (300)

[9.000 x 20%]

1.200   Clientes (430)

[6.000 x 20%]

400   Tesorería (57)

[2.000 x 20%]

a   Amortización acumulada del
inmovilizado material (281)

[3.000 x 20%]   600

Proveedores (400)

[2.000 x 20%]   400

c/c con uniones temporales de
empresas y comunidades de
bienes (554)

(30.000 x 20%)   6.000

— Integración de ingresos y gastos:

X

4.000 Aprovisionamientos (60)

[20.000 x 20%]

  800 Gastos de personal (64) [4.000 x 20%]

1.000 Otros gastos de explotación (65)

[5.000 x 20%]

  200 Amortización del inmovilizado (68)

[1.000 x 20%]

1.000 c/c con uniones temporales de empresas y comunidades de bienes (554)

                    a   Ingresos (70)   7.000

Así, en la definición de la cuenta 554, en la 5.ª parte del PGC nos comenta:

«Recoge los movimientos con las uniones temporales de empresas y comunidades de bienes en las que participe la empresa, derivados de aportaciones dinerarias, incluida la fundacional, devoluciones dinerarias de las uniones temporales de empresas, prestaciones recíprocas de medios, servicios y otros suplidos, y asignaciones de los resultados obtenidos en las mismas (...)».

Y en su movimiento, comenta:

«a) Se cargará por las remesas o entregas efectuadas por la empresa, con abono a las cuentas de los grupo 2, 5 y 7 que correspondan

b) Se abonará por las recepciones a favor de la empresa, con cargo a las cuentas de los grupos 2,5 y 6 que correspondan»

NOTA:

Las UTES, consiste en un sistema de colaboración entre empresarios, por tiempo determinado ó indeterminado, para el desarrollo ó ejecución de una obra, servicio ó suministro (Ley 18/1992 de 26/5 art. 7.1.).

En relación a las operaciones de las UTES, comentar, que éstas carecen de personalidad jurídica, por lo que la información contable referida a las mismas, deberá ser presentada por las empresas que participan en la unión temporal. Cada sociedad, que sea miembro de la UTE, deberá integrar en su Balance y Cuenta de Pérdidas y Ganancias, la parte proporcional de los saldos de las cuentas anuales de la UTE que corresponda, en función del porcentaje de participación que mantenga en la misma (Orden del MEH de 27/1/1993. Norma 21.ª. Apartado 2.º y Norma 20.ª PGC).

Las Comunidades de Bienes, no tienen personalidad jurídica y no formula cuentas anuales a efectos mercantiles (Norma 22.ª, Adaptación PGC empresas sector eléctrico), pues los elementos patrimoniales de éstas así como las operaciones llevadas a cabo por la comunidad, estarán integradas en las cuentas anuales de las sociedades-comuneros por el importe proporcional a su participación en la Comunidad.

Las UTES, no formulan cuentas anuales a efectos mercantiles, sin perjuicio de que otras legislaciones, como es el caso de la legislación fiscal, puedan imponer determinadas obligaciones de contabilidad a las mismas; no obstante, un adecuado control interno producirá que normalmente las UTES lleven unos registros cuya confección podrá realizarse de forma similar a los libros de contabilidad que resultan obligatorios para la empresa (RICAC 9/10/1997). Esto mismo será aplicable a las Comunidades de Bienes.

Se deberán eliminar los resultados no realizados que pudieran existir por transacciones entre el partícipe y el negocio conjunto, en proporción a la participación que corresponda a aquél. También serán objeto de eliminación los importes de activos, pasivos, ingresos, gastos y flujos de efectivo recíprocos. Si el negocio conjunto elabora estados financieros a efectos del control de su gestión, se podrá operar integrando los mismos en las cuentas anuales individuales de los partícipes en función del porcentaje de participación y sin perjuicio de que debe registrarse conforme a lo previsto en el art. 28 del Código de Comercio. Dicha integración se realizará una vez efectuada la necesaria homogeneización temporal, atendiendo a la fecha de cierre y al ejercicio económico del partícipe, la homogeneización valorativa en el caso de que el negocio conjunto haya utilizado criterios valorativos distintos de los empleados por el partícipe, y las conciliaciones y reclasificaciones de partidas necesarias.

8. CUESTIONES SOCIETARIAS

8.   CUESTIONES SOCIETARIAS

Sumario

8.1. ACCIONES PROPIAS Y ACCIONES SIN VOTO

8.1.0.1. Derecho separación socio

BOICAC 89, marzo 2012. Consulta 3.

Sobre el tratamiento contable del derecho de separación del socio regulado en el art. 348.bis del Texto Refundido de la Ley de Sociedades de Capital (TRLSC), aprobado por el Real Decreto Legislativo 1/2010, de 2 de julio.

Respuesta

El art. 348.bis del TRLSC regula el derecho de separación del socio en caso de falta de distribución de dividendos, en los siguientes términos:

«1. A partir del quinto ejercicio a contar desde la inscripción en el Registro Mercantil de la sociedad, el socio que hubiera votado a favor de la distribución de los beneficios sociales tendrá derecho de separación en el caso de que la junta general no acordara la distribución como dividendo de, al menos, un tercio de los beneficios propios de la explotación del objeto social obtenidos durante el ejercicio anterior, que sean legalmente repartibles.

2. El plazo para el ejercicio del derecho de separación será de un mes a contar desde la fecha en que se hubiera celebrado la junta general ordinaria de socios.

3. Lo dispuesto en este artículo no será de aplicación a las sociedades cotizadas».

A la vista de este precepto se pregunta si la Ley está imponiendo una obligación de reparto de dividendos en relación con las acciones de los minoritarios y las implicaciones contables que esta circunstancia tendría.

El derecho de separación que le asiste al socio al amparo del art. 348 bis del TRLSC, desde un punto de vista económico, se configura como una opción de rescate de la inversión que solo nace si se cumplen los requisitos previstos por la Ley. De lo anterior no cabe inferir que el reparto de dividendos sea obligatorio, sino más bien, que ante la falta de reparto nace el derecho de los accionistas a solicitar el reembolso de su participación. Por ello, en todo caso, la aplicación del resultado sigue siendo discrecional y, en consecuencia, seguirá contabilizándose empleando como contrapartida una cuenta de reservas.

Una vez aclarada esta cuestión, resta pronunciarse sobre el tratamiento contable del derecho de separación, en sentido estricto. En particular, si ante la existencia de una eventual obligación de reembolso condicionada o contingente, la sociedad debe registrar un pasivo, en qué momento y por qué importe.

De acuerdo con el art. 34.2 del Código de Comercio las cuentas anuales deben redactarse con claridad y mostrar la imagen fiel del patrimonio, de la situación financiera y de los resultados de la empresa, de conformidad con las disposiciones legales. A tal efecto, en la contabilización de las operaciones se atenderá a su realidad económica y no sólo a su forma jurídica.

Adicionalmente, la norma de registro y valoración (NRV) 9.ª. «Instrumentos financieros», apartado 3, dispone:

> «Los instrumentos financieros emitidos, incurridos o asumidos se clasificarán como pasivos financieros, en su totalidad o en una de sus partes, siempre que de acuerdo con su realidad económica supongan para la empresa una obligación contractual, directa o indirecta, de entregar efectivo u otro activo financiero, o de intercambiar activos o pasivos financieros con terceros en condiciones potencialmente desfavorables, tal como un instrumento financiero que prevea su recompra obligatoria por parte del emisor, o que otorgue al tenedor el derecho a exigir al emisor su rescate en una fecha y por un importe determinado o determinable, o a recibir una remuneración predeterminada siempre que haya beneficios distribuibles. En particular, determinadas acciones rescatables y acciones o participaciones sin voto».

Es decir, a raíz de la entrada en vigor del nuevo PGC el tratamiento contable de los instrumentos financieros se asienta en el concepto de «obligación contractual». Si la empresa emite un instrumento, en el caso que nos ocupa acciones o participaciones, y no tiene un derecho incondicional a evitar la salida de flujos de efectivo, el PGC califica ese instrumento, en todo o en parte, como un pasivo.

En este contexto normativo, para poder otorgar un adecuado tratamiento contable al derecho de separación sobre el que versa la consulta, la cuestión a dilucidar es si la sociedad tiene un derecho incondicional a evitar la salida de flujos de efectivo. Pues bien, en la medida en que el derecho de separación solo nace cuando, cumpliéndose los requisitos previstos por la Ley, el socio se dirija a la sociedad en tiempo y forma, hasta ese momento el «derecho» del socio reconocido en el art. 348.bis es una pura y simple expectativa de derechos sin sustancia jurídica equiparable a la de un verdadero derecho de crédito y, en consecuencia, no puede concluirse que origine desde un punto de vista contable el reconocimiento de un pasivo.

Sin perjuicio de lo anterior, en la memoria de las cuentas anuales se deberá facilitar toda la información significativa sobre el tema objeto de consulta de forma que aquellas, en su conjunto, muestren la imagen fiel del patrimonio, de la situación financiera y de los resultados de la empresa. En particular, se incluirá información sobre los dividendos distribuidos en los últimos cinco ejercicios, o en caso de que no se hubiesen repartido, el número de socios que hubieren votado en contra de la propuesta de aplicación.

Comentario

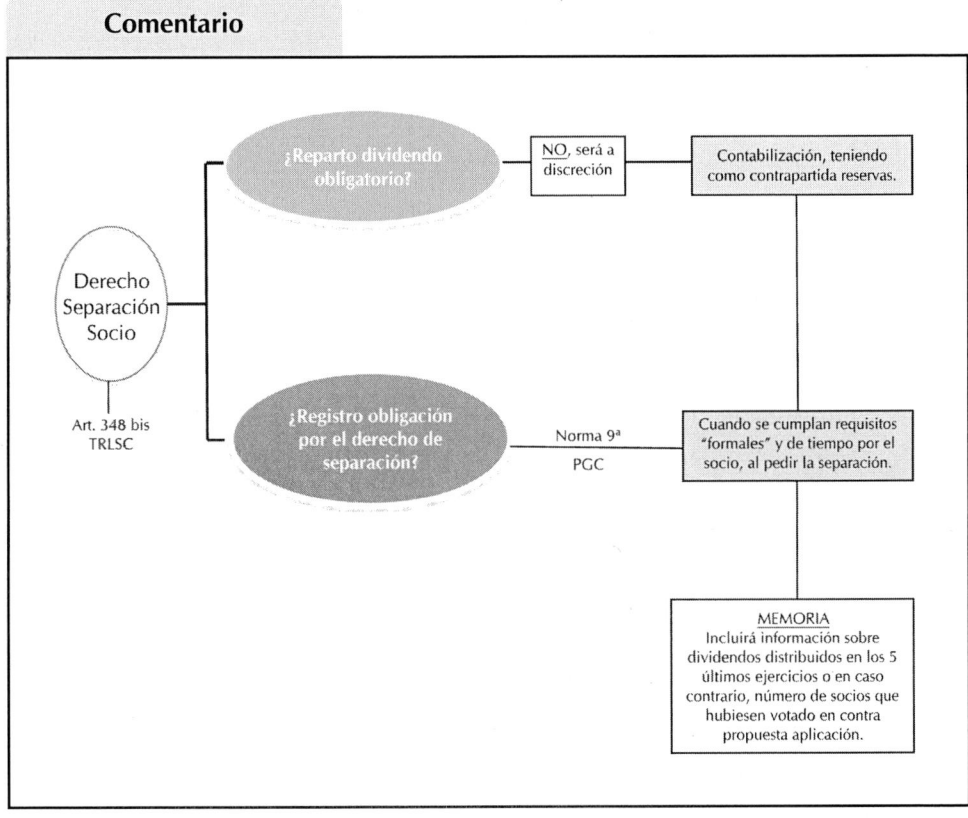

Ejemplo

La sociedad anónima PRAIAS E DUNAS DA FONTAINA, que se dedica al comercio, presenta el 31/12/20X5 el siguiente Balance de Situación, expresado en euros:

ACTIVO		PATRIMONIO NETO Y PASIVO	
8.000.000	Inmovilizado Intangible neto	Capital Social	20.000.000
19.000.000	Inmovilizado material neto	Prima de emisión de acciones	2.000.000
1.800.000	Existencias	Reserva Legal	3.000.000
2.000.000	Deudores	Reservas voluntarias	2.000.000
4.990.000	Inversiones Financieras c/p	Resultado del ejercicio	3.000.000
10.000	Tesorería	Acreedores a largo plazo	2.000.000
		Acreedores a corto plazo	3.800.000

ACTIVO		PATRIMONIO NETO Y PASIVO	
35.800.000	TOTAL ACTIVO	TOTAL PATRIMONIO NETO Y PASIVO	35.800.000

Información complementaria referente al contenido del balance:

• El capital social, está formado por aportaciones dinerarias efectuadas por los accionistas. Todas las acciones tienen el mismo valor nominal, 10€. Las acciones de esta sociedad no cotizan en Bolsa.

• La sociedad fue constituida e inscrita en el Registro Mercantil a principios del ejercicio X0.

• Desde su constitución la sociedad no ha repartido nunca dividendos a pesar de obtener beneficios de su actividad de explotación.

Apartado 1.

Operaciones efectuadas por la sociedad PRAIAS E DUNAS DA FONTAINA en el ejercicio 20X6:

1.- El 1/4/X6 se reúne la Junta General de Accionistas y aprueba, entre otros acuerdos, una vez cumplidos todos los requisitos legales, destinar el excedente a dotar a Reserva Voluntaria .En dicha Junta un accionista poseedor de 5.000 acciones vota a favor de la distribución de los beneficios sociales, comunicando a la sociedad su derecho de separación amparado en el art. 348.bis del TRLSC por el que se regula el derecho de separación del socio en caso de falta de distribución de dividendos.

2.- El 15/4/X6 el socio y la sociedad ratifican el acuerdo de separación del mismo de la sociedad amparado por lo establecido en el mencionado TRLSC, llegando al acuerdo de valorar las acciones a su valor razonable que en ausencia de cotización de las acciones se toma como referencia el valor teórico a fecha del balance presentado una vez registrada la aplicación del resultado.

3.- El 29/4/X6, ante la falta de liquidez, socio y sociedad acuerdan retribuir al accionista con un elemento de transporte que figura contabilizado por un importe de:

Elemento de transporte.	70.000€
Amortización acumulada del elemento de transporte.	(4.000€)
Deterioro de valor del inmovilizado material.	(1.000€)
VALOR CONTABLE.	65.000€
VALOR RAZONABLE.	67.500€
Además para cancelar la deuda se le entregan.	7.500€ al contado

Apartado 2.

La sociedad PRAIA DO BAO es accionista de la sociedad PRAIAS E DUNAS DA FONTAINA, de la cual posee 5.000 acciones, las cuales están clasificadas en la cartera de «Activos financieros disponibles para la venta «dichas acciones fueron adquiridas a un precio unitario de 12€ siendo el valor razonable a 31/12/X5 de 15€».

SE PIDE:

Registro de las operaciones relatadas en las dos sociedades. Tipo impositivo 30%

SOLUCIÓN:

PRAIAS E DUNAS DA FONTAINA

– Por la aplicación del resultado:

────────────────────────── 1/4/X6 ──────────────────────────

3.000.000	Resultado del ejercicio (129)		
	a	Reserva legal (112)$^{(*)}$	300.000
		Reservas voluntarias (113)	2.700.000

$^{(*)}$ En base al art. 273 de la LSC, comprobaremos si se cumplen las atenciones previstas en la Ley. Así:
Reserva Legal (art 274): Se destinará una cifra igual al 10% del beneficio del ejercicio, hasta que esta reserva alcance, al menos el 20% del Capital Social:
10% 3.000.000 = 300.000
Dicha cantidad, junto a la que ya poseía la sociedad (300.000 + 3.000.000) = 3.300.000), no supera el máximo establecido del 20% del Capital Social (= 20% 20.000.000 = 4.000.000), por lo que dotaremos el 10%.]

– Determinación Del Valor Teórico de las acciones de la sociedad PRAIAS E DUNAS DA FONTAINA

Sociedad PRAIA E DUNAS DA FONTAINA		% participación en el patrimonio neto
Capital Social: (2.000.000 accciones)	20.000.000	66,66
Reserva Legal	3.300.000	11,00
Reservas Voluntarias	4.700.000	15,66
Prima de emisión acciones	2.000.000	6,66
Patrimonio Neto	**30.000.000**	**100**

Sociedad PRAIA E DUNAS DA FONTAINA	% participación en el patrimonio neto
Valor Teórico $\dfrac{\text{Patrimonio Neto}}{\text{N}^{\text{o}}\ \text{acciones}}$ = $\dfrac{30.000.000}{2.000.000\ \text{acc}}$ = 15€

– Por la adquisición de las acciones al socio disidente valorando las mismas al valor teórico:

15/4/X6

75.000	Acciones o participaciones propias en situaciones especiales (108) [5.000 acciones x 15€]		
		a	c/c con socios y administradores (551) 75.000

El derecho de separación que le asiste al socio al amparo del artículo 348 bis del TRLSC, desde un punto de vista económico, se configura como una opción de rescate de la inversión que solo nace si se cumplen los requisitos previstos por la Ley. De lo anterior no cabe inferir que el reparto de dividendos sea obligatorio, sino más bien, que ante la falta de reparto nace el derecho de los accionistas a solicitar el reembolso de su participación.

En cuanto a su valoración estaremos a lo establecido en el art. 353. LSC, la cual nos comenta, en su apartado 1:

> «A falta de acuerdo entre la sociedad y el socio sobre el valor razonable de las participaciones sociales o de las acciones, o sobre la persona o personas que hayan de valorarlas y el procedimiento a seguir para su valoración, serán valoradas por un auditor de cuentas distinto al de la sociedad, designado por el registrador mercantil del domicilio social a solicitud de la sociedad o de cualquiera de los socios titulares de las participaciones o de las acciones objeto de valoración».

En nuestro caso, por mutuo acuerdo, se acordó valorarlas al valor teórico (15€/ título)

– Reconocimiento de la deuda con el accionista como un pasivo financiero:

—————————————————— 15/4/X6 ——————————————————

50.000	Capital social (100)		
	[75.000 x 66,66%]		
5.000	Prima de emisión de acciones (110)		
	[75.000 x 6,66%]		
8.250	Reserva legal (112)		
	[75.000 x 11%]		
11.750	Reservas voluntarias (113)		
	[75.000 x 15,66%]		
		a	Acciones o participaciones c/p consideradas pasivos financieros (502) 75.000

En el apartado 3, de la Norma 9.ª de Valoración PGC, nos comenta:

> *«Los instrumentos financieros emitidos, incurridos o asumidos se clasificarán como pasivos financieros, en su totalidad o en una de sus partes, siempre que de acuerdo con su realidad económica supongan para la empresa una obligación contractual, directa o indirecta, de entregar efectivo u otro activo financiero, o de intercambiar activos o pasivos financieros con terceros en condiciones potencialmente desfavorables, tal como un instrumento financiero que prevea su recompra obligatoria por parte del emisor, o que otorgue al tenedor el derecho a exigir al emisor su rescate en una fecha y por un importe determinado o determinable, o a recibir una remuneración predeterminada siempre que haya beneficios distribuibles. En particular, determinadas acciones rescatables y acciones o participaciones sin voto».*

Es decir, a raíz de la entrada en vigor del nuevo PGC el tratamiento contable de los instrumentos financieros se asienta en el concepto de «obligación contractual». Si la empresa emite un instrumento, en el caso que nos ocupa acciones o participaciones, y no tiene un derecho incondicional a evitar la salida de flujos de efectivo, el PGC califica ese instrumento, en todo o en parte, como un pasivo.

Según los contenidos de la presente consulta: en la medida en que el derecho de separación solo nace cuando, cumpliéndose los requisitos previstos por la Ley, el socio se dirija a la sociedad en tiempo y forma. En consecuencia, y en nuestro caso, al haber sido ejercitado el derecho de separación en tiempo y forma se ha registrado como un pasivo financiero.

– Por el pago de la deuda contraída con el socio que separa y entrega del efectivo y el elemento de transporte.

Sabemos que, en libros el activo, está registrado:

Elemento de transporte.	70.000€
Amortización acumulada del elemento de transporte.	(4.000€)
Deterioro de valor del inmovilizado material.	(1.000€)
VALOR CONTABLE.	65.000€

Y a este elemento, se le añade 7.500€ al contado. Por tanto el importe (en valor monetario) que entregará la sociedad al socio es de:

Valor contable elemento transporte + Importe al contado = 65.000 + 7.500 = 72.500

Y con ello, cancelará la deuda mantenida con él, que asciende a 75.000€.

Por tanto, la sociedad, obtendrá un resultado positivo por la operación de:

$$75.000 – 72.500 = 2.500€$$

Registrando:

 29/4/X6

75.000	c/c con socios y administradores (551)			
4.000	Amortización acumulada del inmovilizado material (281)			
1.000	Deterioro del valor del inmovilizado material (291)			
		a	Elementos de transporte (218)	70.000
			Reservas Voluntarias (113) (*)	2.500
			Bancos (572)	7.500

(*) Según lo dispuesto en la 1.ª parte del PGC (marco conceptual), se definen los *Ingresos*:

• incrementos en el patrimonio neto de la empresa durante el ejercicio, ya sea en forma de entradas;
• o, aumentos en el valor de los activos, o de disminución de los pasivos, *siempre que no tengan su origen en aportaciones, monetarias o no, de los socios o propietarios.*

Al haber cancelado la deuda con el accionista ya no tendremos pasivo financiero. En consecuencia:

	29/4/X6		
75.000	Acciones o participaciones a c/p consideradas pasivos financieros (502)		
	a	Acciones o participaciones propias en situaciones especiales (108)	75.000

PRAIA DO BAO

Seguiremos lo establecido en la Consulta n.º 2 del BOICAC 55, la cual nos dice que para el caso en que la sociedad retribuya al socio saliente con efectivo y activos no monetarios (un vehículo, en nuestro caso), *«(...) se deberá diferenciar ambas partidas (para lo que se* deberá tener en cuenta la proporción que cada una de estas retribuciones –tesorería y *valor razonable de los bienes recibidos– tiene sobre el total (...)».*

Veamos esto último:

PRAIA DO BAO, recibe a cambio de las participaciones:

		% sobre total
• Tesorería.	7.500€	10%
• Elementos de Transporte (Valor Razonable).	67.500€	90%
Total.	75.000€	

Todo ello con el objeto de diferenciar la parte de la operación que supone una venta (contraprestación monetaria, 10% de la retribución total), de la parte que se materializa en una permuta (bien recibido, elemento de transporte, que es 90% de la retribución total).

Por la permuta, aplicaremos lo dispuesto en la norma de valoración 2.ª.1.3:

> *«(...) Analizando el fondo económico de la operación, se trata de una permuta comercial Se considerará que una permuta tiene carácter comercial si:*

a) La configuración (riesgo, calendario e importe) de los flujos de efectivo del inmovilizado recibido difiere de la configuración de los flujos de efectivo del activo entregado; o (...)».

En las operaciones de permuta de carácter comercial, el inmovilizado material recibido se valorará por el valor razonable del activo entregado más, en su caso, las contrapartidas monetarias que se hubieran entregado a cambio, salvo que se tenga una evidencia más clara del valor razonable del activo recibido y con el límite de este último. Las diferencias de valoración que pudieran surgir al dar de baja el elemento entregado a cambio se reconocerán en la cuenta de pérdidas y ganancias.

Mientras que por la venta, compararemos lo recibido (Tesorería), con el valor contable de las participaciones asociadas a dicha parte monetaria.

Vemos qué parte del valor contable de las participaciones utilizaremos en cada operación:

PRAIA DO BAO, tiene anotado en su balance:

Acciones PRAIA E DUNAS DA FONTAINA: 5.000 tit. x 15€/tit. = 75.000

De esta cifra diferenciaremos:

	Acciones PRAIA E DUNAS DA FONTAINA	Venta (10%)	Permuta (90%)
Valor contable [5.000 acc x 15€]	75.000	10% 75.000 = **7.500**	90% 75.000 = **67.500**

– Por la operación de venta, anotará:

———————————————— X ————————————————

7.500   Bancos (572)

                  a   Inversiones financieras largo plazo en instrumentos de patrimonio (250)

                     [5.000 acc x 10% x 15]   7.500

Dará de baja la parte correspondiente a las participaciones (10%), es decir 5.000 x 10% = 500 acciones, y por comparación con el importe monetario percibido reconocerá un resultado si procede.

– Por la operación de permuta, seguiremos lo establecido en la Norma 2.ª.1.3:

Bien Recibido (Elemento de Transporte)

= Valor razonable de la parte correspondiente de las participaciones (90%)

Luego:

Bien Recibido (Elemento de Transporte) = **67.500 (4.500 acciones)**

Por tanto, anotará:

_____ X _____

67.500 Elementos de transporte (218)

a   Inversiones financieras largo
plazo en instrumentos de
patrimonio (250)

[5.000 aa x 90% x 15]   67.500

– Por la realización del resultado imputado al patrimonio neto de las acciones calificadas como «Activos financieros disponibles para la venta»:

Resultado obtenido: (15 – 12) x 5.000 acciones = 15.000

_____ X _____

15.000 Transferencia de beneficios en
activos financieros disponibles
para la venta (802)

a   Beneficios en activos financieros disponibles para la venta
(7632)   15.000

– Por la reversión del efecto impositivo:

———————————————————— X ————————————————————

4.500	Pasivo por diferencia temporaria imponible (479)		
		a Impuesto diferido (8301)	4.500

– Por la regularización de las cuentas de los grupos 8 y 9 al cierre de ejercicio:

———————————————————— X ————————————————————

4.500	Impuesto diferido (8301)		
10.500	Ajustes por valoración de activos financieros disponibles para la venta (133)		
		a Transferencia de beneficios en activos financieros disponibles para la venta (802)	15.000

8.2. AMPLIACIONES DE CAPITAL

8.2.0.1. Recompra acciones a una entidad capital riesgo por la sociedad emisora o sus socios

BOICAC 86, junio 2011. Consulta 2.

Sobre el tratamiento contable de la suscripción de acciones por parte de una entidad de capital riesgo, con el compromiso de recompra en un plazo determinado, desde la perspectiva de la entidad que emite el capital.

Respuesta

Una sociedad realiza una ampliación de capital que es parcialmente suscrita por una entidad de capital riesgo (ECR). En esa misma fecha se firma un contrato entre la sociedad emisora, la ECR y los restantes socios, en cuya virtud, la sociedad emisora de las acciones o los restantes socios, indistintamente, asumen los siguientes compromisos frente a la ECR:

a) Comprar las acciones suscritas por la ECR en un plazo de seis años por la mayor de las siguientes cantidades:

a.1) El importe representativo de la participación de la ECR en el patrimonio neto que se deduzca del balance correspondiente al mes inmediatamente anterior a la finalización del plazo acordado; o,

a.2) El ciento cincuenta por ciento de la inversión realizada por el ECR.

b) Abonar anualmente a la ECR una cantidad a cuenta del precio final, que en ambos casos se deducirá de este último.

La consulta versa sobre el adecuado tratamiento contable de la operación desde la perspectiva de la sociedad que emite el capital.

En primer lugar es preciso señalar que este Instituto no entra a valorar el fondo jurídico de la operación, dado que carece de competencias para realizar pronunciamientos de naturaleza mercantil. La respuesta simplemente parte de la hipótesis de que los hechos descritos por el consultante no constituyen un negocio prohibido sobre las acciones propias. Si esta hipótesis no se ajustase a derecho, lógicamente el tratamiento contable propuesto debería decaer.

El registro de cualquier operación requiere un previo análisis del fondo económico y jurídico de la misma, tal y como exige el art. 34.2 del Código de Comercio y, en su desarrollo, el Marco Conceptual de la Contabilidad (MCC) recogido en la primera parte del Plan General de Contabilidad (PGC) aprobado por el Real Decreto 1514/2007, de 16 noviembre, en cuya virtud, «*en la contabilidad de las operaciones se atenderá a su realidad económica y no sólo a su forma jurídica*».

Al amparo de este principio, y de las definiciones de patrimonio neto y pasivo incluidas en el art. 36 del Código de Comercio y en el propio MCC, la norma de registro y valoración (NRV) 9.ª «Instrumentos financieros», en su apartado 3, dispone:

> «*Los instrumentos financieros emitidos, incurridos o asumidos se clasificarán como pasivos financieros, en su totalidad o en una de sus partes, siempre que de acuerdo con su realidad económica supongan para la empresa una obligación contractual, directa o indirecta, de entregar efectivo u otro activo financiero, o de intercambiar activos o pasivos financieros con terceros en condiciones potencialmente desfavorables, tal como un instrumento financieros que prevea su recompra obligatoria por parte del emisor, o que otorgue al tenedor el derecho a exigir al emisor su rescate en una fecha y por un importe determinado o determinable, o a recibir una remuneración predeterminada siempre que haya beneficios distribuibles. En particular, determinadas acciones rescatables y acciones o participaciones sin voto*».

Adicionalmente, el apartado 4 de la citada NRV 9.ª señala:

> «*(...) En el caso de que la empresa realice cualquier tipo de transacción con sus propios instrumentos de patrimonio, el importe de estos instru-*

mentos se registrará en el patrimonio neto, como una variación de los fondos propios, y en ningún caso podrán ser reconocidos como activos financieros de la empresa ni se registrará resultado alguno en la cuenta de pérdidas y ganancias (...)».

De acuerdo con lo anterior, el compromiso de entregar efectivo que asume la sociedad en el momento inicial deberá contabilizarse como un pasivo por su valor razonable, equivalente al valor actual del ciento cincuenta por ciento de la inversión realizada por la ECR salvo que el importe calculado por referencia al patrimonio neto fuese superior, empleando como contrapartida una cuenta con adecuada denominación que deberá mostrarse con saldo negativo en el epígrafe IV. (Acciones y participaciones en patrimonio propias) de los fondos propios. A tal efecto se propone emplear la cuenta 107. «Compromisos de adquisición de acciones propias».

Con posterioridad al reconocimiento inicial, la empresa aplicará el siguiente tratamiento contable:

1. Con carácter general, el pasivo se incluirá en la categoría de «Débitos y partidas a pagar» y se valorará siguiendo el criterio de coste amortizado.

2. La variación de valor del pasivo se contabilizará como un gasto financiero en la cuenta de pérdidas y ganancias. En su caso, aplicando por analogía el criterio recogido en la consulta 1 publicada en el Boletín de este instituto n.º 78 de junio de 2009, sobre la contabilización de los préstamos participativos.

3. Los pagos a cuenta del precio final se contabilizarán minorando el valor del pasivo.

4. Por último, en la fecha en que se produzca la recompra pueden presentarse dos escenarios:

a) La empresa adquiere acciones. En este supuesto cancelará la deuda y reclasificará el saldo de la cuenta 107 a la cuenta 108 ó 109, según proceda.

b) Los socios adquieren las acciones. En tal caso, la empresa cancelará la deuda con abono a la cuenta 107 reconociendo la diferencia entre ambos importes en la cuenta de reservas.

Si la sociedad pudiese optar por la aplicación del Plan General de Contabilidad de Pequeñas y Medianas empresas aprobado por el Real Decreto 1515/2007, de 16 noviembre, las conclusiones de la presente contestación, en esencia, no variarían.

Comentario

Suscripción parte
emisión acciones

**Entidad
capital
riesgo
(ECR)**

Recompra empresa o
resto socios

EMPRESA

A: Condiciones
(dentro 6 años) — Mayor —

-Participación ECR en el
Patrimonio Neto, mes
anterior
-150% inversión ECR

B: Se pagará anualmente cantidad a cuenta de este precio

Registro

(107) a (15x)
*Valor razonable =
[valor actual 150% inversión realizada o
participación ECR en el Patrimonio Neto, si supone
superior]*

**Valoración
Inicial**

Creación **cuenta 107**
"Compromiso
adquisición acciones
propias". Epígrafe IV
Balance, signo negativo

*Valoración (15x) pasivo financiero: Coste
amortizado, categoría "Débitos, partidas pagar"*
(662) a (15x)

**Valoración
Posterior**

Pagos a cuenta precio final: minoración pasivo
(15x) a (57x)

*Si emisora
compra acciones*

*Si resto socios
compra acciones*

Recompra

*Cancelación
deuda*
(15x) a (57x)

*Cancelación
saldos cuentas,
diferencia reservas*
(15x)
(11x) Reservas
           a   (107)

*Reclasificación
cuenta 107*
(108)/(109) a (107)

Ejemplo

La sociedad EL VERANITO S.A., procede el 1/1/X0 a ampliar su capital con la emisión de 100.000 acciones de valor nominal 50€ y emitidas al 120%; la citada ampliación es suscrita con aportaciones dinerarias, desembolsadas íntegramente por los antiguos socios en un 90% y el 10% restante (10.000 acciones), son suscritas y desembolsadas por una Entidad de Capital Riesgo (ECR).

En esa misma fecha se firma un contrato entre la sociedad emisora, la ECR y los restantes socios, en cuya virtud, la sociedad emisora de las acciones o los restantes socios, indistintamente, asumen los siguientes compromisos frente a la ECR:

a) Comprar las acciones suscritas por la ECR en un plazo de seis años por la mayor de las siguientes cantidades:

a.1) El importe representativo de la participación de la ECR en el patrimonio neto que se deduzca del balance correspondiente al mes inmediatamente anterior a la finalización del plazo acordado; o,

a.2) El ciento cincuenta por ciento de la inversión realizada por la ECR.

b) Abonar anualmente a la ECR una cantidad a cuenta del precio final, que en ambos casos se deducirá de este último.

SE PIDE:

A) Registro de la ampliación de capital en la sociedad EL VERANITO y la inscripción en el registro Mercantil la cual se lleva a cabo el 1/3/X0. Así como operaciones a 31/12/X0 suponiendo un tipo de interés para estas operaciones del 3% y sabiendo que el Patrimonio Neto de las sociedad EL VERANITO que corresponde a la ECR asciende a 650.000€.

B) Registro de operaciones a efectuar al finalizar el plazo de 6 años (1/1/X6), sabiendo que el patrimonio neto de la sociedad EL VERANITO, deducido del balance de dicha sociedad a principios del mes de diciembre del ejercicio X5 era de 16.000.000. El número de acciones de la sociedad es de 200.000 todas ellas de 50€ de nominal, teniendo en cuenta lo siguiente:

1.- La sociedad EL VERANITO recompra las acciones.

2.- Los socios de la sociedad EL VERANITO adquieren las acciones.

C) Igual que en el caso A, pero considerando además que en el contrato suscrito entre las partes intervinientes se acordó que anualmente se abonaría a la ECR la cuantía de 100.000€ a cuenta del precio final. En este supuesto se registrará las operaciones del ejercicio X0 y la recompra de las acciones por la sociedad EL VERANITO el 1/1/X6; siendo el patrimonio neto de la sociedad referenciada en el mes de diciembre del X5 de 20.000.000€.

SOLUCIÓN:

PUNTO A)

– Por la emisión de 100.000 acciones de 50€ de valor nominal y emitidas al 120%.

––– 1/1/X0 –––––––––––––––––––––––––––––––––––––

5.400.000	Acciones o participaciones emitidas (190)				
	[90.000 acc x 50 x 120%]				
600.000	Acciones o participaciones emitidas consideradas pasivos financieros (195)				
	[10.000 acc x 50 x 120%] (*)				
		a	Capital emitido pendiente de emisión (194)		5.400.000
			Acciones o participaciones emitidas consideradas pasivos financieros pendientes de inscripción (199)(*)		600.000

(*) Los instrumentos financieros emitidos, incurridos o asumidos se clasificarán como pasivos financieros, en su totalidad o en una de sus partes, siempre que de acuerdo con su realidad económica supongan para la empresa una obligación contractual, directa o indirecta, de entregar efectivo u otro activo financiero, o de intercambiar activos o pasivos financieros con terceros en condiciones potencialmente desfavorables, tal como un instrumento financiero que prevea su recompra obligatoria por parte del emisor, o que otorgue al tenedor el derecho a exigir al emisor su rescate en una fecha y por un importe determinado o determinable, o a recibir una remuneración predeterminada siempre que haya beneficios distribuibles, tal y como se establece en el art. 36 del Código de Comercio y en el propio MCC. Norma de registro y valoración (NRV) 9.ª. «Instrumentos financieros», en su apartado 3.

– Por el desembolso;

——————————————————— 1/1/X0 ———————————————————

6.000.000 Bancos c/c (572)

                            a   Acciones o participaciones
                                    emitidas (190)   5.400.000

                                    Acciones o participaciones
                                    emitidas consideradas pasi-
                                    vos financieros (195)   600.000

– Por el compromiso que asume la sociedad de la recompra de las acciones de la ECR.

——————————————————— 1/1/X0 ———————————————————

753.736 Compromisos de adquisición
         de acciones propias (107)[*]

                            a   Deudas a largo plazo con
                                      accionistas de ECR (151)   753.736

---

[*] Según los contenidos de la presente consulta:

«(...) el compromiso de entregar efectivo que asume la sociedad en el momento inicial deberá contabilizarse como un pasivo por su valor razonable, equivalente al valor actual del ciento cincuenta por ciento de la inversión realizada por la ECR salvo que el importe calculado por referencia al patrimonio neto fuese superior, empleando como contrapartida una cuenta con adecuada denominación que deberá mostrarse con saldo negativo en el epígrafe IV. (Acciones y participaciones en patrimonio propias) de los fondos propios. A tal efecto se propone emplear la cuenta 107. «Compromisos de adquisición de acciones propias».]

A) Inversión realizada por la ECR:

10.000 acc x 50 x 120% = 600.000€

150% 600.000 = 900.000

Valor actual: $900.000 \times (1 + 0,03)^{-6}$ =........................   753.736

B) Patrimonio Neto sociedad EL VERANITO,

que corresponde a ECR.......................................   650.000

Como A > B, registraremos por el importe consignado en A.

– Por la inscripción en el registro Mercantil.

——————————————————————— 1/3/X0 ———————————————————————

5.400.000	Capital emitido pendiente de emisión (194)			
600.000	Acciones o participaciones emitidas consideradas pasivos financieros pendientes de inscripción (199)			
		a	Capital social (100) [90.000 acc x 50€]	4.500.000
			Prima de emisión de acciones (110) [90.000 acc x 10€]	900.000
			Acciones o participaciones a largo plazo consideradas pasivos financieros (150) [10.000 acc x 60€]	600.000

– Por la variación del pasivo financiero:

——————————————————————— 31/12/X0 ———————————————————————

22.612	Intereses de deudas (662) [753.736 x 0,03]			
		a	Deudas a largo plazo con accionistas ERC(151)	22.612

PUNTO B)

La sociedad EL VERANITO A 1/1/X6 tendría en su balance entre otras las siguientes cuentas:

Deudas a corto plazo con accionistas ERC (503). 900.000

Compromisos de adquisición de acciones propias (107). 753.736

Acciones o participaciones a corto plazo consideradas pasivos financieros (502). 600.000

1.- La recompra la efectúa la sociedad EL VERANITO:

– Por la recompra de las acciones a la ECR.

		1/1/X6		
900.000	Deudas a corto plazo con accionistas ERC (503)			
		a	Bancos c/c (572)$^{(*)}$	900.000

$^{(*)}$ El importe a pagar será el mayor de:

- El 150% del valor de la inversión realizada por ECR 600.000 x150%: 900.000

- % de participación de la ECR en la sociedad EL VERANITO: 5% 16.000.000 800.000

$$\% \text{ participación Patrimonio Neto} = \frac{10.000 \text{ accionesr}}{200.000 \text{ acciones}} \times 100 = 5\%$$

En consecuencia el importe a pagar será de 900.000€.

En estos momentos, y al haber sido adquiridas las acciones, éstas dejarán de ser consideradas pasivos financieros y en consecuencia:

		1/1/X6		
600.000	Acciones o participaciones a corto plazo consideradas pasivos financieros (502)			
		a	Capital social (100) [10.000 acc x 50€]	500.000
			Prima de emisión de acciones (110) [10.000 acc x 10€]	100.000

———————————————— 1/1/X6 ————————————————

753.736	Acciones o participaciones propias en situaciones especiales (108)	
	a Compromisos de adquisición de acciones propias (107)	753.736

Según los contenidos de la presente consulta:

«(…) .la empresa adquiere las acciones. En este supuesto cancelará la deuda y reclasificará el saldo de la cuenta 107 a la cuenta 108 ó 109, según proceda».

2.- <u>En este caso son los socios de la sociedad EL VERANITO los que adquieren las acciones:</u>

———————————————— 1/1/X6 ————————————————

900.000	Deudas a corto plazo con accionistas ERC (503)	
	a Compromisos de adquisición de acciones propias (107)	753.736
	Reservas voluntarias(113)	146.264

Si los socios adquieren las acciones. En tal caso la empresa cancelará la deuda con abono a la cuenta 107 reconociendo la diferencia entre ambos importes en una cuenta de reservas.

<u>PUNTO C)</u>

• **Operaciones del ejercicio X0:**

– Por la emisión de 100.000 acciones de 50€ de valor nominal y emitidas al 120%.

——————————————— 1/1/X0 ———————————————

5.400.000   Acciones o participaciones
emitidas (190)

[90.000 acc x 50 x 120%]

600.000   Acciones o participaciones
emitidas consideradas pasivos
financieros (195) [10.000 acc x
50 x 120%][*]

       a   Capital emitido pendiente
de emisión (194)   5.400.000

          Acciones o participaciones
emitidas consideradas pasivos financieros pendientes
de inscripción (199)[*]   600.000

[*] Los instrumentos financieros emitidos, incurridos o asumidos se clasificarán como pasivos financieros, en su totalidad o en una de sus partes, siempre que de acuerdo con su realidad económica supongan para la empresa una obligación contractual, directa o indirecta, de entregar efectivo u otro activo financiero, o que otorgue al tenedor el derecho a exigir al emisor su rescate en una fecha y por un importe determinado o determinable, o a recibir una remuneración predeterminada siempre que haya beneficios distribuibles.

– Por el desembolso;

——————————————— 1/1/X0 ———————————————

6.000.000   Bancos c/c (572)

       a   Acciones o participacio-
nes emitidas (190)   5.400.000

          Acciones o participacio-
nes emitidas consideradas
pasivos financieros (195)   600.000

– Por el compromiso que asume la sociedad de la recompra de las acciones de la ECR.

———————————————— 1/1/X0 ————————————————

753.736	Compromisos de adquisición de acciones propias (107)[*]			
		a	Deudas a largo plazo con accionistas de ECR (151)	753.736

[*] Según los contenidos de la presente consulta, el compromiso de entregar efectivo que asume la sociedad en el momento inicial deberá contabilizarse como un pasivo por su valor razonable, equivalente al valor actual del ciento cincuenta por ciento de la inversión realizada por la ECR salvo que el importe calculado por referencia al patrimonio neto fuese superior, empleando como contrapartida una cuenta con adecuada denominación que deberá mostrarse con saldo negativo en el epígrafe IV. (Acciones y participaciones en patrimonio propias) de los fondos propios. A tal efecto se propone emplear la cuenta 107. «Compromisos de adquisición de acciones propias».

A) Inversión realizada por la ECR:

10.000 acc x 50 x 120% = 600.000€

150% 600.000 = 900.000

Valor actual: $900.000 \times (1 + 0,03)^{-6}$ =........................ 753.736

B) Patrimonio Neto sociedad EL VERANITO,

que corresponde a ECR.................................... 650.000

Como A > B registraremos por el importe consignado en A

– Por la inscripción en el registro Mercantil.

———————————————— 1/3/X0 ————————————————

5.400.000	Capital emitido pendiente de emisión (194)			
600.000	Acciones o participaciones emitidas consideradas pasivos financieros pendientes de inscripción (199)	a	Capital social (100) [90.000 acc x 50€]	4.500.000
			Prima de emisión de acciones (110) [90.000 acc x 10€]	900.000
			Acciones o participaciones a largo plazo conside-	600.000

radas pasivos financieros (150)

[10.000 acc x 60€]

– Por la variación del pasivo financiero:

———————————————— 31/12/X0 ————————————————

22.612 Intereses de deudas (662)
        [753.736 x 0,03]

                  a   Deudas a largo plazo
                        con accionistas ERC
                        (151)   22.612

– Por del pago a ECR de 100.000€ a cuenta del precio final.

———————————————— 31/12/X0 ————————————————

100.000 Deudas a largo plazo con
         accionistas ERC(151)[*]

                  a   Bancos c/c (572)   100.000

[*] Según los contenidos de la presente consulta, los pagos a cuenta del precio final se contabilizarán minorando el valor del pasivo.

• **Operaciones a 1/1/X6:**

La sociedad EL VERANITO A 1/1/X6 tendría en su balance entre otras las siguientes cuentas:

Deudas a corto plazo con accionistas ERC (503)

[900.000 – 100.000 x 6]	300.000
Compromisos de adquisición de acciones propias (107).	753.736
Acciones o participaciones a corto plazo consideradas pasivos financieros (502).	600.000

– Por la recompra de las acciones a la ECR.

———————————————————————— 1/1/X6 ————————————————————————

300.000   Deudas a corto plazo con accio-
          nistas ERC (503)

100.000   Otros gastos financieros (669)

                              a   Bancos (572)$^{(*)}$ 400.000

$^{(*)}$ El importe a pagar será el mayor de:

   El 150% del valor de la inversión realizada por ECR 600.000 x 150%:   900.000

   % de participación de la ECR en la sociedad EL VERANITO: 5% 20.000.000:   1.000.000

$$\text{\% participación Patrimonio Neto} = \frac{10.000 \text{ acciones}}{200.000 \text{ acciones}} \times 100 = 5\%$$

En consecuencia el importe a pagar será de 1.000.000 €, de las cuales deduci-
mos la cantidad pagada que asciende a 600.000 €

En estos momentos y al haber sido adquiridas las acciones, estas dejarán de ser
consideradas pasivos financieros y en consecuencia:

———————————————————————— 1/1/X6 ————————————————————————

600.000   Acciones o participaciones a
          corto plazo consideradas pasi-
          vos financieros (502)

                              a   Capital social (100)

                                       [10.000 acc x 50€]
                                                                          500.000

                                       Prima de emisión de
                                       acciones (110)

                                       [10.000 acc x 10€]
                                                                          100.000

```
───────────────────────────── 1/1/X6 ─────────────────────────────

753.736   Acciones o participaciones
          propias en situaciones espe-
          ciales (108)

                                a    Compromisos de adquisi-
                                     ción de acciones propias
                                     (107)                        753.736
```

Según los contenidos de la presente consulta, la empresa adquiere las acciones. En este supuesto cancelará la deuda y reclasificará el saldo de la cuenta 107 a la cuenta 108 ó 109, según proceda.

8.2.0.2. Ampliación capital por compensación de créditos: prestamista y prestatario

BOICAC 89, mazo 2012. Consulta 4.

Sobre el tratamiento contable de una ampliación de capital por compensación de créditos, desde la perspectiva de la sociedad prestamista y prestataria.

Respuesta

La sociedad A (prestamista) concedió en ejercicios anteriores un préstamo a la sociedad B (prestataria) que se ha venido contabilizando por ambas entidades aplicando el criterio del coste amortizado. En la actualidad, al variar las circunstancias del mercado, el valor en libros del instrumento financiero es significativamente superior a su valor razonable. La sociedad B, en el marco del proceso de refinanciación de su deuda, tiene previsto realizar una ampliación de capital social por compensación de créditos.

En este contexto, y considerando los criterios publicados en las consultas 4 y 5 del Boletín de este Instituto (BOICAC) n.º 79, de septiembre de 2009, se pregunta si el tratamiento propuesto por el consultante, que se transcribe a continuación, se considera correcto:

> *«a) Prestamista: la sociedad A deberá reclasificar a inversiones financieras el valor razonable del préstamo concedido, registrando con cargo a la cuenta de pérdidas y ganancias cualquier diferencia que pudiera existir entre el coste amortizado a la fecha de ampliación de capital y su valor de mercado;*

b) Prestataria: la sociedad B procederá a contabilizar la baja del pasivo financiero y reconocer el correspondiente aumento de los fondos propios por un importe equivalente al valor razonable de la efectiva aportación que se ha realizado. Asimismo, la diferencia entre el importe por el que se encontraba contabilizado el pasivo dado de baja y el incremento de fondos propios se reconocerá como un ingreso en la cuenta de pérdidas y ganancias».

En primer lugar es preciso señalar que la contestación a la presente consulta se realiza desde una perspectiva estrictamente contable, al margen de las posibles implicaciones fiscales que pudieran derivarse de los hechos descritos por el consultante. Del mismo modo, tampoco se entran a valorar otros aspectos mercantiles de la operación, que en todo caso habrán de sujetarse a lo dispuesto sobre el particular en el Texto Refundido de la Ley de Sociedades de Capital, aprobado por el Real Decreto Legislativo 1/2010, de 2 de julio.

La sociedad prestataria reconocerá un incremento de sus fondos propios por el valor razonable de la deuda que se da de baja, y contabilizará un ingreso en la cuenta de pérdidas y ganancias, en sintonía con las citadas consultas, y la norma de registro y valoración (NRV) 9.ª «Instrumentos financieros» del Plan General de Contabilidad (PGC), aprobado por el Real Decreto 1514/2007, de 16 de noviembre.

Por su parte, la sociedad prestamista registrará los instrumentos de patrimonio recibidos por el valor razonable de la contrapartida entregada y, en su caso, reconocerá la correspondiente pérdida, salvo que el deterioro de valor del activo ya se hubiera contabilizado en la sociedad aportante en aplicación del criterio del coste amortizado.

En consecuencia, de acuerdo con la información suministrada por el consultante, en principio, la solución que se propone se considera correcta.

En segundo lugar se pregunta si estas conclusiones variarían en el supuesto de que la deuda que se capitaliza fuese un préstamo participativo, o si las sociedades que intervienen en la operación fuesen empresas del grupo.

El criterio de este Instituto sobre el tratamiento contable de los préstamos participativos está recogido en la consulta 1 del BOICAC n.º 78, de junio de 2009. En ella se precisa que cuando no se pueda aplicar el criterio del coste amortizado porque no sea posible realizar estimaciones fiables de los flujos de efectivo contingentes asociados a la operación, el prestamista valorará el préstamo al coste, incrementado por los resultados que deban atribuirse y menos, en su caso, el importe acumulado de las correcciones valorativas por deterioro. Esto es, la aplicación del que podríamos denominar «criterio del coste incrementado» en ningún caso excluye el reconocimiento de las pérdidas por deterioro cuando, tal y como manifiesta el consultante, es posible identificar una reducción significativa en el valor razonable del activo. Por ello, si el objeto de la aportación es un préstamo participativo, las conclusiones que se han reproducido más arriba no varían.

Finalmente, en el supuesto de que la compensación descrita por el consultante se formalizase entre empresas del grupo, cabe señalar que de acuerdo con la NRV 21.ª del PGC, apartado 1, la operación se contabilizará de acuerdo con las normas generales. Es decir, los elementos objeto de la transacción se contabilizarán en el momento inicial por su valor razonable. En consecuencia, de conformidad con este criterio, las conclusiones recogidas en la presente respuesta tampoco variarían.

Comentario

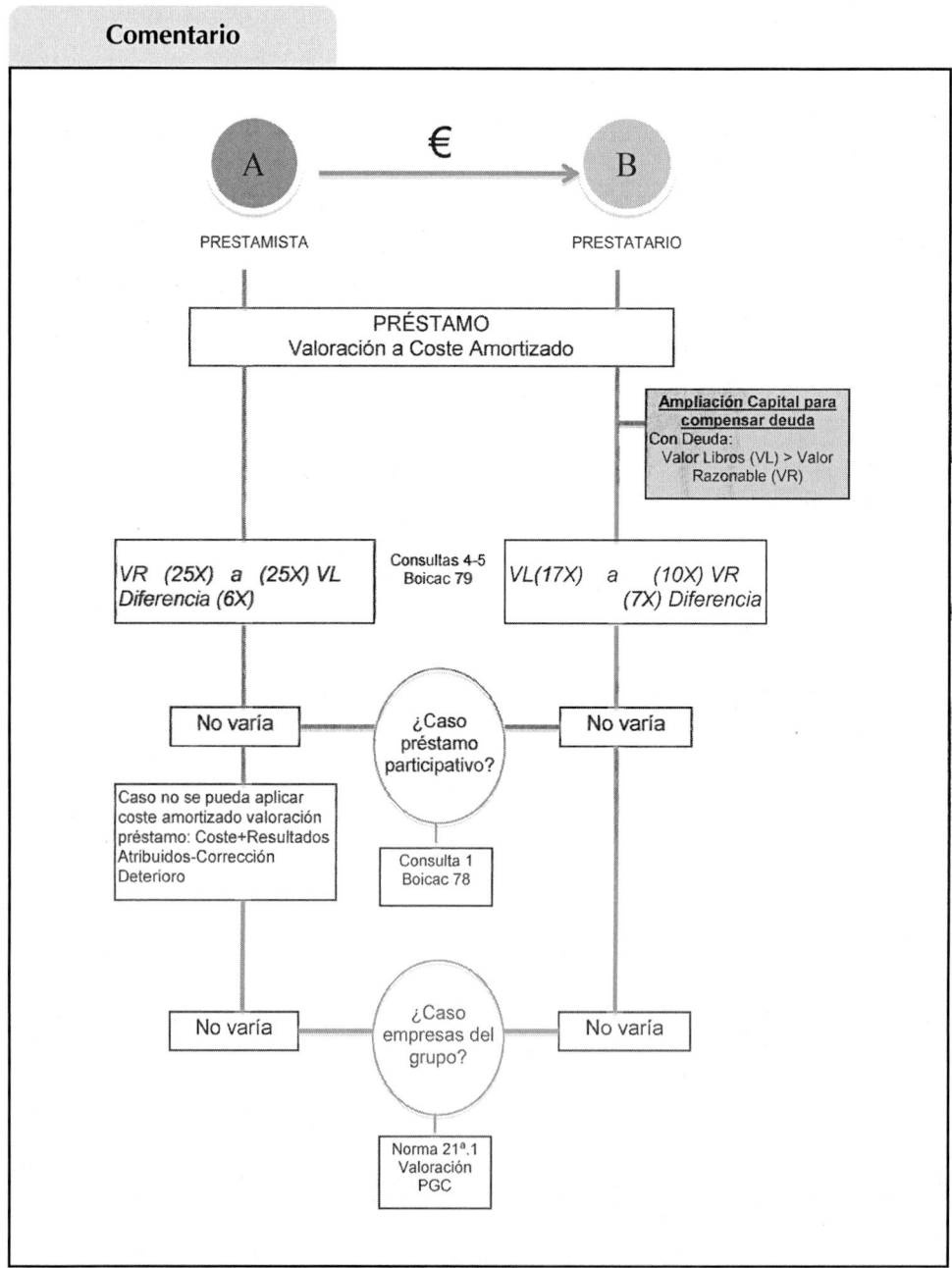

Ejemplo 1

El 1/1/X8 la sociedad «A.S.A.» concedió a «B.S.A.» un préstamo de 250.000€, a pagar en 4 años, mediante cuotas anuales iguales pagaderas a 31/12.

A finales del ejercicio X8, no ha sido satisfecha la cuota correspondiente por dificultades transitorias de tesorería.

A principios del ejercicio X9, la sociedad «B.S.A.», realiza una ampliación de capital para compensación del citado crédito cumpliendo los requisitos legales contemplados en el art. 301 de la LSC. Dicha ampliación consistirá en la emisión de las acciones que correspondan de valor nominal 1€ y valor de emisión su valor razonable que es de 3€. A dicha fecha el tipo de interés de mercado de préstamos similares es del 10%. La inscripción en el Registro Mercantil se produce el 1/3/X9.

SE PIDE:

Registro de operaciones correspondiente en los ejercicios X8 y X9 en ambas sociedades.

SOLUCIÓN:

SOCIEDAD «A»

• **A principios de ejercicio X8.**

Elaboración del cuadro financiero de la operación: (Cuadro 1)

Periodo	Fecha	Cobros (1)	Rendimiento (2)	Amortización (3)	Pendiente amortizar (4)
0	1/1/X8				250.000,00
1	31/12/X8	72.147,87	15.000,00	57.147,87	192.852,13
2	31/12/X9	72.147,87	11.571,13	60.576,75	132.275,38
3	31/12/X10	72.147,87	7.936,52	64.211,35	68.064,03
4	31/12/X11	72.147,87	4.083,84	68.064,03	0

Siendo:

(1); Cobro. $250.000 = a \cdot a_{4 \rceil \, 0,06} \Rightarrow a = 72.147,87$

(2) $= (4)_{-1} \times i$

(3) $= (1) - (2)$

(4) $= (4)_{-1} - (3)$

La sociedad «A» encuadrará el activo financiero dentro de la categoría «Préstamos y partidas a cobrar», en la cual y para su valoración inicial en la Norma 9.ª 2.1.1. de la 2.ª parte del PGC, nos dice que se valorarán inicialmente por su valor razonable, que salvo evidencia en contrario, será el precio de la transacción, equivaldrá al valor razonable de la contraprestación entregada más los costes de transacción que le sean directamente atribuibles. En nuestro caso, será: 250.000

Registrando en el momento de la concesión (1/1/X8) (ver cuadro 1)

——————————————————————— X ———————————————————————

57.147,87	Créditos a corto plazo (542)		
192.852,13	Créditos a largo plazo (252)		
		a Bancos c/c (572)	250.000

• Operaciones fin de ejercicio. (31-12-X8)

– En este período, y en base al método del tipo de interés efectivo, devengaremos los intereses correspondientes.

——————————————————————— X ———————————————————————

15.000	Intereses a corto plazo de créditos (547)		
	[250.000 x 6%]		
		a Ingresos de créditos (762)	15.000

– Por la reclasificación de 2.ª la cuota de amortización. (Ver cuadro 1)

——————————————————————— X ———————————————————————

60.576,75	Créditos a corto (572)		
		a Créditos a largo plazo (252)	60.576,75

• **Situación del crédito concedido a «B» a (1-1-X9):**

Créditos a corto plazo.	117.724,62[(*)]
Intereses a corto plazo de créditos.	15.000,00
Créditos a largo plazo.	132.275,38
A) VALOR CONTABLE DEL CRÉDITO.	265.000,00
B) VALOR RAZONABLE DEL CRÉDITO[(**)].	251.568,94
(A-B) DIFERENCIA.	13.431,06

[(*)] 2 cuotas de principal (X8 + X9): (60.576,75 + 57.147,87)

[(**)] Valor Razonable del crédito al (10%):
Valor razonable = 72.147,87 (cuota vencida) + 72.147,87 a3⌐ 0,10 ⇒ = 251.568,94

--------------------------------- X ---------------------------------

251.568,94	Otras inversiones financieras (540.1) (1)			
13.431,06	Pérdidas por valoración de instrumentos financieros a su valor razonable (663) (2)			
		a	Intereses a corto plazo de créditos (547)	15.000,00
			Créditos a corto plazo (542)	117.724,62
			Créditos a largo plazo (252)	132.275,38

NOTA 1: Cuenta propuesta por los autores. Según los contenidos de la presente Consulta

> «(...) la sociedad prestamista registrará los instrumentos de patrimonio recibidos por el valor razonable de la contrapartida entregada y, en su caso, reconocerá la correspondiente pérdida (...)».

NOTA 2: Según las directrices de la presenta Consulta, la sociedad (A) prestamista; deberá reclasificar a inversiones financieras el valor razonable del préstamo concedido, registrando con cargo a la cuenta de pérdidas y ganancias cualquier diferencia que pudiera existir entre el coste amortizado a la fecha de ampliación de capital y su valor de mercado.

• Recepción de las acciones que le corresponden en la ampliación de capital realizada por la sociedad «BSA» para la compensación del crédito

Número de acciones a recibir:

$$\frac{\text{Valor razonable crédito cancelar}}{\text{Valor emisión acciones}} = \frac{251.568,94}{3} =$$

83.856 acciones, además de 94 céntimos para ajustar el canje.

─────────────────────── X ───────────────────────

251.568	Inversiones financieras a largo plazo en instrumentos de patrimonio (250) [83.856 acciones x 3€			
0,94	Bancos (572)	a	Otras inversiones financieras (540.1)	251.568,94

SOCIEDAD «B»

• A principios de ejercicio X8.

– La sociedad «A», facilitará un cuadro de la operación financiera como el siguiente:

Periodo	Fecha	Pagos (1)	Intereses (2)	Amortización (3)	Pendiente amortizar (4)
0	1/1/X8				250.000,00
1	31/12/X8	72.147,87	15.000,00	57.147,87	192.852,13
2	31/12/X9	72.147,87	11.571,13	60.576,75	132.275,38
3	31/12/X10	72.147,87	7.936,52	64.211,35	68.064,03
4	31/12/X11	72.147,87	4.083,84	68.064,03	0

Siendo:

(1); Pago. $250.000 = a \bullet a_{4\rceil\ 0,06} \Rightarrow a = 72.147,87$

$(2) = (4)_{-1} \times i$

$(3) = (1) - (2)$

$(4) = (4)_{-1} - (3)$

Nuestra sociedad encuadrará el pasivo financiero dentro de la categoría «Débitos y partidas a pagar», en la cual y para su valoración inicial en la Norma 9.ª. 3.1.1. nos dice que se valorarán inicialmente por su valor razonable, que salvo evidencia en contrario será el precio de la transacción, que equivaldrá al valor razonable de la contraprestación recibida ajustado por los costes de la transacción que les sean directamente atribuibles. En nuestro caso, será: 250.000.

Registrando en el momento de la concesión: (1-1-X8).

—————————————————————— X ——————————————————————

250.000 Bancos (572)

          a   Deudas a corto plazo (521)   57.147,87

              Deudas a largo plazo (171)   192.852,13

• Operaciones fin de ejercicio (31-12-X8)

– En este período, y en base al método del tipo de interés efectivo, devengaremos los intereses correspondientes:

—————————————————————— X ——————————————————————

15.000 Intereses de deudas (662)

          a   Intereses a corto plazo de deudas (548)   15.000

– Igualmente, reclasificaremos el importe del principal que devolveremos en el siguiente ejercicio:

—————————————————————— X ——————————————————————

60.576,75 Deudas a largo plazo (171)

          a   Deudas a corto plazo (521)   60.576,75

• **Situación del préstamo concedido a «A» a (1-1-X9):**

Deudas a corto plazo.	117.724,62[*]
Intereses a corto plazo de deudas.	15.000,00
Deudas a largo plazo.	132.275,38
VALOR CONTABLE DE LA DEUDA.	**265.000,00**
VALOR RAZONABLE DE LA DEUDA (10%).	**251.568,94**[**]

[*] Sumas de las dos primeras cuotas de principal (ejercicios. X8 y X9)

[**] Calculado en la sociedad prestamista «A».

Por la baja del pasivo financiero que vamos a convertir en accionista:

X

117.724,62	Deudas a corto plazo (521)
132.275,38	Deudas a largo plazo (171)
15.000,00	Intereses a corto plazo de deudas (528)

	a	Deudas a corto plazo transformable en acciones (522.1) (1)	251.568,94
		Beneficio por valoración de instrumentos financieros a valor razonable (763)	13.431,06

NOTA 1: Cuenta propuesta por los autores.

Según los contenidos de la presente consulta:

«(….)la sociedad B (prestataria) (…) .procederá a contabilizar la baja del pasivo financiero y reconocer el correspondiente aumento de los fondos propios por un importe equivalente al valor razonable de la efectiva aportación que se ha realizado. Asimismo, la diferencia entre el importe por el que se encontraba contabilizado el pasivo dado de baja y el incremento de fondos propios se reconocerá como un ingreso en la cuenta de pérdidas y ganancias».

Veamos si se cumplen con lo establecido en el Art. 301 LSC. Cuando el aumento del capital de la anónima se realice por compensación de créditos, al menos, un veinticinco por ciento de los créditos a compensar deberán ser líquidos, estar vencidos y ser exigibles, y el vencimiento de los restantes no podrá ser superior a cinco años.

Comprobaremos este extremo:

DEUDA	CUANTÍA	PORCENTAJE EN %
Líquida vencida y exigible	132.724,62 (117.724,62 + 15.000)	50,08 > 25
Resto de la deuda, su vencimiento no supera los 5 años	132.275,38	49,92
TOTAL	265.000,00	100

En nuestro caso se cumplen los requisitos establecidos en la Ley.

• **Cálculo del número de acciones a emitir:**

$$\text{Acciones a emitir} = \frac{\text{Deuda compensar a valor razonable}}{\text{Valor de emisión acciones}} = \frac{251.568,94}{3} = 83.856 \text{ acciones}$$

– Por la emisión de las participaciones.

———————————————— X ————————————————

251.568	Acciones o participaciones emitidas (190)	
	[83.856 acciones x 3€]	
	a Capital emitido pendiente de inscripción (194)	251.568

– Por la compensación de la deuda.

———————————————— X ————————————————

251.568,54	Deudas a corto plazo transformable en acciones (522.1)	
	a Acciones o participaciones emitidas (190)	251.568,00
	Bancos (572)	0,94

– Por la inscripción en el Registro Mercantil (1/3/X9).

-- X --

251.568 Capital emitido pendiente de inscripción (194)	
a Capital social (100) [83.856 acciones x 1)]	83.856
Prima de emisión de acciones (110)	167.712

En la presente consulta se establece:

«(…) en el supuesto de que la compensación descrita por el consultante se formalizase entre empresas del grupo, cabe señalar que de acuerdo con la NRV 21.ª del PGC, apartado 1, la operación se contabilizará de acuerdo con las normas generales. Es decir, los elementos objeto de la transacción se contabilizarán en el momento inicial por su valor razonable. En consecuencia, de conformidad con este criterio, las conclusiones recogidas en la presente respuesta tampoco variarían. Por consiguiente todo lo realizado en el primer punto es aplicable en el segundo».

Ejemplo 2

«B S.A.», que tiene un capital de 300.000.000€, desembolsado en un 75%, obtiene de la sociedad «A.S.A.» el 1 de enero del X9 un préstamo participativo de 10.000.000 de euros a un tipo de interés fijo del 1% sobre el capital pendiente de amortizar pagadero por años vencidos cada 31 de diciembre; también será retribuido en el caso de obtener beneficios adicionalmente en función de la evolución de la actividad de la empresa, en concreto participará en un 6% de los beneficios netos a pagar cuando se distribuya el resultado. La amortización del principal se llevará a efectos por partes iguales en 4 años.

Otros datos:

Los fundadores tienen reconocido las máximas ventajas que permite la Ley de Sociedades de capital.

Los estatutos de la sociedad establecen una participación de los administradores en los beneficios del 10%; así como una dotación a reservas estatutarias del 10%

El convenio colectivo en vigor, ha reconocido a los trabajadores, una participación en los beneficios del 5%.

En el Balance a 31/12/X9 aparecen, entre otras, las siguientes cuentas:

Capital Social.	300.000.000
Socios por desembolsos no exigidos.	75.000.000
Dividendo activo a cuenta.	7.500.000
Reserva Legal.	15.000.000

El Beneficio antes de impuestos y de la retribución de fundadores, trabajadores, administradores y préstamo participativo, asciende a 90.000.000€.

SE PIDE:

• Contabilización del préstamo participativo durante los años X9 y X10 en las dos sociedades.

• Registro de la aplicación del resultado del X9, sabiendo que la Junta General de Accionistas aprobó repartir un dividendo del 12%, llevando los beneficios no destinados a otras aplicaciones legales o estatutarias a reservas libres.

• A 31-12-X10 la sociedad «A.S.A» no ha podido satisfacer ni los intereses ni cuota del préstamo participativo. La situación financiera de la empresa ha empeorado de manera significativa, siendo el resultado del ejercicio negativo, esperando que esta tendencia se mantenga durante varios años más. En vista de la citada situación a principios del mes de enero del X11, acuerda con la sociedad «B.S.A.» realizar una ampliación de capital para compensación de crédito participativo cumpliendo los requisitos establecidos en la LSC, dicha ampliación se realizará con la emisión de las acciones que proceda siendo su valor nominal de 10€ y su valor de emisión 60€. El tipo de interés de mercado para préstamos similares sin opción de participación en beneficios es del 8%.

SOLUCIÓN:

SOCIEDAD «B.S.A»

– Por la concesión del préstamo:

————————————————— 1/1/X9 —————————————————

10.000.000 Bancos c/c (572)		

a   Acreedores por operaciones en común Préstamo
participativo c/p (419x)   2.500.000

Acreedores por operacio-
nes en común Préstamo
participativo l/p (171x)   7.500.000

De acuerdo con lo establecido en la Norma de valoración 9.ª y en el contenido de la Consulta n.º 1. del BOICAC 78, el préstamo participativo recibido, se clasificará en la cartera de «Débitos y partidas a pagar» que se valorarán inicialmente por su valor razonable, que, salvo evidencia en contrario, será el precio de la transacción, que equivaldrá al valor razonable de la contraprestación recibida ajustado por los costes de transacción que les sean directamente atribuibles.

– En una valoración posterior, y debido a las características peculiares de esta operación la consulta referenciada en el párrafo anterior nos comenta:

> «(...) en la medida en que con carácter general procede clasificar los préstamos participativos como préstamos y partidas a cobrar (o como débitos y partidas a pagar), con posterioridad al reconocimiento inicial se valorarán al coste amortizado siempre que a la vista de las condiciones contractuales puedan realizarse estimaciones fiables de los flujos de efectivo del instrumento financiero».

Sin embargo, en aquellos contratos en que los intereses tengan carácter contingente, bien porque se pacte un tipo de interés fijo o variable condicionado al cumplimiento de un hito en la empresa prestataria, por ejemplo, la obtención de beneficios, o bien porque se calculen exclusivamente por referencia a la evolución de la actividad de la citada empresa, el fondo económico de la operación resulta similar al de los contratos de cuentas en participación.

Así, en estos casos (nos dice la mencionada Consulta) el prestatario valorará el débito al coste, incrementado por los intereses que deba abonar al prestamista de acuerdo con las condiciones contractuales pactadas. Por tanto, anotaremos:

——————————————————— 31/12/X9 ———————————————————

100.000	Intereses de deudas (662)		
	[1% 10.000.000]		
		a	Acreedores por operaciones en común. Préstamo participativo c/p (419x) 100.000

Y por el pago del principal e intereses (31-12-X9):

——————————————————— 31/12/X9 ———————————————————

2.600.000	Acreedores por operaciones en común Préstamo participativo c/p (419x)		
	[2.500.000 + 100.000]		
		a	Bancos c/c (572) 2.600.000

Por la reclasificación del principal de la 2.ª cuota:

——————————————————— 31/12/X9 ———————————————————

2.500.000	Acreedores por operaciones en común .Préstamo participativo l/p (171x)		
		a	Acreedores por operaciones en común .Préstamo participativo c/p (419x) 2.500.000

– Registro de gastos de cálculo implícito y del impuesto corriente a finales del X9.

Hemos de determinar en primer lugar el beneficio repartible, líquido ó neto; teniendo en cuenta para ello una serie de gastos ó retribuciones, denominados implícitos, por calcularse sobre la magnitud del beneficio neto, que resulta desconocida.

Así expresamos la fórmula de cálculo del beneficio neto, como:

Beneficio Neto = Resultado Contable – Gastos Cálculo Implícito – Impuesto sociedades.

Siendo:

Gastos cálculo implícito = Participación fundadores + Participación administradores + Participación plantilla + Participación Préstamos Participativos.

Impuestos = 30% (Resultado Contable – Gastos Implícitos $\pm$ Diferencias Permanentes) – Deducciones

Determinación de los distintos Gastos de cálculo implícito:

= *Participación Fundadores:

Según el 27 TRLSC.:

> «En los estatutos de las sociedades anónimas los fundadores y los promotores de la sociedad podrán reservarse derechos especiales de contenido económico, cuyo valor en conjunto, cualquiera que sea su naturaleza, no podrá exceder del diez por ciento de los beneficios netos obtenidos según balance, una vez deducida la cuota destinada a la reserva legal y por un período máximo de diez años. Los estatutos habrán de prever un sistema de liquidación para los supuestos de extinción anticipada de estos derechos especiales».

Luego:

Participación Fundadores = 10% [B.º NETO-(10% B.º NETO[*])]

=0,09 B.º NETO

(*) Reserva Legal: Art. 274 LSC, «En todo caso, una cifra igual al diez por ciento del beneficio del ejercicio, se destinará a la reserva legal (...)».

* Participación Administradores:

Según los Estatutos de la Sociedad «A», tienen una participación en los beneficios del 10%, así:

Participación Administradores = 10% x B.º NETO

* Participación Plantilla:

El convenio colectivo, reconoció a los trabajadores una participación del 5%, así:

Participación Plantilla = 5% B.º NETO

* Participación Préstamo Participativo.

Se cuantifica como: Participación Préstamo Participativo = 6% B.º NETO.

Luego, Total de Gastos de cálculo implícito =

= 0,09 B.º NETO +0,10 B.º NETO + 0,05 B.º NETO + 0,06 B.º NETO =

= 0,3 B.º NETO

Retomando la fórmula de Cálculo del Beneficio Neto, tenemos:

Beneficio Neto = Resultado Contable – Gastos Cálculo Implícito – IS

B.ºNETO = R.C – 0,3 B.ºNETO – 30% (R.C – 0,3B.ºNETO + 0,09 B.º NETO)

NOTA: La retribución de los fundadores, será un gasto fiscalmente deducible, cuando se retribuye la realización de algún servicio personal, pero no será deducible cuando la participación en beneficios, corresponda únicamente al hecho de ser socios fundadores o promotores.

En la solución hemos considerado la retribución con el hecho de ser socios, con lo cual estaremos en presencia de una diferencia permanente positiva de 0,09 B.º NETO.

B.º NETO = R.C – 0,3 B.º NETO – 0,30 R.C +0,063 B.º NETO

B.º NETO + 0,3 B.º NETO – 0,063 B.º NETO = R.C – 0,30 R.C.

1,237 B.º NETO = 0,70 R.C ⇒

$$B.º\ NETO = \frac{0,70 \times 90.000.000}{1,237} = 50.929.669$$

Una vez que hemos determinado el Beneficio Neto, registraremos contablemente estos gastos implícitos devengados, así:

─────────────────────────────── 1/10/X10 ───────────────────────────────

4.583.670	Gastos de fundadores (62x)		
	[50.929.669 x 0,09]		
5.092.967	Gastos de administradores (64x)		
	[50.929.669 x 0,10]		
2.546.483	Sueldos y salarios (640)		
	[50.929.669 x 0,05]		
3.055.780	Intereses de deudas (662)		
	[50.929.669 x 0,06]		
	a	Remuneraciones pendientes de pago (465) [5.092.967 + 2.546.483]	7.639.450
		Acreedores prestación de servicios (410)	4.583.670
		Acreedores por operaciones en común. Préstamo participativo c/p (419x)	3.055.780

– Por el pago de los intereses del préstamo participativo vinculados a los beneficios obtenidos:

─────────────────────────────────── X ───────────────────────────────────

3.055.780	Acreedores por operaciones en común Préstamo participativo c/p (419x)		
	a	Bancos c/c (572)	3.055.780

– Por la regularización de los gastos de cálculo implícito.

———————————————— 31/12/X9 ————————————————

15.278.900	Resultado del ejercicio (129)			
		a	Gastos de fundadores (62x)	4.583.670
			Gastos de administradores (64x)	5.092.967
			Sueldos y salarios (640)	2.546.483
			Intereses de deudas (662)	3.055.780

– Por el registro del gasto corriente del impuesto sociedades

———————————————— 31/12/X9 ————————————————

23.791.431	Impuesto corriente (6300) [90 Mill – 15.278.900 – 4.583.670]			
		a	HP acreedor IS (4752)	23.791.431

– Por la regularización del impuesto corriente:

———————————————— 31/12/X9 ————————————————

23.791.431	Resultado del ejercicio (129)			
		a	Impuesto corriente (6300)	23.791.431

– Propuesta de aplicación del resultado (AÑO X10):

_____ X _____

50.929.669   Resultado del ejercicio (129)

	a Reserva legal (112)	
	[10% 50.929.669]	5.092.967
	Reserva estatutaria (1141)	
	[10% 50.929.669]	5.092.967
	Dividendo activo a cuenta (557)	7.500.000
	Dividendo activo a pagar (525)	
	[(12% de 300 M – 75 M) – 7.500.000][*]	19.500.000
	Reservas Voluntarias (113)	13.743.735

[*] Art 275 LSC: «La distribución de dividendos a los accionistas ordinarios se realizará en proporción al capital que hayan desembolsado (...)».

– **Registro de los intereses explícitos devengados del préstamo participativo:**

Deuda viva: 7.500.0000 x 1% = 75.000

_____ 31/12/X10 _____

75.000   Intereses de deudas (662)
          [7.500.000 x 1%]

	a Acreedores por operaciones común. préstamo participativo c/p (419X)	75.000

– Reclasificación de la cuota de vencimiento (31/12/X11):

	31/12/X10	
2.500.000	Acreedores por operaciones común. Préstamo participativo l/p (171X)	
	a Acreedores por operaciones común. préstamo participativo c/p (419X)	2.500.000

– Situación del préstamo concedido por «A» a (1-1-X9). [Ver gráfico]:

Acreedores por operaciones común. préstamo participativo c/p.	5.075.000[(*)]
Acreedores por operaciones común. préstamo participativo l/p.	2.500.000
A) VALOR CONTABLE DE LA DEUDA.	**7.575.000**
B) VALOR RAZONABLE DE LA DEUDA (8%). . . .	**7.100.892**[(**)]
(A-B) = DIFERENCIA.	**474.108**

[(*)] Suma de las cuotas del principal correspondientes a ejercicios X10, X11 e intereses del X10.

[(**)] Calculo del valor razonable del préstamo participativo al 8%:
Gráfico del préstamo:
Valor Actual (31/12/X10) = (2.500.000 + 75.000) + 2.550.000 $(1 + 0,08)^{-1}$ + 2.525.000 $(1 + 0,08)^{-2}$ = 7.100.892

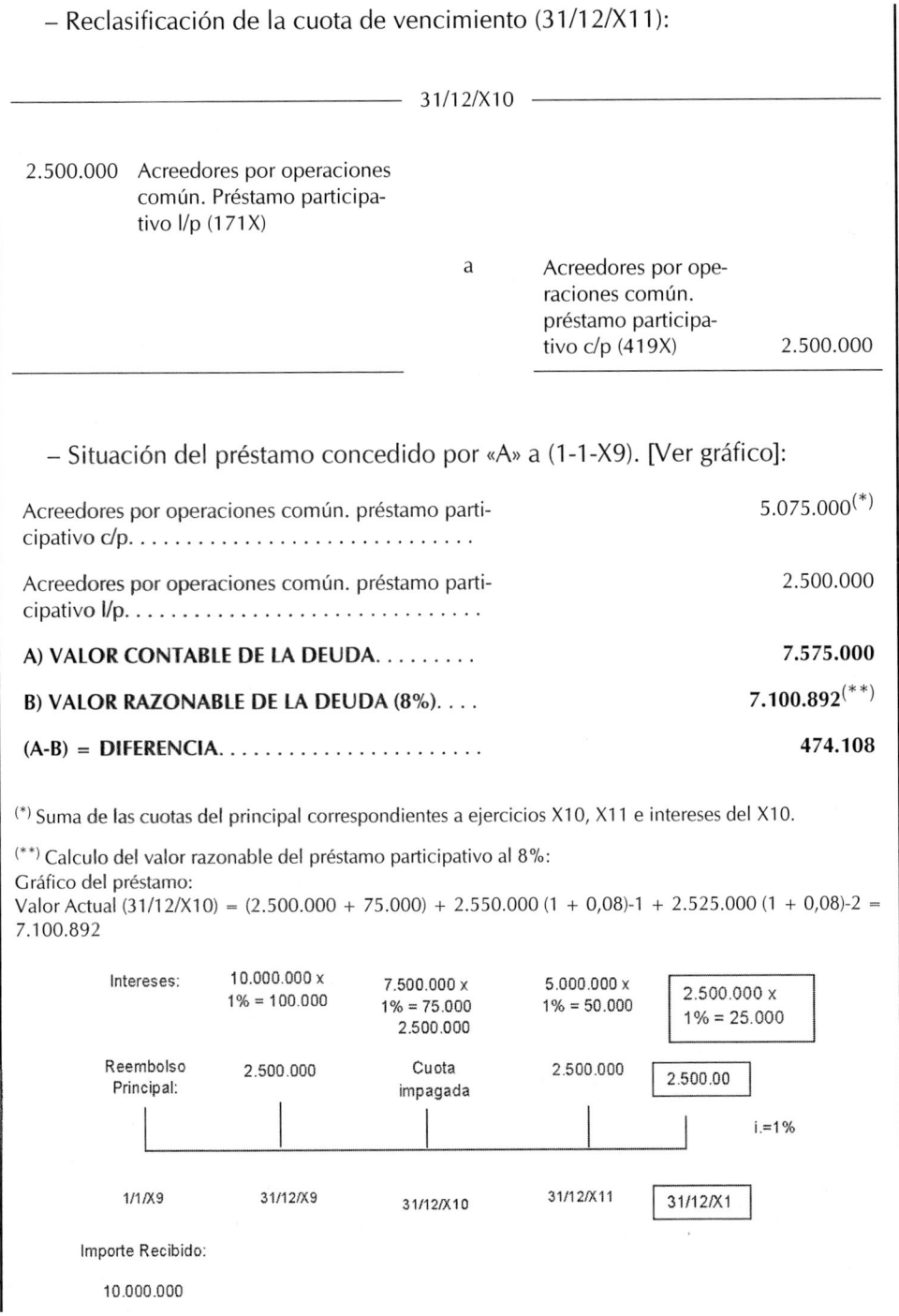

Por la baja del pasivo financiero que vamos a convertir en accionista:

_____ X _____

5.075.000	Acreedores por operaciones común. préstamo participativo c/p (419x)			

2.500.000	Acreedores por operaciones común. Préstamo participativo l/p (171X)			

		a	Deudas a corto plazo transformable en acciones (522.1)[*]	7.100.892

			Beneficio por valoración de instrumentos financieros a valor razonable (763)	474.108

[*] **Cuenta propuesta por los autores.** Según los contenidos de la consulta n.º 4 del BOICAC 89: «(...). la sociedad (prestataria) (...) .procederá a contabilizar la baja del pasivo financiero y reconocer el correspondiente aumento de los fondos propios por un importe equivalente al valor razonable de la efectiva aportación que se ha realizado. Asimismo, la diferencia entre el importe por el que se encontraba contabilizado el pasivo dado de baja y el incremento de fondos propios se reconocerá como un ingreso en la cuenta de pérdidas y ganancias».

– Ampliación de capital por compensación de créditos:

Veamos si se cumplen con lo establecido en el Art. 301 LSC:

> *«(...) Cuando el aumento del capital de la anónima se realice por compensación de créditos, al menos, un veinticinco por ciento de los créditos a compensar deberán ser líquidos, estar vencidos y ser exigibles, y el vencimiento de los restantes no podrá ser superior a cinco años».*

Comprobaremos este extremo:

DEUDA	CUANTÍA	PORCENTAJE EN %
Líquida vencida y exigible	2.575.000	34 > 25
Resto de la deuda, su vencimiento no supera los 5 años	5.000.000	66
TOTAL	**7.575.000**	100

En nuestro caso se cumplen los requisitos establecidos en la Ley.

Cálculo del número de acciones a emitir:

$$\text{Acciones a emitir} = \frac{\text{Deuda compensar a valor razonable}}{\text{Valor emisión acciones}} = \frac{7.100.892}{60} = 118.348 \text{ acciones}$$

Por la emisión de las participaciones.

——————————————————————— X ———————————————————————

7.100.880	Acciones o participaciones emitidas (190)		
	[118.348 acciones x 60€]		
		a	Capital emitido pendiente de inscripción (194) 7.100.880

Por la compensación de la deuda

——————————————————————— X ———————————————————————

7.100.892	Deudas a corto plazo transformable en acciones (522.1)		
		a	Acciones o participaciones emitidas (190) 7.100.880
			Bancos (572) 12

Por la inscripción en el Registro Mercantil (1/3/X9).

—————————————————— X ——————————————————

7.100.880	Capital emitido pendiente de inscripción (194)		
	a	Capital social (100) [118.348 acciones x 10]	1.183.480
		Prima de emisión de acciones (110)	5.917.400

SOCIEDAD «A.S.A»

– Por la concesión del préstamo participativo:

—————————————————— 1/1/X9 ——————————————————

2.500.000	Deudores por operaciones en común. Crédito participativo c/p (449)		
7.500.000	Deudores por operaciones en común. Crédito participativo l/p (25X)		
	a	Bancos (572)	10.000.000

– Según los contenidos de la Consulta n.º 1 del BOICAC 78, el prestamista clasificará los préstamos participativos como préstamos y partidas a cobrar, y con posterioridad al reconocimiento inicial se valorarán al coste amortizado siempre que a la vista de las condiciones contractuales puedan realizarse estimaciones fiables de los flujos de efectivo del instrumento financiero.

Sin embargo, en aquellos contratos en que los intereses tengan carácter contingente, bien porque se pacte un tipo de interés fijo o variable condicionado al cumplimiento de un hito en la empresa prestataria, por ejemplo, la obtención de beneficios, o bien porque se calculen exclusivamente por referencia a la evolución de la actividad de la citada empresa, el fondo económico de la operación resulta similar al de los contratos de cuentas en participación.

En estos casos, el prestamista valorará el préstamo al coste, incrementado por los resultados que deba atribuirse y menos, en su caso, el importe acumulado de las correcciones valorativas por deterioro.

Por tanto:

Registro de los intereses explícitos devengados del préstamo participativo:

———————————————————————— 31/12/X9 ————————————————————————

100.000	Deudores por operaciones en común. Préstamo participativo c/p [10.000.000 x 1%]			
		a	Ingresos de créditos (762)	100.000

Cobro del principal e intereses:

———————————————————————— 31/12/X9 ————————————————————————

2.600.000	Bancos c/c (572)			
		a	Deudores por operaciones en común. Préstamo participativo c/p (449x)	2.600.000

– Por el registro de los intereses variable del crédito participativo. Ver en sociedad «B.S.A.».

———————————————————————— 1/10/X10 ————————————————————————

3.055.780	Deudores por operaciones en común. Préstamo participativo c/p (449x) [50.929.669 x 0,06]			
		a	Ingresos de créditos (762)	3.055.780

El prestamista valorará el préstamo por el coste, incrementado por los resultados que deban atribuirse de acuerdo con los contenidos de la consulta n.º 1 del BOICAC 78.

Por el cobro:

———————————————————— 31/12/X9 ————————————————————

3.055.780 Bancos (572)		
	a	Deudores por operaciones común. Préstamo participativo c/p (419X) 3.055.780

Por la reclasificación del principal de la 2 cuota:

———————————————————— 31/12/X9 ————————————————————

2.500.000 Deudores por operaciones común. Préstamo participativo c/p (449X)		
	a	Deudores por operaciones común. Préstamo participativo l/p (252X) 2.500.000

– Registro de los intereses explícitos devengados del préstamo participativo:

———————————————————— 31/12/X10 ————————————————————

75.000 Deudores por operaciones en común. Préstamo participativo c/p (449x) [7.500.000 x 1%]		
	a	Ingresos de créditos (762) 75.000

– Situación del préstamo concedido por «A.S.A» a 31/12/X10

[Ver sociedad prestataria B.S.A.]

Deudores por operaciones común. préstamo participativo c/p	5.075.000
Deudores por operaciones común. préstamo participativo l/p.	2.500.000
A) VALOR CONTABLE DE LA DEUDA.	**7.575.000**
B) VALOR RAZONABLE DE LA DEUDA (8%).	**7.100.892**
(A – B) = DIFERENCIA.	**474.108**

Por la cancelación del préstamo participativo:

―――――――――――――――――― X ――――――――――――――――――

7.100.892	Otras inversiones financieras (540.1)[*]		
474.108	Pérdidas por valoración de instrumentos financieros a su valor razonable (663)[**]		
	a	Deudores por operaciones en común. Préstamo participativo c/p (449x)	5.075.000
		Deudores por operaciones en común. Préstamo participativo l/p (252x)	2.500.000

[*] Cuenta propuesta por los autores. Según los contenidos de la Consulta n.º 4 del BOICAC 89:
«(...). la sociedad prestamista registrará los instrumentos de patrimonio recibidos por el valor razonable de la contrapartida entregada y, en su caso, reconocerá la correspondiente pérdida (...)».
Por otra parte cuando no se pueda aplicar el criterio del coste amortizado porque no sea posible realizar estimaciones fiables de los flujos de efectivo contingentes asociados a la operación, el prestamista valorará el préstamo al coste, incrementado por los resultados que deban atribuirse y menos, en su caso, el importe acumulado de las correcciones valorativas por deterioro. Esto es, la aplicación del que podríamos denominar «criterio del coste incrementado» en ningún caso excluye el reconocimiento de las pérdidas por deterioro cuando, tal y como manifiesta el consultante, es posible identificar una reducción significativa en el valor razonable del activo. Por ello, si el objeto de la aportación es un préstamo participativo, las conclusiones generales que se han reproducido en el ejercicio n.º 1 anterior no varían.

[**] Según las directrices de la consulta mencionada antes, la sociedad (A) prestamista; deberá reclasificar a inversiones financieras el valor razonable del préstamo concedido, registrando con cargo a la cuenta de

pérdidas y ganancias cualquier diferencia que pudiera existir entre el coste amortizado a la fecha de ampliación de capital y su valor de mercado;

– Recepción de las acciones que le corresponden en la ampliación de capital realizada por la sociedad «BSA» para la compensación del crédito:

$$\text{Acciones a emitir} = \frac{\text{Valor razonable crédito cancelar}}{\text{Valor emisión acciones}} = \frac{7.100.892}{60} = 118.348 \text{ acciones}$$

Además de 12€ para ajustar el canje.

_____ X _____

7.100.880	Inversiones financieras a largo plazo en instrumentos de patrimonio (250) [118.348 acciones x 60€]		
12	Bancos c/c (572)	a Otras inversiones financieras (540.1)	7.100.892

8.3. APLICACIÓN DEL RESULTADO

8.3.0.1. Calificación de la prima de emisión/asuncigón y otras aportaciones socios como reservas disponibles

Consulta 3 Boicac 119 – Septiembre 2019.

Sobre si la prima de emisión o asunción y las otras aportaciones de socios deben entenderse incluidos en el concepto de reservas disponibles a efectos de lo dispuesto en el artículo 31.2 de la Resolución de 5 de marzo de 2019, del Instituto de Contabilidad y Auditoría de Cuentas, por la que se desarrollan los criterios de presentación de los instrumentos financieros y otros aspectos contables relacionados con la regulación mercantil de las sociedades de capital.

Respuesta

La Resolución de 5 de marzo de 2019, del Instituto de Contabilidad y Auditoría de Cuentas, por la que se desarrollan los criterios de presentación de los instrumentos financieros y otros aspectos contables relacionados con la regulación mercantil de las sociedades de capital dispone en su artículo 31.2 lo siguiente:

«Cualquier reparto de reservas disponibles se calificará como una operación de «distribución de beneficios» y, en consecuencia, originará el reconocimiento de un ingreso en el socio, siempre y cuando, desde la fecha de adquisición, la participada o cualquier sociedad del grupo participada por esta última haya generado beneficios por un importe superior a los fondos propios que se distribuyen.»

Por su parte, en la exposición de motivos se precisa:

«La prima de emisión de acciones o asunción de participaciones, al igual que las aportaciones de los socios reguladas en el artículo 9 de la Resolución, desde un punto de vista contable son patrimonio aportado y no renta generada por la sociedad, a diferencia de otras reservas procedentes de beneficios, pero el estatuto mercantil de estas partidas es el que rige para las ganancias acumuladas. Es decir, podrán ser objeto de distribución o reparto entre los socios previo cumplimiento de las restricciones establecidas en el texto refundido de la Ley de Sociedades de Capital para la aplicación del resultado o las reservas de libre disposición. Sobre la base de este razonamiento, ambos conceptos, prima de emisión o asunción y aportaciones de los socios, se incluyen en la definición de beneficio distribuible.»

Asimismo, el artículo 3.5 de la Resolución establece que:

«La prima de emisión y la prima de asunción constituyen patrimonio aportado que puede ser objeto de recuperación por los socios, en los mismos términos que las reservas de libre disposición, y las aportaciones de los socios reguladas en el artículo 9.»

Por tanto, a tenor de lo dispuesto, la prima de emisión o asunción y las otras aportaciones de socios deben entenderse incluidos en el concepto de reservas disponibles.

Comentario

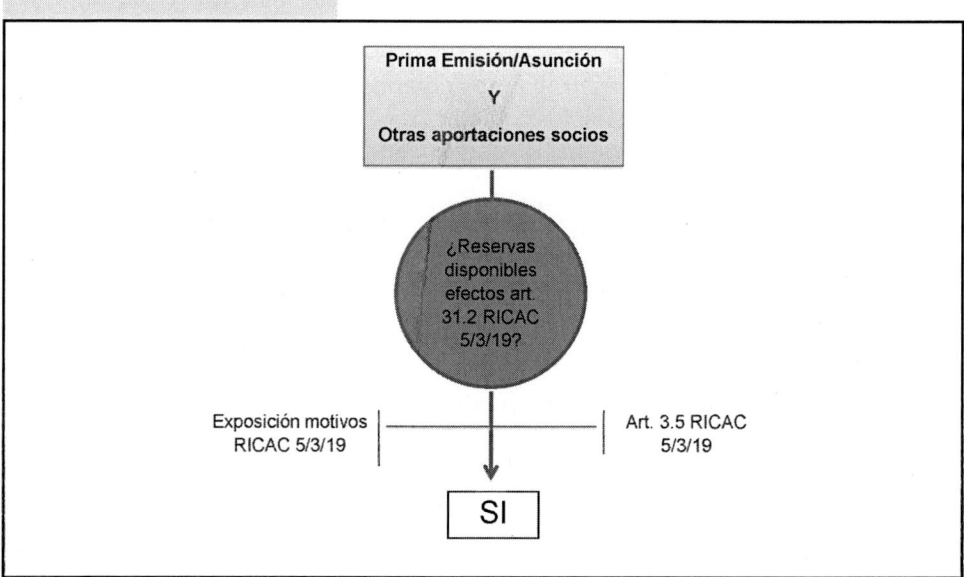

Ejemplo

«MELLA S.A.» presenta los siguientes saldos referidos a diversas cuentas del balance:

Capital Social.	2.700.000
Reserva Legal.	508.500
Reservas voluntarias.	900.000
Aportaciones socios o propietarios.	27.000
Resultados negativos de ejercicios anteriores.	(45.000)
Investigación.	1.170.000
Socios por desembolsos no exigidos.	(675.000)
Donaciones y legados de capital.	225.000
Prima emisión acciones.	405.000
Reservas para acciones dominante.	225.000
Remanente.	36.000
Resultado del ejercicio.	0

Al ser el resultado del ejercicio cero, decide distribuir un dividendo en la cuantía máxima posible con cargo a la cuenta prima de emisión de acciones.

Para ello, atenderá a lo establecido en la Ley así como compensar las pérdidas de ejercicios anteriores con las aportaciones de los socios (para compensar pérdidas), y en su caso, con la parte de la prima de emisión que sea necesaria.

Por el importe restante, distribuirá el dividendo.

Como base del reparto, utiliza la prima de emisión y el remanente.

Posteriormente, un socio al que le corresponde percibir 20.000 € por dividendos, quiere que sea sustituido por la cesión de la propiedad de un automóvil, contabilizado en nuestra empresa por un precio de adquisición de 30.000 € y una amortización acumulada del 40% del precio de adquisición, siendo su valor razonable 20.000 €-

SE PIDE:

a) Registro aplicación del resultado, con cargo a la prima de emisión de acciones

b) Registro dividendo en especie en el socio, el cual adquirió su participación en el momento de la constitución de la sociedad

c) Suponiendo que el socio había adquirido su participación con posterioridad al momento de constitución (a principios de este ejercicio), registrar la operación

SOLUCIÓN

La consulta 3 del Boicac 119, nos recuerda lo establecido en la exposición de motivos de la RICAC 5/3/19, en donde se relata: «*(...)La prima de emisión de acciones o asunción de participaciones, al igual que las aportaciones de los socios reguladas en el artículo 9 de la resolución, desde un punto de vista contable son patrimonio aportado y no renta generada por la sociedad, a diferencia de otras reservas procedentes de beneficios, pero el estatuto mercantil de estas partidas es el que rige para las ganancias acumuladas. Es decir, podrán ser objeto de distribución o reparto entre los socios previo cumplimiento de las restricciones establecidas en el texto refundido de la Ley de Sociedades de Capital para la aplicación del resultado o las reservas de libre disposición. Sobre la base de este razonamiento, ambos conceptos, prima de emisión o asunción y aportaciones de los socios, se incluyen en la definición de beneficio distribuible (...)*».

A) APLICACIÓN DEL RESULTADO

Veremos previamente las distintas atenciones establecidas por la Ley. Así, el art. 273.2 TRLSC, nos comenta: «*Una vez cubiertas las atenciones previstas por la ley o los estatutos, sólo podrán repartirse dividendos con cargo al beneficio del ejercicio, o a reservas de libre disposición, si el valor del patrimonio no es o, a consecuencia del reparto, no resulta ser inferior al capital social (...)*». En el mismo sentido, se expresa el art. 28.2 RICAC 5/3/10, así: «*Una vez cubiertas las atenciones previstas por las leyes o los estatutos, sólo podrán repartirse dividendos con cargo al beneficio distribuible, si el valor del patrimonio neto no es o, a consecuencia del reparto, no resulta ser inferior al capital social mercantil (...)».* De esta forma:

* Dotación Reserva Legal. Según el art. 274.1 LSC: *«En todo caso, una cifra igual al diez por ciento del beneficio del ejercicio se destinará a la reserva legal hasta que esta alcance, al menos, el veinte por ciento del capital social».*

Es decir, dotaríamos: 10% 405.000= 40.500. Dicha cantidad, junto a la que ya poseía la sociedad (40.500 + 508.500 = 549.000), supera el máximo establecido del 20% del capital social (20%[2.700.000] = 540.000). Con lo cual, la sociedad dotará hasta dicho tope, es decir:

$$\text{Reserva Legal} = 540.000 - 508.500 = \mathbf{31.500}$$

* Atenciones establecidas en el art. 273.3 de la LSC, donde comenta que: *«Se prohíbe igualmente toda distribución de beneficios a menos que el importe de las reservas disponibles sea, como mínimo, igual al importe de los gastos de investigación y desarrollo que figuren en el activo del balance».* Comprobémoslo:

Investigación y Desarrollo	Importe	Reservas Disponibles	Importe
Investigación	1.170.000	Reservas voluntarias	900.000
Total	**1.170.000**	**Total**	**900.000**

Con lo que la empresa incrementará sus reservas disponibles, destinado la diferencia entre: 1.170.000 -900.000 = **270.000** a Reservas voluntarias.

* En el mencionado art. 273.2 LSC, caso de que el patrimonio neto resulte ser inferior al capital social, y que existieras pérdidas de ejercicios anteriores que provocaran esta situación *«(...) el beneficio se destinará a la compensación de estas pérdidas»* . La empresa tiene intención de compensar las pérdidas, una vez deducida la parte que compensará las aportaciones de los socios, es decir:

$$\text{Compensación pérdidas} = 45.000 - 27.000 = 18.000$$

Anotaremos:

– Por la compensación de parte de las pérdidas con las aportaciones efectuadas por los socios:

---------------------------------- X ----------------------------------

27.000	Aportaciones de socios o propietarios (118)		
	a	Resultados negativos de ejercicios anteriores (121)	27.000

– Y por la aplicación del resultado:

405.000	Prima emisión acciones (110)	a	Reserva Legal (112)	31.500
36.000	Remanente (120)		Reservas voluntarias (113)	270.000
			Resultados negativos (121)	18.000
		a	Dividendo activo a pagar (526) (por diferencia)	121.500

X

Comprobemos si el reparto es correcto. Para ello, y siguiendo los textos antes mencionados de la RICAC y el TRLSC:

Patrimonio Neto (P.N)	No es inferior, o no resulta serlo a consecuencia reparto	*al Capital Social (C.S) mercantil*

Teniendo en cuenta, que la definición del Patrimonio Neto, a los efectos de la distribución de beneficios, se calculará siguiendo lo establecido en el art. 3.1 RICAC 5/3/19:

Patrimonio Neto =

Importe Criterios Cuentas Anuales

+ Capital Social suscrito, no exigido

+ Importe del nominal y primas emisión/asunción capital social registrado como pasivo

No se incluirá: *Ajustes cambio valor operaciones cobertura flujos efectivo pendientes imputar pérdidas y ganancias.*

En nuestro caso:

CUENTA	CUANTÍA
Capital social	2.700.000
Socios desembolsos no exigidos	(675.000)
Reserva legal (508.000 + 31.500)	540.000
Reserva voluntaria(900.000 + 270.000)	1.170.000
Donaciones y legados de capital	225.000

CUENTA	CUANTÍA
Reserva para acciones de la sociedad dominante	225.000
PATRIMONIO NETO (conforme los criterios para confeccionar las cuentas anuales)	**4.185.000**
+Capital suscrito, no exigido	+675.000
(Donaciones y legados de capital)[*]	(225.000)
PATRIMONIO NETO	**4.635.000**

[*] Tendremos en cuenta lo establecido en el art. 28.2 RICAC 5/3/19, que nos dice: *«(...) Los beneficios imputados directamente al patrimonio neto (ajustes por cambios de valor positivos y subvenciones, donaciones y legados reconocidos directamente en el patrimonio neto), no podrán ser objeto de distribución, directa ni indirecta y, por lo tanto, se minorarán de la cifra de patrimonio neto (...)»*

Por lo que comprobamos la cifra del Patrimonio Neto (4.635.000), es superior al capital social (2.700.000), con lo que en base al art. 273.2 LSC y el art. 28.2 RICAC 5/3/19, el reparto es correcto.

B) Registro Dividendo en Especie, caso Socio tenga Participación desde Inicio (Nuestra empresa, anotará:

31/12/X1

20.000	Dividendo activo a pagar (526)	a	Elementos de Transporte (218)	30.000
12.000	Amortización Acumulada Inmovilizado Material (281) [40%30.000]		Beneficios procedentes del I.M (771)	2.000

De esta forma, el art. 28.7 de la RICAC 5/3/19, nos comenta que: *«Cuando la sociedad acuerde el pago de un dividendo mediante la entrega de un elemento patrimonial o grupo de elementos patrimoniales distintos del efectivo, si el valor contable por el que están contabilizados los citados elementos es inferior al valor razonable de la deuda reconocida con el socio, en el momento de la baja se registrará un beneficio por la diferencia entre ambos importes. (...)»*. En nuestro caso, si comparamos:

Valor contable elemento		Deuda reconocida con el socio	
218. Elementos transporte:	30.000		20.000 €
2818. AA.Elm Transp:	(12.000)		
Valor contable:	18.000	Total deuda:	20.000

Como valor contable (18.000) es inferior al valor de la deuda con el socio (20.000), se reconocerá un beneficio por la diferencia (2.000)

(Registro del dividendo en el socio

– Ante el acuerdo de la distribución del resultado, el socio anotará en cuentas:

---------------------------------- X ----------------------------------

| 20.000 | Dividendos a cobrar (545) | a | Ingresos de participaciones en instrumentos de patrimonio (760) | 20.000 |

Así, y en base al art. 31.2 de la RICAC 5/3/19, sabemos que: «*Cualquier reparto de reservas disponibles se calificará como una operación de «distribución de beneficios» y, en consecuencia, originará el reconocimiento de un ingreso en el socio, siempre y cuando, desde la fecha de adquisición, la participada o cualquier sociedad del grupo participada por esta última haya generado beneficios por un importe superior a los fondos propios que se distribuyen*»

– Y cuando MELLA haga entrega del elemento como pago del dividendo reconocido, el socio registrará:

---------------------------------- X ----------------------------------

| 20.000 | Elemento de transporte (218) | a | Dividendo activo a cobrar (545) | 20.000 |

De esta forma, la mencionada RICAC, en su art. 31.5 nos comenta que: «*Cuando la sociedad acuerde el pago de un dividendo mediante la entrega de un elemento patrimonial o grupo de elementos patrimoniales distintos del efectivo, el socio reconocerá la operación aplicando los criterios generales recogidos en este artículo (...)*»

C) REGISTRO DIVIDENDO POR EL SOCIO, CASO ÉSTE HUBIESE ADQUIRIDO PARTICIPACIÓN CON POSTERIORIDAD

– Por el acuerdo de la distribución:

---------------------------------- X ----------------------------------

| 20.000 | Dividendos a cobrar (545) | a | Inversiones financieras a l/p en instrumentos de patrimonio (250) | 20.000 |

De esta manera, y según nos indica la presente la consulta (3, Boicac 119), el art. 31.2 de la RICAC 5/3/19 comenta:

«Cualquier reparto de reservas disponibles se calificará como una operación de «distribución de beneficios» y, en consecuencia, originará el reconocimiento de un ingreso en el socio, siempre y cuando, desde la fecha de adquisición, la participada o cualquier sociedad del grupo participada por esta última haya generado beneficios por un importe superior a los fondos propios que se distribuyen»

– Y por el cobro del dividendo en especie:

X

20.000	Elemento de transporte (218)	a Dividendo activo a cobrar (545)	20.000

8.4. COMBINACIONES DE NEGOCIOS. DISOLUCIÓN – LIQUIDACIÓN – FUSIÓN

8.4.0.1. Coste reestructuración personal, en la adquisición de un negocio

BOICAC 88, diciembre 2011. Consulta 2.

Sobre el tratamiento contable del coste de una posible reestructuración de personal tras la adquisición de un negocio.

Respuesta

Una sociedad adquiere un conjunto de elementos patrimoniales que constituyen un negocio en funcionamiento que incluye activos (inmuebles, instalaciones, maquinaría, etcétera) y los pasivos asociados a los elementos anteriores, entre los que se citan, en particular, cualquier deuda que se manifieste con posterioridad a la fecha de adquisición que sea consecuencia de la reestructuración del personal afecto al negocio adquirido. Las partes estiman que el importe de los pasivos, registrados y potenciales, excede al de los activos, por lo que está previsto que el comprador reciba una determinada cantidad en efectivo.

Adicionalmente se indica que la operación está sujeta a la norma de registro y valoración 19.ª «Combinaciones de negocios» (en adelante, NRV 19.ª) del Plan General de Contabilidad, aprobado por el Real Decreto 1514/2007, de 16 de noviembre, en la redacción introducida por el Real Decreto 1159/2010, de 17 de septiembre, por el que se aprueban las Normas para la Formulación de Cuentas

Anuales Consolidadas y se modifica el Plan General de Contabilidad aprobado por Real Decreto 1514/2007, de 16 de noviembre y el Plan General de Contabilidad de Pequeñas y Medianas Empresas aprobado por Real Decreto 1515/2007, de 16 de noviembre.

A la vista de estos hechos, el consultante pregunta si es posible reconocer una provisión por el coste de una reestructuración de personal que pueda producirse en el futuro, en la medida que el precio de la transacción pone de manifiesto la existencia de pasivos potenciales, y que las partes explícitamente reconocen que el vendedor compensa con los activos netos entregados, incluida la cantidad en efectivo, los costes y riesgos inherentes al negocio. En particular, se consulta si es posible contabilizar los activos netos recibidos en sintonía con lo previsto en la NRV 19.ª.2.8, letra c), empleando como contrapartida una provisión, al considerar que los citados activos constituyen la compensación que el vendedor entrega a la sociedad adquirente por haber recibido un negocio deficitario.

La NRV 19.ª.2.4, en relación con el reconocimiento de los activos y pasivos vinculados a la adquisición de un negocio señala como criterio de reconocimiento que, los activos identificables adquiridos y los pasivos asumidos deben cumplir las definiciones incluidas en el Marco Conceptual de la Contabilidad, y ser parte de lo que adquirente y adquirida intercambian en la combinación de negocios, con independencia de que algunos de estos activos y pasivos no hubiesen sido previamente reconocidos en las cuentas anuales de la empresa adquirida, o en las de la empresa transmitente del negocio adquirido, por no cumplir los criterios de reconocimiento.

Adicionalmente, la NRV 19.ª.2.4 continúa señalando que los activos identificables adquiridos y los pasivos asumidos, con carácter general, se reconocerán por su valor razonable en la fecha de adquisición, siempre que dichos valores puedan determinarse con suficiente fiabilidad. En caso de que el negocio adquirido incorpore obligaciones calificadas como contingencias, la empresa adquirente las reconocerá como un pasivo por su valor razonable siempre y cuando dicho pasivo sea una obligación presente que surja de sucesos pasados, aunque no sea probable que para liquidar la obligación vaya a producirse una salida de recursos que incorporen beneficios económicos.

De acuerdo con lo anterior, la sociedad adquirente solo reconoce los costes de reestructuración del personal como una provisión si, en la fecha de adquisición, se cumple la definición de pasivo. Es decir, si la adquirente ha desarrollado un plan formal detallado para la reestructuración o suscita una expectativa válida entre los afectados de que la reestructuración se llevará a cabo anunciando públicamente los detalles del plan. En caso contrario, los costes asociados con la reestructuración se reconocerán como un gasto tras la combinación y en el momento en que se incurra en ellos.

A estos efectos, los costes «futuros» de un «posible» plan de reestructuración de personal, por sí mismos, no generan una obligación presente con terceros, al margen de que las partes hayan podido considerarlos a la hora de fijar el precio del negocio adquirido.

Sin perjuicio de lo anterior, en el supuesto de que a la vista de los términos del acuerdo pudiera concluirse que la sociedad consultante recibe un activo singular para hacer frente a un posible expediente de regulación de empleo, este importe individualizado, desde una perspectiva contable, se reconocerá como una transacción separada de la combinación de negocios, tal y como indica la NRV 19.ª. 2.8.c). Para ello, considerando el carácter finalista que se infiere del citado activo, será requisito necesario su identificación de forma nítida en los términos del acuerdo.

Cuestión distinta es que esta regla particular pueda generalizarse y considerar que cuando el adquirente no desembolsa contraprestación alguna, como sucede en el caso objeto de consulta, el conjunto de los activos netos recibidos constituyen la compensación por haber adquirido un negocio deficitario, porque de prosperar este razonamiento el conjunto de la operación debería calificarse como una transacción separada, vaciando de contenido la regla general para el reconocimiento de pasivos en una combinación de negocios.

En definitiva, en el supuesto excepcional de que el valor de los activos identificables adquiridos menos el de los pasivos asumidos sea superior al coste de la combinación de negocios, el exceso se contabilizará en la cuenta de pérdidas y ganancias como un ingreso, salvo en el importe que pueda identificarse como la contraprestación recibida por el adquirente, en una transacción separada, en los términos que se ha expuesto, por haber asumido un negocio deficitario.

A mayor abundamiento cabe señalar que, desde una perspectiva económica racional, y a los efectos de calcular el valor razonable de los citados activos habría que considerar que la citada diferencia, antes de calificarse como un ingreso, forma parte de la valoración del negocio adquirido y, en consecuencia, con carácter general, debería reducir el valor de los activos hasta el límite de la contraprestación satisfecha, salvo que dicho importe sea causa de las propias excepciones previstas en la norma sobre reconocimiento a valor razonable, por ejemplo, la que pudiera surgir por la medición de los activos por impuestos diferidos, o traiga causa de un supuesto excepcional en que se pudiera producir una venta urgente o liquidación forzosa.

Comentario

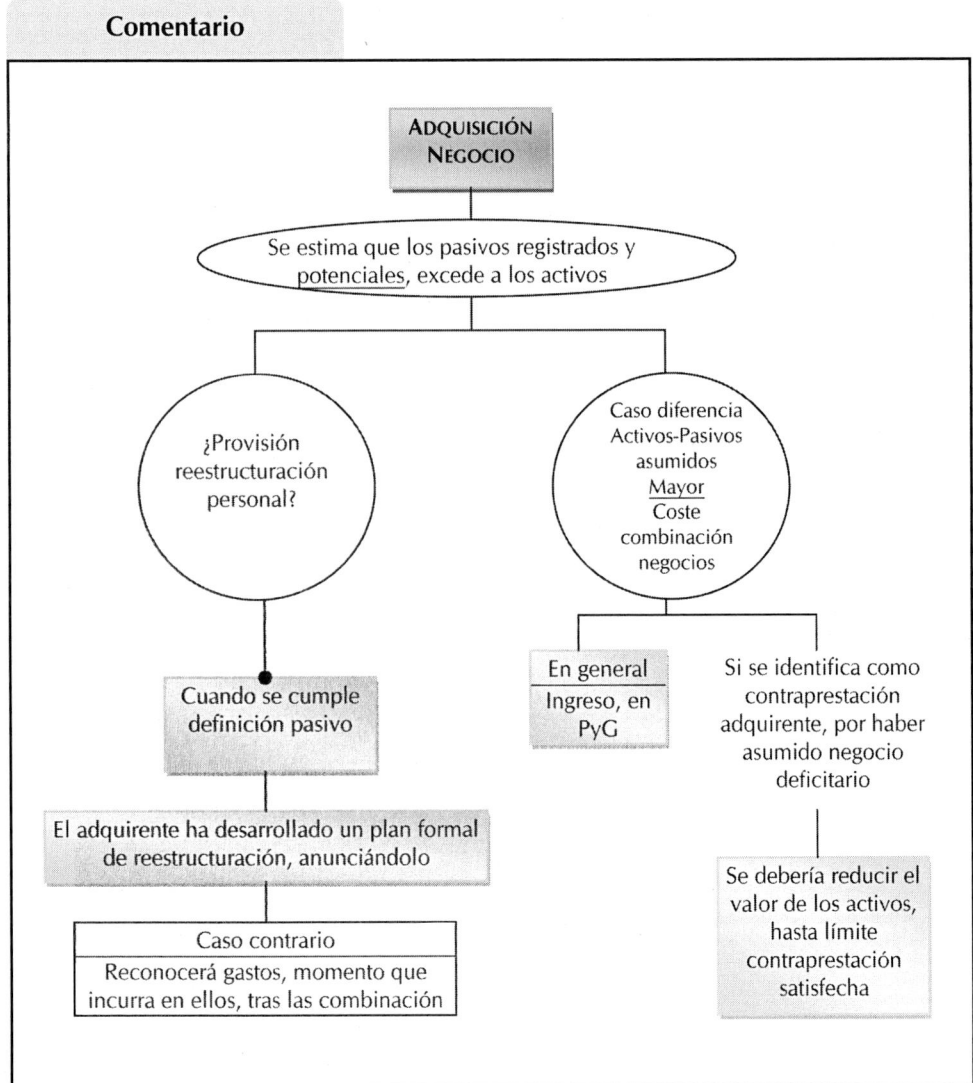

Ejemplo 1

La sociedad anónima LA INNOVADORA acuerda con la sociedad anónima LA CONFUSA la adquisición de esta por parte de aquélla. La operación tiene lugar a principios del ejercicio X3, fecha de celebración de la Junta General de accionistas de la sociedad LA CONFUSA en la cual se aprobó la operación. El conjunto de elementos patrimoniales de la sociedad adquirida constituyen un negocio.

El balance de situación que presenta la sociedad LA CONFUSA a 1/1/X3 es el siguiente, expresado en euros:

ACTIVO		PATRIMONIO NETO Y PASIVO	
300.000	Terrenos	Capital social	100.000
600.000	Construcciones	Reserva legal	20.000
80.000	Mobiliario	Reservas voluntarias	40.000
180.000	Maquinaria	Resultado del ejercicio	(16.000)
(160.000)	Amortización acumulada del inmovilizado material	Proveedores de inmovilizado largo plazo	300.000
40.000	Mercaderías	Deudas l/p entidades de crédito	420.000
60.000	Deudores a corto plazo	Acreedores comerciales	76.000
		Deudas administraciones públicas	160.000
1.100.000	**TOTAL ACTIVO**	**TOTAL PATRIMONIO NETO Y PASIVO**	**1.100.000**

Información complementaria:

El capital social según balance está formado por acciones de nominal 1€.

Reunidos los administradores de ambas sociedades toman los siguientes acuerdos:

– En relación con los valores de la sociedad LA CONFUSA:

• Las mercaderías se valoran en 64.000€ que corresponde con su valor razonable.

• Las construcciones se encuentran amortizadas en el 20 por 100 de su coste histórico. Se aprueba un valor para las mismas, de acuerdo con el mercado, de 580.000€.

• Las deudas se reconocen por el valor que figura en Balance.

• Todos los demás elementos patrimoniales se aceptan por sus valores contables, los cuales son coincidentes con sus valores razonables.

• Adicionalmente, la sociedad adquirente, asumirá el coste de la restructuración del personal afecto al negocio adquirido, de tal forma que en la fecha de adquisición la sociedad adquirente ha desarrollado un plan formal detallado para la reestructuración suscitando

• Una expectativa válida entre los afectados de que la reestructuración se llevará a cabo anunciando públicamente los detalles del plan. El desarrollo del citado plan supone costes de despidos de personal calculados en 320.000€ y unos gastos de abogados por valor de 48.000€.

• Además, las partes estiman que el importe de los pasivos registrados y potenciales excede de los activos, por lo que se acuerda que el comprador reciba la cantidad de 100.000€ en efectivo.

SE PIDE:

Realice las anotaciones contables de todo el proceso de adquisición en sociedad INNOVADORA.

SOLUCIÓN:

Anotaciones contables en la sociedad innovadora

De acuerdo con lo establecido en el apartado 1 de la Norma 19.ª de Valoración, se trata de una combinación de negocios.

Las combinaciones de negocios, en función de la forma jurídica empleada, pueden originarse como consecuencia de: «(...) b) *La adquisición de todos los elementos patrimoniales de una empresa o de una parte* que *constituya uno o más negocios*».

Sabemos, que:

NOTA 1: En el Balance LA CONFUSA posee Mercaderías por:

Mercaderías......................	40.000

Sin embargo:

Valor razonable...................	64.000
Diferencia.......................	+ 24.000

NOTA 2: El valor contable por el que nuestra sociedad tiene registrado el inmovilizado:

Construcciones....................	600.000
Amortización acumulada	
20% 600.000.....................	(120.000)
Valor contable....................	480.000

Sin embargo:

Valor razonable.................	580.000
Diferencia.....................	+ 100.000

Además la sociedad adquirente asume una deuda por la restructuración del personal estimada en 368.000€ (= 320.000 + 48.000).

A) VALOR RAZONABLE DE LOS ACTIVOS ADQUIRIDOS

Terrenos.	300.000
Construcciones (Nota 2)	700.000
Mobiliario.	80.000
Maquinaria.	180.000
(A.A. inmovilizado material)	(160.000)
Mercaderías (Nota 1)	64.000
Deudores corto plazo.	60.000
TOTAL.	**1.224.000**

B) VALOR RAZONABLE DE LOS PASIVOS ASUMIDOS

Proveedores de inmovilizado largo plazo.	300.000
Deudas a largo plazo con entidades de crédito.	420.000
Acreedores comerciales.	76.000
Deudas con las administraciones públicas.	160.000
Costes de restructuración de personal asumidos.	368.000
TOTAL.	**1.324.000**

El importe de los pasivos, registrados y potenciales, excede al de los activos, por lo que está previsto que el comprador reciba una determinada cantidad en efectivo.

$$A - B = 1.224.000 - 1324.000 = \textbf{-100.000€}$$

(CANTIDAD A RECIBIR DE LA SOCIEDAD ADQUIRIDA)

– Recepción del Activo y Pasivo de la sociedad adquirida:

———————————————— 1/1/X3 ————————————————

300.000	Terrenos y Bienes Naturales (210)		
700.000	Construcciones (211)		
80.000	Mobiliario (216)		
180.000	Maquinaria (213)		
64.000	Mercaderías (300)		
60.000	Deudores c/p (440)		
100.000	Sociedad deudora LA CON- FUSA		
	a	Proveedores de inmovili- zado largo plazo (173)	300.000
		Deudas a l/p entidades de crédito (170)	420.000
		Acreedores comerciales (4x)	76.000
		Deudas administraciones públicas (47x)	160.000
		Amortización Acumulada Inmov. Material (281)	160.000
		Provisión para reestructu- raciones (146) (*)	368.000

La adquirente valorará los activos identificables adquiridos y los pasivos asumidos a sus valores razonables en la fecha de adquisición, siempre que dichos valores puedan determinarse con suficiente fiabilidad. [Apartado 2.4 de la Norma 19.ª Valoración PGC].

(*) Ha sido reconocida una provisión por el coste de la reestructuración de personal que va a producirse en el futuro, en la medida que el precio de la transacción pone de manifiesto la existencia de pasivos potenciales, y que las partes explícitamente reconocen que el vendedor compensa con los activos netos entregados, incluida la cantidad en efectivo, los costes y riesgos inherentes al negocio.

La Norma de Valoración 19.ª.(apartado 2.4), en relación con el reconocimiento de los activos y pasivos vinculados a la adquisición de un negocio señala como criterio de reconocimiento que, los activos identificables adquiridos y los pasivos asumidos deben cumplir las definiciones incluidas en el Marco Conceptual de la Contabilidad, y ser parte de lo que adquirente y adquirida intercambian en la combinación de negocios, con independencia de que algunos de estos activos y pasivos no hubiesen sido previamente reconocidos en las cuentas anuales de la empresa adquirida, o en las de la empresa transmitente del negocio adquirido, por no cumplir los criterios de reconocimiento.

La sociedad adquirente ha reconocido los costes de reestructuración del personal como una provisión ya, que en la fecha de adquisición, se cumple la definición de pasivo y dichos valores puedan determinarse con suficiente fiabilidad.

– Por el cobro de efectivo:

	X	
100.000 Bancos c/c (572)		
	a Sociedad deudora LA CON-FUSA	100.000

Ejemplo 2

Las Juntas Generales de las sociedades «A» y «B», han acordado la fusión por absorción de «A» por parte de «B», la cual emitirá 8.000 acciones de valor nominal 5€ y valor de emisión 125%.

La empresa A, S.A., presenta el siguiente Balance de situación a 1-01-X6 (fecha de adquisición):

ACTIVO		PATRIMONIO NETO Y PASIVO	
50.000	Inmovilizado intangible neto	Capital social (9.000 acciones)	90.000
200.000	Inmovilizado material neto	Resultados negativos de ejercicios anteriores	(20.000)
10.000	Existencias	Resultado del ejercicio	(10.000)
40.000	Deudores	Pasivos exigibles	240.000
300.000	TOTAL ACTIVO	**TOTAL PATRIMONIO NETO Y PASIVO**	**300.000**

A efectos de la combinación de negocios, los valores razonables de los activos adquiridos y de los pasivos asumidos son coincidentes con los valores contables que figuran en el balance.

Por otra parte se estima que la sociedad adquirente «B» deberá hacer frente a unos costes de reestructuración del personal de la sociedad «A» por un posible expediente de regulación de empleo y cuyo se estima en 8.000€ por lo que recibirá una ayuda de la Comunidad Europea por ese importe en el futuro siempre que se ejecuten los planes previstos.

SE PIDE:

Contabilizar el proceso en la sociedad adquirente B. Los gastos de ampliación de capital que efectúa la sociedad absorbente ascienden a 2.000€, en tanto que los honorarios satisfechos a los asesores legales y profesionales que han intervenido en la operación han ascendido a 3.500 u.m. pagados por banco.

SOLUCIÓN:

– Determinaremos en primer lugar quien es de la sociedad adquirente y adquirida en la combinación de negocios.

Siguiendo lo establecido en el apartado 2.1 de la Norma 19.ª de Valoración, nos comenta que como regla general, se considerará como empresa adquirente la que entregue una contraprestación a cambio del negocio o negocios adquiridos.

En nuestro caso la sociedad adquirente es «B» y la adquirida es «A»

El coste de la combinación de negocios en base al apartado 2.3 de la mencionada Norma de valoración nos indica que estará determinado por los valores razonables, en la fecha de adquisición, de los activos entregados, los pasivos incurridos o asumidos y los instrumentos de patrimonio emitidos por la adquirente.

El valor razonable de los instrumentos de patrimonio o de los pasivos financieros emitidos que se entreguen como contraprestación en una combinación de negocios será su precio cotizado, si dichos instrumentos están admitidos a cotización en un mercado activo. Si no lo están, en el caso particular de la fusión y escisión, dicho importe será el valor atribuido a las acciones o participaciones de la empresa adquirente a los efectos de determinar la correspondiente ecuación de canje.

En nuestro caso dicho coste asciende a:

8.000 acciones x 5€ x 125% = 50.000

– Comprobaremos si existe fondo de comercio o diferencia negativa.

El fondo de comercio o diferencia negativa se obtendrá por diferencia entre los siguientes importes:

A) El coste de la combinación de negocios

[8.000 acciones de nominal 5€, emisión al 125%] 50.000

B) Valor razonable de los activos adquiridos menos los pasivos asumidos en los
términos recogidos en el apartado 2.4. Norma Valoración 19.ª 60.000

[A – B] **DIFERENCIA NEGATIVA** . . . .   (10.000)

• SOCIEDAD ABSORBENTE Y ADQUIRENTE «B»

– Reapertura de la contabilidad

_____ X _____

Cuentas deudoras (x)

a   Cuentas acreedoras (x)

– Recepción del patrimonio de la sociedad absorbida y adquirida «A»

_____ X _____

50.000	Inmovilizado intangible neto (20)		
200.000	Inmovilizado material neto (21)		
10.000	Existencias (30)		
40.000	Deudores (44)		
		a	Diferencia negativa en combinaciones de negocios (774)[*]
			10.000
			Pasivo exigible (x) 240.000
			Socios de la sociedad disuelta (5530) 50.000

[*] Según los contenidos de la presente consulta: en el supuesto excepcional de que el valor de los activos identificables adquiridos menos el de los pasivos asumidos sea superior al coste de la combinación de negocios, el exceso se contabilizará en la cuenta de pérdidas y ganancias como un ingreso, salvo en el importe que pueda identificarse como la contraprestación recibida por el adquirente, en una transacción separada, en los términos que se ha expuesto, por haber asumido un negocio deficitario.

La adquirente valorará los activos identificables adquiridos y los pasivos asumidos a sus valores razonables en la fecha de adquisición, siempre que dichos valores puedan determinarse con suficiente fiabilidad. [Apartado 2.4, Norma 19.ª Valoración PGC]

– Emisión de las acciones:

––––––––––––––––––––––––––––– X –––––––––––––––––––––––––––––

50.000	Acciones o participaciones emitidas (190)	
	[8.000 acc. x 5 x 1,25]	
	a Capital emitido pendiente de inscripción (194)	50.000

– Por la entrega de las acciones emitidas a los socios de la sociedad absorbida «A».

––––––––––––––––––––––––––––– X –––––––––––––––––––––––––––––

50.000	Socios de la sociedad disuelta (5530)	
	a Acciones o participaciones emitidas (190)	50.000

– Por la inscripción de la ampliación de capital en el Registro mercantil.

––––––––––––––––––––––––––––– X –––––––––––––––––––––––––––––

50.000	Capital emitido pendiente de inscripción (194)	
	a Capital social (100)	
	[8.000 acc. x 5]	40.000
	Prima de emisión de acciones (110)	
	[8.000 acciones x 1,25€]	10.000

– Por los gastos satisfechos.

————————————————————————————— X —————————————————————————————

2.000   Reservas voluntarias (113)

a   Bancos (572)   2.000

Los gastos derivados de estas transacciones, incluidos los gastos de emisión de estos instrumentos, tales como honorarios de letrados, notarios, y registradores; impresión de memorias, boletines y títulos; tributos; publicidad; comisiones y otros gastos de colocación, se registrarán directamente contra el patrimonio neto como menores reservas. [Apartado 4, Norma 9.ª de Valoración PGC]

– Por el efecto impositivo:

————————————————————————————— X —————————————————————————————

600   Impuesto diferido (6301)

[2.000 x 30%]

a   Reservas voluntarias (113)   600

Así, y según la redacción de la cuenta 113 en la 5.ª parte del PGC, nos comenta que ésta se abonará:

«(...) por el gasto por impuesto sobre beneficios relacionado con los gastos de transacción, con cargo a la cuenta 6301».

– Por los honorarios de los profesionales

————————————————————————————— X —————————————————————————————

3.500   Servicios de profesionales independientes (623)

a   Bancos c/c (572)   3.500

Los restantes honorarios abonados a asesores legales, u otros profesionales que intervengan en la operación se contabilizarán como un gasto en la cuenta de pérdidas y ganancias. [Apartado 2.3 de la Norma 19.ª Valoración PGC])

– Por el reconocimiento de la ayuda afecta a la reestructuración:

X

8.000	Comunidad europea deudora por ayudas a la reestructuración (470X)		
		a	Provisión para reestructuraciones (146)
			8.000

Así, en la presente consulta nos comenta que, en el supuesto de que a la vista de los términos del acuerdo pudiera concluirse que la sociedad consultante recibe un activo singular para hacer frente a un posible expediente de regulación de empleo, este importe individualizado, desde una perspectiva contable, se reconocerá como una transacción separada de la combinación de negocios, tal y como indica la Norma 19.ª de Valoración, apartado 2.8c).

– La compensación por haber recibido un negocio deficitario.

Si la adquirente recibe un activo o el compromiso de recibir un activo como compensación por haber asumido un negocio deficitario, por ejemplo, para hacer frente al coste de un futuro expediente de regulación de empleo, deberá contabilizar este acuerdo como una transacción separada de la combinación de negocios, circunstancia que exigirá reconocer una provisión como contrapartida del citado activo en la fecha en que se cumplan los criterios de reconocimiento y valoración del mismo.

8.4.0.2. Escisión parcial. Creación nuevas empresas. Normativa aplicable en la valoración

BOICAC 89, mazo 2012. Consulta 1.

Sobre el tratamiento contable de una determinada operación de escisión.

Respuesta

La sociedad «M» es la dominante de un grupo de sociedades cuyo activo se compone de inmuebles (que arrienda a las sociedades «operativas») y de la participación en varias sociedades mercantiles que desarrollan actividades económicas diversas, entre ellas, la inmobiliaria. Los socios de «M», personas físicas vinculadas por una relación de parentesco, han acordado la escisión parcial de la sociedad dominante, en el marco de un plan de reestructuración del grupo, en cuya virtud se crearán dos nuevos grupos, reteniendo la sociedad «M», exclusivamente, la participación en la empresa dedicada a la actividad de promoción inmobiliaria.

Las sociedades dominantes de los respectivos grupos serán las sociedades beneficiarias, de nueva creación, que adquieren las inversiones en las sociedades dependientes «operativas» junto con los correspondientes inmuebles arrendados.

A mayor abundamiento, el consultante manifiesta que la escisión es de las previstas en el art. 76 de la Ley 3/2009, de 3 de abril, sobre modificaciones estructurales de las sociedades mercantiles, circunstancia que determina que la participación de los socios, personas físicas, en las tres sociedades dominantes, la sociedad «M» y las dos sociedades beneficiarias de la escisión, no es la misma que la que mantenían, antes de realizarse la operación en la sociedad «M» y, por tanto, el consultante señala que si bien los dos nuevos grupos están controlados por partes vinculadas, cuestión distinta es que hayan de considerarse empresas del grupo, ni en los términos del art. 42 del Código de Comercio, ni en los previstos en la norma de elaboración de las cuentas anuales (NECA) 13.ª «Empresas del grupo, multigrupo y asociadas» del Plan General de Contabilidad (PGC) aprobado por Real Decreto 1514/2007, de 16 de noviembre, que podríamos denominar grupo «ampliado».

Considerando estos antecedentes, la consulta versa sobre qué norma debe aplicarse en el reconocimiento y valoración inicial de las inversiones y los correspondientes inmuebles en las respectivas sociedades beneficiarias de la escisión. En particular, se pregunta si debe calificarse como una operación entre empresas del grupo, en cuyo caso sería de aplicación la norma de registro y valoración (NRV) 21.ª «Operaciones entre empresas del grupo» del PGC o, si por el contrario, serían de aplicación los criterios contenidos en la NRV 19.ª «Combinaciones de negocios», en ambos casos, según la redacción introducida por el Real Decreto 1159/2010, de 17 de septiembre, por el que se aprueban las normas para la Formulación de Cuentas Anuales Consolidadas y se modifica el Plan General de Contabilidad y el Plan General de Contabilidad de Pequeñas y Medianas Empresas.

Adicionalmente, bajo la hipótesis de que la operación quedase dentro del alcance de la NRV 19.ª, se pregunta si las sociedades beneficiarias de la escisión pueden calificarse como sociedades adquirentes, a los efectos de aplicar el método de adquisición.

1.- Normativa aplicable

El registro contable de las operaciones debe realizarse atendiendo al fondo económico y jurídico que subyace en las mismas, con independencia de la forma empleada para instrumentarlas, una vez analizados en su conjunto todos los antecedentes y circunstancias de aquéllas, cuya valoración es responsabilidad de los administradores y, en su caso, de los auditores de la sociedad. En este sentido, el art. 34.2 del Código de Comercio establece que en la contabilización de las operaciones se atenderá a su realidad económica y no sólo a su forma jurídica.

El citado análisis de fondo puede llevar en unas ocasiones a otorgar un tratamiento contable particular a los diferentes hechos económicos que se formalizan en una sola operación, y en otras a otorgar un tratamiento contable a diferentes operaciones en la medida en que en su conjunto solo encierran un hecho económico. Este análisis debe realizarse, como se ha señalado, después de un previo estudio de todos los antecedentes y circunstancias que concurren en la operación.

En definitiva, en las operaciones entre empresas del grupo, la ausencia de intereses contrapuestos requiere extremar la cautela en dicho análisis para evitar que una sucesión de negocios jurídicos y su correspondiente registro contable pudiera ser el medio empleado para contravenir el criterio del precio de adquisición, o se emplease para dar cobertura a infracciones de normas imperativas reguladoras de las sociedades de capital, como por ejemplo: la prohibición de devolución de aportaciones al margen de una reducción de capital o los límites a la distribución de beneficios y entrega a cuenta de dividendos.

Las operaciones de escisión, aportación no dineraria o fusión en las que la sociedad beneficiaria o absorbente es de nueva creación quedan dentro del ámbito de aplicación de la NRV 21.ª.2 si las sociedades que intervienen en la misma se califican como empresas del grupo, de acuerdo con la NECA 13.ª del PGC.

Siguiendo la citada NECA, se entenderá que otra empresa forma parte del grupo cuando ambas estén vinculadas por una relación de control, directa o indirecta, análoga a la prevista en el art. 42 del Código de Comercio para los grupos de sociedades o cuando las empresas estén controladas por cualquier medio por una o varias personas físicas o jurídicas, que actúen conjuntamente o se hallen bajo dirección única por acuerdos o cláusulas estatutarias.

Es decir, la NECA 13.ª regula el concepto de grupo «ampliado» a partir del concepto de «actuación conjunta», una cuestión de hecho y por lo tanto de juicio cuya apreciación en cada caso concreto compete a los administradores de las sociedades involucradas en la operación y, posteriormente, a sus auditores.

En el supuesto de que, tal y como plantea el consultante, la operación quedase fuera del alcance de la NRV 21.ª, cabe señalar que el tratamiento contable de la escisión seguirá los criterios recogidos en la NRV 19.ª si los elementos patrimoniales aportados a las sociedades beneficiarias constituyen un negocio, o los previstos en la NRV 2.ª para las aportaciones no dinerarias, en caso de que no lo fueran.

Dicha conclusión se soporta en el siguiente razonamiento. La NRV 19.ª regula la forma en que las empresas deben contabilizar las combinaciones de negocios en las que participen, entendidas como aquellas operaciones en las que una empresa adquiere el control de uno o varios negocios.

De acuerdo con la citada definición, si bien en toda combinación de negocios lo habitual será que intervengan más de un negocio, no es menos cierto que la literalidad de la norma no excluye que dentro de su alcance puedan tener cabida las operaciones de escisión con un fondo económico similar al descrito en la consulta; es decir, operaciones en principio de signo opuesto a las combinaciones, en la medida en que constituyen el instrumento jurídico empleado para separar varios negocios, que sin embargo son adquiridos, en unidad de acto pero de manera indirecta, por algunas de las personas físicas que antes de la operación controlaban el grupo «ampliado» y después pasan a controlar alguna de las sociedades beneficiarias.

A la misma conclusión podría llegarse mediante un razonamiento diferente, considerando la analogía existente desde un punto de vista económico entre la escisión y la reducción de capital con simultánea aportación, siendo en este segundo enfoque, la citada reducción de capital, la operación a excluir de la NRV 21.ª.2, al amparo de los argumentos que se han expuesto más arriba (cambio en el control). La posterior/simultánea aportación a la sociedad beneficiaria, a pesar de poder quedar incluida en el alcance de la NRV 21.ª.2, se reconocería en esta última por el valor razonable que se hubiera atribuido al negocio como consecuencia de la previa reducción de capital.

En definitiva, bajo esta segunda tesis, en la escisión el socio «aporta» un patrimonio a la sociedad beneficiaria, distinto del que controlaba de manera indirecta mediante la participación que poseía en la sociedad escindida.

2.- La sociedad adquirente en la NRV 19.ª

De conformidad con el apartado 2.1 de la NRV 19.ª la empresa adquirente es la que obtiene el control sobre el negocio o negocios adquiridos.

En particular, en las combinaciones derivadas de una escisión en las que intervienen dos negocios (circunstancia que acontece, bien cuando la sociedad beneficiaria no es de nueva creación y ya integraba un negocio, o bien cuando una sociedad beneficiaria de nueva creación absorbe dos negocios), la norma aclara que se califica como empresa adquirente el negocio que como consecuencia de la combinación se escinde de la entidad en la que se integraba y obtiene el control sobre otro u otros negocios.

Adicionalmente, en el citado apartado también se precisa que cuando, como consecuencia de una operación de fusión, escisión o aportación no dineraria, se constituya una nueva empresa, se identificará como empresa adquirente a una de las que participen en la combinación y que existían con anterioridad a ésta. Para identificar la empresa adquirente se atenderá a la realidad económica y no solo a la forma jurídica de la combinación de negocios.

Posteriormente, en desarrollo de estos criterios en la consulta 19 publicada en el Boletín de este Instituto n.º 85, de marzo de 2011, se concreta que:

> «(…) cuando se constituya una nueva empresa, con carácter general ésta no podrá calificarse como adquirente, salvo que adquiriese el control efec-

tivo de las entidades que participan en la operación. Esto es, que lejos de constituir una mera simulación, en la nueva entidad radique el control del grupo, habiéndolo perdido los antiguos socios o propietarios de las citadas entidades».

A la vista de estos antecedentes, la cuestión que parece suscitar el consultante es cómo resolver, en el caso que nos ocupa, el problema de identificar la empresa adquirente cuando solo una de las entidades que participan en la operación (el negocio escindido) existía previamente.

Tal y como se ha indicado más arriba, el supuesto de hecho general que regula la NRV 19.ª es la combinación de dos o más negocios. Estas operaciones se contabilizan aplicando el método de adquisición, que como su propio nombre indica surge para dar una respuesta contable a la adquisición de un negocio. En aplicación del citado método, solo los activos y pasivos del negocio adquirido (en ningún caso los de la adquirente) se reconocen, con carácter general, a valor razonable.

Sin embargo, nada impide que la aplicación del citado método también pueda invocarse en aquellas operaciones como la descrita por el consultante, en las que un negocio es adquirido de manera indirecta por un conjunto de personas físicas, que como contraprestación entregan a su vez la participación que poseían en el grupo que se escinde otorgando así un adecuado tratamiento contable a la operación. Todo ello, siempre y cuando, en sintonía con la citada consulta, y lo expresado al inicio de la presente contestación, el cambio en el control de los negocios involucrados no constituya una mera simulación.

Comentario

SITUACIÓN INICIAL

ACTIVO
Inmuebles
Participaciones
Empresas

Sociedad "M"
(personas físicas)

DOMINANTE

H   I

Z

Actividad: promoción inmobiliaria

SITUACIÓN POSTERIOR

Sociedad "M"
(personas físicas)

100%

Z

Actividad: promoción inmobiliaria

Escisión parcial
(art. 76-Ley 3/2009)

Nueva creación: beneficiarias

A   B

100%   100%

H   I

¿NORMATIVA APLICABLE VALORACIÓN INICIAL INVERSIONES?

NORMA 19ª
Si elementos aportados a beneficiarias, constituyen negocio

NORMA 2ª
(aportación no dineraria). Caso no fuera negocio

Consulta 19
BOICAC 85

¿Adquirente?

En nueva creación, no sería "adquirente" salvo cuando en la nueva entidad radique el control grupo

Ejemplo

La sociedad anónima «M», cuyo activo se compone fundamentalmente de inmuebles que arrienda y de participaciones en varias sociedades mercantiles; es la dominante al 100% de las sociedades operativas «H» e «I» y de la sociedad dedicada a la promoción inmobiliaria «Z» Los socios de la sociedad «M» son todos personas físicas vinculadas por relación de parentesco . A 31 de diciembre de X11, presenta el siguiente balance, en millones de u.m.:

ACTIVO		NETO Y PASIVO	
Inmovilizado Material neto	500	Capital Social	100
Inversión Inmobiliaria «H»	50	Reservas	200
Inversión Inmobiliaria «I»	100	Resultado del ejercicio	200
Participaciones en empresas del grupo en «H»	150	Acreedores a l/p	560
Participaciones en empresas del grupo en «I»	200	Acreedores a c/p	140
Participaciones empresas del grupo. Sociedad inmobiliaria «Z»	150		
Tesorería	50		
TOTAL	1.200	TOTAL	1.200

El capital social está constituido por 100.000 acciones.

La Junta general de accionista de la sociedad «M», ha acordado la escisión parcial de su patrimonio para ser adquiridos por las sociedades de nueva creación «A» y «B» de la siguiente manera:

Los elementos patrimoniales escindidos a la sociedad «A» son los siguiente, en millones de u.m.

ACTIVOS	VALOR CONTABLE	VALOR RAZONABLE	PASIVOS	VALOR CONTABLE	VALOR RAZONABLE
Inversión inmobiliaria «H»	50	80	Acreedores a l/p	40	40
Participaciones en empresas del grupo «H»	150	170	Acreedores a c/p	10	10
TOTAL	200	250	TOTAL	50	50

Los elementos patrimoniales escindidos a la sociedad «B» son los siguiente, en millones de u.m.

ACTIVOS	VALOR CONTA-BLE	VALOR RAZONABLE	PASIVOS	VALOR CONTA-BLE	VALOR RAZONA-BLE
Inversión inmobiliaria «I»	100	150	Acreedores a l/p	50	50
Participaciones en empresas del grupo «I»	200	260	Acreedores a c/p	10	10
TOTAL	300	410	TOTAL	60	60

Los elementos patrimoniales aportados a las sociedades beneficiarias «A» y «B» constituyen un negocio.

La sociedad «M», retiene exclusivamente la participación dedicada a la actividad de promoción inmobiliaria «Z».

La operación descrita es de las previstas en el art. 76 de la Ley 3/2009, de 3 de abril, sobre modificaciones estructurales de las sociedades mercantiles, circunstancia que determina que la participación de los socios, personas físicas, en las tres sociedades dominantes, la sociedad «M» y las dos sociedades beneficiarias de la escisión, «A» y «B» no es la misma que la que mantenían, antes de realizarse la operación en la sociedad «M» y, por tanto, se señala que si bien los dos nuevos grupos están controlados por partes vinculadas, cuestión distinta es que hayan de considerarse empresas del grupo, ni en los términos del art. 42 del Código de Comercio, ni en los previstos en la norma de elaboración de las cuentas anuales (NECA) 13.ª. «Empresas del grupo, multigrupo y asociadas» del Plan General de Contabilidad (PGC) aprobado por Real Decreto 1514/2007, de 16 de noviembre, que podríamos denominar grupo «ampliado». En consecuencia se trata de una operación regulada en la NRV 19.ª del PGC, quedando fuera del alcance de la NRV 21.ª.

La sociedad «A» se constituirá con la emisión de 100.000 acciones de 1.000 u.m. emitidas a 200%.

La sociedad «B» se constituirá con la emisión de 175.000 acciones de 1.000 u.m. emitidas a 200%.

SE PIDE:

1.- Gráfico de la operación descrita antes y después de la escisión

2.- Contabilidad de la sociedad M.

3.- Contabilidad de la sociedad A

4.- Contabilidad de B

SOLUCIÓN:

1.- Gráfico de la operación

Antes del proceso de escisión:

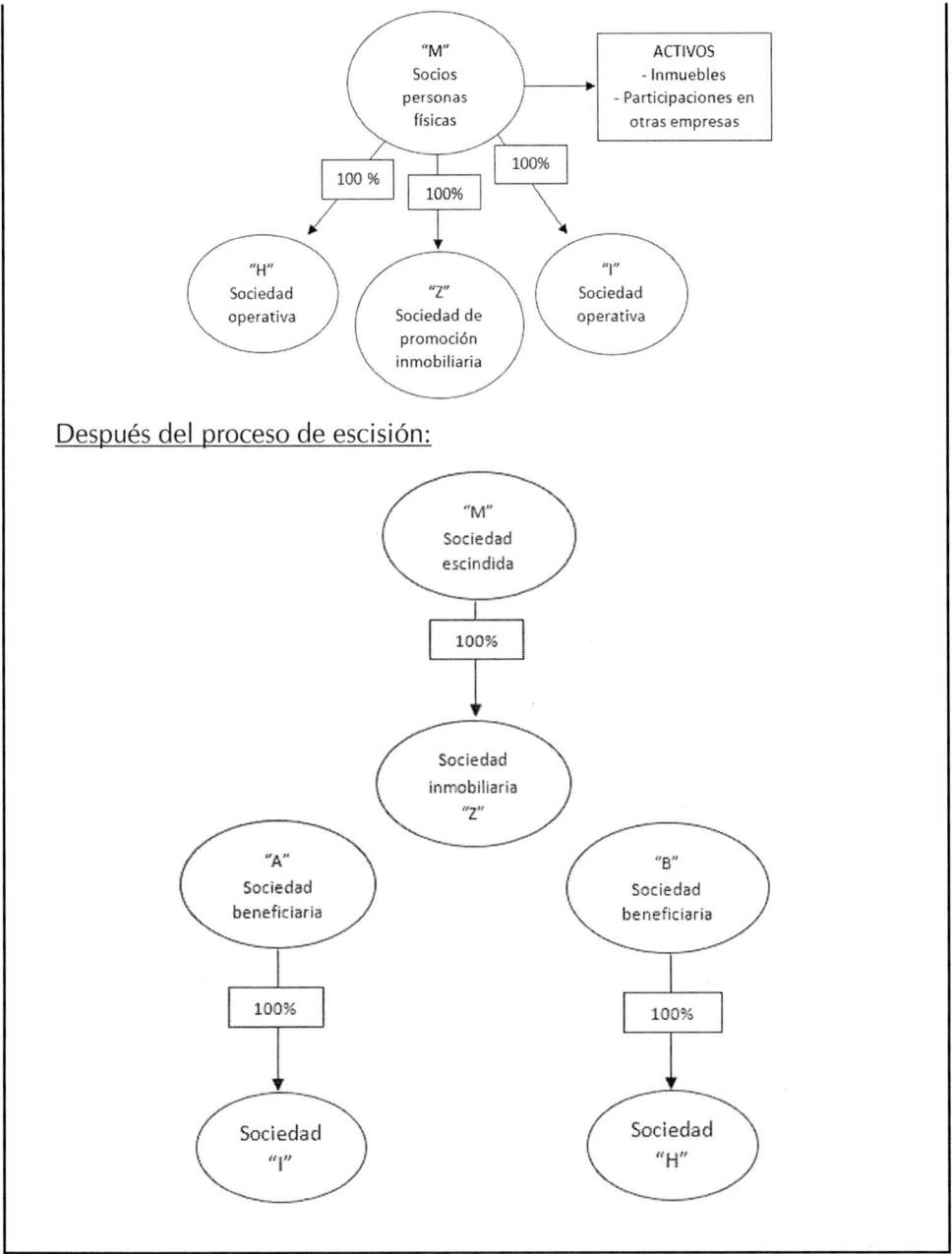

Después del proceso de escisión:

Comentario

Los socios de «M», personas físicas vinculadas por una relación de parentesco, han acordado la escisión parcial de la sociedad dominante, en el marco de un plan de reestructuración del grupo, en cuya virtud se crearán dos nuevos grupos «A» y «B», reteniendo la sociedad «M», exclusivamente, la participación en la empresa dedicada a la actividad de promoción inmobiliaria.

Las sociedades dominantes de los respectivos grupos serán las sociedades beneficiarias «A» y «B», de nueva creación, que adquieren las inversiones en las sociedades dependientes «operativas» junto con los correspondientes inmuebles arrendados.

Contabilidad de la sociedad «M»

Según los contenidos de la consulta n.º 1 del BOICAC 89, el tratamiento contable de la escisión seguirá los criterios recogidos en la Norma Valoración 19.ª si los elementos patrimoniales aportados a las sociedades beneficiarias constituyen un negocio, o los previstos en la Norma de Valoración 2.ª para las aportaciones no dinerarias, en caso de que no lo fueran.

Dicha conclusión se soporta en el siguiente razonamiento:

La Norma 19.ª de Valoración, regula la forma en que las empresas deben contabilizar las combinaciones de negocios en las que participen, entendidas como aquellas operaciones en las que una empresa adquiere el control de uno o varios negocios.

De acuerdo con la citada definición, si bien en toda combinación de negocios lo habitual será que intervengan más de un negocio, no es menos cierto que la literalidad de la norma no excluye que dentro de su alcance puedan tener cabida las operaciones de escisión con un fondo económico similar al descrito en la consulta; es decir, operaciones en principio de signo opuesto a las combinaciones, en la medida en que constituyen el instrumento jurídico empleado para separar varios negocios, que sin embargo son adquiridos, en unidad de acto pero de manera indirecta, por algunas de las personas físicas que antes de la operación controlaban el grupo «ampliado» y después pasan a controlar alguna de las sociedades beneficiarias.

A la misma conclusión podría llegarse mediante un razonamiento diferente, considerando la analogía existente desde un punto de vista económico entre la escisión y la reducción de capital con simultánea aportación, siendo en este segundo enfoque, la citada reducción de capital, la operación a excluir del apartado 2 de la Norma 21.ª Valoración, al amparo de los argumentos que se han expuesto más arriba (*cambio en el control*). La posterior/simultánea aportación a la sociedad beneficiaria, a pesar de poder quedar incluida en el alcance de la mencionada Norma, se reconocería en esta última por el valor razonable que se hubiera atribuido al negocio como consecuencia de la previa reducción de capital.

En definitiva, bajo esta segunda tesis, en la escisión el socio «aporta» un patrimonio a la sociedad beneficiaria, distinto del que controlaba de manera indirecta mediante la participación que poseía en la sociedad escindida.

– Reapertura de la contabilidad:

	X		
1.200 cuentas de activo (x)			
	a	Cuentas de pasivo y neto (x)	1.200

– Traspaso en bloque del Activo y Pasivo escindido a la sociedad beneficiaria «A».

	X		
200 Socios, cuenta de escisión (5533)			
40 Acreedores a largo plazo			
10 Acreedores a corto plazo			
	a	Inversión inmobiliaria «H» (221)	50
		Participaciones largo plazo en empresas del grupo «H» (24031)	150
		Resultado del ejercicio (129) (*)	50

(*) Así, en el apartado 1 de la Norma 19.ª de Valoración, nos comenta que:

«(...) las empresas adquiridas que se extingan o escindan en una combinación de negocios, deberán registrar el traspaso de los activos y pasivos integrantes del negocio transmitido cancelando las correspondientes partidas del balance y reconociendo el resultado de la operación en la cuenta de pérdidas y ganancias, por diferencia entre el valor en libros del negocio transmitido y el valor razonable de la contraprestación recibida a cambio, neta de los costes de transacción».

Valor razonable de contraprestación recibida neta de costes de transacción.	200 Mill
Valor contable en libros del negocio transmitido.	150 Mill
RESULTADO.	50 Mill

El valor contable del patrimonio escindido es de 150, representa el 30% (150/500) de la sociedad escindida veamos cómo se reparte proporcionalmente entre las distintas partidas que componen los fondos propios:

Patrimonio Neto «M»		% Participación	Patrimonio Escindido 30% (reducción proporcional)
Capital	100	20%	30
Reservas	200	40%	60
Resultado del ejercicio	200	40%	60
Total	500	100%	150

De tal manera que:

_____ X _____

30	Capital social (100)	
60	Reservas (11x)	
110	Resultado del ejercicio (129)	
	[60 + 50]	
	a Socios, cuenta de escisión (5533)	200

– Traspaso en bloque del Activo y Pasivo escindido a la sociedad beneficiaria «B»

———————————————————————— X ————————————————————————

350	Socios, cuenta de escisión (5533)
50	Acreedores a largo plazo
10	Acreedores a corto plazo

a   Inversión inmobiliaria «I»
(221)   100

Participaciones largo plazo en
empresas del grupo «I»
(24032)   200

Resultado del ejercicio(129)
(*)   110

(*) Así, en el apartado 1 de la Norma 19.ª de Valoración, nos comenta que:

«(...) las empresas adquiridas que se extingan o escindan en una combinación de negocios, deberán registrar el traspaso de los activos y pasivos integrantes del negocio transmitido cancelando las correspondientes partidas del balance y reconociendo el resultado de la operación en la cuenta de pérdidas y ganancias, por diferencia entre el valor en libros del negocio transmitido y el valor razonable de la contraprestación recibida a cambio, neta de los costes de transacción».

Valor razonable de contraprestación recibida neta de costes de transacción. .   350 Mill

Valor contable en libros del negocio transmitido. . . . .   240 Mill

RESULTADO. . . . .   110 Mill

El valor contable del patrimonio escindido es de 240, representa el 48% (240/500) de la sociedad escindida veamos cómo se reparte proporcionalmente entre las distintas partidas que componen los fondos propios:

Patrimonio Neto «M»		% Participación	Patrimonio Escindido 48% (reducción proporcional)
Capital	100	20%	48
Reservas	200	40%	96
Resultado del ejercicio	200	40%	96
Total	500	100%	240

De tal manera que:

---------------------------------- X ----------------------------------

48 Capital social (100)

96 Reservas (11x)

206 Resultado del ejercicio (129)

[96 + 110]

a Socios, cuenta de esci-
sión(5533) 350

Contabilidad de la sociedad «A» y «B»

De conformidad con el apartado 2.1 de la NRV 19.ª la empresa adquirente es la que obtiene el control sobre el negocio o negocios adquiridos.

En la presente consulta, se dispone que en las combinaciones derivadas de una escisión en las que intervienen dos negocios (circunstancia que acontece, bien cuando la sociedad beneficiaria no es de nueva creación y ya integraba un negocio, o bien cuando una sociedad beneficiaria de nueva creación absorbe dos negocios), la norma aclara que se califica como empresa adquirente el negocio que como consecuencia de la combinación se escinde de la entidad en la que se integraba y obtiene el control sobre otro u otros negocios.

La cuestión es cómo resolver, en el caso que nos ocupa, el problema de identificar la empresa adquirente cuando solo una de las entidades que participan en la operación (el negocio escindido) existía previamente.

El supuesto de hecho general que regula la Norma 19.ª Valoración, es la combinación de dos o más negocios. Estas operaciones se contabilizan aplicando el método de adquisición, que como su propio nombre indica surge para dar una respuesta contable a la adquisición de un negocio. En aplicación del citado método, solo los activos y pasivos del negocio adquirido (en ningún caso los de la adquirente) se reconocen, con carácter general, a valor razonable.

Sin embargo, nada impide que la aplicación del citado método también pueda invocarse en aquellas operaciones como la descrita por el consultante, en las que un negocio es adquirido de manera indirecta por un conjunto de personas físicas, que como contraprestación entregan a su vez la participación que poseían en el grupo que se escinde otorgando así un adecuado tratamiento contable a la operación. Todo ello, siempre y cuando, en sintonía con la citada consulta, y lo expresado al inicio de la presente contestación, el cambio en el control de los negocios involucrados no constituya una mera simulación.

• **Contabilización operaciones sociedad beneficiaria de nueva creación (A).**

– Emisión de los títulos (100.000 acciones, a un precio de 2.000 u.m.) y entrega a los socios de la sociedad escindida (M):

200	Acciones o participaciones emitidas (190)		
	[100.000 accc x 2.000 u.m.]		
		a Capital emitido pendiente de inscripción (194)	200

– Recibe el Activo y Pasivo de la sociedad escindida «M», reconociéndose una obligación con tal sociedad:

80	Inversión inmobiliaria «H» (221)		
170	Participaciones largo plazo en empresas del grupo «H» (24031)		
		a Acreedores a largo plazo	40
		Acreedores a corto plazo	10
		Socios, de la sociedad escindida (5532)	200

En la Norma 19.ª de Valoración, apartado 2.4, sobre el reconocimiento y valoración de los activos identificables adquiridos y pasivos asumidos nos comenta que:

> «(...) La adquirente valorará los activos identificables adquiridos y los pasivos asumidos a sus valores razonables en la fecha de adquisición, siempre que dichos valores puedan determinarse con suficiente fiabilidad».

Según los contenidos de la presente consulta: en las combinaciones derivadas de una escisión, cuando una sociedad beneficiaria de nueva creación absorbe dos negocios, la norma aclara que se califica como empresa adquirente el negocio que como consecuencia de la combinación se escinde de la entidad en la que se integraba y obtiene el control sobre otro u otros negocios.

En la consulta 19, del BOICAC 85 (marzo, 2011), se concreta que:

> «(...) cuando se constituya una nueva empresa, con carácter general ésta no podrá calificarse como adquirente, salvo que adquiriese el control efectivo de las entidades que participan en la operación. Esto es, que lejos de constituir una mera simulación, en la nueva entidad radique el control del grupo, habiéndolo perdido los antiguos socios o propietarios de las citadas entidades».

La cuestión que parece suscitarse, es cómo resolver, en el caso que nos ocupa, el problema de identificar la empresa adquirente cuando solo una de las entidades que participan en la operación (el negocio escindido) existía previamente. Estas operaciones se contabilizan aplicando el método de adquisición, que como su propio nombre indica surge para dar una respuesta contable a la adquisición de un negocio.

En aplicación del citado método, solo los activos y pasivos del negocio adquirido (en ningún caso los de la adquirente) se reconocen, con carácter general, a valor razonable.

– Paga la deuda contraída con la sociedad «M»:

		X	
200	Socios de la sociedad escindida (5532)		
		a Acciones o participaciones emitidas (190)	200

– Por la inscripción en el registro mercantil:

		X	
200	Capital emitido pendiente de inscripción (194)		
		a Capital social (100) [100.000 acc x 1000 u.m.]	100
		Prima de emisión de acciones (110)	100

- **Contabilización operaciones sociedad beneficiaria de nueva creación (B).**

– Emisión de los títulos (175.000 acciones, a un precio de 2.000 u.m.) y entrega a los socios de la sociedad escindida (M):

```
───────────────────────── X ─────────────────────────

  350   Acciones o participaciones emi-
        tidas (190)

        [175.000 accc x 2.000 u.m.]

                              a    Capital emitido pendiente
                                   de inscripción (194)           350
```

– Recibe el Activo y Pasivo de la sociedad escindida «M», reconociéndose una obligación con tal sociedad:

```
───────────────────────── X ─────────────────────────

  150   Inversión inmobiliaria «I» (221)

  260   Participaciones largo plazo en
        empresas del grupo «I» (24032)

                              a    Acreedores a largo plazo      50

                                   Acreedores a corto plazo      10

                                   Socios, de la sociedad
                                   escindida (5532)             350
```

En la Norma 19.ª de Valoración, apartado 2.4, sobre el reconocimiento y valoración de los activos identificables adquiridos y pasivos asumidos, nos indica:

> «La adquirente valorará los activos identificables adquiridos y los pasivos asumidos a sus valores razonables en la fecha de adquisición, siempre que dichos valores puedan determinarse con suficiente fiabilidad».

– Paga la deuda contraída con la sociedad «M»:

———————————————— X ————————————————

350   Socios de la sociedad escindida
(5532)

                a   Acciones o participaciones
                      emitidas (190)   350

– Por la inscripción en el registro mercantil

———————————————— X ————————————————

350   Capital emitido pendiente de
inscripción (194)

                a   Capital social (100)

                    [150.000 acc x 1000 u.m.]   150

                    Prima de emisión de accio-
                    nes (110)   150

Merece la pena hacer una breve mención a las normas o apartados del Plan General de Contabilidad que se han eliminado en el presente Plan de PYMES:

– Combinaciones de negocios.

– Operaciones de fusión, escisión y aportaciones no dinerarias de un negocio entre empresas del grupo.

En caso de que una empresa que aplique este Plan General de Contabilidad de PYMES realice una operación no regulada en él, ha de remitirse a las normas correspondientes del Plan General de Contabilidad, con la excepción de la norma de registro y valoración de activos no corrientes y grupos enajenables de elementos, mantenidos para la venta, al haber considerado suficiente para estas empresas los criterios contenidos en relación con los activos que puedan ser enajenados en el Plan General de Contabilidad de PYMES. Asimismo esta exclusión se exige de forma imperativa para uniformar el tratamiento dado por las empresas que apliquen este Plan de PYMES.

8.4.0.3. Norma valoración aplicable, en una AND consistente transmisión negocio a sociedad que no es del grupo

BOICAC 102, junio 2015. Consulta 4.

Sobre el adecuado tratamiento contable de la segregación de una rama de actividad con motivo de la cual la sociedad que amplía capital pasa a formar parte del grupo de la sociedad aportante.

Respuesta

El caso planteado es la segregación de una rama de actividad, un negocio, a una sociedad ya constituida. La sociedad transmitente y la adquirente no forman parte del mismo grupo de sociedades ni tienen ningún tipo de vinculación antes de la transmisión. Sin embargo, como consecuencia de la segregación la entidad transmitente pasa a convertirse en accionista mayoritario de la sociedad adquirente, y por lo tanto, al final del ejercicio ambas sociedades formarán parte del mismo grupo.

La consulta versa sobre la norma de registro y valoración (NRV) aplicable a estos hechos y, en particular, si procede seguir la NRV 21.ª. «Operaciones entre empresas del grupo» o la NRV 19.ª. «Combinaciones de negocios» del Plan General de Contabilidad, aprobado por el Real Decreto 1514/2007, de 16 de noviembre.

La NRV 21.ª, en su apartado 1. Alcance y regla general, establece que dicha norma será de aplicación a las operaciones realizadas entre empresas del mismo grupo, tal y como éstas quedan definidas en la norma 13.ª de elaboración de las cuentas anuales, Empresas del grupo, multigrupo y asociadas.

Para determinar si al caso planteado le es de aplicación la NRV 21.ª, cabe traer a colación la consulta 6 del BOICAC n.º 74 en la que se establece el criterio sobre qué normas de registro y valoración deben ser aplicadas y cuál sería el reflejo contable, en la sociedad aportante y beneficiaria, de aportaciones no dinerarias consistentes en «*inversiones en el patrimonio de empresas del grupo*».

En dicha consulta se indica que:

> «*(...) en un supuesto de aportación no dineraria a una empresa existente que con carácter previo a la operación no era una empresa del mismo grupo que la aportante, en el sentido establecido en la norma de elaboración 13.ª de las cuentas anuales, y que pasa a ser una empresa del grupo como consecuencia de dicha operación, no resulta de aplicación la NRV 21.ª (...)*».

Siguiendo este criterio, el caso planteado, en el que se transmite un negocio entre empresas que no forman grupo pero que como consecuencia de la transmisión pasan a ser grupo, no entra en el ámbito de aplicación de la NRV 21.ª, siéndole de aplicación, por lo tanto, la NRV 19.ª.

A mayor abundamiento es preciso resaltar que la operación descrita, en la que la sociedad que adquiere el negocio segregado termina siendo la sociedad adquirida, se califica a efectos de su adecuado tratamiento contable como una «adquisición inversa». Y, en consecuencia, se deberá aplicar todo lo dispuesto en la NRV 19.ª para este tipo de operaciones.

Comentario

SOCIEDAD "A" segrega "A_1"

Rama actividad
Títulos
Ampliación capital SOCIEDAD "B"

Formarán GRUPO, al final operación

¿Norma Valoración aplicable?

Consulta 6
BOICAC 74

NORMA 19ª VALORACIÓN PGC

"Adquisición inversa"

Ejemplo

Las juntas generales de las sociedades « A S.A» y « B S.A.», han acordado, por unanimidad, la segregación de una rama de actividad de la primera sociedad para su absorción por «B S.A».

La sociedad transmitente y la adquirente, no forman parte del mismo grupo de sociedades, ni tienen ningún tipo de vinculación antes de la transmisión.

El patrimonio escindido, que constituye un negocio, tiene la siguiente composición (en millones de euros):

Inmovilizado.	50
Existencias.	80
Deudas.	(100)
Valor contable del patrimonio escindido.	**30**

Ningún acreedor se ha opuesto a la escisión.

Los balances de ambas sociedades son los siguientes (en millones de euros):

«A S.A.»

	ACTIVO	PATRIMONIO NETO Y PASIVO	
100	Inmovilizado	Capital Social (50.000 acciones de 1.000€)	50
200	Existencias	Reservas	100
20	Deudores	Deudas	200
30	Tesorería		
350	**TOTAL ACTIVO**	**TOTAL PATRIMONIO NETO Y PASIVO**	**350**

«B S.A.»

	ACTIVO	PATRIMONIO NETO Y PASIVO	
280	Inmovilizado	Capital Social (20.000 acciones de 1.000€)	20
120	Existencias	Reservas	20
150	Deudores	Deudas	560

ACTIVO		PATRIMONIO NETO Y PASIVO	
50	Tesorería		
600	**TOTAL ACTIVO**	**TOTAL PATRIMONIO NETO Y PASIVO**	**600**

Para llevar a cabo dicho proceso, «B», procederá a la emisión de acciones de 1.000€ de valor nominal: las cuales serán emitidas a su valor razonable (2.000€/ acción)

Las acciones emitidas, fueron atribuidas a los socios de «A» en proporción a su participación. Esta última sociedad procedió a reducir su patrimonio neto en cuantía equivalente al patrimonio escindido.

Las juntas generales de accionistas aprobaron los siguientes ajustes del patrimonio escindido:

– Incrementar el valor del inmovilizado en 60 millones (valor razonable del mismo 110 millones).

– Reconocer un deterioro de valor de las existencias de 20 millones.

SE PIDE:

a) Cálculo del Patrimonio Neto de «A» y «B», el valor teórico de esta última así como el número de acciones a emitir en la ampliación de capital

b) Determinar la sociedad adquirente y adquirida en el proceso de la combinación de negocios. ¿Qué norma de valoración será aplicable a la operación: la Norma 19.ª o la Norma 21.ª?

c) Contabilizar el proceso en ambas sociedades. Los gastos de ampliación de capital que efectúa la sociedad absorbente ascienden a 4.000€, en tanto que los honorarios satisfechos a los asesores legales y profesionales que han intervenido en la operación han ascendido a 3.500€ pagados por banco.

SOLUCIÓN:

a) *Cálculo del Patrimonio Neto de «A» y «B», el valor teórico de esta última así como el número de acciones a emitir en la ampliación de capital.*

Sociedad «A» (Escindida)	Sociedad «B» (Beneficiaria)
Patrimonio Neto Escindido:	

Inmovilizado.	50.000.000	Capital Social (20.000 acc)	20.000.000
Existencias.	80.000.000	Reservas.	20.000.000
Deudas.	(100.000.000)		
Valor Contable Patri- **-monio Escindido.**	30.000.000	**Patrimonio Neto.**	40.000.000

% Sobre Patrimonio sociedad:

$$\frac{30 \text{ Mill}}{150 \text{ Mill}} \times 100 = 20\%$$

Valor Teórico «B»;

$$\frac{\text{Patrimonio Neto}}{\text{N}^o \text{ acciones}} = \frac{40.000.000}{20.000} = 2.000€$$

± Ajustes:

Inmovilizado.	+60.000.000
Deterioro existencias. . . .	(20.000.000)
Patrimonio Neto Escin- **dido.**	70.000.000

Número de acciones que tiene que emitir la sociedad Beneficiaria (B):

$$\text{N.}^o \text{ acciones} = \frac{\text{Patrimonio Neto a Absorber}}{\text{Valor Teórico B}} = \frac{70.000.000}{2.000} = \textbf{35.000 acciones}$$

b) *Determinar la sociedad adquirente y adquirida en el proceso de la combinación de negocios. ¿Qué norma de valoración será aplicable a la operación: la Norma 19.ª o la Norma 21.ª?*

Siguiendo lo establecido en el apartado 2.1 de la Norma 19.ª de Valoración del PGC:

> *«(...) Si bien, como regla general, se considerará como empresa adquirente la que entregue una contraprestación a cambio del negocio o negocios adquiridos, para determinar qué empresa es la que obtiene realmente*

el control también se tomarán en consideración, entre otros, los siguientes criterios:

a) Si la combinación diera lugar a que los socios o propietarios de una de las empresas o negocios que se combinan retengan o reciban la mayoría de los derechos de voto en la entidad combinada o tengan la facultad de elegir, nombrar o cesar a la mayoría de los miembros del órgano de administración de la entidad combinada, o bien representen a la mayoría de las participaciones minoritarias con voto en la entidad combinada si actúan de forma organizada sin que otro grupo de propietarios tenga una participación de voto significativa, la adquirente será generalmente dicha empresa (…).

Para formarse un juicio sobre cuál es la empresa adquirente, se considerará de forma preferente el criterio incluido en la letra a), o, en su defecto, el recogido en la letra b) (…)».

En nuestro ejemplo, intervienen dos sociedades («A» y «B») en la combinación de negocios; los socios o propietarios de «A» reciben la mayoría de los derechos de voto en la entidad combinada: ya que su participación en la misma ascenderá a un 63,64%

$$(= \frac{35.000 \text{ acc}}{55.000})$$

siendo, en consecuencia, la sociedad «A» la adquirente y «B» la adquirida, tratándose de una adquisición inversa tal como establece la citada norma de registro y valoración:

«(…) Puede suceder que, como consecuencia de la aplicación de los criterios anteriores, el negocio adquirido sea el de la sociedad absorbente, de la beneficiaria o de la que realiza la ampliación de capital».

Veamos esto en el siguiente gráfico,

¿Quién es la empresa adquirente?

La sociedad «B» absorbe el patrimonio escindido de «A», para lo cual aquélla emite 35.000 acciones. La titularidad del capital social de la sociedad combinada «B», tras la escisión, queda distribuido de la siguiente forma:

Capital Social de la sociedad combinada «B»	Socios antiguos de «B»	Socios antiguos de «A»
(20.000 + 35.000) = 55.000 acciones	20.000 acciones	35.000 acciones

Capital Social de la sociedad combinada «B»	Socios antiguos de «B»	Socios antiguos de «A»
% de participación en la sociedad combinada «A»:	$\dfrac{20.000}{55.000}$ X 100 = 36,36%	$\dfrac{35.000}{55.000}$ X 100 = 63,64%

Una vez efectuada la fusión la situación de las sociedades intervinientes queda como sigue:

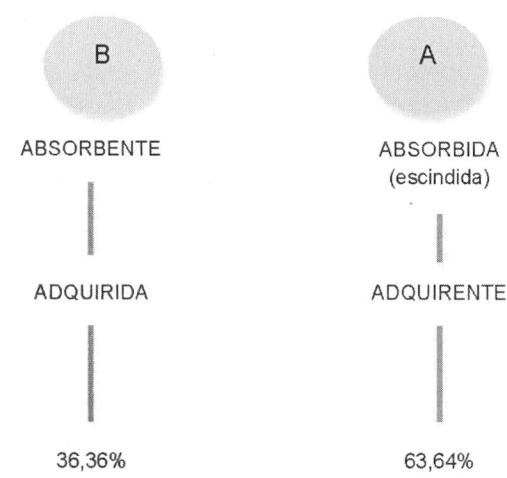

Señala el apartado 2.1 de la Norma 19.ª de Valoración del PGC, que la empresa adquirente, es:

«(…) aquella que obtiene el control sobre el negocio o negocios adquiridos (…)

Para identificar la empresa que adquiere el control se atenderá a la realidad económica y no solo a la forma jurídica de la combinación de negocios (…)».

¿Qué norma de valoración aplicaremos: 19.ª o 21.ª?

Para determinar si al caso planteado le es de aplicación la NRV 21.ª, cabe traer a colación la consulta 6 del BOICAC n.º 74 en la que se establece el criterio sobre qué normas de registro y valoración deben ser aplicadas y cuál sería el reflejo contable, en la sociedad aportante y beneficiaria, de aportaciones no dinerarias consistentes en «inversiones en el patrimonio de empresas del grupo».

En dicha consulta se indica que:

> «(…) en un supuesto de aportación no dineraria a una empresa existente que con carácter previo a la operación no era una empresa del mismo grupo que la aportante, en el sentido establecido en la norma de elaboración 13.ª de las cuentas anuales, y que pasa a ser una empresa del grupo como consecuencia de dicha operación, no resulta de aplicación la NRV 21.ª (…)».

Siguiendo este criterio, el caso planteado, en el que se transmite un negocio entre empresas que no forman grupo pero que como consecuencia de la transmisión pasan a ser grupo, no entra en el ámbito de aplicación de la NRV 21.ª, siéndole de aplicación, por lo tanto, la NRV 19.ª.

A mayor abundamiento, es preciso resaltar que la operación descrita, en la que la sociedad que adquiere el negocio segregado termina siendo la sociedad adquirida, se califica a efectos de su adecuado tratamiento contable como una «adquisición inversa»: y, en consecuencia, se deberá aplicar todo lo dispuesto en la NRV 19.ª para este tipo de operaciones.

c) **Contabilizar el proceso en ambas sociedades**

SOCIEDAD ESCINDIDA y ADQUIRENTE «A»

– Reapertura de la contabilidad

————————————————————— X —————————————————————

350.000.000	Cuentas deudoras (x)		
	a Cuentas acreedoras (x)		350.000.000

– Traspaso del patrimonio escindido a la sociedad beneficiaria «B»

————————————————————— X —————————————————————

100.000.000	Deudas (17x)		
30.000.000	Socios cuenta de escisión (5533)		
	a Inmovilizado (2)		50.000.000
	Existencias (30x)		80.000.000

De acuerdo con lo dispuesto en el apartado 2.1. de la Norma 19.ª de Valoración, PGC: el registro contable se ha efectuado teniendo en cuenta los criterios incluidos en las Normas para la Formulación de las Cuentas Anuales Consolidadas que desarrollan el Código de Comercio.

En las citadas Normas de Formulación de las cuentas Anuales consolidadas y en su art. 33.a se dice:

> *«(…)Los activos y pasivos de la sociedad dependiente (sociedad adquirente) mantienen los valores previos a la fecha de adquisición, sin perjuicio de los ajustes de homogeneización que correspondan».*

Por otra parte, la valoración de los activos y pasivos de la empresa adquirente no se verá afectada por la combinación ni se reconocerán activos o pasivos como consecuencia de la misma. [Norma de valoración 19.ª.2]

– Reconocimiento de los socios al patrimonio de la sociedad y entrega a los mismos de las participaciones emitidas por la sociedad «B».

—————————————————— 1/10/X10 ——————————————————

10.000.000	Capital Social (100)	
	[50.000.000 x 20%]	
20.000.000	Reservas (11X)	
	[100.000.000 x 20%]	
	a Socios cuenta de escisión (5533)	30.000.000

SOCIEDAD ABSORBENTE Y ADQUIRIDA «B»

– Reapertura de la contabilidad.

—————————————————— X ——————————————————

600.000.000	Cuentas deudoras (x)	
	a Cuentas acreedoras (x)	600.000.000

– Recepción del patrimonio escindido de la sociedad absorbida «A».

──────────────────────── X ────────────────────────

50.000.000	Inmovilizado (2X)		
80.000.000	Existencias (30x)		
40.000.000	Diferencia negativa en combinaciones de negocios (774)[*]		
		a Deudas (17x)	100.000.000
		Socios de la sociedad escindida (5532)	70.000.000

[*] La NRV 19.ª, dispone: «(...) la diferencia entre el valor en libros del negocio transmitido [30 Mill] y el valor razonable de la contraprestación recibida a cambio neta de costes de transacción[70 Mill]». En nuestro caso esta diferencia es de 40M.

En los supuestos de adquisición inversa, la citada diferencia se contabilizará como un ingreso o gasto en la cuenta de pérdidas y ganancias de la empresa absorbente o beneficiaria adquirida, sin perjuicio de su posterior eliminación de acuerdo con lo dispuesto en el apartado 2.2. (NRV 19.ª).

– Emisión de 35.000 acciones de 1.00€ de valor nominal y valor de emisión 2.000€.

──────────────────────── X ────────────────────────

70.000.000	Acciones o participaciones emitidas (110) [35.000 acc. x 2.000]		
		a Capital emitido pendiente de inscripción (194)	70.000.000

Según lo dispuesto en el art. 33.b de las Normas para la Formulación de las Cuentas Anuales Consolidadas:

«Los activos y pasivos de la sociedad dominante (sociedad adquirida), excluida la participación en la sociedad dependiente (sociedad adquirente), se valoran de acuerdo con lo establecido en el art. 25. Los ajustes derivados de dicha valoración se reflejarán en las reservas de la sociedad dominante».

Además, en el art. 25 de las citadas se dice:

«(…) Con carácter general, los activos identificables adquiridos y pasivos asumidos de la sociedad dependiente se valorarán por su valor razonable en la fecha de adquisición, con la metodología y excepciones previstas en el apartado 2.4 de la norma de registro y valoración 19.ª Combinaciones de negocios del Plan General de Contabilidad».

– Valoración de los activos y pasivos recibidos de la sociedad «A» a valor razonable:

X

60.000.000	Inmovilizado (2x)	
	a	Deterioro de valor de mercaderías (390)	20.000.000
		Reservas voluntarias (113) (*)	40.000.000

(*) De acuerdo con el art. 33 NFCAC, que nos comenta:
«Los activos y pasivos de la sociedad dominante (sociedad adquirida), se valoran de acuerdo con su valor razonable. Los ajustes derivados de dicha valoración se reflejarán en las reservas de la sociedad dominante».

– Por la entrega de las acciones emitidas a los socios de la sociedad escindida «A».

X

70.000.000	Socios de la sociedad escindida (5532)	
	a	Acciones o participaciones emitidas (190)	70.000.000

– Por la inscripción de la ampliación de capital en el Registro mercantil.

```
———————————————————  X  ———————————————————

70.000.000   Capital emitido pendiente
             de inscripción (194)

                        a   Capital social (100)

                            [35.000 acciones x
                            1.000]                        35.000.000

                            Prima de emisión de
                            acciones (110)                35.000.000
———————————————————         ———————————————————
```

– Por los gastos de inscripción en el registro mercantil.

```
———————————————————  X  ———————————————————

4.000   Reservas voluntarias (113)

                        a   Bancos (572)                  4.000
———————————————————         ———————————————————
```

– Por los honorarios de los profesionales

```
———————————————————  X  ———————————————————

3.500   Servicios de profesionales inde-
        pendientes (623)[*]

                        a   Bancos (572)                  3.500
———————————————————         ———————————————————
```

[*] Los restantes honorarios abonados a asesores legales, u otros profesionales que intervengan en la operación se contabilizarán como un gasto en la cuenta de pérdidas y ganancias. (NRV 19.ª.2.3.)

8.4.0.4. Cómputo pérdidas regulación arts 327 y 360 LSC

BOICAC 102, junio 2015. Consulta 5.

Sobre la determinación de las pérdidas para la reducción obligatoria de capital y para la disolución por pérdidas.

Respuesta

La normativa reguladora de la reducción obligatoria de capital (sociedades anónimas) y disolución por pérdidas (sociedades de capital) está recogida en el art. 327 y 360, respectivamente, del Texto Refundido de la Ley de Sociedades de Capital, aprobado por Real Decreto Legislativo 1/2010 de 2 de julio.

Adicionalmente para evaluar si la empresa está incursa en esas situaciones es preciso tener en cuenta la Disposición adicional única del Real Decreto Ley 10/2008, de 12 de diciembre, en la redacción introducida por la Disposición final séptima del Real Decreto Ley 4/2014, de 7 de marzo, por el que se adoptan medidas urgentes en materia de refinanciación y reestructuración de deuda empresarial:

> «1. A los solos efectos de la determinación de las pérdidas para la reducción obligatoria de capital regulada en el art. 327 del Texto Refundido de la Ley de Sociedades de Capital, aprobado por el Real Decreto Legislativo 1/2010, de 2 de julio, y para la disolución prevista en el art. 363.1.e) del citado Texto Refundido, así como respecto del cumplimiento del presupuesto objetivo del concurso contemplado en el art. 2 de la Ley 22/2003, de 9 de julio, Concursal, no se computarán las pérdidas por deterioro reconocidas en las cuentas anuales, derivadas del Inmovilizado Material, las Inversiones Inmobiliarias y las Existencias o de préstamos y partidas a cobrar.
>
> 2. Lo dispuesto en el apartado anterior únicamente será de aplicación excepcional en los ejercicios sociales que se cierren en el año 2014».

La consulta versa sobre si las pérdidas por deterioro excluidas del cómputo se refieren únicamente a las reconocidas en el propio ejercicio 2014 o a las pérdidas acumuladas en ejercicios anteriores.

Este Instituto carece de competencias para interpretar aspectos de índole mercantil, distintos a los estrictamente contables, pero a la vista del literal de la norma que se ha transcrito y su evolución desde que fue aprobada en el ejercicio 2008 cabría hacer las siguientes observaciones:

1. Las pérdidas por deterioro reconocidas en las cuentas anuales, derivadas del Inmovilizado Material, las Inversiones Inmobiliarias y las Existencias son las contabilizadas desde el ejercicio 2008.

2. La regulación sobre las pérdidas por deterioro de préstamos y partidas a cobrar se incorpora en el ejercicio 2014, y

3. En general, esta normativa excepcional solo parece estar referida a los ejercicios sociales que se cierren en el año 2014. Por lo tanto, desde el 1 de enero de 2015 la citada regulación ha dejado de surtir efectos.

A mayor abundamiento cabe señalar que la situación puntual de que la sociedad se encuentre en causa de disolución no implica por si misma que la entidad deje de aplicar el principio de empresa en funcionamiento. Sin embargo, si los administradores de la sociedad consideran que existen incertidumbres importantes sobre la posibilidad de que la sociedad siga funcionando normalmente, aunque sea con posterioridad al cierre del ejercicio, determinan que tienen la intención de liquidar la empresa o cesar en su actividad, o cuando no exista una alternativa más realista que hacerlo, la formulación de las cuentas anuales se regirá por lo dispuesto en la Resolución de 18 de octubre de 2013, del ICAC sobre el marco de información financiera cuando no resulta adecuada la aplicación del principio de empresa en funcionamiento.

Comentario

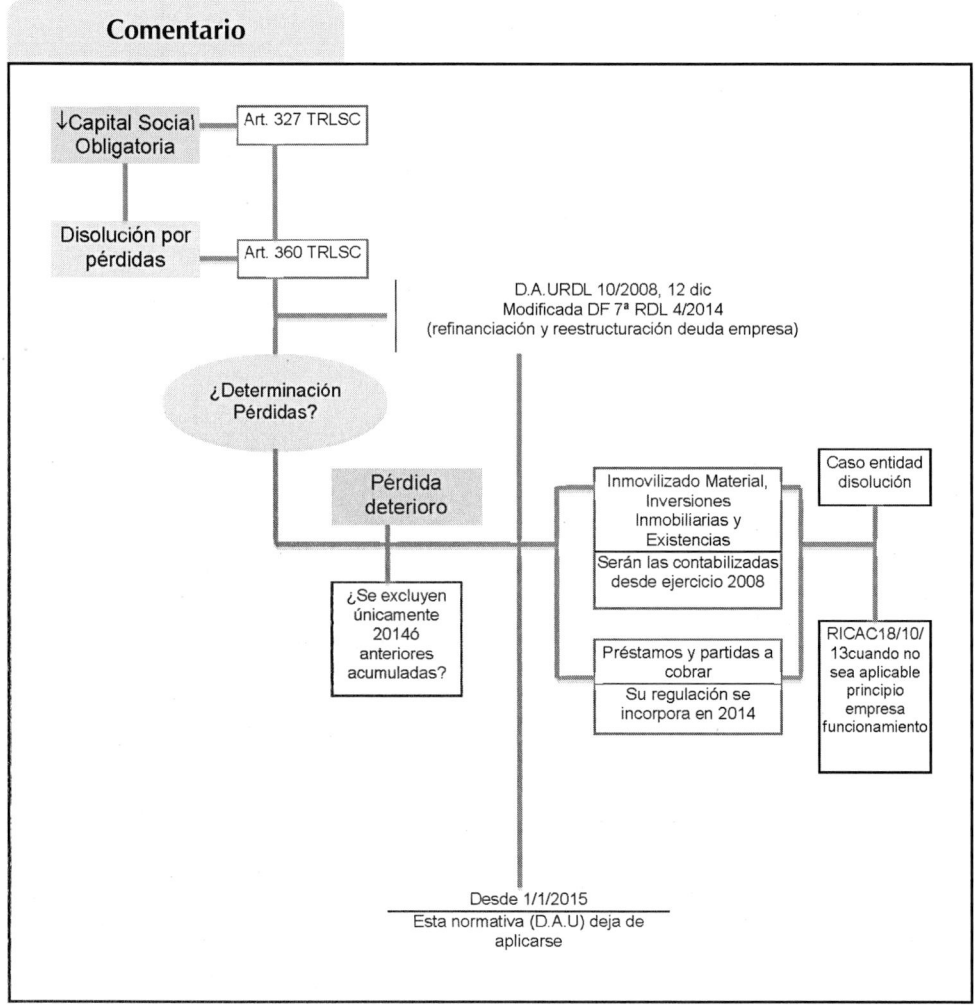

Ejemplo

La sociedad anónima LA ESTRELLA, que se dedica a la compra venta de mercaderías, presenta el 31/12/2014 el siguiente Balance de Situación, expresado en euros:

ACTIVO		PATRIMONIO NETO Y PASIVO	
400.000	Inmovilizado intangible	Capital social	1.000.000
(200.000)	(Amortización acumulada inmovilizado intangible)	Prima de emisión de acciones	200.000

ACTIVO		PATRIMONIO NETO Y PASIVO	
(100.000)	(Deterioro de valor del inmovilizado intangible)	Reserva legal	100.000
2.000.000	Inmovilizado material	Reservas voluntarias	40.000
(900.000)	(Amortización acumulada inmovilizado material)	(Acciones propias)	(20.000)
(300.000)	(Deterioro de valor del inmovilizado material)	(Resultado negativo del ejercicio)	(1.300.000)
400.000	Inversiones inmobiliarias	(Resultados negativos ejercicios anteriores)	(600.000)
(40.000)	(Amortización acumulada inversiones inmobiliarias)	Pasivo no corriente	2.000.000
(40.000)	(Deterioro valor inversiones inmobiliarias)	Pasivo corriente	700.000
1.000.000	Existencias		
(460.000)	(Deterioro de valor de las existencias)		
90.000	Deudores comerciales		
(40.000)	(Deterioro valor créditos operaciones) comerciales)		
310.000	Tesorería		
2.120.000	TOTAL	TOTAL	2.120.000

Información complementaria referida al contenido del balance:

– El valor nominal de las acciones es de 1€, y se encuentra totalmente desembolsado.

– La sociedad posee en cartera 40.000 acciones propias.

– Las pérdidas por deterioro reconocidas en las cuentas anuales, derivadas del inmovilizado material, las inversiones inmobiliarias y las existencias son las contabilizadas desde el ejercicio 2008.

– Las pérdidas por deterioro de préstamos y partidas a cobrar, se produjeron en el ejercicio 2014

Operaciones realizadas en el ejercicio 2015:

1.- El 1/04/2015 se celebra la Junta General de Accionistas y toma, entre otros, los siguientes acuerdos que se ejecutarán a lo largo del ejercicio:

1) Las pérdidas del ejercicio, se destinan a resultados negativos de ejercicios anteriores.

2) Para evitar la disolución de la Sociedad, acuerda ampliar capital en la cuantía mínima, suficiente, para alcanzar el equilibrio legal. La Sociedad se acoge a la normativa existente en estos años, conforme a la cual, no se computan ciertas pérdidas reconocidas en las cuentas anuales (para la disolución prevista en el Texto Refundido de la Ley de Sociedades de Capital). La ampliación se llevará a cabo emitiendo acciones nuevas, de valor nominal 1€, con derecho preferente a favor de los antiguos accionistas. Al mismo tiempo, los accionistas se comprometen a aportar otro euro, por cada acción que suscriban, con el destino específico de eliminar pérdidas cuando la empresa lo estime oportuno. Calcular la relación de canje.

2.- El 1/05/2015 se inscribe en el Registro Mercantil la ampliación de capital, abonando por gastos de la ampliación 800€. El desembolso ha sido total, a través de Bancos. Además, los accionistas aportaron 1€ por acción suscrita, con la finalidad de eliminar pérdidas, tal como se acordó en la Junta General celebrada recientemente.

SE PIDE:

Realice las anotaciones contables que corresponda siguiendo el orden señalado en los puntos anteriores.

SOLUCIÓN:

1.1) *Las pérdidas del ejercicio 2014 se destinan a resultados negativos ejercicios anteriores*

1/4/14

1.300.000	Resultados negativos ejercicios anteriores (121)	
	a Resultado del ejercicio (129)	1.300.000

1.2) *Análisis de la situación patrimonial a efectos de la disolución de la sociedad, registro operaciones ampliación de capital*

CONCEPTO	EUROS
Capital social	1.000.000
Prima de emisión	200.000
Reserva legal	100.000

CONCEPTO	EUROS
Reservas voluntarias	40.000
Acciones propias	(20.000)
Resultados negativos ejercicios anteriores	(600.000)
Resultado del ejercicio 2014	(1.300.000)
Patrimonio neto contable a 31/12/14	**(580.000)**
Ajustes de los resultados del ejercicio 2014, y ejercicios anteriores[*]:	840.000
Deterioro del inmovilizado material	300.000
Deterioro de la inversiones inmobiliarias	40.000
Deterioro de existencias	460.000
Deterioro de créditos comerciales	40.000
Patrimonio neto a efectos disolución de la sociedad 31/12/14	**260.000**

[*] A los solos efectos de la determinación de las pérdidas para la reducción obligatoria de capital, regulada en el art. 327 del Texto Refundido de la Ley de Sociedades de Capital, aprobado por el Real Decreto Legislativo 1/2010, de 2 de julio, y para la disolución prevista en el art. 363.1.e) del citado Texto Refundido, así como respecto del cumplimiento del presupuesto objetivo del concurso contemplado en el art. 2 de la Ley 22/2003, de 9 de julio, Concursal, no se computarán las pérdidas por deterioro reconocidas en las cuentas anuales, derivadas del Inmovilizado Material, las Inversiones Inmobiliarias y las Existencias o de préstamos y partidas a cobrar.

Lo dispuesto en el apartado anterior únicamente será de aplicación excepcional en los ejercicios sociales que se cierren en el año 2014.

Según dispone la Consulta n.º 5 del BOICAC 102, las pérdidas por deterioro reconocidas en las cuentas anuales, derivadas del Inmovilizado Material, las Inversiones Inmobiliarias y las Existencias son las contabilizadas desde el ejercicio 2008.

La regulación sobre las pérdidas por deterioro de préstamos y partidas a cobrar se incorpora en el ejercicio 2014, y en general, esta normativa excepcional solo parece estar referida a los ejercicios sociales que se cierren en el año 2014.

Igualmente, sabemos que desde de enero del 2015, la citada regulación ha dejado de surtir efectos.

Ampliación de capital en la cuantía mínima para restablecer el equilibrio patrimonial,

Se debe cumplir:

$$\text{Patrimonio Neto} = \frac{1}{2} \text{ Capital Social}$$

Llamando X al nominal de la ampliación de capital, resulta,

$$260.000 + X = \frac{1}{2} (1.000.000 + X)$$

+

Despejando «X» (ampliación de capital):

$$\Rightarrow X \text{ (ampliación capital social)} = \mathbf{480.000}$$

Como la ampliación se lleva a cabo, emitiendo acciones nuevas, de 1€ nominal, y con derechos preferentes a favor de los antiguos accionistas, resultará una relación de canje de:

$$\frac{480.000 \text{ acciones nuevas}}{1.000.000 \text{ acciones antiguas -40.000 acciones propias}}$$

(480.000 Nuevas: 960.000 Antiguas) o **1 NUEVA x 2 ANTIGUAS**,

es decir, cada accionista con dos acciones «viejas» tiene derecho preferente de suscripción de 1 acción «nueva». Hay que recordar que el art. 148 TRLSC, letra a), establece que los derechos económicos, a excepción del derecho a la asignación gratuita de nuevas acciones, se atribuye proporcionalmente al resto de acciones.

Anotaremos,

– Por la emisión de las acciones:

———————————————— 1/5/15 ————————————————

480.000	Acciones o participaciones emitidas (190)		
		a	Capital emitido pendiente de inscripción (194)
			480.000

– Por la suscripción y desembolso:

――――――――――――――――― 1/5/15 ―――――――――――――――――

480.000	Bancos c/c (572)		
	a	Acciones o participaciones emitidas (190)	480.000

2.- *Registro de la ampliación de capital, en el registro mercantil y pago de gastos*

– Por los gastos de la ampliación de capital:

――――――――――――――――― 1/5/15 ―――――――――――――――――

800	Reservas voluntarias (113)		
	a	Bancos c/c (572)	800

– Por la inscripción en el registro mercantil, de la ampliación de capital:

――――――――――――――――― 1/5/15 ―――――――――――――――――

480.000	Capital emitido pendiente de inscripción (194)		
	a	Capital social (100)	480.000

– Por la aportación adicional de 1€ por acción, a fin de compensar pérdidas:

—————————————— 1/5/15 ——————————————

480.000	Bancos c/c (572)	
	[480.000 acciones x 1€]	
	a	Aportaciones de socios o propietarios (118) 480.000

El Patrimonio Neto (después de la ampliación de capital) quedaría:

CONCEPTO	EUROS
Capital social	1.480.000
Prima de emisión	200.000
Reserva legal	100.000
Reservas voluntarias	39.200
Acciones propias	(20.000)
Resultados negativos ejercicios anteriores	(1.900.000)
Aportación de socios	480.000
Patrimonio neto contable	**379.200**

8.4.0.5. Tratamiento clausula contractual en la adquisición de una entidad

BOICAC 106, junio 2016. Consulta 4.

Sobre el tratamiento contable de los importes que recibe una empresa en concepto de indemnización derivados de una cláusula de indemnidad en relación con un procedimiento sancionador.

Respuesta

En el escrito de consulta se describe una operación de adquisición de varias entidades llevada a cabo en 2011. La sociedad consultante (en su calidad de adquirente), y la transmitente incluyeron en el contrato de compraventa una cláusula de indemnidad en relación con un procedimiento sancionador iniciado contra una de las sociedades adquiridas.

Con posterioridad a la adquisición y tras el proceso de reorganización del grupo, finalizado a principios del año 2015, la sociedad adquirida (contra la que se había iniciado el referido expediente sancionador) fue absorbida por la consultante.

En septiembre de 2015 se ha conocido la sentencia judicial firme que confirma la sanción administrativa, y en aplicación de la mencionada cláusula contractual de indemnidad, la entidad vendedora ha pagado a la consultante la cuantía de la indemnización acordada.

La consulta versa sobre el adecuado tratamiento contable de esta operación. El apartado 2.5.1 de la NRV 9ª. «Instrumentos financieros» del PGC, en la redacción introducida por el Real Decreto 1159/2010, de 17 de septiembre, dispone que las inversiones en el patrimonio de empresas del grupo adquiridas a terceros se valorarán inicialmente al coste, que equivaldrá al valor razonable de la contraprestación entregada más los costes de transacción que les sean directamente atribuibles, debiéndose aplicar, en su caso, los criterios para determinar el coste de la combinación establecidos en la norma sobre combinaciones de negocios (NRV 19ª).

En el apartado 2.3 de la NRV 19ª se indica que forma parte del coste de la combinación de negocios el valor razonable de cualquier contraprestación contingente que dependa de eventos futuros o del cumplimiento de ciertas condiciones. Así, en aplicación de esta regla, en el supuesto de que la sociedad adquirente estime probable que parte del importe entregado o comprometido con los vendedores puede retornar a la sociedad, en virtud de la citada cláusula, la mejor estimación del importe a recibir se deberá registrar como un activo.

Esto es, la mencionada estipulación parece que opera a modo de garantía de que el precio acordado es una buena estimación del valor razonable del negocio adquirido, y con la finalidad de trasladar al antiguo propietario el quebranto que se produzca en las sociedades adquiridas derivados de actuaciones previas a la fecha de adquisición.

Pues bien, como se ha indicado, al aplicar este criterio en la determinación del coste de la inversión en una empresa del grupo, cabría concluir que la mejor estimación de la citada contraprestación contingente al término del periodo de valoración, es un activo independiente del coste de la inversión, lo que implicaría minorar el valor inicial de la combinación de negocios en los términos regulados en el apartado 2.6. Contabilidad provisional, de la NRV 19ª.

Entrando en el fondo de la cuestión que se plantea, y a la vista de la normativa que se ha reproducido, desde una perspectiva general cabe concluir que el adecuado tratamiento contable de estas operaciones se asienta en los siguientes principios:

1. Hasta que transcurra el plazo de un año desde la fecha de adquisición, el adquirente debe realizar la mejor estimación del valor de los activos identificables y de los pasivos asumidos. Si en ese periodo se aprecia la existencia de una obligación a cargo de la sociedad adquirida, que será compensada por

el vendedor por traer causa de hechos anteriores a la fecha de adquisición, el importe recibido no se contabilizará como un ingreso sino como la recuperación de la contraprestación contingente entregada.

La aplicación de esta regla al caso que nos ocupa originará que la sociedad adquirida reconozca en la fecha de adquisición un gasto y la correspondiente provisión, y el socio (la sociedad consultante) una reducción en el valor inicial de la inversión para contabilizar la contraprestación contingente como un activo, o un ajuste en el valor inicial de la citada contraprestación con cargo o abono, según proceda, a la cuenta en que se refleje la inversión en los instrumentos de patrimonio.

2. Una vez transcurrido ese plazo, denominado por la norma como «periodo de valoración», la diferencia que pueda surgir entre el cobro estimado y el que finalmente se produzca se contabilizará en la cuenta de pérdidas y ganancias.

La aplicación de esta regla al presente caso originará que la sociedad adquirida reconozca un gasto o un ingreso (por cambio de estimación en el importe de la provisión), y el socio (la sociedad consultante) un ingreso o un gasto (por cambio de estimación en el importe de la contraprestación contingente).

3. Cuestión distinta es que una vez finalizado el periodo de valoración sin haber identificado la mejor estimación de la contraprestación contingente, se advirtiera que la sociedad adquirida hubiera incurrido en un error por omitir el registro de las obligaciones que se pudieran derivar de los litigios en curso o que pudieran surgir en un futuro a raíz de hechos anteriores a la fecha de adquisición. En este caso, en el ejercicio en que se advierta el error, esta sociedad deberá subsanarlo de conformidad con lo dispuesto en la NRV 22ª del PGC, circunstancia que parece razonable que surta efectos similares en el socio.

En particular, la aplicación de la citada regla a este supuesto traerá consigo que la sociedad adquirida reconozca un gasto reduciendo el importe de las reservas y contabilice la correspondiente provisión, y el socio (la sociedad consultante) un ajuste en el valor de la inversión por la mejor estimación del importe de la contraprestación contingente a la finalización del periodo de valoración considerando la información disponible en esa fecha.

A tal efecto cabe recordar que, en aplicación de la NRV 22ª, son errores las omisiones o inexactitudes en las cuentas anuales de ejercicios anteriores por no haber utilizado, o no haberlo hecho adecuadamente, información fiable que estaba disponible cuando se formularon y que la empresa podría haber obtenido y tenido en cuenta en la formulación de dichas cuentas. Sin embargo, se calificarán como cambios en estimaciones contables aquellos ajustes en el valor contable de un pasivo, que sean consecuencia de la obtención de información adicional, de una mayor experiencia o del conocimiento de nuevos hechos.

4. Sin embargo, en el caso de que se produzca la fusión de la sociedad adquirente y la adquirida, o en el supuesto de que la sociedad adquirente formulase cuentas anuales consolidadas, el adecuado tratamiento contable de la operación debe considerar la perspectiva de la nueva entidad que informa.

En este sentido, en la medida que de acuerdo con la información facilitada el objetivo de la cláusula de indemnidad es trasladar al antiguo propietario el quebranto que se produzca en la sociedad adquirida derivado de actuaciones previas a la fecha de adquisición, la resolución del procedimiento judicial (sin perjuicio de lo que más adelante se indicará) traerá consigo el reconocimiento en la entidad que informa de un pasivo y un activo por el mismo importe, sin afectar a la cuenta de pérdidas y ganancias; esto es, sin que los hechos descritos deban originar el registro de un gasto y un ingreso tal y como sostiene el consultante.

A mayor abundamiento se informa que la NRV 19ª establece en el apartado 2.4, letra c) varias excepciones a los criterios de reconocimiento y valoración en el contexto de una combinación de negocios que se deberían haber tenido en cuenta si la sociedad adquirente formulase cuentas consolidadas, o que se debieron tener en consideración en el momento en que se reconoció la fusión en las cuentas individuales de la sociedad absorbente, siempre y cuando el valor razonable del pasivo pudiera ser medido en esa fecha con suficiente fiabilidad:

> «5. Si el adquirente recibe un activo como indemnización frente a alguna contingencia o incertidumbre relacionada con la totalidad o con parte de un activo o pasivo específico, reconocerá y valorará el activo en el mismo momento y de forma consistente con el elemento que genere la citada contingencia o incertidumbre.
>
> (...)
>
> 7. En el caso de que el negocio adquirido incorpore obligaciones calificadas como contingencias, la empresa adquirente reconocerá como pasivo el valor razonable de asumir tales obligaciones, siempre y cuando dicho pasivo sea una obligación presente que surja de sucesos pasados y su valor razonable pueda ser medido con suficiente fiabilidad, aunque no sea probable que para liquidar la obligación vaya a producirse una salida de recursos que incorporen beneficios económicos».

Comentario

Propietario "B"

Adquiriente "A"

Pendiente juicio
¿Sanción?

Adquirida "B"

FUSIÓN

"A"　　"B"

CONTRATO COMPRAVTA

Cláusula por la sanción

Adquirente recibirá indemnización caso confirmar sanción

1　　Adquirente "A"　　**2**

La clausula sanción, en la operación

Norma 19ª.2.3 y 2.6 PGC

Hasta 1 año fecha adquisición

↓Valoración inicial inversión

Contraprestación contingente (mejor estimación)

Al término periodo valoración

La diferencia de cifras, se llevarán a pérdidas y ganancias (ingreso o gasto)

Caso error, al omitir obligación la adquirida

Norma 22ª PGC

Ajuste valor inversión, mejor estimación contraprestación contingente

Caso Fusión o Formulación Cuentas Consolidadas

Reconocerá un activo y un pasivo, por el mismo importe, sin afectar a PyG

Norma 19ª.2.4 PGC

Ejemplo

A principios del 2011, la sociedad «H», ha adquirido, entre otras, el 100% de la sociedad «K». La adquirente, y la transmitente incluyeron en el contrato de compraventa una cláusula de indemnidad en relación con un procedimiento sancionador iniciado contra la sociedad «K». El precio pagado ascendió a 292.000€. Se estimó que la valoración del activo contingente de dicha cláusula de indemnidad, era de 60.000€.

A finales del año 2011 se vuelve a valorar dicho activo, y su importe se fija en 52.000€.

A finales del 2012, y como consecuencia de un cambio de estimación en el importe de la contraprestación contingente, se fija su importe en 50.000€.

Posteriormente las Juntas generales de las sociedades «H» y «K» pertenecientes al grupo «HKXZ», como consecuencia el proceso de reorganización del grupo han aprobado a principios del 2015, la fusión de «K» por parte de «H». Todas las sociedades forman parte del grupo desde año 2011.

A dicha fecha, la sociedad «H» presenta el siguiente balance:

ACTIVO		PATRIMONIO NETO Y PASIVO	
Activos no corrientes(*)	700.000	Capital social (230.000 acciones)	230.000
Activos corrientes(**)	300.000	Prima de emisión de acciones	160.000
		Reserva legal	40.000
		Reservas voluntarias	260.000
		Pasivos no corrientes	300.000
		Pasivos corrientes	10.000
TOTAL ACTIVO	1.000.000	TOTAL P.N y PASIVO	1.000.000

(*) Dentro de los activos no corrientes, se encuentra registrada, las 120.000 acciones de «K» (es decir, el 100% de los títulos) valoradas en 240.000 €.

(**) Dentro de los activos corrientes se encuentra registrado por un importe de 50.000 el importe a recibir de la cláusula de indemnidad en relación con el procedimiento sancionador contra la sociedad «K».

Por otra parte y en la misma fecha, la sociedad «K» presenta el siguiente balance:

ACTIVO		PATRIMONIO NETO Y PASIVO	
Activos no corrientes	400.000	Capital social (120.000 acciones)	120.000
Activos corrientes	100.000	Prima de emisión de acciones	40.000

ACTIVO		PATRIMONIO NETO Y PASIVO	
		Reserva legal	120.000
		Reservas voluntarias	100.000
		Pasivos no corrientes	120.000
		Pasivos corrientes[*]	120.000
TOTAL ACTIVO	**500.000**	**TOTAL P.N y PASIVO**	**500.000**

[*] Registra, entre otras, la provisión de la cláusula de indemnidad por importe de 50.000.

En septiembre de 2015 se ha conocido la sentencia judicial firme que confirma la sanción administrativa, y en aplicación de la mencionada cláusula contractual de indemnidad, la entidad vendedora ha pagado a la consultante la cuantía de la indemnización acordada.

SE PIDE:

1.- Registro contable de la adquisición de la sociedad «K» en el año 2011. Ajustes al final del periodo de valoración.

2.- Registro contable de la fusión en las sociedades «H» y «K».

Sabemos que:

– El grupo «HKXZ», formula cuentas anuales consolidadas

– Los elementos patrimoniales adquiridos, están registrados en las cuentas anuales consolidadas por los mismos importes que aparecen en los balances de las cuentas individuales.

SOLUCIÓN:

1.- **Registro contable de la adquisición de la sociedad «K» en el año 2011. Ajustes al final del periodo de valoración.**

– Por la adquisición de «K» por parte de la sociedad dominante «H»

1/1/2011

232.000	Participaciones en empresas del grupo (2403)			
60.000	Activo contingente. Cláusula indemnidad (25x)[*]	a	Bancos (572)	292.000

---

[*] El apartado 2.5.1 de la Norma de Valoración 9ª. «Instrumentos financieros» del PGC, en la redacción introducida por el Real Decreto 1159/2010, de 17 de septiembre, dispone que las inversiones en el patrimonio de empresas del grupo adquiridas a terceros se valorarán inicialmente al coste, que equivaldrá al

valor razonable de la contraprestación entregada más los costes de transacción que les sean directamente atribuibles, debiéndose aplicar, en su caso, los criterios para determinar el coste de la combinación establecidos en la norma sobre combinaciones de negocios.

Así mismo, en el apartado 2.3 de la mencionada Norma 19ª de Valoración, se indica que forma parte del coste de la combinación de negocios el valor razonable de cualquier contraprestación contingente que dependa de eventos futuros o del cumplimiento de ciertas condiciones. Así, en aplicación de esta regla, en el supuesto de que la sociedad adquirente estime probable que parte del importe entregado o comprometido con los vendedores puede retornar a la sociedad, en virtud de la citada cláusula, la mejor estimación del importe a recibir se deberá registrar como un activo. [Consulta nº 4. BOICAC 106]

En la determinación del coste de la inversión en una empresa del grupo, cabría concluir que la mejor estimación de la citada contraprestación contingente al término del periodo de valoración, es un activo independiente del coste de la inversión, lo que implicaría minorar el valor inicial de la combinación de negocios en los términos regulados en el apartado 2.6. Contabilidad provisional, de la Norma 19ª Valoración.

– Finales del ejercicio 2011. Nueva estimación del activo contingente cuyo importe se fija en 52.000€

— 1/7/X1 —

| 8.000 | Participaciones en empresas del grupo (2403) | a | Activo contingente. Cláusula indemnidad (25x) (60.000-8.000) | 8.000 |

Hasta que transcurra el plazo de un año desde la fecha de adquisición, el adquirente debe realizar la mejor estimación del valor de los activos identificables. Si en ese periodo se aprecia la existencia de una obligación a cargo de la sociedad adquirida, que será compensada por el vendedor por traer causa de hechos anteriores a la fecha de adquisición, el importe recibido no se contabilizará como un ingreso sino como la recuperación de la contraprestación contingente entregada.

La aplicación de esta regla al caso que nos ocupa originará que la sociedad adquirente una reducción en el valor inicial de la inversión para contabilizar la contraprestación contingente como un activo, o un ajuste en el valor inicial de la citada contraprestación con cargo o abono, según proceda, a la cuenta en que se refleje la inversión en los instrumentos de patrimonio. [Consulta nº 4. BOICAC 106]

– Finales del ejercicio 2012. Nueva estimación del activo contingente cuyo importe se fija en 50.000€.

————————————————————— 31/12/2012 —————————————————————

2.000	Gastos excepcionales (678)	a	Activo contingente. Cláusula indemnidad (25X)[*]
			(52.000-50.000)
			2.000

---

[*] Una vez transcurrido ese plazo, denominado por la norma como «periodo de valoración», la diferencia que pueda surgir entre el cobro estimado y el que finalmente se produzca se contabilizará en la cuenta de pérdidas y ganancias.

En el supuesto que finalizado el periodo de valoración sin haber identificado la mejor estimación de la contraprestación contingente, se advirtiera que la sociedad adquirida hubiera incurrido en un error por omitir el registro de las obligaciones que se pudieran derivar de litigios en curso, la sociedad dominante realizará un ajuste en el valor de la inversión por la mejor estimación del importe de la contraprestación contingente a la finalización del periodo de valoración considerando la información disponible en esa fecha.

2.- Registro contable de la fusión en las dos sociedades.

SOCIEDAD «K»

Sabemos que «H», posee el 100% de las acciones de «K», por lo que aplicaremos la Norma 21ª de Valoración del PGC.

– Reapertura de la contabilidad

——————————————————————— X ———————————————————————

400.000	Activos no corrientes	a	Capital social (100)	120.000
100.000	Activos corrientes		Reserva legal (112)	40.000
			Reservas voluntarias (113)	120.000
100.000	Activos corrientes		Pasivos corrientes	20.000

– Traspaso del patrimonio a la sociedad «H»

---------------------------- X ----------------------------

200.000	Pasivos no corrientes	a	Activos no corrientes	400.000
20.000	Pasivos corrientes		Activos corrientes	100.000
280.000	Socios cuenta de fusión (5531) (*)			

(*) Se cargará en el momento del traspaso a la sociedad absorbente o de nueva creación de los activos adquiridos y pasivos asumidos.

– Por la cancelación de las cuentas de neto patrimonial

---------------------------- X ----------------------------

120.000	Capital social (100)	a		
40.000	Reserva legal (112)			
120.000	Reservas voluntarias (113)	a	Socios cuenta de fusión (5531)(*)	280.000

(*) Se abonará, en el momento de la entrega a los socios de las acciones o participaciones emitidas, con cargo a las cuentas correspondientes del patrimonio neto de la sociedad que se extingue.

SOCIEDAD «H»

– Reapertura de la contabilidad

---------------------------------- X ----------------------------------

700.000	Activos no corrientes	a Capital social (100)	230.000
300.000	Activos corrientes	Reserva legal (112)	40.000
		Prima emisión acciones (110)	160.000
		Reservas voluntarias (113)	260.000
		Pasivos no corrientes	300.000
		Pasivos corrientes	10.000

– Recepción del patrimonio de «K» a sus valores contables

---------------------------------- 31/12/X1 ----------------------------------

400.000	Activos no corrientes	Pasivo no corriente	200.000
100.000	Activos corrientes	a Pasivo corriente	20.000
		Socios sociedad disuelta (5530)	280.000

El Real Decreto 1159/2010 de 17 de septiembre, ha modificado, entre otros, el apartado 2 de la Norma de Valoración 21ª (punto 2.2.1), el cual, nos comenta, en relación con la operación planteada que: «*En las operaciones entre empresas del grupo en las que intervenga la empresa dominante del mismo o la dominante de un subgrupo y su dependiente, directa o indirectamente, los elementos patrimoniales adquiridos se valorarán por el importe que correspondería a los mismos, una vez realizada la operación, en las cuentas anuales consolidadas del grupo o subgrupo según las citadas Normas para la Formulación de las Cuentas Anuales Consolidadas.*

La diferencia que pudiera ponerse de manifiesto en el registro contable por la aplicación de los criterios anteriores, se registrará en una partida de reservas (...)»

De esta manera:

——————————————————— X ———————————————————

280.000	Socios de la sociedad disuelta (5530)	a	Participaciones en empresas del grupo. Acciones de «K» 240.000
			Reservas voluntarias (113) (*) 40.000

(*) La diferencia que pudiera ponerse de manifiesto en el registro contable por la aplicación de este criterio, se reconocerá en una partida de reservas.

– Septiembre del 2015:

——————————————————— Sept./15 ———————————————————

50.000	Provisión por sanciones (142x)	a	Activo contingente. Cláusula indemnidad (25X) 50.000

Al producirse la fusión de la sociedad adquirente y la adquirida, el adecuado tratamiento contable de la operación debe considerar la perspectiva de la nueva entidad que informa.

En este sentido, en la medida que de acuerdo con la información facilitada el objetivo de la cláusula de indemnidad es trasladar al antiguo propietario el quebranto que se produzca en la sociedad adquirida derivado de actuaciones previas a la fecha de adquisición, la resolución del procedimiento judicial traerá consigo el reconocimiento en la entidad que informa de un pasivo y un activo por el mismo importe, sin afectar a la cuenta de pérdidas y ganancias; esto es, sin que los hechos descritos deban originar el registro de un gasto y un ingreso. [Consulta nº4.BOI-CAC 106]

8.4.0.6. Compra de una empresa para eliminar obstáculo en la venta de viviendas de la adquirente

Boicac 119, septiembre 2019, Consulta 1.

Sobre el tratamiento contable de la adquisición de una empresa con el fin de eliminar un obstáculo a la venta de viviendas desarrollada por la sociedad adquirente.

Respuesta

La empresa adquirente se dedica a la construcción y explotación de un complejo residencial. La venta de su última promoción se ha visto retrasada a causa de la actividad desarrollada en una finca colindante, un circuito de carreras amateur, propiedad de otra empresa. Para solucionar este problema adquiere la totalidad del capital de la empresa propietaria del circuito a un importe muy superior al valor razonable de los activos netos adquiridos. La empresa adquirida no incluye ninguna actividad que pudiera calificarse como un proceso productivo sustantivo ni tampoco se trasfiere personal alguno, que son dos factores que podrían determinar la existencia de un fondo de comercio implícito en la adquisición de una inversión financiera.

El consultante pregunta sobre el tratamiento contable de la diferencia entre la contraprestación entregada y el valor de los activos netos de la empresa adquirida, en particular, si puede ser registrado como mayor valor de la promoción inmobiliaria.

En primer lugar, es preciso señalar que el registro contable de cualquier operación requiere un previo análisis del fondo económico y jurídico de la misma, tal y como exige el artículo 34.2 del Código de Comercio y, en su desarrollo, el Marco Conceptual de la Contabilidad recogido en la primera parte del Plan General de Contabilidad (PGC) aprobado por Real Decreto 1514/2007, de 16 de noviembre, de manera que la contabilización de las operaciones responda y muestre la sustancia económica y no sólo la forma jurídica utilizada para instrumentarlas.

La Resolución de 14 de abril de 2015, del Instituto de Contabilidad y Auditoría de Cuentas, por la que se establecen criterios para la determinación del coste de producción establece que «*el coste de producción estará formado por el precio de adquisición de las materias primas y otras materias consumibles, así como el resto de los bienes o servicios consumidos y directamente imputables al activo. También deberá añadirse la parte que razonablemente corresponda de los costes indirectamente imputables al activo, en la medida en que tales costes correspondan al periodo de producción, construcción o fabricación, se basen en el nivel de utilización de la capacidad normal de trabajo de los medios de producción y sean necesarios para la puesta del activo en condiciones operativas, esto es, para que puedan cumplir con la función que le resulta propia o acorde a su clasificación contable*».

En el caso consultado, las viviendas ya se encuentran terminadas y la finalidad de adquirir la empresa que explotaba el circuito de carreras es eliminar un obstáculo a la comercialización del complejo residencial.

Si bien no existe disposición que recoja expresamente el tratamiento contable que sea aplicable a los hechos sobre los que versa la consulta, procedería traer aquí a colación por analogía, por guardar intima conexión con el fondo económico que subyace en esta operación, lo señalado por la Resolución de 28 de mayo de 2013, del Instituto de Contabilidad y Auditoría de Cuentas, por la que se dictan normas de registro, valoración e información a incluir en la memoria del inmovilizado intangible, en cuya Norma Sexta. Normas particulares del inmovilizado intangible, apartado 4. Derechos de traspaso, subapartado 5 dispone lo siguiente:

> «5. Desde la perspectiva del arrendador o cedente del bien o derecho, si éste paga una indemnización al arrendatario o cesionario para rescindir un contrato, de tal forma que los ingresos a obtener en la situación conseguida tras la indemnización permitieran recuperar, al menos, el importe del citado desembolso más las cantidades necesarias para la generación de los futuros ingresos, los costes incurridos para cancelar el contrato inicial se contabilizarán como un activo.

> La amortización del elemento patrimonial que surge de esta operación deberá realizarse de forma sistemática durante su vida útil que, al tratarse de un coste relacionado con el nuevo contrato no podrá ser superior a la duración de este último teniendo en cuenta, en su caso, las posibles prórrogas que se pudiesen acordar.

> La aplicación de este criterio solo se producirá si:

> a) Es posible cuantificar los ingresos netos futuros previsibles a conseguir en la situación posterior a la indemnización.

> b) La operación en su conjunto ponga de manifiesto de forma clara y directa un aumento en la generación de ingresos netos futuros con respecto a los que generaría el contrato objeto de rescisión por un importe igual o superior al de la indemnización.»

Considerando la aplicación del citado criterio por analogía, los hechos descritos se pueden identificar como la indemnización satisfecha para liberar al activo de una carga, circunstancia que llevaría a reconocer un mayor valor de las existencias. Para ello, será necesario que el desembolso efectuado proporcione a las viviendas una transformación cualitativa, que en el caso consultado sería un nuevo entorno libre de ruidos, y que dicha transformación venga acompañada de una proyección económica futura en unos términos similares a los que se recogen en la norma transcrita.

En el caso de que estos requisitos no se cumplan, la diferencia entre el importe pagado por las acciones y el valor razonable de los activos neto adquiridos se contabilizará como un gasto del periodo y no como mayor valor de las existencias.

En cualquier caso, en la memoria de las cuentas anuales, se deberá suministrar cualquier información significativa que sea necesaria para que las cuentas anuales reflejen la imagen fiel del patrimonio, la situación financiera y los resultados de la entidad.

Comentario

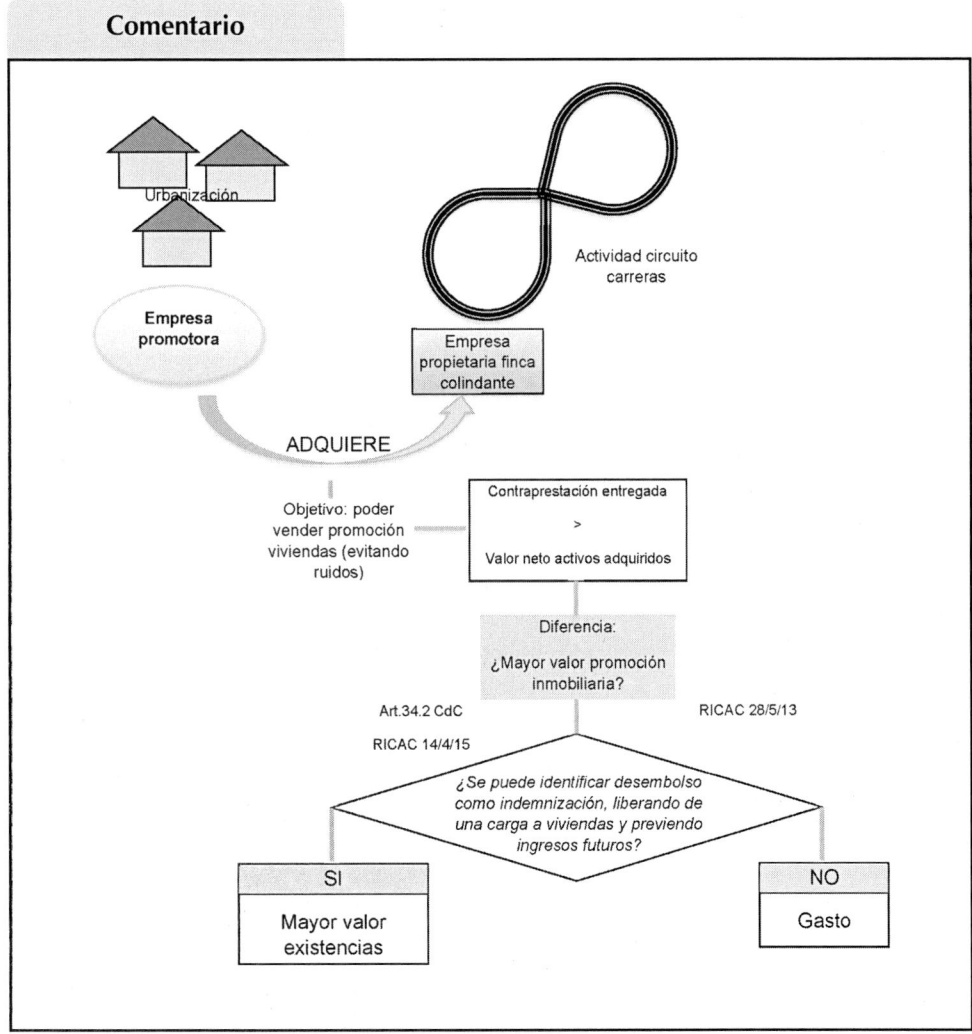

Ejemplo

La sociedad anónima MAR, que se dedica a la construcción y explotación de un complejo residencial, acuerda la compra de la totalidad de la empresa CARRERAS. El motivo de dicha adquisición, es que la venta de su última promoción se ha visto retrasada a causa de la actividad desarrollada en una finca colindante, un circuito de carreras amateur, propiedad de la empresa CARRERAS.

El balance de situación que presenta la sociedad CARRERAS a 13/2/X3, fecha de la celebración de la Junta General de Accionistas de dicha sociedad en la que se tomó el acuerdo, es el siguiente (expresado en euros):

ACTIVO		PATRIMONIO NETO Y PASIVO	
150.000	Inmovilizado	Capital Social (100.000 acciones de 1€)	100.000
40.000	Existencias	Reservas	100.000
10.000	Deudores	Deudas a largo plazo	4.000
4.000	Tesorería		
204.000	**TOTAL ACTIVO**	**TOTAL PATRIMONIO NETO Y PASIVO**	**204.000**

Reunidos los administradores de ambas sociedades, se toman los siguientes acuerdos, a efectos de la cesión del patrimonio:

– La sociedad MAR, adquiere la totalidad del capital de la empresa propietaria del circuito por un importe de 300.000€: siendo éste muy superior al valor razonable de los activos netos adquiridos. La empresa adquirida no incluye ninguna actividad que pudiera calificarse como un proceso productivo sustantivo ni tampoco se trasfiere personal alguno, que son dos factores que podrían determinar la existencia de un fondo de comercio implícito en la adquisición de una inversión financiera.

– Los valores razonables de los activos adquiridos y los pasivos asumidos son coincidentes con su valor en libros.

SE PIDE:

Contabilizar la adquisición en las dos sociedades y en los siguientes casos:

CASO 1.

Realizado un estudio económico de la viabilidad del proyecto, es posible cuantificar los ingresos netos futuros previsibles a conseguir en la situación posterior a la adquisición de la empresa CARRERAS.

La operación en su conjunto pone de manifiesto de forma clara y directa un aumento en la generación de ingresos netos futuros con respecto a los que generaría en la situación inicial por un importe igual o superior al sobreprecio pagado

CASO 2.

No se cumple lo establecido en el apartado anterior.

SOLUCIÓN.

Tendremos en cuenta el art. 58 de la RICAC 5/3/19 sobre criterios de presentación de instrumentos financieros y otros aspectos contables relacionados con la regulación mercantil de las sociedades de capital : «*A los efectos de la presente norma se entiende por cesión global de activo y pasivo el acuerdo de modificación estructural regulado como tal en la Ley 3/2009, 3 abril.*

Cuando el patrimonio que se transmita por causa de la cesión global de activo y pasivo cumpla la definición de negocio establecida en la norma de registro y

valoración sobre combinaciones de negocios del Plan General de Contabilidad, la operación se contabilizará siguiendo el método de adquisición regulado en esa norma de registro y valoración, al margen de que la operación se realice entre empresas del grupo. En caso contrario, la operación se contabilizará aplicando las normas de registro y valoración que correspondan en función de la naturaleza de los activos y pasivos cedido»

CASO 1.

La operación en su conjunto manifiesta aumento ingresos futuros

• SOCIEDAD «CARRERA».

El apartado 2, del art. 59 de la mencionada RICAC 5/3/19, nos indica que: *«La sociedad cedente contabilizará la cesión global del activo y pasivo siguiendo los criterios establecidos en el artículo 49 para contabilizar la fusión en la sociedad adquirida (absorbida). A tal efecto, las referencias realizadas en ese artículo a la sociedad adquirida (absorbida) y a la fecha de inscripción de la fusión deberán entenderse realizadas a la sociedad cedente y a la fecha de inscripción de la cesión global, respectivamente».* Anotaremos:

———————————————— 13/2/X3 ————————————————

4.000	Deudas a largo plazo (171)	a Inmovilizado (2)	150.000
300.000	Sociedad MAR deudora (553x)	Existencias (3)	40.000
		Deudores c/p (440)	10.000
		Tesorería (57)	4.000
		Resultado cesión (12x) [300.000-200.000]	100.000

De tal manera que el apartado 1 de la Norma 19ª de Valoración, nos comenta que: *«(...)las empresas adquiridas que se extingan o escindan en una combinación de negocios, deberán registrar el traspaso de los activos y pasivos integrantes del negocio transmitido cancelando las correspondientes partidas del balance y reconociendo el resultado de la operación en la cuenta de pérdidas y ganancias, por diferencia entre el valor en libros del negocio transmitido y el valor razonable de la contraprestación recibida a cambio, neta de los costes de transacción(...)».* Comparamos:

Valor razonable de contraprestación recibida neta de costes de transacción. . .	300.000
Valor en libros del negocio transmitido.	200.000
RESULTADO.	100.000

Y por el cobro:

———————————————————— X ————————————————————

300.000	Bancos (572)	a Sociedad MAR deudora (553x)	300.000

• SOCIEDAD «MAR».

———————————————— 13/2/X3 ————————————————

150.000	Inmovilizado (2)	a		
40.000	Existencias (3)			
10.000	Deudores (440)			
4.000	Tesorería (57)	a	Deudas a largo plazo (171)	4.000
100.000	Promociones terminadas (350)(*)		Bancos (572)	300.000

Así, el art. 60 de la RICAC 5/3/19, nos indica: «*La sociedad cesionaria contabilizará la adquisición del activo y pasivo siguiendo los criterios establecidos en el artículo 48 para contabilizar la fusión en la sociedad adquirente (absorbente). A tal efecto, las referencias realizadas en ese artículo a la sociedad adquirente (absorbente) y a la fecha de inscripción de la fusión deberán entenderse realizadas a la sociedad cesionaria y a la fecha de inscripción de la cesión global, respectivamente*».

La adquirente valorará los activos identificables adquiridos y los pasivos asumidos a sus valores razonables en la fecha de adquisición, siempre que dichos valores puedan determinarse con suficiente fiabilidad. [Apartado 2.4.b) de la Norma 19ª Valoración PGC].

(*) Por analogía, los hechos descritos se pueden identificar como la indemnización satisfecha para liberar al activo de una carga, circunstancia que *llevaría a* _reconocer un mayor valor de las existencias_. Para ello, será necesario que el desembolso efectuado proporcione a las viviendas una transformación cualitativa, que en este supuesto sería un nuevo entorno libre de ruidos, y que dicha transformación venga acompañada de una proyección económica futura en unos términos similares a los que se recogen en la norma transcrita. [Consulta nº 1. BOICAC 119]

CASO 2.

No se cumple lo establecido en el CASO 1

Las anotaciones contables vistas anteriormente, serían las mismas salvo en lo relativo a la sociedad MAR. Así, registraríamos:

———————————————————— 13/2/X3 ————————————————————

150.000	Inmovilizado (2)	a		
40.000	Existencias (3)			
10.000	Deudores (440)	a		
4.000	Tesorería (57)		Deudas a largo plazo (171)	4.000
100.000	Diferencia negativa en combinaciones de negocios (774)		Bancos (572)	300.000

Con lo cual, y de acuerdo con lo dispuesto en la presente Consulta (1, Boicac 119): «(...) _En el caso de que estos requisitos no se cumplan, la diferencia entre el importe pagado por las acciones y el valor razonable de los activos neto adquiridos se contabilizará como un gasto del periodo y no como mayor valor de las existencias_ (...)»

9. OPERACIONES ENTRE EMPRESAS DEL GRUPO

9. OPERACIONES ENTRE EMPRESAS DEL GRUPO

Sumario

9.1. REGLA GENERAL

9.1.0.1. Registro en la dominante, caso condonación deuda por la dependiente

BOICAC 96, diciembre 2013. Consulta 2.

Sobre el tratamiento contable de la condonación de un crédito concedido por una sociedad dependiente, al cien por cien, a la sociedad dominante, y su calificación en la sociedad dominante como ingreso o recuperación de la inversión.

Respuesta

El registro contable de las operaciones debe realizarse atendiendo al fondo económico y jurídico que subyace en las mismas, con independencia de la forma empleada para instrumentarlas, una vez analizados en su conjunto todos los antecedentes y circunstancias de aquellas, cuya valoración es responsabilidad de los administradores y, en su caso, de los auditores de la sociedad. En este sentido, el art. 34.2 del Código de Comercio establece que en la contabilización de las operaciones se atenderá a su realidad económica y no sólo a su forma jurídica.

En particular, en las operaciones entre empresas del grupo, la ausencia de intereses contrapuestos requiere extremar la cautela en dicho análisis para evitar que una sucesión de negocios jurídicos y su correspondiente registro contable pudiera ser el medio empleado para contravenir normas imperativas reguladoras de las sociedades de capital.

Una vez hecha esta precisión, en relación con la cuestión planteada cabe señalar que este Instituto ya se pronunció en la consulta 4 publicada en su Boletín (BOICAC) n.º 79, de septiembre de 2009, sobre el tratamiento contable de la condonación de un crédito por una sociedad dependiente a la sociedad dominante, estableciendo que la sociedad dominante cancelará la deuda con abono a una cuenta representativa del fondo económico de la operación, que podrá ser la distribución de un resultado o la recuperación de la inversión en función de cuál haya sido la evolución de los fondos propios de la sociedad dependiente desde la fecha de adquisición. Por su parte la sociedad dependiente dará de baja el derecho de crédito con cargo a una cuenta de reservas.

La presente consulta se centra en esta última cuestión: la determinación de si, para el caso concreto de la sociedad dominante, nos encontramos ante una distribución de resultados o ante una recuperación de la inversión.

Según se desprende del texto de la consulta, la entidad dependiente se creó mediante la aportación de una rama de actividad de la matriz, consistente en un conjunto de edificios en alquiler, contra una partida representativa de capital y otra de prima de emisión o asunción; realizándose dicha aportación a valor contable.

Por otro lado la filial, acogida al régimen especial de arrendamiento de viviendas del impuesto sobre sociedades, ha venido repartiendo beneficios mediante dividendos, a la vez que ha constituido una reserva voluntaria: «Reserva voluntaria procedente de beneficios bonificados».

Para determinar en este caso concreto si la condonación del crédito tiene como realidad económica de fondo la distribución de resultados o la recuperación de la inversión, es preciso determinar si en el momento de la condonación del crédito existían reservas procedentes de beneficios no distribuidos por importe superior al valor del crédito. En la medida que dichas reservas existan nos encontraremos con una distribución de resultados, con independencia de que la filial cuente con una prima de asunción con la que dar de baja el crédito concedido.

A esta misma conclusión se podría llegar, razonando *a sensu contrario*, por directa aplicación de la norma de registro y valoración 9.ª «Instrumentos financieros» del Plan General de Contabilidad, aprobado por el Real Decreto 1514/2007, de 16 de noviembre, en cuyo apartado 2.8 se indica:

> «(...) *si los dividendos distribuidos proceden inequívocamente de resultados generados con anterioridad a la fecha de adquisición porque se hayan distribuido importes superiores a los beneficios generados por la participada desde la adquisición, no se reconocerán como ingresos, y minorarán el valor contable de la inversión*».

En definitiva y como conclusión, desde una perspectiva estrictamente contable, y sobre la base de la prevalencia del fondo, jurídico y económico, de las operaciones regulada en el art. 34.2 del Código de Comercio, la opinión de este Instituto es que cualquier operación de reparto de reservas se calificará como de «distribución de beneficios» y, en consecuencia, originará un resultado en el socio, siempre y cuando, desde la fecha de adquisición, la participada haya generado beneficios por un importe superior a los fondos propios que se distribuyen, al margen de cuál sea el origen de las reservas que la sociedad dependiente emplea para tal fin.

Comentario

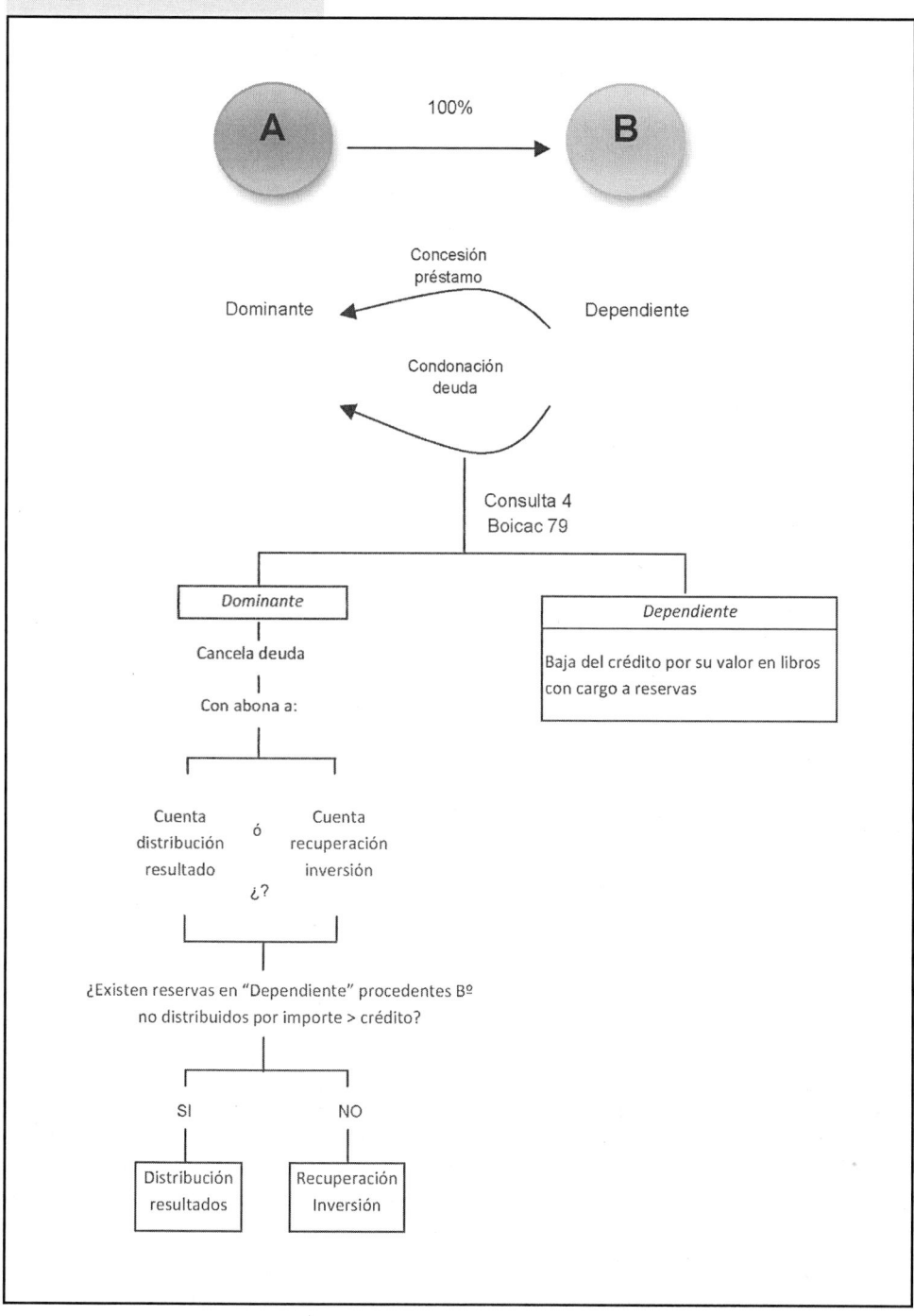

Ejemplo

La sociedad «X», es la dominante del grupo de sociedades «XAB». La participación que posee en «A», es del 100% y en «B» del 80%.

El 1/1/X8 «A» concedió a «X» un préstamo de 250.000€, a pagar en 4 años, mediante anualidades constantes al 6% anual (siendo este el tipo de interés de mercado) pagaderas a 31 de diciembre. Los gastos de formalización ascienden a 300€.

Por otra parte, los gastos directamente relacionados con el préstamo, que asume la sociedad «A» en el momento inicial, ascendieron a 450€.

A principios del ejercicio X9 la sociedad «A» acuerda la condonación del préstamo que tiene concedido a «X».

Todas las sociedades del grupo aplican el PGC.

SE PIDE:

Registro de operaciones correspondientes en los ejercicios X8 y X9, en ambas sociedades, en los siguientes supuestos:

Supuesto A

La adquisición de la sociedad «A» por parte de «X» se produce en el año X6, teniendo el patrimonio neto de «A» la siguiente composición:

Capital social.	600.000€
Reservas.	400.000€

A principios del X9 (fecha de condonación del préstamo), el patrimonio de «A» era el siguiente:

Capital social.	600.000€
Reservas.	900.000€

Supuesto B

Registro únicamente de la operación de condonación del crédito. La adquisición de la sociedad «A» por parte de «X» se produce en el año X6, teniendo el patrimonio neto de «A» la siguiente composición:

Capital social.	600.000€
Reservas.	400.000€

A principios del X9 (fecha de condonación del préstamo), el patrimonio de «A» era el siguiente:

Capital social. 600.000€

Reservas. . . . . 300.000€

SOLUCIÓN:

GRÁFICO DEL GRUPO «XAB»

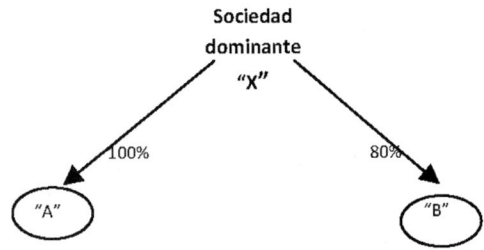

Supuesto A

Sociedad «A» (Concede un préstamo a la dominante «X»)

PRINCIPIOS EJERCICIOS X8

Elaboraremos el cuadro financiero de la operación (Cuadro 1):

Periodo	Fecha	Cobros (1)	Rendimiento (2)	Amortización (3)	Pendiente amortizar (4)
0	1/1/X8				250.000
1	31/12/X8	72.147,87	15.000	57.147,87	192.852,13
2	31/12/X9	72.147,87	11.571,13	60.576,75	132.275,38
3	31/12/x10	72.147,87	7.936,52	64.211,35	68.064,03
4	31/12/x11	72.147,87	4.083,84	68.064,03	0

Siendo:

(1). Cobro. $250.000 = a \cdot a_{4\rceil 0,06} \Rightarrow a = 72.147,87$
(2) $= (4)_{-1} \times i$
(3) $= (1) - (2)$
(4) $= (4)_{-1} - (3)$

La sociedad «A» encuadrará el activo financiero dentro de la categoría «Préstamos y partidas a cobrar», en la cual y para su valoración inicial en la Norma 9.ª. 3.2.1.1. de la 2.ª parte del PGC nos dice que ésta será:

> «(...) su valor razonable, que, salvo evidencia en contrario, será el precio de la transacción, que equivaldrá al valor razonable de la contraprestación entregada más los costes de transacción que le sean directamente atribuibles (...)».

En nuestro caso, será:

$$250.000 + 300 = 250.300$$

Con lo cual, y a la hora de seguir la operación financiera tendrá que determinar un nuevo tipo de interés. Así y comparando:

LO QUE RECIBE = LO QUE DA

$$250.300 = 72.147,87 \cdot a_{4\rceil i}$$

$$i = 5,947645659\%$$

En el apartado 2.1.2. de la Norma antes mencionada, nos comenta que los activos financieros incluidos en esta categoría se valorará por su coste amortizado. Los intereses devengados se contabilizarán en la cuenta de Pérdidas y Ganancias, aplicando el tipo de interés efectivo. Con lo cual, si elaboramos un cuadro de asignación financiera (Cuadro 2):

Periodo	Fecha	Cobros (1)	Rendimiento (2)	Amortización (3)	Pendiente amortizar (4)
0	1/1/X8				250.300
1	31/12/X8	72.147,87	14.886,96	57.260,91	193.039,09
2	31/12/X9	72.147,87	11.481,28	60.666,59	132.372,50
3	31/12/x10	72.147,87	7.873,05	64.274,82	68.097,68
4	31/12/x11	72.147,87	4.050,21	68.097,68	0

Siendo:

$(2) = (4)_{-1} \times i$

$(3) = (1) - (2)$

$(4) = (4)_{-1} - (3)$

Registrando en el momento de la concesión (1/1/X8) [ver cuadro 2:]:

―――――――――――――――――――― 1/1/X8 ――――――――――――――――――――

57.260,91	Créditos a c/p empresas del grupo (5303)
193.039,09	Créditos a l/p en empresas del grupo (2423)

	a	Bancos (572)	250.300

OPERACIONES FIN DE EJERCICIO (31/12/X8)

– En este período, y en base al método del tipo de interés efectivo, devengaremos los intereses correspondientes. Igualmente daremos de baja la parte del principal cobrado:

―――――――――――――――――――― 31/12/X8 ――――――――――――――――――――

72.147,87   Bancos (572)

          a   Créditos a c/p empresas del
               grupo (5303)   57.260,91

               Ingresos de créditos a l/p
               empresas del grupo (76200) 14.886,96

– Por la reclasificación del importe a recuperar del préstamo, en el siguiente ejercicio:

―――――――――――――――――――― 31/12/X8 ――――――――――――――――――――

60.666,59   Créditos a corto plazo empresas del grupo (5303)

          a   Créditos a largo plazo en
               empresas del grupo (2423) 60.666,69

• A comienzos del X9, la situación del crédito concedido a «X» era:

Créditos a corto plazo en empresas del grupo	60.666,59
Créditos a largo plazo en empresas del grupo	132.372,50
VALOR CONTABLE DEL CRÉDITO	**193.039,09**

Produciéndose la condonación del crédito:

_____ 1/1/X9 _____

193.039,09   Reservas voluntarias (113)(*)

| | | a | Créditos a c/p empresas del grupo (5303) | 60.666,59 |

| | | | Créditos a l/p empresas del grupo (5303) | 132.372,50 |

(*) Según las directrices de la presenta Consulta, la sociedad dependiente dará de baja el derecho de crédito con cargo a una cuenta de reservas.

Sociedad «X» (Sociedad dominante)

• A comienzos del X8, la sociedad «A» le facilitará un cuadro de la operación financiera como el siguiente:

Periodo	Fecha	Pagos (1)	Intereses (2)	Amortización (3)	Pendiente amortizar (4)
0	1/1/X8				250.000
1	31/12/X8	72.147,87	15.000	57.147,87	192.852,13
2	31/12/X9	72.147,87	11.571,13	60.576,75	132.275,38
3	31/12/x10	72.147,87	7.936,52	64.211,35	68.064,03
4	31/12/x11	72.147,87	4.083,84	68.064,03	0

Siendo:

(1); Pago. $250.000 = a \cdot a4 \rceil 0,06 \Rightarrow a = 72.147,87$

(2) = (4)-1 x i

(3) = (1) - (2)

(4) = (4) - 1 - (3)

Nuestra sociedad encuadrará el pasivo financiero dentro de la categoría «Débitos y partidas a pagar», en la cual y para su valoración inicial en la Norma 9.ª. 3.1.1. de la 2.ª parte del PGC nos dice que ésta será:

«(...) su valor razonable, que salvo evidencia en contrario, será el precio de la transacción, que equivaldrá al valor razonable de la contraprestación recibida ajustado por los costes de la transacción que les sean directamente atribuibles (...)».

En nuestro caso, será:

$$250.000 - 450 = 249.550$$

Con lo cual, y a la hora de seguir la operación financiera tendrá que determinar un nuevo tipo de interés al no coincidir con el otorgado . Así y comparando:

LO QUE RECIBE = LO QUE DA

$$249.550 = 72.147,87 \cdot a_{4\rceil i}$$

$$i. = 6,07872118\%$$

En el apartado 3.1.2. de la Norma antes mencionada, nos comenta que los pasivos financieros incluidos en esta categoría se valorará por su coste amortizado. Los intereses devengados se contabilizarán en la cuenta de Pérdidas y Ganancias, aplicando el tipo de interés efectivo. Con lo cual, si elaboramos un cuadro de asignación financiera:

Periodo	Pagos (1)	Intereses (2)	Amortización (3)	Pendiente amortizar (4)
0				249.550
1	72.147,87	15.169,45	56.978,42	192.571,58
2	72.147,87	11.705,89	60.441,98	132.129,60
3	72.147,87	8.031,79	64.116,08	68.013,52
4	72.147,87	4.134,35	68.013,52	0,00

Siendo:

$(2) = (4)_{-1} \times i$

$(3) = (1) - (2)$

$(4) = (4)_{-1} - (3)$

Registrando en el momento de la concesión (1/1/X8):

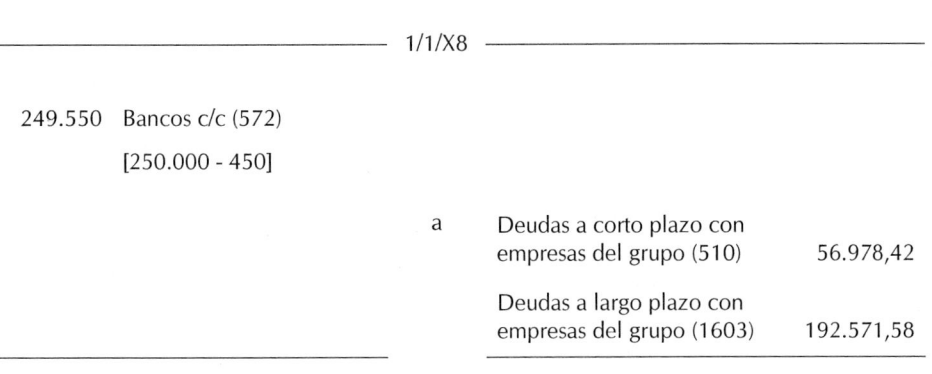

———————————————————— 1/1/X8 ————————————————————

249.550 Bancos c/c (572)

[250.000 - 450]

a   Deudas a corto plazo con
     empresas del grupo (510)   56.978,42

     Deudas a largo plazo con
     empresas del grupo (1603)   192.571,58

OPERACIONES FIN DE EJERCICIO (31/12/X8)

– En este período, y en base al método del tipo de interés efectivo, devengaremos los intereses correspondientes. Igualmente daremos de baja la parte del principal adeudado:

———————————————— 31/12/X8 ————————————————

56.978,42	Deudas a corto plazo con empresas del grupo (510)		
15.169,45	Intereses de deudas, empresas del grupo (6620)		
		a Bancos (572)	72.147,87

Que son los dos componentes que conforman el pago del préstamo.

– Igualmente, reclasificaremos el importe del principal que devolveremos en el siguiente ejercicio:

———————————————— 31/12/X8 ————————————————

60.441,98	Deudas a largo plazo empresas del grupo (1603)		
		a Deudas a corto plazo empresas del grupo (510)	60.441,98

• La situación del préstamo concedido por «A» a comienzos del X9, es:

Deudas a corto plazo en empresas del grupo. 60.441,98

Deudas a largo plazo en empresas del grupo. 132.129,60

VALOR CONTABLE DEL CRÉDITO. **192.571,58**

Produciéndose la condonación del préstamo recibido:

-- 1/1/X9 --

60.441,98	Deudas a corto plazo con empresas del grupo (510)		
132.129,60	Deudas a largo plazo empresas del grupo (1603)		
		a	Ingresos de participaciones en instrumentos de patrimonio a largo plazo empresas del grupo (7600)$^{(*)}$ 192.571,58

(*) Para determinar en este caso concreto si la condonación del crédito tiene como realidad económica de fondo la distribución de resultados o la recuperación de la inversión, es preciso determinar si en el momento de la condonación del crédito existían reservas procedentes de beneficios no distribuidos por importe superior al valor del crédito. En la medida que dichas reservas existan nos encontraremos con una distribución de resultados, con independencia de que la filial cuente con una prima de asunción con la que dar de baja el crédito concedido. + +

Por consiguiente se trata de una distribución de beneficio.

Reservas procedentes de beneficios no distribuidos

(900.000 - 400.000)=   500.000

ES MAYOR QUE

Valor del crédito   192.571,58

Supuesto B

Sociedad «A» (Concede un préstamo a la dominante «X»)

En relación con la sociedad «A» los asientos son los mismos que en el Supuesto A).

Sociedad «X» (Sociedad dominante)

Por la condonación del préstamo:

			1/1/X9		
60.441,98	Deudas a corto plazo con empresas del grupo (510)				
132.129,60	Deudas a largo plazo empresas del grupo (1603)				
		a	Participaciones a largo plazo en empresas del grupo[(*)]		192.571,58

[(*)] Al igual que en el caso anterior, compararemos:

Reservas procedentes de beneficios no distribuidos

(300.000 - 400.000)=   (100.000)

ES MENOR QUE

Valor del crédito   192.571,58

Por consiguiente se trata de una recuperación de la inversión >

La norma de registro y valoración 9.ª «Instrumentos financieros» del Plan General de Contabilidad, aprobado por el Real Decreto 1514/2007, de 16 de noviembre, en cuyo apartado 2.8 se indica:

> «(…), si los dividendos distribuidos proceden inequívocamente de resultados generados con anterioridad a la fecha de adquisición porque se hayan distribuido importes superiores a los beneficios generados por la participada desde la adquisición, no se reconocerán como ingresos, y minorarán el valor contable de la inversión».

En definitiva, cualquier operación de reparto de reservas se calificará como de «distribución de beneficios» y, en consecuencia, originará un resultado en el socio, siempre y cuando, desde la fecha de adquisición, la participada haya generado beneficios por un importe superior a los fondos propios que se distribuyen, al margen de cuál sea el origen de las reservas que la sociedad dependiente emplea para tal fin.

9.1.0.2. Compensación que efectúa la filial a la dominante, por un plan de retribución a sus empleados

BOICAC 97, marzo 2014. Consulta 2.

Sobre el tratamiento contable de los pagos a empleados de una sociedad (filial) con instrumentos de patrimonio concedidos por la sociedad dominante.

Respuesta

La sociedad dominante de un grupo de sociedades acuerda instrumentar un plan de retribución a ciertos empleados del grupo con instrumentos de patrimonio propios de dicha sociedad, es decir, la obligación de la sociedad dominante se cumple mediante la entrega de instrumentos de patrimonio emitidos por esta sociedad. Dicho plan incluye a empleados que prestan sus servicios en diversas sociedades filiales del grupo.

El plan de retribución se instrumenta mediante la entrega a los empleados de opciones a recibir en un futuro acciones de la sociedad dominante, siempre que se cumplan determinados requisitos denominados condiciones de consolidación, referidos a permanencia del empleado en las empresas del grupo y consecución de objetivos societarios individuales o referidos a la comparativa en la evolución de la remuneración al accionista de la sociedad dominante.

Por otra parte la sociedad dominante firma con las sociedades filiales distintos acuerdos de «compensación» mediante los cuales éstas deben abonar a la sociedad dominante el coste de la operación calculado como:

a) el valor intrínseco del coste del acuerdo, equivalente al valor de mercado de las acciones entregadas, ó

b) el valor razonable inicial en la fecha de concesión del acuerdo.

A la vista de estos acuerdos de «compensación», se plantean las siguientes cuestiones en relación con la contabilidad de la operación descrita en las sociedades dependientes y en la sociedad dominante.

1.º) El acuerdo con las sociedades filiales de compensación a la sociedad dominante, ¿es una operación distinta al plan de retribución con acciones a los empleados, y en consecuencia la sociedad filial debe contabilizar por separado el plan de retribución a los empleados, y el pasivo por la compensación a la sociedad dominante? En este caso, ¿cuál sería la contrapartida del pasivo a contabilizar, y contra qué contrapartida se reconocerían en ejercicios posteriores, antes de la entrega de los instrumentos de patrimonio, las variaciones en el valor del pasivo?

De acuerdo con la norma de registro y valoración (NRV) 17.ª. «Transacciones con pagos basados en instrumentos de patrimonio» del Plan General de Contabilidad (PGC), aprobado por Real Decreto 1514/2007, de 16 de noviembre, tienen la consideración de transacciones con pagos basados en instrumentos de patrimonio aquéllas que, a cambio de recibir bienes o servicios, incluidos los servicios prestados por los empleados, sean liquidadas por la empresa con instrumentos de patrimonio propio o con un importe que esté basado en el valor de instrumentos de patrimonio propio, tales como opciones sobre acciones o derechos sobre la revalorización de las acciones.

Cuando el servicio lo presta el personal de la empresa, en aplicación de la NRV 17.ª:

a) La empresa reconocerá, por un lado, los servicios recibidos como un gasto de personal, en el momento de su obtención y, por otro, el correspondiente incremento en el patrimonio neto si la transacción se liquidase con instrumentos de patrimonio, o el correspondiente pasivo si la transacción se liquidase con un importe que esté basado en el valor de los instrumentos de patrimonio.

b) En las transacciones en las que sea necesario completar un determinado período de servicios, el reconocimiento se efectuará a medida que tales servicios sean prestados (a lo largo del citado período).

c) En las transacciones con los empleados que se liquiden con instrumentos de patrimonio, tanto los servicios prestados como el incremento en el patrimonio neto a reconocer se valorarán por el valor razonable de los instrumentos de patrimonio cedidos, referido a la fecha del acuerdo de concesión.

d) Una vez reconocidos los servicios recibidos, de acuerdo con lo establecido en los párrafos anteriores, así como el correspondiente incremento en el patrimonio neto, no se realizarán ajustes adicionales al patrimonio neto tras la fecha de irrevocabilidad.

e) En las transacciones que se liquiden en efectivo, los servicios recibidos y el pasivo a reconocer se valorarán al valor razonable del pasivo, referido a la fecha en la que se cumplan los requisitos para su reconocimiento. Posteriormente, y hasta su liquidación, el pasivo correspondiente se valorará por su valor razonable en la fecha de cierre de cada ejercicio, imputándose a la cuenta de pérdidas y ganancias cualquier cambio de valoración ocurrido durante el ejercicio.

Esta regulación se sostiene en la lógica económica de que la sociedad que recibe el servicio es la que asume la obligación (y, por lo tanto, la responsabilidad de efectuar el «pago» a los trabajadores), condicionándose el tratamiento contable del acuerdo a la naturaleza de la contraprestación; a saber, instrumentos de patrimonio, o efectivo en función del valor de los citados instrumentos.

En el primer caso, la operación se configura como una suerte de «aportación de trabajo», conforme se devenga, sin que quepa por lo tanto volver a valorar el patrimonio «aportado» por las variaciones en el valor de mercado de los instrumentos de patrimonio, sin perjuicio de los cambios en las estimaciones de las condiciones de consolidación. En el segundo, como la adquisición de un servicio cuyo precio se calcula en función del valor de los instrumentos de patrimonio de la sociedad, pero cuyo tratamiento contable en nada diferiría si la referencia para fijar el «precio del servicio» fuese otra, como por ejemplo, los propios instrumentos de patrimonio de la sociedad dominante.

A mayor abundamiento, cuando la obligación (de entregar sus propios instrumentos de patrimonio a los trabajadores de la sociedad dependiente) es asumida por la sociedad dominante, sin contraprestación por la filial, este Instituto ha interpretado en la consulta 7 del BOICAC n.º 75, de septiembre de 2008, que los hechos deben calificarse como una operación de «aportación», cuyo registro contable sería el siguiente:

a) En la filial, efectuando una aplicación analógica de la NRV 17.ª, se reconocerá un gasto de personal de acuerdo con el principio de devengo, con abono directo a los fondos propios (en el epígrafe «Otras aportaciones de socios»). Ambos importes habrán de valorarse por el valor razonable de los instrumentos de patrimonio cedidos, referido a la fecha del acuerdo de concesión. En las transacciones en las que sea necesario completar un determinado período de servicios, el reconocimiento se efectuará a medida que tales servicios sean prestados (a lo largo del citado período).

b) De manera simétrica, la operación supone una aportación a la dependiente que se hace efectiva mediante el servicio de personal que ésta recibe a cambio de los instrumentos de patrimonio propio de la dominante. Por ello, en la respuesta se aclara que la contrapartida de las opciones entregadas constituirá, con carácter general, un mayor valor de la inversión que tiene la sociedad dominante en el patrimonio de la filial.

El caso que ahora nos ocupa difiere del analizado en la citada consulta por la circunstancia de que la sociedad dominante acuerda con la dependiente el pago de una «compensación» que varía, según los casos, en los términos expuestos en los antecedentes.

La cuestión a resolver es si esta circunstancia, por sí sola, califica la operación como «liquidada en efectivo» (porque se está «pagando» o entregando una «contraprestación» en pago de una deuda), o si por el contrario dicha compensación se ubica «extramuros» de la NRV 17.ª y, en tal caso, cuál sería su adecuado tratamiento contable.

En este contexto se formula la primera pregunta, acerca de si la «compensación» es una operación distinta al plan de retribución con acciones a los empleados, y, en consecuencia, la sociedad filial debe contabilizar por separado el citado plan de retribución, y el pasivo por la «compensación» a la sociedad dominante, o si por el contrario dicho «pago» es la evidencia de que estamos ante una operación liquidada en efectivo consistente en la adquisición de un servicio de personal.

El contenido de los contratos obedece al reflejo o plasmación jurídica de los hechos económicos que constituyen la verdadera voluntad de las partes. A la hora de analizar el fondo, económico y jurídico, de las operaciones entre empresas del grupo es preciso extremar la cautela para identificar con nitidez los acuerdos suscritos, y, en consecuencia, poder distinguir qué obligaciones asume cada sociedad como persona jurídica independiente.

En muchas ocasiones, el deslinde de estos elementos se enfrenta a la misma dificultad que encierra apreciar las voluntades contrapuestas en una relación dominante-dependiente, pero sin embargo resulta indispensable para poder otorgar a la operación el adecuado tratamiento contable. Solo así, esto es, una vez realizada la indubitada calificación de los hechos, podrá llevarse a término el cumplimiento de la previsión contenida en el art. 34.2 del Código de Comercio (CdC) y, en su desarrollo, en el Marco Conceptual de la Contabilidad recogido en la primera parte del PGC, de que en la contabilización de las operaciones se atienda a su realidad económica y no solo a su forma jurídica.

Pues bien, sin perjuicio de la dificultad apuntada, si la obligación de entrega de los instrumentos no recae en la sociedad dependiente, sino en la dominante, que asume el compromiso en contraprestación del servicio que los trabajadores «aportan» a la filial a cambio de las opciones recibidas, este Instituto opina que la «compensación» que se describe en los antecedentes se deberá calificar como una operación «distinta», porque en tal caso el «pago» del servicio no se realiza en efectivo sino mediante la entrega de instrumentos de patrimonio neto por parte de la sociedad dominante a los trabajadores de la filial. Esto es, bajo esta premisa, el servicio de personal lo adquiere la sociedad dependiente a título de «aportación» de la sociedad dominante, estableciéndose la relación jurídica entre los trabajadores de aquella y esta última.

Por ello, si la relación contractual que se ha descrito constituye la realidad jurídica de la operación (la prestación del servicio se retribuye por la dominante, mediante la entrega de opciones sobre sus propios instrumentos de patrimonio), hecho que este Instituto no puede entrar a calificar, el coste del servicio de personal, de forma coherente con esta premisa, deberá calcularse por el valor razonable de la verdadera contraprestación entregada o valor razonable de las opciones en la fecha del acuerdo de concesión.

Una vez asumida esta realidad jurídica de fondo, que no es otra que la efectivamente declarada en el acuerdo que soporta el plan de retribución, quedaría por otorgar un adecuado tratamiento contable a la «compensación» que debe entregar la sociedad dependiente a su matriz, motivada por el plan de retribución, pero no a título de «contraprestación» a los trabajadores sino de «compensación» a la sociedad dominante.

De acuerdo con lo anterior, si el efectivo que se entrega en «compensación» no puede ser calificado como contraprestación del servicio recibido por la filial, porque esa no es su «causa», la obligación de la sociedad dependiente de «compensar» a la sociedad dominante deberá calificarse como una operación societaria de distribución/recuperación instrumentada mediante el plan de retribución.

En definitiva, esta conclusión lleva a identificar en los acuerdos descritos dos operaciones. Una operación societaria no genuina en la filial (negocio de «aportación» de la matriz), que debería contabilizarse en los términos expuestos en la consulta 7 del BOICAC n.º 75, y una segunda operación, también societaria, de distribución o recuperación (en función de la evolución de los fondos propios de la filial) entre la sociedad dominante y la dependiente, que originará un cargo en los fondos propios de la sociedad dependiente por el valor actual del compromiso de entrega de efectivo.

Respecto al momento en que procederá contabilizar el pasivo derivado del pago en efectivo (la compensación), parece que en el plan que soporta la transacción nada se dice sobre los términos concretos de este acuerdo. Solo se indica que una vez entregados por la sociedad dominante los instrumentos de patrimonio neto a los trabajadores, la sociedad dependiente «compensará» a la dominante en función del importe acordado, configurándose la citada entrega como presupuesto básico del nacimiento de la obligación.

En este contexto, cabe señalar que si el compromiso de la sociedad dependiente se subordina al efectivo cumplimiento del plan, esto es, solo nace si a su vez la dominante entrega los instrumentos de patrimonio a los trabajadores, el reconocimiento del pasivo también se producirá en la fecha en que se entreguen los citados instrumentos, y no antes, sin perjuicio de la información que deba incluirse en la memoria de las cuentas anuales sobre los términos concretos de la operación.

No obstante, a la vista del carácter singular de las relaciones jurídicas descritas, en cuya virtud, el gasto de personal de la sociedad dependiente originará un desembolso en efectivo por una causa distinta, pero simultánea, a la entrega de los instrumentos de patrimonio a los trabajadores, es preciso realizar algunas observaciones sobre los efectos mercantiles (naturaleza) de las citadas operaciones societarias no genuinas, pues no cabe duda que de generalizarse esta práctica (para las restantes adquisiciones de bienes o servicios), los acuerdos sincronizados de «entrega de instrumentos» y «disposición de efectivo» podrían vaciar de contenido el principio recogido en el apartado 1 del Marco Conceptual de la Contabilidad («el sujeto contable que informa como persona jurídica individual, lo hará con independencia del grupo de empresas al que pueda pertenecer»), con el consiguiente perjuicio para alcanzar el objetivo de la imagen fiel.

De acuerdo con la norma de registro y valoración 18.2 del PGC, las donaciones que un socio realiza a la sociedad en la que participa deben reconocerse por esta última en sus fondos propios. Este criterio constituye el desarrollo reglamentario de las definiciones de los elementos que integran las cuentas anuales recogidas en el art. 36 del CdC. Con esta previsión, la norma contable atribuye a la donación (que lo será siempre que el negocio reúna las características que lo dotan de singularidad desde un punto de vista jurídico, en particular, la ausencia de contraprestación), a los exclusivos efectos contables, la misma consecuencia jurídica que establece para los aumentos de capital, esto es, su reconocimiento en los fondos propios, pero en epígrafes diferenciados.

Para las operaciones que la Doctrina administrativa de este Instituto ha denominado de «distribución/recuperación» no existe una referencia expresa en el PGC. Sin embargo, sobre la base de la misma fundamentación que ha sostenido el desarrollo contable de los negocios de «aportación», este Instituto ha interpretado que los desplazamientos patrimoniales sin contraprestación desde la filial a la sociedad dominante deberían contabilizarse de manera similar a como se reconocen los negocios societarios genuinos de «distribución/recuperación».

Sin embargo, de lo anterior no cabe inferir que estos desplazamientos puedan realizarse al margen o sin observar los requisitos mercantiles previstos a tal efecto, en el supuesto de que la operación se hubiese acordado al amparo del instituto societario genuino (distribución de dividendos o recuperación de la inversión, según proceda), pues en caso contrario, con el recurso al «expediente abreviado» de naturaleza contable se estarían sorteando normas imperativas del Derecho mercantil.

2.º) El acuerdo con las sociedades filiales de compensación a la sociedad dominante, ¿supone por el contrario, que la operación es similar al supuesto en que la sociedad dependiente asume el compromiso de entregar acciones de la sociedad dominante a sus trabajadores, y en consecuencia la operación se debe contabilizar como liquidada en efectivo en los términos de la NRV 17.º del PGC?

La calificación concreta de las operaciones es una labor que queda fuera de las competencias atribuidas a este Instituto. Los hechos descritos se contabilizarán como «operaciones societarias» o como una «retribución ordinaria al personal», en los términos que a continuación se indican, en función de cual sea la verdadera naturaleza jurídica de los acuerdos instrumentados en el plan de retribución.

En este sentido, frente a la anterior interpretación, sustentada en la verdadera naturaleza societaria de los acuerdos adoptados en el plan de retribución, cabría sostener una solución diferente en el supuesto de que la realidad jurídica de fondo de la «compensación» que nos ocupa no fuese la descrita, sino la «contraprestación» real que la sociedad dependiente asume con sus trabajadores.

Esta conclusión se soportaría en la evidencia de que la sociedad dependiente está retribuyendo a sus trabajadores en efectivo, al «compensar» a la sociedad dominante por la entrega de los instrumentos de patrimonio a los trabajadores, actuando esta última como agente o intermediaria pero en ningún caso como obligada de la relación jurídica principal que, en este caso, vincularía a la sociedad dependiente y sus trabajadores.

Sin embargo, como presupuesto básico, esta interpretación requeriría que la realidad jurídica de fondo sobre cuyo tratamiento contable versa la presente consulta fuese la descrita, esto es, la existencia de una obligación de entrega de instrumentos de patrimonio de la dominante por parte de la sociedad dependiente a sus trabajadores, que la sociedad dominante ejecuta por cuenta de la filial proporcionando al mismo tiempo el medio de pago a cambio de la diferente contraprestación («compensación») acordada, según los casos, en los términos pactados en el seno del grupo.

En definitiva, bajo esta tesis, el adecuado tratamiento contable de la operación sería el siguiente, en función de cómo se pacte la «compensación»:

1. La dependiente paga el valor razonable de las opciones en la fecha de concesión.

La operación se calificaría en la sociedad dominante como un aumento de patrimonio neto (opciones sobre sus propias acciones) que se liquidará en efectivo y no como un mayor valor de su inversión en la sociedad dependiente. El «dividendo pasivo» lucirá minorando los fondos propios (opciones emitidas) en tanto no esté desembolsado.

Por su parte, la sociedad dependiente contabilizará el gasto de personal de acuerdo con el principio de devengo y reconocerá el correspondiente pasivo. En la contabilización del gasto y el pasivo se aplicaría por analogía el criterio establecido en la NRV 17.ª para reconocer y valorar el gasto liquidado mediante la entrega de efectivo.

2. La dependiente paga el valor razonable intrínseco del acuerdo, esto es, el valor razonable de las acciones en la fecha de liquidación.

En tal caso, desde la perspectiva de la sociedad dominante, el acuerdo de entrega de opciones a los trabajadores, «compensado» por la filial en el valor razonable de las acciones entregadas en la fecha de liquidación, debería recalificarse, a la vista de la citada compensación, como un compromiso entre la sociedad dominante y la dependiente de entrega/emisión de instrumentos de patrimonio neto de la dominante, que no originaría registro contable alguno hasta la fecha de entrega de los instrumentos de patrimonio neto, momento en que la sociedad dominante contabilizará el efectivo recibido y el aumento del patrimonio neto.

Por su parte, la sociedad dependiente contabilizaría el gasto de personal de acuerdo con el principio de devengo y reconocería el correspondiente pasivo. En la contabilización del gasto y el pasivo se aplicaría por analogía el criterio establecido en la NRV 17.ª para reconocer y valorar el gasto liquidado mediante la entrega de efectivo.

Comentario

Opción a recibir acciones
propias (o su valor)

Sociedad dominante

Plan
retribución
empleados

Compensación
operación

Servicios prestados

Empleados

Sociedades
dependientes

Compensación, NO calificada como contraprestación del servicio recibido por la filial

Dependiente
Gastos personal(64x)
a Otras aportaciones socios
(Fondos Propios)
Valor razonable instrumentos patrimonio cedidos, fecha acuerdo concesión

Por la compensación
Originará un cargo en los fondos propios, por el valor actual del compromiso de entrega de efectivo

Dominante
La contrapartida a las opciones entregadas, constituirá un mayor valor de la inversión que tiene la sociedad en el patrimonio de la filial

Compensación, calificada como contraprestación del servicio recibido por la filial

Si dependiente paga valor razonable opciones fecha concesión

Si dependiente paga valor razonable intrínseco (acciones) fecha liquidación

Dominante
↑ Patrimonio Neto, contrapartida dividendo pasivo hasta que se desembolse

Dominante
No origina registro alguno, hasta entrega de acciones; en se caso ↑ Patrimonio Neto, contra entrega efectivo

Dependiente		Dependiente

Gastos personal(64x)
a Remunerac. Pdtes (465)
Norma 17ª Valoración.

Ejemplo

La sociedad VODAFONIN S.A., sociedad filial de VODAFON S.A., la cual posee el 100%, y dedicada a la telefonía móvil, llega a un acuerdo con los representantes de los trabajadores, para que si estos permanecen en la empresa un mínimo de 2 años, serán retribuidos cada uno con 5.000 opciones sobre acciones de la sociedad dominante.

A dicha fecha el valor razonable de las opciones es de 0,50€/opción; siendo el número de trabajadores acogidos a dicho plan de 100.

Además la sociedad dominante acuerda con la dependiente el pago por parte de esta de una «compensación» de 20.000€ por promocionar el acceso a dicho plan a los trabajadores de la filial.

El acuerdo se formaliza el 1-1-1 y las opciones serán entregadas a los trabajadores que cumplan con el compromiso de permanencia el 31-12-2 procediéndose al pago de la cantidad pactada; el compromiso de pago por parte de la sociedad dependiente no se subordina al efectivo cumplimiento del plan, esto es, no depende de si a su vez la dominante entrega los instrumentos de patrimonio a los trabajadores.

El tipo de interés de las deudas incrementales de la empresa es del 6%.

SE PIDE:

1.- Contabilizar lo que proceda en las dos sociedades, sabiendo que la cotización de las opciones de la sociedad dominante en la fecha del acuerdo de la concesión es de 0,50€/ opción. El precio de ejercicio se estableció es 4€/ acción.

A 31-12-2 la totalidad de los trabajadores acogidos a dicho plan han permanecido en la filial.

A 1-1-3 se entregan las acciones a los todos los trabajadores que se acogieron al plan, la cotización de las acciones en dicha fecha es de 6€.

La sociedad dominante adquirió el 1-7-1; 500.000 acciones propias para atender al compromiso adquirido con los trabajadores de la filial, cumpliendo todos los requisitos establecidos en el LSC, en ese momento la cotización ascendía a 5€, los gastos originados en la adquisición ascendieron a 2.000€.

2.- En este supuesto la compensación recibida de la filial se pacta por un importe equivalente al valor razonable de las opciones. Los demás supuestos son iguales al caso 1. El valor razonable de las opciones (2.500.000€) no sufrió variación en el período considerado.

3.- En este supuesto la sociedad dependiente pagará como compensación el valor razonable de las acciones en la fecha de liquidación (31/12/2) y el cual asciende a 6€/acción. Los demás supuestos iguales al caso 1.

SOLUCIÓN:

CASO 1: *La compensación recibida de la filial se califica como una operación distinta del servicio pactado con los trabajadores.*

Sociedad filial

En principio determinaremos si la «compensación» es una operación distinta al plan de retribución con acciones a los empleados, y, en consecuencia, la sociedad filial debe contabilizar por separado el citado plan de retribución, y el pasivo por la «compensación» a la sociedad dominante, o si por el contrario dicho «pago» es la evidencia de que estamos ante una operación liquidada en efectivo consistente en la adquisición de un servicio de personal.

Siguiendo las directrices de la presente Consulta, si la dominante asume el compromiso en contraprestación del servicio que los trabajadores «aportan» a la filial a cambio de las opciones recibidas, la «compensación» deberá calificar como una operación «distinta», porque el «pago» del servicio no se realiza en efectivo sino mediante la entrega de instrumentos de patrimonio neto por parte de la sociedad dominante a los trabajadores de la filial. Esto es, bajo esta premisa, el servicio de personal lo adquiere la sociedad dependiente a título de «aportación» de la sociedad dominante, estableciéndose la relación jurídica entre los trabajadores de aquella y esta última. En consecuencia registraremos:

– Por el servicio prestado a medida que se devenga:

―――――――――――――――――――――― 31/12/1 ――――――――――――――――――――――

125.000	Retribuciones al personal liquidadas con instrumentos de patrimonio de la sociedad dominante (6451) (*)		
	a	Aportaciones de socios o propietarios (118)	125.000

Según lo dispuesto en la consulta 7 del BOICAC n.º 75, los hechos relatados deben calificarse como una operación de «aportación», cuyo registro contable sería el siguiente:

En la filial, efectuando una aplicación analógica de la NRV 17.ª, se reconocerá un gasto de personal de acuerdo con el principio de devengo, con abono directo a los fondos propios (en el epígrafe «Otras aportaciones de socios»). Ambos importes habrán de valorarse por el valor razonable de los instrumentos de patrimonio cedidos, referido a la fecha del acuerdo de concesión.

Valor razonable de las opciones en la fecha del acuerdo de la concesión:

[5.000 opciones x 0,50 (cotización) x 100 trabajadores]/2 años = 125.000

Asimismo, y de acuerdo con lo dispuesto en la norma de registro y valoración 17.ª del Plan General de Contabilidad, en las transacciones en las que sea necesario completar un determinado período de servicios, el reconocimiento se efectuará a medida que tales servicios sean prestados a lo largo del citado período.

– Por la compensación entregada:

―――――――――――――――――― 1/1/1 ――――――――――――――――――

17.800   Reservas voluntarias (113)

                              a   Otras deudas a largo plazo
                                    empresas del grupo (1633)   17.800

Si el efectivo que se entrega en «compensación» no puede ser calificado como contraprestación del servicio recibido por la filial, porque esa no es su «causa», la obligación de la sociedad dependiente de «compensar» a la sociedad dominante deberá calificarse como una operación societaria de distribución/recuperación instrumentada mediante el plan de retribución.

Dicha operación originará un cargo en los fondos propios de la sociedad dependiente por el valor actual del compromiso de entrega de efectivo.

Valor actual del efectivo = 20.000 (1 + 0,06)-2 = 17.800€

OPERACIONES A 31/12/1

– Por la actualización del pasivo:

―――――――――――――――――― 31/12/1 ――――――――――――――――――

1.068   Intereses de deudas (662)

                              a   Otras deudas a largo plazo
                                    empresas del grupo (1633)
                                    (*)   1.068

(*) 17.800 x 0,06 = 1.068

– Por la reclasificación de la deuda con la matriz:

———————————————— 31/12/1 ————————————————

18.868	Otras deudas a largo plazo empresas del grupo (1633)			
		a	Otras deudas a corto plazo empresas del grupo (5133)	18.868

OPERACIONES A 31/12/2

– Por la actualización del pasivo:

———————————————— 31/12/2 ————————————————

1.132	Intereses de deudas (662)			
		a	Otras deudas a corto plazo empresas del grupo (5133)$^{(*)}$	1.132

$^{(*)}$. $(17.800 + 1.068) \times 0,06 = 1.132$

– Por el reconocimiento del gasto del personal:

———————————————— 31/12/2 ————————————————

125.000	Retribuciones al personal liquidadas con instrumentos de patrimonio de la sociedad dominante (6451)			
		a	Aportaciones de socios o propietarios (118)	125.000

Una vez reconocidos los servicios recibidos, así como el correspondiente incremento en el patrimonio neto, no se realizarán ajustes adicionales al patrimonio neto tras la fecha de irrevocabilidad.

– Por el pago de la cantidad pactada a la sociedad dominante:

—————————————————————— 31/12/2 ——————————————————————

20.000	Otras deudas a corto plazo empresas del grupo (5133)		
	a	Bancos (572)	20.000

Sociedad dominante

– Por la opciones entregadas:

—————————————————————— 1/1/1 ——————————————————————

250.000	Participaciones en empresas del grupo (2403)[*]		
	a	Resto de instrumentos de patrimonio (1111)[**]	250.000

[*] La contrapartida de las opciones entregadas constituirá, con carácter general, un mayor valor de la inversión que tiene la sociedad dominante en el patrimonio de la filial.

[**] Esta cuenta recoge el resto de instrumentos de patrimonio neto que no tienen cabida en otras, tales como las opciones sobre acciones propias.

– Adquisición de 500.000 acciones propias, cumpliendo requisitos LSC.

—————————————————————— 1/7/1 ——————————————————————

2.500.000	Acciones o participaciones propias en situaciones especiales (108)		
	[500.000 acciones x 5€]		
2.000	Reservas voluntarias (113)		
	a	Bancos c/c (572)	2.502.000

Según lo establecido en la norma 9.ª.4 del PGC, en el caso de que la empresa realice cualquier tipo de transacción con sus propios instrumentos de patrimonio, el importe de estos instrumentos se registrará en el patrimonio neto, como una variación de los fondos propios.

Los gastos derivados de estas transacciones, se registrarán directamente contra el patrimonio neto como menores reservas.

– Por la entrega de las acciones a los trabajadores de la filial y cobro del precio de ejercicio:

— 1/1/3 —

2.000.000	Bancos (572)		
	[4€ x 500.000 acciones]		
250.000	Resto de instrumentos de patrimonio (1111)[*]		
250.000	Reservas voluntarias (113)		
		a	Acciones o participaciones propias en situaciones especiales (108) 2.500.000

---

[*] Según el movimiento para la cuenta 1111, en la 5.ª parte del PGC:
«(...) b) Se cargará cuando se entreguen otros instrumentos de patrimonio neto, con abono a la cuenta de patrimonio neto que corresponda».

– Por el registro de la filial del importe recibido a título de compensación:

— 1/1/3 —

20.000	Bancos c/c (572)		
		a	Ingresos de participaciones en instrumentos de patrimonio empresas del grupo (7600)(*)
			ó
			Participaciones en empresas del grupo (2403)(*) 20.000

Si el efectivo que se entrega en «compensación» no puede ser calificado como contraprestación del servicio recibido por la filial, la obligación de la sociedad dependiente de «compensar» a la sociedad dominante deberá calificarse como una operación societaria de distribución/recuperación instrumentada mediante el plan de retribución.

(*) <u>En función de la evolución de los fondos propios de la filial.</u>

<u>CASO 2:</u> ***La dependiente paga el valor razonable de las opciones en la fecha de concesión.***

En este caso, la compensación descrita supone una «contraprestación» real que la sociedad dependiente asume con sus trabajadores.

La sociedad dependiente está retribuyendo a sus trabajadores en efectivo, al «compensar» a la sociedad dominante por la entrega de los instrumentos de patrimonio a los trabajadores, actuando esta última como agente o intermediaria pero en ningún caso como obligada de la relación jurídica principal que, en este caso, vincularía a la sociedad dependiente y sus trabajadores.

Sociedad dependiente

– Por el reconocimiento del gasto del personal:

―――――――――――――――――――― 31/12/1 ――――――――――――――――――――

125.000	Retribuciones al personal liquidadas con instrumentos de patrimonio de la sociedad dominante (6451)			
		a	Remuneraciones pendientes de pago (465)	125.000

La sociedad dependiente contabilizará el gasto de personal de acuerdo con el principio de devengo y reconocerá el correspondiente pasivo. En la contabilización del gasto y el pasivo se aplicaría por analogía el criterio establecido en la NRV 17.ª para reconocer y valorar el gasto liquidado mediante la entrega de efectivo.

• En el año 2 la sociedad registrará el mismo asiento anterior:

– Por la entrega de la compensación a la sociedad dominante:

―――――――――――――――――――― 1/1/3 ――――――――――――――――――――

125.000	Retribuciones al personal mediante instrumentos de patrimonio (645)			
		a	Remuneraciones pendientes de pago (465)	125.000

– Por el pago:

————————————————————— 1/1/3 —————————————————————

500.000	Remuneraciones pendientes de pago (465)		
	a	Bancos (572)	500.000

Sociedad dominante

• Según los contenidos de la presente Consulta, la operación se calificaría en la sociedad dominante como un aumento de patrimonio neto (opciones sobre sus propias acciones) que se liquidará en efectivo y no como un mayor valor de su inversión en la sociedad dependiente. El «dividendo pasivo» lucirá minorando los fondos propios (opciones emitidas) en tanto no esté desembolsado.

————————————————————— 1/1/1 —————————————————————

2.500.000	Opciones emitidas (19x)		
	a	Resto de instrumentos de patrimonio (1111)	2.500.000

• Adquisición de 500.000 acciones propias, cumpliendo requisitos LSC.

————————————————————— 1/7/1 —————————————————————

2.500.000	Acciones o participaciones propias en situaciones especiales (108) [500.000 acciones x 5€]		
2.000	Reservas voluntarias (113)		
	a	Bancos c/c (572)	2.502.000

Según lo establecido en la norma 9.ª.4 en el caso de que la empresa realice cualquier tipo de transacción con sus propios instrumentos de patrimonio, el importe de estos instrumentos se registrará en el patrimonio neto, como una variación de los fondos propios,

Los gastos derivados de estas transacciones, se registrarán directamente contra el patrimonio neto como menores reservas.

• Por la entrega de las acciones a los trabajadores de la filial y cobro del precio de ejercicio:

———————————————————— 1/1/3 ————————————————————

2.000.000	Bancos (572)			
	[4€ x 500.000 acciones]			
250.000	Resto de instrumentos de patrimonio (1111)			
250.000	Reservas voluntarias (113)			
		a	Acciones o participaciones propias en situaciones especiales (108)	2.500.000

• Por la compensación recibida de la filial:

———————————————————— 1/1/3 ————————————————————

2.500.000	Bancos (572)			
		a	Opciones emitidas (19x)	2.500.000

CASO 3: *La dependiente paga el valor razonable intrínseco del acuerdo, esto es, el valor razonable de las acciones en la fecha de liquidación.*

Sociedad dependiente

• Por el reconocimiento del gasto del personal:

———————————————————— 31/12/1 ————————————————————

125.000	Retribuciones al personal liquidadas con instrumentos de

	patrimonio de la sociedad dominante (6451)		
		a	Remuneraciones pendientes de pago (465) 125.000

La sociedad dependiente contabilizará el gasto de personal de acuerdo con el principio de devengo y reconocerá el correspondiente pasivo. En la contabilización del gasto y el pasivo se aplicaría por analogía el criterio establecido en la NRV 17.ª para reconocer y valorar el gasto liquidado mediante la entrega de efectivo.

• En el año 2 la sociedad registrará el mismo asiento anterior:

– Por la entrega de la compensación a la sociedad dominante:

———————————————— 1/1/3 ————————————————

2.500.000	Retribuciones al personal mediante instrumentos de patrimonio (645)		
		a	Bancos c/c (572) 2.500.000

Sociedad dominante

• En tal caso, desde la perspectiva de la sociedad dominante, el acuerdo de entrega de opciones a los trabajadores, «compensado» por la filial en el valor razonable de las acciones entregadas en la fecha de liquidación, debería recalificarse, a la vista de la citada compensación, como un compromiso entre la sociedad dominante y la dependiente de entrega/emisión de instrumentos de patrimonio neto de la dominante, que no originaría registro contable alguno hasta la fecha de entrega de los instrumentos de patrimonio neto, momento en que la sociedad dominante contabilizará el efectivo recibido y el aumento del patrimonio neto.

Así, en la fecha del acuerdo, no procede registro contable.

• Fecha de entrega de los instrumentos de patrimonio neto:

———————————————— 1/1/3 ————————————————

2.500.000	Bancos c/c (572)		
		a	Aportación de socios o propietarios (108) 2.500.000

9.2. NORMAS PARTICULARES

9.2.1. Aportaciones no dinerarias

9.2.1.1. Empresas del grupo: valoración AND, cuando sociedad aportante y adquirida radican en el extranjero

BOICAC 90, julio 2012. Consulta 4.

Sobre la valoración de una aportación no dineraria realizada entre empresas del grupo, desde el punto de vista de la sociedad adquirente, cuando la sociedad aportante y la sociedad adquirida están radicadas en el extranjero.

Respuesta

La sociedad consultante es una mercantil española dominante de un subgrupo radicado en España, cuya sociedad dominante está domiciliada en Holanda. La matriz última del grupo es una sociedad alemana. Hasta el ejercicio iniciado a partir del 1 de enero de 2008, el subgrupo formado por la sociedad española y sus dependientes se acogió a la dispensa de la obligación de consolidar prevista en los arts. 8 y 9 de las Normas para la Formulación de Cuentas Anuales Consolidadas, aprobadas por el Real Decreto 1815/1991, de 20 de diciembre. A partir de ese ejercicio, el subgrupo español formula cuentas anuales consolidadas.

En el ejercicio 2011 la sociedad española ha realizado una ampliación de capital, suscrita íntegramente por su socio único, la sociedad holandesa, siendo el contravalor de dicha ampliación la aportación no dineraria del 99,80 por 100 de las participaciones de una sociedad portuguesa, que constituye un negocio, y que hasta la fecha de la aportación estaba contabilizado en las cuentas anuales individuales de la sociedad holandesa y en las consolidadas formuladas por la sociedad alemana, dominante última del grupo.

La consulta versa sobre qué criterio debe aplicarse por la sociedad española para contabilizar las participaciones recibidas, en contrapartida de la ampliación de capital.

La norma de registro y valoración (NRV) 21.ª.2 del Plan General de Contabilidad (PGC), aprobado por el Real Decreto 1514/2007, de 16 de noviembre, según la redacción otorgada por el Real Decreto 1159/2010, de 17 de septiembre, recoge el tratamiento contable de las aportaciones no dinerarias de negocios cuando la sociedad adquirente y la transmitente o el propio negocio aportado tiene la calificación de empresa del grupo, en los siguientes términos:

«2.1 Aportaciones no dinerarias

En las aportaciones no dinerarias a una empresa del grupo, el aportante valorará su inversión por el valor contable de los elementos patrimoniales entregados en las cuentas anuales consolidadas en la fecha en que se realiza

> *la operación, según las Normas para la Formulación de las Cuentas Anuales Consolidadas, que desarrollan el Código de Comercio.*
>
> *La sociedad adquirente los reconocerá por el mismo importe.*
>
> *Las cuentas anuales consolidadas que deben utilizarse a estos efectos serán las del grupo o subgrupo mayor en el que se integren los elementos 2 patrimoniales, cuya sociedad dominante sea española. En el supuesto de que las citadas cuentas no se formulasen, al amparo de cualquiera de los motivos de dispensa previstos en las normas de consolidación, se tomarán los valores existentes antes de realizarse la operación en las cuentas anuales individuales de la sociedad aportante».*

No obstante, como paso previo para aplicar este criterio es necesario que las citadas sociedades tengan la calificación de empresas del grupo, de acuerdo con lo dispuesto a tal efecto en la Norma de elaboración de las cuentas anuales 13.ª. «Empresas del grupo, multigrupo y asociadas» del PGC; esto es:

> *«(…) las vinculadas por una relación de control, directa o indirecta, análoga a la prevista en el art. 42 del Código de Comercio para los grupos de sociedades o las controladas por cualquier medio por una o varias personas físicas o jurídicas, que actúen conjuntamente o se hallen bajo dirección única por acuerdos o cláusulas estatutarias».*

De acuerdo con lo anterior, considerando que la sociedad española está controlada por la holandesa, que a su vez también controla a la entidad portuguesa que será objeto de aportación, y ante la ausencia de unos valores consolidados obtenidos aplicando los criterios recogidos en el Código de Comercio y sus disposiciones de desarrollo, cabe concluir que la sociedad española deberá contabilizar las participaciones recibidas por el valor en libros antes de realizarse la operación en las cuentas anuales individuales de la sociedad holandesa.

Comentario

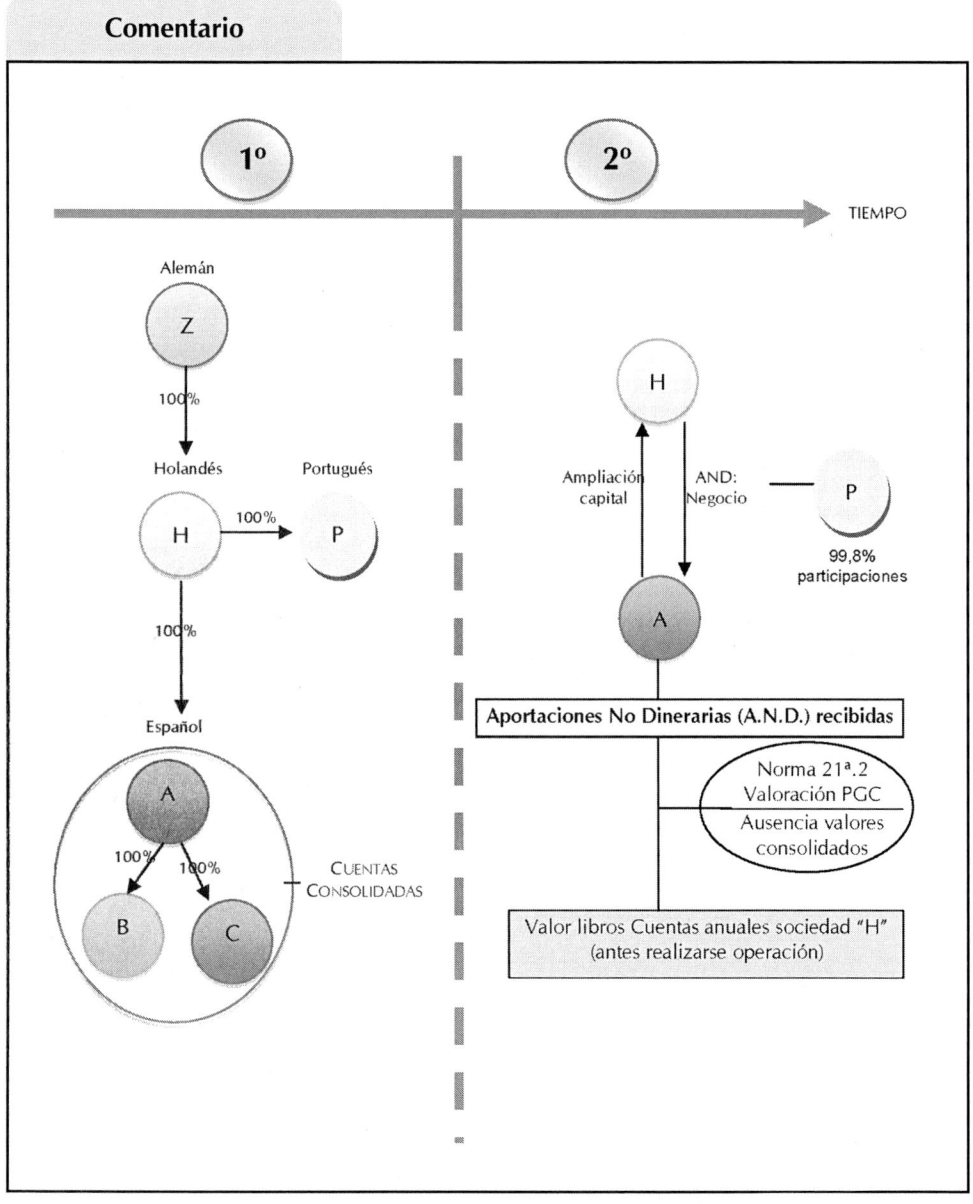

Ejemplo

La sociedad «A.S.A.» española, que cotiza en bolsa y cuyo capital está formado por 100.000 acciones de 1 euro de valor nominal, es la dominante del subgrupo «ABC» que formula cuentas anuales consolidadas.

«A», a su vez, está dominada al 100% por una sociedad holandesa: la cual está dominada, a su vez, al 100% por una sociedad alemana (matriz última del grupo). Más adelante se adjunta gráfico el grupo de sociedades.

La sociedad «A», cumpliendo con los requisitos establecidos en la LSC, ha realizado una ampliación de capital, suscrita íntegramente por su socio único: la sociedad holandesa, siendo el contravalor de dicha ampliación la aportación no dineraria del 99,80 por 100 de las participaciones de una sociedad portuguesa, que constituye un negocio, y que hasta la fecha de la aportación estaba contabilizado en las cuentas anuales individuales de la sociedad holandesa y en las consolidadas formuladas por la sociedad alemana, dominante última del grupo.

La participación ha sido valorada, por un experto independiente designado por el Registrador Mercantil, en 149.700€ (se trata de 49.900 acciones cuyo valor razonable es de 3€/acción). El valor de emisión de las acciones, será su cotización el cual asciende a 4€/acción. Los gastos de ampliación de capital (emisión de títulos, boletines, inscripción registral, etc.) han ascendido a 1800€, mientras que los costes directos de la transacción han ascendido a 800€.

BALANCE

ACTIVO		NETO Y PASIVO	
360.000	Inmovilizado Neto	Capital Social (100.000 acciones)	100.000
6.000	Existencias	Reserva Legal	20.000
14.000	Clientes	Reserva Estatutaria	40.000
50.000	Tesorería	Reservas Voluntarias	200.000
		Resultados del ejercicio	35.000
		Deudas a largo plazo	30.000
		Acreedores a corto plazo	5.000
430.000	**Total**	**Total**	**430.000**

SE PIDE:

Contabilizar la operación en la sociedad «A», sabiendo que la participación aportada ha sido valorada por el experto independiente designado por el Registrador Mercantil en 149.700€ [valor otorgado en la escritura]. En la contabilidad del aportante, figura registrado:

Participaciones en empresas del grupo . . . .   99.800€

Siendo su valor razonable de 149.700€

<u>ANEXO</u>: Gráfico de participaciones del grupo cuya dominante última es una sociedad ALEMANA:

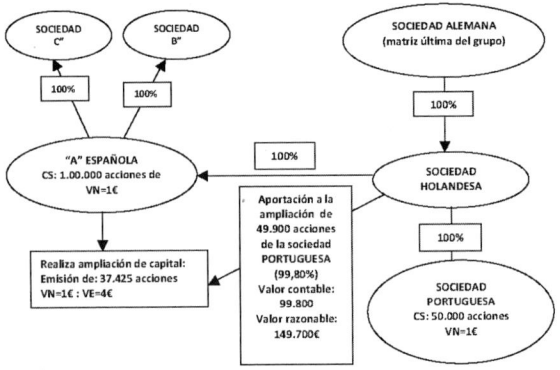

SOLUCIÓN:

– Sociedad «A». Por la emisión de 37.425 acciones a su cotización de 4€.

---

x

149.700	Acciones o participaciones emitidas (190)(*)	
	[37.425 acciones x 4€]	
	a Capital emitido pendiente de inscripción (194)	149.700

$$\text{N1 acciones a emitir} = \frac{\text{Valor razonable acciones a recibir}}{\text{Cotización acción «A»}} = \frac{149.700}{4} = 37.425 \text{ acciones}$$

– Por la recepción de la aportación no dineraria (participaciones en la sociedad portuguesa).

99.800	Participaciones en empresas del grupo (2403)[(*)]			
49.900	Prima de emisión de acciones (110)[(**)]			
		a	Acciones o participaciones emitidas (190) [37.425 acc x 4€]	149.700

[(*)] Las normas particulares solo serán de aplicación cuando los elementos objeto de la transacción deban calificarse como un negocio. A estos efectos, las participaciones en el patrimonio neto que otorguen el control sobre una empresa que constituya un negocio, también tendrán esta calificación. [Norma 21.ª.2 Valoración PGC]

El apartado 2.1 de la citada Norma de Valoración en la redacción introducida por el Real Decreto 1159/2010, de 17 de septiembre, al regular las aportaciones no dinerarias establece que:

«En las aportaciones no dinerarias a una empresa del grupo, el aportante valorará su inversión por el valor contable de los elementos patrimoniales entregados en las cuentas anuales consolidadas en la fecha en que se realiza la operación, según las Normas para la Formulación de las Cuentas Anuales Consolidadas, que desarrollan el Código de Comercio (...)».

La sociedad adquirente los reconocerá por el mismo importe.

En la presente consulta se añade lo siguiente:

«(...) considerando que la sociedad española está controlada por la holandesa, que a su vez también controla a la entidad portuguesa que será objeto de aportación, y ante la ausencia de unos valores consolidados obtenidos aplicando los criterios recogidos en el Código de Comercio y sus disposiciones de desarrollo, cabe concluir que la sociedad española deberá contabilizar las participaciones recibidas por el valor en libros antes de realizarse la operación en las cuentas anuales individuales de la sociedad holandesa».

Es decir en nuestro caso este importe es de 99.800€

[(**)] La diferencia de valor se registra en cuentas de reservas. En concreto en la cuenta 110. Así, y en la 5.ª parte del PGC, y para la definición de ésta nos comenta:

«Aportación realizada por los accionistas o socios en el caso de emisión y colocación de acciones o participaciones a un precio superior a su valor nominal. En particular, incluye las diferencias que pudieran surgir entre los valores de escritura y los valores por los que deben registrarse los bienes recibidos en concepto de aportación no dineraria, de acuerdo con lo dispuesto en las normas de registro y valoración».

– Por la inscripción en el registro mercantil.

149.700	Capital emitido pendiente de inscripción (194)			
		a	Capital social (100) [37.425 acc x 1€]	37.425
			Prima de emisión de acciones (110)	112.275

– Por los gastos relacionados con la participación.

―――――――――――――――――――― x ――――――――――――――――――――

800	Participaciones en empresas del grupo (2403)		
		a Bancos (572)	800

Las inversiones en el patrimonio de empresas del grupo, multigrupo y asociadas se valorarán inicialmente al coste, que equivaldrá al valor razonable de la contraprestación entregada más los costes de transacción que les sean directamente atribuibles. [Apartado 2.5.1, de la Norma 9.ª Valoración PGC]

– Por los gastos originados con la ampliación:

―――――――――――――――――――― x ――――――――――――――――――――

1.800	Reservas voluntarias (113)		
		a Bancos (572)	1.800

Los gastos derivados de una transacción de patrimonio propio, de la que se haya desistido o se haya abandonado, se reconocerán en la cuenta de pérdidas y ganancias. [Apartado 4, Norma 9.ª Valoración PGC]

– Por el efecto impositivo.

―――――――――――――――――――― x ――――――――――――――――――――

540	Impuesto diferido (6301)		
		a Reservas voluntarias (113) [1800 x 30%]	540

Así en la 5.ª parte del PGC, y para la cuenta 113 Reservas voluntarias, nos encontramos que aquí incluiremos: los gastos de transacción de instrumentos de patrimonio propio se imputarán a reservas de libre disposición. Con carácter general, se imputarán a las reservas voluntarias, registrándose del modo siguiente:

> «(...)b) Se abonará por el gasto por impuesto sobre beneficios relacionado con los gastos de transacción, con cargo a la cuenta 6301».

9.2.1.2. Aportación no dineraria (participación sociedad) realizada por persona física, a otra sociedad también controlada por ella

BOICAC 91, septiembre 2012. Consulta 2.

Sobre el tratamiento contable de la aportación no dineraria de los instrumentos de patrimonio, que otorgan el control sobre una sociedad, cuando la sociedad aportada y la sociedad que recibe la aportación están controladas por la misma persona física.

Respuesta

Dos sociedades, S1 y S2, están controladas por una persona física que posee el 75 y el 80 por 100 del capital social de cada una de ellas, respectivamente. En diciembre de 2011, S1 amplía el capital social y recibe como contrapartida exclusivamente la aportación, por parte de la persona física, del 80 por 100 del capital social de S2. La consulta versa sobre el tratamiento contable que la sociedad S1 debe otorgar a la aportación no dineraria recibida, considerando que ambas sociedades constituyen sendos negocios.

La norma de registro y valoración (NRV) 21.ª.2 del Plan General de Contabilidad (PGC), aprobado por el Real Decreto 1514/2007, de 16 de noviembre, según la redacción otorgada por el Real Decreto 1159/2010, de 17 de septiembre, recoge el tratamiento contable de las aportaciones no dinerarias de negocios cuando la sociedad adquirente y la transmitente tiene la calificación de empresa del grupo, en los siguientes términos:

> «2.1 Aportaciones no dinerarias
>
> En las aportaciones no dinerarias a una empresa del grupo, el aportante valorará su inversión por el valor contable de los elementos patrimoniales entregados en las cuentas anuales consolidadas en la fecha en que se realiza la operación, según las Normas para la Formulación de las Cuentas Anuales Consolidadas, que desarrollan el Código de Comercio.
>
> La sociedad adquirente los reconocerá por el mismo importe.
>
> Las cuentas anuales consolidadas que deben utilizarse a estos efectos serán las del grupo o subgrupo mayor en el que se integren los elementos patrimoniales, cuya sociedad dominante sea española. En el supuesto de que las citadas cuentas no se formulasen, al amparo de cualquiera de los motivos de dispensa previstos en las normas de consolidación, se tomarán los valores existentes antes de realizarse la operación en las cuentas anuales individuales de la sociedad aportante».

Sin embargo, como paso previo para aplicar este criterio, es necesario que las citadas sociedades tengan la calificación de empresas del grupo, de acuerdo con lo dispuesto a tal efecto en la Norma de elaboración de las cuentas anuales 13.ª. «Empresas del grupo, multigrupo y asociadas» del PGC; esto es:

> «(…) las vinculadas por una relación de control, directa o indirecta, análoga a la prevista en el art. 42 del Código de Comercio para los grupos de sociedades o las controladas por cualquier medio por una o varias personas físicas o jurídicas, que actúen conjuntamente o se hallen bajo dirección única por acuerdos o cláusulas estatutarias».

En el caso que nos ocupa, si bien la operación no se realiza en sentido estricto entre empresas del grupo, porque el transmitente es la persona física que controla ambas sociedades, los hechos descritos deben incluirse en el ámbito de aplicación de la NRV 21.2 a la vista de la identidad de razón que existe entre la citada aportación y la fusión de ambas sociedades, sin aportación previa, operación esta última incluida de forma expresa en el ámbito de aplicación de la NRV 21.2; consistentes en ambos casos en la adquisición de un negocio entregando como contrapartida instrumentos de patrimonio propio, donde la sociedad adquirente y el negocio adquirido están bajo control común.

Este mismo razonamiento subyace en el art. 40.1 de las Normas para la formulación de las cuentas anuales consolidadas, aprobadas en desarrollo del Código de Comercio, que al tratar la eliminación inversión patrimonio neto para el supuesto en que la vinculación, dominante-dependiente, trae causa de un supuesto de hecho análogo al que se describe en la consulta, establece como criterio de valoración del negocio adquirido el importe en libros de los activos y pasivos de la dependiente, en los siguientes términos:

> «1. Si una sociedad que constituye un negocio adquiere la condición de sociedad dependiente en virtud de una operación de aportación no dineraria o de una escisión, la integración de los activos identificables y pasivos asumidos en las cuentas consolidadas se realizará por los valores contables que tuvieran en las cuentas anuales individuales, si con carácter previo a adquirir dicha condición, esta sociedad, y la sociedad dominante, se encontraban bajo control común o dirección única de acuerdo con lo establecido en la norma de elaboración de las cuentas anuales 13.ª Empresas del grupo, multigrupo y asociadas del Plan General de Contabilidad.»

> También cabe citar como antecedente, en el mismo sentido, el criterio publicado en la consulta 4 del Boletín del ICAC (BOICAC) n.º 90, de julio de 2012, sobre la valoración de una aportación no dineraria realizada entre empresas del grupo, desde el punto de vista de la sociedad adquirente, cuando la sociedad aportante y la sociedad adquirida están radicadas en el extranjero, en cuya respuesta se afirma que: «La norma de registro y valoración (NRV) 21.ª. 2 del Plan General de Contabilidad (…), recoge el tratamiento contable de las aportaciones no dinerarias de negocios cuando la sociedad adquirente y la

> *transmitente o el propio negocio aportado tiene la calificación de empresa del grupo (...)».*
>
> No obstante, en la medida que la sociedad consultante era parte integrante de un grupo de coordinación, no existiendo, por tanto, obligación de consolidar, y adicionalmente, salvo que la persona física fuera empresario, tampoco existe la posibilidad de tomar los valores existentes en las cuentas anuales individuales, la sociedad S1 contabilizará la participación adquirida tomando como referencia el patrimonio neto de la sociedad aportada en el porcentaje correspondiente, o, en su caso, el patrimonio consolidado, trayendo a colación por analogía el criterio publicado en la consulta 3 del Boletín del ICAC (BOICAC) n.º 85, de marzo de 2011.

Comentario

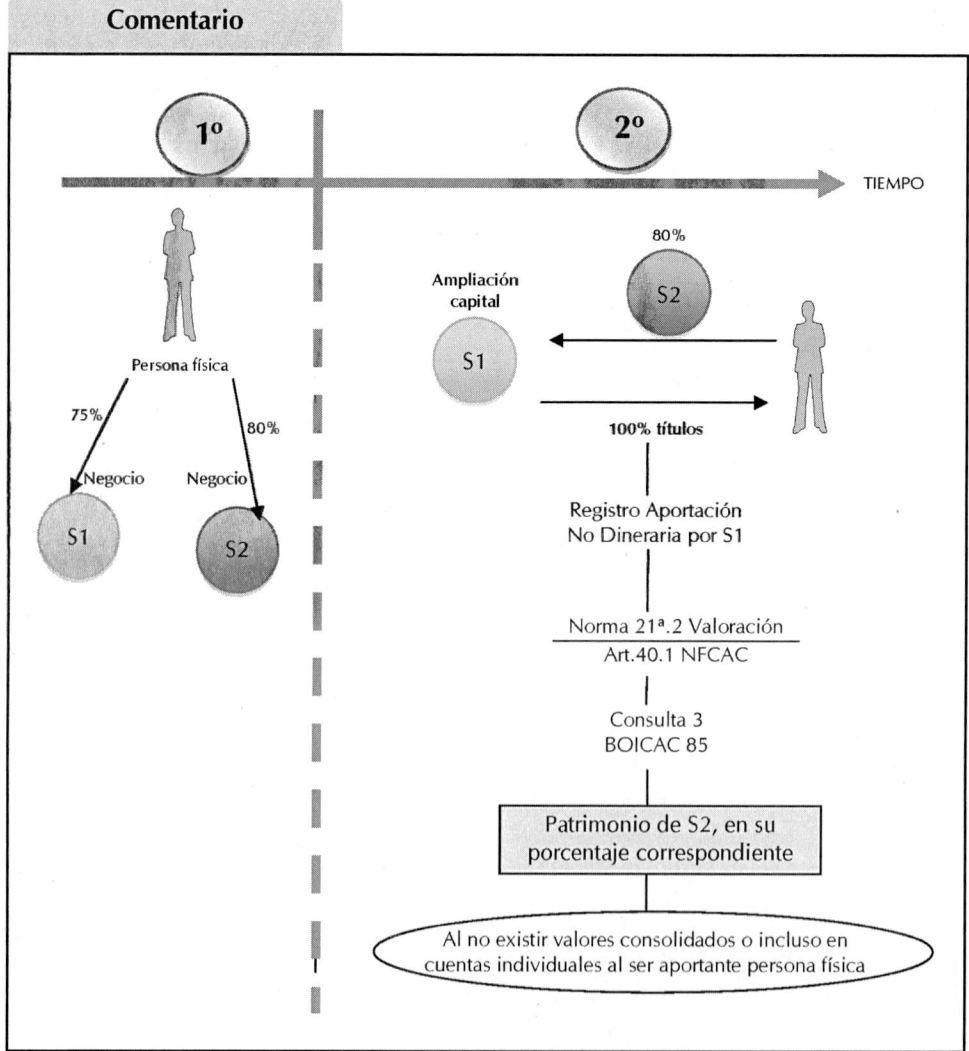

Ejemplo

Las sociedades, S1 y S2, están controladas por la persona física D. Higinio Concha Fraga que posee el 75 y el 80 por 100 del capital social de cada una de ellas, respectivamente. En diciembre de 2011, S1 amplía el capital social con exclusión del derecho preferente de suscripción y recibe como contrapartida exclusivamente la aportación, por parte de la persona física, del 80 por 100 del capital social de S2.

El Balance que presenta la sociedad S1 previo a la ampliación de capital es el siguiente:

ACTIVO		PATRIMONIO NETO Y PASIVO	
Inmovilizado	140.000	Capital Social	100.000
Existencias	40.000	Prima de emisión de acciones	10.000
Existencias	40.000	Reserva Legal	2.000
Deudores	10.000	Reserva Voluntaria	28.000
Tesorería	17.000	Deudas l/p	7.000
		Deudas c/p	100.000
TOTAL	247.000	TOTAL	247.000

El Capital Social, se encuentra dividido en 10.000 acciones de 10€ de valor nominal.

Por otra parte el patrimonio neto de la sociedad S2 tiene la siguiente composición:

CUENTA	CUANTÍA
Capital social (80.000 acciones)	80.000
Reserva legal	8.000
Reservas voluntarias	12.000
Subvenciones oficiales de capital	22.500
PATRIMONIO NETO	**122.500**

Las acciones se emitirán al valor teórico que resulte del balance presentado.

Las sociedades S1 y S2 constituyen sendos negocios.

SE PIDE:

– Gráfico de la operación comentada y normativa aplicable .

– Cálculo del valor teórico de las acciones de S1 y número de acciones a emitir.

– Registro de la ampliación de capital en la sociedad S1.

– Registro de la inscripción en el registro mercantil de la comentada ampliación de capital, la cual se lleva a efecto el 15/1/2012, ascendiendo los gastos a 2.000. Tipo impositivo 30%.

SOLUCIÓN:

GRÁFICO DE LA OPERACIÓN Y NORMATIVA APLICABLE

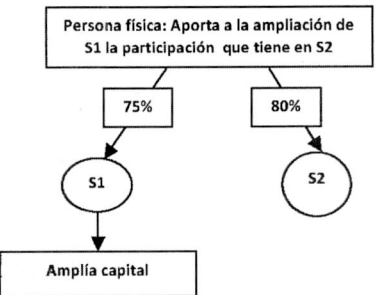

La norma de registro y valoración (NRV) 21.ª.2 del Plan General de Contabilidad (PGC), aprobado por el Real Decreto 1514/2007, de 16 de noviembre, según la redacción otorgada por el Real Decreto 1159/2010, de 17 de septiembre, recoge el tratamiento contable de las aportaciones no dinerarias de negocios cuando la sociedad adquirente y la transmitente tiene la calificación de empresa del grupo,

Sin embargo, como paso previo para aplicar este criterio, es necesario que las citadas sociedades tengan la calificación de empresas del grupo, de acuerdo con lo dispuesto a tal efecto en la Norma de elaboración de las cuentas anuales 13.ª. «Empresas del grupo, multigrupo y asociadas» del PGC; esto es:

> «(…) las vinculadas por una relación de control, directa o indirecta, análoga a la prevista en el art. 42 del Código de Comercio para los grupos de sociedades o las controladas por cualquier medio por una o varias personas físicas o jurídicas, que actúen conjuntamente o se hallen bajo dirección única por acuerdos o cláusulas estatutarias».

En el caso que nos ocupa, si bien la operación no se realiza en sentido estricto entre empresas del grupo, porque el transmitente es la persona física que controla ambas sociedades, los hechos descritos deben incluirse en el ámbito de aplicación de la NRV 21.2 a la vista de la identidad de razón que existe entre la citada aportación y la fusión de ambas sociedades, sin aportación previa, operación esta última incluida de forma expresa en el ámbito de aplicación de la NRV 21.2; consistentes en ambos casos en la adquisición de un negocio entregando como contrapartida instrumentos de patrimonio propio, donde la sociedad adquirente y el negocio adquirido están bajo control común.

CÁLCULO DEL VALOR TEÓRICO DE LAS ACCIONES DE S1 Y NÚMERO DE ACCIONES A EMITIR

Con objeto de saber cuántas acciones emitirá «S1» para recibir la aportación que la persona física tiene en S2, calcularemos su valor teórico que será el de emisión. Así:

$$Valor\ Teórico = \frac{Patrimonio\ neto}{N°\ acciones} = \frac{140.000}{10.000} = 14$$

Con:

+ Capital (10): Capital Social (100)	100.000
+ Reservas (11)	40.000
• (110) Prima de emisión acciones	10.000
• (112) Reserva Legal	2.000
• (113) Reserva voluntaria	28.000
Patrimonio neto	**140.000**

Por tanto:

$$Número\ de\ acciones\ a\ emitir = \frac{Valor\ aportación}{Precio\ emisión} = \frac{98.000}{14} = 7.000\ acciones.$$

VALOR DE LA APORTACIÓN:

Según los contenidos de la presente consulta, en la medida que la sociedad S2 era parte integrante de un grupo de coordinación, no existiendo, por tanto, obligación de consolidar, y adicionalmente, salvo que la persona física fuera empresario, tampoco existe la posibilidad de tomar los valores existentes en las cuentas anuales individuales, la sociedad S1 contabilizará la participación adquirida tomando como referencia el patrimonio neto de la sociedad aportada en el porcentaje correspondiente: En consecuencia dicha valoración ascenderá a:

PATRIMONIO NETO DE S2 = 122.500 x 80%[*] = 98.000

[*] % de participación que la persona física (aportante) posee en S2.

REGISTRO DE LA AMPLIACIÓN DE CAPITAL

Y los registros efectuados por la sociedad S1 ante esta operación:

– Por la emisión de acciones:

98.000	Acciones o participaciones emitidas (190)	
	[7.000 acciones x 14€]	
	a Capital emitido pendiente de inscripción (194)	98.000

— Por la recepción del 80% de las acciones de S2 que aporta la persona física

98.000	Participaciones en empresas del grupo (2403)	
	a Acciones o participaciones emitidas (190)	98.000

— Por la inscripción en el Registro Mercantil (15/1/X9)

98.000	Capital emitido pendiente de inscripción (194)	
	a Capital social (100) [7.000 acciones x 10]	70.000
	Prima de emisión de acciones (110)	28.000

Así, en el apartado 9 de la Norma 6.ªde elaboración de cuentas Anuales, sobre el Balance del PGC, nos dice:

> «Si en la fecha de formulación de las cuentas anuales no se hubiera producido la inscripción en el Registro Mercantil, figurarán en la partida 5. "Otros pasivos financieros" o 3. "Otras deudas a corto plazo", ambas del

epígrafe C.III "Deudas a corto plazo" del pasivo corriente del modelo normal o abreviado, respectivamente».

– Por los gastos, que registraremos directamente contra el patrimonio neto (apartado 4, Norma 9.ª Valoración):

		x		
2.000	Reservas Voluntarias (113)			
		a	Bancos c/c (572)	2.000

– Por el efecto impositivo:

		x		
600	Impuesto diferido (6301)			
	(2.000 x30%)			
		a	Reservas Voluntarias (113)	600

Los gastos de transacción de instrumentos de patrimonio propio se imputarán a reservas de libre disposición. Con carácter general, se imputarán a las reservas voluntarias, registrándose del modo siguiente:

a) Se cargará por el importe de los gastos, con abono a cuentas del subgrupo 57.

b) Se abonará por el gasto por impuesto sobre beneficios relacionado con los gastos de transacción, con cargo a la cuenta 6301.

9.2.1.3.   *Persona física transmite negocio a una SLU que participa al 100%*

Consulta 10 Boicac 115 – Septiembre 2018.

Sobre el tratamiento contable de la transmisión de un negocio a una sociedad limitada unipersonal con la finalidad de seguir desarrollando la misma actividad que venía ejerciendo una persona física.

Respuesta

Las operaciones de aportación a los fondos propios entre empresas del grupo, debiendo calificarse como tal la realizada entre una persona física empresario y la sociedad en la que participa al cien por cien, requieren como paso previo para su adecuado tratamiento contable determinar si el objeto de la aportación constituye un negocio en los términos definidos en la norma de registro y valoración (NRV) 19ª. *Combinaciones de negocios* del Plan General de Contabilidad (PGC) aprobado por Real Decreto 1514/2007, de 16 de noviembre.

Una vez realizado ese análisis, si el objeto de la aportación constituye un negocio los elementos aportados se valoran, con carácter general (y en ausencia de un valor en cuentas consolidadas) por el valor contable precedente en la contabilidad de la persona física, de acuerdo con lo previsto en la NRV 21ª.2.1 del PGC. En caso contrario, en aplicación de la regla general (NRV 21ª.1) en materia de aportaciones a los fondos propios, se valorarían por su valor razonable.

En este sentido considérese la interpretación publicada por este Instituto en la consulta 9 del BOICAC nº 84, de diciembre de 2010, y la publicada en la consulta 3 del BOICAC nº 91, de septiembre de 2012.

Por lo tanto, cuando el objeto de la aportación a la sociedad deba calificarse como un negocio, no será posible reconocer fondo de comercio alguno en el adquirente.

Sin embargo, ello no es óbice para que la sociedad pueda reconocer un activo por impuesto diferido en el caso de que la base fiscal de los elementos patrimoniales sea superior a su valor contable, en los términos regulados en la Resolución de 9 de febrero de 2016 del Instituto de Contabilidad y Auditoría de Cuentas, por la que se desarrollan las normas de registro, valoración y elaboración de las cuentas anuales para la contabilización del impuesto sobre beneficios.

Comentario

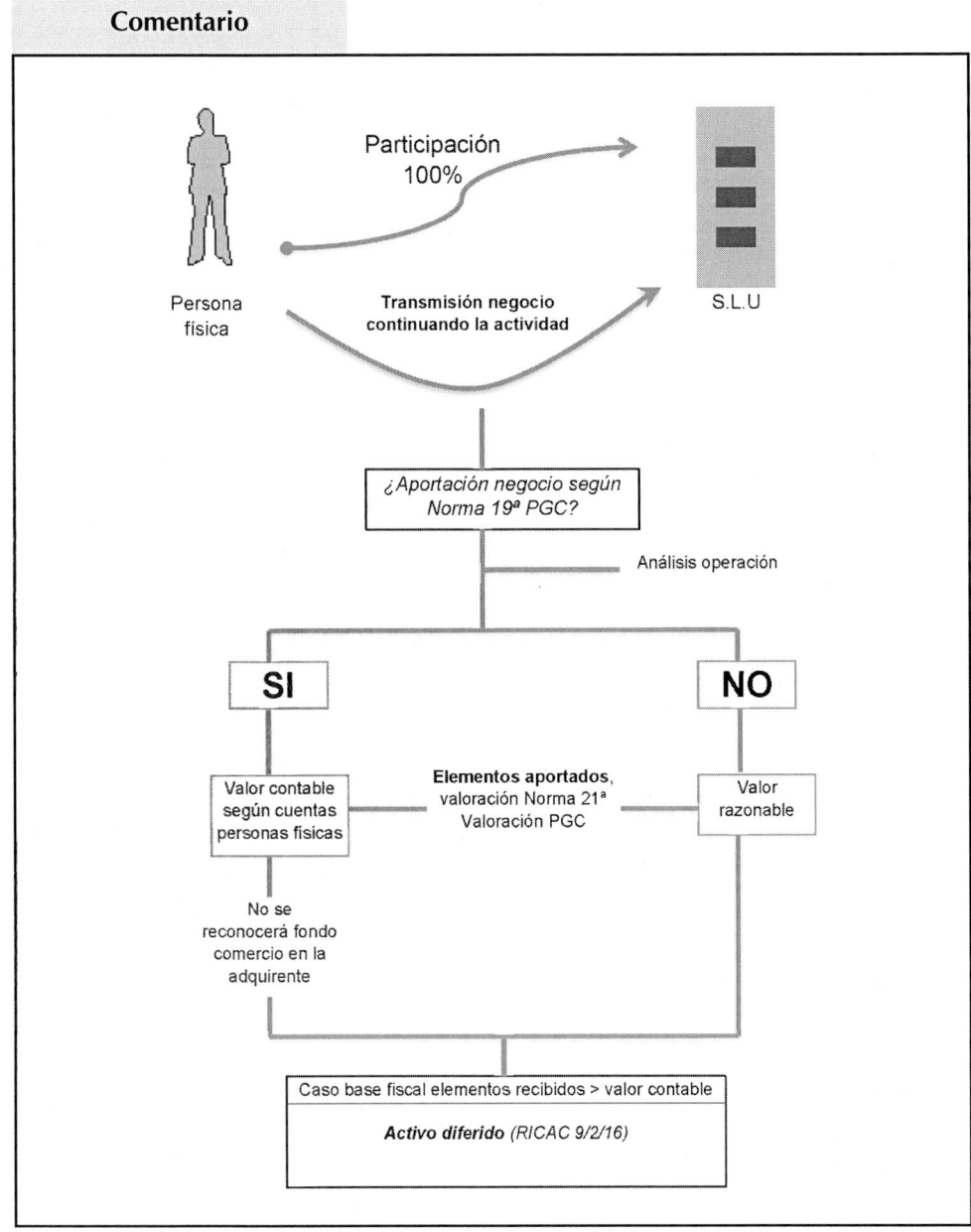

Ejemplo

El empresario ROMAN PALERNO, persona física, ha acordado la transmisión de su negocio a una sociedad limitada unipersonal «ROMAN S.L» con la finalidad de seguir desarrollando la misma actividad que venía ejerciendo. Los elementos patrimoniales, que constituyen un negocio, se muestran en el siguiente balance:

ACTIVO		PATRIMONIO NETO Y PASIVO	
Inmovilizado	30.000	Titular de la explotación	100.000
Existencias (Mercaderías)	40.000	Pasivo a largo plazo	10.000
Otros activos a corto plazo	130.000	Pasivo a corto plazo	90.000
TOTAL	200.000	TOTAL	200.000

Los valores razonables del inmovilizado y las existencias, se muestran en el cuadro siguiente:

	Valor razonable
Inmovilizado	40.000
Existencias	60.000

En cuanto al pasivo a largo plazo, está formado por un préstamo, cuyo valor razonable es de 9.500 euros.

El resto de elementos patrimoniales sus valores contables son coincidentes con sus valores razonables.

SE PIDE: Anotaciones efectuadas por la sociedad ROMAN S.L. Sabemos que el tipo impositivo, a efectos del impuesto de sociedades, es del 25%

SOLUCIÓN:

• Compararemos en la fecha de adquisición:

(1) VALORACIÓN DE LOS ACTIVOS ADQUIRIDOS

‣ Inmovilizado:

Valor contable.	30.000
Valor razonable.	40.000
Ajuste.	+10.000

Su efecto impositivo

Valor contable (Activo)	Base Fiscal (Activo)	Diferencia Temporaria deducible
30.000	**40.000**	**10.000**

‣Existencias:

Valor contable.	40.000
Valor razonable.	60.000
Ajuste.	+20.000

Su efecto impositivo:

Valor contable (Activo)	Base Fiscal (Activo)	Diferencia Temporaria deducible
40.000	**60.000**	**20.000**

(2) VALORACIÓN DE LOS PASIVOS ASUMIDOS

‣Pasivo a largo plazo:

Valor contable.	10.000
Valor razonable.	9.500
Ajuste.	500

Su efecto impositivo:

Valor contable (Pasivo)	Base Fiscal (Pasivo)	Diferencia Temporaria deducible
10.000	**9.500**	**500**

• Toda vez que hemos comprobamos la valoración de los distintos elementos y sus implicaciones fiscales, realizaremos la anotación correspondiente a la recepción de los elementos patrimoniales así como el reconocimiento del impuesto diferido:

———————————————————————— X ————————————————————————

30.000	Inmovilizado (2x)	
7.625	Activos por diferencia temporaria deducible (4740)	Pasivo a largo plazo (x)
	(10.000 + 20.000 + 500)x25%(*)	10.000
130.00	Otros activos a corto plazo (x)	Pasivo corto plazo (x) 90.000
40.000	Existencias (30x) a	Capital (100)
		(100.000 + 7.625) 107.625

Las operaciones de aportación a los fondos propios entre empresas del grupo, debiendo calificarse como tal la realizada entre una persona física empresario y la sociedad en la que participa al cien por cien, requieren como paso previo para su adecuado tratamiento contable determinar si el objeto de la aportación constituye un negocio en los términos definidos en la norma de registro y valoración 19ª, Combinaciones de negocios, del PGC.

Una vez realizado ese análisis, si el objeto de la aportación constituye un negocio los elementos aportados se valoran, con carácter general (y en ausencia de un valor en cuentas consolidadas) por el valor contable

precedente en la contabilidad de la persona física, de acuerdo con lo previsto en el apartado 2.1 de la Norma 21ª Valoración del PGC [Consulta nº 10. Boicac 115.]

(*) La sociedad debe reconocer un activo por impuesto diferido en el caso de que la base fiscal de los elementos patrimoniales sea superior a su valor contable, en los términos regulados en la Resolución de 9 de febrero de 2016 del Instituto de Contabilidad y Auditoría de Cuentas, por la que se desarrollan las normas de registro, valoración y elaboración de las cuentas anuales para la contabilización del

impuesto sobre beneficios.

9.2.2. Operaciones de fusión y ecisión

9.2.2.1. Absorción de la sociedad dominante por la dependiente

BOICAC 86, junio 2011. Consulta 5.

Sobre el tratamiento contable de la absorción de la sociedad dominante por la sociedad dependiente.

Respuesta

El criterio sobre qué sociedad es la adquirente y qué valores hay que emplear en el asiento de fusión, está publicado en la consulta n.º 8 y 17 del Boletín de este Instituto, n.º 85, respectivamente. No obstante, a mayor abundamiento, es preciso considerar los siguientes aspectos.

El registro contable de las operaciones debe realizarse atendiendo al fondo económico y jurídico que subyace en las mismas, con independencia de la forma empleada para instrumentarlas, una vez analizados en su conjunto todos los antecedentes y circunstancias de aquellas, cuya valoración es responsabilidad de los administradores y, en su caso, de los auditores de la sociedad. En este sentido, el art. 34.2 del Código de Comercio establece que en la contabilización de las operaciones se atenderá a su realidad económica y no sólo a su forma jurídica.

El citado análisis de fondo puede llevar en unas ocasiones a otorgar un tratamiento contable particular a los diferentes hechos económicos que se formalizan en una sola operación, y en otras a otorgar un tratamiento contable a diferentes operaciones en la medida en que en su conjunto sólo encierran un hecho económico. Este análisis debe realizarse, como se ha señalado, después de un previo estudio de todos los antecedentes y circunstancias que concurren en la operación.

En definitiva, en las operaciones entre empresas del grupo, la ausencia de intereses contrapuestos requiere extremar la cautela en dicho análisis para evitar que una sucesión de negocios jurídicos y su correspondiente registro contable pudiera ser el medio empleado para contravenir el principio del precio de adquisición, o se emplease para dar cobertura a infracciones de normas imperativas reguladoras de las sociedades de capital, como la prohibición de devolución de aportaciones al margen de una reducción de capital o los límites a la distribución de beneficios y entrega a cuenta de dividendos.

Comentario

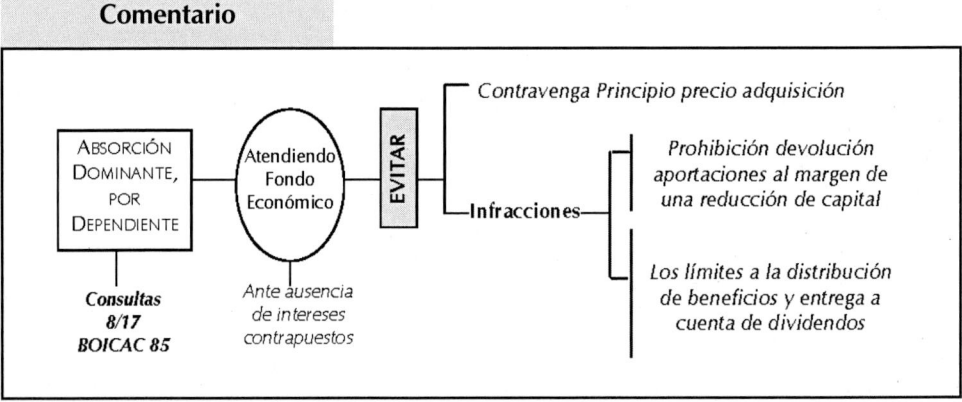

Ejemplo

Las Juntas Generales de las sociedades «A» y «B», han acordado la fusión por absorción de «A» por parte de «B», la cual emitirá el número necesario de acciones a su valor razonable, que será el de su cotización actual en el mercado y que asciende a 25 u.m./acción.

La sociedad «B», cotiza en Bolsa. En tanto que «A», no lo hace.

El motivo del proceso de fusión, es integrar «A» en el mercado bursátil. Las sociedades «A» y «B» forman parte de un grupo de sociedades cuya composición se detalla en el gráfico anexo.

La sociedad «A» dominante última española, está dispensada de consolidar por razón de subgrupo.

ANEXO: GRÁFICO

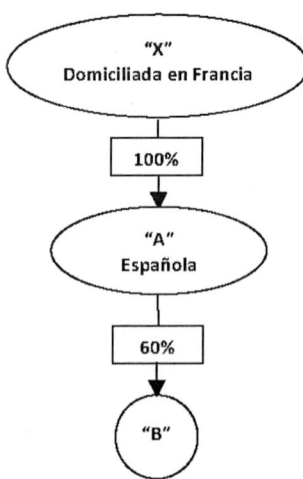

La empresa «A», S.A., presenta el siguiente Balance de situación a 30/06/X6 (en u.m.):

ACTIVO		PATRIMONIO NETO Y PASIVO	
250.000	Inmovilizado material	Capital social (9.000 acciones)	90.000
(30.000)	AAIM	Reserva legal	20.000
160.000	Participaciones en empresas del grupo[*]	Reserva voluntaria	310.000
320.000	Otros activos reales	Resultado del ejercicio	10.000
		Pasivos exigibles	270.000
700.000	**TOTAL ACTIVO**	**TOTAL PN Y PASIVO**	**700.000**

[*] Registra la tenencia de 6.000 acciones de «B» (60%).

En la misma fecha, la sociedad «B» S.A. presenta, la siguiente situación en su balance:

ACTIVO		PATRIMONIO NETO Y PASIVO	
50.000	Inmovilizado material	Capital social (10.000 acciones)	100.000
(10.000)	AAIM	Reserva legal	20.000
10.000	Mercaderías	Reserva voluntaria	30.000
50.000	Inversiones financieras l/p instrumentos de patrimonio	Resultado del ejercicio	64.000
154.000	Otros activos reales	Pasivos exigibles	40.000
254.000	**TOTAL ACTIVO**	**TOTAL PN Y PASIVO**	**254.000**

Para llevar a cabo dicho proceso, «B» procederá a la emisión de acciones de 10 u.m. de valor nominal.

Las Juntas Generales adoptan los siguientes acuerdos adicionales:

A S.A.:

a) A efectos de fusión, el inmovilizado material se valora por su valor razonable: en 230.000 u.m.

b) Se reconoce un fondo de comercio de 20.000 u.m.

c) Todos los demás elementos patrimoniales se aceptan por sus valores contables, los cuales coinciden con sus valores razonables.

B S.A.:

a) Se le reconoce un fondo de comercio por valor de 40.000 u.m.

b) Los activos reales se valoran por su valor razonable en 150.000 u.m.

SE PIDE:

1.- Calcular los patrimonios a efectos de fusión, los valores teóricos de las acciones de «A» y «B», S.A., así como el número de acciones a emitir y relación de canje.

2.- Determinar la normativa aplicable para el registro de la operación de fusión.

3.- Contabilizar el proceso en ambas sociedades.

Los gastos de ampliación de capital que efectúa la sociedad absorbente ascienden a 2.000 u.m; en tanto que los honorarios satisfechos a los asesores legales y profesionales que han intervenido en la operación han ascendido a 3.500 u.m, pagados por banco.

SOLUCIÓN:

1.- Calcular los patrimonios a efectos de fusión, los valores teóricos de las acciones de «A» y «B», S.A., así como el número de acciones a emitir y relación de canje.

SOCIEDAD «A»		SOCIEDAD «B»	
Capital Social (9.000 acciones)	90.000	Capital social (10.000 acciones)	100.000
Reserva legal	20.000	Reserva legal	20.000
Reservas voluntarias	310.000	Reserva voluntaria	30.000
Resultado del ejercicio	10.000	Resultado del ejercicio	64.000
PATRIMONIO NETO	430.000	PATRIMONIO NETO	214.000
± Ajustes Inmovilizado material[1]	10.000	± Ajustes Fondo de comercio	40.000
Participación en «B»[2]	(10.000)	Activos reales[3]	(4.000)
Fondo de comercio	20.000		
PATRIMONIO NETO AJUSTADO	450.000	PATRIMONIO NETO AJUSTADO	250.000

SOCIEDAD «A»	SOCIEDAD «B»
Valor teórico $= \dfrac{\text{Patrimonio Neto}}{\text{N}^{\circ}\text{ Acciones}} = \dfrac{450.000}{9.000} = \mathbf{50}$	Valor teórico $= \dfrac{\text{Patrimonio Neto}}{\text{N}^{\circ}\text{ Acciones}} = \dfrac{250.000}{10.000} = \mathbf{25}$

(1) Valor contable (250.000 - 30.000) = ... 220.000

   Valor de fusión = ... 230.000

   AJUSTE 10.000

(2) Valor contable 160.000

   Valor de fusión (6.000 x 25) 150.000

   AJUSTE .... (10.000)

(3) Valor contable 114.000

   Valor de fusión 110.000

   AJUSTE.. (4.000)

Relación de canje y número de acciones a emitir:

Será 1 acción de «A» por 2 acciones de «B»:

   Valor de 1 acciones de «A»:1 x 50 = ...   50

   Valor de 2 acciones de «B»: 2 x 25 =.   50

Número de acciones a emitir:

$$\frac{9.000}{1} \text{ x } 2 = 18.000 \text{ acciones}$$

En el supuesto de utilizar las acciones propias que se reciben de la sociedad «A», se emitirán (18.000 - 6.000 =) 12.000 acciones.

2.- Determinar la normativa aplicable para el registro de la operación de fusión

Al tratarse de operaciones entre empresas del grupo, ya que la sociedad «A «posee el 60% de las acciones de la sociedad «B», será de aplicación la NRV 21.ª. 1. (Operaciones entre empresas del grupo) en la cual nos dice:

«*(...) será de aplicación a las operaciones realizadas entre empresas del mismo grupo, tal y como éstas quedan definidas en la norma 13.ª de elaboración de las cuentas anuales*».

Por otra parte en el apartado 2.2 de la citada Norma de Valoración nos comenta que en aquellas operaciones entre empresas del grupo en las que intervenga la empresa dominante del mismo o **la dominante de un subgrupo y su dependiente, directa o indirectamente**, los elementos patrimoniales adquiridos se valorarán por el importe que correspondería a los mismos, una vez realizada la operación, en las cuentas anuales consolidadas del grupo o subgrupo según las citadas Normas para la Formulación de las Cuentas Anuales Consolidadas.

La diferencia que pudiera ponerse de manifiesto en el registro contable por la aplicación de los criterios anteriores, se registrará en una partida de reservas.

Comprobemos el porcentaje de participación en la sociedad combinada:

	Número de acciones	% participación
Sociedad combinada	(10.000 + 12.000) = 22.000	100
Socios anteriores de la sociedad «B»	4.000 acciones	18,18
Socios anteriores de la sociedad «A»	(6.000 + 12.000) acciones	81,82

3.- Contabilizar el proceso en ambas sociedades

Sociedad «A», adquirida

En el apartado 2.2.1 de la Norma de Valoración 21.ª, establece los criterios a seguir para contabilizar los elementos patrimoniales de la sociedad «adquirida» en las fusiones de una sociedad dominante y su dependiente, y cuando la operación se produce entre otras empresas (dependiente-dependiente).

En ambos casos, **la referencia a la sociedad adquirida debe entenderse realizada a la adquirida legal.**

A estos efectos, en el contexto de la Norma 21.ª, las operaciones societarias reguladas en el apartado 2 no constituyen combinaciones de negocios porque el control del citado negocio, antes y después de la operación, lo mantienen las mismas personas físicas o jurídicas.

Por ello, a diferencia de lo que sucede en la Norma 19.ª de Valoración «Combinaciones de negocios», la referencia a la sociedad adquirente debe entenderse realizada a la adquirente legal y no a la económica. [Consulta n.º 8. BOICAC 85].

En consonancia, con todo lo expuesto **la sociedad «A» será la adquirida.**

– Reapertura de la contabilidad.

—————————————————— x ——————————————————

730.000   Cuentas deudoras (x)

             a   Cuentas acreedoras (x)   730.000

– Traspaso del patrimonio a la sociedad absorbente «B».

—————————————————— x ——————————————————

270.000   Pasivos exigibles (x)

 30.000   Amortización acumulada del
            inmovilizado material (281)

430.000   Socios cuenta de fusión (5531)

            a   Inmovilizado material (21)   250.000

               Participaciones en empresas
               asociadas (2404)   160.000

               Otros activos reales (x)   320.000

– Reconocimiento de los socios al patrimonio de la sociedad y cierre de la contabilidad.

—————————————————— x ——————————————————

 90.000   Capital Social (100)

 20.000   Reserva Legal (112)

310.000   Reserva voluntaria (113)

 10.000   Resultado del ejercicio (129)

            a   Socios cuenta de fusión (5531)   430.000

Sociedad «B», absorbente y adquirente

– Reapertura de la contabilidad.

—————————————————— x ——————————————————

264.000	Cuentas deudoras (x)	
	a Cuentas acreedoras (x)	264.000

– Recepción del patrimonio de la sociedad absorbida «A».

—————————————————— x ——————————————————

250.000	Inmovilizado material (21)	
160.000	Acciones propias en situaciones especiales (103)	
320.000	Otros activos reales (x)	
20.000	Reservas voluntarias (113) (*)	
	a Amortización acumulada del inmovilizado material (281)	30.000
	Pasivo exigible (x)	270.000
	Socios de la sociedad disuelta (5530)	450.000

En el ejemplo propuesto, la dominante última española (sociedad «A»)está dispensada de consolidar por razón de subgrupo.

En este caso y aplicando por analogía lo dispuesto en el art. 40.2 de las Normas para la Formulación de las Cuentas Anuales Consolidadas (NFCAC) aprobadas por el Real Decreto 1159/2010, de 17 de septiembre, se tomarán los valores existentes antes de realizarse la operación en las cuentas anuales individuales de la sociedad adquirida.

Por otro lado y tal y como se afirma en la exposición de motivos del Real Decreto 1159/2010, de 17 de septiembre, la reforma del apartado 2 en la NRV 21.ª tiene como objetivo sistematizar la doctrina del ICAC sobre el mantenimiento del valor contable precedente e incorporar, en su caso, la valoración en términos consolidados en todas aquellas operaciones en que se produce un desplazamiento de elementos patrimoniales constitutivos de un negocio entre las sociedades del grupo, entregando como contraprestación instrumentos de patrimonio propio.

En consecuencia, al estar dispensada la sociedad «A» de formular cuentas anuales consolidadas; se tomarán los valores existentes antes de realizar la operación en las cuentas individuales de la sociedad aportante

(*) La diferencia que pudiera ponerse de manifiesto en el registro contable por la aplicación de los criterios anteriores, se registrará en una partida de reservas .NRV 21.ª.2

– Por la emisión de las 12.000 acciones de valor nominal 10 u.m., valor de emisión 25 u.m.

---
x

300.000	Acciones o participaciones emitidas (190)		
	[12.000 acc x 25]		
		a Capital emitido pendiente de inscripción (194)	300.000

– Por la entrega de las acciones emitidas y las propias a los socios de la sociedad absorbida «A».

---
x

450.000	Socios de la sociedad disuelta (5530)		
10.000	Reservas voluntarias (113)		
		a Acciones o participaciones emitidas (190)	300.000
		Acciones propias en situaciones especiales (103)	160.000

– Por la inscripción de la ampliación de capital en el Registro mercantil.

―――――――――――――――――― x ――――――――――――――――――

300.000	Capital emitido pendiente de inscripción (194)

	a	Capital social (100)
		[12.000 acc x 10]
		120.000
		Prima de emisión de acciones (110)
		180.000

– Por los gastos satisfechos.

―――――――――――――――――― x ――――――――――――――――――

2.000	Reservas voluntarias (113)

	a	Bancos (572)	2.000

– Por los honorarios de los profesionales.

―――――――――――――――――― x ――――――――――――――――――

3.500	Servicios de profesionales independientes (623)[*]

	a	Bancos (572)	3.500

[*] Los restantes honorarios abonados a asesores legales, u otros profesionales que intervengan en la operación se contabilizarán como un gasto en la cuenta de pérdidas y ganancias. (NRV 19.ª.2.3.)

Según lo dispuesto en la presente consulta, en las operaciones entre empresas del grupo, la ausencia de intereses contrapuestos requiere extremar la cautela en dicho análisis para evitar que una sucesión de negocios jurídicos y su correspondiente registro contable pudiera ser el medio empleado para contravenir el principio del precio de adquisición, o se emplease para dar cobertura a infracciones de normas imperativas reguladoras de las sociedades de capital, como la prohibición de devolución de aportaciones al margen de una reducción de capital o los límites a la distribución de beneficios y entrega a cuenta de dividendos.

9.2.2.2. Adquisición del control de una sociedad por etapas: valoración y consolidación

BOICAC 90, julio 2012. Consulta 6.

Sobre las implicaciones contables de la adquisición del control de una sociedad por etapas. En particular, se preguntan las siguientes cuestiones:

1. Obligación de consolidar cuando la toma de control, por sí sola, origina que se superen los límites de dispensa por razón de tamaño.

2. Valor de la inversión en la sociedad dependiente, en las cuentas anuales individuales de la sociedad dominante.

Respuesta

La sociedad dominante estará obligada a consolidar en el ejercicio en que se produce la citada adquisición y no podrá aplicar el supuesto de dispensa por razón de tamaño. Para llegar a esta conclusión puede traerse a colación por analogía el criterio expresado en la consulta 2 publicada en el Boletín de este Instituto n.º 64, de diciembre de 2005, sobre el cómputo de los límites que conllevan la dispensa de la obligación de consolidar por razón de tamaño, en los grupos de sociedades que en aquel momento se identificaron a la luz de la modificación del art. 42 del Código de Comercio (en vigor hasta los ejercicios iniciados a partir del 1 de enero de 2007), en cuya virtud:

«(...) A sensu contrario, si el mencionado grupo en el primer ejercicio social de la sociedad obligada a consolidar cerrado con posterioridad a 1 de enero de 2005 sobrepasa los citados límites, estará obligado a consolidar en su primer ejercicio y en el posterior, debiendo formular cuentas anuales e informe de gestión consolidado».

Es decir, la obligación impuesta a un grupo de sociedades de nueva creación, por toma de control de la dominante sobre la dependiente, no puede diferir de la impuesta a un grupo preexistente que toma el control de otra sociedad, si esta operación, por sí sola, lleva a superar los mencionados límites.

Por otro lado, en las cuentas individuales de la sociedad dominante la inversión se contabilizará según establece la norma de registro y valoración 9.2.5 del Plan General de Contabilidad aprobado por el Real Decreto 1514/2007, de 16 de noviembre, sin que la toma de control, a diferencia de lo que sucede en las cuentas consolidadas, origine revalorización alguna de la participación previa

Comentario

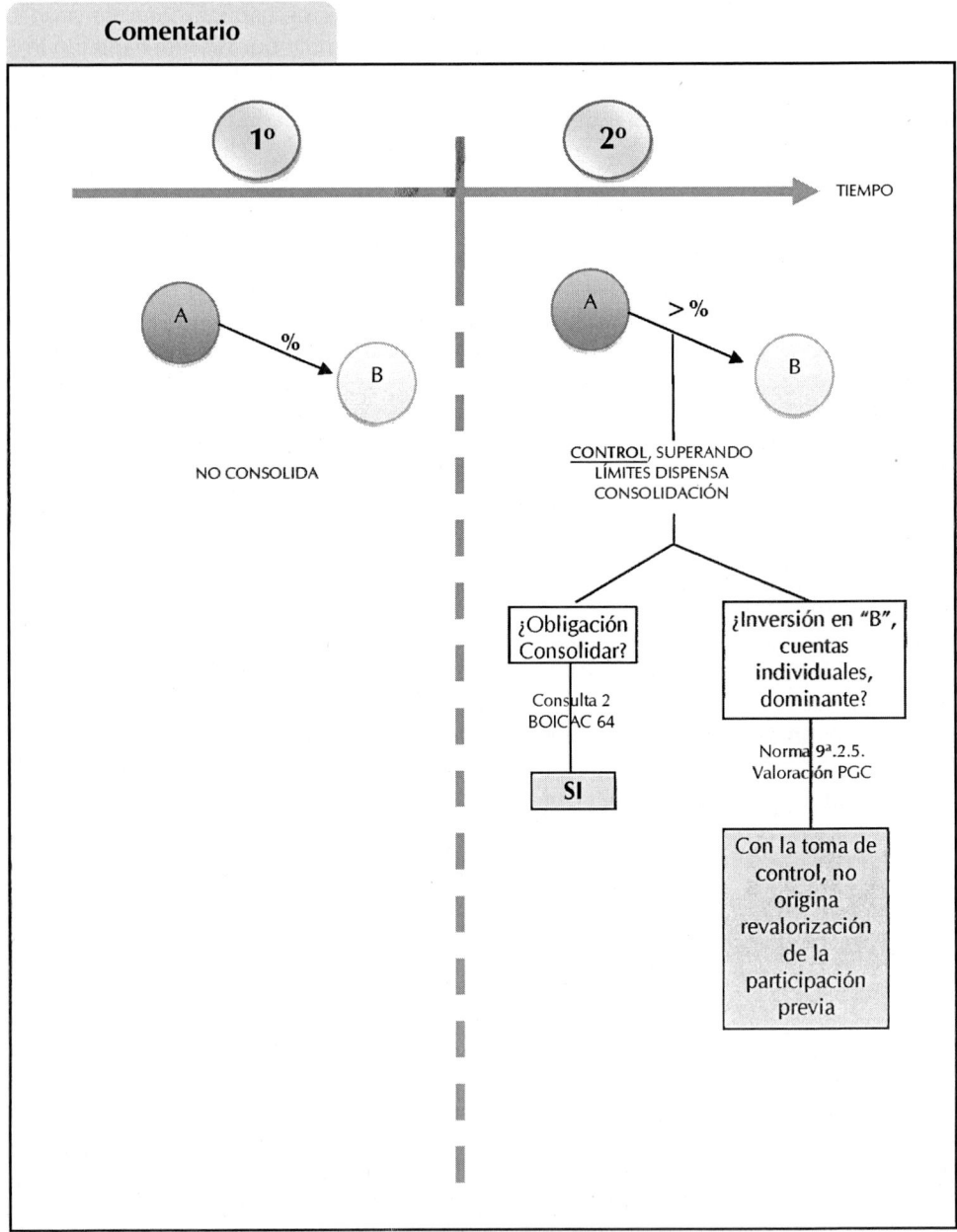

Ejemplo

ZOQUETE S.A. adquiere 10.000 títulos de la sociedad PESADA S.A. a 20€/acción.

Dicha inversión, es calificada como «disponible para la venta». Posteriormente, se amplía la participación hasta alcanzar el 80%, adquiriendo otro paquete de 70.000 títulos a su valor razonable que asciende a 25€/acción.

SE PIDE:

1.- Contabilizar las operaciones descritas en las cuentas individuales de la sociedad ZOQUETE, sabiendo que a 31 de diciembre el importe recuperable de nuestra participación es de:

Opción 1) 1.980.000€

Opción 2) 1.930.000€

Tipo impositivo 30%

2.- ¿Tiene la sociedad ZOQUETE la obligación de consolidar cuando la toma de control, por sí sola, origina que se superen los límites de dispensa por razón de tamaño. ?

SOLUCIÓN:

1.- Contabilizar las operaciones descritas en las cuentas individuales de la sociedad ZOQUETE

– ZOQUETE, valorará los títulos adquiridos por su valor razonable, que salvo evidencia en contrario, será el precio de la transacción, que equivaldrá al valor razonable de la contraprestación entregada, más los costes de transacción que les sean directamente atribuibles (Aparatado 2.6.1 Norma 9.ª Valoración PGC). Anotaremos:

	x	

200.000	Inversiones financieras a l/p en instrumentos de patrimonio (250)	
	[10.000 tít x 20€/tít]	
	a Bancos (572)	200.000

Posteriormente aumenta su participación en PESADA, estando en estos momentos los títulos 25€/título.

– Previo a la reclasificación de la cartera como una participación en una empresa «grupo» (ya que según lo establecido en la Norma 13.ª de elaboración Cuentas Anuales poseemos la mayoría de los derechos de voto) realizaremos un ajuste en la valoración inicial tal y tal como nos dice la Norma 9.ª.2.6.2.

En la valoración posterior de los «disponibles para la venta» tomaremos su valor razonable, y los cambios que se produzcan en su valor razonable se registrarán en el patrimonio neto, hasta que el activo financiero cause baja en balance o se deteriore.

Así, si comparamos

Valor en libros	200.000
Valor razonable en estos momentos: 10.000 tit x 25€/tit.	250.000
Diferencia: Aumento valor razonable	**50.000**

Anotando:

———————————————————————— x ————————————————————————

50.000	Inversiones financieras a l/p en instrumentos de patrimonio (250)	
	a Beneficios en activos financieros disponibles para la venta (900)	50.000

– Por el efecto impositivo:

———————————————————————— x ————————————————————————

15.000	Impuesto diferido (8301)	
	a Pasivo por diferencia temporaria imponible (479) [50.000 x 0,30]	15.000

– Por el aumento de la participación, ya calificándose como «empresa del grupo», anotaremos:

		x		
1.750.000	Participaciones a largo plazo en empresas del grupo (2403) [70.000 tit. x 25€/tit.]			
		a	Bancos c/c (572)	1.750.000

– Reclasificando la inversión previa, a esta cartera:

		x		
250.000	Participaciones a largo plazo en empresas del grupo (2403) [10.000 tit. x 25€/tit.]			
		a	Inversiones financieras a l/p en instrumentos de patrimonio (250)	250.000

No obstante, si existiera una inversión anterior a su calificación como empresa del grupo, multigrupo o asociada, se considerará como coste de dicha inversión el valor contable que debiera tener la misma inmediatamente antes de que la empresa pase a tener esa calificación. Norma 9.ª.2.5.1.

– A final de ejercicio comprobaremos si la participación ha sufrido deterioro. Tenemos dos situaciones. Compararemos (Apartado 2.5.3 Norma 9.ª):

Opción A)

Valor en Libros (1.750.000 + 250.000) . . . . 2.000.000€

Importe recuperable . . . . 1.980.000€

Deterioro . . . . 20.000€

¿Qué ocurre con los ajustes valorativos previos (por 50.000) por aumento de valor ante este deterioro? En el apartado 2.5.3. de la Norma 9.ª de Valoración PGC, en un punto a) establece las pautas a seguir:

«*En el caso de ajustes valorativos previos por aumento de valor, las correcciones valorativas por deterioro se registrarán contra la partida del patrimonio neto que recoja los ajustes valorativos previamente practicados hasta el importe de los mismos y el exceso, en su caso, se registrará en la cuenta de pérdidas y ganancias. La corrección valorativa por deterioro imputada directamente en el patrimonio neto, no revertirá*».

Por tanto, en nuestro caso:

	x	
20.000 Deterioro de participaciones en el patrimonio, empresas del grupo (891)		
	a Participaciones a largo plazo en empresas del grupo (2403)	20.000

Así en la 5.ª parte del PGC, y en el movimiento de la cuenta 891, nos dice que ésta se cargará:

«*(...) en el momento en que se produzca el deterioro de valor del activo financiero, hasta el límite de los ajustes valorativos positivos previos, con abono a las cuentas 240 ó 530*».

– Por la reversión del efecto impositivo:

	x	
6.000 Pasivo por diferencia temporaria imponible (479) [20.000 x 0,30]		
	a Impuesto diferido (8301)	6.000

A final de ejercicio por la regularización de los grupos 8 y 9, anotaremos:

———————————————————— x ————————————————————

50.000	Beneficios en activos financieros disponibles para la venta (900)		
		a Ajustes por valoración en activos financieros disponibles para la venta (133)	21.000
		Impuesto diferido (8301)	9.000
		Deterioro de participaciones en empresas del grupo (891)	20.000

Opción B)

Valor en Libros (1.750.000 + 250.000) . . . .   2.000.000€

Importe recuperable . . . .   1.930.000€

Deterioro . . . .   70.000€

La diferencia con el caso anterior, es que el importe del deterioro (70.000) supera el ajuste valorativo previo por aumento de valor (50.000). Con lo cual la mencionada Norma, en el punto a), nos decía que el exceso se registrará en la cuenta de pérdidas y ganancias. Por tanto, modificaremos el registro de la opción A) de la siguiente forma:

Hasta el importe de ese ajuste valorativo previo:

———————————————————— x ————————————————————

50.000	Deterioro de participaciones en el patrimonio, empresas del grupo (891)		
		a Participaciones a largo plazo en empresas del grupo (2403)	50.000

Teniendo en cuenta que la corrección valorativa por deterioro imputada directamente en el patrimonio neto, no revertirá.

Por la reversión del efecto impositivo:

―――――――――――――――― x ――――――――――――――――

15.000	Pasivo por diferencia tempora-		
	ria imponible (479)		
	[50.000 x 0,30]		
		a Impuesto diferido (8301)	15.000

Por el resto del importe, será llevado a pérdidas y ganancias:

―――――――――――――――― x ――――――――――――――――

20.000	Pérdidas por deterioro de parti-		
	cipaciones en instrumentos de		
	patrimonio neto a largo plazo,		
	empresas del grupo (6960)		
		a Deterioro de valor de partici-	
		paciones a l/p en empresas del	
		grupo (2933)	20.000

A final de ejercicio por la regularización de los grupos 8 y 9, anotaremos:

―――――――――――――――― x ――――――――――――――――

50.000	Beneficios en activos financie-		
	ros disponibles para la venta		
	(900)		
		a Deterioro de participaciones	
		en el patrimonio, empresas	
		asociadas (892)	50.000

2.- ¿Tiene la sociedad ZOQUETE la obligación de consolidar cuando la toma de control, por sí sola, origina que se superen los límites de dispensa por razón de tamaño?

Según los contenidos de la presente consulta, la sociedad dominante estará obligada a consolidar en el ejercicio en que se produce la citada adquisición y no podrá aplicar el supuesto de dispensa por razón de tamaño.

Para llegar a esta conclusión, puede traerse a colación por analogía el criterio expresado en la consulta 2 publicada en el BOICAC 64 (diciembre de 2005) sobre el cómputo de los límites que conllevan la dispensa de la obligación de consolidar por razón de tamaño, en los grupos de sociedades que en aquel momento se identificaron a la luz de la modificación del art. 42 del Código de Comercio (en vigor hasta los ejercicios iniciados a partir del 1 de enero de 2007), en cuya virtud:

> *«(…) A sensu contrario, si el mencionado grupo en el primer ejercicio social de la sociedad obligada a consolidar cerrado con posterioridad a 1 de enero de 2005 sobrepasa los citados límites, estará obligado a consolidar en su primer ejercicio y en el posterior, debiendo formular cuentas anuales e informe de gestión consolidado».*

Es decir, la obligación impuesta a un grupo de sociedades de nueva creación, por toma de control de la dominante sobre la dependiente, no puede diferir de la impuesta a un grupo preexistente que toma el control de otra sociedad, si esta operación, por sí sola, lleva a superar los mencionados límites.

9.2.3. Fecha de efectos contables

9.2.3.1. Fecha efectos contables fusión sociedades grupo: inscripción posterior plazo formulación cuentas anuales

BOICAC 102, junio 2015. Consulta 2.

Sobre la fecha de efectos contables en un proceso de fusión entre sociedades de un grupo, cuando su inscripción en el Registro Mercantil es posterior al plazo legal para formular las cuentas anuales correspondientes al ejercicio en que se aprobó la operación.

Respuesta

Con fecha 20 de junio de 2014 se aprueba en Junta la fusión de dos sociedades del mismo grupo. La inscripción en el Registro Mercantil se produce el 20 de abril de 2015, una vez transcurrido el plazo legal para formular las cuentas anuales del ejercicio 2014. La consulta versa sobre las obligaciones relativas a la formulación y contenido de las cuentas anuales de ambas sociedades, sabiendo que la fecha acordada a efectos contables fue el 1 de enero de 2014.

El Plan General de Contabilidad (PGC) aprobado por el Real Decreto 1514/2007, de 16 de noviembre, regula las operaciones de fusión en la norma de registro y valoración (NRV) 19ª. «Combinaciones de negocios» y en la NRV 21ª. «Operaciones entre empresas del grupo», en función de que la operación se realice entre sociedades sin vinculación o entre empresas del grupo, en los términos en que este último concepto se define en la norma de elaboración de las cuentas anuales 13ª. «Empresas del grupo, multigrupo y asociadas» del PGC. Ambas normas han sido objeto de nueva redacción a través del Real Decreto 1159/2010, de

17 de septiembre, por el que se aprueban las Normas para la Formulación de Cuentas Anuales Consolidadas (NFCAC).

En concreto, el apartado 2.2.2 de la NRV 21ª, señala que:

«2.2.2. Fecha de efectos contables.

En las operaciones de fusión y escisión entre empresas del grupo, la fecha de efectos contables será la de inicio del ejercicio en que se aprueba la fusión siempre que sea posterior al momento en que las sociedades se hubiesen incorporado al grupo. Si una de las sociedades se ha incorporado al grupo en el ejercicio en que se produce la fusión o escisión, la fecha de efectos contables será la fecha de adquisición.

En el supuesto de que las sociedades que intervienen en la operación formasen parte del grupo con anterioridad al inicio del ejercicio inmediato anterior, la información sobre los efectos contables de la fusión no se extenderá a la información comparativa.

Si entre la fecha de aprobación de la fusión y la de inscripción en el Registro Mercantil se produce un cierre, la obligación de formular cuentas anuales subsiste para las sociedades que participan en la operación, con el contenido que de ellas proceda de acuerdo con los criterios generales recogidos en el apartado 2.2 de la norma de registro y valoración 19ª. Combinaciones de negocios.»

Por su parte, de acuerdo con el apartado 2.2 de la NRV 19ª:

«b) (...) si la fecha de inscripción es posterior al plazo previsto en la legislación mercantil para formular cuentas anuales, éstas no recogerán los efectos de la retrocesión a que hace referencia el párrafo tercero de este apartado. En consecuencia, la sociedad adquirente no mostrará en estas cuentas anuales los activos, pasivos, ingresos, gastos y flujos de efectivo de la adquirida, sin perjuicio de la información que sobre el proceso de fusión o escisión debe incluirse en la memoria de las sociedades que intervienen en la operación.

Una vez inscrita la fusión o escisión la sociedad adquirente deberá mostrar los efectos contables de la retrocesión, circunstancia que motivará el correspondiente ajuste en la información comparativa del ejercicio anterior.»

En consecuencia, en el caso que nos ocupa, ambas sociedades deberán formular las cuentas anuales del ejercicio 2014 sin tomar en consideración los efectos contables de la fusión, y sin perjuicio de la información que deben incluir en la memoria sobre el proceso en marcha. En el ejercicio 2015, los efectos de la fusión se contabilizarán desde el 1 de enero.

Comentario

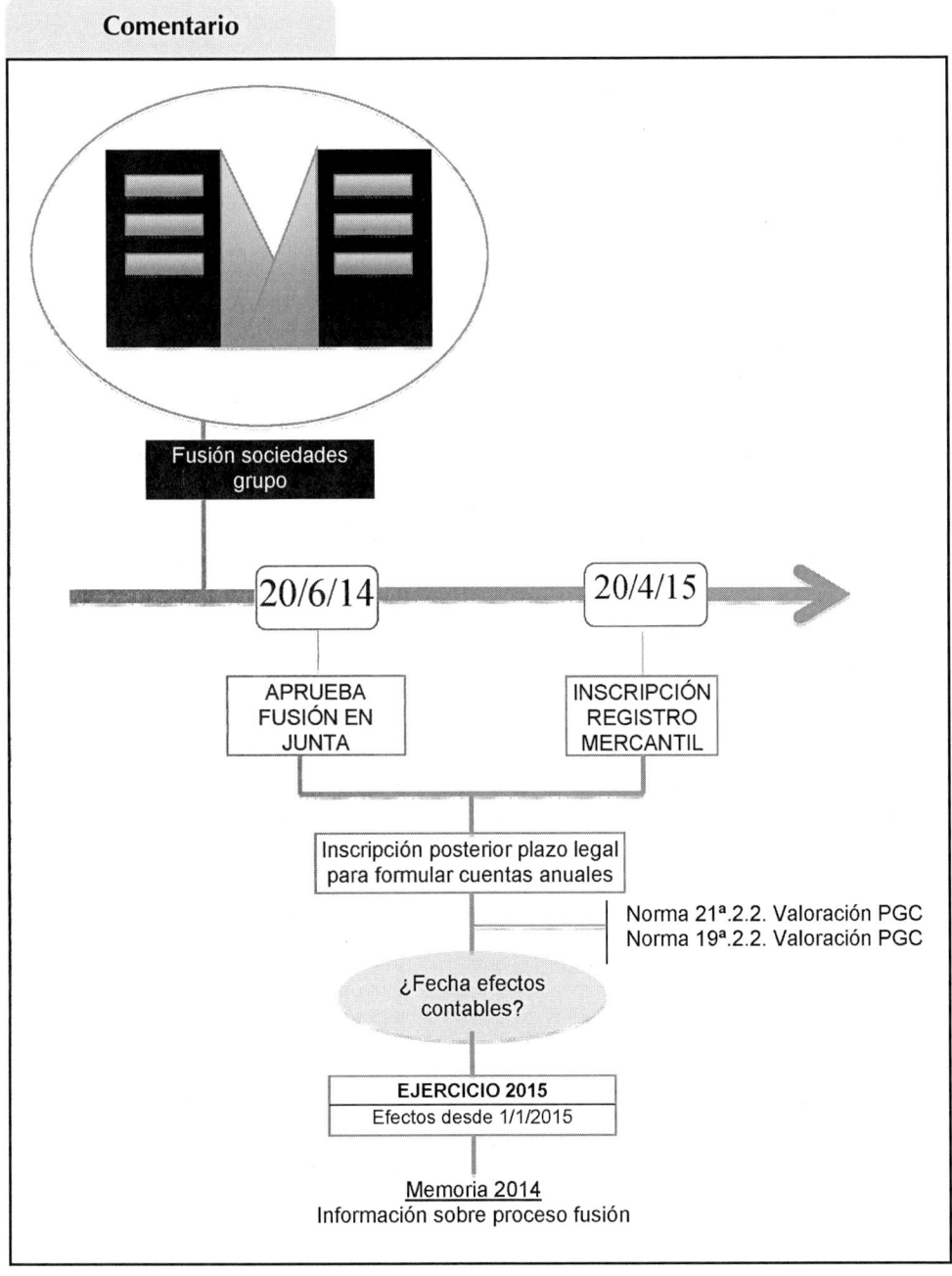

Ejemplo

Las Juntas generales de las sociedades «H» y «K» pertenecientes al grupo «HKXZ» han aprobado el 20 de junio del 2014, la fusión de «K» por parte de «H». Todas las sociedades forman parte del grupo desde año 2011.

A dicha fecha, la sociedad «H» presenta el siguiente balance:

ACTIVO		PATRIMONIO NETO Y PASIVO	
Activos no corrientes[(*)]	700.000	Capital social (230.000 acciones)	230.000
Activos corrientes	300.000	Prima de emisión de acciones	160.000
		Reserva legal	40.000
		Reservas voluntarias	260.000
		Pasivos no corrientes	300.000
		Pasivos corrientes	10.000
TOTAL ACTIVO	**1.000.000**	**TOTAL P.N y PASIVO**	**1.000.000**

[(*)] Dentro de los activos no corrientes, se encuentra registrada, las 120.000 acciones de «K» (es decir, el 100% de los títulos) valoradas en 240.000 €.

Por otra parte y en la misma fecha, la sociedad «K» presenta el siguiente balance:

ACTIVO		PATRIMONIO NETO Y PASIVO	
Activos no corrientes	400.000	Capital social (120.000 acciones)	120.000
Activos corrientes	100.000	Reserva legal	40.000
		Reservas voluntarias	120.000
		Pasivos no corrientes	200.000
		Pasivos corrientes	20.000
TOTAL ACTIVO	**500.000**	**TOTAL P.N y PASIVO**	**500.000**

SE PIDE:

1.- Registro contable de la fusión en las sociedades «H» y «K».

Sabemos que:

- El grupo «HKXZ», formula cuentas anuales consolidadas.

- Los elementos patrimoniales adquiridos, están registrados en las cuentas anuales consolidadas por los mismos importes que aparecen en los balances de las cuentas individuales.

- La inscripción en el registro mercantil se produce el 20 de abril del 2015, una vez transcurrido el plazo legal para formular las cuentas anuales del ejercicio 2014.

2.- Determinar la fecha de los efectos contables de la fusión.

3.- En la formulación de las cuentas anuales del año 2014, ¿se tendrán en cuenta los efectos contables de la fusión?

SOLUCIÓN:

1.- Registro contable de la fusión, en ambas sociedades.

SOCIEDAD «K»

Sabemos que «H», posee el 100% de las acciones de «K», por lo que aplicaremos la Norma 21ª de Valoración del PGC.

• Reapertura de la contabilidad

		X		
400.000	Activos no corrientes	a	Capital social (100)	120.000
100.000	Activos corrientes		Reserva legal (112)	40.000
			Reservas voluntarias (113)	120.000
			Pasivos no corrientes	200.000
			Pasivos corrientes	20.000

• Traspaso del patrimonio a la sociedad «H»

		X		
200.000	Pasivos no corrientes	a	Activos no corrientes	400.000
20.000	Pasivos corrientes		Activos corrientes	100.000
280.000	Socios cuenta de fusión (5531)[*]			

[*] Se cargará en el momento del traspaso a la sociedad absorbente o de nueva creación de los activos adquiridos y pasivos asumidos.

• Por la cancelación de las cuentas de neto patrimonial

————————————————————— X —————————————————————

120.000	Capital social (100)			
40.000	Reserva legal (112)			
120.000	Reservas voluntarias (113)	a	Socios cuenta de fusión (5531) (*)	280.000

(*) Se abonará, en el momento de la entrega a los socios de las acciones o participaciones emitidas, con cargo a las cuentas correspondientes del patrimonio neto de la sociedad que se extingue.

SOCIEDAD «H»

• Reapertura de la contabilidad

————————————————————— X —————————————————————

700.000	**Activos no corrientes**	a	Capital social (100)	230.000
300.000	**Activos corrientes**		Reserva legal (112)	40.000
			Prima emisión acciones (110)	160.000
			Reservas voluntarias (113)	260.000
			Pasivos no corrientes	300.000
			Pasivos corrientes	10.000

• Recepción del patrimonio de «K» a sus valores contables

————————————————————— X —————————————————————

400.000	Activos no corrientes	a	Pasivo no corriente	200.000
100.000	Activos corrientes		Pasivo corriente	20.000
			Socios sociedad disuelta (5530)	280.000

El Real Decreto 1159/2010 de 17 de septiembre, ha modificado, entre otros, el apartado 2 de la Norma de Valoración 21ª (punto 2.2.1), el cual, nos comenta, en relación con la operación planteada que: «*En las operaciones entre empresas del grupo en las que intervenga la empresa dominante del mismo o la dominante de un subgrupo y su dependiente, directa o indirectamente, los elementos patrimoniales adquiridos se valorarán por el importe que correspondería a los mismos, una vez realizada la operación, en las cuentas anuales consolidadas del grupo o subgrupo según las citadas Normas para la Formulación de las Cuentas Anuales Consolidadas.*

La diferencia que pudiera ponerse de manifiesto en el registro contable por la aplicación de los criterios anteriores, se registrará en una partida de reservas (...)»

De esta manera:

280.000	Socios de la sociedad disuelta (5530)	Participaciones en empresas del grupo. Acciones de «K»	240.000
		a Reservas voluntarias (113)[*]	40.000

[*] La diferencia que pudiera ponerse de manifiesto en el registro contable por la aplicación de este criterio, se reconocerá en una partida de reservas.

2.- Determinar la fecha de los efectos contables de la fusión.

En las operaciones de fusión y escisión entre empresas del grupo, la fecha de efectos contables será la de inicio del ejercicio en que se aprueba la fusión, siempre que sea posterior al momento en que las sociedades se hubiesen incorporado al grupo [Apartado 2.2.2., Norma 21ª de Valoración PGC].

En nuestro caso, la fecha será el 1/1/2014, según lo expuesto anteriormente.

3.- En la formulación de las cuentas anuales del año 2014, ¿se tendrán en cuenta los efectos contables de la fusión?

Si entre la fecha de aprobación de la fusión y la de inscripción en el Registro Mercantil se produce un cierre, la obligación de formular cuentas anuales subsiste para las sociedades que participan en la operación, con el contenido que de ellas proceda de acuerdo con los criterios generales recogidos en el apartado 2.2 de la norma de registro y valoración 19ª. Combinaciones de negocios.

Por su parte, de acuerdo con el apartado 2.2 de la Norma de Valoración 19ª, del PGC: «b) (...) *si la fecha de inscripción es posterior al plazo previsto en la legislación mercantil para formular cuentas anuales, éstas no recogerán los efectos de la retrocesión a que hace referencia el párrafo tercero de este apartado. En consecuencia, la sociedad adquirente no mostrará en estas cuentas anuales los activos, pasivos, ingresos, gastos y flujos de efectivo de la adquirida, sin perjuicio de la información que sobre el proceso de fusión o escisión debe incluirse en la memoria de las sociedades que intervienen en la operación.*

Una vez inscrita la fusión o escisión la sociedad adquirente deberá mostrar los efectos contables de la retrocesión, circunstancia que motivará el correspondiente ajuste en la información comparativa del ejercicio anterior.»

En consecuencia, en el caso que nos ocupa, ambas sociedades deberán formular las cuentas anuales del ejercicio 2014 sin tomar en consideración los efectos contables de la fusión, y sin perjuicio de la información que deben incluir en la memoria sobre el proceso en marcha. En **el ejercicio 2015**, los efectos de **la fusión se contabilizarán desde el 1 de enero**.

9.3. OPERACIONES DE CONSOLIDACIÓN

9.3.0.1. Resultado pendiente de realizar, en una dependiente vendida a terceros

BOICAC 90, julio 2012. Consulta 3.

Sobre el tratamiento contable de los resultados eliminados por la venta de activos entre filiales, al producirse en un ejercicio posterior la venta de la sociedad que adquirió dichos activos.

Respuesta

Distintas filiales españolas de un grupo vendieron en ejercicios anteriores a otra filial radicada en el extranjero, una serie de activos aflorando en las cuentas individuales de las transmitentes beneficios que fueron eliminados en los estados consolidados. Con posterioridad, se ha enajenado a un tercero la filial extranjera y, en consecuencia, al cierre del ejercicio, los activos que incorporaban los resultados eliminados ya no están controlados por el grupo.

A la vista de esta descripción, la consulta versa sobre el criterio que debe seguirse para presentar en la cuenta de pérdidas y ganancias consolidada el resultado que estaba pendiente de realizar frente a terceros. En concreto, se pregunta si este resultado debe mostrarse como un beneficio del inmovilizado material, formando parte del margen de la explotación, o si por el contrario debe lucir como un resultado de operaciones interrumpidas.

El art. 42 de las Normas para la Formulación de Cuentas Anuales Consolidadas (NFCAC), aprobadas por el Real Decreto 1159/2010, de 17 de septiembre, en su apartado 4, expresa:

«*Los resultados se entenderán realizados frente a terceros de acuerdo con lo establecido en los arts. 43 a 47 o cuando una de las sociedades participantes en la operación interna deje de formar parte del grupo, siempre y cuando el activo que incorpora el resultado no permanezca dentro del mismo. La imputación de resultados en la cuenta de pérdidas y ganancias consolidada o, en su caso, en el estado de ingresos y gastos reconocidos consolidado lucirá, cuando corresponda, como un menor o mayor importe de las partidas que procedan».*

Por tanto, en principio, el resultado pendiente de realización en la fecha en que se produce la venta de la sociedad dependiente se mostrará formando parte del margen de la explotación, como un resultado por la enajenación del inmovilizado.

No obstante, considerando que en aplicación de lo previsto en el art. 31, letra a) de las NFCAC, a los exclusivos efectos de la consolidación, el beneficio o la pérdida que subsista después de practicar los ajustes que se describen en la citada letra, debe mostrarse en la cuenta de pérdidas y ganancias consolidada, con el adecuado desglose, dentro de la partida «Resultado por la pérdida de control de participaciones consolidadas», en el caso que nos ocupa habría que llegar a la misma conclusión y, en consecuencia, el resultado pendiente de realizar por la venta del inmovilizado debería lucir en la citada partida.

Por el contrario, si la actividad desarrollada por la filial debe calificarse como una operación «interrumpida», los ingresos y gastos por naturaleza del negocio en el extranjero, incluido el resultado pendiente de realizar, se presentarían en la cuenta de pérdidas y ganancias consolidada, en un solo importe neto del efecto impositivo, en sintonía con lo dispuesto en el art. 79 de las NFCAC.

Para ello, habrá que considerar que de acuerdo con lo dispuesto en el apartado 11 de la Norma de elaboración de cuentas anuales (NECA) 7.ª recogida en la tercera parte del Plan General de Contabilidad, la actividad de la sociedad dependiente solo se calificará como «interrumpida» si representa una línea de negocio o un área geográfica significativa.

En cualquier caso, en la memoria de las cuentas consolidadas se deberá suministrar la información significativa sobre estos hechos con la finalidad que aquellas, en su conjunto, reflejen la imagen fiel del patrimonio, de la situación financiera y de los resultados del grupo. En particular, deberá informarse de las indicaciones recogidas en la nota 26.3 del modelo de memoria incluida en las NFCAC.

Comentario

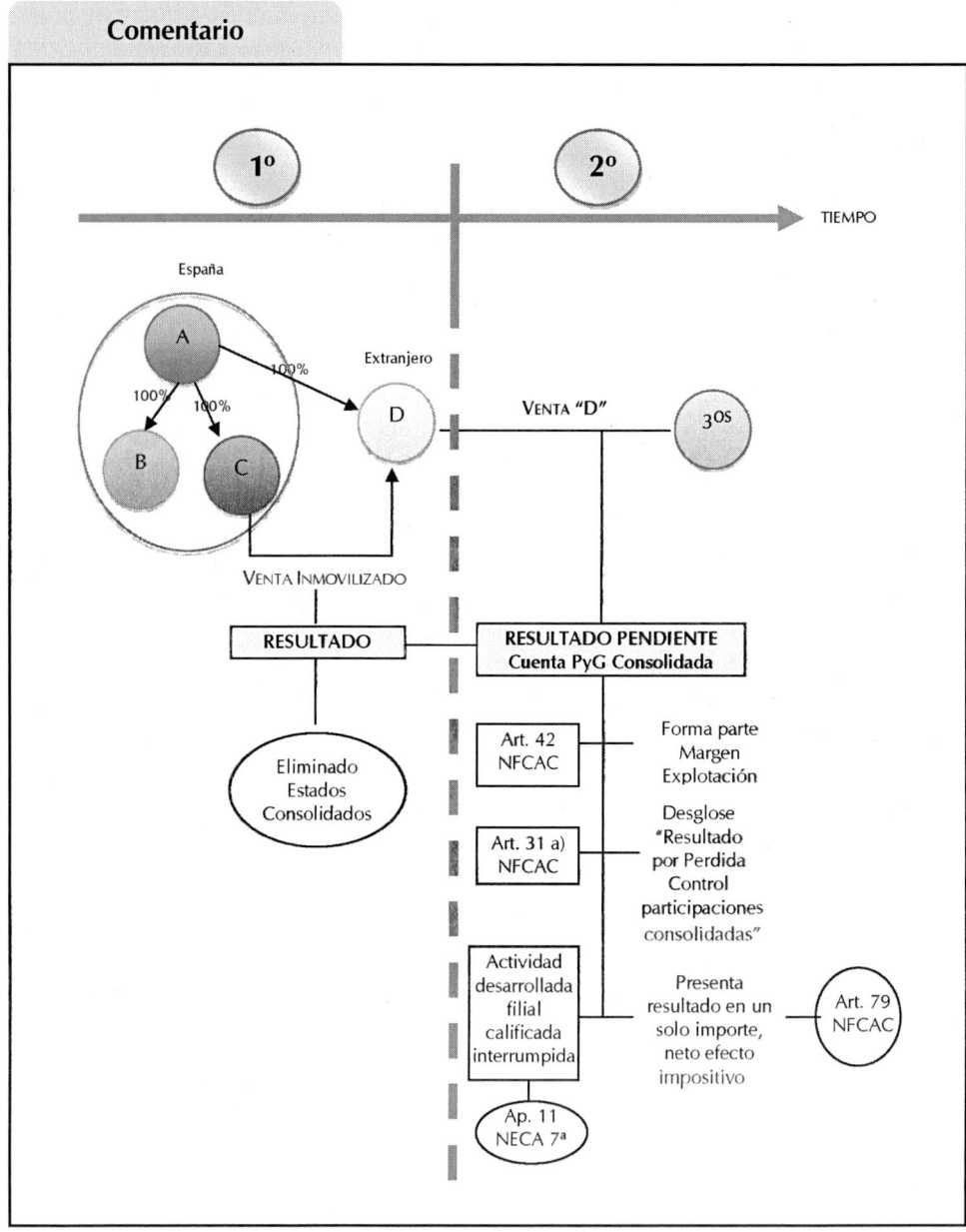

Ejemplo

La sociedad MARCOS, que formula cuentas anuales consolidadas, es la dominante de un grupo de sociedades (cuyo gráfico se anexa). Ésta, adquirió a principios del ejercicio «X» el 80% de la sociedad EMMA domiciliada en el extranjero pagando, 900€.

En octubre del ejercicio X2, la sociedad MARCOS, vende a terceros ajenos al grupo la participación en EMMA por 1.600€.

Los valores contables de los activos adquiridos, y pasivos asumidos son coincidentes con sus valores razonables.

Después de realizada la venta MARCOS sigue siendo la dominante del grupo de sociedades.

Las sociedades filiales «A» y «B» vendieron en el ejercicio X1 activos de inmovilizado a la sociedad EMMA aflorando en sus cuentas individuales unos beneficio de 100 y 200€ respectivamente, los cuales fueron eliminados posteriormente en el consolidado.

La actividad desarrollada por la sociedad EMMA no se califica como interrumpida.

El resultado generado por MARCOS en el ejercicio X2 ascendió a 700€.

El patrimonio neto de EMMA tiene la siguiente composición en las fechas reseñadas:

CUENTA	1/1/X	31/12/X1	1/10/X2	31/12/X2
Capital social	500	500	500	500
Reservas	500	600	900	900
Subvenciones oficiales de capital	0	200	180	170
Resultados	0	50	100	120
TOTAL PATRIMONIO NETO	1.000	1.350	1.680	1.690

SE PIDE:

1.- Realizar los ajustes que proceden para obtener el Balance y Cuenta de pérdidas y ganancias consolidada a 31/12/X2 en relación únicamente con la venta de la participación en la sociedad EMMA.

2.- Realizar los ajustes que proceden para obtener el Balance y cuenta de pérdidas y ganancias consolidada a 31/12/X2 en relación con el resultado obtenido por las filiales «A» y «B» en la venta de activos de inmovilizado a la sociedad EMMA.

3.- En el supuesto de que la sociedad enajenada EMMA la actividad que desarrolla hubiese sido clasificada como una actividad ininterrumpida, comentar lo que proceda en relación con la venta comentada en el punto anterior.

ANEXO: Gráfico del grupo antes de la venta de EMMA:

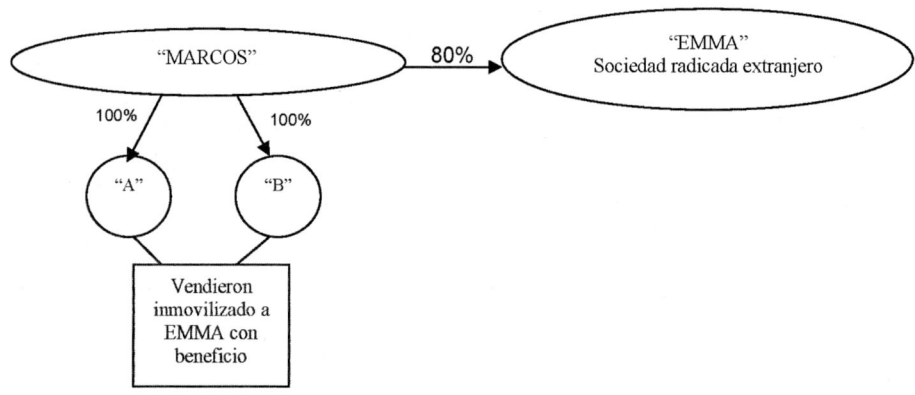

SOLUCIÓN:

1.- Realizar los ajustes que proceden para obtener el Balance y Cuenta de pérdidas y ganancias consolidada a 31/12/X2 en relación únicamente con la venta de la participación en la sociedad EMMA

Como la sociedad EMMA ha sido enajenada durante el ejercicio, en el balance consolidado no se agrega: pues al cierre del ejercicio ya no pertenece al grupo. Por el contrario, la cuenta de pérdidas y ganancias, según dispone el art. 16.4 de las NOFCAC si se agregará la parte del ejercicio en que dicha sociedad haya formado parte del grupo.

Cálculo de la diferencia de consolidación en la fecha de adquisición:

Precio de adquisición.	900€
Patrimonio neto de EMMA (1.000 x 80%).	800€
Capital social: 500	
Reservas: 500	
FONDO DE COMERCIO DE CONSOLIDACIÓN.	**100€**

Cálculo del resultado generado en las cuentas individuales de MARCOS por la venta de su participación en la sociedad EMMA:

Precio venta obtenido.	1.600€
Valor contable de la participación.	800€
Beneficio.	**700€**

Cálculo del resultado generado en la venta de la participación a efectos de consolidación:

Precio obtenido por venta participación.	1.600€
Valor contable en el consolidado, fecha 1/10/X2.	1.444€
PN = 80%1.680 = 1344	
+ Fondo de comercio = 100	
Beneficio consolidado (1.600 - 1.444).	**156€**

Distribución del resultado de MARCOS:

A. Procedentes de las reservas generadas desde la adquisición	
(900 - 500) = 400 x 80% = 320.	320€
B. Procedentes de la subvención obtenida desde la fecha de adquisición y pendiente de imputación	
(180 x 80%) = 144.	144€
C. Procedentes del resultado del ejercicio	
(100 x 80%) = 80.	80€
D. Resultado por pérdida de control	
(100 x 80%) = 80.	156€
TOTAL (**A** + **B** + C).	**700€**

En Balance:

– Por la parte correspondiente a las reservas en sociedades consolidadas:

		X		
320	Resultado del ejercicio (MARCOS)			
		a	Reservas (11)	320

Según establece el Art. 31 de las NOFCAC, cuando se produzca la pérdida del control de una sociedad dependiente se deberán observar las siguientes reglas:

«a) A los exclusivos efectos de la consolidación, el beneficio o la pérdida reconocida en las cuentas anuales individuales de la sociedad que reduce su participación, deberá ajustarse de acuerdo con los siguientes criterios:

a.1) El importe que tenga su origen en las reservas en sociedades consolidadas generadas desde la fecha de adquisición, se reconocerá como reservas de la sociedad que reduce su participación».

En Pérdidas y ganancias:

– Eliminación del beneficio procedentes de reservas generadas en años anteriores.

		X		
320	Beneficios procedentes de participaciones a largo plazo en empresas del grupo (7733)			
		a	Saldo de P y G	320

– Transferencia de a subvención:

		X		
180	Beneficios procedentes de participaciones a largo plazo en empresas del grupo (7733)			
		a	Subvenciones, donaciones y legados transferidos al resultado del ejercicio (746)	180

El importe que tenga su origen en los ingresos y gastos generados por la dependiente en el ejercicio hasta la fecha de pérdida de control deberán lucir según su naturaleza.

– Eliminación del beneficio procedente del resultado del ejercicio hasta la venta de la participación y por la parte correspondiente a la subvención transferida, así como el reconocimiento del resultado a efectos del grupo por la enajenación de la participación.

X

200	Beneficios procedentes de participaciones a largo plazo en empresas del grupo (7733)		
	[700 - 320 - 180]		
		a Saldo de PyG	44
		Resultado por pérdida de control de participaciones consolidadas	156

El beneficio o la pérdida que subsista después de practicar los citados ajustes se mostrará en la cuenta de pérdidas y ganancias consolidada, con el adecuado desglose dentro de la partida «Resultado por la pérdida de control de participaciones consolidadas».

– Reconocimiento de los socios externos hasta la fecha de enajenación:

X

380	Resultado atribuido a la sociedad dominante		
56	Resultado atribuido a los socios externos[*]		
		a Saldo de P y G	436

---

[*] A los exclusivos efectos de la consolidación, se deberá reconocer un ajuste en la cuenta de pérdidas y ganancias consolidada para mostrar la participación de los socios externos en los ingresos y gastos generados por la dependiente en el ejercicio hasta la fecha de pérdida del control, y en la transferencia a la cuenta de pérdidas y ganancias de los ingresos y gastos contabilizados directamente

en el patrimonio neto. La contrapartida del citado ajuste se contabilizará de acuerdo con los criterios incluidos en las letras a.2) y a.3) del artículo. [Art. 31 NOFCAC]

Socios externos:

Imputación a resultado: 100 x 20% =.   20

Imputación subvención. 180 x 20% =.   36

TOTAL.   56

CUENTA DE PÉRDIDAS Y GANANCIAS CONSOLIDA EN RELACIÓN CON LA VENTA DE LA PARTICIPACIÓN Y EL RESULTADO OBTENIDO POR LA DEPENDIENTE:

	Marcos	Emma	P y G Agre- gada	Eliminaciones		P y G Consoli- dada
Resultado	—	50	50	—	—	50
Beneficio venta de la participación en EMMA	700		700	320 180 200		—

HOJA DE TRABAJO:

CUENTAS	Marcos	Emma	P y G Agre- gada	Eliminaciones		P y G Conso- lidada
Subvenciones donacio- nes y legados transferi- dos (746)					180	180
Resultado por pérdida de control					156	156
Resultado del ejercicio	700	100	800		320 44	436
Resultado atribuido a la sociedad dominante						380
Resultado atribuido a socios externos						56

2.- Realizar los ajustes que proceden para obtener el Balance y cuenta de pérdidas y ganancias consolidada a 31/12/X2 en relación con el resultado obtenido por las filiales «A» y «B» en la venta de activos de inmovilizado a la sociedad EMMA

En Balance:

X

100	Reservas (A)			
200	Reservas (B)			
		a	Resultado del ejercicio A	100
			Resultado del ejercicio B	200

El art. 42 de las Normas para la Formulación de Cuentas Anuales Consolidadas (NFCAC), aprobadas por el Real Decreto 1159/2010, de 17 de septiembre, en su apartado 4, expresa:

> «Los resultados se entenderán realizados frente a terceros de acuerdo con lo establecido en los arts. 43 a 47 o cuando una de las sociedades participantes en la operación interna deje de formar parte del grupo, siempre y cuando el activo que incorpora el resultado no permanezca dentro del mismo».

En Pérdidas y Ganancias

X

100	Saldo de P y G (A)			
200	Saldo de P y G (B)			
		a	Resultado por pérdida de control de participaciones consolidadas[*]	300

[*] Según los contenidos de la presente consulta, el resultado pendiente de realización en la fecha en que se produce la venta de la sociedad dependiente se mostrará formando parte del margen de la explotación, como un resultado por la enajenación del inmovilizado.

No obstante, considerando que en aplicación de lo previsto en el art. 31, letra a) de las NFCAC, a los exclusivos efectos de la consolidación, el beneficio o la pérdida que subsista después de practicar *los* ajustes que se describen en la citada letra, debe mostrarse en la cuenta de pérdidas y ganancias consolidada, con el adecuado desglose, dentro de la partida «Resultado por la pérdida de control de participaciones consolidadas», en el caso que nos ocupa habría que llegar a la misma conclusión y, en consecuencia, el resultado pendiente de realizar por la venta del inmovilizado debería lucir en la citada partida.

3.- En el supuesto de que la sociedad enajenada EMMA la actividad que desarrolla hubiese sido clasificada como una actividad ininterrumpida, comentar lo que proceda en relación con la venta comentada en el punto anterior

Si la actividad desarrollada por la filial debe calificarse como una operación «interrumpida», los ingresos y gastos por naturaleza del negocio en el extranjero, incluido el resultado pendiente de realizar, se presentarían en la cuenta de pérdidas y ganancias consolidada, en un solo importe neto del efecto impositivo, en sintonía con lo dispuesto en el art. 79 de las NFCAC.

Para ello, habrá que considerar que de acuerdo con lo dispuesto en el apartado 11 de la Norma de elaboración de cuentas anuales (NECA) 7.ª recogida en la tercera parte del Plan General de Contabilidad, la actividad de la sociedad dependiente solo se calificará como «interrumpida» si representa una línea de negocio o un área geográfica significativa.

9.3.0.2. Obligación de consolidar por sociedades participadas, mayoritariamente por personas físicas con vinculación de parentesco

BOICAC 92, diciembre 2012. Consulta 4.

Sobre si determinadas sociedades participadas mayoritariamente por personas físicas vinculadas por una relación de parentesco, constituyen un grupo de sociedades de los previstos en el art. 42 del Código de Comercio *(CdC).*

Respuesta

La opinión de este Instituto sobre la calificación como empresas del grupo a los efectos del art. 42 del CdC de sociedades participadas por familiares próximos está publicada en la consulta 1 del BOICAC n.º 83, de septiembre de 2010. De su contenido, y en general de la doctrina administrativa de este Instituto acerca de la calificación de sociedades como empresas del grupo, pueden extraerse las siguientes conclusiones.

La Ley 16/2007, de 4 de julio, de reforma y adaptación de la legislación mercantil en materia contable para su armonización internacional con base en la normativa de la Unión Europea, modificó el art. 42.1 del CdC en sintonía con la definición de grupo de sociedades regulado en las normas internacionales de contabilidad y cuya principal consecuencia fue la eliminación de la obligación de consolidar para los denominados «grupos de coordinación», integrados por las empresas sometidas a una misma unidad de decisión; concepto jurídico que permitía identificar la obligación de consolidar cuando varias sociedades estaban controladas por terceros no obligados a consolidar, por carecer de la forma societaria mercantil.

En la práctica, no cabe duda que el supuesto genuino que podía conformar este tipo de grupos eran las sociedades participadas por personas físicas vinculadas por una relación de parentesco, y que mediante la simple participación directa de las personas físicas en las citadas sociedades, o a partir de personas interpuestas, frente a la alternativa de estructurar la participación a través de una sociedad holding, evitaban incurrir en el supuesto de hecho que desencadenaba la obligación de consolidar.

En este sentido, a raíz de la citada reforma, el concepto de grupo del art. 42 del CdC y, en consecuencia, la obligación de consolidar ha quedado definida a partir de la idea de «control entre sociedades o de una sociedad sobre una empresa», en los siguientes términos:

«Art. 42

1. Toda sociedad dominante de un grupo de sociedades estará obligada a formular las cuentas anuales y el informe de gestión consolidados en la forma prevista en esta sección.

Existe un grupo cuando una sociedad ostente o pueda ostentar, directa o indirectamente, el control de otra u otras. En particular, se presumirá que existe control cuando una sociedad, que se calificará como dominante, se encuentre en relación con otra sociedad, que se calificará como dependiente, en alguna de las siguientes situaciones:

a) Posea la mayoría de los derechos de voto.

b) Tenga la facultad de nombrar o destituir a la mayoría de los miembros del órgano de administración.

c) Pueda disponer, en virtud de acuerdos celebrados con terceros, de la mayoría de los derechos de voto.

d) Haya designado con sus votos a la mayoría de los miembros del órgano de administración, que desempeñen su cargo en el momento en que deban formularse las cuentas consolidadas y durante los dos ejercicios inmediatamente anteriores. En particular, se presumirá esta circunstancia cuando la mayoría de los miembros del órgano de administración de la sociedad dominada sean miembros del órgano de administración o altos directivos de la sociedad dominante o de otra dominada por ésta. Este supuesto no dará lugar a la consolidación si la sociedad cuyos administradores han sido nombrados, está vinculada a otra en alguno de los casos previstos en las dos primeras letras de este apartado.

A los efectos de este apartado, a los derechos de voto de la entidad dominante se añadirán los que posea a través de otras sociedades dependientes o a través de personas que actúen en su propio nombre pero por cuenta de la entidad dominante o de otras dependientes o aquellos de los que disponga concertadamente con cualquier otra persona».

La relación de subordinación a que se refiere el art. 42 del CdC es la consecuencia lógica de poseer la mayoría de los derechos de voto de una sociedad, o de la facultad de nombrar o haber designado a la mayoría de los miembros de su órgano de administración, circunstancia que también requiere, con carácter general, gozar de los derechos de voto.

Sin embargo no es menos cierto que el art. 42 del CdC contempla la posibilidad de que el control se puede ejercer sin participación, configurándose a partir de esta hipótesis una nueva tipología de sociedades dependientes, las denominadas entidades de propósito especial, para cuya identificación uno de los aspectos más relevantes a considerar es la participación de una sociedad en los riesgos y beneficios de otra. A tal efecto y para facilitar la tarea de identificar estos supuestos, el art. 2, apartado 2, de las Normas para la Formulación de las Cuentas Anuales Consolidadas (NFCAC), desarrolla el concepto de control sin participación.

En este contexto regulatorio, en principio, cabe concluir que la calificación como empresas del grupo de un entramado societario es una cuestión de hecho, que viene determinada por la existencia o la posibilidad de control entre sociedades o de una empresa por una sociedad, para cuya apreciación concreta sería preciso analizar todos los antecedentes y circunstancias del correspondiente caso.

A mayor abundamiento se informa que la norma de elaboración de las cuentas anuales (NECA) 13.ª del Plan General de Contabilidad aprobado por el Real Decreto 1514/2007, de 16 de noviembre, dispone que a efectos de la presentación de las cuentas anuales individuales de una empresa o sociedad se entenderá que otra empresa forma parte del grupo cuando ambas estén vinculadas por una relación de control, directa o indirecta, análoga a la prevista en el art. 42 del CdC, o cuando las empresas estén controladas por cualquier medio por una o varias personas físicas o jurídicas, que actúen conjuntamente o se hallen bajo dirección única por acuerdos o cláusulas estatutarias.

El concepto de grupo «ampliado» a partir del concepto de «actuación conjunta», también es una cuestión de hecho y por lo tanto de juicio pero cuya identificación con el concepto de unidad de decisión y lo que podríamos denominar grupo «familiar» es más que evidente.

En este sentido cabe recordar que la reforma del art. 42 del CdC en el año 2007 vino acompañada por la incorporación de un nuevo requerimiento de información en la memoria de las cuentas anuales individuales de la sociedad de mayor activo (en la actualidad recogida en la indicación decimotercera del art. 260 del Texto Refundido de la Ley de Sociedades de Capital), sobre las magnitudes del conjunto de sociedades españolas sometidas a una misma unidad de decisión, en los siguientes términos:

> *«Decimotercera. Cuando la sociedad sea la de mayor activo del conjunto de sociedades domiciliadas en España, sometidas a una misma unidad de deci-*

sión, porque estén controladas por cualquier medio por una o varias personas físicas o jurídicas, no obligadas a consolidar, que actúen conjuntamente, o porque se hallen bajo dirección única por acuerdos o cláusulas estatutarias, deberá incluir una descripción de las citadas sociedades, señalando el motivo por el que se encuentran bajo una misma unidad de decisión, e informará sobre el importe agregado de los activos, pasivos, patrimonio neto, cifra de negocios y resultado del conjunto de las citadas sociedades.

Se entiende por sociedad de mayor activo aquella que en el momento de su incorporación a la unidad de decisión, presente una cifra mayor en el total activo del modelo de balance.

Las restantes sociedades sometidas a una unidad de decisión indicarán en la memoria de sus cuentas anuales la unidad de decisión a la que pertenecen y el Registro Mercantil donde estén depositadas las cuentas anuales de la sociedad que contiene la información exigida en el párrafo primero de esta indicación».

Como se ha indicado, en el supuesto de que un conjunto de personas físicas vinculadas por una relación de parentesco posean la mayoría de los derechos de voto de varias sociedades, cuando menos, no cabe duda que se desencadenaría una presunción, que admitiría la prueba en contrario, de que dichas sociedades (tanto las controladas a título individual por cada una o algunas de dichas personas físicas, como las participadas por todas ellas), deben calificarse como empresas del grupo «ampliado» en la medida en que la posibilidad de «actuación conjunta» es más que evidente dado el reducido número de socios que conforman el accionariado y la ausencia de intereses contrapuestos que cabe inferir del vínculo de parentesco que los entrelaza.

Es decir, las sociedades integradas en lo que podríamos denominar un grupo «familiar», como regla general, constituyen grupos sometidos a la misma unidad de decisión, que pueden reconocerse a la vista de la coincidencia de las personas que componen los órganos de administración de las empresas, y de las propias relaciones económicas cruzadas que la unidad de decisión teje entre las sociedades titulares de los activos y pasivos que «administran» directa o indirectamente las personas que la conforman, como por ejemplo, mediante el otorgamiento de asistencia financiera mutua o la presencia de estas sociedades en las sucesivas etapas de un determinado proceso productivo.

Sin embargo, no es menos cierto que identificar relaciones de subordinación entre ellas puede llevar a un resultado arbitrario o infundado (porque la unidad económica puede adoptar diferentes estructuras jurídicas, en función de los intereses en liza en cada momento), como se puede colegir de la solución legal que se ha seguido para designar a la sociedad que debe informar en la memoria de las cuentas anuales individuales del grupo «ampliado» (la sociedad de mayor activo, ante la imposibilidad de hacer recaer dicha obligación en las personas físicas que ejercen el control de todas ellas).

Comentario

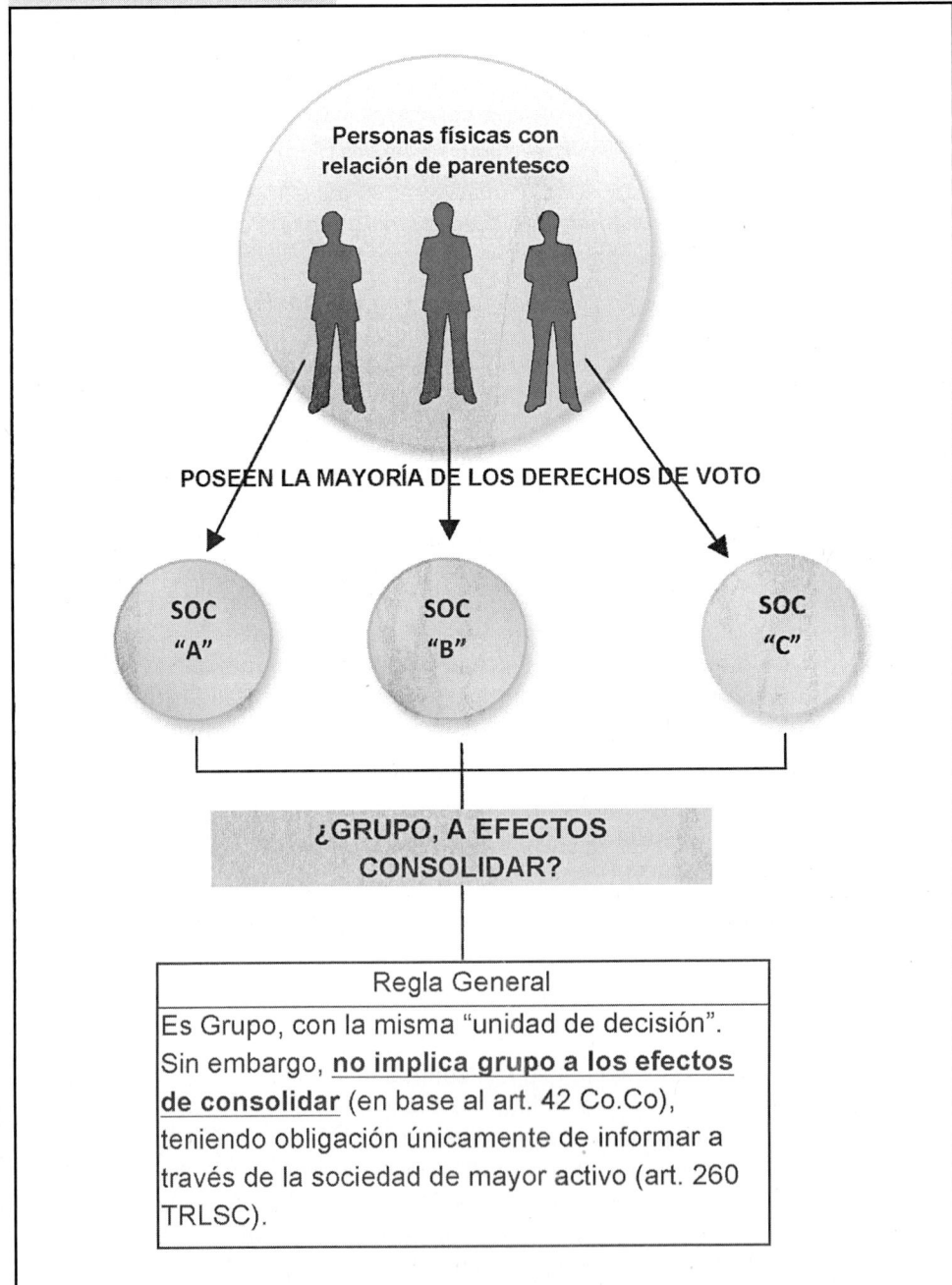

Ejemplo

Sea el grupo de personas físicas «X», «Y» y «Z» (vinculadas por una relación de parentesco) que poseen el 90% en la sociedad «A» y el 93% «B».

El conjunto de personas físicas actúa conjuntamente, y está bajo dirección única, por acuerdos estatutarios.

La composición del accionariado de las sociedades «A», «B» es la siguiente

Sociedad «A»	Sr. «X»: 30%
Total Activo, 1.200.000€	Sr. «Y»: 30%
	Sr. «Z»: 30%
	Otros: 10%
Sociedad «B»	Sociedad «A»: 7%
Total Activo, 800.000€	Sr. «X»: 31%
	Sr. «Y»: 31%
	Sr. «Z»: 31%

SE PIDE:

1.- Determinar si las Sociedades «A» y «B» forman un Grupo de Sociedades.

2.- Determinar si las Sociedades «A» y «B» están obligadas a consolidar.

3.- Información a proporcionar en la Memoria por la sociedad de mayor activo.

SOLUCIÓN:

1.- Determinar si «A» y «B» forman un Grupo de Sociedades

Gráficamente, podemos exponer la situación que se nos presenta, como sigue:

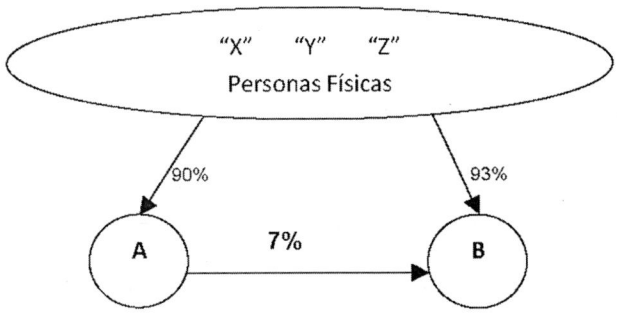

Según dispone el art. 42 del Código de comercio, existe un grupo cuando una sociedad ostente o pueda ostentar, directa o indirectamente, el control de otra u otras. En particular, se presumirá que existe control cuando una sociedad, que se calificará como dominante, se encuentre en relación con otra sociedad, que se calificará como dependiente, en alguna de las siguientes situaciones:

a) Posea la mayoría de los derechos de voto.

b) Tenga la facultad de nombrar o destituir a la mayoría de los miembros del órgano de administración.

c) Pueda disponer, en virtud de acuerdos celebrados con terceros, de la mayoría de los derechos de voto.

d) Haya designado con sus votos a la mayoría de los miembros del órgano de administración, que desempeñen su cargo en el momento en que deban formularse las cuentas consolidadas y durante los dos ejercicios inmediatamente anteriores. En particular, se presumirá esta circunstancia cuando la mayoría de los miembros del órgano de administración de la sociedad dominada sean miembros del órgano de administración o altos directivos de la sociedad dominante o de otra dominada por ésta.

Por otra parte, la norma de elaboración de las cuentas anuales (NECA) 13.ª del Plan General de Contabilidad aprobado por el Real Decreto 1514/2007, de 16 de noviembre, dispone que a efectos de la presentación de las cuentas anuales individuales de una empresa o sociedad se entenderá que otra empresa forma parte del grupo cuando ambas estén vinculadas por una relación de control, directa o indirecta, análoga a la prevista en el art. 42 del CdC, o cuando las empresas estén controladas por cualquier medio por una o varias personas físicas o jurídicas, que actúen conjuntamente o se hallen bajo dirección única por acuerdos o cláusulas estatutarias.

Igualmente, y según los contenidos de la presente Consulta [4, Boicac 92] en el supuesto de que un conjunto de personas físicas vinculadas por una relación de parentesco posean la mayoría de los derechos de voto de varias sociedades, cuando menos, no cabe duda que se desencadenaría una presunción, que admitiría la prueba en contrario, de que dichas sociedades (tanto las controladas a título individual por cada una o algunas de dichas personas físicas, como las participadas por todas ellas), deben calificarse como empresas del grupo «ampliado» en la medida en que la posibilidad de «actuación conjunta» es más que evidente dado el reducido número de socios que conforman el accionariado y la ausencia de intereses contrapuestos que cabe inferir del vínculo de parentesco que los entrelaza.

En consecuencia con lo anterior las sociedades A y B forman un grupo.

2.- Determinar si «A» y «B» están obligadas a consolidar

La Ley 16/2007, de 4 de julio, de reforma y adaptación de la legislación mercantil en materia contable para su armonización internacional con base en la normativa de la Unión Europea, modificó el art. 42.1 del Co.Co en sintonía con la definición de grupo de sociedades regulado en las normas internacionales de contabilidad y cuya principal consecuencia fue la eliminación de la obligación de consolidar para los denominados «grupos de coordinación», integrados por las empresas sometidas a una misma unidad de decisión; concepto jurídico que permitía identificar la obligación de consolidar cuando varias sociedades estaban controladas por terceros no obligados a consolidar, por carecer de la forma societaria mercantil. En consecuencia, no existe obligación de consolidar.

3.- Información a proporcionar en la Memoria por la sociedad de mayor activo

La reforma en el art. 42 del Co.Co en el año 2007 vino acompañada por la incorporación de un nuevo requerimiento de información en la memoria de las cuentas anuales individuales de la sociedad de mayor activo (en la actualidad recogida en la indicación decimotercera del art. 260 del Texto Refundido de la Ley de Sociedades de Capital), sobre las magnitudes del conjunto de sociedades españolas sometidas a una misma unidad de decisión, en los siguientes términos:

> «*Decimotercera. Cuando la sociedad sea la de mayor activo del conjunto de sociedades domiciliadas en España, sometidas a una misma unidad de decisión, porque estén controladas por cualquier medio por una o varias personas físicas o jurídicas, no obligadas a consolidar, que actúen conjuntamente, o porque se hallen bajo dirección única por acuerdos o cláusulas estatutarias, deberá incluir una descripción de las citadas sociedades, señalando el motivo por el que se encuentran bajo una misma unidad de decisión, e informará sobre el importe agregado de los activos, pasivos, patrimonio neto, cifra de negocios y resultado del conjunto de las citadas sociedades*».

En consecuencia la información reseñada la incorporará la sociedad A por ser la de mayor activo.

9.3.0.3. Dispensa y normas aplicables para consolidar cuando dependiente deja cotizar

BOICAC 100, diciembre 2014. Consulta 3.

Sobre la obligación de formulación de cuentas anuales consolidadas cuando una de las sociedades dependientes del grupo ha dejado de cotizar en un mercado regulado de la Unión Europea.

Respuesta

La sociedad dominante de un grupo de sociedades españolas ha formulado cuentas anuales consolidadas en los ejercicios anteriores de acuerdo con las normas internacionales de información financiera adoptadas por la Unión Europea

(NIIF-UE) debido a que una de las sociedades dependientes del grupo tenía deuda subordinada emitida en un mercado regulado de la UE.

La cuestión concreta que se plantea es si la sociedad obligada a consolidar quedaría dispensada en el supuesto de que antes del cierre del ejercicio la sociedad dependiente amortizase toda la deuda subordinada. En la consulta no se aclara si la sociedad dominante podía aplicar la dispensa por razón de tamaño y era la circunstancia de cotizar lo que impedía aplicar la exención. No obstante, en la respuesta se analizarán ambas hipótesis.

Una sociedad dominante de un grupo de sociedades estará obligada a formular cuentas anuales consolidadas e informe de gestión consolidado, siempre y cuando no se encuentre inmersa en las causas de dispensa de la obligación de consolidar recogidas en el art. 43 del Código de Comercio y en los arts. 7, 8 y 9 de las normas para la formulación de cuentas anuales consolidadas (NFCAC), aprobadas por el Real Decreto 1159/2010, de 17 de septiembre.

La cuestión planteada gira en torno a los preceptos desarrollados en los arts. 6, 7 y 8 de las NFCAC. De la lectura de la consulta parece inferirse que la sociedad dominante formulaba cuentas anuales consolidadas y aplicaba las NIIF-UE según lo establecido en el art. 6.1.a). Sin embargo, en el último ejercicio podría acogerse a la dispensa del art. 8 por razón del tamaño porque ha amortizado toda la deuda emitida en un mercado regulado de la UE, sin incurrir en un nuevo endeudamiento.

Pues bien, la dispensa del art. 8 establece a su vez la condición de que, el cumplimiento de las dos circunstancias que permite acogerse a la misma se repitan durante dos ejercicios consecutivos. Por lo tanto, la sociedad dominante estará obligada a formular cuentas anuales consolidadas en ese último ejercicio, a la espera de que en el ejercicio siguiente se vuelvan a cumplir los requisitos del art. 8, momento en el que podrá acogerse a la dispensa de la obligación de consolidar por razón de tamaño.

También se informa que en el supuesto de que el grupo ya cumpliese los requisitos para aplicar la exención por razón de tamaño antes de amortizar la deuda, salvo por el hecho de que alguna de las sociedades dependientes que lo forman hubiese emitido valores a negociación, este Instituto opina que la cancelación del pasivo tampoco habilitaría a la sociedad dominante para hacer uso de la dispensa en ese mismo ejercicio porque a lo largo del mismo, durante un determinado período, ha tenido valores admitidos a negociación.

Ahora bien, en ambos casos, la sociedad ya no estaría obligada a formular las cuentas anuales consolidadas de acuerdo con las NIIFUE al desaparecer el supuesto de hecho que determinaba la aplicación de las mismas (que a diferencia de la exclusión o dispensa, debe ser evaluado al cierre del ejercicio), pudiendo en este momento optar por aplicar las normas y principios contables de general aceptación en España contenidas en el Código de Comercio, normas para la formulación de cuentas consolidadas y demás normativa contable en vigor, o continuar aplicando las normas internacionales, de acuerdo con el art. 6.1.b).

A mayor abundamiento cabe señalar que en la memoria de las cuentas anuales individuales se deberá suministrar la necesaria información sobre los hechos descritos en la consulta con el objetivo de que aquellas, en su conjunto, muestren la imagen fiel del patrimonio, de la situación financiera y de los resultados obtenidos por la sociedad. En particular, de acuerdo con el apartado 1.3 y 23.8 del modelo normal de memoria, la sociedad deberá informar:

a) En el caso de ser la empresa dominante de un grupo, en los términos previstos en el art. 42 del Código de Comercio, sobre la formulación de cuentas anuales consolidadas o, en su caso, sobre el tipo de dispensa que justifica la falta de formulación de las mismas, de entre los contemplados en el art. 43 del susodicho Código.

b) En el caso de pertenecer a un grupo de sociedades, en los términos previstos en el art. 42 del Código de Comercio, incluso cuando la sociedad dominante esté domiciliada fuera del territorio español, se informará sobre su nombre, así como el de la sociedad dominante directa y de la dominante última del grupo, la residencia de estas sociedades y el Registro Mercantil donde estén depositadas las cuentas anuales consolidadas, la fecha de formulación de las mismas o, si procediera, las circunstancias que eximan de la obligación de consolidar

c) En el caso de pertenecer a un grupo de empresas, se describirá la estructura financiera del grupo.

Comentario

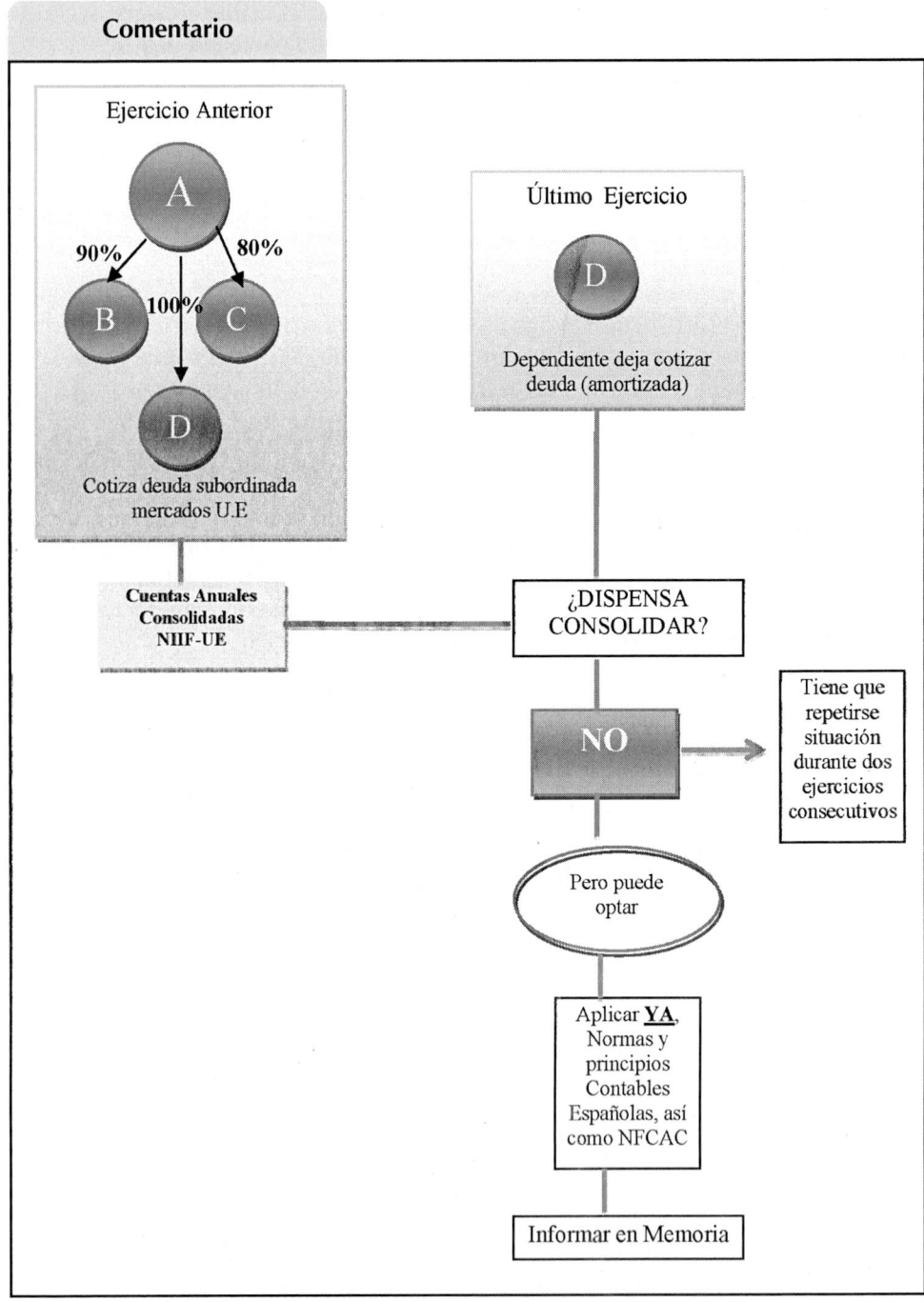

Ejemplo

La sociedad «X», dominante del grupo de sociedades españolas «XAB», ha formulado cuentas anuales consolidadas en los ejercicios anteriores de acuerdo con las normas internacionales de información financiera adoptadas por la Unión Europea (NIIF-UE): debido a que una de las sociedades dependientes del grupo (sociedad «A») tenía deuda subordinada emitida en un mercado regulado de la UE. La participación que posee en «A» es del 90% y en «B» del 80%.

En el mes de octubre del presente año (X15) y con anterioridad al cierre del ejercicio, la sociedad filial «A» ha amortizado toda la deuda subordinada.

SE PIDE:

1.- ¿Está obligada la sociedad dominante «X», a formular cuentas anuales consolidadas?

2.- En el supuesto de que el grupo ya cumpliese los requisitos para aplicar la exención, por razón de tamaño, antes de amortizar la deuda, ¿estaría obligado a formular cuentas anuales consolidadas?

3.- ¿Estaría obligada a formular las cuentas anuales consolidadas, de acuerdo con las NIIF-UE al desaparecer el supuesto de hecho que determinaba la aplicación de las mismas (emisión de deuda subordinada en un mercado regulado de la UE)?

4.- Información a incluir en la memoria de las cuentas anuales individuales.

SOLUCIÓN:

GRÁFICO DEL GRUPO «XAB»

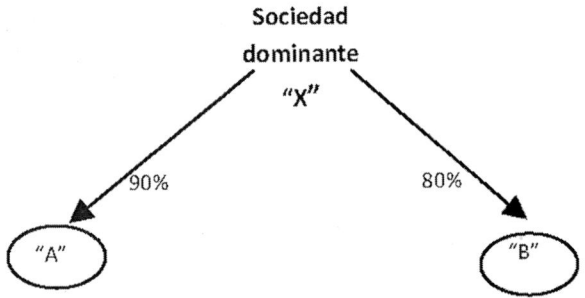

1.-¿Está obligada la sociedad dominante «X», a formular cuentas anuales consolidadas?

Para responder a esta pregunta, estaremos a lo dispuesto en el art. 8 del RD 1159/2010 de 17 septiembre por el que se aprueba las Normas de Formulación de Cuentas Anuales Consolidadas (NFCAC), la cual nos comenta que una sociedad no estará obligada a formular cuentas consolidadas por razón del tamaño, cuando:

«(...) durante dos ejercicios consecutivos en la fecha de cierre de su ejercicio, el conjunto de las sociedades del grupo no sobrepase dos de los límites relativos al total de las partidas del activo del balance, al importe neto de la cifra anual de negocios y al número medio de trabajadores, señalados en el Texto Refundido de la Ley de Sociedades de Capital para la formulación de cuenta de pérdidas y ganancias abreviada. Cuando un grupo en la fecha de cierre del ejercicio de la sociedad obligada a consolidar pase a cumplir dos de las circunstancias antes indicadas o bien cese de cumplirlas, tal situación únicamente producirá efectos si se repite durante dos ejercicios consecutivos (...)».

La sociedad dominante formulaba cuentas anuales consolidadas y aplicaba las NIIF-UE según lo establecido en el art. 6.1.a). Sin embargo, en el último ejercicio podría acogerse a la dispensa del art. 8 de las NFCAC por razón del tamaño porque ha amortizado toda la deuda emitida en un mercado regulado de la UE, sin incurrir en un nuevo endeudamiento.

Pues bien, la dispensa del art. 8 establece a su vez la condición de que, el cumplimiento de las dos circunstancias que permite acogerse a la misma se repitan durante dos ejercicios consecutivos. Por lo tanto, la sociedad dominante estará obligada a formular cuentas anuales consolidadas en ese último ejercicio, a la espera de que en el ejercicio siguiente se vuelvan a cumplir los requisitos del art. 8, momento en el que podrá acogerse a la dispensa de la obligación de consolidar por razón de tamaño.

2.- En el supuesto de que el grupo ya cumpliese los requisitos para aplicar la exención, por razón de tamaño, antes de amortizar la deuda, ¿estaría obligado a formular cuentas anuales consolidadas?

El ICAC opina que la cancelación del pasivo, tampoco habilitaría a la sociedad dominante para hacer uso de la dispensa en ese mismo ejercicio, porque a lo largo del mismo, durante un determinado período, ha tenido valores admitidos a negociación.

3.- ¿Estaría obligada a formular las cuentas anuales consolidadas, de acuerdo con las NIIF-UE al desaparecer el supuesto de hecho que determinaba la aplicación de las mismas (emisión de deuda subordinada en un mercado regulado de la UE)?

La sociedad ya no estaría obligada a formular las cuentas anuales consolidadas de acuerdo con las NIIF-UE al desaparecer el supuesto de hecho que determinaba la aplicación de las mismas (que a diferencia de la exclusión o dispensa, debe ser evaluado al cierre del ejercicio), pudiendo en este momento optar por aplicar las normas y principios contables de general aceptación en España contenidas en el Código de Comercio, normas para la formulación de cuentas consolidadas y demás normativa contable en vigor, o continuar aplicando las normas internacionales, de acuerdo con el art. 6.1.b).

4.- Información a incluir en la memoria de las cuentas anuales individuales

En la memoria de las cuentas anuales individuales se deberá suministrar la necesaria información sobre los hechos descritos con el objetivo de que aquellas, en su conjunto, muestren la imagen fiel del patrimonio, de la situación financiera y de los resultados obtenidos por la sociedad. En particular, de acuerdo con el apartado 1.3 y 23.8 del modelo normal de memoria, la sociedad deberá informar:

a) En el caso de ser la empresa dominante de un grupo, en los términos previstos en el art. 42 del Código de Comercio, sobre la formulación de cuentas anuales consolidadas o, en su caso, sobre el tipo de dispensa que justifica la falta de formulación de las mismas, de entre los contemplados en el art. 43 del susodicho Código.

b) En el caso de pertenecer a un grupo de sociedades, en los términos previstos en el art. 42 del Código de Comercio, incluso cuando la sociedad dominante esté domiciliada fuera del territorio español, se informará sobre su nombre, así como el de la sociedad dominante directa y de la dominante última del grupo, la residencia de estas sociedades y el Registro Mercantil donde estén depositadas las cuentas anuales consolidadas, la fecha de formulación de las mismas o, si procediera, las circunstancias que eximan de la obligación de consolidar

c) En el caso de pertenecer a un grupo de empresas, se describirá la estructura financiera del grupo.

9.3.0.4. Préstamo participativo en una sociedad dependiente: valor razonable inferior a su adquisición

BOICAC 101, marzo 2015. Consulta 3.

Sobre el tratamiento contable en las cuentas consolidadas de un pasivo que en la fecha de adquisición está contabilizado en las cuentas anuales de la sociedad adquirida por un valor superior a su valor razonable.

Respuesta

La sociedad consultante es la sociedad Holding española de un grupo multinacional. Con carácter previo al año 2007, la consultante participa en el 100% de una sociedad operativa española. En ese año, adquiere a un tercero otro negocio radicado en España desembolsando por la totalidad de las participaciones 1 euro. Además, como parte del mismo acuerdo, la consultante adquiere un préstamo participativo que la vendedora/prestamista había concedido al negocio. El crédito se adquiere por su valor razonable que es significativamente inferior al coste amortizado por el que el pasivo figura contabilizado en el negocio adquirido.

En el año 2008, la consultante acuerda la fusión de las dos sociedades dependientes (los dos negocios), que se instrumentaliza mediante la absorción del segundo por el primero. En el escrito de consulta se informa que la absorbente no emitió acciones ni amplió capital, sino que, por el contrario, registro una reserva negativa por un importe significativo. El préstamo participativo se registró en la absorbente por el valor en libros por el que lucía en la transmitente.

En la actualidad, la sociedad Holding ha adquirido una tercera sociedad y está valorando dejar de acogerse a la dispensa por razón de subgrupo regulada en el art. 9 de las Normas para la Formulación de las Cuentas Anuales Consolidadas (NFCAC), aprobadas por el Real Decreto 1159/2010, de 17 de septiembre.

La consulta versa sobre el tratamiento contable del préstamo participativo en las cuentas consolidadas del subgrupo español, en los siguientes escenarios:

a) En el supuesto de que la sociedad Holding acuerde mantener el préstamo hasta su repago en el vencimiento (al cierre del ejercicio 2016), circunstancia que pondría de manifiesto el reconocimiento de un ingreso en las cuentas individuales de la Holding por un importe equivalente al descuento con el que se ha adquirido el pasivo, o

b) En el supuesto de que la sociedad Holding acuerde el vencimiento anticipado del préstamo mediante su aportación al patrimonio neto de la filial por compensación de créditos, lo que originaría el reconocimiento de un ingreso en la sociedad dependiente por diferencia entre el valor razonable del préstamo y su coste amortizado.

En particular se pregunta si de acuerdo con los criterios establecidos en las NFCAC, el ingreso que se registre en las cuentas individuales de la sociedad Holding o la sociedad dependiente, según los casos, ha de ser objeto de eliminación y, por lo tanto, no ha de reconocerse en las cuentas consolidadas del subgrupo español.

El método de integración global tiene como finalidad ofrecer la imagen fiel del patrimonio, de la situación financiera y de los resultados de las sociedades del grupo considerando el conjunto de dichas sociedades como una sola entidad que informa. De esta forma, el grupo de sociedades debe calificar, reconocer, valorar y clasificar las transacciones de conformidad con la sustancia económica de las mismas y considerando que el grupo actúa como un sujeto contable único, con independencia de la forma jurídica y del tratamiento contable que hayan recibido dichas transacciones en las cuentas anuales individuales de las sociedades que lo componen.

Pues bien, la adquisición por parte de la sociedad dominante del control de una sociedad dependiente constituye una combinación de negocios, en la que la sociedad dominante ha adquirido el control de todos los elementos patrimoniales de la sociedad dependiente. Esta adquisición, con carácter general, se contabilizará de acuerdo con lo establecido en la norma de registro y valoración 19.ª Combinaciones de negocios del Plan General de Contabilidad, aprobado por el Real Decreto 1514/2007, de 16 de noviembre.

Al amparo de este razonamiento, en relación con el caso que nos ocupa, cabe inferir dos conclusiones preliminares:

a) En primer lugar, que los activos identificables adquiridos y pasivos asumidos de la sociedad dependiente, con carácter general, se valorarán por su valor razonable en la fecha de adquisición; y,

b) En las consolidaciones posteriores, a los efectos de calcular la renta generada por la entidad que informa, si algún elemento patrimonial es objeto, a efectos de la formulación de las cuentas anuales consolidadas, de un ajuste de valor, la amortización, pérdidas por deterioro y resultados de enajenación o baja en balance, se calcularán, en las cuentas anuales consolidadas, sobre la base de su valor ajustado. Un razonamiento similar cabría sostener en relación con la renta financiera de los activos y pasivos contabilizados al coste o coste amortizado.

Por lo tanto, sin perjuicio de que en las cuentas anuales individuales el tratamiento contable del préstamo participativo no se ve condicionado por el hecho de que la sociedad haya sido enajenada a un nuevo socio, desde la perspectiva de las cuentas consolidadas de la sociedad adquirente esta circunstancia sí que resulta relevante, porque de acuerdo con lo indicado el precio de adquisición del pasivo debe ser su valor razonable en la fecha de adquisición.

Por ello, y entrando en el fondo de la cuestión que se plantea, en cualquiera de las dos hipótesis que se han suscitado, tanto en la consolidación inicial, como en las posteriores, cabe concluir que la cuenta de pérdidas y ganancias consolidada no recogerá renta alguna como consecuencia de las operaciones que se han descrito, esto es, ni por el devengo ordinario del interés ni por la baja del pasivo.

Por el contrario, del mismo modo que a los exclusivos efectos de las cuentas consolidadas y en aplicación del método de adquisición se reconoce la amortización de las plusvalías adquiridas, en el caso que nos ocupa también será preciso eliminar el descuento con el que se ha adquirido el pasivo, a medida que se produzca su devengo en forma de ingreso en la sociedad dominante, o cuando se contabilice por razón de la baja del préstamo en la sociedad dependiente.

Adicionalmente, en aplicación del art. 41 de las NFCAC, también deberán eliminarse las partidas recíprocas o intragrupo que se han descrito.

Comentario

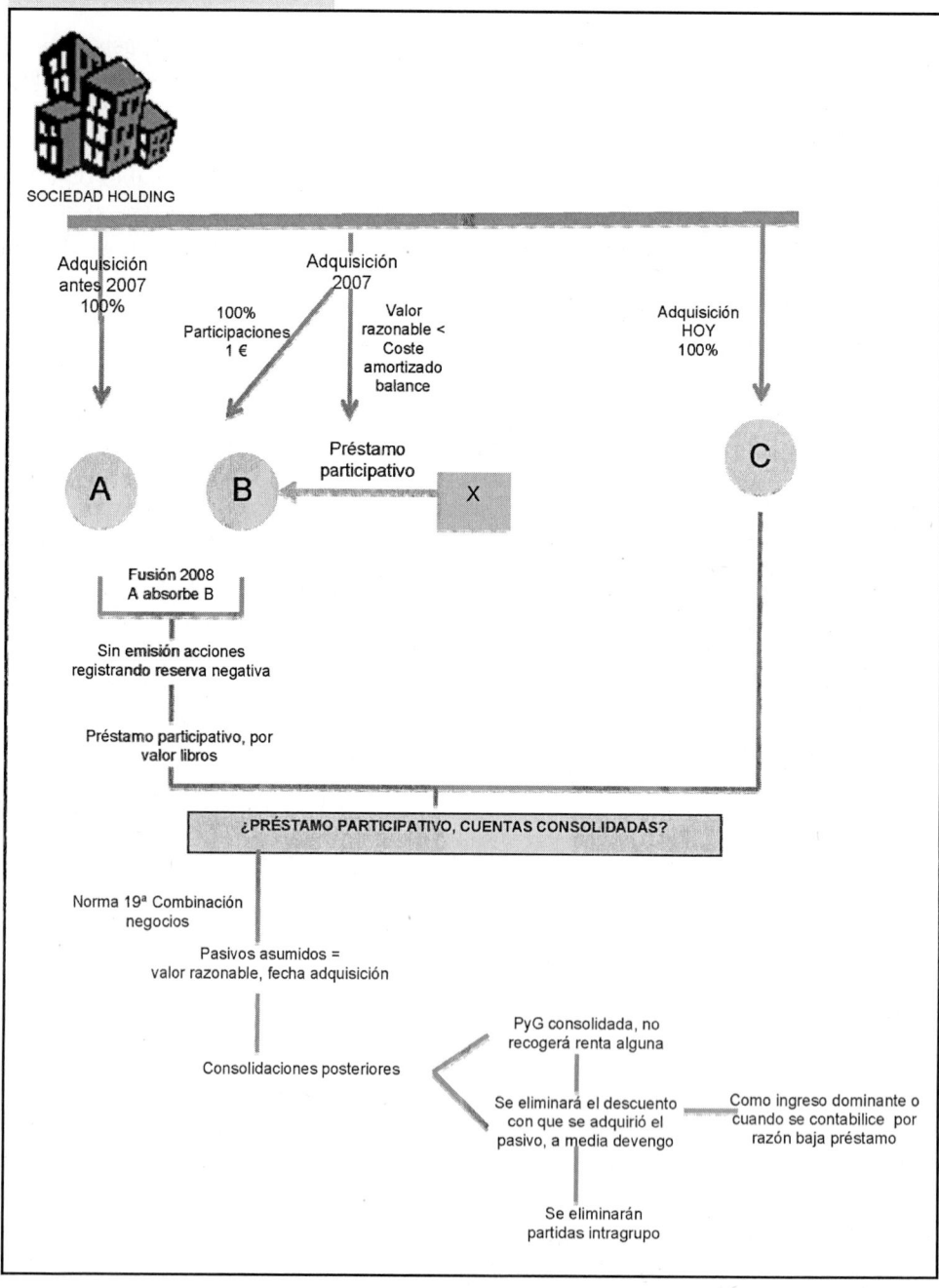

Ejemplo

SAMOS S.A. es una sociedad española Holding integrante de un grupo multinacional. Dicha sociedad participa, entre otras, al 100% de la sociedad operativa Española MARESMA S.A.

La sociedad SAMOS es la dominante de un subgrupo: estando acogida a la dispensa, por razón de subgrupo, regulada en el art. 9 de las Normas para la Formulación de las Cuentas Anuales Consolidadas (NFCAC), aprobadas por el Real Decreto 1159/2010, de 17 de septiembre. No obstante, y para los ejercicios que comiencen a partir de 1 de enero del X4, formulará cuentas anuales consolidadas: dejando de acogerse a la dispensa por razón de subgrupo.

Hace algunos años la sociedad SAMOS concedió un préstamo participativo a la sociedad ya extinguida RAMONCÍN, la cual posteriormente fue absorbida por la sociedad MARESMA: integrando en sus cuentas el citado préstamo participativo por su valor razonable en fecha de adquisición, siendo el importe del mismo 85.000€. Las condiciones del citado préstamo son las siguientes:

La cuantía concedida del préstamo participativo fue de 80.000€. Este préstamo devenga unos intereses fijos del 6 por 100 anual: a pagar por semestres vencidos, el día 30 de junio y el día 31 de diciembre de cada año y unos intereses variables, referenciados al beneficio neto de cada año y que se contabilizan con fecha 31 de diciembre y se abonan el 1 de marzo. El interés variable se fija en el 2 por 100 del beneficio neto.

La sociedad anónima MARESMA, presenta el 31/12/20X3 el siguiente Balance de Situación, expresado en euros:

ACTIVO		PATRIMONIO NETO Y PASIVO	
2.000	Investigación	Capital social	60.000
8.000	Propiedad industrial	Reservas voluntarias negativas	(4.000)
20.000	Fondo de comercio	Resultados negativos ejercicios anteriores	(12.000)
26.000	Otro inmovilizado intangible	Resultado del ejercicio	30.000
100.000	Inmovilizado material	Préstamo participativo	85.600
20.000	Inversiones financieras largo plazo	Pasivo corriente	74.400
58.000	Activo corriente		
234.000	**TOTAL**	**TOTAL**	**234.000**

Información complementaria referida al contenido del balance:

– La Sociedad se constituyó en el ejercicio 20X0.

– El valor nominal de las acciones es de 1 euro y se encuentran totalmente desembolsadas.

Operaciones realizadas en el ejercicio 20X4 en relación al préstamo participativo:

• El 1/03/20X4 la Sociedad MARESMA abona la deuda con el propietario del préstamo participativo, por el régimen variable de los intereses.

• El 30/06/20X4 y 31/12/X4 se abonan los intereses fijos del préstamo participativo.

• La sociedad dominante SAMOS el 1/1/X5 acuerda el vencimiento anticipado del préstamo mediante su aportación al patrimonio neto de la filial por compensación de créditos. El resultado de la sociedad MARESMA en el ejercicio X4 fue negativo.

SE PIDE:

1.- Registro de operaciones relacionadas con el préstamo participativo en las cuentas individuales de las dos sociedades.

2.- Asientos de eliminaciones en las cuentas consolidadas de la sociedad SAMOS, en el ejercicio X4.

SOLUCIÓN:

1.- Registro operaciones en cuentas individuales

Sociedad SAMOS

• En relación con el préstamo participativo, figurará en sus cuentas por el siguiente importe:

Créditos participativos.	80.600€
Principal.	80.000€
Intereses variables: 2% 30.000.	600€

SAMOS concedió en su día un préstamo participativo de 80.000€, con un tipo de interés fijo de 6% anual, pagadero por semestres vencidos: el 30 de junio y el 31 de diciembre de cada año; y un tipo de interés variable del 2% del beneficio neto que se contabiliza el 31 de diciembre y se abona el 1 de marzo.

La consulta 1 del BOICAC 78, junio 2009, establece la doctrina administrativa del ICAC sobre los préstamos participativos, y nos indica que de acuerdo con la Norma 9.ª PGC:

«(...) la parte prestamista normalmente ha de calificar el préstamo participativo en la cartera "préstamos y partidas a cobrar", y con posterioridad al reconocimiento inicial se valora al coste amortizado siempre que puedan

realizarse estimaciones fiables de los flujos de efectivo del instrumento financiero; cuando los intereses tengan carácter contingente, por ejemplo, se pacte un tipo de interés fijo o variable condicionado a la obtención de beneficios. El fondo económico de la operación resulta similar al de los contratos de cuentas en participación y en este caso, el prestamista valorará el préstamo al coste, incrementado por los resultados que deba atribuirse y menos, en su caso, el importe acumulado de las correcciones valorativas por deterioro (…)».

Éste es el importe, por el cual tiene contabilizado el préstamo participativo.

- Por el cobro del interés variable del préstamo participativo (Ver MARESMA):

———————————— 01/03/X4 ————————————

600	Bancos c/c (572)		
		a	Crédito participativo (24x)
			[30.000 x 2%] 600

Los intereses devengaron el ingreso en el ejercicio 20X3: ya que el enunciado dice que los intereses variables están referenciados al beneficio neto de cada año, y se contabilizan con fecha del 31 de diciembre.

- En cuanto a los intereses fijos semestrales del préstamo participativo:

$$\frac{6\% \ 80.000}{12 \ meses} \times 6 \ meses = 2.400$$

———————————— 30/06/X4 ————————————

2.400	Bancos c/c (572)		
		a	Ingresos de créditos largo plazo empresas del grupo (76200) 2.400

Apunte que se repetirá a final de año:

──────────────────────────── 31/12/X4 ────────────────────────────

2.400 Bancos c/c (572)		
	a Ingresos de créditos largo plazo empresas del grupo (76200)	2.400

• A comienzos del X5 y por el vencimiento anticipado del préstamo, mediante la aportación al patrimonio neto de la filial (compensando créditos):

──────────────────────────── 1/1/X5 ────────────────────────────

80.000 Participaciones en empresas del grupo (2403)		
	a Créditos participativos (24x)	80.000

La sociedad SAMOS (donante), en sintonía con el criterio recogido en la consulta 7 del BOICAC n.º 75 contabilizará, con carácter general, un mayor valor de su participación salvo que, existiendo otros socios, los donantes realicen una aportación en una proporción superior a la que les correspondería por su participación efectiva.

Sociedad MARESMA

• A inicios del X4, la sociedad presenta en cuentas, la siguiente situación en cuanto al préstamo participativo:

Concepto	Cuantía
Principal	85.000[*]
Intereses variables (30.000 x 2%) =	600
TOTAL	**85.600 €**

[*]. El enunciado establece que el préstamo participativo, fue registrado en la sociedad MARESMA por el valor en libros que lucía en la transmitente RAMONCÍN: siendo este su valor razonable de 85.000€.

• A lo largo del X4, y en relación con esta operación, MARESMA anotaría:

   – Por los intereses variables:

01/03/X4

600	Préstamo participativo (16x) [30.000 x 2%]		
		a Bancos c/c (572)	600

   – Y en cuanto a los intereses fijos semestrales:

$$\frac{6\% \ 80.000}{12 \ meses} \times 6 \ meses = 2.400$$

30/06/X4

2.400	Intereses de deudas empresas del grupo (6620)		
		a Bancos c/c (572)	2.400

Anotación, que se repetirá a fin de ejercicio:

31/12/X4

2.400	Intereses de deudas empresas del grupo (6620)		
		a Bancos c/c (572)	2.400

• En el X5, registrará el vencimiento anticipado del préstamo: mediante la aportación al patrimonio de la filial, por compensación de crédito,

		1/1/X5		
85.000	Préstamo participativo (16x)			
		a	Reservas voluntarias (113)	5.000
			Aportación de socios o propietarios (118)	80.000

Esta aportación que realiza el socio a su sociedad, no puede tener la consideración de gasto e ingreso respectivamente, ya que, en consonancia con la definición de ingreso del Marco Conceptual de la Contabilidad (MCC) recogido en la parte primera del PGC, rechaza la posibilidad de que entre socio y sociedad pueda existir como causa del negocio la mera liberalidad. Por el contrario, la solución que recoge la norma para estas transacciones guarda sintonía con la causa mercantil que ampara las ampliaciones de capital. Desde una perspectiva estrictamente contable, la sociedad donataria experimenta un aumento de sus fondos propios clasificado en el epígrafe A1.VI «Otras aportaciones de socios del balance».

2.- Eliminación partidas recíprocas cuentas consolidadas, sociedad SAMOS

Para preparar el balance consolidado, hay que eliminar los créditos y débitos recíprocos que figuren en el balance agregado.

Igualmente haremos en cuenta de pérdidas y ganancias consolidada con los ingresos y gastos recíprocos correspondientes.

De esta manera:

– Eliminación, para el balance consolidado:

		X		
85.000	Préstamo participativo (MARESMA)			
		a	Crédito participativo (SAMOS)	80.000
			PyG (resultado a efectos del grupo)	5.000

En aplicación del art. 41 de las NFCAC, también deberán eliminarse las partidas recíprocas.

– Eliminación, para cuenta de pérdidas y ganancias consolidada:

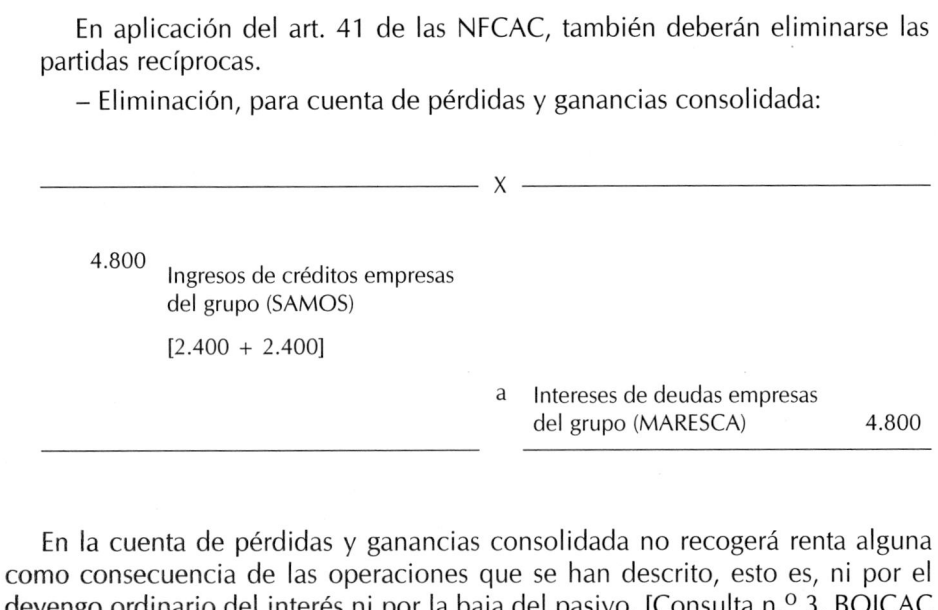

En la cuenta de pérdidas y ganancias consolidada no recogerá renta alguna como consecuencia de las operaciones que se han descrito, esto es, ni por el devengo ordinario del interés ni por la baja del pasivo. [Consulta n.º 3. BOICAC 101].

9.3.0.5. Cuentas anuales consolidadas: RD 602/2016

Consulta 2 Boicac 110 – Junio 2017.

En relación con la consulta planteada ante este Instituto relativa a la utilización de los modelos de cuentas anuales abreviados.

Respuesta

El Real Decreto 602/2016, de 2 de diciembre, modifica entre otra normativa el Plan General de Contabilidad aprobado por el Real Decreto 1514/2007, de 16 de noviembre. En concreto en lo que afecta a esta consulta modifica la norma 4ª del apartado I. Normas de elaboración de las cuentas anuales de la tercera parte, Cuentas anuales, que queda redactada de la siguiente forma:

«*4ª. Cuentas anuales abreviadas*

1. Las sociedades señaladas en la norma anterior podrán utilizar los modelos de cuentas anuales abreviados en los siguientes casos:

(...)

Si la empresa formase parte de un grupo de empresas en los términos descritos en la norma de elaboración de las cuentas anuales 13.ª Empresas del grupo, multigrupo y asociadas contenida en esta tercera parte, para la cuantificación de los importes se tendrá en cuenta la suma del activo, del importe neto de la cifra de negocios y del número medio de trabajadores del conjunto de las entidades que conformen el grupo, teniendo en cuenta las eliminaciones e incorporaciones reguladas en las normas de consolidación aprobadas en desarrollo de los principios contenidos en el Código de Comercio. Esta regla no será de aplicación cuando la información financiera de la empresa se integre en las cuentas anuales consolidadas de la sociedad dominante (...)».

De acuerdo con el último inciso subrayado, el consultante pregunta dos cuestiones:

a) El ámbito geográfico al que deben referirse las cuentas anuales consolidadas en las que se integre la sociedad a los efectos de la excepción, esto es, si la dominante debe ser europea, española o por el contrario puede estar domiciliada en cualquier otro país.

b) Si las cuentas anuales consolidadas deben referirse a las de la matriz última o resultaría igualmente admisible la utilización de cualquier nivel de consolidación intermedio.

La integración en unas cuentas consolidadas como supuesto de hecho que permite a las empresas seguir empleando los modelos abreviados es una regla tomada de la Directiva Contable (Directiva 2013/34/UE del Parlamento Europeo y del Consejo, de 26 de junio de 2013, sobre los estados financieros anuales, los estados financieros consolidados y otros informes afines de ciertos tipos de empresas, por la que se modifica la Directiva 2006/43/CE del Parlamento europeo y del Consejo y se derogan las directivas 78/660/CEE y 83/349/CEE del Consejo). Una vez consultada esta norma se observa que las dos cuestiones planteadas por el consultante no se tratan de forma expresa, pero considerando los criterios establecidos en la propia Directiva para otros supuestos similares, como sería el caso de la dispensa de la obligación de consolidar por razón de subgrupo, pueden extraerse las siguientes conclusiones para dar respuesta a las dos preguntas formuladas:

a) La nacionalidad de la sociedad dominante debe ser española o de cualquier otro Estado miembro de la Unión Europea.

b) Las cuentas anuales consolidadas pueden ser las correspondientes a un nivel intermedio del grupo.

Comentario

RD 602/2016	Caso integración financiera empresa en cuentas consolidadas dominante	Sólo tendremos en cuenta cifras de la empresa individual
Art 1º.Cinco. Modificación cuantía cuentas abreviadas PGC. Para las del grupo: se sumarán importes		

¿Ámbito geográfico dominante?

¿Cuentas matriz última o nivel consolidación intermedio?

Directiva contable 2013/34/UE, 26 jun

ICAC

Dominante, española o de cualquier Estado UE

Pueden ser las que corresponden a un nivel intermedio del grupo

Ejemplo

La sociedad «A», con domicilio en España, es la dominante de un grupo formado por las sociedades «B» .

y «C», de las cuales posee el 100%.

El gráfico, de las relaciones entre las sociedades mencionadas, se representa a continuación:

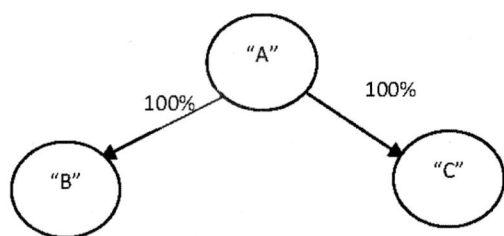

La sociedad «B» acude a un asesor contable, para que le ayude a entender cómo le afecta los cambios introducidos y sus consecuencias del Real Decreto 602/2016, de 2 de diciembre, en la forma de calcular los límites para presentar cuentas anuales abreviadas cuando una empresa forma parte de un grupo a la hora de presentar las cuentas anuales.

De esta forma, sabemos que la información financiera de la sociedad «B» se integre en las cuentas anuales consolidadas de la sociedad dominante «A»; la sociedad «B» viene aplicando el PGC (R.D 1514/2007, de 16 noviembre), los datos referentes a los ejercicio 2016 y 2017en relación a las sociedades de grupo fueron los siguientes:

Año 2016:

Sociedad	Total partidas activo	Importe neto cifra anual negocios	Número medio trabajadores
A	6.000.000 €	10.200.000 €	63
B	2.000.000€	4.200.000€	28
C	1.100.000€	2.100.000€	20
TOTALES	9.100.000	16.500.000€	111

AÑO 2017:

Sociedad	Total partidas activo	Importe neto cifra anual negocios	Número medio trabajadores
A	6.200.000 €	12.400.000 €	65
B	1.800.000€	4.100.000€	25
C	1.000.000€	1.800.000€	18
TOTALES	9.000.000	18.300.000€	108

Se conoce además que ya se han realizado eliminaciones e incorporaciones reguladas en las normas de consolidación aprobadas en desarrollo de los principios contenidos en el Código de Comercio.

SE PIDE:

Comentar si la sociedad «B» puede formular balance y memoria abreviados en el ejercicio 2017.

SOLUCIÓN:

Balance y memoria abreviados

El artículo 1 del Real Decreto 602/2016, de 2 de diciembre, por el que se modifican el Plan General de Contabilidad aprobado por el Real Decreto 1514/2007, dispone:

4.ª Cuentas anuales abreviadas

1. Las sociedades señaladas en la norma anterior podrán utilizar los modelos de cuentas anuales abreviados en los siguientes casos:

a) Balance y memoria abreviados: Las sociedades en las que a la fecha de cierre del ejercicio concurran, al menos, dos de las circunstancias siguientes:

- Que el total de las partidas del activo no supere los cuatro millones de euros. A estos efectos, se entenderá por total activo el total que figura en el modelo del balance.

- Que el importe neto de su cifra anual de negocios no supere los ocho millones de euros.

- Que el número medio de trabajadores empleados durante el ejercicio no sea superior a 50.

Si la empresa formase parte de un grupo de empresas en los términos descritos en la norma de elaboración de las cuentas anuales 13.ª Empresas de grupo, multigrupo y asociadas contenida en esta tercera parte, para la cuantificación de los importes se tendrá en cuenta la suma del activo, del importe neto de la cifra de negocios y del número medio de trabajadores del conjunto de las entidades que conformen el grupo, teniendo en cuenta las eliminaciones e incorporaciones reguladas en las normas de consolidación aprobadas en desarrollo de los principios contenidos en el Código de Comercio. ***«Esta regla no será de aplicación cuando la información financiera de la empresa se integre en las cuentas anuales consolidadas de la sociedad dominante (...)».***[Consulta nº 2 del BOICAC 110]

En consecuencia:

EJERCICIO 2016:

Sociedad	Total partidas activo	Importe neto cifra anual negocios	Número medio trabajadores
GRUPO	9.100.000	16.500.000€	111

EJERCICIO 2017:

Las sociedades del grupo superan en términos consolidados los citados umbrales en los dos ejercicio:

Sociedad	Total partidas activo	Importe neto cifra anual negocios	Número medio trabajadores
GRUPO	9.000.000	18.300.000€	108

No obstante como hemos referenciado al integrarse la información financiera de la sociedad «B» en las cuentas anuales consolidadas de la sociedad dominante «A» no es de aplicación la citada regla en consecuencia veremos los parámetros de la sociedad «B»

La sociedad «B» en términos individuales no supera los citados umbrales en los ejercicios 2016, 2017 ya que:

AÑO 2016:

Sociedad	Total partidas activo	Importe neto cifra anual negocios	Número medio trabajadores
B	2.000.000€	4.200.000€	28

Año 2017:

Sociedad	Total partidas activo	Importe neto cifra anual negocios	Número medio trabajadores
"B"	1.800.000€	4.100.000€	25

En resumen el año 2017 la sociedad «B» **presentará balance y memoria abreviados.**

9.3.0.6. Grupo según art. 42 Código Comercio, teniendo en cuenta pactos entre socios

Consulta 5 Boicac 115 – Septiembre 2018.

Sobre si las sociedades que se describen en los antecedentes de la consulta forman un grupo en el sentido del artículo 42 del Código de Comercio (CdC).

Respuesta

La sociedad consultante A constituida en 2013 tiene como objeto social, entre otros, la realización para terceros de estudios e informes económicos y de mercado y la administración y asesoramiento de negocios y bienes. La sociedad fue constituida por 4 socios: la sociedad B retuvo el 44,75%, la Sociedad C el 28,25%, la sociedad D el 18% y la sociedad E el 9%.

La participación en el capital social, tal y como se constituyó, se mantuvo inalterada hasta mayo de 2016. En ese año se produjo una reducción de capital de tal manera que la Sociedad B se quedó con el 51%, la sociedad C con el 34,50% y la sociedad E con el 14,50%.

Cada una de las sociedades B, C y E se encuentra íntegramente participada por una persona física las cuales no mantienen vinculación y/o grado de parentesco alguno entre ellas. Los tres socios personas físicas forman parte del Consejo de Administración de la sociedad A, a título de representantes de las sociedades socio.

En el momento de su constitución se firma un pacto de socios donde entre otros acuerdos se establece que las decisiones de la Junta General se tomarán por mayoría del capital presente, pero se establece una mayoría del 75% para la toma de algunas decisiones significativas. Posteriormente en el año 2014 se modificó dicho pacto, de tal forma que, la adopción de los acuerdos y toma de decisiones de mayor trascendencia para la sociedad queda limitada, impidiendo así que el socio mayoritario pueda tomar decisiones unilaterales sin el apoyo del resto de los socios con independencia de que este posea la mayoría de los derechos de voto.

La sociedad consultante también informa que ésta no forma parte de un grupo en el sentido del artículo 42 del Código de Comercio recordando para ello la consulta 4 del BOICAC 92 del Instituto de Contabilidad y Auditoría de Cuentas en el cual se señala que «sólo hay grupo de sociedades en el sentido del artículo 42 del Código de Comercio cuando una sociedad controla a otra sociedad o empresa» teniendo en cuenta que se entiende por control «el poder de dirigir las políticas financieras y de explotación de una entidad con la finalidad de obtener beneficios económicos de sus actividades» conforme recoge el artículo 1 de las Normas para la Formulación de las Cuentas Anuales Consolidadas (NFCAC), aprobadas por el Real Decreto 1159/2010, de 17 de septiembre.

Sobre la base de la interpretación del ICAC a la consulta señalada, la sociedad consultante considera que no forma parte de un grupo con sus socios en el sentido del artículo 42 del Código de Comercio y que no existe control por parte de ninguno de los socios.

La consulta que se formula a este Instituto versa sobre la existencia o no, a raíz de la información aportada, de un grupo de subordinación.

La definición de grupo, a efectos de consolidación de cuentas, viene recogida en el artículo 42 del Código de Comercio (CdC), que indica que existe grupo cuando una sociedad ostente o pueda ostentar, directa o indirectamente, el control de otra u otras, indicando varios casos en los que se presume el control; éste sería el que podríamos denominar grupo de subordinación. En tal caso, la sociedad obligada a formular las cuentas anuales consolidadas deberá incluir en ellas, a las sociedades integrantes del grupo, así como a cualquier empresa dominada por éstas, cualquiera que sea su forma jurídica y con independencia de su domicilio social.

Por otro lado, el Plan General de Contabilidad (PGC) aprobado por el Real Decreto 1514/2007, de 16 de noviembre, en la norma de elaboración de las cuentas anuales (NECA) 13. *Empresas del grupo, multigrupo y asociadas*, prevé además la existencia de lo que se podría denominar grupo de coordinación, integrado por empresas controladas por cualquier medio por una o varias personas físicas o jurídicas, que actúen conjuntamente o se hallen bajo dirección única por acuerdos o cláusulas. Para los ejercicios iniciados a partir de 1 de enero de 2008 únicamente los grupos de subordinación están obligados a formular cuentas anuales consolidadas.

La interpretación de este Instituto sobre el concepto de empresas del grupo está publicada en la consulta 1 del BOICAC nº 83, de septiembre de 2010, y en la consulta 4 del BOICAC nº 92, de diciembre de 2012.

A modo de resumen, a la vista del contenido de las citadas consultas se puede afirmar que sólo hay grupo de sociedades en el sentido del artículo 42 del CdC cuando una sociedad controla a otra sociedad o empresa. En este sentido, en el artículo 1 de las NFCAC aprobadas por el Real Decreto 1159/2010, de 17 de septiembre, se estipula que la sociedad dominante es aquélla que ejerza o pueda ejercer, directa o indirectamente, el control sobre otra u otras, que se calificarán como dependientes o dominadas, cualquiera que sea su forma jurídica y con independencia de su domicilio social. Y que a estos efectos se entiende por control el poder de dirigir las políticas financieras y de explotación de una entidad, con la finalidad de obtener beneficios económicos de sus actividades.

Además, en principio, el control es la consecuencia lógica de poseer la mayoría de los derechos de voto de una sociedad, o de la facultad de nombrar o haber designado a la mayoría de los miembros de su órgano de administración, circunstancia que también requiere, con carácter general, gozar de los derechos de voto. No obstante, en aplicación del artículo 42 del CdC cabría sostener:

1. Que una sociedad que posee la mayoría de los derechos de voto de otra sociedad no posee el control si un tercero u otro socio, que no tiene la mayoría, adquiere la capacidad de dirigir las políticas financieras y de explotación de la participada en virtud de un acuerdo contractual, y deja el ejercicio de los derechos de voto del socio mayoritario relegado a la toma de decisiones sobre aspectos formales o administrativos, sin alcanzar a las actividades relevantes.

2. Que una sociedad que posea una inversión notable en otra sociedad, pero no mayoritaria, puede ejercer el control en función de cuál sea el número y el porcentaje de participación de los restantes socios. Así, por ejemplo, si el resto del accionariado es numeroso y su participación reducida es muy probable que el inversor pueda ejercer el control, del mismo modo que también sería verosímil el control en caso de que el número de socios no fuese elevado

y al mismo tiempo resultase posible logar la mayoría mediante acuerdos con uno solo de ellos.

3. Igualmente, de conformidad con el artículo 42 del CdC es posible que el control se pueda ejercer con una participación minoritaria e incluso sin participación. Para identificar estos supuestos, en el artículo 2, apartado 2, de las NFCAC se regulan una serie de presunciones sobre el control. En este punto conviene aclarar que si una sociedad controla otra sociedad en virtud de estos acuerdos y no posee participación alguna, el grupo así configurado no es un grupo de coordinación sino un grupo de los previstos en el artículo 42 del CdC, es decir, un grupo de subordinación.

Una vez realiza esta aclaración, como se ha señalado, es preciso recordar que en nuestro Derecho contable coexiste, junto al grupo de subordinación, otro concepto de grupo, el grupo de coordinación o grupo ampliado a que se refiere el último inciso de la Norma 13ª de elaboración de las cuentas anuales del PGC, esto es, el grupo que se construye a partir del concepto de unidad de decisión y que integran las sociedades controladas por cualquier medio por una o varias personas físicas o jurídicas que actúen conjuntamente, o se hallen bajo dirección única por acuerdos o cláusulas estatutarias.

A mayor abundamiento se puede indicar que el elemento que caracteriza a los grupos de coordinación es el hecho de que el poder de dirigir las políticas financieras y de explotación de las sociedades (que forman el grupo) se ejerce, bien por una persona física o jurídica (no obligada a consolidar) o por el mismo conjunto de personas físicas o jurídicas. También forman un grupo de coordinación las sociedades que se hallan bajo dirección única por acuerdos o cláusulas estatutarias. En todos estos supuestos, no cabe duda que identificar relaciones de subordinación entre las sociedades puede llevar a un resultado arbitrario o infundado, porque el control se ejerce por las personas físicas o jurídicas que se han descrito, o ha quedado predeterminado en virtud de los citados acuerdos o cláusulas estatutarias.

En definitiva, en este contexto regulatorio, es preciso advertir que en muchas ocasiones la calificación de varias empresas como sociedades del grupo en el sentido del artículo 42 del CdC no es una cuestión del todo evidente, y que los accionistas que controlan el grupo cuentan con un amplio margen de discrecionalidad para organizar la estructura jurídica de las diferentes empresas bajo cualquiera de las dos tipologías: grupo de subordinación o grupo de coordinación.

Frente a lo anterior, no cabe duda que la unidad de decisión se erige como un concepto que permite una aproximación más evidente a la cuestión de fondo, esto es, a la tarea de identificar el conjunto de las sociedades o empresas ubicadas bajo un mismo poder de dirección, sin perjuicio de que en algunos supuestos apreciar la identidad de las entidades que lo integran también sea una tarea no exenta de dificultad.

En resumen, este Instituto ha reiterado en la contestación a numerosas consultas que la calificación de un conjunto de empresas como grupo del artículo 42 del

CdC requiere analizar los elementos indiciarios que puedan llevar a concluir que una sociedad controla a otra sociedad o empresa, y que a tal efecto sería preciso disponer y enjuiciar todos los antecedentes y circunstancias del correspondiente caso. Además es necesario advertir que si esta tarea no culmina con la identificación de un grupo de subordinación, pero las sociedades están sometidas por otros medios a un control común, la conclusión que debe arrojar el análisis es que todas ellas forman parte de un grupo de coordinación.

De acuerdo con todo lo anterior, y entrando en el fondo de la cuestión planteada, existirían razones por las que no podría concluirse que las sociedades A y B (socio que participa en un 51% del capital de la primera) forman un grupo del artículo 42 del CdC, en la medida en que según afirma la consultante, primero en virtud del pacto de socios y posteriormente a raíz del cambio en los estatutos, parece que la adopción de las decisiones significativas sobre las políticas financieras y de explotación de la sociedad A requiere una mayoría reforzada que implica la necesidad de un acuerdo entre el socio mayoritario y, al menos, uno de los otros dos socios.

No obstante, y por los mismos motivos, tampoco se puede afirmar lo contrario. Esto es, que las sociedades A y B no forman un grupo del artículo 42 del CdC. En este sentido, conviene resaltar que la sociedad B, que posee el 51%, puede llegar a un acuerdo con cualquiera de los otros dos socios para tomar las decisiones relevantes, y que cualquier acuerdo siempre requerirá de la participación del socio mayoritario. Además, en todo caso, este último puede bloquear con sus votos las iniciativas que pudieran plantear los socios minoritarios.

Por ello, se recuerda que en muchas ocasiones la pertenencia de varias sociedades a un grupo es una cuestión de hecho, que no viene predeterminada por la mera posesión de un determinado porcentaje de los derechos de voto, sino que para poder llegar a una conclusión sería preciso analizar todos los antecedentes y circunstancias del caso. Y que esta tarea, en última instancia, corresponde a los administradores de la sociedad consultante

Comentario

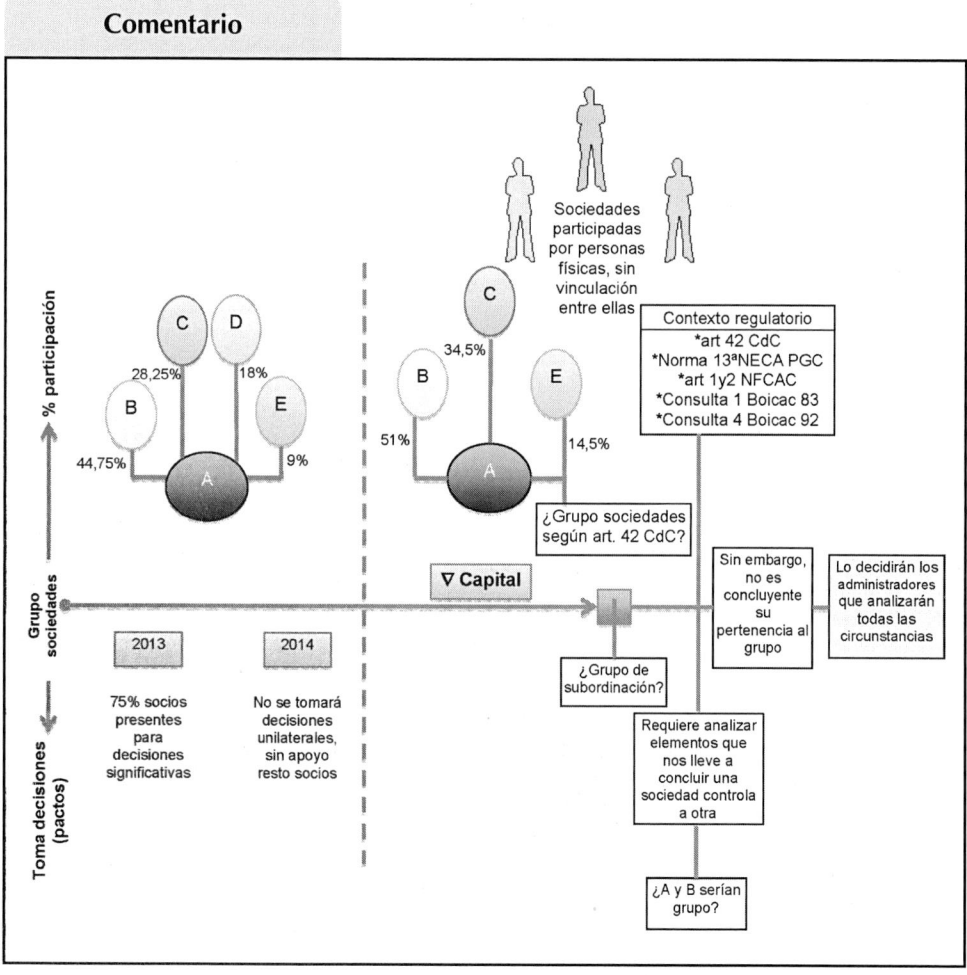

Ejemplo

La sociedad A constituida en 2013 tiene como objeto social, entre otros, la realización para terceros de estudios e informes económicos y de mercado así como la administración y asesoramiento de negocios y bienes.

La sociedad fue constituida por cuatro socios: la sociedad «B» retuvo el 44,75%, la Sociedad «C» el 28,25%, la sociedad «D» el 18% y la sociedad «E» el 9%. La participación en el capital social, tal y como se constituyó, se mantuvo inalterada hasta mayo de 2016. En ese año se produjo una reducción de capital de tal manera que la Sociedad B se quedó con el 51%, la sociedad C con el 34,50% y la sociedad E con el 14,50%.

Cada una de las sociedades B, C y E se encuentra íntegramente participada por una persona física las cuales no mantienen vinculación y/o grado de parentesco alguno entre ellas. Los tres socios personas físicas forman parte del Consejo de Administración de la sociedad «A», a título de representantes de las sociedades socio.

En el momento de su constitución, se firma un pacto de socios donde, entre otros acuerdos, se establece que las decisiones de la Junta General se tomarán por mayoría del capital presente, pero se establece una mayoría del 75% para la toma de algunas decisiones significativas. Posteriormente en el año 2014 se modificó dicho pacto, de tal forma que, la adopción de los acuerdos y toma de decisiones de mayor trascendencia para la sociedad queda limitada, impidiendo así que el socio mayoritario pueda tomar

decisiones unilaterales sin el apoyo del resto de los socios con independencia de que este posea la mayoría de los derechos de voto.

SE PIDE: ¿ Existe un grupo de subordinación y por consiguiente está obligada la sociedad «B» a formular cuentas anuales consolidadas?

SOLUCIÓN:

Gráficamente, podemos exponer la situación que se nos presenta, como sigue:

Participación en el capital social de «A» hasta mayo del 2016.

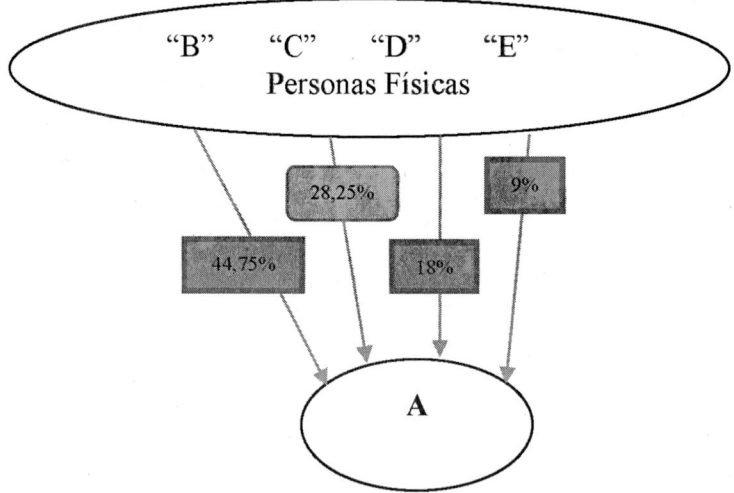

Y , a partir del 2016 se reflejará:

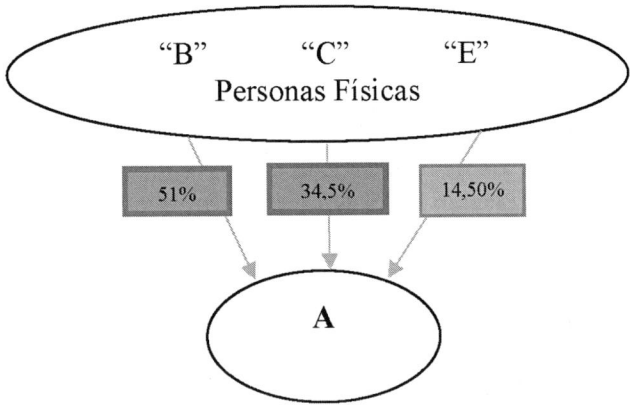

La definición de grupo, a efectos de consolidación de cuentas, viene recogida en el artículo 42 del Código de Comercio (CdC), que indica que existe grupo cuando una sociedad ostente o pueda ostentar, directa o indirectamente, el control de otra u otras, indicando varios casos en los que se presume el control; éste sería el que podríamos denominar grupo de subordinación. En tal caso, la sociedad obligada a formular las cuentas anuales consolidadas deberá incluir en ellas, a las sociedades integrantes del grupo, así como a cualquier empresa dominada por éstas, cualquiera que sea su forma jurídica y con independencia de su domicilio social.

Por otro lado, el Plan General de Contabilidad (PGC) aprobado por el Real Decreto 1514/2007, de 16 de noviembre, en la norma de elaboración de las cuentas anuales (NECA) 13. Empresas del grupo, multigrupo y asociadas, prevé además la existencia de lo que se podría denominar grupo de coordinación, inte-grado por empresas controladas por cualquier medio por una o varias personas físicas o jurídicas, que actúen conjuntamente o se hallen bajo dirección única por acuerdos o cláusulas. ***Para los ejercicios iniciados a partir de 1 de enero de 2008 únicamente los grupos de subordinación están obligados a formular cuentas anuales consolidadas.***

ARGUMENTOS EN CONTRA

El ICAC ha reiterado en la contestación a numerosas consultas que la califica-ción de un conjunto de empresas como grupo del artículo 42 del CdC requiere analizar los elementos indiciarios que puedan llevar a concluir que una sociedad controla a otra sociedad o empresa, y que a tal efecto sería preciso disponer y enjuiciar todos los antecedentes y circunstancias del correspondiente caso. Ade-más es necesario advertir que si esta tarea no culmina con la identificación de un grupo de subordinación, pero las sociedades están sometidas por otros medios a un control común, la conclusión que debe arrojar el análisis es que todas ellas forman parte de un grupo de coordinación y en consecuencia no está obligada a formular cuentas consolidadas.

De acuerdo con todo lo anterior, y entrando en el fondo de la cuestión planteada, existirían razones por las que no podría concluirse que las sociedades A y B (socio que participa en un 51% del capital de la primera) forman un grupo del artículo 42 del CdC, en la medida en que en virtud del pacto de socios y posteriormente a raíz del cambio en los estatutos, parece que la adopción de las decisiones significativas sobre las políticas financieras y de explotación de la sociedad A requiere una mayoría reforzada que implica la necesidad de un acuerdo entre el socio mayoritario y, al menos, uno de los otros dos socios.

ARGUMENTOS A FAVOR

No obstante, y por los mismos motivos, tampoco se puede afirmar lo contrario. Esto es, que las sociedades A y B no forman un grupo del artículo 42 del CdC. En este sentido, conviene resaltar que la sociedad B, que posee el 51%, puede llegar a un acuerdo con cualquiera de los otros dos socios

para tomar las decisiones relevantes, y que cualquier acuerdo siempre requerirá de la participación del socio mayoritario. Además, en todo caso, este último puede bloquear con sus votos las iniciativas que pudieran plantear los socios minoritarios.

CONCLUSIÓN

Por ello, se recuerda que en muchas ocasiones la pertenencia de varias sociedades a un grupo es una cuestión de hecho, que no viene predeterminada por la mera posesión de un determinado porcentaje de los

derechos de voto, sino que para poder llegar a una conclusión sería preciso analizar todos los antecedentes y circunstancias del caso. Y que esta tarea, en última instancia, corresponde a los administradores de la sociedad «A».

10. PLANES SECTORIALES Y REGÍMENES ESPECIALES

10. PLANES SECTORIALES Y REGÍMENES ESPECIALES

10.1.COOPERATIVAS

10.1.0.1. Tratamiento contable del retorno capitalizado en el socio cooperativas

BOICAC 86, junio 2011. Consulta 4.

Sobre la vigencia del criterio recogido en la consulta 3 publicada en el Boletín del ICAC (en adelante, BOICAC) núm. 66, de junio de 2006, acerca del tratamiento contable de los retornos cooperativos que se hacen efectivos, por una cooperativa de segundo grado, mediante su incorporación al capital social.

Respuesta

La consulta 3 del BOICAC núm. 66 establece el criterio que corresponde otorgar, desde el punto de vista del socio, a los citados retornos. En la respuesta se concluye que la operación debe considerarse contablemente como un supuesto análogo al aumento de fondos propios que se produce como consecuencia de beneficios no distribuidos en el resto de sociedades, sin que el socio pueda registrar dicho aumento en el valor de sus aportaciones.

El tratamiento contable previsto en la referida consulta se fundamenta en la asimilación de las aportaciones de los socios al capital social de una cooperativa a los valores negociables, en particular, a los instrumentos financieros representativos de una participación en los fondos propios de una entidad y el criterio de valoración aplicable en estos casos a los citados valores: precio de adquisición, menos, en su caso, las correcciones valorativas por deterioro que procedan.

El criterio del coste histórico, a diferencia de la puesta en equivalencia o método de la participación, no permite reconocer en el socio la creación de valor que se produce en la sociedad participada como consecuencia de los resultados acumulados en esta última. A mayor abundamiento, la doctrina del ICAC ha precisado que la citada regla debe mantenerse incluso cuando pudiera producirse en el socio un aumento en el número de acciones o en su nominal como consecuencia de un aumento de capital con cargo a reservas en la sociedad participada (consulta 1 del BOICAC núm. 9) o cuando se reciban acciones en pago de un dividendo (consulta 2 del BOICAC núm. 47).

Al amparo de estos argumentos, la consulta publicada en el BOICAC núm. 66 concluye señalando que el socio de una cooperativa no puede registrar el aumento de valor de sus aportaciones, a pesar de que jurídicamente se le acredite una mayor participación, sin perjuicio de que deban tenerse en cuenta los fondos propios de la sociedad cooperativa en la que invirtió, a los efectos de dotar la oportuna corrección valorativa.

Para los ejercicios iniciados a partir del 1 de enero de 2008, el Plan General de Contabilidad (PGC), aprobado por el Real Decreto 1514/2007, de 16 de noviembre, desarrolla el tratamiento contable de los instrumentos financieros en su norma de registro y valoración (NRV) 9.ª. «Instrumentos financieros» en función de la categoría en la que aquellos se clasifiquen.

A raíz de esta nueva regulación contable, que a su vez dio lugar a un proceso de modificación tanto de la norma estatal, a través de la Ley 27/1999, de 16 de julio, de Cooperativas, como de las distintas leyes autonómicas, y conforme establece la reciente Orden EHA/3360/2010, de 21 de diciembre, por la que se aprueban las Normas sobre los aspectos contables de las sociedades cooperativas (NACSC), a efectos contables el capital social de las cooperativas puede tener la calificación de fondos propios, pasivo o instrumento financiero compuesto.

Tendrá la calificación de fondos propios cuando se cumplan tres condiciones: que su reembolso en caso de baja del cooperativista pueda ser rehusado por el Consejo Rector y que no conlleve una remuneración o retorno obligatorio a favor del socio o partícipe.

Cuando el reembolso de las aportaciones en caso de baja no sea rehusable o la remuneración o el retorno no sean discrecionales, el capital social tendrá la consideración de instrumento financiero compuesto o de pasivo financiero.

En correspondencia con la calificación y registro de las aportaciones al capital social en la sociedad cooperativa de segundo grado, el reflejo contable de la participación en la contabilidad del socio (la cooperativa de primer grado), dependerá de las características de la misma, según se considere como un instrumento de patrimonio, o se contabilice como un pasivo. De esta forma, en el caso de que la participación se contabilice como un instrumento de patrimonio, conforme al punto 2.5 de la NRV 9.ª, la valoración inicial se realizará al coste, que equivaldrá al valor razonable de la contraprestación entregada más los costes de transacción que le sean directamente atribuibles, mientras que la valoración posterior será al coste menos, en su caso, el importe acumulado de las correcciones valorativas por deterioro. Este criterio, por lo tanto, sería el mismo que el contenido en la Consulta núm. 3 publicada en el BOICAC núm. 66, en base al anterior Plan General de Contabilidad y por analogía a la regulación de los valores negociables establecida en el mismo. Según el cual, los retornos capitalizados en ningún caso incrementarían el valor del activo financiero en la contabilidad del socio o partícipe.

Sin embargo, en el supuesto de que la participación deba contabilizarse en la cooperativa de segundo grado como un pasivo, el socio deberá otorgar a la operación un tratamiento contable coherente en sintonía con los criterios de valoración contenidos en el punto 2.1 de la NRV 9.ª del PGC y las especialidades reguladas en la Norma segunda. Capital social, apartado 1.1.3.3. «Pasivos financieros», de las citadas NACSC.

En este caso, la participación se valorará en el momento inicial por su valor razonable, que, salvo evidencia en contrario, será el precio de la transacción, y la valoración posterior se realizará al coste amortizado, contabilizándose los intereses devengados en la cuenta de pérdidas y ganancias aplicando el método del tipo de interés efectivo.

En el caso de las participaciones en el capital social de cooperativas la valoración posterior al coste amortizado puede presentar dificultades que justifiquen su valoración al coste incrementado en los intereses, fundamentalmente, por la incertidumbre que puede rodear a las estimaciones en los supuestos de remuneración contingente, esto es, obligatoria, pero condicionada a la existencia de beneficio, así como sobre la fecha en que el cooperativista solicitará la baja y la cooperativa acordará el reembolso.

A tal efecto, tanto para la aplicación del método del coste amortizado, como del coste incrementado en los intereses, cabría la consideración de los retornos capitalizados siempre que tengan naturaleza obligatoria.

De acuerdo con lo anterior, y entrando en el fondo de la cuestión planteada, si el retorno es obligatorio pero la Asamblea General tiene el derecho incondicional a evitar la salida de efectivo, por ejemplo, porque se decida acreditarlo aumentando las aportaciones al capital social, su reconocimiento se contabilizará como una aplicación del resultado siempre que a su vez la cooperativa goce del derecho incondicional a rehusar el reembolso de las citadas aportaciones. En este caso, el tratamiento contable desde la perspectiva del socio deberá asimilarse a lo indicado cuando la aportación se califica como un instrumento de patrimonio.

En caso contrario, esto es, cuando el reembolso de las aportaciones que se vean incrementadas no pueda ser rehusado, este Instituto considera que el retorno «capitalizado» debería contabilizarse como un ingreso financiero en la contabilidad del socio

Si el aumento de capital se realiza con las reservas voluntarias repartibles que la cooperativa de segundo grado hubiese acreditado a la de primer grado, el criterio a aplicar sería el mismo

Por último, en la memoria de las cuentas anuales se hará constar toda la información significativa en relación con las operaciones objeto de consulta, con la finalidad de que aquellas, en su conjunto, reflejen la imagen fiel del patrimonio, de la situación financiera y de los resultados de la empresa. En particular, la cooperativa de primer grado deberá informar de los retornos capitalizados por la cooperativa de segundo grado, cuando de acuerdo con el criterio que se ha reproducido sobre estas líneas no quepa realizar registro alguno en el balance ni en la cuenta de pérdidas y ganancias.

Comentario

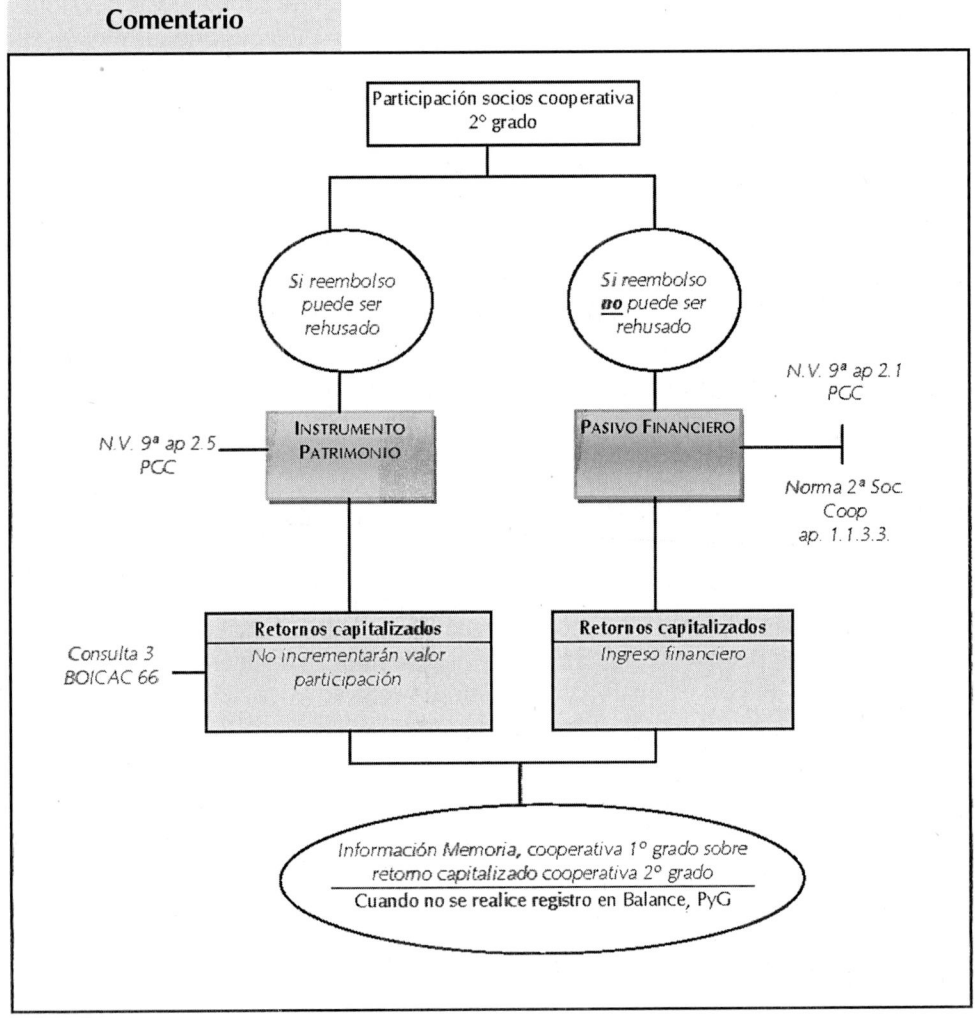

Ejemplo

La cooperativa PITOS-COELLOS BEADE, se constituyó con dos socios: COOPERATIVA PITOS y COOPERATIVA COELLOS, con un capital de 80.000€, aportado por partes iguales (50%).

Nos encontramos a 31/12/X10, y en el balance de la cooperativa COELLOS figura registrada la participación en la cooperativa PITOS COELLOS BEADE por el siguiente importe:

Participación en sociedades cooperativas: 40.300€

La participación en la cooperativa ha sido calificada como fondos propios ya que cumple con las siguientes condiciones:

a) Su reembolso en caso de baja del cooperativista pueda ser rehusado por el Consejo Rector

b) y no conlleve una remuneración o retorno obligatorio a favor del socio o partícipe.

A principios de junio la Cooperativa PITOS-COEELLOS BEADE a acordado cumpliendo todos los requisitos legales destinar a retorno cooperativos de los socios a corto plazo 4.000€. El resto de los retornos cooperativos no distribuidos a los socios se han incorporado al capital ascendiendo su importe a 10.000€, de manera que incrementan en la Cooperativa las aportaciones obligatorias de los socios.

A finales de ejercicio X11 el patrimonio neto de la cooperativa PITOS – COELLOS BEADE, es el siguiente:

Capital Social.	90.000€
Fondo Reserva Obligatorio.	40.000€
Fondo Reserva Voluntario.	8.000€
Resultado de la cooperativa.	18.000€
Subvenciones oficiales de capital.	12.000€
Total	168.000€

SE PIDE:

Contabilizar las operaciones que se desprendan de los hechos relatados en la cooperativa COELLOS y en las siguientes situaciones:

1.- Según lo descrito anteriormente.

2.- En el supuesto de que la participación en la cooperativa PITOS COEELLOS BEADE, hubiese sido registrada como un pasivo financiero al tener el derecho de reembolso en caso de baja. Contabilizar lo que proceda. En este caso la Asamblea General no tiene el derecho incondicional a evitar la salida de efectivo

SOLUCIÓN:

1. *Registro operaciones, según lo descrito*

– Previo al registro de operaciones, la sociedad tendrá registrada su participación en la Cooperativa PITOS - COELLOS BEADE, como:

Participación en sociedades cooperativas. 40.300

Según las directrices de la presente Consulta, las aportaciones de los socios al Capital Social de una cooperativa, en el caso de que la participación se contabilice como un instrumento de patrimonio, conforme al punto 2.5 de la Norma 9.ª de Valoración del PGC. La valoración inicial se realizará al coste, que equivaldrá al valor razonable de la contraprestación entregada más los costes de transacción que le sean directamente atribuibles, mientras que la valoración posterior será al coste menos, en su caso, el importe acumulado de las correcciones valorativas por deterioro.

Este criterio, por lo tanto, sería el mismo que el contenido en la Consulta núm. 3 publicada en el BOICAC núm. 66, en base al anterior Plan General de Contabilidad y por analogía a la regulación de los valores negociables establecida en el mismo. Según el cual, los retornos capitalizados en ningún caso incrementarían el valor del activo financiero en la contabilidad del socio o partícipe. La participación se registró en la cartera «Inversiones en empresas del grupo, multigrupo y asociadas».

– A mediados del X11, y por la aplicación del excedente, cobraríamos por el retorno cooperativo:

$$50\% \ 4.000 = 2.000€$$

Anotando:

2.000	Retornos cooperativos a cobrar (545x)	1/6/X11
	a	Ingresos de participaciones en el capital sociedad cooperativa (760x) 2.000

– En cuanto a la incorporación al capital social de los retornos cooperativos no distribuidos a los socios (10.000€), de manera que incrementan en la Cooperativa las aportaciones obligatorias de los socios, debe considerarse contablemente como un supuesto análogo al aumento de los Fondos Propios que se produce como consecuencia de los beneficios no distribuidos en el resto de las sociedades.

Por ello el socio, no puede registrar dicho aumento en el valor de sus aportaciones, a pesar de que jurídicamente se le acredite una mayor participación, sin perjuicio de que deban tenerse en cuenta los fondos propios de la sociedad cooperativa en la que invirtió, a los efectos de dotar la oportuna corrección valorativa. Es decir no procede registro alguno.

– A finales del ejercicio X11, y con efectos de dotar una posible corrección valorativa por deterioro compararemos: NRV 9.ª.2.5.3.

- Valor contable de la participación en la sociedad cooperativa. . . . . . .   40.300€

-   No es superior

- Importe recuperable. . . . .   84.000€

Mayor:

* Valor razonable - costes de venta

* Valor actual de los flujos de efectivo futuros por la los flujos derivados de la inversión

Calculados bien:

– Estimación de los que se espera recibir procedentes del reparto dividendos realizado por la empresa participada y de su enajenación o baja en cuentas de la inversión en la misma ó

– Estimación de su participación en los flujos que se espera sean generados por la participada, procedentes tanto de sus actividades ordinarias como de su enajenación o baja en cuentas.

Salvo mejor evidencia del importe recuperable de las inversiones, se considerará el patrimonio neto de la entidad participada corregido en el importe de las plusvalías tácitas existentes en la fecha de la valoración.

Es decir:

% sobre Patrimonio Neto: 50% 168.000: 84.000€

¿DETERIORO?. . . . .   NO EXISTE

Hemos tenido en cuenta en los Fondos Propios, que se ha producido un aumento en el Capital Social por los retornos cooperativos capitalizados. En su momento, no produjo ninguna anotación por parte del inversor, sin embargo, lo consideraremos a efectos de dotar la oportuna corrección valorativa, según lo establecido en la presente Consulta.

2. Supuesto que la participación en cooperativa, hubiese sido registrada como pasivo financiero

En este supuesto la participación en la cooperativa PITO-COELLOS BEADE, ha sido registrada como un pasivo financiero según lo dispuesto en la presente consulta, caso: «(...) *que la participación deba contabilizarse en la cooperativa de segundo grado como un pasivo, el socio deberá otorgar a la operación un tratamiento contable coherente en sintonía con los criterios de valoración contenidos en el punto 2.1 de la NRV 9.ª del PGC y las especialidades reguladas en la Norma segunda. Capital social, apartado 1.1.3.3. "Pasivos financieros"*, de las [Normas sobre los aspectos contables de las sociedades cooperativas,] (...)».

Por lo cual estaría registrada en el momento inicial en la cartera de «préstamos y partidas a cobrar» habiendo sido valorada inicialmente por su valor razonable, que, salvo evidencia en contrario, será el precio de la transacción, y la valoración posterior se realizará al coste amortizado, contabilizándose los intereses devengados en la cuenta de pérdidas y ganancias aplicando el método del tipo de interés efectivo. En consecuencia tendrá:

Deudores por aportación a cooperativa. . . . . 40.300€

– A mediados del X11, y por la aplicación del excedente, cobraríamos por el retorno cooperativo:

$$50\% \ 4.000 = 2.000$$

Anotando:

	1/6/X11		
2.000	Retornos cooperativos a cobrar (545x)		
	a	Ingresos de participaciones en el capital sociedad cooperativa (760x)	2.000

En el caso de las participaciones en el capital social de cooperativas la valoración posterior al coste amortizado puede presentar dificultades que justifiquen su valoración al coste incrementado en los intereses, fundamentalmente, por la incertidumbre que puede rodear a las estimaciones en los supuestos de remuneración contingente, esto es, obligatoria, pero condicionada a la existencia de beneficio, así como sobre la fecha en que el cooperativista solicitará la baja y la cooperativa acordará el reembolso.

– Por los retornos capitalizados:

	1/6/X11		
5.000	Deudores por aportaciones a cooperativa (411X) [10.000 x 50%]		
	a	Otros ingresos financieros (769)	5.000

Cuando el reembolso de las aportaciones que se vean incrementadas no pueda ser rehusado, este Instituto considera que el retorno «capitalizado» debería contabilizarse como un ingreso financiero en la contabilidad del socio.

Si la Asamblea General tiene el derecho incondicional a evitar la salida de efectivo, por ejemplo, porque se decida acreditarlo aumentando las aportaciones al capital social, su reconocimiento se contabilizará como una aplicación del resultado siempre que a su vez la cooperativa goce del derecho incondicional a rehusar el reembolso de las citadas aportaciones.

En este caso, el tratamiento contable desde la perspectiva del socio deberá asimilarse a lo indicado cuando la aportación se califica como un instrumento de patrimonio.

10.1.0.2. Fecha entrada en vigor Orden EHA/3360/2010, cooperativas

BOICAC 86, junio 2011. Consulta 6.

Sobre la fecha de entrada en vigor de la Orden EHA/3360/2010, de 21 de diciembre, por la que se aprueban las Normas sobre los Aspectos Contables de las Sociedades Cooperativas (NACSC). En particular, se pregunta si los nuevos criterios incluidos en la Orden Ministerial son de aplicación a una sociedad cuyo ejercicio económico finaliza en el ejercicio 2011, antes del 31 de diciembre, habiéndose iniciado antes del 31 de diciembre de 2010.

Respuesta

A raíz de la entrada en vigor del nuevo Plan General de Contabilidad, la Disposición transitoria quinta. Desarrollos normativos en materia contable, del Real Decreto 1514/2007, de 16 de noviembre, al que a su vez se remite la Disposición transitoria sexta del Real Decreto 1515/2007, de 16 de noviembre, incluía en el apartado 4 una cláusula específica aplicable a las sociedades cooperativas, con el siguiente contenido:

> *«4. Los criterios por los que se establece la delimitación entre fondos propios y fondos ajenos en las normas sobre los aspectos contables de las sociedades cooperativas, aprobadas por Orden del Ministerio de Economía 3614/2003, de 16 de diciembre, podrán seguir aplicándose hasta 31 de diciembre de 2009».*

El objetivo de este régimen transitorio era doble. En primer lugar, otorgar a las sociedades cooperativas sometidas a la Ley Estatal, de Euskadi o de Navarra un plazo de dos años para modificar sus estatutos atribuyendo al Consejo Rector el derecho incondicional a rehusar el reembolso del capital social bajo determinados requisitos, y, en segundo lugar, conceder a las restantes comunidades autónomas un plazo de tiempo razonable para que pudieran aprobar una reforma similar a la incluida a nivel estatal.

Una vez transcurrido dicho plazo, se consideró necesario modificar a través del Real Decreto 2003/2009, de 23 de diciembre, el apartado 4 de la Disposición transitoria quinta del Real Decreto 1514/2007, de 16 de noviembre, de tal forma que se ampliase de forma excepcional y por un plazo de un año su vigencia.

En la exposición de motivos de la Orden EHA/3360/2010, de 21 de diciembre, se aclara que las normas se aprueban con la finalidad de que, una vez concluya el régimen transitorio descrito, las sociedades cooperativas puedan tener a su disposición unas normas contables que les permitan seguir suministrando información financiera en el marco del Plan General de Contabilidad y el Plan General de Contabilidad de Pequeñas y Medianas Empresas, en sintonía por tanto con las Normas internacionales de información financiera adoptadas por la Unión Europea

Por último, la Disposición final segunda. Entrada en vigor de la Orden, expresa:

«La presente Orden entrará en vigor el 1 de enero de 2011 y será de aplicación para los ejercicios económicos que se inicien a partir de esa fecha».

En este contexto, la consulta versa sobre los criterios que deben aplicar las sociedades cooperativas, cuyo ejercicio económico no coincide con el año natural, en la formulación de las cuentas anuales cerradas en el año 2011, antes del 31 de diciembre.

El apartado 1 del art. 3 del Código Civil señala que las normas se interpretarán según el sentido propio de sus palabras, en relación con el contexto, los antecedentes históricos y legislativos, y la realidad social del tiempo en que han de ser aplicadas, atendiendo fundamentalmente al espíritu y finalidad de aquéllas.

La redacción de la Disposición final segunda de la Orden no arroja dudas sobre la fecha de entrada en vigor, el 1 de enero de 2011, precisando que los nuevos criterios solo serán de aplicación a los ejercicios iniciados a partir del 1 de enero de 2011.

En consecuencia, la cuestión a resolver debe reconducirse al análisis de si el Derecho transitorio aprobado por el Real Decreto 1514/2007, de 16 de noviembre, posteriormente prorrogado por el Real Decreto 2003/2009, de 23 de diciembre, puede aplicarse en la formulación de las cuentas anuales cerradas en el ejercicio 2011, es decir, más allá del 31 de diciembre de 2010.

Para dar respuesta a esta pregunta es preciso tener en consideración que el nuevo Plan General de Contabilidad entró en vigor para los ejercicios iniciados a partir del 1 de enero de 2008, lo que lleva a pensar que el espíritu con el que se redactó el régimen transitorio inicial que finalizaba el 31 de diciembre de 2009, fue el de otorgar el plazo de dos ejercicios económicos, ampliado posteriormente a un tercero, para que tanto el régimen sustantivo como las propias sociedades cooperativas pudieran adaptar sus estatutos.

Si se concluyese que las sociedades cooperativas que cierren sus ejercicios antes del 31 de diciembre de 2011 tienen que aplicar los nuevos criterios, estas entidades habrían gozado de un plazo transitorio inferior, solo dos ejercicios, para poder adaptarse a los nuevos criterios, conclusión que, por contraria a la equidad que debe guiar la interpretación de la norma, no debería prosperar.

En definitiva, considerando la literalidad de la Disposición final segunda, y la voluntad declarada del legislador de pasar sin solución de continuidad del régimen transitorio a la aplicación de las nuevas normas, en opinión de este Instituto, las sociedades que finalicen sus ejercicios económicos antes del 31 de diciembre de 2011, habiéndolos iniciado antes del 31 de diciembre de 2010, podrán seguir aplicando el régimen de derecho transitorio prorrogado por el Real Decreto 2003/2009, de 23 de diciembre.

Comentario

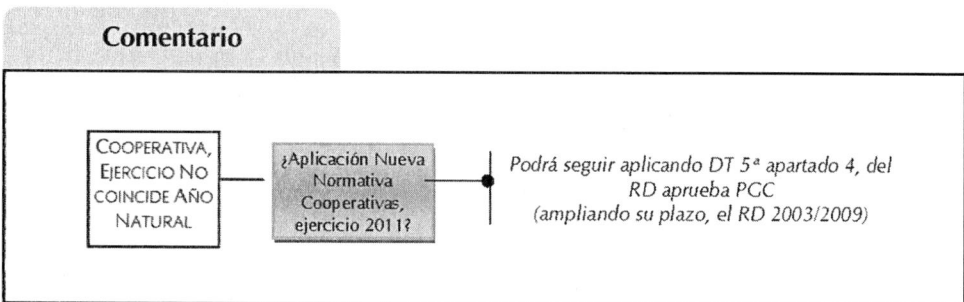

| COOPERATIVA, EJERCICIO NO COINCIDE AÑO NATURAL | ¿Aplicación Nueva Normativa Cooperativas, ejercicio 2011? | Podrá seguir aplicando DT 5ª apartado 4, del RD aprueba PGC (ampliando su plazo, el RD 2003/2009) |

Ejemplo

La sociedad cooperativa VINOS DO RIBEIRO, cuyo ejercicio económico no coincide con el año natural, pues comienza el 1/10/ y finaliza el 31/9; el último de ellos ha sido el comprendido entre las fechas 1/10/2010 finalizando el 31/9/2011.

En relación con el citado ejercicio, se plantea cuáles serían los criterios que tendrá que aplicar, para proceder a la delimitación entre fondos propios y fondos ajenos, planteando dos opciones:

A) Utilizar los criterios por los que se establece la delimitación entre fondos propios y fondos ajenos, contenidos en las normas sobre los aspectos contables de las sociedades cooperativas, aprobadas por Orden del Ministerio de Economía 3614/2003, de 16 de diciembre, los cuales fueron prorrogados una vez transcurrido dicho plazo, a través del Real Decreto 2003/2009, de 23 de diciembre. El apartado 4 de la Disposición transitoria quinta del Real Decreto

1514/2007, de 16 de noviembre, de tal forma que se ampliase de forma excepcional y por un plazo de un año su vigencia.

B) Los contenidos en la Orden EHA/3360/2010, de 21 de diciembre, por la que se aprueban las Normas sobre los Aspectos Contables de las Sociedades Cooperativas (NACSC).

SOLUCIÓN:

En la exposición de motivos de la Orden EHA/3360/2010, de 21 de diciembre, se aclara que las normas se aprueban con la finalidad de que, una vez concluya el régimen transitorio descrito, las sociedades cooperativas puedan tener a su disposición unas normas contables que les permitan seguir suministrando información financiera en el marco del Plan General de Contabilidad y el Plan General de Contabilidad de Pequeñas y Medianas Empresas, en sintonía por tanto con las Normas internacionales de información financiera adoptadas por la Unión Europea.

> «La presente Orden entrará en vigor el 1 de enero de 2011 y será de aplicación para los ejercicios económicos que se inicien a partir de esa fecha».

La redacción de la Disposición final segunda de la Orden no arroja dudas sobre la fecha de entrada en vigor, el 1 de enero de 2011, precisando que los nuevos criterios solo serán de aplicación a los ejercicios iniciados a partir del 1 de enero de 2011.

En consecuencia, la cuestión a resolver debe reconducirse al análisis de si el Derecho transitorio aprobado por el Real Decreto 1514/2007, de 16 de noviembre, posteriormente prorrogado por el Real Decreto 2003/2009, de 23 de diciembre, puede aplicarse en la formulación de las cuentas anuales cerradas en el ejercicio 2011, es decir, más allá del 31 de diciembre de 2010.

Para dar respuesta a esta pregunta es preciso tener en consideración que el nuevo Plan General de Contabilidad entró en vigor para los ejercicios iniciados a partir del 1 de enero de 2008, lo que lleva a pensar que el espíritu con el que se redactó el régimen transitorio inicial que finalizaba el 31 de diciembre de 2009, fue el de otorgar el plazo de dos ejercicios económicos, ampliado posteriormente a un tercero, para que tanto el régimen sustantivo como las propias sociedades cooperativas pudieran adaptar sus estatutos.

Si se concluyese que las sociedades cooperativas que cierren sus ejercicios antes del 31 de diciembre de 2011 tienen que aplicar los nuevos criterios, estas entidades habrían gozado de un plazo transitorio inferior, solo dos ejercicios, para poder adaptarse a los nuevos criterios, conclusión que, por contraria a la equidad que debe guiar la interpretación de la norma, no debería prosperar.

En definitiva, considerando la literalidad de la Disposición final segunda, y la voluntad declarada del legislador de pasar sin solución de continuidad del régimen transitorio a la aplicación de las nuevas normas, en opinión de este Instituto, las sociedades que finalicen sus ejercicios económicos antes del 31 de diciembre de 2011, habiéndolos iniciado antes del 31 de diciembre de 2010, podrán seguir aplicando el régimen de derecho transitorio prorrogado por el Real Decreto 2003/2009, de 23 de diciembre .

En consecuencia con todo lo anterior los criterios que serán de aplicación en el caso planteado serán los comentados en el caso A.

10.1.0.3. Calificación contable del capital en las «cooperativas a término»

BOICAC 86, junio 2011. Consulta 7.

Sobre si en las denominadas por el consultante «cooperativas a término», es decir, aquellas que se crean para desarrollar una actividad concreta que tiene una duración determinada, cuya realización traerá consigo la extinción de la sociedad, sería correcto contabilizar el capital en el patrimonio neto del balance.

Respuesta

La Norma segunda. Capital social de las Normas sobre los Aspectos Contables de las Sociedades Cooperativas, aprobadas por la Orden EHA/3360/2010, de 21 de diciembre, establece que, a efectos contables, el capital social de las sociedades cooperativas puede tener la calificación de fondos propios, pasivo o instrumento financiero compuesto.

El capital social tiene la consideración de instrumento financiero compuesto o de pasivo financiero cuando el reembolso de las aportaciones en caso de baja es exigible o la remuneración o el retorno son obligatorios, pero en ambos casos la totalidad del importe recibido se mostrará en el pasivo del balance.

En particular, la Norma quinta en relación con los fondos subordinados con vencimiento en la liquidación de la sociedad dispone que cuando la liquidación es contingente, a los efectos de calificar el capital social, la exigibilidad que nace en caso de liquidación de la cooperativa, por sí sola no llevará a presentar las aportaciones en el pasivo, porque en caso contrario la solución no sería coherente con el principio de empresa en funcionamiento.

Empleando un razonamiento similar, si la liquidación es un acontecimiento cierto, pero ajeno al control de la sociedad y de sus socios, este Instituto considera que el capital social, por esta sola circunstancia, no debería mostrarse en el pasivo.

En definitiva, las empresas cuyo objeto social se desarrolla a lo largo de un plazo temporal limitado presentan desde un punto de vista contable unas características atípicas. La causa de disolución y posterior liquidación es una circunstancia conocida en el momento en que se constituyen, cuestión distinta es que este hecho deba llevar a la conclusión de que en el momento inicial el capital es exigible, que tal y como se ha indicado no lo será, si el acontecimiento que determina la liquidación es cierto pero queda fuera del control de la empresa y de sus socios, como sucede con el mero transcurso del tiempo, esto es, cuando la vida de la sociedad es limitada.

Comentario

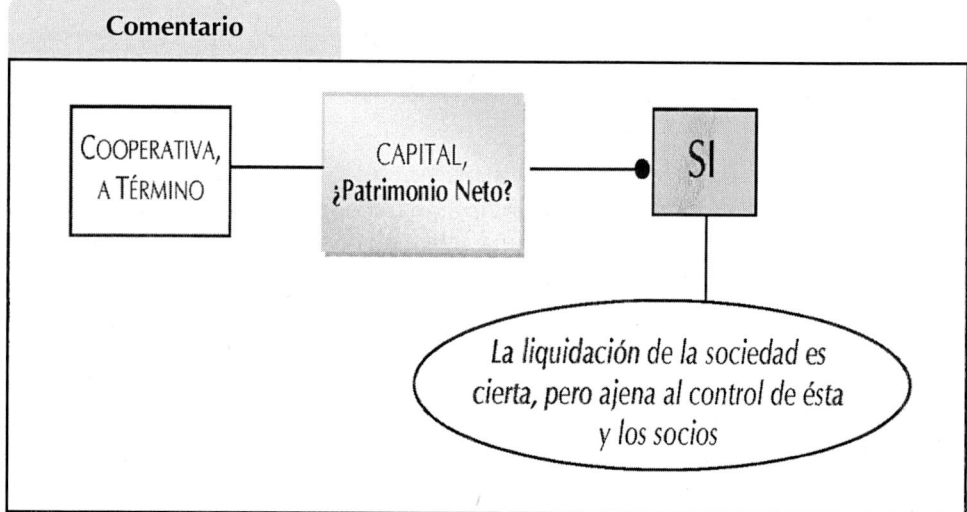

Ejemplo

A principios del ejercicio X6 fue constituida la sociedad cooperativa NAVIA, cuya actividad consistiría en la construcción de un parque temático en el barrio residencial de NAVIA.

La actividad a desarrollar tenía una duración determinada de 5 años, al final de los cuales y una vez entregada la obra a la Administración Autonómica, se procedería a la extinción de la Cooperativa.

Por causas no imputables a la cooperativa las obras fueron entregadas con un retraso de 8 meses, realizándose la misma en agosto del X11.

La sociedad Cooperativa se constituyó con 10 socios usuarios y 5 colaboradores, efectuándose su aportación al Capital social en la forma prevista por la Ley, su composición no ha sufrido ninguna variación hasta su extinción. Además se recibieron aportaciones por valor de 8.000€, las cuales fueron realizadas por socios con derecho de reembolso en caso de baja y tienen asociadas una remuneración o retorno obligatorio siendo su importe desembolsado la totalidad en metálico. En los estatutos se dispone de la siguiente información:

- El capital quedó establecido en 68.000€, correspondiendo
    - 50.000€ a aportaciones de carácter obligatorio por los socios usuarios,

– 8000€ por los socios con derecho a reembolso en caso de baja

– y el resto corresponde a aportaciones voluntarias efectuadas en su totalidad por los socios colaboradores.

• El capital social mínimo según los Estatutos se fijó en 30.000€.

A primeros de agosto del X11, la cooperativa NAVIA presenta el siguiente balance de liquidación (antes de la distribución patrimonial). Datos en euros:

ACTIVO		PATRIMONIO NETO Y PASIVO	
Disponibilidades	120.000	Capital social cooperativo: aportaciones obligatorias	50.000
		Capital social cooperativo: socios colaboradores	10.000
		Fondo de reserva voluntario	10.000
		Fondo de educación formación y promoción	20.000
		Resultados de la liquidación	30.000
TOTAL ACTIVO	**120.000**	TOTAL NETO Y PASIVO	**120.000**

INFORMACIÓN ADICIONAL AL BALANCE:

Previo al reparto del haber social entre los socios de la Cooperativa, el importe del fondo de educación formación y promoción, el cual se encuentra materializado en una cuenta de ahorro, se pone a disposición de la entidad federativa a la que estaba asociada la cooperativa.

SE PIDE:

1.- Registro contable de la constitución de la cooperativa.

2.- Registro de operaciones efectuadas el 15/1/X8 por la baja de los socios con derecho a reembolso de las aportaciones de capital efectuadas, a los cuales se le devolvieron las aportaciones realizadas y una remuneración del 4%.

3.- Realizar el reparto del patrimonio líquido entre los cooperativistas, de acuerdo con lo establecido en la LSC, indicando la cantidad a percibir por los cooperativistas usuarios y los colaboradores. Contabilizar la operación.

SOLUCIÓN:

1.- *Registro de la constitución de la cooperativa y por las aportaciones de los socios que tienen consideración de patrimonio neto*

		1/1/X6		
45.000	Bancos c/c (572)			
15.000	Socios desembolsos no exigidos (103) (*)			
		a	Capital social cooperativo: aportaciones obligatorias (1000) (*)	50.000
			Capital social cooperativo: socios colaboradores (10020) (*)	10.000

Siguiendo con lo dispuesto en la Orden EHA/3360/2010, de 21 de diciembre, por la que se aprueban las normas sobre los aspectos contables de las sociedades cooperativas, se dispone entre otras:

> *«(...) El capital social de las cooperativas se calificará como patrimonio neto, en particular, como fondos propios, como un instrumento financiero compuesto, o como pasivo, en función de las características de las aportaciones de los socios o partícipes (...)».*

Tendrán la consideración de fondos propios las aportaciones al capital social cuyo reembolso en caso de baja pueda ser rehusado incondicionalmente por el Consejo Rector o la Asamblea General, según establezcan la ley aplicable y los estatutos sociales de la cooperativa, siempre que no obliguen a la sociedad cooperativa a pagar una remuneración obligatoria al socio o partícipe y el retorno sea discrecional.

(*) Detalle de las aportaciones realizadas:

CUENTA	CUANTÍA	DESEMBOLSO EFECTUADO	DESEMBOLSO PENDIENTE
Capital Social mínimo obligatorio	30.000 €	100% : 30.000 €	-----
Resto del capital obligatorio	(50.000-30.000) = 20.000 €	25% : 5.000 €	75%:15.000
Capital de los socios colaboradores	10.000 €	100% : 10.000 €	-------
TOTALES	60.000	45.000	15.000

Por las aportaciones de los socios que tienen la consideración de pasivos financieros:

		1/1/X6		
8.000	Bancos c/c (572)			
		a	Capital social cooperativo a largo plazo considerado pasivo financiero: aportaciones obligatorias (1500)[(*)]	8.000

[(*)] En particular, se considerará que incluyen un componente de pasivo financiero las aportaciones de los socios con derecho de reembolso en el caso de baja y las que tienen asociada una remuneración o retorno obligatorio. Orden EHA/3360/2010, de 21 de diciembre, por la que se aprueban las normas sobre los aspectos contables de las sociedades cooperativas, se dispone entre otras.

2.- *Operaciones realizadas por la baja de los socios con derecho a reembolso*

– Por el pago de la remuneración: 4% de 8.000€.

		15/1/X8		
320	Intereses y retorno obligatorio de las aportaciones al capital cooperativo y de otros fondos con características de deudas (6647)			
		a	Bancos c/c (572)	320

– Por la devolución de la aportación:

		15/1/X8		
8.000	Capital social cooperativo con características de deudas a largo plazo (1500)			
		a	Bancos c/c (572)	8.000

– Por la entrega del importe del fondo de educación y promoción a la entidad federativa, asociada a la cooperativa

	X	
20.000 Fondo de educación, formación y promoción a corto plazo (5298)		
	a Bancos c/c (572)	20.000

3.- *Liquidación de la cooperativa*

Analizaremos, en primer lugar, cómo se encuentra el Capital Social (tipología de títulos, desembolsos,...):

	N.º de socios	Aportaciones	Primer reparto[*]	Segundo reparto [**]	TOTAL
Capital Social cooperativo: aportaciones obligatorias	10	50.000	50.000	50.000	100.000
Capital social cooperativo: socios colaboradores	5	10.000	10.000	10.000	20.000
TOTALES	15	60.000	60.000	60.000	120.000

[*] Realizaremos el reparto según lo que nos indica el art. 392 LSC. Salvo disposición contraria de los estatutos sociales, la cuota de liquidación correspondiente a cada socio será proporcional a su participación en el capital social. Si todas las acciones no se hubiesen liberado en la misma proporción, se restituirá en primer término a los accionistas que hubiesen desembolsado mayores cantidades el exceso sobre la aportación del que hubiese desembolsado menos y el resto se distribuirá entre los accionistas en proporción al importe nominal de sus acciones.

Por tanto:

1er. **Reparto:** Como se ha obtenido un activo repartible de 120.000€, y éste es superior a lo desembolsado por todos los accionistas (60.000€), no hay que establecer preferencias y se les devuelve a éstos lo que han aportado.

2º. **Reparto:** El exceso entre la cantidad a repartir (60.000€) y lo aportado por los socios (60.000€), se repartirá entre los accionistas en la forma prevista en los Estatutos, o en su defecto, en proporción al importe nominal de las acciones (art. 392). Es decir:

	Nominal Total	% (peso)	2.º Reparto
Capital social cooperativo: Aportaciones obligatorias	50.000	83,33...%	60.000 x 83,33% = 50.000
Capital social cooperativo: Socios colaboradores	10.000	16,66...%	60.000 x 16,66% = 10.000
	60.000	**100%**	**60.000**

Contabilizaríamos por la operación de reparto en el Diario:

-- 8/X11 --

50.000 Capital social cooperativo:
        aportaciones obligatorias
        (1000)

10.000 Capital social cooperativo:
        socios colaboradores
        (10020)

10.000 Fondo de reserva voluntario
        (113)

30.000 Resultados de liquidación

                        a   Socios, sociedad disuelta
                                (5530)   100.000

Daremos de baja todos los elementos patrimoniales, excepto la partida «Disponibilidades», reconociendo al mismo tiempo una deuda con los socios.

Y por el pago de la deuda contraída con los accionistas:

-- 8/X11 --

100.000 Socios, sociedad disuelta
         (5530)

                        a   Bancos (572)   100.000

Según los contenidos de la presente consulta, si la liquidación es un acontecimiento cierto, pero ajeno al control de la sociedad y de sus socios, este Instituto considera que el capital social, por esta sola circunstancia, no debería mostrarse en el pasivo.

En definitiva, las empresas cuyo objeto social se desarrolla a lo largo de un plazo temporal limitado presentan desde un punto de vista contable unas características atípicas. La causa de disolución y posterior liquidación es una circunstancia conocida en el momento en que se constituyen, cuestión distinta es que este hecho deba llevar a la conclusión de que en el momento inicial el capital es exigible, que tal y como se ha indicado no lo será, si el acontecimiento que determina la liquidación es cierto pero queda fuera del control de la empresa y de sus socios, como sucede con el mero transcurso del tiempo, esto es, cuando la vida de la sociedad es limitada.

10.1.0.4. Calificación contable del capital social cooperativas, exigible en caso de jubilación o incapacidad

BOICAC 87, septiembre 2011. Consulta 7.

Sobre si las aportaciones de los socios al capital de una sociedad cooperativa pueden calificarse como fondos propios, cuando sean exigibles única y exclusivamente en el caso de baja obligatoria por incapacidad o jubilación.

Respuesta

La Norma segunda. *Capital social* de las normas sobre los aspectos contables de las sociedades cooperativas (NACSC) aprobadas por la Orden EHA/3360/2010, de 21 de diciembre, establece que, a efectos contables, el capital social de las sociedades cooperativas puede tener la calificación de fondos propios, pasivo o instrumento financiero compuesto. Tendrá la consideración de instrumento financiero compuesto o de pasivo financiero cuando el reembolso de las aportaciones en caso de baja sea exigible o la remuneración o el retorno sean obligatorios.

Las cooperativas están formadas por un grupo de personas que llevan a cabo su actividad en régimen de cooperación y bajo el interés común de desarrollar una labor en la que ellos mismos intervienen, como suministradores o clientes de bienes y servicios de la propia sociedad.

Así, y a diferencia de las sociedades capitalistas, especialmente las anónimas, que no toman en cuenta las condiciones personales de los socios, sino su aportación de capital, en las sociedades cooperativas su propia finalidad de satisfacer las necesidades socio-económicas de los socios convierte en obligatoria su participación en la actividad cooperativizada. En este sentido, mientras que el socio capitalista percibe un dividendo proporcional a su aportación al capital social, el cooperativista percibirá, en su caso, un retorno cooperativo en proporción a la actividad desplegada en la cooperativa.

A la hora de abordar los aspectos contables relacionados con estas empresas, de la lectura de la introducción de las NACSC, se infiere la necesidad, en cualquier labor interpretativa sobre estas entidades, de traer a colación esta especialidad que las caracteriza como «sociedades de personas».

Con base en lo anterior, cuando dicha actividad no pueda seguir desarrollándose por imposición legal, como sucede en los supuestos de incapacidad y jubilación, este Instituto considera que el derecho de reembolso no califica la aportación como un pasivo, si dichas circunstancias impiden la continuidad de la actividad cooperativizada, como pudiera ser el caso de las cooperativas de trabajo asociado.

Sin perjuicio de lo anterior, en aras de preservar el objetivo de imagen fiel de la sociedad cooperativa, en la memoria de las cuentas anuales deberá incluirse una estimación del número de cooperativistas que pudieran jubilarse en los próximos cinco ejercicios, indicando el importe que la cooperativa deberá reclasificar al pasivo del balance en cada uno de esos años.

Comentario

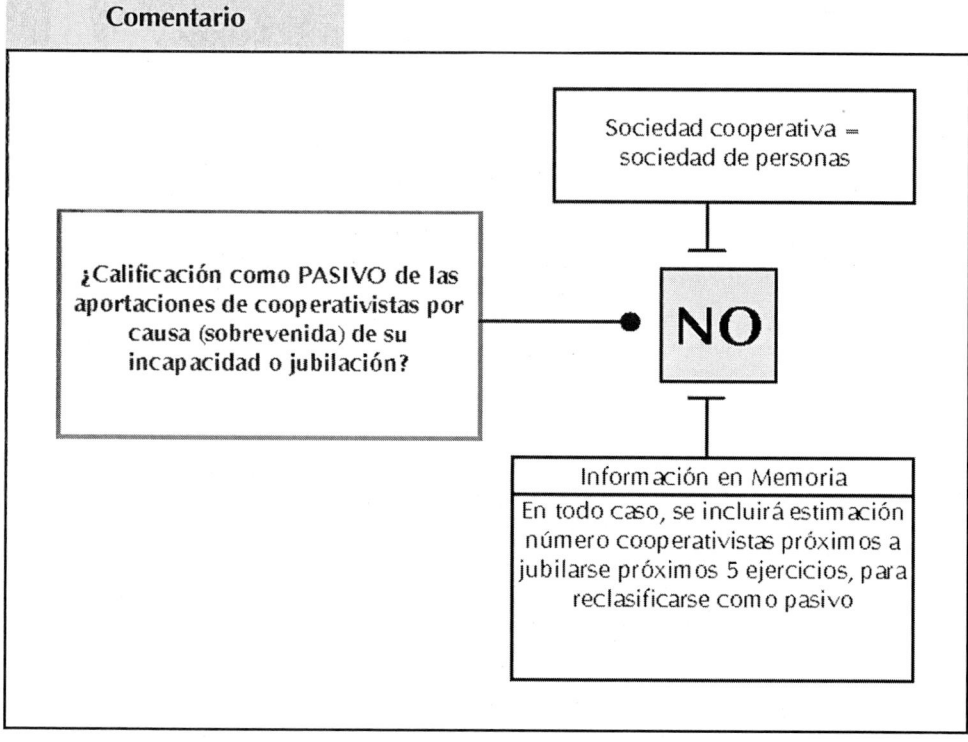

Ejemplo

A principios del ejercicio X11, se constituye la cooperativa escolar EL OLIVO, en sus Estatutos figuran las siguientes características:

Número de socios:	4 personas físicas
Capital social mínimo	50.000€
Participación de los socios:	Por partes iguales en el capital
Gastos de constitución	600 euros (de ellos 500 sujetos a IVA del 21%)
Desembolso de capital:	Mínimo legal, por ingreso en c/c de la sociedad.

En el mes de marzo, cada socio entrega a la Cooperativa 3.000€ en concepto de aportaciones voluntaria, reconociendo en los Estatutos un interés anual a las mismas del 3%. Desembolso total a través de cuenta corriente de la cooperativa.

El 1 de agosto se exige el desembolso pendiente a los socios, dando un plazo para el mismo de un mes.

A primeros de septiembre los socios hacen efectivo el desembolso exigido.

En el mes de diciembre del X10, uno de los socios comunica a la cooperativa que como consecuencia del accidente sufrido meses anteriores le ha sido concedida por la Administración la incapacidad permanente para el desarrollo de cualquier actividad por lo cual solicita la baja en la sociedad.

Posteriormente en el mes de enero del X12, se acepta la misma reintegrando al socio las aportaciones realizadas en unión de los respectivos intereses por las aportaciones voluntarias.

SE PIDE:

Efectuar las anotaciones contables en el libro Diario correspondientes a las operaciones realizadas por la cooperativa. Tipo impositivo 20%

SOLUCIÓN:

NOTA PREVIA: La solución del supuesto ha sido realizada aplicando en cuanto a contabilización y registro de operaciones los contenidos establecidos en la Orden EHA/3360/2010, de 21 de diciembre, por la que se aprueban las normas sobre los aspectos contables de las sociedades cooperativas.

– Por la emisión, suscripción y desembolso del 25% en la sociedad Cooperativa:

		1/1/X11		
12.500	Bancos (572)			
	[50.000 x 25%]			
37.500	Socios por desembolsos no exigidos, capital social (1030) [50.000 x 75%]			
		a	Capital social cooperativo: aportaciones obligatorias (1000)(*)	50.000

(*) El capital social de las cooperativas se calificará como patrimonio neto, en particular, como fondos propios, como un instrumento financiero compuesto, o como pasivo, en función de las características de las aportaciones de los socios o partícipes.

Fondos propios. Tendrán la consideración de fondos propios las aportaciones al capital social cuyo reembolso en caso de baja pueda ser rehusado incondicionalmente por el Consejo Rector o la Asamblea General, según establezcan la ley aplicable y los estatutos sociales de la cooperativa, siempre que no obliguen a la sociedad cooperativa a pagar una remuneración obligatoria al socio o partícipe y el retorno sea discrecional. Norma segunda de la Orden EHA/3360/2010.

– Por el registro de los gastos de constitución:

		1/1/X11		
600	Reservas Voluntarias (113)			
105	HP IVA soportado (472) [500 x 21%]			
		a	Bancos c/c (572)	705

– Por el efecto impositivo:

		1/1/X11		
120	Impuesto diferido(6301) [600 x 20%]			
		a	Reservas Voluntarias (113)(*)	120

En base al movimiento de la cuenta 113, en la 5.ª parte del PGC que nos comenta: «(...) *b) Se abonará por el gasto por impuesto sobre beneficios relacionado con los gastos de transacción, con cargo a la cuenta 6301*»

– Por las aportaciones voluntarias realizadas por los socios:

1/1/X11

12.000	Bancos c/c (572)		
	[3.000€ x 4]		
	a	Capital social cooperativo a largo plazo considerado pasivo financiero: aportaciones voluntarias (1501)[*]	12.000

[*] Tendrá la consideración de instrumento financiero compuesto o de pasivo financiero cuando el reembolso de las aportaciones en caso de baja sea exigible o la remuneración o el retorno sean obligatorios.

El capital social que deba contabilizarse como un pasivo financiero se incluirá en la categoría de «Débitos y partidas a pagar» en los términos previstos en la norma de registro y valoración 9.ª Instrumentos financieros del Plan General de Contabilidad, o en la categoría «Pasivos financieros a coste amortizado» regulada en la norma de registro y valoración 9.ª Pasivos financieros del PGC-PYMES.

– Solicitud del dividendo pasivo:

1/8/X11

37.500	Socios por desembolsos exigidos, sobre acciones o participaciones dinerarias (5580)		
	[50.000€ x 75%]		
	a	Socios por desembolsos no exigidos, capital social (1030)	37.500

– Por el desembolso efectuado por los socios:

————————————————— 1/9/X11 —————————————————

37.500 Bancos (572)

a   Socios por desembolsos exigidos, sobre acciones o participaciones dinerarias (5580)   37.500

– Registro de los intereses devengados por las aportaciones voluntarias:

————————————————— 31/12/X11 —————————————————

300 Intereses y retornos obligatorios de las aportaciones al capital y de otros
fondos calificados con
características de deudas
(6647)[*]

a   Capital social cooperativo a
largo plazo considerado
pasivo financiero: aportaciones voluntarias (1501)[**]   300

---

[*] Importe de los intereses y del retorno no discrecional devengado durante el ejercicio

$$\frac{3\% \ 12.000}{12} \times 10 = 300 \ €$$

[**] Su valoración posterior será al coste incrementado en los intereses que se vayan devengando. Norma segunda de la Orden EHA/3360/2010,

– Reducción de capital por baja del socio. (Aportaciones obligatorias)

Según los contenidos de la presente consulta, cuando la actividad no pueda seguir desarrollándose por imposición legal, como sucede en los supuestos de incapacidad y jubilación, el ICAC considera que el derecho de reembolso no califica la aportación como un pasivo, si dichas circunstancias impiden la continuidad de la actividad cooperativizada, como pudiera ser el caso de las cooperativas de trabajo asociado. En consecuencia:

——————————————————— 1/1/X12 ———————————————————

12.500 Capital social coopera-
        tivo: aportaciones obliga-
        torias (1000)(*)

                                    a   Deudas con socios a corto
                                            plazo (51030)   12.500

(*) Reducción de capital por baja de socios. Las reducciones del capital social cooperativo que tengan la consideración de fondos propios motivadas por el reembolso de las aportaciones al socio que cause baja producirán, desde el momento en que adquiera firmeza el acuerdo de la cooperativa por el que se formaliza dicho reembolso, el cambio de naturaleza de la partida, de forma que se calificará como deuda por el importe del valor acreditado de las aportaciones al capital social en la fecha en la que se produzca.

Esta operación requiere que el importe a reembolsar de las aportaciones al socio que cause baja se registre en la partida «Deudas con socios», creada al efecto, dentro del epígrafe «Deudas con empresas del grupo, asociadas y socios», del pasivo no corriente o corriente del balance, dependiendo del vencimiento; en cualquier caso, se tendrá en cuenta el efecto financiero derivado de la operación.

– Reducción de capital por baja del socio: (Aportaciones voluntarias)

——————————————————— 1/1/X12 ———————————————————

3.075 Capital social cooperativo
       a largo plazo considerado
       pasivo financiero: aporta-
       ciones voluntarias (1501)
       (*)

       [12.300 : 4 = 3.075]

                                    a   Deudas con socios a corto
                                            plazo (51030)   3.075

(*) Si el capital social se ha contabilizado como pasivo financiero, las reducciones se consideran devoluciones del importe acordado por la cooperativa recogido en el pasivo del balance, como una devolución o reembolso, considerando los intereses devengados hasta ese momento.

Su importe se contabilizará, una vez hecho efectivo, minorando la partida que refleje el pasivo financiero

– Por el pago:

```
———————————————————— 1/1/X12 ————————————————————


15.575   Deudas con socios a corto
         plazo (51030)

         [12.500 + 3.075]


                            a      Bancos (572)                    15.575
```

10.1.0.5. Precio adquisición uva, cooperativa vino

BOICAC 87, septiembre 2011. Consulta 8.

Sobre la valoración de los productos de «ciclo largo» entregados por los socios a una cooperativa.

Respuesta

Las cooperativas agrarias dedicadas a la elaboración de vinos agrupan prioritariamente a productores de uva, integrando procesos y servicios precisos para la vinificación de la uva y su posterior comercialización en forma de vino a granel o embotellado. El vino embotellado puede llegar a tener un ciclo de producción de hasta seis o siete años y el vino a granel puede permanecer durante varios ejercicios en «stock».

Según indica el consultante, estas circunstancias provocan que el precio de adquisición de la uva a los socios en función del precio de liquidación definitivo no sea posible por desconocer cuál será el precio de liquidación del producto en fase de elaboración. Por este motivo, las bodegas cooperativas adoptan el criterio de valorar la uva aportada por los socios atendiendo al acuerdo alcanzado por las partes, valorando sus existencias finales a coste de producción o valor neto realizable.

A la vista de estos antecedentes, la consulta plantea dos cuestiones:

1.- Si es aceptable, en el caso anterior, valorar la uva aportada por los socios atendiendo al acuerdo entre las partes.

2.- Cómo se registrará contablemente la pérdida en aquellos casos en que dada la disminución del precio del vino en el mercado, el precio al que finalmente se venda este último, sea inferior al precio de adquisición de la uva acordado entre el socio y la cooperativa.

La contabilidad de las sociedades cooperativas se enmarca en el Código de Comercio y por tanto, para los ejercicios que se inicien a partir del 1 de enero de

2008, estas sociedades deben aplicar el desarrollo reglamentario del citado texto, esto es, el Plan General de Contabilidad (en adelante PGC) aprobado por el Real Decreto 1514/2007, de 16 de noviembre, sin perjuicio de seguir considerando los aspectos contables singulares regulados en las normas aprobadas por la Orden ECO/3614/2003, de 16 de diciembre. En los ejercicios iniciados a partir del 1 de enero de 2011 serán de aplicación las nuevas normas sobre los aspectos contables de las sociedades cooperativas (NACSC) aprobadas por la Orden 3360/2010, de 21 de diciembre, y que derogan a las aprobadas en el año 2003.

Tanto las actuales Normas como las aprobadas en el año 2003, establecen que en todo lo no modificado específicamente por ellas, será de aplicación el PGC, así como las adaptaciones sectoriales y las Resoluciones del Instituto de Contabilidad y Auditoría de Cuentas.

Las adquisiciones de bienes a los socios se regulan en la norma octava de las NACSC, como sigue:

«La valoración de las adquisiciones de bienes a los socios para la gestión cooperativa se realizará, en el momento en que se lleve a cabo la operación, por el precio de adquisición, es decir, por el importe pagado o pendiente de pago correspondiente a la transacción efectuada, sin perjuicio de lo indicado posteriormente.

Dicho precio se fija en función de circunstancias futuras, entre las que puede estar el valor neto realizable o cualquier otro parámetro, se efectuará una estimación inicial con el fin de determinar el precio de adquisición.

La parte del precio de adquisición estimado que supere el importe pagado o comprometido a pagar en firme figurará, a efectos de su registro contable, en una partida acreedora del pasivo del balance. Si media un cierre de ejercicio desde la adquisición hasta la liquidación definitiva, se estimarán de nuevo dichas circunstancias en esa fecha de cierre de acuerdo con la información disponible; esta nueva estimación se efectuará también en el caso de elaboración de estados financieros intermedios (...)».

Asimismo en relación con estas operaciones, en el punto 16 de la Introducción de las NACSC se enfatizan los siguientes aspectos:

«En los casos en los que la cooperativa adquiere bienes a los socios, lo hace a resultas de la liquidación, es decir, al precio de venta a terceros, una vez deducidos los gastos necesarios para realizar la venta y, en su caso, los necesarios para transformar los bienes adquiridos (valor neto realizable).

Ello justifica que la Norma octava incluya un tratamiento especial en la valoración de las adquisiciones de bienes a los socios para la gestión cooperativa, especialmente en aquellos casos en que el precio de adquisición se fije en función de circunstancias y, de forma particular, cuando las leyes de cooperativas de las distintas comunidades autónomas impongan un límite a dicho precio, o cuando se pacte que el precio de adquisición no pueda superar el valor neto realizable u otro valor».

De todo lo anterior se pueden inferir las siguientes conclusiones:

a) La valoración de la uva aportada por el socio a la sociedad cooperativa debe valorarse por el precio de adquisición, es decir, por el importe pagado o pendiente de pago correspondiente a la transacción efectuada en función del precio acordado entre las partes.

b) A mayor abundamiento, la norma también aclara, ante la previsión que en tal sentido realizan algunas leyes de cooperativas, cómo debería valorarse la compra en el supuesto de que el precio fuese contingente.

c) De lo anterior no cabe deducir que la norma contable imponga el sistema de registro que se describe en la consulta, que podríamos denominar del «precio provisional a resultas de la liquidación».

d) En definitiva, el citado criterio solo resultará aplicable cuando las partes hubiesen acordado un precio contingente o cuando dicho pacto venga impuesto por la correspondiente ley, circunstancia que no entra a valorar este Instituto por carecer de competencias para interpretar la legislación sustantiva de las sociedades cooperativas.

En cuanto a la segunda cuestión, relativa a la pérdida de valor derivada de la disminución sucesiva durante varios ejercicios consecutivos del precio de mercado del vino, resultará de aplicación lo previsto en la NRV 10.ª «Existencias» del PGC para el registro contable del deterioro, en la medida en que las NACSC no establecen ninguna especialidad al respecto.

En particular, el apartado 2 de la NRV 10.ª establece lo siguiente:

«*Cuando el valor neto realizable de las existencias sea inferior a su precio de adquisición o a su coste de producción, se efectuarán las oportunas correcciones valorativas reconociéndolas como un gasto en la cuenta de pérdidas y ganancias*

En el caso de las materias primas y otras materias consumibles en el proceso de producción, no se realizará corrección valorativa siempre que se espere que los productos terminados a los que se incorporen sean vendidos por encima del coste. Cuando proceda realizar corrección valorativa, el precio de reposición de las materias primas y otras materias consumibles puede ser la mejor medida disponible de su valor neto realizable».

Por tanto, en el caso de que el vino elaborado incorpore uva que se adquirió a un precio superior al que se espera vender, se habrá producido un deterioro del producto en curso o en su caso del producto terminado. Este deterioro deberá registrarse como un gasto en la cuenta de pérdidas y ganancias del ejercicio en el que la sociedad cooperativa tenga evidencia de la citada pérdida, circunstancia que tal y como describe el consultante es anterior al momento en que se producirá su venta a terceros.

A mayor abundamiento cabe señalar que la definición de «valor neto realizable» está recogida en el apartado 6.º, punto 3, del Marco Conceptual de la Contabilidad del PGC en los siguientes términos:

«*El valor neto realizable de un activo es el importe que la empresa puede obtener por su enajenación en el mercado, en el curso normal del negocio, deduciendo los costes estimados necesarios para llevarla a cabo, así como, en el caso de las materias primas y de los productos en curso, los costes estimados necesarios para terminar su producción, construcción o fabricación*».

Por último cabe señalar que en el supuesto de que la sociedad cooperativa aplicase el Plan General de Contabilidad de Pequeñas y Medianas y Empresas, las conclusiones que se recogen en la presente contestación no variarían.

Comentario

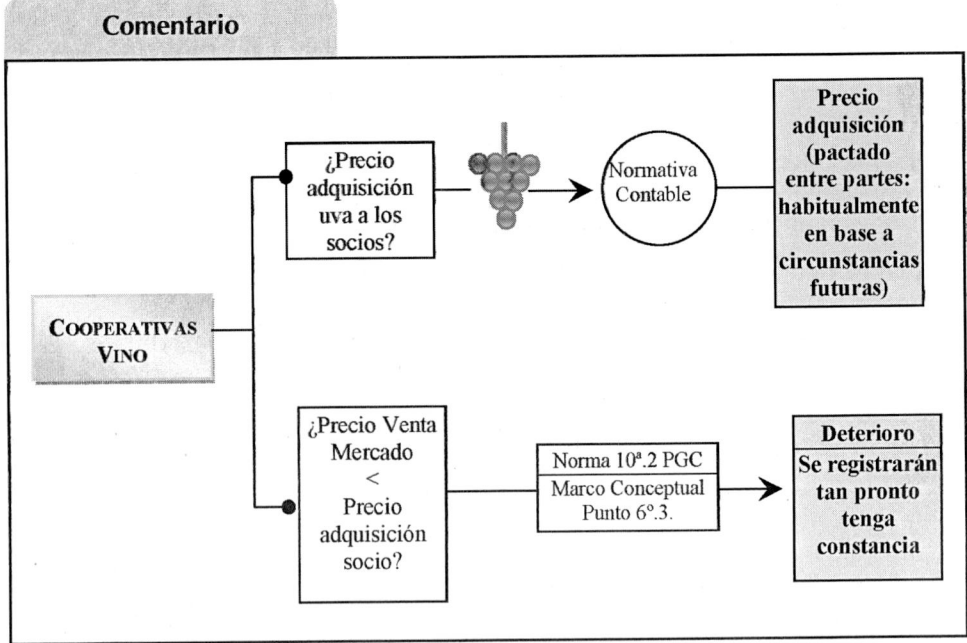

Ejemplo

La sociedad cooperativa PAZO RIBEIRO, cuya actividad es la elaboración y comercialización de vino con la denominación de origen del RIBEIRO; ha efectuado a principios del año X0 la compra a uno de sus socios cooperativos 10.000 kilos de uva de la variedad «treixadura» con la que elaborará 10.000 botellas de vino de 75cl que comercializará con la prestigiosa denominación de EMPERATORE MONCHUS BORRAJUS.

El proceso de elaboración tendrá una duración de 3 años fermentado en barrica de roble. El precio pactado por la compra de la uva será un importe contingente basado en circunstancias futuras como puede ser el valor neto realizable. El precio de adquisición de la uva, no puede superar el valor neto realizable. Estimado el mismo en el momento de la compra se obtienen los siguientes datos:

- Precio de venta de la botella de vino. . . . . .   20€

- Costes de fabricación. . . . .   10€/botella

- Costes de comercialización. . . . .   0,5€/botella

En consecuencia el valor neto realizable se fija en 9,5€/botella, pagando la cooperativa en el momento de la recepción de la uva 5€/kilo, quedando el resto pendiente de pago a resultas de la liquidación que se llevará a cabo en el momento de la venta a terceros.

La venta se produce a finales del año X2 a unos grandes almacenes y por un importe de 18 euros /botella.

A 31/12/X0 como consecuencia de la bajada del precio de mercado del vino; el valor neto realizable se estima en 8,5€. Los costes de elaboración incurridos en el ejercicio ascendieron a 3€/botella sin incluir el consumo de uva. El precio de mercado del vino es de 19€/botella. Los costes de elaboración pendientes de incurrir se estima que asciendan a 2€/botella.

A 31/12/X1 continua el descenso en el precio de mercado del vino estimándose el valor neto realizable en 7,5€. Los costes de elaboración incurridos en el ejercicio ascendieron a 1,5€/botella; siendo el precio de mercado del vino 18€/botella. Los costes de comercialización se mantienen constantes. Los costes pendientes de incurrir se estiman en 1/€ botella.

SE PIDE:

CASO 1.- Registro de operaciones relatadas:

CASO 2.- Lo mismo que el caso anterior, pero suponiendo que a finales del X1 y como consecuencia de un descenso significativo del precio de mercado del vino es de 14€/botella; estimando su valor neto realizable en 4,5€/botella. Los costes de elaboración incurridos en el ejercicio ascendieron a 1,5€/botella; los costes de elaboración pendientes de incurrir ascenderán a 1€/botella. A finales del ejercicio X2, se produce la venta de la mencionada partida de vino por un precio de 14€, ascendiendo los gastos de comercialización a 0,5€/botella.

SOLUCIÓN:

CASO 1

– Por la compra de la uva:

1/1/X0

95.000   Compras efectuadas a los
         socios (605)[*]

         [10.000 Kgs x 9,5]

                     a   Proveedores socios coopera-
                            tivos (4007)[**]   45.000

                            Bancos (572)

                            [10.000 Kgs x 5]   50.000

---

[*] Según los contenidos de la presente consulta y lo dispuesto en la Norma octava de la Orden EHA/3360/2010, de 21 de diciembre, por la que se aprueban las normas sobre los aspectos contables de las sociedades cooperativas: si el precio se fija en función de circunstancias futuras, entre las que puede estar el valor neto realizable o cualquier otro parámetro, se efectuará una estimación inicial con el fin de determinar el precio de adquisición.

Las bodegas cooperativas pueden adoptar el criterio de valorar la uva aportada por los socios atendiendo al acuerdo alcanzado por las partes, valorando sus existencias finales a coste de producción o valor neto realizable.

[**] La parte del precio de adquisición estimado que supere el importe pagado o comprometido a pagar en firme figurará, a efectos de su registro contable, en una partida acreedora del pasivo del balance.

Por otra parte, la Norma octava de la Orden EHA/3360/2010, de 21 de diciembre, por la que se aprueban las normas sobre los aspectos contables de las sociedades cooperativas.

En cuanto a la cuenta a emplear para su registro contable contempla la 4007. «Proveedores socios cooperativos». Importe estimado o correspondiente a pagar por los bienes adquiridos a los socios cuando dicho precio se fije en función de circunstancias futuras.

En base a su movimiento, sabemos que: «(...) a) Se abonará por el importe de la estimación realizada pendiente de pago con cargo, generalmente, a la cuenta 605».

• Operaciones a 31/12/X0:

– Sabemos que el valor neto realizable asciende a 8,5€:

10.000	Proveedores socios cooperativos (4007)[(*)]			
		a	Compras efectuadas a los socios (605[(**)]) [1€ x 10.000 bot]	10.000

[(*)] 4007. «Proveedores socios cooperativos».
Importe estimado o correspondiente a pagar por los bienes adquiridos a los socios cuando dicho precio se fije en función de circunstancias futuras.
Su movimiento es el siguiente:
b) Se cargará, con carácter general, en el momento de la liquidación de la operación con abono a cuentas del subgrupo 57 o, en su caso, a la cuenta 605.

[(**)] El valor neto realizable ha descendido 1€, respecto al importe estimado inicialmente.
Coste de producción del producto en curso: 115.000€

Consumo de uva.(V.N.R. 8,5 x 10.000 botellas)   85.000€(95.000 - 10.000)

Costes de elaboración (3€ x 10.000 botellas)   30.000€

– Por las existencias de vino en proceso de elaboración:

		31/12/X0		
115.000	Vino de ribeiro en proceso de ciclo largo (3420)			
		a	Variación de existencias de productos en proceso de crianza y envejecimiento de ciclo largo (711)	115.000

– Comprobaremos si existe deterioro (en base a la Norma de Valoración de existencias)

Comparamos, si

Coste de producción.	115.000
	No es superior
(*)Valor Neto realizable.	165.000

Precio de venta del producto terminado: 190.000

[19€ x 10.000 bot.]

(Costes pendientes de incurrir): (20.000)

[2€ x 10.000]

(costes de comercialización): (5.999)

[0,5 x 10.000]

¿Deterioro?.	No existe

Según lo establecido en el Marco Conceptual, el valor neto realizable en el caso de los productos en curso: es el importe que se puede obtener por su enajenación en el mercado, de manera natural y no forzada, deduciendo los costes estimados necesarios para llevarla a cabo así como, en el caso de los productos en curso, los costes estimados necesarios para terminar su producción, construcción o fabricación.

• Operaciones a 31/12/X1:

– Sabemos que el valor neto realizable asciende a 7,5€:

──────────────── 31/12/X1 ────────────────

10.000	Proveedores socios cooperativos (4007)[*]	
	a Compras efectuadas a los socios (605)[**] [1€ x 10.000 bot]	10.000

---

[*] 4007. «Proveedores socios cooperativos».
Importe estimado o correspondiente a pagar por los bienes adquiridos a los socios cuando dicho precio se fije en función de circunstancias futuras.
Su movimiento es el siguiente:
b) Se cargará, con carácter general, en el momento de la liquidación de la operación con abono a cuentas del subgrupo 57 o, en su caso, a la cuenta 605.

[**] El valor neto realizable ha descendido 1€, respecto del ejercicio anterior.

Coste de producción del producto en curso: .... 120.000€

Consumo de uva (VNR 7,5€ x 10.000) .... 75.000€ (95.000 -10.000 -10.000)

Costes de elaboración (4,5€ x 10.000 botellas) .... 45.000€

– Por las existencias finales de productos en curso:

--------------------------- 31/12/X1 ---------------------------

120.000	Vino de ribeiro en proceso de ciclo largo (3420)		
	a	Variación de existencias de productos en proceso de crianza y envejecimiento de ciclo largo (711)	120.000

– Por las existencias iniciales de productos en curso:

--------------------------- 31/12/X1 ---------------------------

115.000	Variación de existencias de productos en proceso de crianza y envejecimiento de ciclo largo (711)		
	a	Vino de ribeiro en proceso de ciclo largo (3420)	115.000

– Comprobaremos si existe deterioro:

Comparamos, si

Coste de producción.	120.000
	No es superior
(*)Valor Neto realizable.	165.000

Precio de venta del producto terminado: 180.000

[18€ x 10.000 bot.]

(Costes pendientes de incurrir): (10.000)

[1€ x 10.000]

(costes de comercialización): (5.000)

[0,5 x 10.000]

¿Deterioro?.	No existe

– Por la venta del vino:

―――――――――――――――――――― X ――――――――――――――――――――

180.000	Bancos (572)		
	[10.000 botellas x 18€/b]		
	a	Ventas de vino ribeiro ter- minado (7010)	180.000

– Por la liquidación definitiva a los socios cooperativistas:

―――――――――――――――――――― X ――――――――――――――――――――

25.000	Proveedores socios cooperativos (4007)[*]		
	a	Bancos c/c (572)	25.000

[*] Importe definitivo pagado por la uva

(Valor neto realizable) = 7,5€ x 10.000 botellas =................ 75.000€

(Importe entregado inicialmente).. 50.000€

A PAGAR 25.000

CASO 2

– Finales del ejercicio X1. El valor neto realizable asciende a 4,5€: Ha descendido respecto el año X0 (8,5 - 4,5) = 4€/botella

———————————————— 31/12/X1 ————————————————

35.000	Proveedores socios cooperativos (4007)		
5.000	Socios deudores: créditos por operaciones efectuadas por socios (447)[*]		
		a	Compras efectuadas a los socios (605)[**] [4€ x 10.000 bot]
			40.000

[*] Según lo dispuesto en la Norma octava de la Orden EHA/3360/2010, de 21 de diciembre, y para el movimiento de la cuenta 447. «Socios deudores: créditos por operaciones efectuadas con socios» nos comenta:

«Importe a devolver por los socios como consecuencia de haber percibido inicialmente una cantidad superior a la prevista.

Su movimiento es el siguiente:

a) Se cargará por el importe del desembolso efectuado por la compra que exceda al precio final con abono, generalmente, a la cuenta 605».

[**] El valor neto realizable ha descendido 4€, respecto al importe estimado inicialmente.

Coste de producción del producto en curso: 90.000€

Consumo de uva (VNR 4,5€ x 10.000)...................... 45.000€ (95.000 - 10.000 - 40.000)

Costes de elaboración (4,5€ x 10.000 botellas) .... 45.000€

– Por las existencias finales de productos en curso:

─────────────────────── 31/12/X1 ───────────────────────

90.000	Vino de ribeiro en proceso de ciclo largo (3420)		
	a	Variación de existencias de productos en proceso de crianza y envejecimiento de ciclo largo (711)	90.000

– Por las existencias iniciales de productos en curso:

─────────────────────── 31/12/X1 ───────────────────────

115.000	Variación de existencias de productos en proceso de crianza y envejeci-miento de ciclo largo (711)		
	a	Vino de ribeiro en proceso de ciclo largo (3420)	115.000

– Comprobaremos si existe deterioro:

Comparamos, si

Coste de producción. 90.000

No es superior

(*) Valor Neto realizable. 125.000

Precio de venta del producto terminado: 140.000

[14€ x 10.000 bot.]

(Costes pendientes de incurrir): (10.000)

[1€ x 10.000]

(costes de comercialización): (5.000)

[0,5 x 10.000]

¿Deterioro?. . . . .   No existe

– Por la venta del vino:

———————————————— 12/X2 ————————————————

140.000 Bancos (572)

       [10.000 botellas x 14€/b]

                          a   Ventas de vino ribeiro ter-
                                    minado (7010)   140.000

– Por la liquidación definitiva a los socios cooperativistas:

———————————————— 12/X2 ————————————————

5.000 Bancos c/c (572)

                          a   Socios deudores: créditos
                                    por operaciones efectuadas
                                    por socios (447)[*]   5.000

[*] Importe definitivo pagado por la uva

    (Valor neto realizable) = 4,5€ x 10.000 botellas =........................   45.000€

    (Importe entregado inicialmente)..   50.000€

    A COBRAR..   5.000

10.1.0.6. Aportaciones capital social cooperativas: calificación

BOICAC 94, junio 2013. Consulta 6.

Sobre la consideración de patrimonio neto o pasivo financiero de determinadas aportaciones la capital social de una cooperativa.

Respuesta

La consulta versa sobre el adecuado tratamiento contable de las aportaciones al capital social de una sociedad cooperativa, en cuyos estatutos dispone que cuando el importe de la devolución de las aportaciones, supere el cinco por ciento del capital social que hubiere el primer día del ejercicio económico, los nuevos reembolsos estarán condicionados al acuerdo favorable del Consejo Rector.

Las normas sobre los aspectos contables de las sociedades cooperativas, aprobadas por la Orden EHA/3360/2010, de 21 de diciembre, en su norma segunda, analiza la calificación del capital social cooperativo como patrimonio neto o pasivo financiero, en los siguientes términos:

«Segunda. Capital social.

(...) 1.1.2. Calificación. El capital social de las cooperativas se calificará como patrimonio neto, en particular, como fondos propios, como un instrumento financiero compuesto, o como pasivo, en función de las características de las aportaciones de los socios o partícipes.

1.1.2.1. Fondos propios. Tendrán la consideración de fondos propios las aportaciones al capital social cuyo reembolso en caso de baja pueda ser rehusado incondicionalmente por el Consejo Rector o la Asamblea General, según establezcan la ley aplicable y los estatutos sociales de la cooperativa, siempre que no obliguen a la sociedad cooperativa a pagar una remuneración obligatoria al socio o partícipe y el retorno sea discrecional.

En particular, las aportaciones anteriores se clasifican como fondos propios a pesar de que los estatutos sociales prevean:

a) Que las aportaciones obligatorias iniciales de las nuevas personas socias deban efectuarse mediante la adquisición de las aportaciones cuyo reembolso hubiese sido rehusado por la cooperativa.

b) Limitaciones sobre la distribución del resultado en tanto en cuanto existan aportaciones cuyo reembolso ha sido rehusado.

c) Que cuando en un ejercicio el importe de la devolución de las aportaciones supere un determinado porcentaje de capital social, los nuevos reembolsos estarán condicionados al acuerdo favorable del Consejo rector o de la Asamblea General. En estos casos, se calificará como fondos propios el importe del capital social que supere el citado porcentaje».

De acuerdo con esta regulación y en sintonía con las definiciones de patrimonio neto y pasivo incluidas en el art. 36 del Código de Comercio, y la previsión recogida en el art. 34.2 del mismo texto (en el sentido de que en la contabilización de las operaciones se atenderá a la realidad económica y no sólo a la forma jurídica), un instrumento financiero se contabilizará en el patrimonio neto cuando la empresa no tenga una obligación de entrega de flujos de efectivo.

En aplicación de este criterio, el capital social de las sociedades cooperativas tendrá la calificación de fondos propios cuando se cumplan las tres condiciones siguientes:

1.- Que el reembolso de las aportaciones, en caso de baja del cooperativista, pueda ser rehusado incondicionalmente por el Consejo Rector.

2.- Que no conlleve una remuneración obligatoria.

3.- Que el retorno también sea discrecional.

Por el contrario, si en los estatutos se condiciona el reembolso de las aportaciones al acuerdo favorable del Consejo Rector, cuando se haya superado un determinado porcentaje del capital social existente el primer día de cada ejercicio económico cada año, en todo caso, puede llegar a reembolsarse ese porcentaje, lo que tendencialmente originará que transcurrido un determinado número de ejercicios la práctica total de las aportaciones al capital social se pueden haber reembolsado por la mera previsión estatutaria en tal sentido.

Es decir, la simple referencia al capital social existente al inicio del ejercicio, pondría de manifiesto que todas las aportaciones son exigibles de forma diferida en el tiempo y, en consecuencia, que la totalidad del capital social debe contabilizarse como un pasivo.

Por ello, solo cuando el porcentaje se vincule a una cifra fija del capital social o al capital social máximo que haya tenido la cooperativa a lo largo de su historia, el importe que supere dicho porcentaje se mostrará en los fondos propios siempre y cuando, a su vez, la remuneración y el retorno sean discrecionales.

Comentario

Cooperativas → Fondos Propios → Condiciones:

1- Que el reembolso de las aportaciones, caso baja cooperativista pueda ser rehusado incondicionalmente por Consejo Rector

2- Que no conlleve una remuneración obligatoria

3- Que el retorno sea discrecional

Aportaciones al capital social → Pasivo

Sobre el punto 1

Si en Estatutos se condiciona reembolso aportaciones (al superar un % sobre el capital social a inicio ejercicio) al acuerdo favorable Consejo Rector

En el tiempo, se tenderá hacia la práctica totalidad aportaciones (serán exigibles de forma diferida)

Ejemplo

A principios del ejercicio X11, se constituye la cooperativa escolar ESTU-DIANDO.COM. En sus estatutos, figuran las siguientes características:

Núm. de socios	10 personas físicas
Capital social mínimo	50.000€
Participación de los socios	Por partes iguales en el capital
Gastos constitución	600€ (de ellos 500€, IVA 21%)
Desembolso de capital	Mínimo legal, ingresándose en la c/c de la sociedad

En el mes de marzo, cada socio entrega a la cooperativa 3.000€ en concepto de aportaciones voluntarias: reconociendo en los estatutos un interés anual a las mismas del 3 %. Se efectúa el desembolso total, en la cuenta corriente de la cooperativa.

A comienzos de agosto, se exige el desembolso pendiente de los socios relativo al capital inicial: dando un plazo para el mismo de un mes.

En septiembre, hacen efectivo los socios el desembolso exigido.

A principios del ejercicio X12, el capital social de la cooperativa no ha variado desde su constitución, en dicha fecha se exige a los socios de la cooperativa una nueva aportación de 1.000€ por socio, con desembolso total. En los estatutos se dispone que cuando el importe de la devolución de las aportaciones, supere el 5% del capital social que hubiere el primer día del ejercicio económico, los reembolsos estarán condicionados al acuerdo favorable del Consejo Rector.

SE PIDE:

Efectuar las anotaciones contables en el libro diario, correspondientes a las operaciones realizadas para la cooperativa. Tipo impositivo 20%.

SOLUCIÓN:

NOTA PREVIA: La solución del supuesto ha sido realizada aplicando, en cuanto a la contabilización y registro de operaciones, los contenidos establecidos en la Orden EHA/3360/2010, de 21 de diciembre, por la que se aprueban las normas sobre los aspectos contables de las sociedades cooperativas.

EJERCICIO X11

– A comienzos del X11, se constituye la cooperativa: desembolsando los socios el mínimo exigible (25% capital):

———————————————————————— X ————————————————————————

12.500	Bancos c/c (572)	
	[25% 50.000]	
37.500	Socios por desembolsos no exigi-dos, capital social (1030)	
	[75% 50.000]	
	a Capital Social cooperativa, aportaciones obligatorias (1000)(*)	50.000

(*) El capital social de las cooperativas se calificará como patrimonio neto, en particular como fondos propios, como un instrumento financiero compuesto, o como pasivo: en función de las características de las aportaciones de los socios o partícipes.

Para el caso de la calificación como «fondos propios»: tendrán tal consideración las aportaciones al capital social cuyo reembolso, en caso de baja, pueda ser rehusado incondicionalmente por el Consejo Rector a la Asamblea General, según establezcan la ley aplicable y los estatutos sociales de la cooperativa, siempre que no obliguen a la sociedad cooperativa a pagar una remuneración obligatoria al socio o partícipe y el retorno sea discrecional [Norma Segunda, Orden EHA/3360/2010]

– Por los gastos de constitución:

———————————————————— 1/1/X11 ————————————————————

600	Reservas voluntarias (113)	
105	HP IVA soportado (472)	
	[21% 500]	
	a Bancos c/c (572)	705

Y su efecto impositivo:

```
─────────────────────────────── 1/1/X11 ───────────────────────────────

120   Impuesto diferido (6301)
      [20%600]

                              a      Reservas voluntarias (113)        120
─────────────────────────────                ───────────────────────────────
```

En base a lo establecido en la 5.ª parte del Plan, y para el movimiento de la cuenta 113:

«(...) b) *Se abonará por el gasto por el impuesto sobre beneficios relacionado con los gastos de transacción, con cargo a la cuenta 6301»*.

– Las aportaciones voluntarias realizadas por los socios, en el mes de marzo, serán anotadas:

```
─────────────────────────────── 1/3/X11 ───────────────────────────────

30.000   Bancos c/c (572)

         [3.000€ x 10]

                              a      Capital social cooperativo a l/p
                                     considerado pasivo fro: aporta-
                                     ciones volunt. (1501)(*)        30.000
─────────────────────────────                ───────────────────────────────
```

(*) Tendrá la consideración de instrumento financiero compuesto o de pasivo financiero, cuando el reembolso de las aportaciones en caso de baja, sea exigible o la remuneración o el retorno sean obligatorios.

El capital social que deba contabilizarse como un pasivo financiero se incluirá en la categoría de «Débitos y partidas a pagar», en los términos previstos en la norma de registro y valoración 9.ª Instrumentos financieros del PGC, o en la categoría «Pasivos financieros a coste amortizado» de la Norma 9.ª Pasivos Financieros del PGC PYMES.

– En agosto, solicitará el dividendo pasivo correspondiente al 75% restante del capital social

```
─────────────────────────────── 1/8/X11 ───────────────────────────────

37.500   Socios por desembolsos
         exigidos, sobre acciones o
```

participaciones dinerarias
(5580)

[75% 50.000]

| | a | Socios por desembolsos no exigidos, capital social (1030) | 37.500 |

A principios de septiembre, los socios realizan el desembolso correspondiente:

———————————— 1/9/X11 ————————————

| 37.500 | Bancos c/c (572) | | |
| | a | Socios por desembolsos exigidos, sobre acciones o participaciones dinerarias (5580) | 37.500 |

– Operaciones efectuadas a 31 de diciembre: registro de los intereses devengados por las aportaciones voluntarias.

———————————— 31/12/X11 ————————————

| 750 | Intereses y retornos obligatorios de las aportaciones al capital y de otros fondos calificados con características de deudas (6647)[*] | | |
| | a | Intereses y retornos cooperativos no discrecionales pendientes de pago (5070)[**] | 750 |

[*] Importe de los intereses y del retorno no discrecional devengado, durante el ejercicio: Interés anual = 3% 30.000 = 900

$$\text{Intereses correspondientes desde 1/3/X11 (10 meses)}= \frac{900}{12 \text{ meses}} \times 10 \text{ meses}=750€$$

(**) Su valoración posterior será el coste incrementado en los intereses que se vayan devengado. [Norma Segunda. Orden EHA/3360/201]

EJERCICIO X12

A inicio del ejercicio, la composición del capital social de la cooperativa se encuentra:

Capital Social cooperativa, aportaciones obligatorias (1000). . . . .   50.000€

Capital social cooperativo a l/p considerado pasivo fro: aportaciones volunt (1501). . . . .   30.000€

Total Capital Social cooperativa. . . . .   80.000€

En los estatutos se dispone que cuando el importe de la devolución de las aportaciones, supere el 5% del capital social que hubiere el primer día del ejercicio económico, los reembolsos estarán condicionados al acuerdo favorable del Consejo Rector.

Así, el 5% del capital social en el primer ejercicio:

5% 80.000 = 4.000

De esta manera, y ante las nuevas aportaciones de los socios:

———————————————————— 1/1/X12 ————————————————————

10.000   Bancos c/c (572)

[10 socios x 1.000€]

	a	Capital Social cooperativa, aportaciones obligatorias (1000)(*)
		Capital social cooperativo a l/p considerado pasivo fro: aportaciones obligatorias (1500)

a   Capital Social cooperativa, aportaciones obligatorias (1000)(*)   6.000

Capital social cooperativo a l/p considerado pasivo fro: aportaciones obligatorias (1500)   4.000

(*) De la cuantía de las nuevas aportaciones (10.000€):
Pasivo Financiero: 4.000€ [que es del 5% del capital social inicial]

Fondos propios: 10.000 – 4.000 = 6.000 (**)

(**) Cuando en un ejercicio el importe de la devolución de las aportaciones supere un determinado porcentaje del capital social, los nuevos reembolsos estarán condicionados al acuerdo favorable del Consejo Rector o de la Asamblea General. En estos casos, se calificará como fondos propios el importe del capital social que supere el citado porcentaje.

10.2. EMPRESAS CONSTRUCTORAS (PLAN SECTORIAL ORDEN 27/1/93)

10.2.0.1. Incorporación de un activo vendido previamente a un cliente

BOICAC 75, septiembre 2008. Consulta 5.

Sobre el tratamiento contable en el Plan General de Contabilidad aprobado por Real Decreto 1514/2007, de 16 de noviembre, de un bien adquirido por el cobro de créditos con clientes, cuando el bien previamente se había vendido al cliente y se había reconocido el ingreso correspondiente.

Respuesta

En relación con la cuestión suscitada debe resaltarse lo siguiente:

1.- La operación no es asimilable directamente a una permuta de inmovilizado (norma de registro y valoración 2.ª del Plan General de Contabilidad), ya que uno de los elementos sustantivos de esta figura es que supone la entrega de un elemento no monetario y en la operación descrita el bien recibido cancela el crédito procedente de una operación de venta, siendo el crédito una partida monetaria.

2.- En el Plan General de Contabilidad, las existencias (norma de registro y valoración 10.ª), inmovilizado material (norma de registro y valoración 2.ª) e inversiones inmobiliarias (norma de registro y valoración 4.ª) se valoran al coste.

3.- En la norma de valoración 13.ª, apartado 5.b) de las normas de adaptación del Plan General de Contabilidad a las empresas constructoras (aprobadas por Orden del Ministerio de Economía y Hacienda de 27 de enero de 1993) se establece que los bienes recibidos por cobros de créditos:

«Se valorarán por el importe por el que figure en cuentas el crédito correspondiente al bien recibido, más todos aquellos gastos que se ocasionen como consecuencia de esta operación, o al precio de mercado si éste fuese menor. (...)

En el caso de que los bienes recibidos por cobro de créditos, sean bienes producidos por la empresa, la incorporación de los bienes al activo de la misma se realizará por el coste de producción».

4.- En la norma de valoración 13.ª, apartado 5.d) de las normas de adaptación del Plan General de Contabilidad a las empresas inmobiliarias (aprobadas por la Orden del Ministerio de Economía y Hacienda de 28 de diciembre de 1994), se establece que los bienes recibidos por cobro de créditos:

> *«Se valorarán por el importe por el que figure en cuentas el crédito correspondiente al bien recibido, más todos aquellos gastos que se ocasionen como consecuencia de esta operación, o al precio de mercado si éste fuese menor.*
>
> *En el caso de que los bienes recibidos por cobro de créditos, sean bienes vendidos con anterioridad por la empresa, la incorporación de los bienes al activo de la misma se realizará por el coste de producción, o en su caso, por el de adquisición».*

5.- El criterio recogido en las normas de adaptación expuestas viene a considerar que del análisis conjunto de la operación, se pone de manifiesto que un activo previo de la empresa, si bien fue objeto de enajenación, termina retornando a ella. Bajo esta consideración, las normas de adaptación establecen la incorporación del bien por el valor contable previo al momento de la enajenación (y con el límite del valor razonable de dicho bien en la fecha de incorporación).

6.- Teniendo en cuenta que las adaptaciones sectoriales siguen en vigor en lo que no se oponga a lo dispuesto en el Código de Comercio, Texto Refundido de la Ley de Sociedades Anónimas y en el Plan General de Contabilidad (disposición transitoria quinta del Real Decreto 1514/2007), y que el criterio de las adaptaciones sectoriales antes expuesto no es contrario a estas regulaciones, debe concluirse que dicho criterio sigue siendo aplicable.

Comentario

Ejemplo

La empresa inmobiliaria RSOTO S.A., le han adjudicado un local comercial como consecuencia del pago de de una deuda que figura registrada en contabilidad por 180.000€, habiéndose registrado el correspondiente deterioro. Los gastos ocasionados en el proceso de adjudicación han ascendido a 3.000€.

El valor razonable del local adjudicado es de 200.000€, según la tasación realizada por un API.

SE PIDE:

1.- Registro de las operaciones relatadas, suponiendo que la empresa decide incorporar el local al inmovilizado propio.

2.- Registro correspondiente en el supuesto de que el local de referencia hubiese sido vendido previamente por la citada inmobiliaria al deudor y su coste de producción ascendió a 100.000€.

SOLUCIÓN:

OPCIÓN 1

– Por la adjudicación del local.

En la norma de valoración 13.ª, apartado 5.b) de las normas de adaptación del Plan General de Contabilidad a las empresas constructoras (aprobadas por Orden del Ministerio de Economía y Hacienda de 27 de enero de 1993) se establece que los bienes recibidos por cobros de créditos:

«Se valorarán por el importe por el que figure en cuentas el crédito correspondiente al bien recibido, más todos aquellos gastos que se ocasionen como consecuencia de esta operación, o al precio de mercado si éste fuese menor (…)».

En consecuencia:

1/9/X11

180.000	Bienes recibidos por cobro de créditos (309)		
		a	Clientes de dudoso cobro (436)
			180.000

– Por los gastos de adjudicación:

————————————————— X —————————————————

3.000	Bienes recibidos por cobro de créditos (309)	
	a Bancos c/c (572)	3.000

– Por la baja del deterioro

————————————————— X —————————————————

180.000	Deterioro de valor créditos comerciales (490)	
	a Reversión deterioro créditos comerciales (794)	180.000

– Por la incorporación al inmovilizado:

————————————————— X —————————————————

183.000	Construcciones (210)	
	a Existencias incorporadas por la empresa a su inmovilizado (738)	183.000

Teniendo en cuenta que las adaptaciones sectoriales siguen en vigor en lo que no se oponga a lo dispuesto en el Código de Comercio, Texto Refundido de la Ley de Sociedades Anónimas y en el Plan General de Contabilidad (disposición transitoria quinta del Real Decreto 1514/2007), y que el criterio de las adaptaciones sectoriales antes expuesto no es contrario a estas regulaciones, debe concluirse que dicho criterio sigue siendo aplicable.

OPCIÓN 2

– Por la adjudicación del local.

«(...) En el caso de que los bienes recibidos por cobro de créditos, sean bienes vendidos con anterioridad por la empresa, la incorporación de los bienes al activo de la misma se realizará por el coste de producción, o en su caso, por el de adquisición».

—————————————————— X ——————————————————

100.000	Bienes recibidos por cobro de créditos (309)		
80.000	P.ª créditos comerciales incobrables (650)		
	a	Clientes de dudoso cobro (436)	180.000

– Por la baja del deterioro

—————————————————— X ——————————————————

180.000	Deterioro de valor créditos comerciales (490)		
	a	Reversión deterioro créditos comerciales (794)	180.000

10.3. EMPRESAS INMOBILIARIAS (PLAN SECTORIAL ORDEN 28/12/94)

10.3.0.1. Subestación construida por inmobiliaria que cede a una compañía eléctrica

BOICAC 97, marzo 2014. Consulta 1.

Sobre el tratamiento contable de la infraestructura eléctrica que debe construir una empresa inmobiliaria que actúa como promotor de suelo industrial, logístico y residencial, como una obligación más del proceso urbanizador y que, una vez construida, cede a la correspondiente compañía eléctrica.

Respuesta

Una empresa inmobiliaria suscribe acuerdos con compañías eléctricas que contienen la obligación de llevar a cabo obras que incluyen una infraestructura exterior y/o la construcción de una subestación que permiten cubrir, dada la capacidad excedentaria de la instalación en relación con las necesidades de las actuaciones urbanísticas, otras existentes o que puedan surgir en el futuro en la zona.

En cumplimiento de la regulación vigente, las instalaciones deben cederse a la compañía eléctrica que se responsabilizará desde ese momento de su operación y mantenimiento, seguridad y calidad de suministro, sin que se produzca la venta a la citada compañía de los derechos por los ingresos a obtener de los terceros que en el plazo legalmente establecido (5 ó 10 años) se quieran enganchar a las correspondientes acometidas, dada la capacidad excedentaria de las instalaciones.

La consulta versa sobre el adecuado tratamiento contable de esta operación. En particular, sobre la correcta calificación contable de los desembolsos incurridos en la construcción de las infraestructuras eléctricas.

Las existencias son activos poseídos para ser vendidos en el curso normal de la explotación, en proceso de producción o en forma de materiales o suministros para ser consumidos en el proceso de producción o en la prestación de servicios.

Por otro lado, el activo no corriente engloba a los activos destinados a servir de forma duradera en las actividades de la empresa. En particular, el inmovilizado intangible está compuesto por los activos no monetarios sin apariencia física susceptibles de valoración económica, así como los anticipos a cuenta entregados a los proveedores de estos intangibles.

Teniendo en cuenta lo anterior, el coste de las referidas obras sólo se activará como mayor valor de las existencias en la proporción que suponga la capacidad eléctrica necesaria para cubrir las necesidades de la actuación urbanística llevada a cabo por la empresa, respecto a la capacidad total de la infraestructura, conforme al criterio que se deriva tanto de la Norma de valoración 13.ª «Existencias» de las normas de adaptación del Plan General de Contabilidad a las empresas inmobiliarias, como de la norma de registro y valoración (NRV) 10.ª «Existencias» del Plan General de Contabilidad (PGC), aprobado por Real Decreto 1514/2007, de 16 de noviembre.

Por el contrario, el desembolso en el que se incurre para construir la infraestructura eléctrica, en la parte proporcional que supera la potencia prevista en el proceso urbanizador, si bien se materializa en obra física y, en consecuencia, tal vez pudiera suscitarse a priori su calificación como inmovilizado material, no es menos cierto que la empresa no dispone de un derecho de uso sobre el citado bien, sino más bien de un derecho de naturaleza intangible que permite a la empresa recuperar los desembolsos correspondientes a la infraestructura exterior que no forman parte del valor de las existencias.

Esto es, un derecho de compensación o resarcimiento que deberá calificarse desde un punto de vista estrictamente contable como un inmovilizado intangible siempre que la empresa asuma el riesgo de demanda del servicio, participando en consecuencia en los riesgos y beneficios de la explotación. En caso contrario, es decir, en el supuesto de que la empresa posea un derecho incondicional de cobro, el derecho deberá calificarse como activo financiero y contabilizarse de acuerdo con los criterios generales recogidos en la NRV 9.ª del PGC.

Los derechos de resarcimiento activados como inmovilizado intangible se amortizarán durante el período en el que se espere obtener los ingresos (5 ó 10 años), y serán objeto de corrección valorativa por deterioro según lo especificado con carácter general para los inmovilizados intangibles.

Los ingresos que la empresa obtenga durante dicho período de los clientes que se enganchen a las acometidas realizadas se contabilizarán conforme a los criterios generales, y se presentarán como importe neto de la cifra de negocios en función de cómo se califique la actividad en la que se enmarcan, esto es, dependiendo de que dicha actividad deba considerarse como principal o accesoria para la entidad.

Comentario

Ejemplo

La empresa inmobiliaria MAR DE VIGO, ha ejecutado el desarrollo del polígono industrial A GRANXA; como una obligación más del proceso de urbanización suscribe acuerdos con la compañía eléctrica FENOSA: que contienen la obligación de llevar a cabo obras que incluyen una infraestructura exterior así como la construcción de una subestación que permiten cubrir, dada la capacidad excedentaria de la instalación en relación con las necesidades de las actuaciones urbanísticas, otras existentes o que puedan surgir en el futuro en la zona.

En cumplimiento de la regulación vigente, las instalaciones deben cederse a la compañía eléctrica que se responsabilizará desde ese momento de su operación y mantenimiento, seguridad y calidad de suministro, sin que se produzca la venta a la citada compañía de los derechos por los ingresos a obtener de los terceros que en el plazo legalmente establecido de 10 años se quieran enganchar a las correspondientes acometidas, dada la capacidad excedentaria de las instalaciones.

La infraestructura eléctrica comprende los ductos y postes que se utilizan en la prestación del servicio público domiciliario de energía eléctrica.

El desembolso incurrido en la construcción de la infraestructura eléctrica ha ascendido a 5.000.000€ y se encuentra total mente terminada a 1/1/X15. Los gastos ocasionados en la construcción de la misma han sido imputados en función de su naturaleza a la cuenta de pérdidas y ganancias. En dicha fecha se produce la entrega de la citada instalación a la compañía eléctrica.

De los estudios realizados por la sociedad MAR DE VIGO, se estima que la proporción que supone la capacidad eléctrica necesaria para cubrir las necesidades de la actuación urbanística llevada a cabo por la empresa, respecto a la capacidad total de la infraestructura es del 40%. La parte proporcional que supera la potencia prevista (60%), la empresa asume loa riegos y beneficios de su explotación.

Se sabe que la empresa ha obtenido durante el año X15, 350.000€: correspondientes a acometidas de clientes que se han enganchado a la infraestructura comentada.

SE PIDE:

Registro de las operaciones comentadas durante el período X15 teniendo en cuenta que la actividad de suministro eléctrico se considera como accesoria de la actividad inmobiliaria.

SOLUCIÓN:

• Por la activación de los costes incurridos en la instalación eléctrica que se consideran existencias:

--------------------------------- 1/01/X15 ---------------------------------

2.000.000   Existencias eléctricas
(30X)

[5.000.000 x 40%]

	a	Trabajos realizados para la producción de existencias (73X)	2.000.000

El coste de las referidas obras sólo se activará como mayor valor de las existencias en la proporción que suponga la capacidad eléctrica necesaria para cubrir las necesidades de la actuación urbanística llevada a cabo por la empresa, respecto a la capacidad total de la infraestructura. [Consulta n.º 1. BOICAC 97]

• Por la activación de los costes incurridos en la instalación eléctrica que se consideran inmovilizado intangible:

--------------------------------- 1/01/X15 ---------------------------------

3.000.000   Derechos sobre infraestructuras eléctricas (20X)

[5.000.000 x 60%]

	a	Trabajos realizados para el inmovilizado intangible (730)	3.000.000

El desembolso en el que se incurre para construir la infraestructura eléctrica, en la parte proporcional que supera la potencia prevista en el proceso urbanizador, la empresa dispone de un derecho de naturaleza intangible que permite a la empresa recuperar los desembolsos correspondientes a la infraestructura exterior que no forman parte del valor de las existencias.

Esto es, un derecho de compensación o resarcimiento que deberá calificarse desde un punto de vista estrictamente contable como un inmovilizado intangible siempre que la empresa asuma el riesgo de demanda del servicio, participando en consecuencia en los riesgos y beneficios de la explotación. [Consulta n.º 1. BOICAC 97]

• Por los enganches realizados durante el ejercicio a la infraestructura eléctrica.

————————————————— X15 —————————————————

350.000 Bancos c/c (572)

                                    a   Ingresos por servicios diver-
                                         sos (759)   350.000

———————————————————

Los ingresos que la empresa obtenga durante dicho período de los clientes que se enganchen a las acometidas realizadas se contabilizarán conforme a los criterios generales, y se presentarán como importe neto de la cifra de negocios en función de cómo se califique la actividad en la que se enmarcan, esto es, dependiendo de que dicha actividad deba considerarse como principal o accesoria para la entidad.

• Por la amortización del derecho:

Cuota anual ((3.000.000/2010) = 3 00.000

————————————————— 31/12/X15 —————————————————

300.000 Amortización del inmovi-
         lizado intangible (680) 1)

                                    a   Amortización acumu-
                                         lada del inmovilizado
                                         intangible (280)   300.000

———————————————————

Los derechos de resarcimiento activados como inmovilizado intangible se amortizarán durante el período en el que se espere obtener los ingresos.

10.4. ENTIDADES SIN FINES LUCRATIVOS (R.D. 1491/2011, 24 OCTUBRE)

10.4.0.1. Incumplimiento fin de una donación, entidad sin fines lucrativos

BOICAC 87, septiembre 2011. Consulta 4.

Sobre el tratamiento contable de una determinada aportación a una entidad sin fines lucrativos que fomenta la investigación.

Respuesta

Una fundación, cuyo fin general es la investigación, obtiene una donación vinculada a la adquisición de un activo financiero cuyas rentas deben ser utilizadas para financiar las actividades constitutivas del fin fundacional. La donación se hace con carácter permanente hasta la posible liquidación de la fundación. Se consulta, en particular, acerca del tratamiento contable que sería de aplicación en el caso de venta parcial de los activos adquiridos y sobre el registro y valoración posterior de los activos financieros en que se materializa la donación

El art. 12 de la Ley 50/2002, de 26 de diciembre, de Fundaciones define la dotación fundacional en los términos siguientes:

«Art. 12. Dotación

1. La dotación, que podrá consistir en bienes y derechos de cualquier clase, ha de ser adecuada y suficiente para el cumplimiento de los fines fundacionales. Se presumirá suficiente la dotación cuyo valor económico alcance los 30.000€.

Cuando la dotación sea de inferior valor, el fundador deberá justificar su adecuación y suficiencia a los fines fundacionales mediante la presentación del primer programa de actuación, junto con un estudio económico que acredite su viabilidad utilizando exclusivamente dichos recursos. (…)

4. Formarán también parte de la dotación los bienes y derechos de contenido patrimonial que durante la existencia de la fundación se aporten en tal concepto por el fundador o por terceras personas, o que se afecten por el Patronato, con carácter permanente, a los fines fundacionales».

A la vista de su contenido, dos características se infieren en la dotación fundacional, por un lado, su carácter permanente y, por otro, su destino al fin fundacional. Es la mención de «que se aporten en tal concepto» la que ha servido para distinguir conceptualmente la dotación fundacional de las donaciones de capital recibidas por las fundaciones para otorgarles el adecuado tratamiento contable.

En la consulta no se hace referencia alguna que pueda llevar a calificar lo donado como dotación fundacional. A la vista de la información facilitada, en principio, el importe recibido por la fundación tendría la naturaleza de donación modal, esto es, condicionada a un determinado fin, como es la adquisición de un activo del que obtener rentas con que sufragar la actividad fundacional.

Considerando estos antecedentes, la cantidad recibida para la adquisición de un activo financiero se contabilizará directamente en el patrimonio neto de la fundación cuando se cumplan los requisitos previstos en la norma de registro y valoración (NRV) 18.ª. «Subvenciones, donaciones y legados recibidos» del Plan General de Contabilidad (PGC) y sus disposiciones de desarrollo. De acuerdo con este criterio, hasta que no se produzca la adquisición del activo financiero, la donación debe calificarse como reintegrable y, en consecuencia, lucirá como un pasivo.

Por su parte, el tratamiento contable de los activos financieros en que se materializa la financiación obtenida, no presenta diferencia alguna con las reglas generales del PGC que requiera un pronunciamiento expreso de este Instituto, debiéndose aplicar por consiguiente el que corresponda de acuerdo con lo establecido en la NRV 9.ª. «Instrumentos financieros» del PGC en función de la categoría en que deban encuadrarse que, en principio, parece ser la de «Activos financieros disponibles para la venta».

Entrando en el fondo de la cuestión planteada, en el caso de baja parcial del activo, el consultante pregunta si este hecho produce la imputación a la cuenta de resultados de la donación reconocida en el patrimonio neto. Si la respuesta fuese afirmativa, se advierte que la obligación impuesta por el art. 27 de la Ley 50/2002, de 26 de diciembre, previsiblemente originaría que las rentas imputadas a resultados debieran aplicarse a los fines fundacionales y no a los fines que impone el donante, lo que iría en contra de su voluntad.

El criterio de la imputación a resultados de la donación obtenida para la adquisición de un activo, en el momento de su enajenación o baja, como expone la NRV 18.ª del PGC, cobra sentido cuando los fondos recibidos financian la adquisición de un determinado activo de tal manera que su disposición no implica el incumplimiento de las condiciones de la donación y con ello la obligación de reintegrar el importe obtenido.

Así, en el caso planteado, si se atiende a los criterios sobre el carácter reintegrable o no de las donaciones se llegaría a la conclusión de que no procede su aplicación a resultados por baja de los activos financieros, sino que por el contrario, como consecuencia del incumplimiento del fin para el que se realizó, debería calificarse como reintegrable, esto es, un pasivo, recuperando el tratamiento contable de patrimonio neto cuando se reinvierta en la adquisición de otro activo financiero, en los términos fijados por el donante.

Al amparo de este razonamiento puede concluirse que, en esencia, desde la perspectiva de la cuestión que nos ocupa, la posible imputación a la cuenta de resultados del importe recibido, la citada baja no se habría producido, por lo que el artículo señalado no parece que fuese de aplicación, salvo en lo que respecta al resultado producido por la variación de valor del activo financiero.

El análisis que se ha realizado se soporta en las condiciones descritas por el consultante, en particular, en la circunstancia de que el importe donado debería revertir al donante en caso de que no se destinase al mencionado fin. Por ello, en el supuesto de que existiesen otros aspectos o condiciones asociados a la operación, el tratamiento contable expuesto en la presente respuesta debería decaer, y aplicarse el que mejor se correspondiese con un previo estudio de su fondo, económico y jurídico.

Comentario

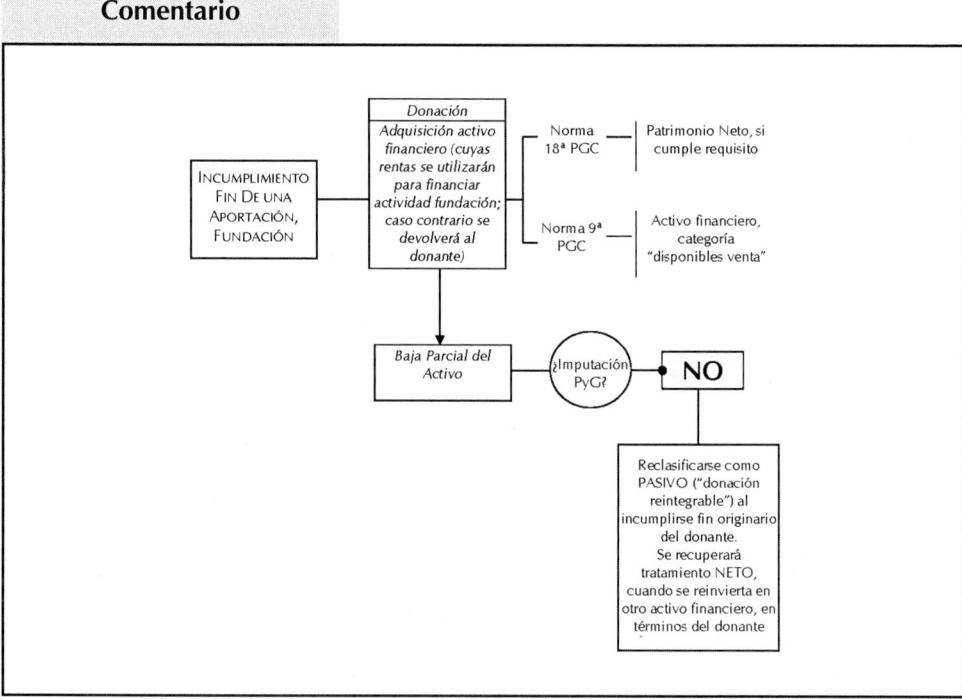

Ejemplo

La fundación PROYECTO PULPO RIAS BAIXAS, ha recibido a principios del ejercicio X10 una donación de 60.000€ otorgada por el empresario D. AMANCIO CORTEGA.

El destino de esta donación, será la adquisición de activos financieros que cotizan en mercados organizados.

Las rentas que generen dichos activos, serán utilizadas para financiar actividades constitutivas del fin fundacional (entre ellas se incluye la cría del pulpo en cautividad)

En caso de incumplimiento, por la adquisición, destino del rendimiento generado o venta de los activos financieros el importe de la donación, será reintegrado al donante. La donación se hace con carácter permanente hasta la posible liquidación de la fundación.

A principios del mes de febrero, se han adquirido 1.000 acciones de la sociedad INDITEX S.A.: cotización 60€. Los gastos directos ascendieron a 800€. La sociedad califica las acciones como activos financieros disponibles para la venta.

La cotización a 31/12/X10 es de 65€/acción.

A principios del mes de julio X11, la sociedad INDITEX acuerda el reparto de un dividendo del ejercicio anterior y por un importe de 1€/acción. El importe de dicho dividendo, será destinado a actividades constitutivas del fin fundacional. Retención 19%.

A mediados del mes de agosto, y en vista del descenso continuado de la cotización de las acciones, vende 500 acciones a su cotización que asciende a 52€/acción.

SE PIDE:

Realizar las anotaciones correspondientes para los ejercicios X10 y X11.

Nota: tipo impositivo, el 30%.

SOLUCIÓN:

– Registro del importe concedido y cobrado por la donación:

―――――――――――――――――――― 1/1/X10 ――――――――――――――――――――

60.000	Bancos c/c (572)	
	a Deudas a largo plazo transformables en subvenciones, donaciones y legados (172)	60.000

De acuerdo con los contenidos de la presente consulta, hasta que no se produzca la adquisición del activo financiero, la donación debe calificarse como reintegrable y, en consecuencia, lucirá como un pasivo.

– A principios de febrero, incorporaremos a nuestro patrimonio las acciones de INDITEX:

―――――――――――――――――――― 1/2/X10 ――――――――――――――――――――

60.800	Inversiones financieras l/p instrumentos de patrimonio (250)	
	a Bancos c/c (572)	60.800

Su valoración inicial, según el apartado 2.6.1 de la Norma 9.ª de Valoración del PGC, será:

«(...) por su valor razonable, que, salvo evidencia en contrario, será el precio de la transacción, que equivaldrá al valor razonable de la contraprestación entregada, más los costes de transacción que les sean directamente atribuibles».

En nuestro caso asciende a:

$$60.800€ = (1.000 \text{ tit.} \times 60€/\text{tit.} + 800)$$

– En el momento de la adquisición del activo la donación recibida se convierte en no reintegrable. En consecuencia:

1/2/X10

60.000	Deudas a largo plazo transformables en subvenciones, donaciones y legados (172)		
		a	Ingresos de donaciones y legados de capital (941) 60.000

Según los contenidos de la presente consulta, el importe recibido por la fundación tendría la naturaleza de donación modal, esto es, condicionada a un determinado fin, como es la adquisición de un activo del que obtener rentas con que sufragar la actividad fundacional.

Considerando estos antecedentes, la cantidad recibida para la adquisición de un activo financiero se contabilizará directamente en el patrimonio neto de la fundación cuando se cumplan los requisitos previstos en la norma de registro de valoración 18.ª del PGC sobre subvenciones, donaciones y legados.

– Por el reconocimiento del efecto impositivo:

1/2/X10

18.000	Impuesto diferido (8301)		
		a	Pasivos por diferencias temporarias imponibles (479)
			[60.000 x 30%] 18.000

– Al cierre del ejercicio actual, comprobamos que la cotización de nuestros títulos han subido (hasta 65€/tit.).

El apartado 2.6.2 de la Norma 9.ª de Valoración del PGC, nos comenta que la valoración posterior de este tipo de activos financieros será por su valor razonable, sin deducir los costes de transacción en que se pudiera incurrir en su enajenación. Los cambios que se produzcan en el valor razonable se registrarán directamente en el patrimonio neto. De esta manera, si comparamos:

Valor en libros.	60.800
Valor razonable a 31/12/X10 (Cotización): 1.000 tit. x 65€/tit.	65.000
Diferencia: Beneficio.	4.200

Anotándose:

––––––––––––––––––––––––– 31/12/X10 –––––––––––––––––––––––––

4.200	Inversiones financieras a l/p en instrumentos de patrimonio (250)	
	a Beneficios en activos financieros disponibles para la venta (900)	4.200

– Por el reconocimiento del efecto impositivo:

––––––––––––––––––––––––– 31/12/X10 –––––––––––––––––––––––––

1.260	Impuesto diferido (8301)	
	a Pasivos por diferencias temporarias imponibles (479)	
	[4.200 x 30%]	1.260

– Por la regularización de los grupos 8 y 9 en relación con la donación:

```
───────────────────────  31/12/X10  ───────────────────────

60.000   Ingresos de donaciones y
         legados de capital (941)

                              a      Impuesto diferido (8301)        18.000

                                     Donaciones y legados de
                                     capital (131)                   42.000
```

– Por la regularización de los grupos 8 y 9 en relación con los activos disponibles para la venta:

```
───────────────────────  31/12/X10  ───────────────────────

4.200   Beneficios en activos
        financieros disponibles
        para la venta (900)

                              a      Impuesto diferido (8301)         1.260

                                     Ajustes por valoración en
                                     activos financieros dispo-
                                     nibles para la venta (133)       2.940
```

– Por el reconocimiento de los dividendos devengados:

```
───────────────────────────  X  ───────────────────────────

1.000   Dividendos a cobrar (545)

        [1.000 x 1€/acción]

                              a      Ingresos de participaciones en
                                     instrumento de patrimonio
                                     (760)                            1.000
```

– Por el cobro de los dividendos:

1335

```
────────────────────────────── 31/12/X10 ──────────────────────────────


  810   Bancos (572)

  190   HP retenciones y pagos a
        cuenta (473)

        [1.000 x 19%]

                                 a        Dividendos a cobrar (545)      1.000
```

– Previamente a la venta valoraremos las acciones a su valor razonable [Apartado 2.6.2, Norma 9.ª Valoración PGC]:

> «(....) Los cambios que se produzcan en el valor razonable se registrarán *directamente en el patrimonio neto, hasta que el activo financiero cause baja del balance o se deteriore, momento en que el importe así reconocido, se imputará a la cuenta de pérdidas y ganancias».*

En consecuencia:

Valor contable.	65.000
Valor razonable (52 x 1.000).	52.000
DIFERENCIA.	13.000

```
────────────────────────────── 15/8/X11 ──────────────────────────────


 13.000   Pérdidas en activos finan-
          cieros disponibles para la
          venta (800)

                                 a        Inversiones financieras a l/p
                                          en instrumentos de patrimo-
                                          nio (250)                    13.000
```

– Por la reversión del efecto impositivo:

———————————————————————— 15/8/X11 ————————————————————————

1.260	Pasivos por diferencias temporarias imponibles (479)		
	[4.200 x 30%]^(*)		
2.640	Activos por diferencia temporaria deducible (4740)^(*)		
	[(13.000 - 4.200) x 30%]		
		a Impuesto diferido (8301)	3.900

1.260 Pasivos por diferencias temporarias imponibles (479)

[4.200 x 30%]$^{(*)}$

2.640 Activos por diferencia temporaria deducible (4740)$^{(*)}$

[(13.000 - 4.200) x 30%]

a   Impuesto diferido (8301)   3.900

$^{(*)}$ Se ha producido una pérdida de 13.000€; como se había registrado un resultado positivo de 4.200€, revertirá la diferencia temporaria imponible reconocida por el citado importe (4.200 x 30%); por el resto (13.000 - 4.200) = 8.800 se reconocerá la correspondiente diferencia temporaria deducible (8.800 x 30%) = 2.640.

– Por la venta de 500 acciones:

———————————————————————— X ————————————————————————

26.000 Bancos (572)

[500acc x 52€]

a   Inversiones financieras a l/p en instrumentos de patrimonio (250)   26.000

– Por el reconocimiento del resultado realizado:

Precio obtenido en la venta (500 acciones x 52€) =. 26.000

Precio de adquisición (60.800 : 2) =. 30.400

PÉRDIDA. 4.400

———————————————— 15/8/X11 ————————————————

4.400	Pérdidas en disponibles para la venta (6632)		
	a	Transferencia de pérdidas de activos financieros disponibles para la venta (902)	4.400

– Por la reversión del impuesto diferido:

———————————————— 15/8/X11 ————————————————

1.320	Impuesto diferido (8301) [4.400 x 30%]		
	a	Activos por diferencia temporaria deducible (4740)	1.320

Según los contenidos de la presente consulta, en el caso de baja parcial del activo, si se atiende a los criterios sobre el carácter reintegrable o no de las donaciones se llegaría a la conclusión de que no procede su aplicación a resultados por baja de los activos financieros, sino que por el contrario, como consecuencia del incumplimiento del fin para el que se realizó, debería calificarse como reintegrable, esto es, un pasivo, recuperando el tratamiento contable de patrimonio neto cuando se reinvierta en la adquisición de otro activo financiero, en los términos fijados por el donante.

En consecuencia:

———————————————— 15/8/X11 ————————————————

42.000	Donaciones y legados de capital (131)		
18.000	Pasivo por diferencia temporaria imponible (479)		
	a	Deudas a largo plazo transformables en subvenciones, donaciones y legados (172)	60.000

10.4.0.2. Normas adaptación PGC Entidades sin fines lucrativos: ámbito aplicación

BOICAC 94, junio 2013. Consulta 4.

Sobre el carácter obligatorio de las normas de adaptación del Plan General de Contabilidad a las Entidades sin fines lucrativos.

Respuesta

El art. 3.1. del Real Decreto 1491/2011, de 24 de octubre, por el que se aprueban las normas de adaptación del Plan General de Contabilidad a las entidades sin fines lucrativos dispone:

«*1. Las normas de adaptación del Plan General de Contabilidad a las entidades sin fines lucrativos, serán de aplicación obligatoria para todas la fundaciones de competencia estatal y asociaciones declaradas de utilidad pública*».

Adicionalmente, en el apartado 1 de la exposición de motivos del Real Decreto 1491/2011 se señala:

«*(...) Las normas de adaptación que ahora se aprueban son aplicables con carácter general a las entidades sin fines lucrativos, si bien la obligatoriedad de las mismas vendrá impuesta por las disposiciones específicas que se dicten al efecto (...)*».

De lo anterior se infiere que las mencionadas normas son de aplicación obligatoria a todas las fundaciones de competencia estatal y asociaciones declaradas de utilidad pública. Por lo que se refiere a las restantes entidades no lucrativas, aunque formalmente no se encuentren obligadas a seguir estas normas, la obligación que tienen de presentar contablemente la imagen fiel del patrimonio, de la situación financiera y de los resultados de la entidad, así como su carácter no lucrativa llevan a considerar que parece lógico, aunque no obligado, que apliquen igualmente las mencionadas normas de adaptación.

En este sentido, debe resaltarse que en la medida en que una entidad no lucrativa aplique voluntariamente dichas normas, deberá hacerlo de acuerdo con los principios y criterios de valoración contenidos en ellas, con un todo coherente, sin que la falta de obligación habilite la excepción o incumplimiento parcial de las mismas.

Por otro lado, la disposición final primera, apartado 2 del Real Decreto 1491/2011 expresa lo siguiente:

«*2. Con objeto de facilitar la aplicación de las normas de adaptación del Plan General de Contabilidad a las entidades sin fines lucrativos, el Instituto de Contabilidad y Auditoría de Cuentas aprobará, mediante Resolución, un texto que de forma refundida presente el Plan de Contabilidad de la Entidades sin fines Lucrativos y el Plan de Contabilidad de las Pequeñas y Medianas Entidades sin fines Lucrativos».*

En ejecución de este mandato se han publicado en el BOE de 9 y 10 de abril de 2013, la Resolución de 26 de marzo de 2013, por la que se aprueba el Plan de Contabilidad de las Entidades sin fines Lucrativos y la Resolución de 26 de marzo de 2013, por la que se aprueba el Plan de Contabilidad de Pequeñas y Medianas Entidades sin fines Lucrativos.

En relación con el ámbito de aplicación de este último texto, la norma segunda de la Resolución indica:

«1. Podrán aplicar el Plan General de Contabilidad de Pequeñas y Medianas Entidades sin fines Lucrativos todas las entidades sin fines lucrativos, cualquiera que sea su forma jurídica, que durante dos ejercicios consecutivos reúnan, a fecha de cierre de cada uno de ellos, al menos dos de las circunstancias siguientes:

a) Que el total de las partidas del activo no supere los dos millones ochocientos cincuenta mil euros.

b) Que el importe neto de su volumen anual de ingresos no supere los cinco millones setecientos mil euros. A estos efectos se entenderá por importe neto del volumen anual de ingresos la suma de las partidas 1. Ingresos de la entidad por la actividad propia y, en su caso, del importe neto de la cifra anual de negocios de la actividad mercantil.

c) Que el número medio de trabajadores empleados durante el ejercicio no sea superior a cincuenta.».

Cuando una entidad que aplique el Plan de Contabilidad de las Pequeñas y Medianas Entidades sin fines Lucrativos realice una operación cuyo tratamiento contable no esté contemplado en dicho texto habrá de remitirse a las correspondientes normas y apartados contenidos en el Plan de Contabilidad de las Entidades sin fines lucrativos con la excepción de los relativos a activos no corrientes y grupo enajenables de elementos mantenidos para la venta, que en ningún caso serán aplicables.

Del mismo modo, en la norma tercera de la citada Resolución se fijan los criterios para poder aplicar los criterios específicos de microentidades en los siguientes términos:

«1. Los criterios señalados en los apartados siguientes de esta norma, podrán ser aplicados por todas las entidades que habiendo optado por aplicar el Plan de Contabilidad de Pequeñas y Medianas Entidades sin fines Lucrativos, durante dos ejercicios consecutivos reúnan a la fecha de cierre de cada uno de ellos, al menos dos de las circunstancias:

a) Que el total de las partidas del activo no supere 150.000€.

b) Que el importe neto de su volumen anual de ingresos no supere los 150.000€. A estos efectos se entenderá por importe neto del volumen anual de ingresos la suma de las partidas 1. Ingresos de la entidad por la actividad propia y, en su caso, del importe neto de la cifra anual de negocios de la actividad mercantil.

c) Que el número medio de trabajadores empleados durante el ejercicio no sea superior a cinco».

Comentario

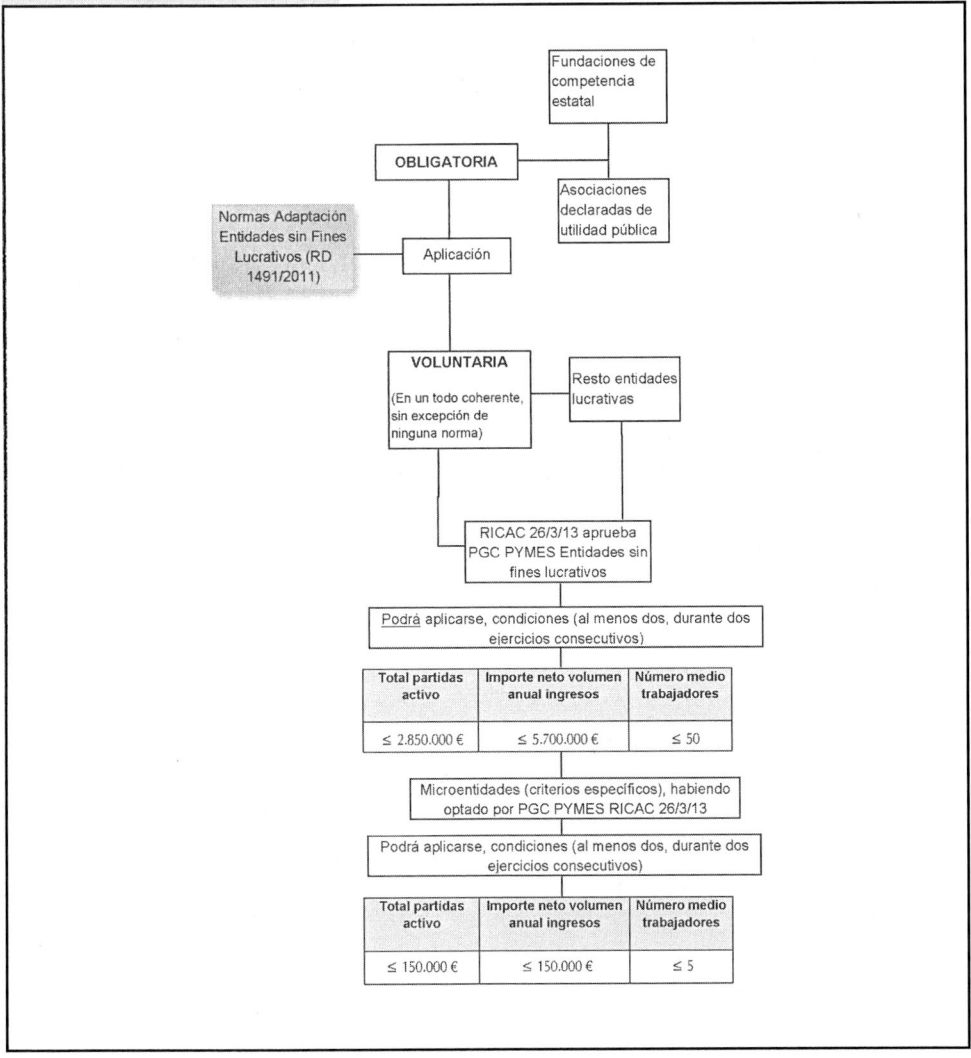

Ejemplo

La sociedad sin ánimo de lucro FUNDACIÓN CELTA DE VIGO, la cual no es fundación de competencia estatal, ni tampoco una fundación declarada de «utilidad pública», en el registro de sus operaciones aplica, de forma voluntaria, el PGC de Pequeñas y Medianas Entidades sin fines lucrativas.

Conocemos, para la citada entidad, los siguientes datos:

Ejercicio	Total partidas activo (euros)	Importe neto volumen negocios (euros)	Núm. trabajadores
2010	1.120.000	1.140.000	10
2011	3.140.000	2.145.000	12

Por otro lado sabemos que a principios del ejercicio 2012, ha adquirido un vehículo cuyo valor razonable es de 20.000€: pagando al contado 15.000€ más la diferencia de IVA y entregando además otro vehículo de su propiedad que se valoró en 5.000€, siendo éste su valor razonable.

El vehículo entregado, en cuentas, aparece reflejado:

218. Elementos de Transporte. 12.000

281. Amortización Acumulada Inmovilizado Material. . . . .   (7.000)

291. Deterioro valor Inmovilizado Material. . . . .   (1.000)

Los vehículos relatados anteriormente, están asociados con actividades comerciales: por lo que cual están clasificados como inmovilizados generadores de flujo de efectivo. El nuevo inmovilizado, que tiene una mayor capacidad, se destinará a la misma actividad, implicando modificación de la configuración de flujos de efectivo.

SE PIDE:

1.- ¿Es obligatoria la aplicación del PGC de entidades sin fines lucrativos?

2.- ¿Es correcta la aplicación por parte de la entidad del PGC de Pequeñas y Medianas Entidades sin fines lucrativos?

3.- Registro de la permuta realizada por la entidad, a principios de enero del 2012. IVA de la operación, 21%.

4.- En el supuesto de que los elementos referenciados en el punto anterior, no estén asociados a actividades comerciales (no considerándose inmovilizados no generadores de flujos de efectivo), registro de la operación de permuta.

SOLUCIÓN:

1.- ¿Es obligatoria la aplicación PGC sin fines lucrativos?

De acuerdo con lo establecido en el art. 3.1. del R.D 1491/2011, de 24 de octubre:

> «Las normas de adaptación del Plan General de Contabilidad a las entidades sin fines lucrativos, serán de aplicación obligatoria para todas las fundaciones de competencia estatal y asociaciones declaradas de utilidades pública».

En nuestro caso, al no encontrarnos con esta tipología de entidad, **no será obligatoria su aplicación.**

A pesar de esta no obligatoriedad, y según lo establecido en la Consulta 4, Boicac 94 en base al apartado I de la exposición de motivos del R.D. 1491/1991, debido a que todas las entidades deben presentar contablemente la imagen fiel del patrimonio, de la situación financiera y de los resultados siguiendo una normativa y unos modelos de estados financieros parece lógico que dado su carácter no lucrativo, apliquen estas normas de adaptación, aunque no estén obligados. Esta aplicación, aunque voluntaria, deberá de hacerse como un todo coherente, sin habilitar excepción alguna o parcialidad en el cumplimiento.

2.- ¿Es correcta la aplicación del PGC de Pequeñas y Medianas Entidades sin fines lucrativos?

Una vez elegido por la entidad aplicar el Plan específico, debemos averiguar si puede estar aplicándose el PGC de Pequeñas y Medianas Entidades sin fines lucrativos. Para ello, comprobaremos su ámbito de aplicación: establecida en la RICAC de 26 de marzo del 2013. En la norma segunda de este texto, nos comenta las circunstancias para aplicar la regulación contenida en ella. Así, y de forma resumida, compararemos las cifras contenidas en la Resolución con los datos de la entidad referidos a las partidas de activo, volumen de negocio y número de trabajadores. Si cumple al menos dos de las circunstancias, será considerado dentro del ámbito de aplicación.

	Importes RICAC	Importes entidad		Cumplimiento
		2010	2011	
Total partidas activo	≤ 2.850.000€	1.120.000	3.140.000	No cumple
Importe neto volumen anual ingresos	≤ 5.700.000€	1.140.000	2.145.000	Cumple

	Importes RICAC	Importes entidad		Cumplimiento
		2010	2011	
Número medio trabajadores	≤ 50	10	12	Cumple

Al cumplir, al menos dos de las circunstancias establecidas en el texto, será correcto que nuestra entidad pueda estar aplicando el PGC de Pequeñas y Medianas Entidades sin fines lucrativos.

3.- *Registro permuta realizada por la entidad*

Nos encontramos con una permuta comercial, en base a lo establecido en la Norma 2.ª.2.3.2 del PGC de Pequeñas y Medianas Entidades sin fines lucrativos. En la cual nos comenta, que se considerará comercial si: «*a)La configuración (riesgo, calendario e importe) de los flujos de efectivo del inmovilizado recibido difiere de la configuración de los flujos de efectivo del activo entregado (...)*», siendo la diferencia entre ambos significativa, al compararla con el valor razonable de los activos intercambiados.

Para su valoración, seguiremos la mencionada normativa, para permutas de bienes de inmovilizado generadores de flujos de efectivo:

Recibido = Valor razonable (Entregado) + Contrapartida monetaria entregado (en su caso)

Sustituyendo:

$$\text{Recibido} = 5.000 + 15.000 = 20.000$$

Salvo: Que se tenga una mejor evidencia del valor razonable del activo recibido = 20.000

Por tanto, daremos de alta el nuevo inmovilizado por 20.000€.

Anotando:

20.000	Elementos de Transporte. Nuevo (218.1)	X			
7.000	AAIM (281)				
1.000	Deterioro de valor del inmovilizado material (291)				
4.200	HP IVA soportado (472) [21% 20.000]				
		a	Elementos de Transporte. Entregado (218)		12.000
			HP IVA repercutido [21% 5.000]		1.050
			Bancos c/c (572) [15.000 + 3.150]		18.150
			Beneficios procedentes del Inmovilizado Material (771)		1.000

Esta valoración supera el valor contable del vehículo entregado [12.000 - 7.000 - 1.000 = 4.000] junto con el desembolso que tiene que hacerse (15.000), por lo que surgirá una diferencia [20.000 - (4.000 + 15.000) = 1.000] que será imputada a pérdidas y ganancias como un beneficio: tal y como nos comenta la Norma 2.ª de valoración indicada:

> «(...) Las diferencias de valoración que pudieran surgir al dar de baja el elemento entregado a cambio, se reconocerán en la cuenta de pérdidas y ganancias».

Igualmente, observamos unas diferencias de IVA, al existir divergencias de valoración entre el entregado y el recibido. Así:

IVA deducible (soportado),

procedente de la adquisición del nuevo bien: 21% 20.000

.... 4.200

IVA devengado (repercutido),

Procedente del bien transmitido para realizar el pago Parcial (y que aplicaremos sobre el precio de mercado,

Art. 79 LIVA): 21% 5.000

.... 1.050

Diferencia IVA (a pagar).................................. 3.150

4.- *Registro permuta, caso de no estar asociada a actividades comerciales*

El apartado 2.3.1 de la Norma 2.ª de Valoración PGC Pequeñas y Medianas Entidades sin fines lucrativos, nos comenta para las permutas de bienes de inmovilizado no generadores de flujo de efectivo, que el recibido: *«(...) se valorará por el valor en libros del entregado a cambio más, en su caso, las contrapartidas monetarias pagadas o pendientes de pago(....)»*.

Es decir:

Recibido = Valor contable (Entregado) + Contrapartida monetaria entregado (en su caso)

Sin embargo, al existir deterioro de valor y para este tipo de permuta, nos comenta la mencionada normativa:

> *«(...) Cuando existan pérdidas por deterioro de valor acumuladas que afecten al inmovilizado entregado, la diferencia entre el precio de adquisición y su amortización acumulada será el límite por el que se podrá valorar el inmovilizado recibido a cambio, en el caso de que el importe recuperable de este último fuera mayor que el valor contable del bien entregado».*

Por tanto, y en nuestro caso al existir estas pérdidas por deterioro y cumpliéndose que el importe recuperable es mayor que el valor contable del bien entregado, aplicaremos esto último:

(Precio de Adquisición - A.A. del entregado) + Contrapartida monetaria = (12.000 − 7.000) + 15.000 = 20.000

De esta forma, anotaremos:

—————————————————————— X ——————————————————————

20.000	Elementos de Transporte. Nuevo (218.1)			
7.000	AAIM (281) (1)			
1.000	Deterioro de valor del inmovilizado material (291) (1)			
4.200	HP IVA soportado (472) [21% 20.000]			
		a	Elementos de Transporte. Entregado (218)[1]	12.000
			HP IVA repercutido [21% 5.000]	1.050
			Bancos c/c (572) [15.000 + 3.150]	18.150
			Reversión del deterioro del inmovilizado material (791) (2)	1.000

[1] El inmovilizado cedido se dará de baja por su valor en libros.

[2] Al dar de baja el inmovilizado por el valor contable, se reconocerá, en su caso, la reversión del deterioro en la cuenta 791 «Reversión del deterioro del inmovilizado material» del PGC, por la diferencia existente entre el valor por el que deba registrarse el bien recibido, tal y como se determina en la RICAC del Inmovilizado Material, y el valor contable del inmovilizado entregado.

10.4.0.3. Información comparativa ejercicio 2012

BOICAC 94, junio 2013. Consulta 9.

Sobre la interpretación de la Disposición transitoria única del Real Decreto 1491/2011, de 24 de octubre, por el que se aprueban las normas de adaptación del Plan General de Contabilidad a las entidades sin fines lucrativos y el modelo de plan de actuación de las entidades sin fines lucrativos.

Respuesta

La Disposición transitoria única. **Reglas de aplicación de las normas de adaptación del Plan General de Contabilidad a las entidades sin fines lucrativos en el primer ejercicio que se inicie a partir de 1 de enero de 2012**, del citado real decreto, establece en su apartado segundo:

> «*2. Las cuentas anuales correspondientes al primer ejercicio que se inicie a partir de 1 de enero de 2012, podrán ser presentadas*
>
> *a)Incluyendo información comparativa sin adaptar a los nuevos criterios, en cuyo caso, las cuentas anuales se calificarán como iniciales a los efectos derivados de la aplicación del principio de uniformidad y del requisito de comparabilidad.*
>
> *b)Incluyendo información comparativa adaptada a los nuevos criterios. En este caso la fecha de primera aplicación es la fecha de comienzo del ejercicio anterior al que se inicie a partir de 1 de enero de 2012*».

La consulta versa sobre la interpretación de la opción a) recogida en la citada Disposición transitoria única. En concreto, el consultante pregunta sobre el modo de registrar, en las cuentas anuales del ejercicio 2012, la información de la cuenta de resultados del ejercicio 2011 con objeto de poder realizar la información comparativa.

En primer lugar es necesario indicar que, tras la aprobación del Plan General de Contabilidad (PGC) mediante el Real Decreto 1514/2007, de 16 noviembre y del Plan General de Contabilidad de Pequeñas y Medianas Empresas (PGC-PYMES) por el Real Decreto 1515/2007, de la misma fecha, las entidades sin fines lucrativos pudieron seguir aplicando las Normas de Adaptación del PGC a las entidades sin fines lucrativos de 1998, en virtud del régimen transitorio previsto en los reales decretos que aprobaron el PGC y el PGC-PYMES.

No obstante, en la práctica, estas entidades se vieron afectadas por los nuevos contenidos del PGC o, en su caso, del PGC PYMES, en la medida en que de acuerdo con sus respectivas normas de derecho transitorio, todos aquellos aspectos de la adaptación que se oponían a los citados textos habían quedado derogados.

En este contexto, el ICAC publicó en el BOICAC 73 su interpretación sobre los criterios a seguir por parte de una entidad no lucrativa, sujeta hasta el momento a las normas de adaptación de 1998.

En aplicación de la citada doctrina administrativa, hasta la entrada en vigor del Real Decreto 1491/2011 las cuentas anuales de una fundación estaban integradas exclusivamente por el balance, cuenta de resultados y memoria. El contenido de esta cuenta de resultados a partir del 1 de enero de 2012, cambia y pasa a reflejar un estado que muestra los aumentos y disminuciones del patrimonio neto originados en el ejercicio, por diferencia entre las aportaciones y disminuciones de la dotación fundacional o fondo social, y de los ingresos y gastos, tanto de los contabilizados formando parte del excedente del ejercicio como de los incluidos directamente en el patrimonio neto a la espera de su posterior reclasificación al excedente del ejercicio.

En consecuencia, si bien las cuentas anuales correspondientes al primer ejercicio que se inicie a partir de 1 de enero de 2012 (primer ejercicio de aplicación de las nuevas normas) deberán ser presentadas incluyendo información comparativa, en el caso de la cuenta de resultados, en la medida que las cuentas del ejercicio 2011 fueron presentadas conforme al modelo exigido en su disposición específica, es decir, sin incluir información sobre los ingresos y gastos que en su caso hubieran sido imputados al patrimonio neto, la cuenta de resultados del ejercicio 2012 no presentará información comparativa en el epígrafe B) Ingresos y gastos imputados al patrimonio neto.

Aplicando el mismo razonamiento, la nota 16 Estado de flujos de efectivo de la memoria normal no debería incluir de forma obligatoria la información del ejercicio 2011 por no resultar una información exigida durante el citado ejercicio.

Comentario

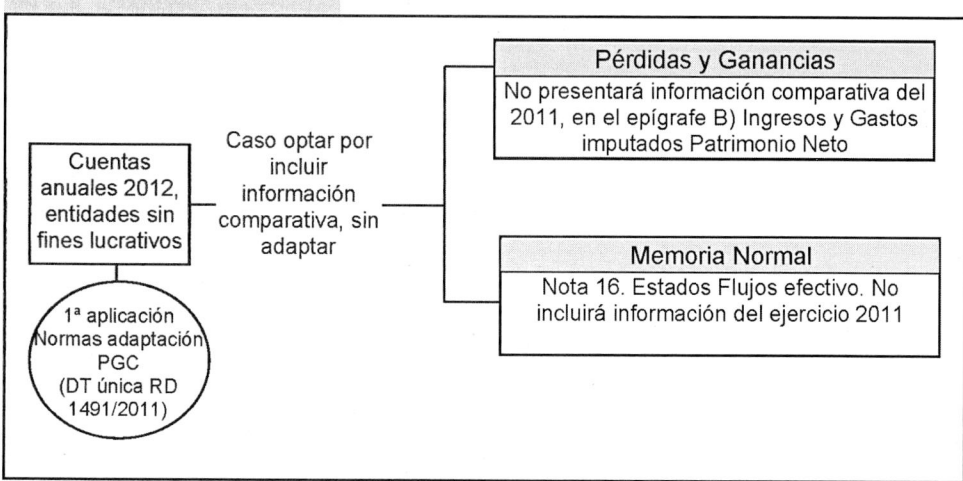

Ejemplo

La fundación AYUDA AL NECESITADO, fue constituida el 5/5/2010. Para el registro de sus operaciones, aplica el PGC de Pequeñas y Medianas Entidades sin fines lucrativos.

Las cuentas anuales correspondientes al ejercicio 2012, han sido presentadas siguiendo lo dispuesto en la Disposición transitoria única (opción a) de aplicación de las normas de adaptación del Plan General de Contabilidad, a las entidades sin fines lucrativos en el primer ejercicio que se inicie a partir de 1 de enero del 2012.

En el citado Real Decreto, establece en su apartado segundo:

«2. Las cuentas anuales correspondientes al primer ejercicio que se inicie a partir de 1 de enero de 2012, podrán ser presentadas:

a) Incluyendo información comparativa sin adaptar a los nuevos criterios, en cuyo caso, las cuentas anuales se calificarán como iniciales a los efectos derivados de la aplicación del principio de uniformidad y del requisito de comparabilidad (...)».

Por otro lado, se conocen los siguientes datos relativos a los ejercicios 2011 y 2012, en relación con los gastos e ingresos imputados en pérdidas y ganancias (en euros):

Concepto	2012	2011
Cuotas de afiliados	20.000	8.000
Promoción para captación de recursos	10.000	6.000
Ingresos de patrocinadores y colaboradores	20.000	2.000
Subvenciones a la actividad	8.000	—
Compra de bienes para la actividad	30.000	4.000
Sueldos y salarios	8.000	6.000
Amortización del inmovilizado material	3.000	1.000
Seguridad social de la entidad	3.000	2.000
Ayudas monetarias	6.000	3.000
Compensación de gastos por prestación de colaboración	2.000	1.000
Subvenciones de capital transferidas al excedente del ejercicio	3.000	1.000

Los gastos e ingresos imputados en el patrimonio neto, de los mencionados ejercicios han sido:

Concepto	2012	2011
Concesión de subvenciones para la adquisición de inmovilizado material	10.000	5.000
Transferencia de subvenciones	3.000	1.000
Variación de la dotación fundacional	+ 8.500	+ 1.000

SE PIDE:

1.- Calcular el excedente del ejercicio 2012.

2.- Sabiendo que la entidad ha optado por presentar las cuentas anuales del 2012, incluyendo información comparativa sin adaptar a los nuevos criterios, según lo indicado en la Disposición transitoria única del R.D. 1491/2011: se pregunta, el modo de registrar en las cuentas anuales del ejercicio 2012, la información a presentar en la cuenta de resultados del 2011, con el objeto de poder realizar la información comparativa. Confeccionar la cuenta de resultados.

SOLUCIÓN:

1.- *Calcular excedente del ejercicio 2012*

Abonaremos las cuentas relacionadas con el excedente, que presenten a esta fecha un saldo deudor (relativas a los gastos):

———————————————— X ————————————————

52.000	Excedente del ejercicio (129)	
	a Compras de bienes a las actividad (600)	30.000
	Sueldos y salarios (640)	8.000
	Seguridad social a cargo entidad (642)	3.000
	Amortización del inmovilizado material (681)	3.000
	Ayudas monetarias (650)	6.000
	Compensación de gastos por prestación de colaboración (653)	2.000

En el mismo momento, cargaremos las cuentas relacionadas con el excedente, que presenten a esta fecha un saldo acreedor (relativas a los ingresos):

———————————————— X ————————————————

20.000   Cuotas de afiliados (720)

10.000   Promoción para captación de
          recursos (722)

20.000   Ingresos de patrocinadores y
          colaboradores (723)

8.000   Subvenciones a la actividad
         (740)

3.000   Subvenciones traspasadas al
         excedente del ejercicio (745)

                       a   Excedente del ejercicio (129)   61.000

Después de realizar las anteriores operaciones, la Cuenta «Excedente del ejercicio» quedará de la siguiente forma:

129. Excedente del ejercicio

52.000	61.000

Saldo acreedor (beneficio) = 9.000

2.- *Presentación de la cuenta de resultados*

Cuenta de resultados correspondiente al ejercicio terminado el 31/12/2012

	Notas de la memoria	(Debe) Haber	
		2012	2011
A) Excedente del ejercicio			
1. Ingresos de la entidad por la actividad propia		**58.000**	**16.000**
a) Cuotas de asociados y afiliados		20.000	8.000
b) Aportaciones de usuarios		---	---
c) Ingresos de promociones, patrocinadores y colaboraciones		30.000	8.000
d) Subvenciones, donaciones y legados imputados al excedente del ejercicio		8.000	---

	Notas de la memoria	(Debe) Haber	
		2012	2011
e) Reintegro de ayudas y asignaciones		—	—
2. Ventas y otros ingresos de la actividad mercantil		—	—
3. Gastos por ayudas y otros		**(8.000)**	**(4.000)**
a) Ayudas monetarias		(6.000)	(3.000)
b) Ayudas no monetarias		—	—
c) Gastos por colaboraciones y del órgano de gobierno		(2.000)	(1.000)
d) Reintegro de subvenciones, donaciones y legados		—	—
4. Variación de existencias de productos terminados y en curso de fabricación		—	—
5. Trabajos realizados por la entidad para su activo		—	—
6. Aprovisionamientos		**(30.000)**	**(4.000)**
7. Otros ingresos de la actividad		—	—
8. Gastos de personal		**(11.000)**	**(8.000)**
9. Otros gastos de la actividad		—	—
10. Amortización del inmovilizado		**(3.000)**	**(1.000)**
11. Subvenciones, donaciones y legados de capital traspasados al excedente del ejercicio		3.000	1.000
12. Excesos de provisiones		—	—
13. Deterioro y resultado por enajenaciones del inmovilizado		—	—
A.1) EXCEDENTE DE LA ACTIVIDAD (1 + 2 + 3 + 4 + 5 + 6 + 7 + 8 + 9 + 10 + 11 + 12 + 13)		**9.000**	0
14. Ingresos financieros		---	---
15. Gastos financieros		---	---

	Notas de la memoria	(Debe) Haber	
		2012	2011
16. Variación del valor razonable en instrumentos financieros		---	---
17. Diferencias de cambio		---	---
18. Deterioro y resultado por enajenaciones de instrumentos financieros		---	---
A.2) EXCEDENTE DE LAS OPERACIONES FINANCIERAS (14 + 15 + 16 + 17 + 18)		---	---
A.3) EXCEDENTE ANTES DE IMPUESTOS (A.1 + A.2)		9.000	0
19. Impuesto sobre beneficios		—	—
A.4) Variación del Patrimonio Neto reconocida en el excedente del ejercicio (A.3 + 19)		9.000	0
B) Ingresos y gastos imputados directamente al Patrimonio Neto [*]			
1. Subvenciones recibidas		10.000	(*)
2. Donaciones y legados recibidos		---	(*)
3. Otros ingresos y gastos		---	(*)
4. Efecto impositivo		-3.000	(*)
B.1) Variación del patrimonio neto por ingresos y gastos reconocidos directamente en el patrimonio neto (1 + 2 + 3 + 4)		7.000	(*)
C) Reclasificaciones al excedente del ejercicio			(*)
1. Subvenciones recibidas		-3.000	(*)
2. Donaciones y legados recibidos		---	(*)
3. Otros ingresos y gastos		---	(*)
4. Efecto impositivo		900	(*)
C.1) Variación del patrimonio neto por reclasificaciones al excedente del ejercicio (1+2+3+4)		(2.100)	(*)

	Notas de la memoria	(Debe) Haber	
		2012	2011
D) Variación del patrimonio neto por ingresos y gastos imputados directamente en el patrimonio neto (B1 + C1)		4.900	(*)
E) Ajustes por cambio de criterio		—	(*)
F) Ajustes por errores		—	(*)
G) Variaciones en la dotación fundacional o en el fondo social		8.500	(*)
H) Otras variaciones		—	(*)
I) RESULTADO TOTAL, VARIACIÓN DEL PATRIMONIO NETO EN EL EJERCICIO (A4 + D + E + F + G + H)		**22.400**	(*)

(*) En el R.D. 1491/2011, se establece que las cuentas anuales de una fundación estaban integradas exclusivamente por: el balance, la cuenta de pérdidas y ganancias y memoria.

El contenido de esta cuenta de pérdidas y ganancias, a partir de 1 de enero del 2012, cambia y pasa a reflejar un estado que muestra los aumentos y disminuciones del patrimonio neto originados en el ejercicio, por diferencia entre las aportaciones y disminuciones de la dotación fundacional o fondo social, y de los ingresos y gastos, tanto de los contabilizados formando parte del excedente del ejercicio como de los incluidos directamente en el patrimonio neto, a la espera de su posterior reclasificación al excedente del ejercicio.

¿Qué ocurre con la información comparativa?, ya que en el ejercicio pasado, no se presentó estado alguno de variaciones en el patrimonio neto. Al optar la entidad por incluir información comparativa, sin adaptar: la cuenta de resultados del ejercicio 2012, no presentará información comparativa en el epígrafe B) Ingresos y Gastos imputados al Patrimonio Neto. [Consulta 9, BOICAC 94]

10.4.0.4. Servicios de abogacía prestados a título gratuito, a través de la mediación de una fundación

BOICAC 105, marzo 2016. Consulta 2.

Sobre la contabilización de servicios de abogacía prestados a título gratuito.

Respuesta

La consulta se plantea por una entidad sin fines lucrativos (en adelante, la fundación) y una sociedad de abogados (en adelante, el «despacho» o la «firma»). Para el cumplimiento de sus fines, la fundación desarrolla una actividad que consiste en facilitar la colaboración gratuita de abogados del despacho en determinados proyectos jurídicos seleccionados por la fundación. A tal efecto, se ha suscrito un acuerdo de colaboración en virtud del cual los abogados del despacho prestan su asesoramiento de forma voluntaria en los proyectos que selecciona la fundación.

Los abogados que colaboran con la fundación incluyen las horas incurridas en este tipo de asesoramiento en el sistema de control de horas habitual del despacho igual que proceden con cualquier otro tipo de asesoramiento a favor de clientes de la firma, identificando dicha colaboración de manera específica. Para ello utilizan todos los medios a su disposición como miembros del despacho.

La fundación cuenta también con la colaboración de otros abogados que actúan como profesionales independientes y otros profesionales vinculados a otras firmas, empresas o instituciones que prestan también servicios gratuitos siendo asimismo responsables del asesoramiento prestado.

En concreto, según se manifiesta en el escrito de consulta, la fundación interviene, canalizando las solicitudes de orientación y asesoramiento de las entidades beneficiarias de su fin fundacional, seleccionando las que sean acordes con los criterios y fines perseguidos, momento a partir del cual se desencadena la solicitud del asesoramiento a la firma o a sus colaboradores independientes u otros entes, en función del tipo de asunto y de la disponibilidad de abogados.

Por último se informa que el despacho es responsable del asesoramiento jurídico prestado por sus abogados, al igual que los otros colaboradores de la fundación serán responsables personalmente del asesoramiento prestado.

La consulta versa sobre el adecuado tratamiento contable de estos hechos en la firma y en la fundación.

Respecto a la firma de abogados, los costes incurridos en la prestación de los servicios se reconocerán en función de su naturaleza. Adicionalmente, en el supuesto de que estos costes tuviesen carácter excepcional y cuantía significativa, procedería reclasificar su importe en la partida Otros resultados, que se creará formando parte del resultado de explotación, de acuerdo con la norma de elaboración de las cuentas anuales 7ª Cuenta de Pérdidas y Ganancias, contenida en la tercera parte del Plan General de Contabilidad (PGC). La reclasificación deberá mostrarse en la partida 3. Trabajos realizados por la empresa para su activo, de la cuenta de pérdidas y ganancias, y en la memoria deberá incluirse toda la información significativa sobre estos hechos.

De acuerdo con lo anterior, en su caso, la citada reclasificación se valorará por el coste o valor en libros de los gastos incurridos en la prestación del servicio aplicando por analogía el criterio previsto en la Norma cuarta. Baja de activos, apartado 2.1 Entregas a título gratuito, de la Resolución de 1 de marzo de 2013, del Instituto de Contabilidad y Auditoría de Cuentas por la que se dictan normas de registro y valoración del inmovilizado material y de las inversiones inmobiliarias.

Respecto a la contabilización de los servicios gratuitos en la fundación, la norma de registro y valoración 20ª. Subvenciones, donaciones y legados recibidos de las normas de adaptación del Plan General de Contabilidad a las entidades sin fines lucrativos, aprobadas por el Real Decreto 1491/2011, de 24 de octubre, en su apartado 4.4. Servicios recibidos sin contraprestación, estipula que:

> *«La entidad reconocerá en la cuenta de resultados un gasto de acuerdo con su naturaleza y un ingreso en concepto de subvención/donación por la mejor estimación del valor razonable del servicio recibido».*

Sin embargo, según lo expuesto por el consultante, no es la fundación la que recibe los servicios de abogacía sino terceros seleccionados por ella. Además, los consultantes también manifiestan que la fundación no tiene responsabilidad alguna respecto a los servicios prestados, correspondiendo dicha responsabilidad a la firma de abogados.

En relación con este aspecto se informa que establecer la línea divisoria entre la actuación por cuenta propia o por cuenta ajena en la actividad desarrollada por las entidades sin fines lucrativos no es una tarea simple. Por ello, en la introducción de las normas de adaptación se indica que:

> *«Es conveniente aclarar, ante las dudas que se suscitaron en el seno del grupo de trabajo, que la entidad solo actuará como mero intermediario cuando no sea la beneficiaria de la ayuda, es decir, cuando actuando por cuenta de la persona u órgano concedente las facultades que se le confieren para fijar las condiciones que deben cumplir los beneficiarios y evaluar su grado de cumplimiento, al objeto de asignar las ayudas, sean muy reducidas o casi nulas. A sensu contrario, la entidad actuará por cuenta propia en aquellos casos en que a pesar de que el aportante imponga una condición, por ejemplo, restringir el empleo de los fondos recibidos a una determinada finalidad que desea promover, la entidad retenga el control sobre los fondos recibidos y en consecuencia sea ella la que en última instancia establezca los criterios para su reparto».*

En particular, cuando la ayuda a los beneficiarios últimos es posible en virtud de la colaboración a título gratuito de terceros mediante la prestación de servicios que la fundación canaliza a los destinatarios de la ayuda, no cabe duda que el control de la prestación del citado servicio por la fundación resulta poco evidente y, por lo tanto, si después de un análisis sobre el fondo de los acuerdos alcanzados se concluye que la entidad actúa por cuenta ajena, a pesar de que lo haga en nombre propio, no procedería realizar apunte contable alguno sobre unos servicios de abogacía que la fundación no recibe.

Sin perjuicio de lo indicado, en la memoria de las cuentas anuales la fundación informará sobre la actividad de mediación que realiza en los términos previstos en las normas de adaptación, con el objetivo de que aquellas, en su conjunto, expresen la imagen fiel del patrimonio, de la situación financiera y de las variaciones originadas en el patrimonio neto durante el ejercicio, así como de la actividad desarrollada, de conformidad con las disposiciones legales.

Comentario

Ejemplo

La fundación INTEGRACIÓN DEL INMIGRANTE, cuya actividad consiste en la ayuda a los inmigrantes así como en su caso seleccionar a aquellos que puedan obtener la nacionalidad española, ha firmado en el año X16 un acuerdo con el despacho de abogados MANOS BLANCAS. Del texto de dicho acuerdo se desprende lo siguiente:

La fundación desarrollará una actividad que consiste en facilitar la colaboración gratuita de abogados del despacho en determinados proyectos jurídicos seleccionados por la fundación. A tal efecto, se ha suscrito un acuerdo de colaboración, en virtud del cual los abogados del despacho prestan su asesoramiento de forma voluntaria en los proyectos que selecciona la fundación.

La fundación ha elegido un total de 400 solicitudes de inmigrantes que, a su entender, cumplen con los requisitos exigidos en la normativa para acceder a la nacionalidad española. Los abogados que colaboran con la fundación incluyen las horas incurridas en este tipo de asesoramiento en el sistema de control de horas habitual del despacho: igual que proceden con cualquier otro tipo de asesoramiento. El total de horas dedicadas a tal menester, ha ascendido a 800 horas: con un coste unitario de 20€/hora. Se practicaron retenciones por importe de 3.200€, siendo la seguridad social a cargo del trabajador por esta operación de 1.300€, habiendo pagado el líquido resultante.

Se hace constar que la fundación no tiene responsabilidad alguna respecto a los servicios prestados, correspondiendo dicha responsabilidad a la firma de abogados.

SE PIDE:

CASO 1.- Registro de la operación de asesoramiento gratuita tanto en la fundación como en el despacho de abogados.

CASO 2.- En otra operación distinta de la anterior, la fundación recibe 6.000€, para su entrega a los inmigrantes y que éstos acudan a clases para adquirir el conocimiento del idioma español. La fundación retiene el control de los fondos recibidos y, en consecuencia, es ella la que, en última instancia establece los criterios para su reparto. El valor razonable de servicio de mediación se estima en 1.200€. Registrar la operación en la fundación.

SOLUCIÓN:

CASO 1) *Registro de la operación, en base al acuerdo colaboración abogados, para ayuda a los inmigrantes*

En el despacho de abogados

Registro del gasto incurrido

-- X --

16.000	Elementos dea Sueldos y salarios (640) [800 horas x 20€]		
		a HP acreedor por retenciones practicadas (4751)	3.200
		Organismos de la Seguridad Social acreedores (476)	1.300
		Bancos c/c (572)	11.500

Así, y según lo establecido en la Consulta 2, del BOICAC 105 (marzo, 2016), los costes incurridos en la prestación de los servicios se reconocerán en función de su naturaleza.

Caso de considerar el coste, de cuantía significativa, anotaremos:

-- X --

16.000	Gastos excepcionales (678)		
		a Trabajos realizados por la empresa para su activo (73x)	16.000

Así, la mencionada consulta, nos comenta que, como los coste incurridos tienen carácter excepcional y cuantía significativa, procedería reclasificar su importe en la partida «Otros resultados», que se creará formando parte del resultado de explotación, de acuerdo con la norma de elaboración de las cuentas anuales 7ª Cuenta de Pérdidas y Ganancias, contenida en la tercera parte del Plan General de Contabilidad (PGC). La reclasificación deberá mostrarse en la partida 3. Trabajos realizados por la empresa para su activo, de la cuenta de pérdidas y ganancias, y en la memoria deberá incluirse toda la información significativa sobre estos hechos.

De acuerdo con lo anterior, en su caso, la citada reclasificación se valorará por el coste o valor en libros de los gastos incurridos en la prestación del servicio.

En la fundación

No efectuaremos apunte alguno en cuentas. ¿Cuál es el motivo?. La Consulta 2, BOICAC 105, nos argumenta los motivos:

La fundación no recibe los servicios de abogacía seleccionados por ella. Además, la fundación no tiene responsabilidad alguna respecto a los servicios prestados, correspondiendo dicha responsabilidad a la firma de abogados.

La entidad actúa como mero intermediario, no siendo la beneficiaria de la ayuda.

De esta manera, cuando la ayuda a los beneficiarios últimos es posible, en virtud de la colaboración a título gratuito de terceros, mediante la prestación de servicios, que la fundación canaliza a los destinatarios de la ayuda: no cabe duda que el control de la prestación del citado servicio por la fundación resulta poco evidente y, por lo tanto, si después de un análisis sobre el fondo de los acuerdos alcanzados se concluye que la entidad actúa por cuenta ajena, a pesar de que lo haga en nombre propio, no procedería realizar apunte contable alguno sobre unos servicios de abogacía que la fundación no recibe.

CASO 2) *Recepción de fondos y reparto de éstos. Servicios de mediación*

– Cuando la fundación recibe el importe, que habrá de asignar, anotaremos:

X

6.000   Bancos c/c (572)

　　　　　　　　a   c/c con inmigrantes (55x)　　　6.000

– A medida que realiza la **entrega, ent**re las personas seleccionadas:

X

6.000   c/c con inmigrantes (55x)

　　　　　　　　a   Bancos c/c (572)　　　6.000

– Y por la anotación del servicio prestado de mediación, de forma gratuita:

	X	
1.200 Otros gastos sociales (649)		
	a Subvenciones, donaciones y legados de capital (740)	1.200

Así, en el apartado 4.4. de la Norma 20ª de Valoración del PGC a las entidades sin fines lucrativos, sobre subvenciones, donaciones y legados recibidos, nos comenta que:

> «La entidad reconocerá en la cuenta de resultados un gasto de acuerdo con su naturaleza y un ingreso en concepto de subvención/donación por la mejor estimación del valor razonable del servicio recibido».

10.4.0.5. Modificaciones realizadas por el RD 602/2016

BOICAC 110, junio 2017. Consulta 1.

En relación con la consulta formulada sobre el alcance de las modificaciones realizadas por el Real Decreto 602/2016, de 2 de diciembre, en las entidades sin fines lucrativos.

Respuesta

Tras la aprobación del Real Decreto 602/2016, de 2 de diciembre, por el que se modifican el Plan General de Contabilidad (PGC) aprobado por el Real Decreto 1514/2007, de 16 de noviembre; el Plan General de Contabilidad de Pequeñas y Medianas Empresas (PGC-Pymes) aprobado por el Real Decreto 1515/2007, de 16 de noviembre; las Normas para la Formulación de Cuentas Anuales Consolidadas aprobadas por el Real Decreto 1159/2010, de 17 de septiembre; y las Normas de Adaptación del Plan General de Contabilidad a las entidades sin fines lucrativos aprobadas por el Real Decreto 1491/2011, de 24 de octubre, se pregunta si la modificación introducida en el modelo de memoria abreviado y de pequeñas y medianas empresas resulta de aplicación a las entidades sin ánimo de lucro.

Las normas de adaptación aprobadas por el Real Decreto 1491/2011, de 24 de octubre, tuvieron el objetivo de armonizar la normativa contable de las entidades sin fines lucrativos con la aprobada para las empresas españolas. Si bien, se consideró conveniente, por economía de medios, recoger únicamente las normas específicas de estas entidades, es decir, las que están más estrechamente relacionadas con las actividades llevadas a cabo en el cumplimiento de sus fines, con independencia de que la entrega de los bienes o la prestación del servicio se realicen de forma gratuita o mediante contraprestación.

La consecuencia directa de lo descrito supone que el tratamiento contable de los restantes hechos y transacciones no presenta diferencia alguna con el previsto en la norma general, circunstancia que justifica la técnica de normalización que se eligió, en aras de la claridad. En consecuencia, las normas que se aprobaron en 2011 establecían que las entidades sin fines lucrativos deberían aplicar de forma obligatoria, a todas las operaciones y hechos económicos no previstos en la adaptación, el Plan General de Contabilidad, o, en su caso, el Plan General de Contabilidad para Pequeñas y Medianas Empresas, así como los criterios específicos de las microentidades.

Por tal motivo, y con el objetivo de proporcionar a estos sujetos contables un marco operativo único que contuviera todos los elementos necesarios para el registro de las operaciones que pudieran realizar; incluidas las que se deriven, en su caso, de la actividad de carácter mercantil o con ánimo de lucro, y con objeto de lograr una mejor aplicación de esas normas, el Instituto de Contabilidad y Auditoría de Cuentas elaboró la Resolución de 26 de marzo de 2013, por la que se aprueba el Plan de Contabilidad de las entidades sin fines lucrativos y la Resolución de 26 de marzo de 2013, por la que se aprueba el Plan de Contabilidad de pequeñas y medianas entidades sin fines lucrativos.

A la vista de estos antecedentes, respecto a la simplificación de la información incluida en los modelos de memoria abreviado y de pequeñas y medianas empresas cabría concluir lo siguiente:

1. Las entidades sin fines lucrativos, en todo caso, deberán seguir suministrando la información específica regulada en las normas de adaptación aprobadas por el Real Decreto 1491/2011, de 24 de octubre.

2. Respecto a la información general contenida en el PGC y en el PGC-Pymes les resultarán de aplicación las mismas simplificaciones que se han aprobado para las empresas por el Real Decreto 602/2016, de 2 de diciembre, así como las disposiciones reguladas en este real decreto sobre primera aplicación e información comparativa, sin perjuicio de las indicaciones que los responsables de elaborar las cuentas anuales consideren necesario incluir para que estas, en su conjunto, reflejen la imagen fiel del patrimonio, de la situación financiera y de los resultados de la entidad.

Comentario

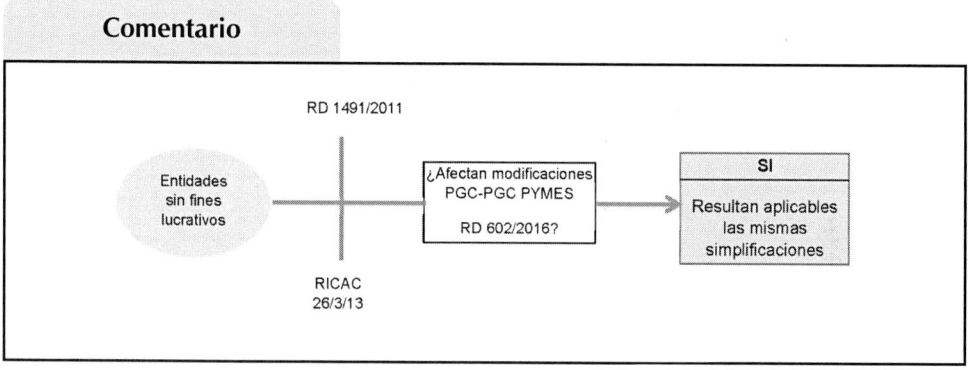

Ejemplo

El Ayuntamiento de Vigo dona a la fundación «MUSEO DE CASTRELOS», sin ningún tipo de contraprestación, el 1/1/X1 , documental bibliográfico relativo a LOS GALEONES DE RANDE; este material de incalculable valor, compuesto de: objetos de colección, cartas marinas, documentación de la época, mapas, ánforas, cañones ... , está catalogado como patrimonio histórico, cumpliendo las condiciones exigidas por la Ley 16/1985, de 25 de junio de Patrimonio Histórico.

La citada fundación aplica el PGC y formula balance y memoria abreviada. Dichos bienes han sido considerados como no generadores de flujos de efectivo, ya que se poseen con una finalidad distinta a la de generar un rendimiento comercial, como pueden ser los flujos económicos sociales que generan dichos activos y que benefician a la colectividad, esto es, su beneficio social o potencial de servicio. Dichos bienes se podrán visitar en el mencionado museo de manera gratuita por la ciudadanía.

Se estima una vida útil indefinida de la colección.

Se considera que el valor razonable de la colección asciende a 1.350.000 €, estando incluido en dicho importe los costes relacionados con grandes reparaciones a realizar cada 10 años, y siendo el precio actual de mercado de una reparación similar de 50.000€.

SE PIDE:

1.- Contabilizar las operaciones descritas en la fundación MUSEO DE CASTRELOS hasta el 31/12/X1, sabiendo que a dicha fecha el importe recuperable de la colección es de 1.260.000€.

2.- Información a incluir en la memoria en relación con los elementos recibidos en donación.

3.- La información referente al personal de la empresa por categorías para el ejercicio X1 es la siguiente:

Ejercicio	X1
Dirección	6
Titulados	5
Administrativos	7
Otros	4
TOTAL	22

De los 22 empleados de la empresa, a 31 de diciembre de X1, 11 eran mujeres y 11 hombres .

De los 4 miembros del Consejo de Administración a 31 de diciembre de X1, 1 era mujer .

De los administrativos 3 trabajadores tienen un grado de discapacidad superior al 33%.

Comentar la información a incluir en la Memoria referente a este apartado.

SOLUCIÓN:

1.- Registro de las operaciones descritas en la fundación MUSEO DE CASTRE-LOS hasta el 31/12/X1

• En el momento de la donación, MUSEO DE CASTRELOS, registrará:

––––––––––––––––––––––––––––– 1/1/X1 –––––––––––––––––––––––––––––

1.300.000   Museos (243)[*]

   50.000   Museos, gran reparación (243.1)   a   Ingresos de otras donaciones
         (**)   y legados (9421)   1.350.000

[*] Conjuntos y colecciones de valor histórico, artístico, científico y técnico o de cualquier otra naturaleza cultural.

(**) En la determinación del precio de adquisición se tendrá en cuenta la incidencia de los costes relacionados con grandes reparaciones. Si estos costes no estuvieran especificados en la adquisición o construcción, a efectos de su identificación, podrá utilizarse el precio actual de mercado de una reparación similar.

Las subvenciones, donaciones y legados no reintegrables se contabilizarán, con carácter general, directamente en el patrimonio neto de la entidad para su posterior reclasificación al excedente del ejercicio como ingresos, sobre una base sistemática y racional de forma correlacionada con los gastos derivados de la subvención, donación o legado, de acuerdo con los criterios que se detallan en el apartado 3 de la Norma 20ª Valoración, PGC Entidades sin fines lucrativos (RICAC 26/3/13) [Norma 9ª, Normas adaptación RD 1491/2011]

Las de carácter no monetario o en especie se valorarán por el valor razonable del bien o servicio recibido, siempre que el valor razonable del citado bien o servicio pueda determinarse de manera fiable. [NRV 20ª.2 PGC de entidades sin fines de lucro y Norma 9ª.2, Normas adaptación RD 1491/2011]

• Operaciones de fin de ejercicio:

– Los bienes del Patrimonio Histórico no se someterán a amortización cuando su potencial de servicio sea usado tan lentamente que sus vidas útiles estimadas sean indefinidas, sin que los mismos sufran desgaste por su funcionamiento, uso o disfrute. [NRV 8ª.2. Plan general de contabilidad de entidades sin fines de lucro, RICAC 26/3/13 y Norma 4ª.2, Normas adaptación RD 1491/2011]

En consecuencia con lo anterior no se amortiza.

– En cuanto a los costes relacionados con la gran reparación a efectuar lo amortizaremos en 10 años.

—————————————————————— 31/12/X1 ——————————————————————

5.000	Amortización del inmovilizado material (681) [50.000/10]	a	Amortización acumulada grandes reparación (2811)	5.000

El importe equivalente a estos costes se amortizará de forma distinta a la del resto del elemento, durante el periodo que medie hasta la gran reparación. [NRV 8ª.2.a) Plan general de contabilidad de entidades sin fines de lucro y NRV 4ª.2.a), Normas adaptación RD 1491/2011]

– Comprobación del deterioro de la colección. Compararemos:

Valor contable.............................	1.300.000
Importe recuperable.........................	1.260.000
DETERIORO.........................	40.000

Se producirá una pérdida por deterioro del valor de un elemento del inmovilizado material no generador de flujos de efectivo cuando su valor contable supere a su importe recuperable, entendido éste como el mayor importe entre su valor razonable menos los costes de venta y su valor en uso. A tal efecto, el valor en uso se determinará por referencia al coste de reposición. [NRV 2ª.3.2.1. Plan general de contabilidad de entidades sin fines de lucro, RICAC 26/3/13 y NRV 2ª. 1.4. Normas adaptación RD 1491/2011]

Registro:

––––––––––––––––––––––––––––––––––– 31/12/X1 –––––––––––––––––––––––––––––––––––

40.000	Pérdidas por deterioro del inmovilizado material(691)	a	Museos (243)[*]	
				40.000

[*] Se considerarán en todo caso de naturaleza irreversible las correcciones valorativas por deterioro de los elementos en la parte en que éstos hayan sido financiados gratuitamente. [NRV 20ª.3 Plan general de contabilidad de entidades sin fines de lucro y NRV 9ª. Normas adaptación RD 1491/2011].

– Por la imputación de la donación:

––––––––––––––––––––––––––––––––––– 31/12/X1 –––––––––––––––––––––––––––––––––––

45.000	Transferencias de otras donaciones y legados(8421) [40.000 + 5.000]	a	Donaciones y legados de capital transferidos al excedente del ejercicio (746)	
				45.000

Los bienes del Patrimonio Histórico: se imputarán como ingresos del ejercicio en que se produzca su enajenación, corrección valorativa por deterioro o baja en balance. [NRV 20ª. 3.b.2) Plan general de contabilidad de entidades sin fines de lucro y NRV 9ª. 3.b.2) Normas adaptación RD 1491/2011]

– Por la regularización de las cuentas de los grupos 8 y 9:

––––––––––––––––––––––––––––––––––– 31/12/X1 –––––––––––––––––––––––––––––––––––

1.350.00	Ingresos de otras donaciones y legados de capital (9421)		Donaciones y legados de capital transferidos al excedente del ejercicio (746)	1.305.000
		a	Transferencias de otras donaciones y legados (8421)	45.000

2.- Información a incluir en la memoria en relación con los elementos recibidos en donación.

Del RD 1491/2011 y el PGC de las entidades sin fines lucrativos en cuanto el contenido de la Memoria abreviada se extrae la siguiente información:

Apartado 4. Normas de registro y valoración

Además de la información solicitada en la nota 4 del modelo abreviado de memoria del Plan General de Contabilidad, se indicarán los criterios contables aplicados en relación con las siguientes partidas:

4. Bienes integrantes del Patrimonio Histórico; indicando los criterios sobre valoración, correcciones valorativas por deterioro y reversión de las mismas, capitalización de gastos financieros, costes de ampliación, modernización y mejoras, costes de desmantelamiento o retiro, así como los costes de rehabilitación del lugar donde se asiente un activo y los criterios sobre la determinación del coste de los trabajos efectuados por la entidad para estos bienes, y los seguidos en relación con las grandes reparaciones que les afecten.

En nuestro caso se incluirán entre otros:

La valoración de la colección recibida en donación ha sido realiza por un grupo de expertos historiadores de la batalla de Rande ascendiendo su importe a 1.300.000€.

Al cierre de ejercicio se ha efectuado una corrección valorativa de 40.000€ al ser el importe recuperable de 1.260.000€.

Existen costes de grandes reparaciones a efectuar cada 10 años por importe de 50.000€, con una amortización acumulada de 5.000€.

Apartado 5. Inmovilizado material, intangible e inversiones inmobiliarias

Además de la información solicitada en la nota 5 del modelo abreviado de memoria del Plan General de Contabilidad, se informará:

3. Para cada corrección valorativa por deterioro de cuantía significativa, reconocida o revertida durante el ejercicio, de un elemento del inmovilizado no generador de flujos de efectivo, se indicará:

- Naturaleza del inmovilizado: Museo

- Importe, sucesos y circunstancias que han llevado al reconocimiento y reversión de la pérdida por deterioro.

Importe recuperable: 1.260.000€

- Valor razonable menos costes de venta. . . . .   1.260.000€

- Valor en uso referenciado a su coste de reposición. . . . .   1.240.000€

- Criterio empleado para determinar el valor razonable menos los costes de venta, en su caso, o para determinar el coste de reposición depreciado.

Valoración realizada por un grupo de expertos historiadores con conocimientos fiables sobre los tesoros de Rande.

Apartado 6. Bienes del Patrimonio Histórico

Análisis del movimiento durante el ejercicio de cada partida del balance incluida en este epígrafe y de sus correspondientes amortizaciones acumuladas y correcciones valorativas por deterioro acumuladas; indicando lo siguiente:

a) Saldo inicial.	—
b) Entradas.	1.300.000€
c) Salidas (Deterioro).	40.000€
d) Saldo final.	1.260.000€

El deterioro realizado, no pudo efectuarse de manera individual habiendo sido realizado en función de la unidad de servicio a que pertenece (colección).

Apartado 14. Subvenciones, donaciones y legados

3. Información sobre el origen de las subvenciones, donaciones y legados, indicando, para las primeras, el Ente público que las concede, precisando si la otorgante de las mismas es la Administración local, autonómica, estatal o internaciona

La colección reseñada se recibió como una donación del Ayuntamiento de Vigo.

Apartado 18. Inventario

El inventario a que se refiere el artículo 25.2 de la Ley 50/2002, de 26 de diciembre, comprenderá los elementos patrimoniales integrantes del balance de la entidad, distinguiendo los distintos bienes, derechos, obligaciones y otras partidas que lo componen.

A tal efecto se confeccionará un documento en el que se indicará para los distintos elementos patrimoniales que los Protectorados determinen en función, entre otros criterios, de su importancia cuantitativa y la vinculación a fines propios de la entidad, los siguientes aspectos:

- Descripción del elemento.

- Fecha de adquisición.

- Valor contable.

- Variaciones producidas en la valoración

- Pérdidas por deterioro, amortizaciones y cualquier otra partida compensadora que afecte al elemento patrimonial.

- Cualquier otra circunstancia de carácter significativo que afecte al elemento patrimonial, tales como gravámenes, afectación a fines propios o si forman parte de la dotación fundacional.

Se realizará una descripción detallada de los elementos integrantes de la colección.

A la vista de estos antecedentes, respecto a la simplificación de la información incluida en los modelos de memoria abreviado cabría concluir lo siguiente:

Las entidades sin fines lucrativos, en todo caso, deberán seguir suministrando la información específica regulada en las normas de adaptación aprobadas por el Real Decreto 1491/2011, de 24 de octubre.

3.- Información a incluir en memoria respecto al personal de la empresa.

Respecto a la **información general** contenida en el PGC y en el PGC PYMES les resultarán de aplicación las mismas simplificaciones que se han aprobado para las empresas por el Real Decreto 602/2017, de 2 de diciembre, así como las disposiciones reguladas en este real decreto sobre primera aplicación e información comparativa, sin perjuicio de las indicaciones que los responsables de elaborar las cuentas anuales consideren necesario incluir para que estas, en su conjunto, reflejen la imagen fiel del patrimonio, de la situación financiera y de los resultados de la entidad. [Consulta nº 1. BOICAC 110]

Se trata de información general , la cual ha sido reducida por el citado Decreto, se aportaría la siguiente información:

«CONTENIDO DE LA MEMORIA ABREVIADA

10. Otra información

1. El número medio de personas empleadas en el curso del ejercicio ha sido de 22 trabajadores.

Es de reseñar que el contenido de la memoria respecto del personal de la empresa ha quedado reducido ya que la información a proporcionar según lo que establece el PGC de entidades sin fines de lucro sería:

Memoria del PGC ENTIFADES SIN FINES DE LUCRO MEMORIA ABREVIADA

13. Otra información

2. El número medio de personas empleadas en el curso del ejercicio, indicando aquellas con discapacidad mayor o igual del 33%, y expresando las categorías a que pertenecen.

La distribución por sexos al término del ejercicio del personal de la entidad, desglosado en un número suficiente de categorías y niveles, entre los que figurarán el de los directivos y miembros del órgano de gobierno.

10.4.0.6. Aportaciones recibidas en una fundación, por un convenio de colaboración

BOICAC 113, marzo 2018. Consulta 3.

Sobre el registro contable de un programa de becas en una Fundación.

Respuesta

La consultante es una fundación que aplica la Ley 49/2002, de 23 de diciembre, de régimen fiscal de las entidades sin fines lucrativos y de los incentivos fiscales al mecenazgo. Además la fundación aplica el Real Decreto 1491/2011, de 24 de octubre, por el que se aprueban las normas de adaptación del Plan General de Contabilidad a las entidades sin fines lucrativos.

Según parece desprenderse de la consulta, esta fundación tiene unos programas de becas para titulados universitarios, de formación profesional y para la realización de prácticas en empresas. Para la financiación de dichos programas se firman convenios de colaboración empresarial, por los que la empresa se compromete a una colaboración económica de un importe fijo, pagadera mensualmente durante el periodo establecido en la colaboración.

No obstante, el convenio firmado puede no llevarse a efecto en la totalidad del periodo establecido al inicio, y es posible que sea cancelado anticipadamente por acuerdo entre las partes o por cualquier otra causa, sin que en el escrito de consulta se especifiquen los motivos que pudieran originar su extinción. Desde el momento en que se produce la cancelación del convenio la empresa colaboradora interrumpe los pagos, y la fundación, según se afirma en el escrito de consulta, cancela el importe pendiente de cobro. En los antecedentes que se acompañan al escrito de consulta no se aclara si en tal caso la fundación retiene un derecho de crédito cuyo cobro pueda reclamar.

Por su parte, la fundación se compromete a difundir la colaboración de la empresa en los programas de becas durante el periodo temporal que transcurre desde la firma del convenio y hasta la fecha límite para la aprobación de las cuentas anuales correspondientes al ejercicio en que se firme el contrato, momento en el cual parece que se entiende que es cuando finaliza el programa de colaboración.

Además la mayoría de las entidades colaboradoras, que realizan aportaciones económicas al amparo de los convenios de colaboración, son usuarias de los programas de becas. A la vista de lo anterior, y en base a lo señalado por este Instituto en la consulta 5 del BOICAC nº 90, de julio de 2012, se pregunta por el tratamiento contable de esta operación.

Las normas de adaptación del Plan General de Contabilidad a las entidades sin fines lucrativos, regulan en la norma de registro y valoración 8ª el tratamiento contable de los ingresos propios de las entidades no lucrativas, como sigue:

«En la contabilización de los ingresos en cumplimiento de los fines de la entidad se tendrán en cuenta las siguientes reglas:

a) Los ingresos por entregas de bienes o prestación de servicios se valorarán por el importe acordado.

b) Las cuotas de usuarios o afiliados se reconocerán como ingresos en el período al que correspondan.

c) Los ingresos procedentes de promociones para captación de recursos, de patrocinadores y de colaboraciones se reconocerán cuando las campañas y actos se produzcan.

d) En todo caso, deberán realizarse las periodificaciones necesarias.»

Por otro lado, el apartado 1 del artículo 25 de la Ley 49/2002, de 23 de diciembre, de régimen fiscal de las entidades sin fines lucrativos y de los incentivos fiscales al mecenazgo, señala:

«Se entenderá por convenio de colaboración empresarial en actividades de interés general, a los efectos previstos en esta Ley, aquel por el cual las entidades a que se refiere el artículo 16, a cambio de una ayuda económica para la realización de las actividades que efectúen en cumplimiento del objeto o finalidad específica de la entidad, se comprometen por escrito a difundir, por cualquier medio, la participación del colaborador en dichas actividades.

La difusión de la participación del colaborador en el marco de los convenios de colaboración definidos en este artículo no constituye una prestación de servicios».

Tal y como expresa el consultante, la opinión de este Instituto sobre el tratamiento contable de las aportaciones económicas a una fundación por suscripción de un convenio de colaboración empresarial con una fundación, está publicada en la consulta 5 del BOICAC 90. En esta consulta, que está redactada desde la perspectiva de la empresa colaboradora, se concluye que la correcta interpretación del principio de devengo en estos casos impone reconocer la totalidad del compromiso financiero como un gasto en la fecha en que la empresa asume tal obligación, al margen de que el efectivo desembolso quede aplazado.

Pues bien, para otorgar un adecuado tratamiento contable a la operación desde la perspectiva de la fundación, la consultante deberá considerar esos mismos criterios y contabilizar el correspondiente ingreso si a la vista del fondo económico del acuerdo de colaboración hubiera que concluir que la fundación, por causa del compromiso asumido por la empresa, goza en tal fecha de un derecho de crédito y, por lo tanto, cuya eventual cancelación solo pueda traer causa de la insolvencia del deudor.

En caso contrario, esto es, si el citado derecho no fuera irrevocable o si el fondo económico del acuerdo englobase una prestación de servicios, la fundación solo debería reconocer como ingreso el importe devengado al cierre del ejercicio por ser un derecho incondicional o por haber cumplido con la obligación asumida frente a la empresa, y sin que en tal caso proceda reconocer un derecho de cobro y un anticipo por el importe que todavía no se haya devengado.

Comentario

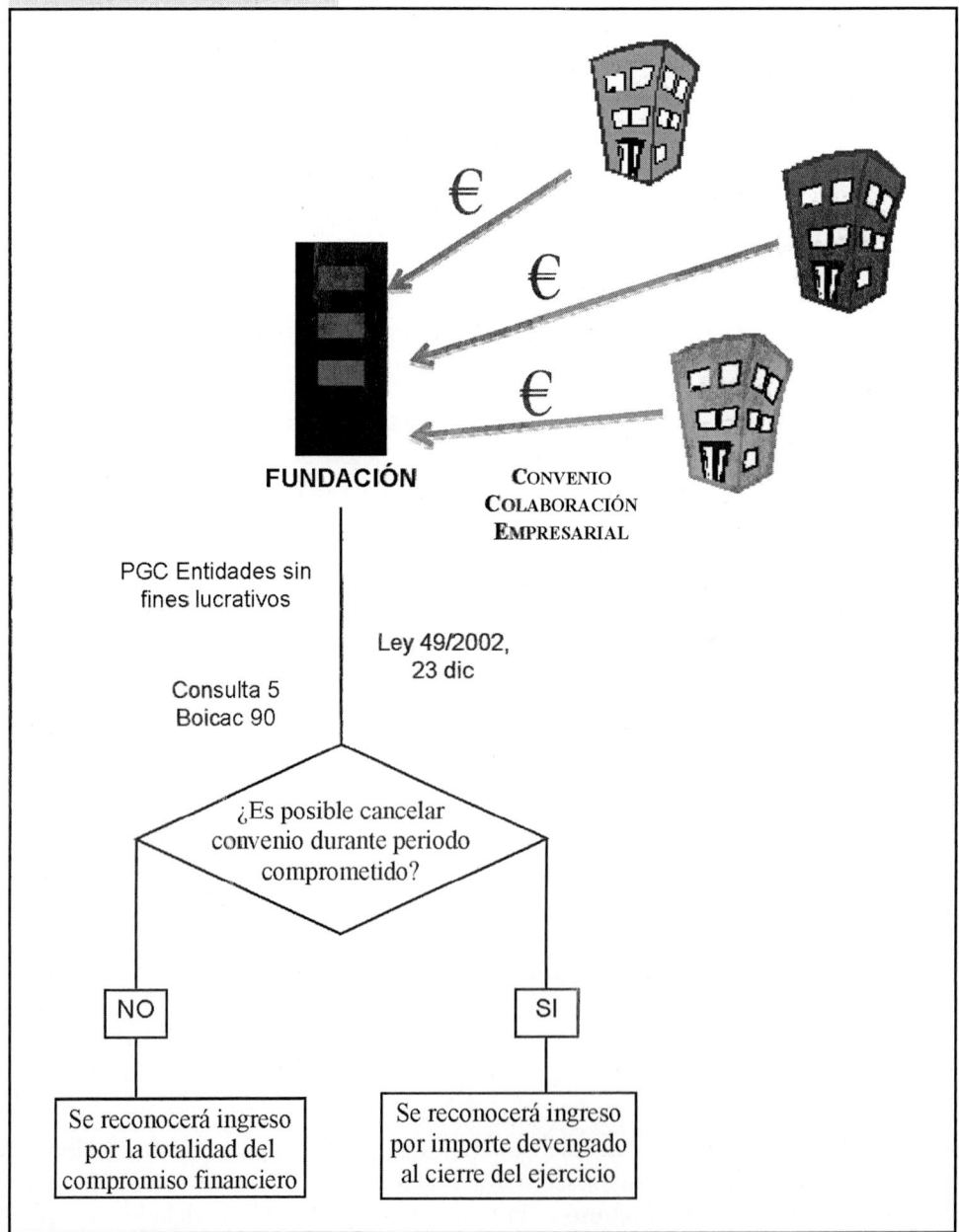

Ejemplo

La fundación CIP aplica el Real Decreto 1491/2011, de 24 de octubre, por el que se aprueban las normas de adaptación del Plan General de Contabilidad a las entidades sin fines lucrativos.

La fundación citada tiene unos programas de becas para titulados universitarios, de formación profesional y para la realización de prácticas en empresas. Para la financiación de dichos programas se firman convenios de colaboración empresarial, por los que la empresa se compromete a una colaboración económica de un importe fijo, pagadera mensualmente durante el periodo establecido en la colaboración.

A principios del mes de octubre del X0, firma un convenio de colaboración con la asesoría de empresas «VIÑAS BREA», para la realización de prácticas del master de Asesoría Fiscal y Tributación. Las citadas practicas se realizarán en el periodo comprendido en entre 1 de octubre y 30 de marzo del año siguiente. La fundación recibirá una cuota mensual de 200€ por alumno, pagadera a principios de mes. El contrato de colaboración será irrevocable por las partes. A dicho programa se han inscrito 10 alumnos.

Por su parte la fundación se compromete a difundir la colaboración de la empresa en los programas de becas, durante el periodo temporal que transcurre desde la firma del convenio hasta la fecha límite para la aprobación de las cuentas anuales, correspondientes al ejercicio en que se firme el contrato.

Dicha difusión se materializará en la confección de folletos, revistas, carteles, memorias y en cualquier otro medio, utilizado al efecto. De esta manera, «CIP» se compromete a insertar, en los citados medios de difusión, el logotipo y los datos identificativos de «ASESORIA VIÑAS BREA».

«CIP» justificará la ayuda económica recibida de la empresa, mediante la emisión de certificaciones, de conformidad con lo establecido en el artículo 24 de la Ley 49/2002, de 23 de Diciembre, de régimen fiscal de las entidades sin fines lucrativos y de los incentivos fiscales al mecenazgo.

SE PIDE:

CASO 1.- Registro de operaciones del ejercicio X0. Se conoce que en el mes de diciembre, no ha sido satisfecha la cuota este periodo, por lo cual la empresa procede al registro del correspondiente deterioro del crédito.

CASO 2.- En este supuesto, el contrato firmado es revocable por las partes: pudiendo ser cancelado anticipadamente por acuerdo entre las partes o por cualquier otra causa. A principios del mes de diciembre, se produce la cancelación del convenio.

SOLUCIÓN:

CASO 1. CONTRATO DE COLABORACIÓN IRREVOCABLE

• Por el registro del convenio de colaboración empresarial y cobro de la primera cuota:

31/12/X1

2.000	Bancos c/c (572)[*]		
1.000	Usuarios, deudores (447) [**]	a	Ingresos de patrocinadores y colaboradores (723)
			[200€x10 alumnosx6 meses]
			12.000

[*] 200 € x10 alumnos = 2.000

[**] 200 € x10 alumnos x5 meses = 10.000

En una consulta previa, aparecida en julio del 2012 (5/Boicac 90), trata esta problemática, pero desde el punto de vista de la empresa, de tal manera que en ella nos indica que la correcta interpretación del principio de devengo en estos casos, impone reconocer la totalidad del compromiso financiero como un gasto en la fecha en que la empresa asume tal obligación, al margen de que el efectivo desembolso quede aplazado.

Para otorgar un adecuado tratamiento contable a la operación desde la perspectiva de la fundación, deberá considerar esos mismos criterios y contabilizar el correspondiente ingreso, si a la vista del fondo económico del acuerdo de colaboración hubiera que concluir que la fundación, por causa del compromiso asumido por la empresa, goza en tal fecha de un derecho de crédito (como es nuestro caso, ya que el acuerdo es irrevocable) y, por lo tanto, cuya eventual cancelación solo pueda traer causa de la insolvencia del deudor [Consulta 3, Boicac 113].

• Por el cobro de la cuota del mes de noviembre:

1/11/X0

2.000	Bancos c/c (572)	a	Usuarios, deudores (447)	2.000

• Por el impago de la cuota de diciembre y registro del deterioro correspondiente:

—————————————————————— 1/12/X0 ——————————————————————

2.000	Usuarios, deudores de dudoso cobro (447.1)	a	Usuarios, deudores (447)	2.000

Y por la corrección de valor,

—————————————————————— 1/12/X0 ——————————————————————

2.000	Pérdidas por deterioro de operaciones comerciales (694)	a	Deterioro de valor de créditos por usuarios, patrocinadores , afiliados y otros deudores (495)	2.000

• Operaciones de cierre de ejercicio, por la periodificación de los ingresos:

—————————————————————— 31/12/X0 ——————————————————————

6.000	Ingresos de patrocinadores y colaboradores (723)	a	Ingresos anticipados (485)	6.000

Las normas de adaptación del Plan General de Contabilidad a las entidades sin fines lucrativos, regulan en la norma de registro y valoración 8ª el tratamiento contable de los ingresos propios de las entidades no lucrativas, como sigue: «*En la contabilización de los ingresos en cumplimiento de los fines de la entidad se tendrán en cuenta las siguientes reglas:*

a) Los ingresos por entregas de bienes o prestación de servicios se valorarán por el importe acordado.

(...)

c) Los ingresos procedentes de promociones para captación de recursos, de patrocinadores y de colaboraciones se reconocerán cuando las campañas y actos se produzcan.

d) En todo caso, deberán realizarse las periodificaciones necesarias.»

CASO 2. CONTRATO DE COLABORACIÓN REVOCABLE

• Firma del acuerdo de colaboración:

	1/11/X0	
2.000 Bancos c/c (572)	a	Ingresos de patrocinadores y colaboradores (723) 2.000

Si el citado derecho no fuera irrevocable, solo debería reconocer como ingreso el importe devengado al cierre del ejercicio por ser un derecho incondicional o por haber cumplido con la obligación asumida frente a la empresa, y sin que en tal caso proceda reconocer un derecho de cobro y un anticipo por el importe que todavía no se haya devengado. [Consulta nº 3. Boicac 113]

• Por el cobro del mes de noviembre:

	1/11/X0	
2.000 Bancos c/c (572)	a	Ingresos de patrocinadores y colaboradores (723) 2.000

• Por el impago de la cuota de diciembre y cancelación del convenio:

	1/2/X0	
2.000 Usuarios, deudores (447)	a	Ingresos de patrocinadores y colaboradores (723) 2.000

• Por el reconocimiento de la pérdida:

	1/12/X0	
2.000 Pérdida de créditos comerciales incobrables (650)	a	Usuarios, deudores (447) 2.000

Desde el momento en que se produce la cancelación del convenio, la empresa colaboradora interrumpe los pagos, y la fundación, cancela el importe pendiente de cobro. [Consulta nº 3. Boicac 113]

10.4.0.7. Legado de participaciones sociedad mercantil recibido por entidad sin fines lucrativos

Consulta 2 Boicac 119 – Septiembre 2019.

Sobre el tratamiento contable de la imputación a resultados de una herencia recibida por una entidad sin fines lucrativos de una persona física consistente en la participación de la totalidad de las acciones de una sociedad mercantil tras la posterior liquidación de la misma.

Respuesta

La entidad sin fines lucrativos, entidad donataria, registró la herencia recibida, consistente en la participación en la totalidad de la sociedad mercantil, conforme a la norma de registro y valoración 9ª «Subvenciones, donaciones y legados» de las normas de adaptación del Plan General de Contabilidad a las entidades sin fines lucrativos aprobadas por el Real Decreto 1491/2011, de 24 de octubre. En concreto reconoció la participación financiera en la cuenta 2503. «*Participaciones a largo plazo en entidades del grupo*» con abono a una cuenta del subgrupo 13. «Subvenciones, donaciones y legados y otros ajustes de valor» por el importe de su valor razonable.

La sociedad mercantil, en el momento de la aceptación de la herencia, únicamente disponía de un inmueble de valor contable igual a su valor razonable y una determinada cantidad de efectivo. Meses después, la entidad sin fines lucrativos liquida la sociedad adjudicándose como socio único los citados bienes.

El consultante pregunta sobre el tratamiento contable del importe registrado en el subgrupo 13, en concreto, si debe imputar a resultados solo la parte correspondiente al efectivo recibido, o en su caso, imputar como ingreso en una cuenta del subgrupo 74. «Subvenciones, donaciones y legados» el importe total correspondiente al inmueble y al efectivo recibido.

A efectos contables, ante una operación de disolución sin liquidación de una sociedad y la posterior adjudicación del activo a la sociedad, socio único, como parece ser el caso planteado, el socio contabilizará el inmueble y la tesorería con abono a la participación en la sociedad que se disuelve, sin reconocer resultado alguno porque, según afirma el consultante, el valor razonable de los bienes recibidos coincide con el valor en libros de la inversión financiera.

En relación con la imputación al excedente del ejercicio de las subvenciones, donaciones y legados que tengan el carácter de no reintegrables, tanto la norma de registro y valoración (NRV) 9ª incluida en la Segunda parte de las normas de adaptación aprobadas por el Real Decreto 1491/2011, de 24 de octubre, como la NRV 20ª incluida en la Segunda parte del Plan de Contabilidad de las Entidades sin Fines Lucrativos, aprobado por la Resolución de 26 de marzo de 2013 del Instituto de Contabilidad y de Auditoria de Cuentas, establecen que la mencionada reclasificación se efectuará atendiendo a su finalidad. En concreto, se establece:

«La imputación al excedente del ejercicio de las subvenciones, dona-ciones y legados que tengan el carácter de no reintegrables se efectuará atendiendo a su finalidad.

En este sentido, el criterio de imputación de una subvención, donación o legado de carácter monetario deberá ser el mismo que el aplicado a otra subvención, donación o legado recibido en especie, cuando se refieran a la adquisición del mismo tipo de activo o a la cancelación del mismo tipo de pasivo.

A efectos de su imputación al excedente del ejercicio, habrá que distin-guir entre los siguientes tipos de subvenciones, donaciones y legados:

a) Cuando se obtengan para financiar gastos específicos: se imputarán como ingresos en el mismo ejercicio en el que se devenguen los gastos que estén financiando.

b) Cuando se obtengan para adquirir activos o cancelar pasivos, se pue-den distinguir los siguientes casos:

b.1) Activos del inmovilizado intangible, material e inversiones inmo-biliarias: se imputarán como ingresos del ejercicio en proporción a la dota-ción a la amortización efectuada en ese periodo para los citados elementos o, en su caso, cuando se produzca su enajenación, corrección valorativa por deterioro o baja en balance. Se aplicará este mismo criterio si la ayuda tiene como finalidad compensar los gastos por grandes reparaciones a efec-tuar en los bienes del Patrimonio Histórico.

b.2) Bienes del Patrimonio Histórico: se imputarán como ingresos del ejercicio en que se produzca su enajenación, corrección valorativa por deterioro o baja en balance.

b.3) Existencias que no se obtengan como consecuencia de un rappel comercial: se imputarán como ingresos del ejercicio en que se produzca su enajenación, corrección valorativa por deterioro o baja en balance.

b.4) Activos financieros: se imputarán como ingresos del ejercicio en el que se produzca su enajenación, corrección valorativa por deterioro o baja en balance.

b.5) Cancelación de deudas: se imputarán como ingresos del ejercicio en que se produzca dicha cancelación, salvo cuando se otorguen en rela-ción con una financiación específica, en cuyo caso la imputación se reali-zará en función del elemento financiado.

Sin perjuicio de lo anterior, en caso de enajenación del activo recibido, si la entidad estuviera obligada a destinar la contraprestación obtenida de manera simultánea a la adquisición de un activo de la misma naturaleza, la subvención, donación o legado se imputará como ingreso del ejercicio en el que cese la citada restricción.

Se considerarán en todo caso de naturaleza irreversible las correcciones valorativas por deterioro de los elementos en la parte en que éstos hayan sido financiados gratuitamente».

Por lo tanto, en principio, la baja de la inversión financiera traerá consigo la reclasificación de la totalidad del legado al excedente de la actividad, salvo que la realidad económica y jurídica de fondo que se describe en la consulta fuese el legado de un inmueble y de una cantidad de efectivo a una entidad sin fines lucrativos, en cuyo caso, tanto el adecuado registro contable como el resto de implicaciones jurídicas de la operación se deberían ajustar a ese fondo económico y jurídico subyacente.

En cualquier caso, en la memoria de las cuentas anuales, se deberá suministrar cualquier información significativa que sea necesaria para que las cuentas anuales reflejen la imagen fiel del patrimonio, la situación financiera y los resultados de la entidad

Comentario

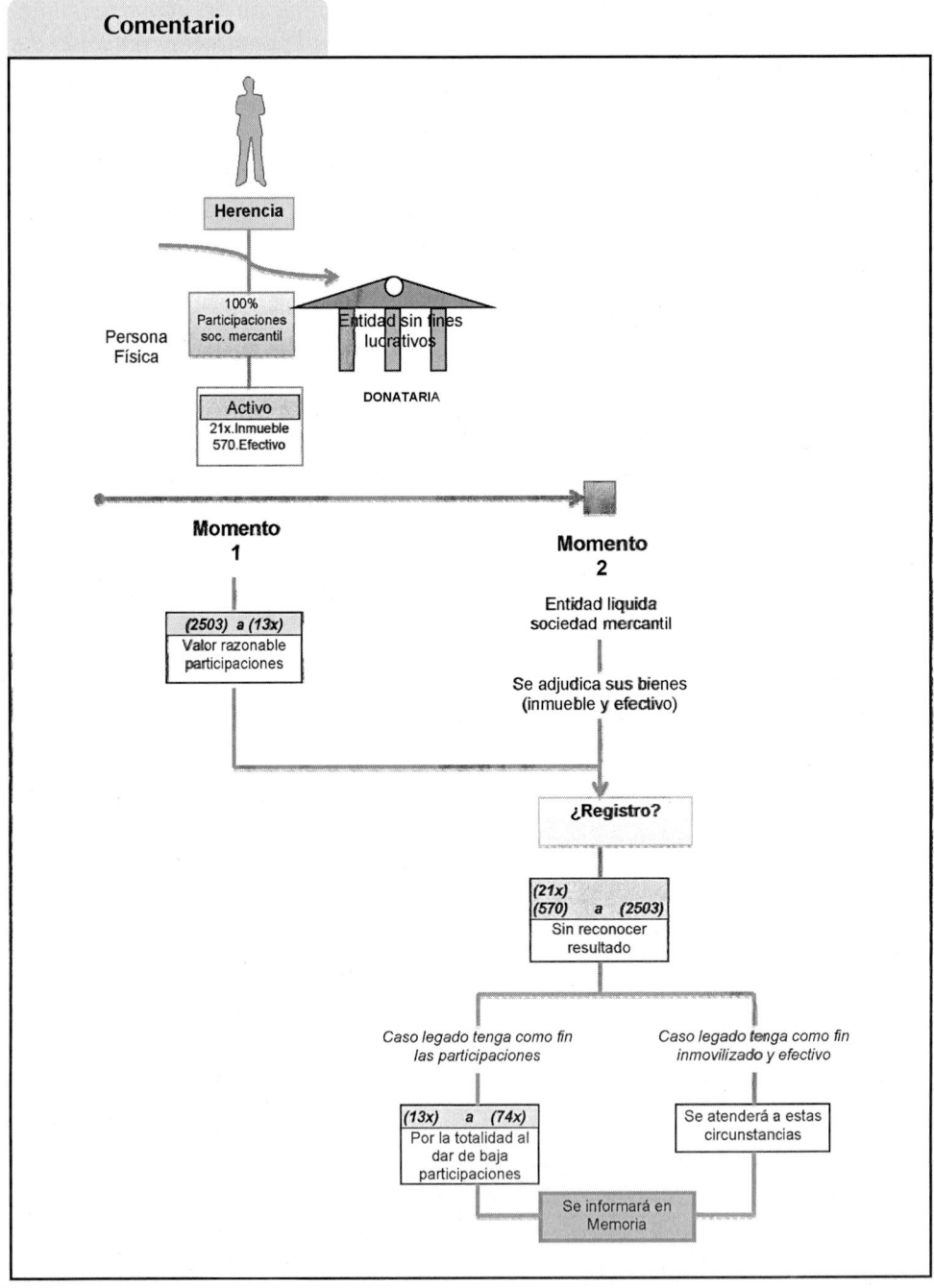

Ejemplo

La fundación «PROYECTO CENTOLO DAS RIAS BAIXAS», ha recibido a principios del ejercicio X10 una donación consistente en la totalidad de la sociedad mercantil «ZARITA» cuyo valor razonable es de 600.000€ otorgada por el empresario D. MANUEL CORTEGA.

Meses después (1 de abril), la entidad sin fines lucrativos liquida la sociedad adjudicándose como socio único los bienes de ésta que son: un edificio con un valor razonable de 500.000€, que la entidad sin fines de lucro pretende destinar a su sede social, y 100.000€ en efectivo. El valor del suelo se estima en el 20%.

SE PIDE:

Realizar las anotaciones correspondientes de los hechos relatados en «PROYECTO CENTOLO», sabiendo que el tipo impositivo a efectos del impuesto de sociedades es del 25% y que sigue el PGC adaptado a entidades sin fines lucrativos.

SOLUCIÓN:

•Cuando «PROYECTO» recibe la totalidad de las participaciones de la sociedad mercantil «ZARITA», anotará:

1/1/X0

600.000	Participaciones en empresas del grupo (2503)		
		a Ingresos de donaciones y legados de capital (941)	600.000

Así, la entidad sin fines lucrativos, entidad donataria, registró esta donación, conforme a la norma de registro y valoración 9ª «Subvenciones, donaciones y legados» de las normas de adaptación del Plan General de Contabilidad a las entidades sin fines lucrativos aprobadas por el Real Decreto 1491/2011.

Por lo que reconoció la participación financiera (2503), con abono a la cuenta del subgrupo 94 por la herencia recibida y valorada por su importe razonable.

Y, al mismo tiempo, por el reconocimiento del efecto impositivo:

―――――――――――――――――― 1/1/X10 ――――――――――――――――――

150.000	Impuesto diferido (8301)		
		a	Pasivos por diferencias temporarias imponibles (479) [600.000 x 25%]
			150.000

• Pasados unos meses, «PROYECTO», liquida la sociedad, registrando:

―――――――――――――――――― 1/4/X10 ――――――――――――――――――

100.000	Terrenos y bienes naturales (210) [500.000€x20%]		
400.000	Construcciones (211)		
100.000	Bancos (572)		
		a	Participaciones en empresas del grupo (2503)
			600.000

De esta forma, y según lo establecido en la presente consulta (2, BOICAC 119): «(…) A efectos contables, ante una operación de disolución sin liquidación de una sociedad y la posterior adjudicación del activo a la sociedad, socio único, como parece ser el caso planteado, el socio contabilizará el inmueble y la tesorería con abono a la participación en la sociedad que se disuelve, sin reconocer resultado alguno porque (…) el valor razonable de los bienes recibidos coincide con el valor en libros de la inversión financiera (…)»

Al mismo tiempo y por la imputación de la donación al resultado del ejercicio:

―――――――――――――――――― 1/4/X10 ――――――――――――――――――

600.000	Transferencia de donaciones y legados de capital (841)		
		a	Subvenciones, donaciones y legados de capital transferidos al resultado del ejercicio (746)
			600.000

La baja de la inversión financiera traerá consigo la reclasificación de la totalidad del legado al excedente de la actividad, salvo que la realidad económica y jurídica de fondo que se describe en la consulta fuese el legado de un inmueble y de una cantidad de efectivo a una entidad sin fines lucrativos, en cuyo caso, tanto el adecuado registro contable como el resto de implicaciones jurídicas de la operación se deberían ajustar a ese fondo económico y jurídico subyacente. [Consulta nº 2. Boicac 119]

Y por la reversión del efecto impositivo:

─────────────────────── 1/4/X10 ───────────────────────

150.000	Pasivos por diferencias temporarias imponibles (479) [600.000 x 25%]		
	a	Impuesto diferido (8301)	150.000

• Por último, regularizaremos las cuentas de los grupos 8 y 9, intervinientes en la operación:

─────────────────────── 31/12/X10 ───────────────────────

600.000	Ingresos de donaciones y legados de capital (941)		
	a	Transferencia de donaciones y legados de capital (841)	600.000

10.5. SOCIEDADES CONCESIONARIAS DE INFRAESTRUCTURAS PÚBLICAS (ORDEN EHA/3362/2010, 23 DICIEMBRE)

10.5.0.1. Definición Infraestructura

BOICAC 88, diciembre 2011. Consulta 4.

Sobre la definición del término infraestructura regulado en las normas de adaptación del Plan General de Contabilidad a las empresas concesionarias de infraes-

tructuras públicas (en adelante, NAECIP), aprobadas por la Orden EHA/3362/2010, de 23 de diciembre.

Respuesta

La cuestión objeto de consulta es sí la definición del término infraestructura puede hacerse extensiva a la maquinaria, elementos de transporte y cualquier otro elemento del inmovilizado necesario para prestar el servicio público.

La Norma Primera de las NAECIP, define los acuerdos de concesión y la infraestructura en los siguientes términos:

«Acuerdos de concesión. Se entiende por acuerdo de concesión aquel en cuya virtud la entidad concedente encomienda a una empresa concesionaria la construcción, incluida la mejora, y explotación, o solamente la explotación, de infraestructuras que están destinadas a la prestación de servicios públicos de naturaleza económica durante el período de tiempo previsto en el acuerdo, obteniendo a cambio el derecho a percibir una retribución (…)».

«Infraestructura. Obras e instalaciones construidas por la empresa concesionaria, adquiridas a terceros o cedidas por la entidad concedente para prestar el servicio público objeto del acuerdo.

Las obras e instalaciones, cuyo uso ceda la entidad concedente a la empresa concesionaria, con o sin contraprestación, y que no se destinen a la prestación del servicio público objeto del acuerdo, quedan fuera del ámbito de aplicación de esta norma, salvo que se destinen a la prestación de servicios accesorios o complementarios recogidos en el acuerdo de concesión, en cuyo caso, y exclusivamente para estos activos, se excepciona el cumplimiento del requisito enumerado en la letra a) de la definición de acuerdo de concesión».

Asimismo, en el último párrafo del apartado 4 de la Introducción de las NAECIP, se dispone lo siguiente:

«(…) Se incluirán, por tanto, las obras singulares de ingeniería civil (puentes, túneles, puertos…), construcción de autopistas, actuaciones de modernización o mejora sobre autovías, instalaciones de abastecimiento y saneamiento de aguas, plantas de tratamiento de residuos, edificios destinados a la prestación del servicio público, etcétera. Las obras e instalaciones que no sean explotadas bajo los estrictos términos del acuerdo, seguirán el tratamiento contable general recogido en el Plan General de Contabilidad (en adelante PGC) y el Plan General de Contabilidad de Pequeñas y Medianas Empresas (en adelante PGC PYMES), aprobados por el Real Decreto 1514/2007, de 16 de noviembre y Real Decreto 1515/2007, de 16 de noviembre, respectivamente. En particular, el criterio recogido en el aparato 6 del Marco Conceptual de la Contabilidad, para amortizar los

activos sometidos a reversión, en el supuesto de que los citados elementos tuvieran que revertir a la entidad concedente junto con la infraestructura, así como el incluido en la disposición adicional única de la Orden por la que se aprueban las presentes normas, en el supuesto de que dichos elementos patrimoniales fueran objeto de renovación, cuando el plazo residual de uso en la fecha de la última renovación fuese inferior a su vida económica».

De acuerdo con lo anterior, la definición de «infraestructura» comprende fundamentalmente obras e instalaciones cuya construcción, mejora o adquisición se recoge en el acuerdo de concesión, pudiendo hacerse extensiva esta calificación a la maquinaria, los elementos de transporte y cualquier otro elemento patrimonial necesario para prestar el servicio público, en aquellos casos en que así se recoja en el acuerdo.

Por el contrario, no quedan incluidos dentro del concepto «infraestructura», los citados elementos, a pesar de que sean necesarios para prestar el servicio público, si su construcción, mejora o adquisición no está recogida expresamente en el acuerdo de concesión.

Comentario

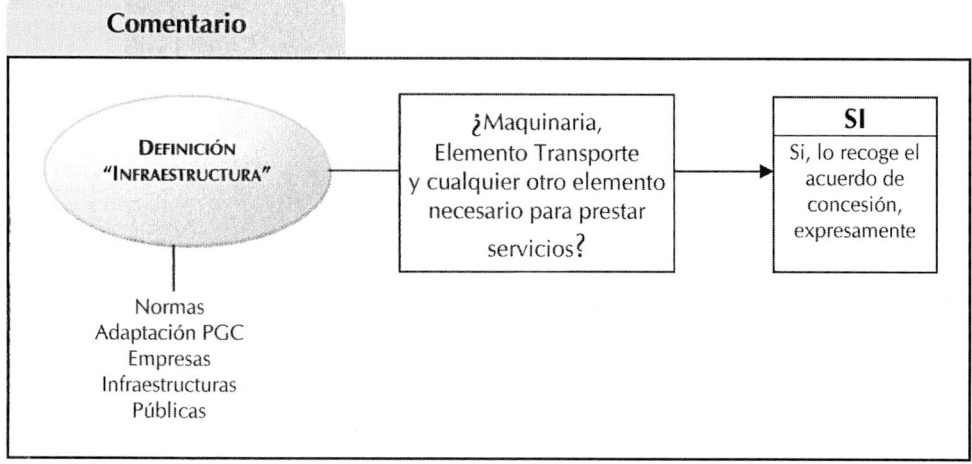

Ejemplo

La sociedad DON PEPIÑO, que aplica las normas de adaptación del PGC a las empresas concesionarias de infraestructuras públicas; obtuvo el 1 de enero del X1 la concesión del servicio público de la línea ferroviaria MOS-RIBADAVIA.

La explotación de la citada infraestructura, será realizada prestando un servicio público de naturaleza económica sometido a la regulación que impone la Administración Pública. Básicamente a través de la aprobación de una tarifa o precio público que permita mantener un equilibrio entre los intereses de la empresa concesionaria, materializados en la necesidad de recuperar, al menos, el coste de su inversión, y el interés de los usuarios, a los que se debe garantizar el acceso al servicio de forma regular a un precio razonable.

El servicio será prestado con minis-AVES los cuales les serán cedidos por la entidad concedente XUNTA DE GALICIA. Asimismo, el citado Ente cede, además, la infraestructura necesaria (maquinaria, puentes, túneles, elementos de transporte y otros elementos de inmovilizado) necesarios para prestar el servicio público.

El período de concesión es de veinte años a partir de esa fecha, pagando un importe de 5.000.000€.

Por otra parte y para hacer frente a la explotación de dicho servicio, adquirió en dicha fecha unas máquinas necesarias para la expedición automática de billetes, que serán afectadas a la concesión, por un importe de 180.000€.

Estas máquinas no quedan incluidas en el concepto de infraestructura ya que su adquisición no está recogida expresamente en el acuerdo de la concesión.

Su vida útil, es de dieciocho años, estimándose un valor de reposición de la misma de 198.000€. La misma, revertirá a la Administración al final del período concesional.

A la vista del análisis del proyecto concesional en su conjunto existe evidencia, en el momento inicial, que se van a generar ingresos que garanticen la recuperación de toda la inversión.

SE PIDE:

1.- Indicar, qué se entiende por «concepto de infraestructura», según lo regulado en las normas de adaptación del PGC a las empresas concesionarias de infraestructuras públicas.

2.- Regístrese lo correspondiente a lo expuesto y en concreto a las siguientes fechas:

- **1/1/X1**   **1/1/X19,** sabiendo que se adquirió la máquina que revertirá al ente público y cuyo importe ascendió a 196.000€; dándose de baja la máquina antigua

- **31/12/X1**   **31/12/X20,** fin de la concesión. Nuestra empresa hace entrega de la máquina al Ente público.

- **31/12/X18**

NOTA: El tipo de interés de mercado es del 5% anual

SOLUCIÓN:

1.- *Concepto de Infraestructura, según PGC Concesionaria de Infraestructuras Públicas*

Según las directrices de la presente consulta, la definición de «**infraestructura**» comprende fundamentalmente obras e instalaciones cuya construcción, mejora o adquisición se recoge en el acuerdo de concesión, <u>pudiendo hacerse extensiva esta calificación a la maquinaria, los elementos de transporte y cualquier otro elemento patrimonial necesario para prestar el servicio público,</u> **en aquellos casos en que así se recoja en el acuerdo.**

2.- *Registro operaciones en distintas fechas*

En relación con la máquina expendedora de billetes, **no queda incluida dentro del concepto «infraestructura»,** a pesar de que sean necesarios para prestar el servicio público, ya que su adquisición no está recogida expresamente en el acuerdo de concesión.

En consecuencia, y para el registro de operaciones relacionadas con esta adquisición, y que no son explotadas bajo los estrictos términos del acuerdo, seguirán el tratamiento contable general recogido en el PGC.

Gráficamente, <u>hoy</u> (1/1/X1) podemos plantear esta situación:

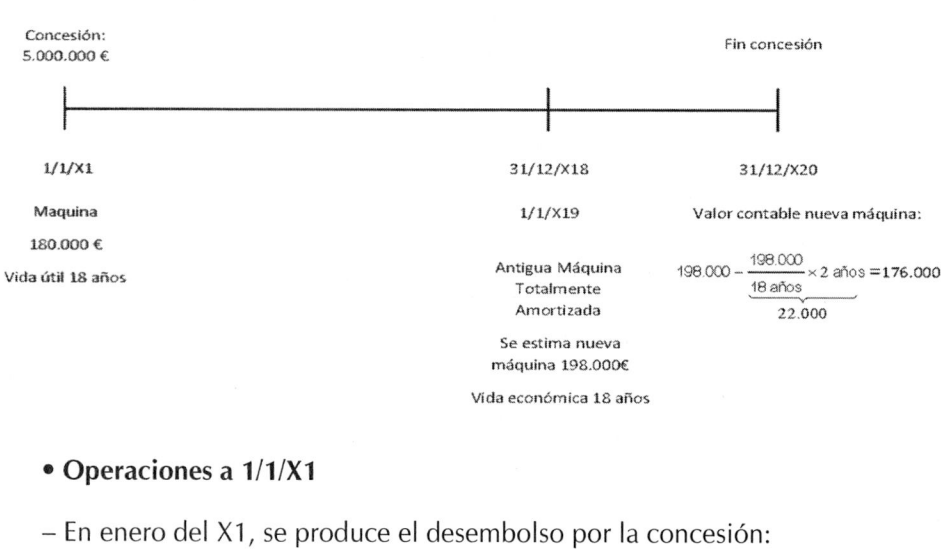

• Operaciones a 1/1/X1

– En enero del X1, se produce el desembolso por la concesión:

	1/1/X1		
5.000.000	Concesiones administrativas (202)		
	a	Bancos (572)	5.000.000

Se registra por el precio de adquisición de aquellas concesiones susceptibles de transmisión. Lo amortizaremos por el plazo concesional, de 20 años.

– En la misma fecha registraremos el activo que se afecta a la concesión:

	1/1/X1	
180.000 Maquinaría (213)		
	a Bancos (572)	180.000

Cuya duración es de 18 años, por lo que amortizaremos a fin de ejercicio por importe de 10.000€.

– Como la máquina que necesita la empresa para la explotación dura menos que la concesión, se necesita adquirir una nueva que revertirá al ente público con posterioridad. Sin embargo quedaría pendiente únicamente 2 años, un tiempo muy inferior a la vida económica del activo (18 años). En base a la consulta núm. 1 del BOICAC 80 y dado que la empresa ha realizado un análisis por lo que aún así el proyecto generará ingresos suficientes que garanticen la recuperación de la inversión, daremos de alta un intangible y al mismo tiempo una provisión cuyo importe será:

> «(...)el valor actual de la obligación asumida, equivalente al valor en libros que teóricamente luciría al término de la concesión en el supuesto de que el activo no tuviese que ser entregado a la Administración concedente; es decir, considerando su vida económica y no el plazo concesional (...)».

En los mismos términos, se manifiesta en la disposición adicional única de la Orden por la que se aprueban las normas de adaptación del Plan General de Contabilidad a las empresas concesionarias de infraestructuras públicas:

> «(...), cuando el plazo residual de uso en la fecha de la última renovación fuese inferior a su vida económica (...) Las inversiones que por el momento en que se lleven a cabo tengan una vida económica superior a su vida útil (período concesional restante en cada caso), motivarán el reconocimiento al inicio de la concesión de un activo intangible y de una provisión por el mismo importe, correspondiente al valor actual de la obligación asumida, equivalente al valor en libros que teóricamente luciría al término de la concesión en el supuesto de que el activo no tuviese que ser entregado a la Administración concedente; es decir, considerando su vida económica y no el plazo concesional».

En consecuencia:

$$\text{Valor actual} = \left(180.000 - \overbrace{\underbrace{\frac{180.000}{18 \text{ años}} \times 2 \text{ años}}_{22.000}}^{\text{Valor contable maquina fin concesión}} \right) \cdot (1+0,05)^{-18} = 176.000 \cdot (1+0,05)^{-18} = \mathbf{73.131,64}$$

Actualizaremos por el tiempo que se realizará la renovación (y en nuestro caso ocurrirá el 31/12/X18)

Anotaremos:

1/1/X1

73.131,64	Activo intangible conce- sional (20x)		
		a	Provisión renovación activo concesión (143x) 73.131,64

• **Operaciones a 31/12/X1**

– Amortización de la concesión,

$$\text{Importe anual de la amortización} = \frac{5.000.000€}{20 \text{ años}} = 250.000$$

Anotando:

31/12/X1

250.000	Amortización del inmovi- lizado intangible (680)		
		a	Amortización acumulada de concesiones administrativas (2802) 250.000

– Por la amortización del activo intangible surgido de la operación, relacionada con la provisión:

$$\text{Importe anual amortización intangible} = \frac{73.131,64€}{20 \text{ años}} = 3.656,58$$

Según lo dispuesto en la disposición adicional única de la Orden por la que se aprueban las normas de adaptación del Plan General de Contabilidad a las empresas concesionarias de infraestructuras públicas:

> «*El activo intangible deberá ser objeto de amortización en el plazo concesional, y el criterio de depreciación será lineal, salvo que su patrón de uso pueda estimarse con fiabilidad por referencia a la "demanda o utilización" del servicio público medida en unidades físicas, en cuyo caso, este método podría aceptarse como criterio de amortización siempre que sea el patrón más representativo de la utilidad económica del citado activo (...)*».

31/12/X1

3.656,58	Amortización del inmovilizado intangible (680)			
		a	Amortización acumulada de activos concesionales (280x)	3.656,58

– Por la actualización de la provisión, que se realizará cada año hasta su cancelación, originando un gasto financiero,

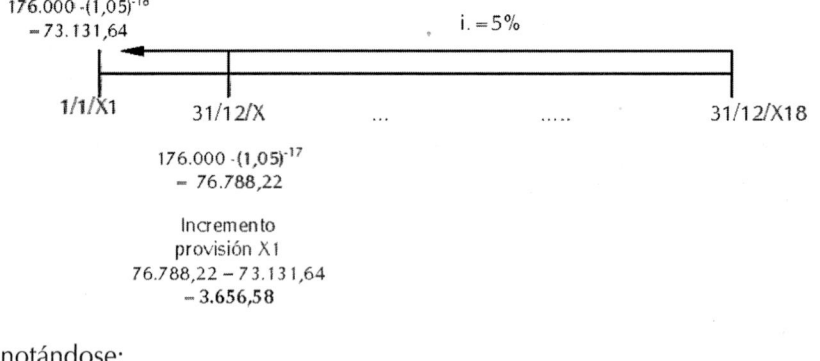

$$176.000 \cdot (1,05)^{-18}$$
$$= 73.131,64$$

$$i. = 5\%$$

1/1/X1 31/12/X 31/12/X18

$$176.000 \cdot (1,05)^{-17}$$
$$= 76.788,22$$

Incremento
provisión X1
$$76.788,22 - 73.131,64$$
$$= 3.656,58$$

Anotándose:

———————————————————— 31/1/X1 ————————————————————

3.656,58	Gasto financiero por actualización de provisiones (660)		
	a	Provisión renovación activo concesión (143x)	3.656,58

La provisión que surge como contrapartida del activo intangible deberá actualizarse cada año hasta la fecha de su efectiva cancelación, aplicando los criterios recogidos en el PGC para las provisiones, circunstancia que originará el reconocimiento de un gasto financiero. [Disposición adicional única de la Orden por la que se aprueban las normas de adaptación del Plan General de Contabilidad a las empresas concesionarias de infraestructuras públicas].

– Por la amortización de la maquinaria, deberemos imputar una cuota anual de 10.000€ tal y como comentamos antes:

———————————————————— 31/12/X1 X ————————————————————

10.000	Amortización del inmovilizado material (681)		
	a	Amortización acumulada de maquinaría (2813)	10.000

• **Operaciones a 31/12/X18**

– Amortización de la concesión:

———————————————————— 31/12/X18 ————————————————————

250.000	Amortización del inmovilizado intangible (680)		
	a	Amortización acumulada de concesiones administrativas (2802)	250.000

– Por la amortización del activo intangible surgido de la operación:

─────────────────────────── 31/12/X18 ───────────────────────────

3.656,58	Amortización del inmovi- lizado intangible (680)	
	a	Amortización acumu- lada de activos conce- sionales (280x) 3.656,58

– Por la actualización de la provisión:

$176.000 \cdot (1,05)^{-18}$
$-73.131,64$

i. = 5%

1/1/X1   31/12/X   ...   31/12/X17   31/12/X18

$176.000 \cdot (1,05)^{-17}$
$= 76.788,22$

$176.000 \cdot (1,05)^{-1}$
$= 167.619,05$

176.000

Incremento
provisión X18
176.000-167.619,05
$-8.380,95$

─────────────────────────── 31/12/X18 ───────────────────────────

8.380,96	Gastos financieros por actualización de provisio- nes (660)	
	a	Provisión renovación activo concesión (143x) 8.380,96

– Por la amortización de la maquinaria:

——————————————————— 31/12/X18 ———————————————————

10.000	Amortización del inmovilizado material (681)			
		a	Amortización acumulada de maquinaria (2813)	10.000

• Operaciones a 1/1/X19

– Adquisición de la nueva máquina que revertirá en el ente concesional dentro de dos años (fin de la concesión):

——————————————————— 1/1/X19 ———————————————————

176.000	Provisión renovación activo concesión (143x)			
20.000	Maquinaría (213)			
		a	Bancos c/c (572)	196.000

La diferencia entre el desembolso que debe efectuarse en la última renovación y el importe de la citada provisión, se contabilizará aplicando los criterios recogidos en el Plan General de Contabilidad para el inmovilizado material. En consecuencia, deberá amortizarse tomando como plazo de vida útil el período que reste hasta que finalice la concesión.

– Baja de la maquinaría antigua.

——————————————————— 1/1/X19 ———————————————————

180.000	Amortización acumulada de maquinaría (2813)			
		a	Maquinaría (213)	180.000

• Operaciones a 31/12/X20

– Amortización de la concesión:

——————————————— 31/12/X20 ———————————————

250.000   Amortización del inmovi-
           lizado intangible (680)

                           a   Amortización acumulada
                                  de concesiones administra-
                                  tivas (2802)   250.000

– Por la amortización del activo intangible surgido de la operación.

——————————————— 31/12/X20 ———————————————

3.656,58   Amortización del inmovi-
           lizado intangible (680)

                           a   Amortización acumulada
                                  de activos concesionales
                                  (280x)   3.656,58

– Por la amortización de la cuota anual de la nueva máquina que revertirá al ente público:

$$\text{Importe anual amortización intangible} = \frac{20.000€}{2 \text{ años}} = 10.000€$$

Amortizándose en el período que reste hasta el fin de la concesión (2 años, en nuestro caso)

——————————————— 31/12/X20 ———————————————

10.000   Amortización del inmovi-
          lizado material (681)

                           a   Amortización acumulada
                                  de maquinaría (2813)   10.000

– Baja de la concesión administrativa:

————————————————— 31/12/X20 —————————————————

5.000.000	Amortización acumulada de concesiones administrativas (2802)		
	a	Concesiones administrativas (202)	5.000.000

– Baja del activo intangible:

————————————————— 31/12/X20 —————————————————

73.131,64	Amortización acumulada de activos concesionales (280X)		
	a	Activo intangible concesional (20x)	73.131,64

– Entrega de la maquinaria revertible a la administración:

————————————————— 31/12/X20 —————————————————

20.000	Amortización acumulada de maquinaría (2813)		
	a	Maquinaría (213)	20.000

10.5.0.2. Primera aplicación normas adaptación PGC empresas concesionarias infraestructura públicas: Provisión renovación activo concesión

BOICAC 88, diciembre 2011. Consulta 5.

Sobre el tratamiento contable, en la fecha de transición a las normas de adaptación del Plan General de Contabilidad a las empresas concesionarias de infraestructuras públicas, aprobadas por la Orden EHA/3362/2010, de 23 de diciembre, de la provisión registrada de acuerdo con el criterio recogido en la consulta 1 del BOICAC núm. 80, de diciembre de 2009, cuando dicha provisión, en aplicación de los nuevos criterios, ya no resulte aplicable.

Respuesta

La Disposición transitoria única. *Reglas de aplicación de las normas de adaptación en el primer ejercicio que se inicie a partir de la entrada en vigor de la Orden*, incluida en la Orden EHA/3362/2010, de 23 de diciembre, en su apartado 1, establece:

«*1. El balance de apertura del ejercicio en que se aplique por primera vez las presentes normas de adaptación se elaborará de acuerdo con las siguientes reglas:*

a) Se reclasificarán los elementos patrimoniales que surjan de los acuerdos formalizados hasta esa fecha en sintonía con lo dispuesto en esta norma.

b) Se valorarán estos elementos patrimoniales por su valor en libros; y

c) Se comprobará su deterioro de valor en esa fecha.

Sin perjuicio de lo anterior, los elementos patrimoniales contemplados en la letra a) anterior se podrán valorar por el importe que corresponda de la aplicación retroactiva de estas normas.

Asimismo, será de aplicación la disposición transitoria sexta del Plan General de Contabilidad aprobado por el Real Decreto 1514/2007, de 16 de noviembre».

De conformidad con este criterio, en aquellos supuestos en que la citada provisión no cumpla los criterios de reconocimiento previstos en las nuevas normas, se dará de baja con abono al valor en libros del activo intangible que, en su día, se hubiera reconocido contabilizando la diferencia en una cuenta de reservas.

En todo caso, de acuerdo con el apartado 4 de la citada disposición transitoria, en la memoria de las cuentas anuales correspondientes al primer ejercicio que se inicie a partir del 1 de enero de 2011, se creará un apartado con la denominación de «Aspectos derivados de la transición a las nuevas normas contables» en el que se incluirá una explicación de las principales diferencias entre los criterios contables aplicados en el ejercicio anterior y en el presente, así como la cuantificación del impacto que produce esta variación de criterios contables en el patrimonio neto de la empresa.

Comentario

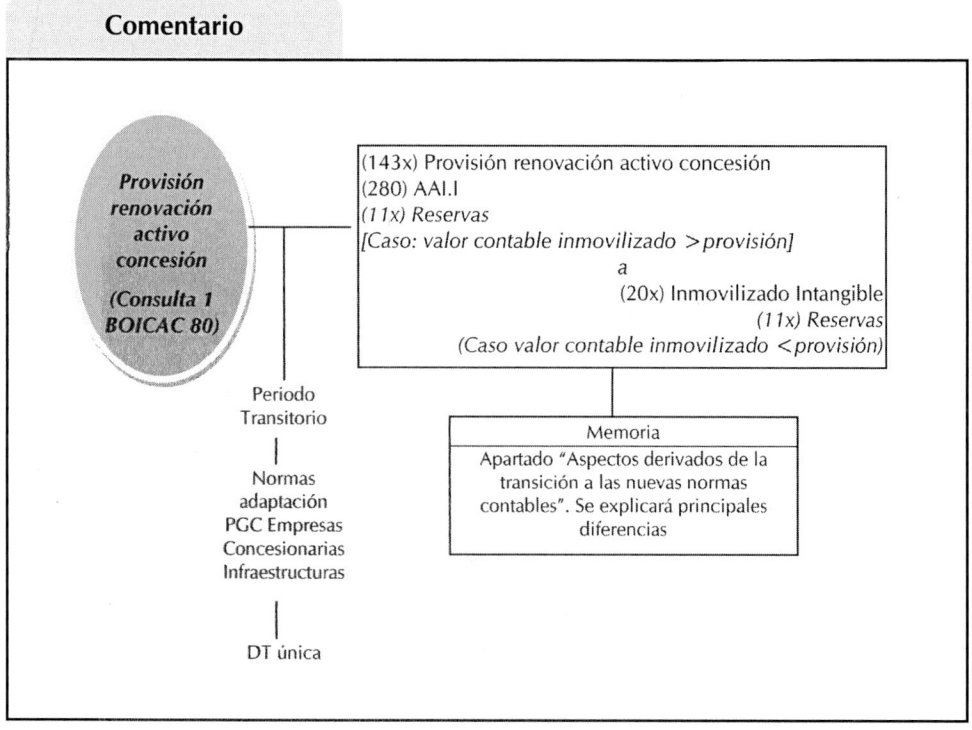

Ejemplo

La sociedad GALEGA-AUDASA viene explotando la concesión de la autopista O PORRIÑO-COVELO, aplicando las Normas de adaptación del Plan General de Contabilidad a las sociedades concesionarias de autopistas, túneles, puentes y otras vías de peaje.

La sociedad posee unos activos objeto de renovación y que deben revertir a la entidad pública concedente, cuyo plazo residual de uso, en la fecha de renovación, es inferior a su vida económica. Debido a estas circunstancias a 31/12/2010 presenta, entre otras, las siguientes cuentas relacionadas con enunciado:

Activo intangible afecto a la concesión.	73.132
Amortización acumulada del activo intangible.	7.313
Provisión renovación activo concesional.	85.172

En estas fechas se publica la Orden EHA/3362/2010, de 23 de diciembre, por la que se aprueban las normas de adaptación del Plan General de Contabilidad a las empresas concesionarias de infraestructuras públicas que entrará en vigor el 1 de enero de 2011 y será de aplicación para los ejercicios económicos que se inicien a partir de dicha fecha.

En la mencionada orden, se derogan las Normas de adaptación del Plan General de Contabilidad a las sociedades concesionarias de autopistas, túneles, puentes y otras vías de peaje y la Orden del Ministerio de Economía y Hacienda de 10 de diciembre de 1998, por la que se aprueban las Normas de adaptación del Plan General de Contabilidad a las empresas del sector de abastecimiento y saneamiento de aguas, quedando la sociedad obligada a la aplicación de la nueva normativa.

Los activos afectos a la concesión, y que originaron los elementos patrimoniales detallados, quedan encuadrados en la nueva Normativa en el ámbito de aplicación de las normas sobre los acuerdos de concesión de infraestructuras públicas, ya que los mismos, se destinan a la prestación del servicio público bajo las condiciones del acuerdo, en particular el sometimiento a la tarifa y restante regulación que imponga la administración.

SE PIDE:

Registro contable a efectuar, para confeccionar el Balance de apertura del primer ejercicio en que se apliquen por primera vez las normas de adaptación del Plan General de Contabilidad a las empresas concesionarias de infraestructuras públicas, y en relación con los elementos patrimoniales detallados.

SOLUCIÓN:

En el diario de nuestra empresa, anotaremos el siguiente registro:

1/1/X11

85.172	Provisión renovación activo concesional (14X)		
7.313	Amortización del activo intangible (280X)		
	a	Activo intangible afecto a la concesión (20X)	73.132
		Reservas voluntarias (113)[*]	19.353

---

[*] Según lo dispuesto en la consulta n.º 5 del BOICAC 88; la cual nos comenta que: «(...) en aquellos supuestos en que la citada provisión no cumpla los criterios de reconocimiento previstos en las nuevas

> normas, se dará de baja con abono al valor en libros del activo intangible que, en su día, se hubiera reconocido contabilizando la diferencia en una cuenta de reservas».

10.5.0.3. Fecha inicio amortización intangible por concesión infraestructura pública

BOICAC 88, diciembre 2011. Consulta 6.

Sobre la fecha en que debe iniciarse la amortización del inmovilizado intangible, que surge en un acuerdo de concesión incluido en el alcance de la Orden EHA/ 3362/2010, de 23 de diciembre, *por la que se aprueban las normas de adaptación del Plan General de Contabilidad a las empresas concesionarias de infraestructuras públicas (en adelante, NAECIP).*

Respuesta

La consulta versa sobre cuándo se debe iniciar la amortización del activo intangible, en aquellos casos en los que se produce un retraso significativo entre la finalización de la construcción física de la infraestructura y el inicio de su utilización imputable a los retrasos en la obtención de los permisos necesarios para el comienzo de la actividad.

La Norma Segunda de las NAECIP, establece en el apartado 1.6.a) lo siguiente:

«a) *La amortización del inmovilizado intangible a que hacen referencia los apartados anteriores, se iniciará cuando la infraestructura esté en condiciones de explotación*».

Por su parte, el apartado 3, de la Norma segunda, en relación con el momento en que debe cesar la activación de gastos financieros, precisa:

«*Se entenderá que la infraestructura está en condiciones de explotación cuando, reuniendo los requisitos necesarios, esté disponible para su utilización con independencia de haber obtenido o no los permisos administrativos correspondientes*».

De acuerdo con lo anterior, cabe concluir que en los supuestos en que se produce un retraso significativo entre la finalización de la construcción física de la infraestructura y el inicio de su utilización, imputable a los retrasos en la obtención de los permisos necesarios para el comienzo de la actividad, la empresa concesionaria no podrá diferir el inicio de la amortización salvo que la demora en el otorgamiento de los citados permisos vaya acompañada, a su vez, de un diferimiento en el inicio del período concesional.

Comentario

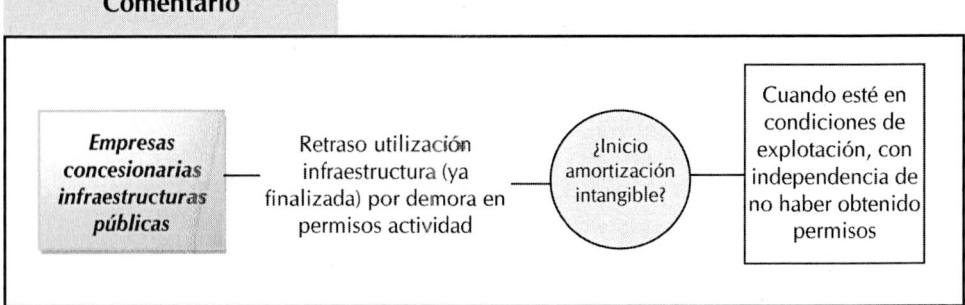

Ejemplo

GALEGO AUDA, S.A., ha acordado su presentación al concurso público para la adjudicación de la explotación del tramo de la autopista VIGO-CANGAS DO MORRAZO.

Para poder acudir al mismo ha incurrido, a principios del ejercicio X1, en gastos relacionados con la elaboración y confección de plicas, cuyo importe total ascendió a 12.742€. Dichos costes, fueron registrados en el momento de producirse, en función de su naturaleza.

A mediados del ejercicio X1, la XUNTA le comunica que le ha sido adjudicada la concesión de la explotación en ese tramo de autopista; el cual ha sido adquirido a su anterior propietario AUDA,S.A. por un importe de 30.000.000€, pagados en efectivo, encontrándose el citado bien en condiciones óptimas para su explotación inmediata.

Los datos más relevantes de la concesión son los siguientes:

– Periodo de explotación 5 años a partir del 1/7/X1.

– Al final de la concesión, GALEGOAUDASA, tendrá que afrontar obras de rehabilitación del lugar sobre el que se asienta la citada infraestructura y cuyo importe estimado asciende a 1.000.000€. Tipo de interés para actualizar estas operaciones 6%.

– La contraprestación recibida por el Ente concedente por la entrega de la mencionada infraestructura, consistirá en el derecho a cobrar las correspondientes tarifas en función del grado de utilización del servicio público.

Como consecuencia de la obtención de los permisos necesarios para el comienzo de la actividad se ha producido un importante retraso de tal forma que el inicio de la explotación comienza el 1/1/X2.

La sociedad, en los estudios realizados, ha estimado para la amortización del activo intangible un criterio lineal: al ser este un patrón más representativo de la utilidad económica del mismo.

SE PIDE:

Registro de las operaciones relatadas en las siguientes fechas:

– Ejercicio X1.

– 31/12/X1

– 31/12/X2

– 1/1/X3. A esta fecha, y realizadas nuevos estudios, se estiman que los costes de rehabilitación del lugar en que se asienta la infraestructura ascenderán a 1.200.000€. Sabemos que el tipo de interés se mantiene el mismo.

– 31/12/X3.

SOLUCIÓN:

• **Registro de operaciones ejercicio X1**

– Por la activación de los gastos originados para la elaboración y confección de plicas:

		X		
12.742	Gastos de licitación (207)[*]			
		a	Trabajos realizados para el inmovilizado intangible (730)	12.742

[*] Desembolsos ocasionados con motivo de la elaboración y confección de plicas, trabajos previos a la presentación a concursos para la obtención de nuevas explotaciones y otros importes en los que se haya incurrido por motivo de la licitación que cumplan los criterios establecidos en la norma de registro y valoración para su reconocimiento como un activo. Según su movimiento, la cargaremos, por los gastos realizados, con abono a la cuenta. [Adaptación del PGC empresas concesiones infraestructuras públicas]

– Por la adquisición de la infraestructura a terceros:

30.000.000	Anticipos para inmovilizaciones intangibles, acuerdos de concesión (2090)[*]	1/7/X1		
		a	Bancos c/c (572)	30.000.000

[*] Recoge, durante el período de construcción o mejora, la infraestructura construida, mejorada o adquirida por la empresa concesionaria para prestar el servicio público incluido en el acuerdo de concesión.

– Por la concesión por parte de la Administración de la explotación de la infraestructura:

―――――――――――――――――――― 1/7/X1 ――――――――――――――――――――

30.760.000	Activo intangible, acuerdo de concesión (*)		
	a	Anticipos para inmovilizaciones intangibles, acuerdos de concesión (2090) (**)	30.000.000
		Gastos de licitación (207) (**)	12.742
		Provisión por desmantelamiento, retiro o rehabilitación de la infraestructura afecta a un acuerdo de concesión (1481) (**)	747.258

Según los contenidos del Adaptación del Plan General de Contabilidad a las empresas concesionarias de infraestructuras públicas:

(*) La empresa concesionaria reconocerá un inmovilizado intangible si la contraprestación recibida consiste en el derecho a cobrar las correspondientes tarifas en función del grado de utilización del servicio público.

(**) 2080. «Activo intangible, acuerdo de concesión».

a) Se cargará

a1) Cuando la infraestructura se encuentre en condiciones de explotación, con abono a la cuenta 2090.

a3) Por el importe estimado de los costes de desmantelamiento o retiro de la infraestructura afecta al acuerdo de concesión, así como la rehabilitación del lugar sobre el que se asienta, con abono a la cuenta 1481.

a5) Si la empresa concesionaria adquiere la infraestructura a terceros, o recibe el derecho de acceso a la infraestructura, con abono, a la cuenta 207 en el momento en que la infraestructura esté en condiciones de explotación.

Gráficamente. Provisión rehabilitación:

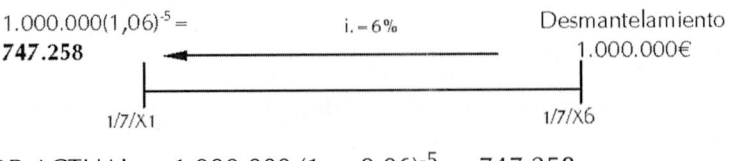

$$\text{VALOR ACTUAL} = 1.000.000 \, (1 + 0,06)^{-5} = 747.258$$

• Operaciones a 31/12/X1

– Por la amortización de la infraestructura:

─────────────────── 31/12/X1 ───────────────────

3.076.000   Amortización del inmo-
             vilizado intangible (680)

                         a   Amortización acumulada
                                 del inmovilizado intangi-
                                 ble (280)   3.076.000

Cuota anual: $(30.760.000/5) = 6.152.000$;

Amortizaremos medio año $(6.152.000/2) = 3.076.000$

En la presente Consulta, se establece que en los supuestos en que se produce un retraso significativo entre la finalización de la construcción física de la infraestructura y el inicio de su utilización, imputable a los retrasos en la obtención de los permisos necesarios para el comienzo de la actividad, la empresa concesionaria no podrá diferir el inicio de la amortización.

Es decir amortizaremos desde mediados del año X1, fecha en que la infraestructura está en condiciones de funcionamiento y no desde el inicio de su explotación.

– Por la actualización de la provisión:

─────────────────── 31/12/X1 ───────────────────

22.091   Gastos financieros por
         actualización de provisio-
         nes (660)[*]

                         a   Provisión por desmante-
                                 lamiento, retiro o rehabi-
                               litación de la infraestruc-
                               tura afecta a un acuerdo
                               de concesión (1481)[**]   22.091

[*] Registraremos el gasto devengado de medio año (1/7/X1 - 31/12/X1):
$747.258 (1 + 0,06)^{1/2} - 747,258 = 22.091$

[**] La cuenta 1481 se abonará:

a2) Por el importe de los ajustes que surjan por la actualización de valores, con cargo a la cuenta 660.

- **Operaciones a 31/12/X2**
  - Por la amortización de la infraestructura:

31/12/X2

6.152.000	Amortización del inmovilizado intangible(680)			
		a	Amortización acumulada del inmovilizado intangible(280)	6.152.000

Cuota anual: $(30.760.000/5) = 6.152.000$

- Por la actualización de la provisión:

31/12/X2

46.161	Gastos financieros por actualización de provisiones (660) (*)			
		a	Provisión por desmantelamiento, retiro o rehabilitación de la infraestructura afecta a un acuerdo de concesión (1481)	46.161

Registraremos el gasto financiero devengado del año X2:

Gastos financiero devengado hasta 31/12/X2: $747.258 (1 + 0,06)^{1,5} - 747,258 =$	68.252
(Gasto financiero del X1) =..	(22.091)
Imputación en el X2 =..	46.161

- **Operaciones a 1/1/X3**

En enero del X3, la empresa tiene en cuentas la siguiente información relativa a la provisión por rehabilitación:

(1481) Provisión por desmantelamiento, retiro o rehabilitación de la infraestructura afecta a un acuerdo de concesión:

Valor contable: 747.258 $(1 + 0,06)^{1,5}$ =............................ 815.510

Sin embargo, y según las nuevas condiciones los gastos ascenderán a 1200.000€ que desembolsará al cabo de tres años y medio. Por lo que modificaremos la estimación que previamente habíamos establecido. De tal manera:

Valor actual gastos rehabilitación a 1/1/X3: 1.200.000 × $(1,06)^{-3,5}$	978.612
Diferencia: 978.612 – 815.510	163.102

Al cambiar posteriormente el importe de la obligación, produciéndose un incremento de la provisión, lo haremos con cargo a cuenta 2080. [Según los contenidos del Adaptación del Plan General de Contabilidad a las empresas concesionarias de infraestructuras públicas]

Con lo cual, anotaremos:

1/1/X3

163.102	Activo intangible, acuerdo de concesión (2080)		
		a	Provisión por desmantelamiento, retiro o rehabilitación de la infraestructura afecta a un acuerdo de concesión (1481)
			163.102

• **Operaciones a 31/12/X3**

– Por la amortización:

Al haberse modificado el valor contable del activo, calcularemos nuevas cuotas de amortización a partir del ejercicio X3. Todo ello como consecuencia de la aplicación de la Norma 22.ª de Valoración, la cual nos dice que en caso de cambios en estimaciones contables (nuestro caso): «(...) *se aplicará de forma prospectiva y su efecto se imputará, según la naturaleza de la operación de que se trate, como ingreso o gasto en la cuenta de pérdidas y ganancias del ejercicio o, cuando proceda, directamente al patrimonio neto. El eventual efecto sobre ejercicios futuros se irá imputando en el transcurso de los mismos*».

Así, sabemos que el nuevo valor contable del activo se cuantifica:

Precio de adquisición: (30.760.000 + 163.102)........   30.923.102

Amortización acumulada.......................   9.228.000

[3,076 Mill (X1) + 6,152 Mill (X2)]

Nuevo valor contable.........................   21.695.102

Los años de vida útil restante, son 3,5 años.

Por tanto, las nuevas cuotas de amortización:

$$\text{Nueva cuota amortización} = \frac{21695.102€}{3,5 \text{ años}} = 6.198.600$$

Anotándose:

6.198.600	Amortización del inmovilizado intangible (680)	31/12/X3	
		a	Amortización acumulada del inmovilizado intangible (280) 6.198.600

– Por la actualización de la provisión.

Registraremos el gasto financiero devengado del año X3:

$$978.612 \ (1 + 0,06) - 978.612 = 58.717 \text{ gasto financiero devengado ejercicio X3}$$

58.717	Gastos financieros por actualización de provisiones (660) (*)	31/12/X3	
		a	Provisión por desmantelamiento, retiro o rehabilitación de la infraestructura afecta a un acuerdo de concesión (1481) 58.717

10.5.0.4. Infraestructuras construidas por concesionarias: registro contable entidad concedente

BOICAC 94, junio 2013. Consulta 7.

Sobre el tratamiento contable que la entidad concedente de una concesión administrativa tiene que dar a las infraestructuras construidas por la empresa concesionaria, cuando la entidad concedente es una empresa pública que aplica el Plan General de Contabilidad (PGC) aprobado por el Real Decreto 1514/2007, de 16 de noviembre.

Respuesta

El caso se refiere a una empresa pública (en adelante, entidad concedente) que ha adjudicado varios contratos de obras para la realización de un determinado proyecto que consiste en la construcción de una infraestructura y el otorgamiento de la concesión administrativa para su explotación.

Es preciso tener en cuenta que la Orden EHA/3362/2010, de 23 de diciembre, por la que se aprueba las normas de adaptación del Plan General de Contabilidad a las empresas concesionarias de infraestructuras públicas (en adelante, la Orden) es aplicable a las empresas concesionarias que formalicen acuerdos de concesión con una entidad concedente, sin que se incluya el criterio contable aplicable por esta última.

La consulta versa sobre el tratamiento contable de la operación desde la perspectiva de la entidad concedente.

La Orden en el Anexo de Normas de registro, valoración e información a incluir en la memoria sobre los acuerdos de concesión de infraestructuras públicas, en la Norma Primera define los acuerdos de concesión como sigue:

> *«Se entiende por acuerdo de concesión aquel en cuya virtud la entidad concedente encomienda a una empresa concesionaria la construcción, incluida la mejora, y explotación, o solamente la explotación de infraestructuras que están destinadas a la prestación de servicios públicos de naturaleza económica durante el período de tiempo previsto en el acuerdo, obteniendo a cambio el derecho a percibir una retribución.*
>
> *Todo acuerdo de concesión deberá cumplir los siguientes requisitos:*
>
> *a) La entidad concedente controla o regula qué servicios públicos debe prestar la empresa concesionaria con la infraestructura, a quién debe prestarlos y a qué precio; y*
>
> *b) La entidad concedente controla a través del derecho de propiedad, del de usufructo o de otra manera cualquier participación residual significativa en la infraestructura al final del plazo del acuerdo.*

> No obstante los acuerdos sobre infraestructuras utilizadas a lo largo de toda su vida económica también quedan dentro de la definición de acuerdo de concesión siempre que se cumpla el requisito incluido en la letra a)».

En esta misma norma Primera se definen las Infraestructuras en los siguientes términos:

> «Obras e instalaciones construidas por la empresa concesionaria, adquiridas a terceros o cedidas por la entidad concedente para prestar el servicio público objeto del acuerdo.
>
> Las obras e instalaciones, cuyo uso ceda la entidad concedente a la empresa concesionaria, con o sin contraprestación, y que no se destinen a la prestación del servicio público objeto del acuerdo, quedan fuera del alcance de esta norma, salvo que se destinen a la prestación de servicios accesorios o complementarios recogidos en el acuerdo de concesión, en cuyo caso, y exclusivamente para estos activos, se excepciona el cumplimiento del requisito enumerado en la letra a) de la definición de acuerdo de concesión».

Por otro lado, el punto 7 de la introducción del anexo de la Orden dice:

> «El hecho de que la entidad concedente controle el uso físico que se debe dar a la infraestructura, en la medida en que es ella quien decide a qué servicio público debe quedar afecta, a quién se debe prestar el servicio y a qué precio, conlleva que la empresa concesionaria no registre la infraestructura como un inmovilizado material sino como un inmovilizado intangible dado que lo que ésta realmente controla, es el derecho a explotar un servicio y a cobrar por ello (una licencia). Este aspecto resulta esencial, en la medida en que el tratamiento contable posterior del citado activo (en particular, su amortización) deberá ser coherente con la citada calificación contable, prescindiendo del activo subyacente objeto del acuerdo, esto es, las obras e instalaciones construidas o adquiridas».

El PGC en el apartado 4.º de elementos de las cuentas anuales del Marco Conceptual de la Contabilidad (MCC), define el concepto de activo como los: «bienes, derechos y otros recursos controlados económicamente por la empresa, resultantes de sucesos pasados, de los que se espera que la empresa obtenga beneficios o rendimientos económicos en el futuro».

A su vez el apartado 5.º de Criterios de registro o reconocimiento contable de los elementos de las cuentas anuales del MCC indica que:

> «El registro de los elementos procederá cuando, cumpliéndose la definición de los mismos incluida en el apartado anterior, se cumplan los criterios de probabilidad en la obtención o cesión de recursos que incorporen beneficios o rendimientos económicos y su valor pueda determinarse con un adecuado grado de fiabilidad. Cuando el valor debe estimarse, el uso de estimaciones razonables no menoscaba su fiabilidad».

Para añadir a continuación y en particular para los activos que: «*deben reconocerse en el balance cuando sea probable la obtención a partir de los mismos beneficios o rendimientos económicos para la empresa en el futuro, y siempre que se puedan valorar con fiabilidad. El reconocimiento contable de un activo implica también el reconocimiento simultáneo de un pasivo, la disminución de otro activo o el reconocimiento de un ingreso u otros incrementos en el patrimonio neto*».

Pues bien, en el supuesto planteado en la consulta existe un acuerdo de concesión entre la entidad concedente y la empresa concesionaria incluido en la definición de la Orden, así como una infraestructura construida por la empresa concesionaria para prestar el servicio público.

Aunque la Orden regula el tratamiento contable de la empresa concesionaria y no el de la entidad concedente, se puede realizar una aplicación analógica de lo recogido en la Orden a la entidad concedente. Por tanto, si se considera que la entidad concedente es la que controla o regula los servicios públicos que debe prestar la empresa concesionaria con la infraestructura a quién debe prestarlos y a qué precio y controla cualquier participación residual significativa en la infraestructura al final del plazo del acuerdo y que lo que la empresa concesionaria controla es el derecho a explotar un servicio y a cobrar por ello, será la entidad concedente la que registre, como inmovilizado material, las infraestructuras construidas por la empresa concesionaria al cumplir la definición del activo del PGC y al darse los requisitos de reconocimiento, siempre que sean necesarios para la prestación del servicio público y así se desprenda del contenido del acuerdo.

Por lo que afecta a la contraprestación recibida por la empresa concesionaria, de acuerdo con lo regulado en la Orden, tiene diversa naturaleza contable, en función de los términos del acuerdo de concesión, articulándose dos modelos de registro y valoración distintos: el modelo del activo financiero y el modelo del inmovilizado intangible, regulándose también la posibilidad de que exista un modelo mixto.

a) Modelo de activo financiero

La contraprestación recibida por la empresa concesionaria, de acuerdo con la Orden, dará lugar al reconocimiento de un activo financiero, cuando ésta tenga un derecho incondicional a recibir efectivo u otro activo financiero, o bien porque la entidad concedente garantiza la recuperación del déficit, enre los importes recibidos de los usuarios del servicio público y los citados importes y la entidad concedente no tiene capacidad de evitar el pago de dicha retribución.

El reconocimiento de los ingresos por la prestación de servicios de construcción o mejora que preste la empresa concesionaria seguirá los criterios incluidos en la norma de registro y valoración (NRV) 14.ª Ingresos por ventas y prestación de servicios del PGC y se reconocerán por el valor razonable del servicio prestado.

En este modelo del activo financiero, realizando una aplicación analógica de lo regulado en la Orden a la entidad concedente, ésta registrará la infraestructura construida por la empresa concesionaria por el valor razonable del activo, reconociendo simultáneamente un pasivo financiero por dicho impote, aplicando la NRV 9.ªen materia de instrumentos financieros del PGC.

b) Modelo del inmovilizado intangible

Si la contraprestación recibida por la empresa concesionaria consiste en el derecho a cobrar las correspondientes tarifas en función del grado de utilización del servicio público, de acuerdo con lo regulado en la Orden, la empresa concesionaria reconocerá un inmovilizado intangible.

El reconocimiento de los ingresos por la prestación de servicios de construcción o mejora seguirá los criterios incluidos en la NRV 14.ª Ingresos por ventas y prestación de servicios del PGC y se reconocerán por el valor razonable del servicio prestado.

En este modelo del activo intangible, realizando una aplicación analógica de lo regulado en la Orden a la entidad concedente, ésta registrará la infraestructura construida por la empresa concesionaria por el valor razonable del activo en el momento en que se cumplan los criterios para el registro o reconocimiento contable del activo y, simultáneamente registrará un ingresos diferido pudiendo emplear para ello la cuenta «181. Anticipos recibidos por ventas o prestaciones de servicios a largo plazo». Este importe se dará de baja a medida que la empresa concesionaria reconozca el correspondiente ingreso durante el período establecido en el acuerdo de concesión, en función del principio de devengo, de acuerdo con los criterios incluidos en la NRV 14.ª Ingresos por ventas y prestaciones de servicios del PGC.

c) Modelo mixto

Si la contraprestación recibida por la empresa concesionaria consiste parte en un activo financiero y parte en inmovilizado intangible, la entidad concedente registrará la operación en términos de proporción de acuerdo con lo previsto en las letras a) y b) anteriores.

Comentario

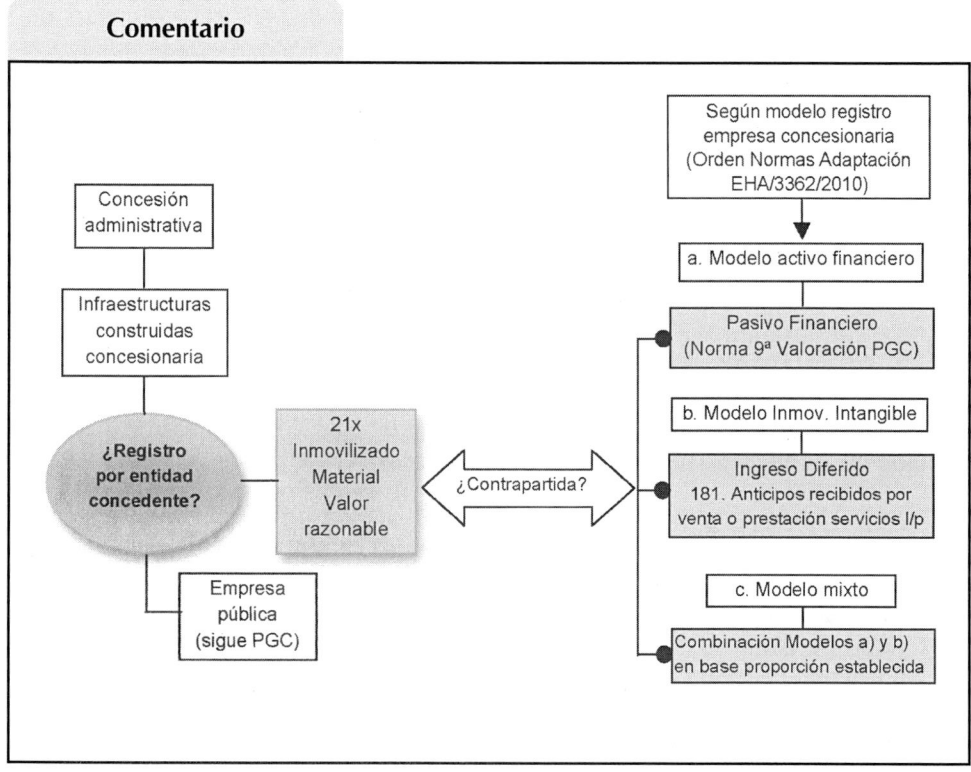

Ejemplo

La sociedad TRANVÍAS DE VIGO, aplica las normas de adaptación del Plan General de contabilidad a las empresas concesionarias de infraestructuras públicas.

En enero del X1, obtuvo la concesión del servicio público de la línea ferroviaria VIGO-RIBADAVIA, por un período de 30 años. La explotación de la citada infraestructura, será realizada prestando un servicio público de naturaleza económica sometido a la regulación que impone la administración pública.

El ente concedente, fue la entidad pública empresarial RENFE OPERADORA: la cual y para el registro de sus operaciones, aplica el PGC 07.

De las condiciones del contrato de concesión, se destacan los siguientes aspectos:

«La entidad concedente controla o regula qué servicios públicos debe prestar la empresa concesionaria con la infraestructura, a quién debe prestarlos y a qué precio; y

1413

> *La entidad concedente controla a través del derecho de propiedad, del de usufructo o de otra manera, cualquier participación residual significativa en la infraestructura al final del plazo del acuerdo.*

> *La entidad concesionaria obtiene el derecho a explotar el servicio y cobrar por ello».*

Durante el ejercicio X1, la sociedad concesionaria ha llevado a cabo las obras necesarias para la construcción de las infraestructuras necesarias para llevar a cabo la prestación del servicio (tales como vías, puentes, túneles, andenes, etc.). Dicha infraestructura, queda finalizada a principios del ejercicio X12, y comienza a funcionar con los mini-ave adquiridos para tal evento.

SE PIDE:

Registro por parte de la entidad concedente RENFE OPERADORA de la adquisición de la infraestructura en los siguientes casos:

1.- La empresa concesionaria, tiene un derecho incondicional a recibir efectivo u otro activo financiero, o bien porque la entidad concedente garantiza la recuperación del déficit, entre los importes recibidos de los usuarios del servicio público y los citados importes y la entidad concedente no tiene capacidad de evitar el pago de dicha retribución. El valor razonable del activo financiero surgido como consecuencia de la infraestructura entregada al ente concedente, se estima en 1.000.000€.

2.- La contraprestación recibida por la empresa concesionaria, consiste en el derecho a cobrar las correspondientes tarifas en función del grado de utilización del servicio público. En este caso, el valor razonable del activo surgido es de 800.000€.

SOLUCIÓN:

Caso 1: MODELO ACTIVO FINANCIERO

Si la entidad concedente es la que controla o regula los servicios públicos que debe prestar la empresa concesionaria con la infraestructura, a quién debe prestarlos y a qué precio y controla cualquier participación residual significativa en la infraestructura al final del plazo del acuerdo y que lo que la empresa concesionaria controla, es el derecho a explotar un servicio y a cobrar por ello, será la entidad concedente la que registre, como inmovilizado material, las infraestructuras construidas por la empresa concesionaria, al cumplir la definición del activo del PGC y al darse los requisitos de reconocimiento, siempre que sean necesarios para la prestación del servicio público y así se desprenda del contenido del acuerdo.

En consecuencia, registrará:

		X		
1.000.000	Otro inmovilizado material (219)			
		a	Deudas por infraestructuras recibidas (1716)[*]	1.000.000

[*] La entidad concedente, registrará la infraestructura construida por la empresa concesionaria por el valor razonable del activo: reconociendo simultáneamente un pasivo financiero por dicho importe, aplicando la Norma 9.ª en materia de instrumentos financieros del PGC. [Consulta 7, BOICAC 94]

Caso 2: MODELO INMOVILIZADO INTANGIBLE

		X		
800.000	Otro inmovilizado material (219)			
		a	Anticipos recibidos por ventas o prestación de servicios a l/p (181)[*]	800.000

[*] La entidad concedente, registrará la infraestructura construida por la empresa concesionaria por el valor razonable del activo en el momento en el que se cumplan los criterios para el registro o reconocimiento contable del activo y, simultáneamente registrará un ingreso diferido pudiendo emplear para ello la cuenta 181. Anticipos recibidos por ventas o prestaciones de servicios a largo plazo.

Este importe se dará de baja a medida que la empresa concesionaria reconozca el correspondiente ingreso durante el período establecido en el acuerdo de concesión, en función del principio de devengo, de acuerdo con los criterios incluidos en la Norma 14.ª de «Ingresos por ventas y prestaciones de servicios del PGC».

Índice Boicac

Consulta/Boicac	Epígrafe	Título	Pág.
2/Boicac 88	8.4.0.1	Coste reestructuración personal, en la adquisición de un negocio	1076
3/Boicac 88	1.1.3.2	Personal empresa: información en Memoria Individual	57
4/Boicac 88	10.5.0.1	Definición Infraestructura.	1385
5/Boicac 88	10.5.0.2	Primera aplicación PGC empresa concesionaria infraestructura pública: provisión renovación concesión	1398
6/Boicac 88	10.5.0.3	Fecha inicio amortización intangible por concesión infraestructura pública	1401
7/Boicac 88	1.1.3.3	Aplazamiento proveedores: información comparativa Memoria 2011.	61
1/Boicac 89	8.4.0.2	Escisión parcial. Creación nuevas empresas. Normativa aplicable en la valoración	1089
2/Boicac 89	2.1.2.1	Derechos de autor: e-book.	
3/Boicac 89	8.1.0.1	Derecho separación socio: implicaciones contables.	1017
4/Boicac 89	8.2.0.2	Ampliación capital por compensación de créditos: prestamista y prestatario.	1042
5/Boicac 89	6.1.3.1	Tributación régimen consolidación fiscal: implicaciones contables	866
1/Boicac 90	3.4.1.1	Impago crédito con garantía hipotecaria: punto vista acreedor.	577
2/Boicac 90	2.2.1.2	Vertedero de residuos: valoración activos afectos.	199
3/Boicac 90	9.3.0.1	Resultado pendiente de realizar, en una dependiente vendida a terceros	1224
4/Boicac 90	9.2.1.1	Empresas del grupo: valoración A.N.D., cuando sociedad aportante y adquirida radican en el extranjero	1179
5/Boicac 90	2.2.4.1	Convenio de colaboración empresarial con fundación: registro ayuda económica aportada.	285
6/Boicac 90	9.2.2.2	Adquisición del control de una sociedad por etapas: valoración y consolidación.	1209
7/Boicac 90	2.1.4.1	Pagos administración por cesión uso red alcantarillado	
1/Boicac 91	2.2.3.1	Renuncia derechos explotación, a cambio de un contrato de suministros	256